le Guide du routard

Directeur de c

Philippe G

Cofo

Philippe GLOAGUE

Rédacteur en chef

Pierre JOSSE

Rédacteur en chef adjoint

Benoît LUCCHINI

Directrice de la coordination

Florence CHARMETANT

Directeur de routard.com

Yves COUPRIE

Rédaction

Olivier PAGE, Véronique de CHARDON, Amanda KERAVEL, Isabelle AL SUBAIHI, Anne-Caroline DUMAS, Carole BORDES, Bénédicte BAZAILLE, André PONCELET, Marie BURIN des ROZIERS, Thierry BROUARD, Géraldine LEMAUF-BEAUVOIS, Anne POINSOT, Mathilde de BOISGROLLIER, Gavin's CLEMENTE-RUÏZ, Fabrice de LESTANG et Alain PALLIER

THAÏLANDE

2004

BIBLIOTHÈQUE CHAMBLY MUNICIPALE
ANNULÉ

Hachette

Avis aux hôteliers et aux restaurateurs

Les enquêteurs du *Guide du routard* travaillent dans le plus strict anonymat, afin de préserver leur indépendance et l'objectivité des guides. Aucune réduction, aucun avantage quelconque, aucune rétribution ne sont jamais demandés en contrepartie. Face aux aigrefins, la loi autorise les hôteliers et restaurateurs à porter plainte.

Hors-d'œuvre

Le *GDR,* ce n'est pas comme le bon vin, il vieillit mal. On ne veut pas pousser à la consommation, mais évitez de partir avec une édition ancienne. D'une année sur l'autre, les modifications atteignent et dépassent souvent les 40 %.

Spécial copinage

Le Bistrot d'André : 232, rue Saint-Charles, 75015 Paris. ☎ 01-45-57-89-14. M. : Balard. À l'angle de la rue Leblanc. Fermé le dimanche. Menu à 11 € servi le midi en semaine uniquement. Menu-enfants à 7 €. À la carte, compter autour de 22 €. L'un des seuls bistrots de l'époque Citroën encore debout, dans ce quartier en pleine évolution. Ici, les recettes d'autrefois sont remises à l'honneur. Une cuisine familiale, telle qu'on l'aime. Des prix d'avant-guerre pour un magret de canard poêlé sauce au miel, rognon de veau aux champignons, poisson du jour... Kir offert à tous les amis du *Guide du routard.*

Pour que votre pub voyage autant que nos lecteurs,
contactez nos régies publicitaires :
fbrunel@hachette-livre.fr
veronique@routard.com

2-65810

ON EN EST FIER : www.routard.com

Tout pour préparer votre voyage en ligne, de A comme argent à Z comme Zanzibar : des fiches pratiques sur 125 destinations (y compris les régions françaises), nos tuyaux perso pour voyager, des cartes et des photos sur chaque pays, des infos météo et santé, la possibilité de réserver en ligne son visa, son vol sec, son séjour, son hébergement ou sa voiture. En prime, *routard mag,* véritable magazine en ligne, propose interviews de voyageurs, reportages, carnets de routes, événements culturels, dossiers pratiques, produits nomades, fêtes et infos du monde. Et bien sûr : des concours, des *chats,* des petites annonces, une boutique de produits voyages...

Mille excuses, on ne peut plus répondre individuellement aux centaines de CV reçus chaque année.

Le contenu des annonces publicitaires insérées dans ce guide n'engage en rien la responsabilité de l'éditeur.

© **HACHETTE LIVRE (Hachette Tourisme), 2004**
Tous droits de traduction, de reproduction
et d'adaptation réservés pour tous pays.

© **Cartographie** Hachette Tourisme.

TABLE DES MATIÈRES

COMMENT Y ALLER ?

GÉNÉRALITÉS

BANGKOK ET SES ENVIRONS

AU SUD-EST DE BANGKOK

À L'OUEST DE BANGKOK

AU NORD DE BANGKOK

LA PLAINE CENTRALE

CHIANG MAI ET SA RÉGION

À L'OUEST DE CHIANG MAI : LA PROVINCE DE MAE HONG SON

CHIANG RAI ET LE TRIANGLE D'OR

LA RÉGION DU TRIANGLE D'OR

LE NORD-EST

LES PARCS DE LA PROVINCE DE LOEI

DE CHIANG KHAN À NONG KHAI, LE LONG DES RIVES DU FLEUVE MÉKONG

DE KHON KAEN À PHIMAI

LA ROUTE DES CITADELLES KHMÈRES, DE NAKHON RATCHASIMA À SURIN

DE SURIN À KHONG CHIAM

LE SUD : ITINÉRAIRE BANGKOK — HAT YAI

DE HUA HIN À SURAT THANI

À L'EST : ENTRE KOH SAMUI ET KOH TAO

À L'OUEST : DE PHUKET À HAT YAI

ET PLUS AU SUD...

LES GUIDES DU ROUTARD 2004-2005

(dates de parution sur **www.routard.com**)

France

- Alpes
- Alsace, Vosges
- Aquitaine
- Ardèche, Drôme
- Auvergne, Limousin
- Bourgogne
- Bretagne Nord
- Bretagne Sud
- Châteaux de la Loire
- Corse
- Côte d'Azur
- Franche-Comté
- Hôtels et restos de France
- **Île-de-France (nouveauté)**
- Junior à Paris et ses environs
- Junior en France
- Languedoc-Roussillon
- Lyon
- Marseille
- Midi-Pyrénées
- **Montpellier (mars 2004)**
- **Nice (avril 2004)**
- Nord, Pas-de-Calais
- Normandie
- Paris
- Paris balades
- Paris exotique
- Paris la nuit
- **Paris sportif (nouveauté)**
- Paris à vélo
- Pays basque (France, Espagne)
- Pays de la Loire
- **Petits restos des grands chefs (mars 2004)**
- Poitou-Charentes
- Provence
- Restos et bistrots de Paris
- Le Routard des amoureux à Paris
- Tables et chambres à la campagne
- Toulouse
- Week-ends autour de Paris

Amériques

- Argentine
- Brésil
- Californie
- Canada Ouest et Ontario
- Chili et île de Pâques
- Cuba
- Équateur
- États-Unis, côte Est
- Floride, Louisiane
- Guadeloupe, Saint-Martin, Saint-Barth
- Martinique, Dominique, Sainte-Lucie
- Mexique, Belize, Guatemala
- New York
- Parcs nationaux de l'Ouest américain et Las Vegas
- Pérou, Bolivie
- Québec et Provinces maritimes
- Rép. dominicaine (Saint-Domingue)

Asie

- Birmanie
- Cambodge, Laos
- Chine (Sud, Pékin, Yunnan)
- Inde du Nord
- Inde du Sud
- Indonésie
- Israël
- Istanbul
- Jordanie, Syrie
- Malaisie, Singapour
- Népal, Tibet
- Sri Lanka (Ceylan)
- Thaïlande
- Turquie
- Vietnam

Europe

- Allemagne
- Amsterdam
- Andalousie
- Andorre, Catalogne
- Angleterre, pays de Galles
- Athènes et les îles grecques
- Autriche
- Baléares
- Barcelone
- Belgique
- Crète
- Croatie
- Écosse
- Espagne du Centre (Madrid)
- Espagne du Nord-Ouest (Galice, Asturies, Cantabrie)
- Finlande, Islande
- Grèce continentale
- Hongrie, Roumanie, Bulgarie
- Irlande
- Italie du Nord
- Italie du Sud
- Londres
- **Malte (avril 2004)**
- Moscou, Saint-Pétersbourg
- Norvège, Suède, Danemark
- **Piémont (fév. 2004)**
- Pologne, République tchèque, Slovaquie
- Portugal
- Prague
- Rome
- Sicile
- Suisse
- Toscane, Ombrie
- Venise

Afrique

- Afrique noire
- Égypte
- Île Maurice, Rodrigues
- Kenya, Tanzanie et Zanzibar
- Madagascar
- Maroc
- Marrakech et ses environs
- Réunion
- Sénégal, Gambie
- Tunisie

et bien sûr...

- Chiner autour de Paris
- Le Guide de l'expatrié
- Humanitaire
- Internet et multimédia

VOTRE ASSISTANCE « MONDE ENTIER » LA PLUS ETENDUE

RAPATRIEMENT MEDICAL (au besoin par avion sanitaire)		**ILLIMITÉ**
VOS DEPENSES : MEDECINE, CHIRURGIE, HOPITAL, GARANTIES A 100% SANS FRANCHISE HOSPITALISE ! RIEN A PAYER... (ou entièrement remboursé)	(env. 1.960.000 FF)	**300.000 €**
BILLET GRATUIT DE RETOUR DANS VOTRE PAYS : En cas de décès (ou état de santé alarmant) d'un proche parent, père, mère, conjoint, enfant(s)		**BILLET GRATUIT (de retour)**
*BILLET DE VISITE POUR UNE PERSONNE DE VOTRE CHOIX si vous être hospitalisé plus de 5 jours		**BILLET GRATUIT (aller - retour)**
Rapatriement du corps – Frais réels		**Sans limitation**

avec CERTAINS SOUSCRIPTEURS DES LLOYDS DE LONDRES

RESPONSABILITE CIVILE «VIE PRIVEE» A L'ETRANGER

Dommages CORPORELS (garantie à 100%)	(env. 29.500.000 FF)	**4.500.000 €**
Dommages MATERIELS (garantie à 100%)	(env. 2.900.000 FF)	**450.000 €**
(dommages causés aux tiers)		(AUCUNE FRANCHISE)

EXCLUSION RESPONSABILITE CIVILE AUTO : ne sont pas assurés les dommages causés ou subis par votre véhicule à moteur : ils doivent être couverts par un contrat spécial : ASSURANCE AUTO OU MOTO.

ASSISTANCE JURIDIQUE (Accident)	(env. 1.960.000 FF)	**300.000 €**
CAUTION PENALE	(env. 49.000 FF)	**7500 €**
AVANCE DE FONDS en cas de perte ou de vol d'argent	(env. 4.900 FF)	**750 €**

VOTRE ASSURANCE PERSONNELLE «ACCIDENTS» A L'ETRANGER

Infirmité totale et définitive	(env. 490.000 FF)	**75.000 €**
Infirmité partielle – (SANS FRANCHISE)	**de 150 € à**	**74.000 €**
	(env. 900 FF à	485.000 FF)
Préjudice moral : dommage esthétique	(env. 98.000 FF)	**15.000 €**
Capital DECES	(env. 19.000 FF)	**3.000 €**

VOS BAGAGES ET BIENS PERSONNELS A L'ETRANGER

Vêtements, objets personnels pendant toute la durée de votre voyage à l'étranger : vols, perte, accidents, incendie,

	(env. 6.500 FF)	**1.000 €**
Dont APPAREILS PHOTO et objets de valeurs	(env. 1.900 FF)	**300 €**

BULLETIN D'INSCRIPTION

NOM : M. Mme Melle

PRENOM :

DATE DE NAISSANCE :

ADRESSE PERSONNELLE :

CODE POSTAL : TEL.

VILLE :

DESTINATION PRINCIPALE ....

Calculer exactement votre tarif en SEMAINES selon la durée de votre voyage :

7 JOURS DU CALENDRIER = 1 SEMAINE

Pour un Long Voyage (2 mois...), demandez le ***PLAN MARCO POLO***

COTISATION FORFAITAIRE 2003-2004

VOYAGE DU AU = SEMAINES

Prix spécial « *JEUNES* » : **20 € x** = €

De 41 à 60 ans (et – de 3 ans) : **30 € x** = €

De 61 à 65 ans : **40 € x** = €

Tarif "**SPECIAL FAMILLES**" 4 personnes et plus : **Nous consulter au 01 44 63 51 00**

Chéque à l'ordre de ROUTARD ASSISTANCE – ***A.V.I. International***
28, rue de Mogador – 75009 PARIS – FRANCE - Tél. 01 44 63 51 00
Métro : Trinité – Chaussée d'Antin / RER : Auber – Fax : 01 42 80 41 57

ou Carte bancaire : Visa ☐ Mastercard ☐ Amex ☐

N° de carte :

Date d'expiration : Signature

Je déclare être en bonne santé, et savoir que les maladies ou accidents antérieurs à mon inscription ne sont pas assurés.

Signature :

Information : www.routard.com
Souscription en ligne : www.avi-international.com

Faites des copies de cette page pour assurer vos compagnons de voyage.

Nous tenons à remercier tout particulièrement François Chauvin, Gérard Bouchu, Grégory Dalex, Michelle Georget, Carole Fouque, Patrick de Panthou, Jean-Sébastien Petitdemange et Alexandra Sémon pour leur collaboration régulière.

Et pour cette chouette collection, plein d'amis nous ont aidés :

Caroline Achard
Didier Angelo
Barbara Batard
Astrid Bazaille
Jérôme Beaufils
José-Marie Bel
Loup-Maëlle Besançon
Thierry Bessou
Cécile Bigeon
Fabrice Bloch
Cédric Bodet
Pierre Bonnaure
Philippe Bordet
Nathalie Boyer
Florence Cavé
Raymond Chabaud
Alain Chaplais
Bénédicte Charmetant
Geneviève Clastres
Maud Combier
Nathalie Coppis
Sandrine Couprie
Agnès Debiage
Fiona Debrabander
Tovi et Ahmet Diler
Claire Diot
Émilie Droit
Sophie Duval
Hervé Eveillard
Pierre Fahys
Didier Farsy
Flamine Favret
Pierre Fayet
Alain Fisch
Cédric Fischer
Léticia Franiau
Cécile Gauneau
David Giason
Adrien Gloaguen
Stéphane Gourmelen
Isabelle Grégoire
Xavier Haudiquet
Bernard Houliat
Lionel Husson
Catherine Jarrige
Lucien Jedwab
Emmanuel Juste
Florent Lamontagne
Blandine Lamorisse
Jacques Lanzmann
Vincent Launstorfer
Claire Le Baron
Grégoire Lechat
Francis Lecompte
Benoît Legault
Raymond et Carine Lehideux
Jean-Claude et Florence Lemoine
Valérie Loth
Philippe Melul
Kristell Menez
Josyane Meynard
Thomas Mirante
Anne-Marie Montandon
Xavier de Moulins
Jacques Muller
Yves Negro
Alain Nierga et Cécile Fischer
Michel Ogrinz et Emmanuel Goulin
Martine Partrat
Jean-Valéry Patin
Odile Paugam et Didier Jehanno
Laurence Pinsard
Jean-Alexis Pougatch
Jean Luc Rigolet
Thomas Rivallain
Pascale Roméo
Ludovic Sabot
Jean-Luc et Antigone Schilling
Abel Ségretin
Guillaume Soubrié
Régis Tettamanzi
Claudio Tombari
Christophe Trognon
Isabelle Verfaillie
Isabelle Vivarès
Solange Vivier

Direction : Cécile Boyer-Runge
Contrôle de gestion : Joséphine Veyres
Direction éditoriale : Catherine Marquet
Responsable de collection : Catherine Julhe
Édition : Matthieu Devaux, Stéphane Renard, Magali Vidal, Luc Decoudin, Amélie Renaut, Caroline Brancq, Sophie de Maillard et Éric Marbeau
Secrétariat : Catherine Maîtrepierre
Préparation-lecture : Olivier Le Goff
Cartographie : Cyrille Suss et Daphné Lecœur
Fabrication : Nathalie Lautout et Audrey Detournay
Direction commerciale : Michel Goujon, Dominique Nouvel, Dana Lichiardopol et Lydie Firmin
Informatique éditoriale : Lionel Barth
Relations presse : Danielle Magne, Martine Levens et Maureen Browne
Régie publicitaire : Florence Brunel
Service publicitaire : Frédérique Larvor

NOS NOUVEAUTÉS

MOSCOU, SAINT-PÉTERSBOURG (paru)

Moscou, capitale d'un pays méconnu, saura vous dérouter. D'abord en liquidant tous les préjugés et idées toutes faites, emportés dans les bagages. Ville morne et grise ? Les Moscovites disposent de cinq fois plus d'espaces verts que les Parisiens (mais, dans le même temps, apprêtez-vous à affronter les embouteillages du siècle), il s'y ouvre dix restos et cafés chaque semaine et un stage de préparation physique s'avère presque nécessaire pour affronter la vie nocturne (en plus de la traversée des avenues). Une ville qui bouge donc incroyablement, à des années-lumière de la stagnation brejnevienne et, pour les boulimiques de culture, près de cent musées qui vous laisseront sur les rotules (et encore, on ne compte pas les iconostases sublimes et les bulbes beaux à pleurer !)... Quant à Saint-Pétersbourg, ce fut avant tout une fenêtre sur l'Europe, désir de Pierre le Grand, de créer de toutes pièces, sur des marais, cette folie de palais, musées, garnisons, théâtres et églises... Grandeur d'âme et intrigues mesquines, cette gigantesque ville ouvre, plus que toute autre, le grand livre d'histoire de la Russie. Et surtout celle des tsars, propres metteurs en scène de tous les délires... Entre autres, l'un des plus beaux musées du monde et des canaux pour donner un peu de rondeur et de romantisme à cet univers minéral. Telle s'offre cette « Peter » pour les intimes, où la lumière blanche des nuits d'été permet de toucher l'âme restée profondément russe de la population !

PARIS SPORTIF (paru)

Se baigner dans une piscine classée Monument historique. Courir sur la piste du record du monde du 100 m. Monter à cheval ou jouer au foot au pied de la tour Eiffel. Danser dans un hôtel particulier du XVIIe siècle. Le tout nouveau *Guide du routard Paris sportif* regorge de sites inattendus et de clubs ouverts à tous pour pratiquer les arts martiaux, l'athlétisme, le basket-ball, la danse, l'équitation, l'escalade, l'escrime, le football, le golf, le handball, le jogging, le karting, les sports de glace, les sports en piscine, le roller, le skate, le rugby, la musculation et le fitness, les sports nautiques, le squash, le tennis, le tennis de table, le badminton et le volley-ball.
Enfants, amateurs, pro, et mêmes femmes enceintes seront surpris de découvrir la richesse des activités sportives dans la capitale... Mais faire du sport, c'est aussi trouver la bonne adresse pour s'équiper ou un bon pub pour suivre un Grand Prix ou un match sur grand écran. Bons tuyaux, réductions et conseils avisés pour les routards sportifs ! Dorlotez votre corps et laissez-vous surprendre par le sport à Paris.

Remerciements

Un grand merci à Laurence Pinsard, Bernard Dingé et son super 4×4. Mais aussi à Philippe Rouyre et Gilles Chénier. Sans oublier Alain Sébille et Dam Bounleuth pour leurs traductions. Mille mercis à Martine et son carnet de notes, à Prakit Saiporn, Tun, Allen, Sunthep, à Aurélie et à Cécile Vigneau de l'Ambassade de France à Bangkok pour ses bons conseils.

MALTE (avril 2004)

Quelle est l'origine du célèbre faucon maltais ? Qui ne rêve de marcher sur les traces des chevaliers ou de l'énigmatique Corto ? Le *Guide du routard*, tel Ulysse, a succombé aux charmes de la Calypso et s'est laissé enivrer par ce joyau, posé entre Orient et Occident. Des temples préhistoriques aux fastes de la co-cathédrale, Malte se déguste entre arts et histoire au gré des influences siciliennes, nord-africaines et anglaises *(of course)*, qui ont façonné l'archipel depuis l'aube des temps.
Car si ce mélange de cultures donne à Malte tout son attrait et son originalité, ses petites îles, tour à tour culturelle (Malte), bucolique (Gozo) et sauvage (Comino) lui offrent une diversité et une richesse d'une densité inégalée dans le monde méditerranéen. Rien que ça !

LES QUESTIONS QU'ON SE POSE LE PLUS SOUVENT

➤ ***La Thaïlande est-elle un pays cher ?***

Non, c'est même un des derniers pays où le rapport entre la qualité de ce qu'on vous propose et le prix demandé reste exceptionnel, que ce soit pour l'hébergement, la nourriture ou les excursions.

➤ ***Quelle est la meilleure période pour y aller ?***

De novembre à février, quand les températures sont agréables et pas encore insupportables. De mars à août, le thermomètre grimpe rapidement et il fait très chaud. Évitez la saison des pluies, en septembre et octobre principalement.

➤ ***Quel est le décalage horaire ?***

Compter 5 h d'avance sur Paris en été ; 6 h en hiver. Quand il est midi à Paris, il est 17 h (été) ou 18 h (hiver) à Bangkok.

➤ ***Un visa est-il nécessaire ?***

Non, si vous restez moins de 30 jours sur place. Au-delà, il faudra impérativement vous en procurer un.

➤ ***Y a-t-il des problèmes de sécurité ?***

Pas plus mais pas moins que dans tout pays hautement touristique. Une vigilance naturelle est de rigueur, surtout dans le nord à la frontière birmane.

➤ ***Quels sont les secteurs les plus culturels ?***

Bangkok, la plaine centrale et le Nord. On y trouve les plus beaux temples, les minorités ethniques, et toute la spiritualité du pays. Le Sud attire surtout pour ses plages.

➤ ***Peut-on emmener les enfants en Thaïlande ?***

Oui, sans souci. Il n'y a pas de problème sanitaire particulier, et la Thaïlande dispose de bons hôpitaux.

➤ ***Dans quelle région les plages sont-elles les plus belles ?***

Dans les îles du Sud. Petit palmarès : Koh Samui pour sa douceur de vivre, Koh Pha Ngan pour jouer les Robinson, Koh Tao et Koh Phi Phi pour les amateurs de plongée.

➤ ***Y a-t-il de bons spots de plongée ?***

La Thaïlande compte quelques bons et très beaux spots, comme Koh Phi Phi et Koh Tao.

➤ ***Quel est le meilleur moyen de transport ?***

Le bus offre pas mal de liberté, les liaisons entre les villes sont assez nombreuses et pas chères. La location de voitures est possible (routes bien goudronnées), même sur certaines îles comme Koh Samui. Attention, conduite à gauche et permis de conduire international souvent demandé. Pour les motos, prudence et casque de rigueur, les bécanes ne sont pas toujours en bon état. En voiture ou à moto, toujours bien vérifier l'assurance.

➤ ***Est-il nécessaire de parler l'anglais ?***

Il est préférable de connaître quelques mots d'anglais, mais on se fait facilement comprendre quel que soit le langage utilisé (mimes, dessins... !).

➤ ***Est-il vrai qu'il y a de la prostitution partout ?***

Non, il y a certes beaucoup de prostitution, mais elle est cantonnée à certaines régions et à certaines villes. Il suffit d'éviter ces coins pour ne pas rencontrer ce phénomène.

COMMENT Y ALLER ?

LES COMPAGNIES RÉGULIÈRES

Vols sans escale

▲ AIR FRANCE

– *Paris :* 119, av. des Champs-Élysées, 75008. Renseignements et réservations : ☎ 0820-820 820 (dc 6 h 30 à 22 h). • www.airfrance.fr • Minitel : 36-15, code AF (tarifs, vols en cours, vaccinations, visas). M. : George-V. Et dans toutes les agences de voyages.

– *Bangkok :* Vorawat Building (20e étage), 849 Silom Rd ☎ 02-635-11-91. Fax : 02-635-12-14.

Air France dessert Bangkok une fois par jour (sauf le mardi en basse saison).

Air France propose une gamme de tarifs attractifs accessibles à tous : *Tempo 1* (le plus souple) à *Tempo 4* (le moins cher). *Tempo Jeunes* est proposé aux moins de 25 ans. Pour ceux-ci, la carte de fidélité « Fréquence Jeune » est nominative, gratuite et valable sur l'ensemble du réseau Air France. Cette carte permet d'accumuler des *miles* et de bénéficier ainsi de billets gratuits.

Tous les mercredis dès 0 h, sur Minitel 36-15, code AF (0,20 €/mn) ou sur • www.airfrance.fr •, Air France propose les tarifs « Coup de cœur », une sélection de destinations domestiques et européennes à des tarifs très bas pour les 12 jours à venir.

Sur Internet également, tous les 15 jours, le jeudi de 12 h à 22 h, 100 billets sont mis aux enchères. Un second billet sur le même vol au même tarif est proposé au gagnant.

▲ THAI AIRWAYS INTERNATIONAL

– *Paris :* 23, av. des Champs-Élysées, 75008. ☎ 01-44-20-70-80. Fax : 01-45-63-75-69. • www.thaiairways.fr • Minitel : 36-15, code THAIAIRWAYS. M. : Franklin-D.-Roosevelt.

– *Nice :* 8, av. Félix-Faure, 06000. ☎ 04-93-13-80-80. Fax : 04-93-13-43-43.

La compagnie assure 10 vols par semaine sur Bangkok sans escale au départ de Roissy 1 en Boeing 747-400. Ce vol s'effectue en 11 h 25. Depuis Bangkok, Thai dessert 23 villes en Thaïlande. Un pass « Amazing Thailand » de 3 coupons est disponible pour 179 US$ (59 US$ le coupon supplémentaire, avec un maximum de 8 coupons). Réservations et achats possibles avant le départ.

Vols avec escale

▲ GULF AIR

– *Paris :* 23, rue Vernet, 75008. Renseignements et réservations au ☎ 01-49-52-41-41. Fax : 01-49-52-03-15. • www.gulfair.fr • bkk@gulfair.fr • M. : George-V ou Charles-de-Gaulle-Étoile. Un vol quotidien au départ de Paris, aéroport de Roissy-Charles-de-Gaulle pour Bangkok.

– *Bangkok :* 3, Maneeya Centre Bldg Ploenchit Road, 10500. ☎ 254-79-31. Fax : 252-52-56.

▲ **MALAYSIA AIRLINES**

– *Paris :* 12, bd des Capucines, 75009. ☎ 01-44-51-64-20. M. : Opéra. Quatre vols par semaine (en Boeing 747-400) pour Bangkok, les mardi, vendredi, samedi et dimanche *via* Kuala Lumpur. Retour les lundi, jeudi, vendredi et samedi.

▲ **LUFTHANSA**

BP 72, 92105 Boulogne-Billancourt Cedex.

– Agence Star Alliance : 106, bd Haussmann, 75008 Paris.

Informations et réservations au ☎ 0820-020-030 (n° Indigo). • www.lufthansa.fr •

Parmi les 320 destinations dans 88 pays qui composent le réseau mondial Lufthansa, 38 sont situées en Asie. Lufthansa dessert Bangkok 11 fois par semaine au départ de Paris, Lyon, Nice, Marseille, Toulouse, Bordeaux, Strasbourg et Mulhouse (*via* Francfort ou Munich). Depuis Bangkok, correspondances vers Chiang Mai, Chiang Rai, Hat Yai, Phuket et Surat Thani en collaboration avec Thai Airways.

▲ **CATHAY PACIFIC**

– *Neuilly-sur-Seine :* 8, rue de l'Hôtel-de-Ville, 92200. ☎ 01-41-43-75-75. • www.cathaypacific.com • Un vol quotidien *via* Hong Kong.

▲ **SINGAPORE AIRLINES**

– *Paris :* 106, bd Haussmann, 75008 (uniquement pour les réservations). ☎ 01-53-65-79-01 (renseignements). Au départ de Roissy-Charles-de-Gaulle T1, 1 vol quotidien *via* Singapour.

▲ **KLM**

☎ 0810-556-556 (prix appel local). Fax : 01-44-56-18-98. • www.klm.fr • Minitel : 36-15, code KLM (0,34 €/mn). Ouvert de 7 h à 22 h du lundi au vendredi. La Thaïlande est reliée quotidiennement *via* Amsterdam-Schiphol au départ de 4 villes de France : Lyon, Nice, Paris et Toulouse.

LES ORGANISMES DE VOYAGES

– Ne pas croire que les vols à tarif réduit sont tous au même prix pour une même destination à une même époque : loin de là. On a déjà vu, dans un même avion partagé par deux organismes, des passagers qui avaient payé 40 % plus cher que les autres... Authentique ! De plus, une agence bon marché ne l'est pas forcément toute l'année (elle peut n'être compétitive qu'à certaines dates bien précises). Donc, contactez tous les organismes et jugez vous-même.

– Les organismes cités sont classés par ordre alphabétique, pour éviter les jalousies et les grincements de dents.

EN FRANCE

▲ **ANYWAY.COM**

☎ 0-892-892-612 (0,34 €/mn). Fax : 01-53-19-67-10. • www.anyway.com • Minitel : 36-15, code ANYWAY (0,34 €/mn). Du lundi au vendredi de 8 h à 20 h et le samedi de 9 h à 19 h.

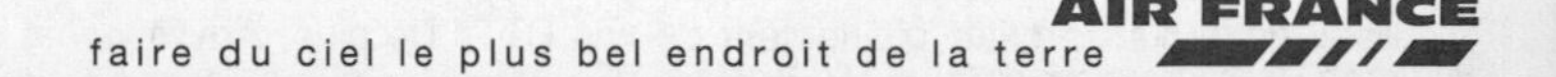

Succombez.

Découvrez le monde entier avec
les petits prix d'Air France.

Membre de SKYTEAM

www.airfrance.com

Anyway.com s'adresse à tous les routards et négocie des tarifs auprès de 420 compagnies aériennes et de l'ensemble des vols charters pour vous garantir des prix toujours plus compétitifs. Pour réserver, Anyway.com offre le choix : Internet et téléphone. La disponibilité des vols est donnée en temps réel. Anyway.com, c'est aussi la réservation de plus de 500 séjours et de week-ends pour profiter pleinement de vos RTT ! De plus, Anyway.com a négocié jusqu'à 70 % de réduction sur des hôtels de 2 à 5 étoiles et des locations de voitures partout dans le monde.

▲ ASIA

– *Paris : Asia* et *Air Asia*, 1, rue Dante, 75005. ☎ 01-44-41-50-10. Fax : 01-44-41-50-19. Minitel : 36-15, code ASIA ou AIR ASIA. M. : Maubert-Mutualité.
– *Lyon :* 11, rue du Président-Carnot, 69002. ☎ 04-78-38-30-40. Fax : 04-78-92-85-18.
– *Marseille :* 424, rue Paradis, 13008. ☎ 04-91-16-72-32. Fax : 04-91-77-84-41.
– *Nice :* 23, rue de la Buffa, 06000. ☎ 04-93-82-41-41. Fax : 04-93-88-83-15.
Si vous voulez tout savoir sur l'Asie d'Asia, consultez le site • www.asia.fr •
De la Jordanie et de la Syrie jusqu'à l'Ouzbékistan, de la Mongolie jusqu'à l'Australie et à la Nouvelle-Calédonie, de l'Inde au Japon en passant par la Chine, de l'Indonésie à la Birmanie en passant par le Vietnam et par la Thaïlande. Sur chaque destination, Asia conçoit votre voyage avec vous, selon vos envies, vos contraintes et votre budget. Asia, c'est aussi des produits « maison » hors des sentiers battus : *Mékhala*, barge de rivière et petit hôtel flottant pour relier Bangkok à Ayuthaya ; le *Lisu Lodge* pour séjourner au nord de la Thaïlande dans une tribu lisu ; le *Luangsay Lodge*, et deux barges de rivière, le *Pak ou* et *Vat Phou*, pour découvrir le Laos au fil du Mékong, dans des régions restées jusqu'à aujourd'hui pratiquement inaccessibles ; *Bodeidei Camp*, un lodge sur les terres aborigènes d'Arnhemland... Pour le farniente, Asia a sélectionné des hôtels de charme ou de luxe sur les plus belles plages d'Asie, proposés dans une nouvelle brochure « Plages d'Asie ». Pour les amateurs de voyages en petit groupe au meilleur prix, Asia propose 23 circuits à travers l'Asie dans sa brochure « Tentation », ainsi que 8 séjours sur les plus belles plages d'Asie. Avec la brochure « Air Asia » : des vols réguliers à prix charters pour parcourir l'Asie, de l'Ouzbékistan au Japon, et de la Chine à la Nouvelle-Zélande, sans oublier l'Australie.

▲ BOURSE DES VOLS / BOURSE DES VOYAGES

Agences de voyages fonctionnant exclusivement en ligne, Bourse des Vols et Bourse des Voyages sont accessibles sur le Web par le • www.bdv.fr • et par Minitel, sur le 36-17, code BDV.
Les services de la Bourse des Vols présentent en permanence plus de 2 millions de tarifs aériens : vols réguliers, charters et vols dégriffés. Mis à jour en permanence, la Bourse des Vols couvre 500 destinations dans le monde au départ de 50 villes françaises et recense l'essentiel des tarifs aériens vers l'étranger. Ses services web et Minitel offrent la possibilité de commander à distance, de régler en ligne et de se faire livrer le billet à domicile.
La Bourse des Voyages, accessible par le site • www.bdv.fr • et le Minitel 36-17, code BDV, centralise les offres de voyages les plus attractives d'une cinquantaine de tour-opérateurs. Des centaines de propositions de séjours dégriffés en hôtels-clubs, circuits découverte, croisières, locations de

Partager la vie des ethnies du Nord en séjournant au Lisu Lodge, au cœur de la Thailande du Nord.

Voguer au fil du Chao Praya sur Mekhala, jonque hôtel digne des rois.

Découvrir la splendeur des temples khmers aux confins de l'I-San.

Caboter sur les eaux transluscides de la mer d'Andaman à bord de la jonque traditionnelle June Bathra.

Ou tout simplement, se dorer sur les plages de rêve des îles du sud

...

Découvrez les catalogues ASIA & AIR ASIA dans votre agence de voyages ou demandez-les à ASIA ■ 1, rue Dante, 75005 PARIS. Tél. : 01 44415010 - Fax : 01 444150 19 ■ 11, rue du Président Carnot, 69002 LYON. Tél. : 04 78383040 ■ 424, rue Paradis, 13008 MARSEILLE. Tél. : 04 91167232 ■ 23, rue de la Buffa, 06000 NICE. Tél. : 04 93824141.

TOUT SUR L'ASIE D'ASIA
SUR www.asia.fr

vacances... sont constamment mises à jour. La recherche peut s'effectuer par type de produit (séjour, croisière, circuit...) ou encore par destination. Le site offre par ailleurs des informations pratiques sur 180 pays, pour préparer et réussir son voyage.
Par téléphone, pour connaître les derniers « Bons Plans » de la Bourse des Vols / Bourse des Voyages, il suffit de composer le : ☎ 0892-888-949 (0,34 €/mn). Ce voyagiste est ouvert 6 jours/7 de 9 h à 19 h.

▲ CLUB AVENTURE

– *Paris :* 18, rue Séguier, 75006. ☎ 0826-88-20-03 (0,15 €/mn). Fax : 01-44-32-09-59. • www.clubaventure.fr • M. : Saint-Michel ou Odéon.
– *Marseille :* Le Néréïs, av. André-Roussin, Saumaty-Séon, 13016. ☎ 0826-88-20-03 (0,15 €/mn). Fax : 04-91-09-22-51.
Club Aventure, depuis 20 ans, est le spécialiste du voyage actif et innovant et privilégie le trek comme le moyen idéal de parcourir le monde. Le catalogue offre 350 circuits dans 90 pays différents à pied, en 4x4, en pirogue ou à dos de chameau. Ces voyages sont conçus pour une dizaine de participants, encadrés par des accompagnateurs professionnels et des grands voyageurs.
L'esprit est résolument axé sur le plaisir de la découverte des plus beaux sites du monde, souvent difficilement accessibles.
La formule reste confortable et le portage est confié à des chameaux, des mulets, des yacks ou des lamas. Les circuits en 4x4 ne ressemblent en rien à des rallyes, mais laissent aux participants le temps de flâner, de contempler et de faire des découvertes à pied. Le choix des hôtels en ville privilégie le charme et le confort.

▲ COMPAGNIE DES INDES & DE L'EXTRÊME-ORIENT

– *Paris :* 82, bd Raspail (angle rue de Vaugirard), 75006. ☎ 01-53-63-33-40 (Cie des Indes) et ☎ 01-53-63-33-41 (Cie de l'Extrême-Orient). Fax : 01-42-22-20-15. • www.compagniesdumonde.com • indes@compagniesdumonde.com • M. : Rennes ou Saint-Placide.
Jean-Alexis Pougatch ouvre, dans le cadre de « Compagnies du Monde », la Compagnie des Indes & de l'Extrême-Orient, aussi spécialisée dans le voyage individuel organisé à la carte. Elle couvre tout l'Iran, l'Inde, le Népal, le Bhoutan, le Sri Lanka et les îles Maldives. On y trouve, toujours en voyages individuels organisés, la Thaïlande, la Birmanie, le Cambodge, le Laos, le Vietnam, l'Indonésie, Singapour, la Malaisie, etc. Tous les voyages individuels organisés sont en voiture privée avec chauffeur et guide. La Compagnie des Indes & de l'Extrême-Orient propose, comme toujours, les meilleurs tarifs existant sur le transport aérien en vols réguliers.

▲ COMPTOIRS DU MONDE (LES)

– *Paris :* 26, rue du Petit-Musc, 75004. ☎ 01-44-54-84-54. Fax : 01-44-54-84-50. • cptmonde@easynet.fr • M. : Sully-Morland ou Bastille.
C'est en plein cœur du Marais, dans une atmosphère chaleureuse, que l'équipe des Comptoirs du Monde traitera personnellement tous vos désirs d'évasion : vols à prix réduits mais aussi circuits et prestations à la carte pour tous les budgets sur toute l'Asie, le Proche-Orient, les Amériques, les Antilles, Madagascar et maintenant l'Italie. Vous pouvez aussi réserver par téléphone et régler par carte de paiement, sans vous déplacer.

www.compagniesdumonde.com

L'ART DE CHOISIR SON VOYAGE EN THAÏLANDE

VOLS – SEJOURS HOTELS – CIRCUITS INDIVIDUELS

BANGKOK
580€

*Vols A/R. Prix à partir de, taxes non-incluses.

EXEMPLES D'HOTELS BANGKOK CATEGORIE ** à *****, PAR NUIT			
NARAI**	20€	SUKHOTHAI*****	106€
NOVOTEL***	32€	ORIENTAL*****	126€

EXEMPLES D'HOTELS *** à ****, SÉJOURS 4 jours/3 nuits*			
PHUKET Kalama Bay Terrasse****	132€	Marina Cottage****	240€
KOH SAMUI Princess Village***	109€	Pansea****	400€

*Prix par personne en chambre double avec petit-déjeuner, à partir de, taxes incluses.

EXEMPLE DE CIRCUIT GROUPE ACCOMPAGNÉ		
TOUR DE THAÏLANDE	8 jours	350€

Prix à partir de, par personne, chambre double, pension-complète, transports et visites avec guide accompagnateur francophone.

CIE DES INDES & DE L'EXTRÊME ORIENT

82, bd Raspail (angle rue de Vaugirard) 75006 Paris
Métro : Rennes-St Placide
Tél : 01 53 63 33 40
Fax : 01 42 22 20 15

e-mail : elise@compagniesdumonde.com

Li 075 01 0012 Compagnies du Monde

JE VOUS REMERCIE DE M'ENVOYER CONTRE 3,2€. EN TIMBRES, DEUX BROCHURES MAXIMUM AU CHOIX:

BROCHURE CIE DES INDES & DE L'EXTRÊME ORIENT ☐

BROCHURES : ETATS-UNIS / CANADA / BAHAMAS ☐ BROCHURE CIE AMERIQUE LATINE ☐

NOM .... PRENOM ....

ADRESSE ....

CODE POSTAL |_|_|_|_|_| VILLE .... E-MAIL ....

GDR. THAI. 2003

▲ DIRECTOURS

– *Paris :* 90, av. des Champs-Élysées, 75008. ☎ 01-45-62-62-62. Fax : 01-40-74-07-01.
– À *Lyon :* ☎ 04-72-40-90-40.
– Pour le reste de la province : ☎ 0801-637-543 (n° Azur).
• www.directours.com •
Spécialiste du voyage individuel à la carte, Directours présente la particularité de s'adresser directement au public, en vendant ses voyages exclusivement par téléphone, sans passer par les agences et autres intermédiaires. La démarche est simple : soit on appelle pour demander l'envoi d'une brochure, soit on consulte le site web. On téléphone ensuite au spécialiste de Directours pour avoir des conseils et des détails.
Directours propose une grande variété de destinations : tous les États-Unis à la carte (avec des brochures spéciales New York, Las Vegas, Hawaii), la Thaïlande, Bali et l'Indonésie, Maurice, la Réunion, l'Inde, les Antilles, la Grèce et ses îles, Malte, Chypre, le Portugal et le Maroc. Également des week-ends en Europe. Directours vend ses vols secs et ses locations de voitures sur le Web. Nouveautés : Rome, Florence, Beyrouth et Salvador de Bahia.

▲ FLEUVES DU MONDE

– *Paris :* 17, rue de la Bûcherie, 75005. ☎ 01-44-32-12-85. Fax : 01-44-32-12-89. • www.fleuves-du-monde.com • M. : Maubert-Mutualité.
Fleuves du Monde défend l'élément naturel du voyage. Appréhender l'histoire d'un pays, pénétrer le cœur d'une civilisation, toucher l'intimité d'une culture et savourer le silence de la nature constituent l'objet de ces voyages au fil de l'eau. « Voguer » ou « explorer » sont les deux thèmes de Fleuves du Monde. Le premier savoure l'exotisme et le confort d'une embarcation traditionnelle, pour aborder les coutumes de lointaines destinations. Le second éveille l'esprit et l'œil en touchant des cultures à peine déflorées, rencontrées en felouques, pirogues, sampans ou canots.

▲ FORUM VOYAGES

Pour vous renseigner, réserver ou recevoir la brochure : ☎ 01-53-45-96-80. Liste des agences Forum Voyages Paris et province sur • www.forum-voyages.fr •
Commencez à rêver et contactez un de leurs points de vente où vous trouverez l'offre complète et abondante de leurs partenaires, mais surtout des collaborateurs qui sont des spécialistes et qui sauront vous conseiller pour organiser votre voyage en tenant compte de tous vos désirs et contraintes éventuelles.
Et n'oubliez pas, Forum Voyages est aussi spécialiste du billet d'avion à des prix très compétitifs, que ce soit pour vos vacances ou vos déplacements professionnels. Consultez leur brochure riche de 1 500 destinations avant toute décision !

▲ ÎLES DU MONDE

– *Paris :* 7, rue Cochin, 75005. ☎ 01-43-26-68-68. Fax : 01-43-29-10-00.
• www.ilesdumonde.com • info@ilesdumonde.com •
Îles du Monde est un voyagiste spécialisé exclusivement dans l'organisation de voyages dans les îles, chaudes ou froides, de brume ou de lumière ; proches comme la Grèce, îles du bout du monde comme les Marquises, les

Gulf Air

PARTEZ A LA RENCONTRE DES FASTES DE L'EXTREME ORIENT

Gulf Air
vous propose au départ de Paris 4 vols hebdomadaires vers Bangkok.

LONDON
AMSTERDAM
FRANKFURT
PARIS
MILANO
ROMA
CASABLANCA
TEHRAN
SHIRAZ
PESHAWAR
ISLAMABAD
LAHORE
DELHI
MUSCAT
DUBAI
DOHA
BAHRAIN
ABU DHABI
KATHMANDU
KARACHI
DHAKA
HONG KONG
MUMBAI BOMBAY
KHARTOUM
CHENNAI MADRAS
BANGKOK
ENTEBBE
TRIVANDRUM
MANILA
COLOMBO
KUALA LUMPUR
SINGAPORE
ZANZIBAR
DAR ES SALAAM
JAKARTA
SYDNEY
MELBOURNE

GULFAIR طيران الخليج
MORE FROM THE GULF

GULF AIR ▪ 23 rue Vernet ▪ 75008 Paris
Réservations : 01 49 52 41 41 ▪ Fax : 01 49 52 03 15
Webs : www.gulfair.fr - www.gulfairco.com ▪ Email : asie@gulfair.fr
ou votre agence de voyages habituelle

Fidji ou les Galápagos. Célèbres comme l'île Maurice ou inconnues comme les Mergui, elles font ou feront partie de leur programmation. Du voyage organisé au voyage sur mesure, tout est possible dès lors qu'il s'agit d'une île.

▲ JEUNESSE ET RECONSTRUCTION

– *Paris :* 10, rue de Trévise, 75009. ☎ 01-47-70-15-88. Fax : 01-48-00-92-18. • www.volontariat.org • M. : Cadet ou Grands-Boulevards.

Jeunesse et Reconstruction propose des activités dont le but est l'échange culturel dans le cadre d'un engagement volontaire. Chaque année, des centaines de jeunes bénévoles âgés de 17 à 30 ans participent à des chantiers internationaux en France ou à l'étranger (Europe, Asie, Afrique et Amérique), s'engagent dans le programme de volontariat à long terme (6 mois ou 1 an) en Europe, Afrique, Amérique latine et Asie, s'inscrivent à des cours de langue en immersion au Costa Rica, au Guatemala et au Maroc, à des stages de danse traditionnelle, percussions, poterie, art culinaire, artisanat africain ou à des travaux agricoles en France, en Grande-Bretagne et au Danemark.

Dans le cadre des chantiers internationaux, les volontaires se retrouvent autour d'un projet d'intérêt collectif (1 à 4 semaines) et participent à la restauration du patrimoine bâti, à la protection de l'environnement, à l'organisation logistique d'un festival ou à l'animation et l'aide à la vie quotidienne auprès d'enfants ou de personnes handicapées. Les chantiers sont organisés dans plus de 50 pays dont la Russie, le Pérou, le Burkina Faso, la Thaïlande...

▲ JET TOURS

Jumbo, les voyages à la carte de Jet Tours, s'adresse à tous ceux qui ont envie de se concocter un voyage personnalisé, en couple, entre amis, ou en famille, mais surtout pas en groupe. Tout est proposé à la carte : il suffit de choisir sa destination et d'ajouter aux vols internationaux les prestations de son choix : hôtels de différentes catégories (de 2 à 5 étoiles), adresses de charme, maisons d'hôtes, appartements, location de voitures, itinéraires déjà composés ou à imaginer soi-même, escapades « aventure », circuit randonnées ou sorties en ville.

Avec « les voyages à la carte Jumbo », vous pourrez découvrir de nombreuses destinations. Composez le voyage de votre choix en Andalousie, à Madère, au Maroc, en Tunisie, en Grèce, en Crète (en été), au Canada, aux États-Unis, aux Antilles, à l'île Maurice, à la Réunion, en Thaïlande, en Inde, au Portugal (en été), à Cuba, en Italie, en Sicile, et chaque année découvrez leurs nouveautés.

La brochure « voyages à la carte Jumbo » est disponible dans toutes les agences de voyages. Vous pouvez aussi joindre Jumbo sur Internet • www.jettours.com • ou par Minitel : 36-15, code JUMBO (0,20 €/mn).

▲ JV

Spécialiste des destinations tropicales depuis plus de 10 ans, JV offre désormais des bons plans pour votre hébergement en Thaïlande. Vendu uniquement dans son propre réseau de vente directe, JV propose des formules de séjours à des tarifs très avantageux. Renseignements et réservations au n° Azur : ☎ 0825-343-343 (0,15 €/mn). • www.jvdirect.com • resa@jvdirect.com •

– *Paris :* 54, rue des Écoles, 75005. Fax : 01-46-33-55-96. M. : Cluny ou Odéon. Ouvert du lundi au vendredi de 9 h à 20 h et le samedi de 9 h à 19 h.

Spécialiste de

La Thaïlande

Des vols secs
à partir de 635 € TTC
Paris Bangkok aller retour

Des circuits
Escale Thaïlandaise
à partir de 985 € TTC
10 jours / 7 nuits, avion compris
en pension complète (sauf à Jomtien)

Des séjours
Hôtel Pavilion Samui Resort
et Spa à Kho Samui
à partir de 1175 € TTC
6 nuits en logement avec petits déjeuners
avion et transferts compris

PRIX TTC PAR PERSONNE, AU DÉPART DE PARIS, À CERTAINES DATES, EN CHAMBRE DOUBLE, SOUS RÉSERVE DE DISPONIBILITÉ, TAXES ET REDEVANCES COMPRISES ET PAYABLES EN FRANCE SUSCEPTIBLES DE MODIFICATION SANS PRÉAVIS

190 agences en France
nouvelles-frontieres.fr
0825 000 825 (0,15 € TTC la minute)

© SYNERGENCE 2003 LIC. LI.075970049 PRIX AU 16 JUILLET 2003

CIRCUITS ORGANISÉS • CIRCUITS AVENTURE • WEEK-ENDS • PLONGÉES • LOCATIONS DE VOITURE • SEJOURS • VOLS ALLER RETOUR • CIRCUITS ORGANISÉS • LOCATIONS DE VOITURE • VOLS ALLER RETOUR • WEEK-ENDS • PLONGÉES • VOLS ALLER RETOUR • CIRCUITS ORGANISÉS • CIRCUITS AVENTURE • WEEK-ENDS • VOLS ALLER RETOUR • CIRCUITS • LOCATIONS DE VOITURE • CIRCUITS DÉCOUVERTE

– *Paris :* 15, rue de l'Aude, 75014. Fax : 01-43-20-82-74.
– *Bordeaux :* 91, cours Alsace-Lorraine, 33000. Fax : 05-56-79-74-63.
– *Lille :* 20, rue des Ponts-de-Comines, 59000. Fax : 03-20-06-15-44.
– *Lyon :* 9, rue de l'Ancienne-Préfecture, 69002. Fax : 04-78-37-12-14.
– *Nantes :* 20, rue de la Paix, 44000. Fax : 02-51-82-45-84.
– *Rennes :* 1, rue Victor-Hugo, 35000. Fax : 02-99-79-62-79.
– *Saint-Denis :* 30, rue de Strasbourg, 93200. Fax : 01-48-20-76-24.
– *Toulouse :* 12, rue de Bayard, 31000. Fax : 05-62-73-15-24.

▲ LOOK VOYAGES

Les brochures sont disponibles dans toutes les agences de voyages. Informations et réservations : • www.look-voyages.fr •
Ce tour-opérateur généraliste vous propose une grande variété de produits et de destinations pour tous les budgets : des séjours en club *Lookéa*, des séjours classiques en hôtels, des escapades, des safaris, des circuits « découverte », des croisières et des vols secs vers le monde entier.

▲ MAISON DE L'INDOCHINE

– *Paris :* 76 bis, rue Bonaparte, pl. Saint-Sulpice, 75006. ☎ 01-40-51-95-15. Fax : 01-46-33-73-03. • info@maisondelindochine.com • M. : Saint-Sulpice. Ouvert du lundi au samedi de 10 h à 19 h.
Forte de sa parfaite connaissance du terrain, la Maison de l'Indochine conçoit des itinéraires pour découvreurs impénitents aussi bien que des circuits organisés en groupe, avec un accompagnateur spécialiste de la région. Les tarifs sont très intéressants puisque tout est vendu sans intermédiaire, notamment les billets d'avion sur les vols réguliers des meilleures compagnies aériennes. La Maison de l'Indochine est installée dans l'ancien cinéma Bonaparte réaménagé avec goût dans le style asiatique. Dans cet espace d'échange, on vous donne un avant-goût du voyage : expositions permanentes, conférences, informations voyage tous les mercredis à 18 h 30 et un forum, une fois par mois le samedi (il est indispensable de téléphoner pour réserver sa place). Au programme : le Vietnam, le Laos, le Cambodge, la Birmanie, la Thaïlande et l'Indonésie. Idées de circuit long et de module.

▲ NOSTAL'ASIE

– *Paris :* 19, rue Damesme, 75013. ☎ 01-43-13-29-29. Fax : 01-43-13-30-60. • www.ann.fr •
Parce qu'il n'est pas toujours aisé de partir seul, Nostal'Asie se propose d'être votre compagnon de route en Thaïlande. Une équipe à votre service pour composer un voyage sur mesure. Deux formules au choix : *Les Estampes* avec billets d'avion, logement, transferts entre les étapes, ou *Les Aquarelles* avec en plus un guide et une voiture privée à chaque étape. Ces formules sont possibles sur la plupart des itinéraires proposés, du Nord de la Thaïlande à la rencontre des peuples montagnards aux randonnées du côté du pont de la rivière Kwaï. Mais aussi croisières-plongée dans le sud. Les fanas de culture adoreront l'itinéraire « Temples khmères et pagodes ». En plus, pour les vols secs, contacter *Globe d'Or* (c'est la même maison), 163, rue de Tolbiac, 75013 Paris. ☎ 01-45-88-67-87. Fax : 01-45-88-19-62. • resa@globe-d-or.fr •

▲ NOUVELLES FRONTIÈRES

– *Paris :* 87, bd de Grenelle, 75015. M. : La Motte-Picquet-Grenelle.
– Renseignements et réservations dans toute la France : ☎ 0825-000-825 (0,15 €/mn). • www.nouvelles-frontieres.fr •

VOYAGES EN INDIVIDUEL / CIRCUITS ACCOMPAGNÉS

→ 92 SPÉCIALISTES PAYS
(DONT 5 DE LA THAÏLANDE)
POUR CONSTRUIRE VOTRE
VOYAGE "SUR MESURE"...

CONSULTEZ NOTRE SITE www.vdm.com

PARIS : 01 42 86 16 88 / LYON : 04 72 56 94 56 / MARSEILLE 04 96 17 89 17 /
TOULOUSE : 05 34 31 72 72 / RENNES : 02 99 79 16 16 / NICE : OUVERTURE FIN 2003

Plus de 30 ans d'existence, 1 600 000 clients par an, 250 destinations, une chaîne d'hôtels-clubs et de résidences *Paladien* et une compagnie aérienne, *Corsair*. Pas étonnant que Nouvelles Frontières soit devenu une référence incontournable, notamment en matière de tarifs. Le fait de réduire au maximum les intermédiaires permet d'offrir des prix « super-serrés ». Un choix illimité de formules vous est proposé : des vols sur la compagnie aérienne de Nouvelles Frontières au départ de Paris et de la province, en classe Horizon ou Grand Large, et sur toutes les compagnies aériennes régulières, avec une gamme de tarifs selon confort et budget. Sont également proposés toutes sortes de circuits, aventure ou organisés ; des séjours en hôtels, en hôtels-clubs et en résidences, notamment dans les *Paladien*, les hôtels de Nouvelles Frontières avec « vue sur le monde » ; des week-ends, des formules à la carte (vol, nuits d'hôtel, excursions, location de voitures...).
Avant le départ, des réunions d'information sont organisées. Les 9 brochures Nouvelles Frontières sont disponibles gratuitement dans les 200 agences du réseau, par téléphone et sur Internet. Nouveau : des brochures thématiques (plongée, rando, trek, thalasso).

▲ UCPA

– Informations et réservations : ☎ 0825-820-830 (0,15 €/mn). • www.ucpa.com • Minitel : 36-15, code UCPA.
– Bureaux de vente à *Paris*, *Bordeaux*, *Lille*, *Lyon*, *Marseille*, *Strasbourg* et *Bruxelles*.

Voilà plus de 35 ans que 6 millions de personnes font confiance à l'UCPA pour réussir leurs vacances sportives. Et ce, grâce à une association dynamique, toujours à l'écoute de ses clients, qui propose une approche souple et conviviale de plus de 60 activités sportives, en France et à l'international, en formule tout compris (moniteurs professionnels, pension complète, matériel, animations, assurance et transport) à des prix toujours très serrés. Vous pouvez choisir parmi plusieurs formules sportives (plein temps, mi-temps ou à la carte) ou de découverte d'une région ou d'un pays. Plus de 100 centres en France, dans les DOM et à l'international (Canaries, Crète, Cuba, Égypte, Espagne, Maroc, Tunisie, Turquie, Thaïlande), auxquels s'ajoutent près de 300 programmes itinérants pour voyager à pied, à cheval, à VTT, en catamaran, etc., dans plus de 50 pays.

▲ VACANCES AIR TRANSAT

Les catalogues Vacances Air Transat sont disponibles dans toutes les agences de voyages, au ☎ 0825-325-825 (0,15 €/mn) ou sur • www.vacancesairtransat.fr •
Filiale du plus grand groupe de tourisme au Canada, Vacances Air Transat possède sa propre compagnie aérienne *(Air Transat)* et vous propose de découvrir le Canada au départ de Paris, Lyon, Marseille, Nantes, Nice et Toulouse). En hiver, départs de Paris uniquement.
N° 1 sur le Canada, Vacances Air Transat organise vos vacances comme vous le souhaitez et vous propose une palette de programmes (vols, voitures, camping-cars, circuits accompagnés, autotours, séjours, excursions) en Amérique du Nord, en Amérique du Sud et dans les Caraïbes : Canada, États-Unis, Cuba, République dominicaine, Mexique, Guatemala, Pérou, Costa Rica, Équateur, Bolivie ; en Asie : Thaïlande, Chine, Vietnam, Birmanie, Laos, Cambodge, Sri-Lanka et Singapour.

LOCATION DE VOITURES EN THAILANDE

*"**Auto Escape: la location de voitures au meilleur prix !** Arrivée remarquée dans le monde de la location de voitures pour la société Auto Escape qui nous fait désormais profiter de tarifs ultra négociés avec les plus grands loueurs.*
Son secret ? Une location de gros volumes à l'échelle mondiale qui lui permet d'obtenir de véritables prix de gros.
Résultat : Pas de frais de dossier, pas de frais d'annulation (même à la dernière minute !), une grande flexibilité, des conseils, des informations précieuses en particulier avec les assurances)... Bref, des prestations de qualité au meilleur prix du marché !"

- **Tarifs très compétitifs**
- **Service et flexibilité**
- **Kilométrage illimité**
- **Service à la clientèle**

5% de réduction sup. aux lecteurs du GDR

AUTO ESCAPE
Worldwide car rental
Location de voitures dans le monde entier

appel gratuit depuis la France 0 800 920 940
tél: +33 (0)4 90 09 28 28
fax: +33 (0)4 90 09 51 87
www.autoescape.com

- Réservez avant de partir, car disponibilité limitée. Autre avantage: vous souscrirez ainsi à un produit spécialement étudié pour les clients européens. Vous ferez aussi de grosses économies (tarifs négociés inférieurs à ceux trouvés localement).
- Pour éviter tout désagrément et bénéficier d'un service assistance en cas de problème, privilégiez les grandes compagnies.
- Renseignez-vous sur les assurances souscrites et les surcharges locales.
- Ne partez pas sans un bon prépayé (dans le jargon "voucher"), décrivant précisément le contenu de votre location.
- Pour retirer votre véhicule, il vous faudra: carte de crédit internationale (au nom du conducteur), permis de conduire national et voucher prépayé.

▲ VOYAGEURS DU MONDE

Spécialiste du voyage en individuel sur mesure. • www.vdm.com •
Nouveau « VDM Express » : des séjours « prêts à partir » sur des destinations mythiques. ☎ 0892-688-363 (0,34 €/mn).
– *Voyageurs en Asie du Sud-Est* (Vietnam, Philippines, Thaïlande, Laos, Cambodge et Birmanie) *:* ☎ 01-42-86-16-88. Fax : 01-40-15-05-71.
– *Paris :* La Cité des Voyageurs, 55, rue Sainte-Anne, 75002. ☎ 01-42-86-16-00. Fax : 01-42-86-17-88. M. : Opéra ou Pyramides. Bureaux ouverts du lundi au samedi de 9 h 30 à 19 h.
– *Lyon :* 5, quai Jules-Courmont, 69002. ☎ 04-72-56-94-56. Fax : 04-72-56-94-55.
– *Marseille :* 25, rue Fort-Notre-Dame (angle cours d'Estienne-d'Orves), 13001. ☎ 04-96-17-89-17. Fax : 04-96-17-89-18.
– *Nice :* 4, rue du Maréchal-Joffre, angle rue de Longchamp, 06000. Ouverture en 2004.
– *Rennes :* 2, rue Jules-Simon, BP 10206, 35102. ☎ 02-99-79-16-16. Fax : 02-99-79-10-00.
– *Toulouse :* 26, rue des Marchands, 31000. ☎ 05-34-31-72-72. Fax : 05-34-31-72-73. M. : Esquirol.
Les Cité des Voyageurs : des espaces uniques dédiés aux voyages et aux voyageurs... des librairies, des boutiques-objets de voyage, un restaurant des cuisines du monde à Paris, un programme annuel de dîner & cocktail conférences et des expositions-ventes d'artisanat... consultez toute l'actualité sur leur site Internet.
Conseillé par un spécialiste de chaque pays, construisez un voyage « à votre mesure »...
Pour partir à la découverte, sur les 5 continents, de quelque 150 pays du monde, 100 conseillers originaires de près de 30 nationalités différentes et grands spécialistes des destinations proposent d'élaborer, étape par étape, son propre voyage. Des suggestions originales et adaptables, des prestations de qualité à des tarifs préférentiels. Toutes les offres de Voyageurs du Monde sont modifiables et adaptables aux souhaits des clients. Itinéraires, transports, hébergement, durée du séjour et budget sont pris en compte et optimisés.
En plus du voyage en individuel sur mesure, Voyageurs du Monde propose un choix toujours plus dense de « vols secs » et une large gamme de circuits accompagnés. À la fois tour-opérateur et agence de voyages, Voyageurs du Monde a développé une politique de « vente directe » à ses clients, sans intermédiaire : une stratégie performante qui permet des prix très compétitifs.

EN BELGIQUE

▲ CONTINENTS INSOLITES

– *Bruxelles :* rue César-Franck, 44, 1050. ☎ 02-218-24-84. Fax : 02-218-24-88. Ouvert du lundi au vendredi de 10 h à 18 h et le samedi de 10 h à 13 h.
– *En France :* ☎ 03-24-54-63-68 (renvoi automatique et gratuit sur le bureau de Bruxelles).
• www.continentsinsolites.com • info@insolites.be •
Continents Insolites, organisateur de voyages lointains sans intermédiaire,

Billets d'avion
Locations
Hôtels

Circuits
Autotours
Croisières

partout où brille le soleil...

Le spécialiste de la Thaïlande

www.jvdirect.com ou **0825 343 343***

Points de vente JV :
Paris, Lyon, Rennes, Nantes, Toulouse, Lille, Bordeaux

DEMANDE DE BROCHURES SUR SIMPLE APPEL

* 0,15€ la minute

regroupe plus de 35 000 sympathisants, dont le point commun est la passion du voyage hors des sentiers battus. Une gamme complète de formules de voyages détaillées est proposée dans leur brochure gratuite sur demande.
– *Circuits taillés sur mesure :* à partir de 2 personnes. Choisissez vos dates et créez l'itinéraire selon vos souhaits (culture, nature, farniente, sport). Fabrication artisanale jour par jour avec l'aide d'un conseiller-voyage spécialisé. Une grande gamme d'hébergements soigneusement sélectionnés : du petit hôtel simple à l'établissement luxueux et de charme.
– *Voyages lointains :* de la grande expédition au circuit accessible à tous. Des circuits à dates fixes dans plus de 60 pays, et ce, en petits groupes francophones de 7 à 12 personnes, élément primordial pour une approche en profondeur des contrées à découvrir. Avant chaque départ, une réunion est organisée. Voyages encadrés par des guides francophones, spécialistes des régions visitées.
De plus, Continents Insolites propose un cycle de diaporamas-conférences à Bruxelles. Ces conférences se déroulent à l'Espace Senghor, place Jourdan, 1040 Etterbeek (dates dans leur brochure).

▲ GLOBE-TROTTERS
– *Bruxelles :* 179, rue Victor-Hugo (coin av. E. Plasky), 1030. ☎ 02-732-90-70. Fax : 02-736-44-34. • globetrotterstours@hotmail.com • Ouvert du lundi au vendredi de 9 h 30 à 13 h 30 et de 15 h à 18 h ainsi que quelques samedi de 10 h à 13 h.
Une large gamme de voyages pour tous au départ de Bruxelles. Spécialisé dans les voyages à la carte (principalement les États-Unis, le Canada, l'Australie, la Nouvelle-Zélande, la Thaïlande, le Vietnam, le Cambodge...) et « soft aventure » en Afrique australe, Australie, Nouvelle-Zélande, Guyane française. Assurances voyages. Cartes étudiant ISIC, d'auberges de jeunesse IYHF, Hostels of Europe, VIP & Nomads Backpackers et Nomads Backpackers. Globe-Trotters est le représentant de *Kilroy Travels* et de *Voyages Campus* pour la Belgique et le grand-duché de Luxembourg.

▲ JOKER
– *Bruxelles :* bd Lemonnier, 37, 1000. ☎ 02-502-19-37. Fax : 02-502-29-23. • brussel@joker.be •
– *Bruxelles :* av. Verdi, 23, 1083. ☎ 02-426-00-03. Fax : 02-426-03-60. • ganshoren@joker.be •
– Adresses également à *Anvers*, *Bruges*, *Courtrai/Rarelbeke*, *Gand*, *Hasselt*, *Louvain*, *Malines*, *Schoten* et *Wilrijk*.
• www.joker.be •
Joker est « le » spécialiste des voyages d'aventure et des billets d'avion à des prix très concurrentiels. Vols aller-retour au départ de Bruxelles, Paris, Francfort et Amsterdam. Voyages en petits groupes avec accompagnateur compétent. Circuits souples à la recherche de contacts humains authentiques, utilisant l'infrastructure locale et explorant le vrai pays.

▲ NOUVELLES FRONTIÈRES
– *Bruxelles* (siège) *:* bd Lemonnier, 2, 1000. ☎ 02-547-44-22. Fax : 02-547-44-99. • www.nouvellesfrontieres.com • mailbe@nouvellesfrontieres.be •
– Également d'autres agences à *Bruxelles*, *Charleroi*, *Liège*, *Mons*, *Namur*, *Waterloo*, *Wavre* et au *Luxembourg*.
30 ans d'existence, 250 destinations, une chaîne d'hôtels-clubs et de rési-

DEMANDEZ LE CATALOGUE
DE LA MAISON DE L'INDOCHINE

Aux antipodes du tourisme de masse, la Maison de l'Indochine

réinvente pour vous Le Voyage en Thailande et dans toute l'Indochine.

LES GRANDS SITES DU SIAM, 8J / 7N, à partir de **920 €***
Voyage en individuel (base 2 personnes) au départ de Bangkok :
la pension complète** en hôtels***, visites, guide local francophone, transports terrestres.

ISAN EN FÊTES, 12J / 9N, à partir de **1 675 €***
Circuit en petit groupe de 10 personnes (maximum) au départ de Paris :
tous les transports, la pension complète en hôtels**/****, visites, guides locaux francophones.

Vol sec PARIS / BANGKOK A/R à partir de **530 €***

1, place Saint-Sulpice
75006 Paris
www.maisondelindochine.com

Tél. 01 40 51 95 15
Fax 01 44 41 01 10
info@maisondelindochine.com

* *Tarifs soumis à conditions / hors taxes d'aéroport / catalogue Voyages au pays du Mékong automne-hiver 2003/2004.*
** *Du dîner du jour 1 au déjeuner du jour 8.*

L'ASIE en PROFONDEUR
en LARGEUR en HAUTEUR
en LONGUEUR

en véritable voyage organisé pour individuels.
www.ann.fr

Nos équipes sont à votre écoute, pour vous dénicher les meilleures astuces pour aller en Asie, dans de meilleures conditions :

Vols seuls
Globe d'or, 163 rue de Tolbiac, Paris 13e - Tél. 01.45.88.67.87. www.globe-d-or.fr

Voyages organisés pour individuels
NostalAsie, 19 rue Damesme, Paris 13e - infos@ann.fr - www.ann.fr
du mardi au samedi, tél. 01.43.13.29.29

dences *Paladien*... Pas étonnant que Nouvelles Frontières soit devenu une référence incontournable, notamment en matière de prix. Le fait de réduire au maximum les intermédiaires permet d'offrir des prix « super-serrés ».

▲ PAMPA EXPLOR

– *Bruxelles :* av. Brugmann, 250, 1180. ☎ 02-340-09-09. Fax : 02-346-27-66. • info@pampa.be • Ouvert de 9 h à 19 h en semaine et de 9 h à 17 h le samedi. Également sur rendez-vous, dans leurs locaux, ou à votre domicile.

Spécialiste des vrais voyages « à la carte », Pampa Explor propose plus de 70 % de la « planète bleue », selon les goûts, attentes, centres d'intérêt et budgets de chacun. Du Costa Rica à l'Indonésie, de l'Afrique australe à l'Afrique du Nord, de l'Amérique du Sud aux plus belles croisières, Pampa Explor tourne le dos au tourisme de masse pour privilégier des découvertes authentiques et originales, pleines d'air pur et de chaleur humaine. Pour ceux qui apprécient la jungle et les pataugas ou ceux qui préfèrent les cocktails en bord de piscine et les fastes des voyages de luxe. En individuel ou en petits groupes, mais toujours « sur mesure ».

Possibilité de régler par carte de paiement. Sur demande, envoi gratuit de documents de voyages.

▲ USIT CONNECTIONS

Telesales : ☎ 02-550-01-00. Fax : 02-514-15-15. • www.connections.com •

– *Anvers :* Melkmarkt, 23, 2000. ☎ 03-225-31-61. Fax : 03-226-24-66.

– *Bruxelles :* rue du Midi, 19-21, 1000. ☎ 02-550-01-00. Fax : 02-512-94-47.

– *Bruxelles :* av. A.-Buyl, 78, 1050. ☎ 02-647-06-05. Fax : 02-647-05-64.

– *Bruxelles :* aéroport, promenade 4ᵉ étage, 1930 Zaventem.

– *Gand :* Nederkouter, 120, 9000. ☎ 09-223-90-20. Fax : 09-233-29-13.

– *Liège :* 7, rue Sœurs-de-Hasque, 4000. ☎ 04-223-03-75. Fax : 04-223-08-82.

– *Louvain :* Tiensestraat, 89, 3000. ☎ 016-29-01-50. Fax : 016-29-06-50.

– *Louvain-la-Neuve :* rue des Wallons, 11, 1348. ☎ 010-45-15-57. Fax : 010-45-14-53.

– *Luxembourg :* 70, Grand-Rue, 1660. ☎ 352-22-99-33. Fax : 352-22-99-13.

Spécialiste du voyage pour les étudiants, les jeunes et les *independent travellers*, Usit Connections est membre du groupe Usit, groupe international formant le réseau des Usit Connections centres. Le voyageur peut ainsi trouver informations et conseils, aide et assistance (revalidation, routing...) dans plus de 80 centres en Europe et auprès de plus de 500 correspondants dans 65 pays.

Usit Connections propose une gamme complète de produits : des tarifs aériens spécialement négociés pour sa clientèle (licence IATA) et, en exclusivité pour le marché belge, les très avantageux et flexibles billets SATA réservés aux jeunes et étudiants ; les *party flights* ; le bus avec plus de 300 destinations en Europe (un tarif exclusif pour les étudiants) ; toutes les possibilités d'arrangement terrestre (hébergement, locations de voitures, *self-drive tours*, circuits accompagnés, vacances sportives, expéditions) principalement en Europe et en Amérique du Nord ; de nombreux services aux voyageurs comme l'assurance voyage « Protections » ou les cartes internationales de réductions (la carte internationale d'étudiant ISIC et la carte jeune Euro-26).

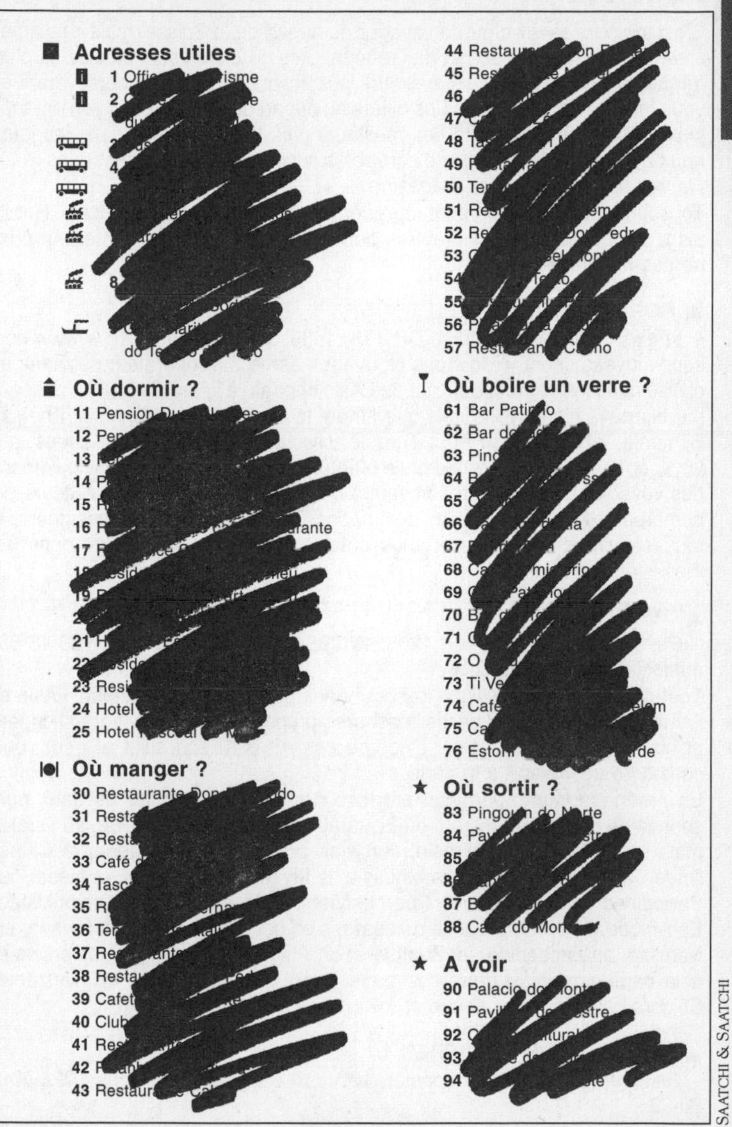

SAATCHI & SAATCHI

www.rsf.org

N'attendez pas qu'on vous prive de l'information pour la défendre.

EN SUISSE

C'est toujours assez cher de voyager au départ de la Suisse, mais ça s'améliore. Les charters au départ de Genève, Bâle ou Zurich sont de plus en plus fréquents ! Pour obtenir les meilleurs prix, il vous faudra être persévérant et vous munir d'un téléphone. Les billets au départ de Paris ou de Lyon ont toujours la cote au hit-parade des meilleurs prix. Les annonces dans les journaux peuvent vous réserver d'agréables surprises, spécialement dans le *24 Heures* et dans *Voyages Magazine*.
Tous les tour-opérateurs sont représentés dans les bonnes agences : Hotelplan, Jumbo, le TCS et les autres peuvent parfois proposer le meilleur prix, ne pas les oublier !

▲ HORIZONS NOUVEAUX

– *Verbier :* centre de l'Étoile, CP 196, 1936. ☎ 027-771-71-71. • www.horizonsnouveaux.com • Horizons Nouveaux est le tour-opérateur suisse spécialisé dans les régions qui vont de l'Asie centrale à l'Asie du Sud en passant par les pays himalayens, tels que l'Inde, le Sri Lanka, le Népal, le Tibet, la Birmanie, le Cambodge et la Turquie. Nicolas Jaques et Paul Kennes, qui voyagent dans ces régions depuis bientôt 20 ans, organisent principalement des voyages à la carte, des voyages culturels et des trekkings. Auteurs de nombreux reportages sur ces destinations, ils pourront vous renseigner sur tous les aspects du pays et vous aider à préparer votre voyage dans les meilleures conditions.

▲ JERRYCAN

– *Genève :* 11, rue Sautter, 1205. ☎ 022-346-92-82. Fax : 022-789-43-63. • info@jerrycan-travel.ch •
Tour-opérateur de la Suisse francophone spécialisé dans l'Afrique, l'Asie et l'Amérique latine. Trois belles brochures proposent des circuits traditionnels et hors des sentiers battus. L'équipe connaît bien son sujet et peut vous construire un voyage à la carte.
En Amérique latine, Jerrycan propose des voyages à partir de deux personnes en Bolivie, au Pérou, en Équateur, au Chili, en Argentine, au Guatemala et au Mexique. En Asie, Jerrycan propose le Cambodge, la Chine, l'Inde, l'Indonésie, le Laos, la Malaisie, le Myanmar (Birmanie), le Népal, les Philippines, la Thaïlande, le Tibet, le Vietnam, le Pakistan et l'Ouzbékistan. En Afrique, Jerrycan propose des safaris en petits groupes au Botswana, en Namibie, au Zimbabwe, en Zambie et en Afrique du Sud. Voyages privés et à la carte possibles dans ces pays, ainsi qu'au Kenya et en Tanzanie. Séjours balnéaires au Kenya et à Zanzibar.

▲ NOUVELLES FRONTIÈRES

– *Genève :* 10, rue Chantepoulet, 1201. ☎ 022-906-80-80. Fax : 022-906-80-90.
– *Lausanne :* 19, bd de Grancy, 1006. ☎ 021-616-88-91. Fax : 021-616-88-01.
(Voir texte dans la partie « En France ».)

AU QUÉBEC

Revendus dans toutes les agences de voyages, les voyagistes québécois proposent une large gamme de vacances. Depuis le vol sec jusqu'au circuit

ESPACE OFFERT PAR L'ANNONCEUR

NE LES LAISSONS
PAS PAYER
DE LEUR VIE,
LE PRIX DE LA PAUVRETÉ

La chaîne de l'espoir

Gravement malades ou blessés, des milliers d'enfants dans le monde sont condamnés faute de moyens humains,financiers et médicaux dans leur pays.
Pourtant, souvent, un acte chirurgical relativement simple pourrait les sauver...

La Chaîne de l'Espoir, association humanitaire, s'est donnée pour mission de combattre cette injustice en mobilisant médecins, chirurgiens, infirmières, familles d'accueil, parrains, donateurs, artistes et partenaires financiers.
Depuis sa création en 1988 par Alain Deloche, professeur en chirurgie cardiaque, La Chaîne de l'Espoir a permis à des milliers d'enfants pauvres du monde entier d'être opérés dans plus de 20 pays, principalement en Asie, en Afrique, et en Europe de l'Est.

Pour soutenir notre action
envoyez vos dons à :
La Chaîne de l'Espoir
96, rue Didot - 75014 PARIS
Tél. : 01 44 12 66 66
www.chaine-espoir.asso.fr
CCP 370 3700 B LA SOURCE

L'action de La Chaîne de l'Espoir est triple :

• **LES SOINS EN FRANCE**
Transférer et accueillir les enfants en France parce qu'il n'existe pas dans leur pays d'origine les moyens pour mener à bien une intervention chirurgicale.

• **LES SOINS ET LA FORMATION À L'ÉTRANGER**
Opérer les enfants dans leur pays, former des équipes médico-chirurgicales locales, apporter du matériel et des équipements médicaux, réaliser et réhabiliter sur place des structures hospitalières afin de donner aux pays dans lesquels elle intervient les moyens de soigner leurs enfants.

• **LE PARRAINAGE**
Développer une activité de parrainage scolaire et médical parce qu'un enfant qui ne peut pas aller à l'école reste un enfant handicapé.

La Chaîne de l'Espoir est une association de bienfaisance assimilée fiscalement à une association reconnue d'Utilité Publique.

guidé en autocar, en passant par les voyages sur mesure, la réservation d'une ou plusieurs nuits d'hôtel, ou la location de voitures, tout est possible. Sans oublier l'économique formule « achat-rachat », qui permet de faire l'acquisition temporaire d'une auto neuve en Europe, en ne payant que pour la durée d'utilisation (en général, minimum 17 jours, maximum 6 mois). Ces grossistes revendent également pour la plupart des cartes de train très avantageuses pour l'Europe, notamment l'*eurailpass* (accepté dans 17 pays). À signaler aussi : les réductions accordées pour les réservations effectuées longtemps à l'avance et les promotions nuits gratuites pour la 3e, 4e ou 5e nuit consécutive.

▲ EXOTIK TOURS

La Méditerranée, l'Europe, l'Asie et les grands voyages : Exotik Tours offre une importante production en été comme en hiver. Ses circuits estivaux se partagent entre Grèce, Turquie, Italie, Maroc, Tunisie, Russie, Thaïlande et Chine. Parmi les nouveautés : les Alpes suisses et françaises ainsi que l'Europe de l'Est. Dans la rubrique « Grands Voyages », le voyagiste suggère des périples en petits groupes ou en individuel. Au choix : l'Amérique du Sud, le Pacifique sud, l'Afrique, l'Inde et le Népal. L'hiver, des séjours sont proposés dans le Bassin méditerranéen et en Asie (Thaïlande et Bali) – où l'on peut également opter pour des combinés plage + circuit. Exotik Tours est membre du groupe *Intair*.

▲ RÊVATOURS

Ce voyagiste, membre du groupe Transat A.T. Inc., propose quelque 25 destinations à la carte ou en circuits organisés. De l'Inde à la Thaïlande en passant par le Vietnam, la Chine, l'Europe centrale, la Russie, le Moyen-Orient ou le Maroc, le client peut soumettre son itinéraire à Rêvatours qui se charge de lui concocter son voyage. Parmi ses points forts : la Grèce avec un bon choix d'hôtels, de croisières et d'excursions, et la Tunisie.

▲ TOURS CHANTECLERC

Tours Chanteclerc publie différents catalogues de voyages : Europe, Amérique, Asie + Pacifique sud et Soleils de Méditerranée. Il se présente comme l'une des « références sur l'Europe » avec deux brochures : groupes (circuits guidés en français) et individuels. « Mosaïques Europe » s'adresse aux voyageurs indépendants (vacanciers ou gens d'affaires), qui réservent un billet d'avion, un hébergement (dans toute l'Europe), des excursions, une location de voiture. Spécialiste de Paris, le grossiste offre une vaste sélection d'hôtels et d'appartements dans la Ville Lumière.

▲ TOUR MONT ROYAL / NOUVELLES FRONTIÈRES

Les deux voyagistes font brochures communes et proposent une offre complète sur les destinations et les styles de voyages suivants : Europe, destinations soleils d'hiver et d'été, Polynésie française, circuits accompagnés ou en liberté. Au programme, tout ce qu'il faut pour les voyageurs indépendants : locations de voitures, cartes de train, bonne sélection d'hôtels et de résidences, excursions à la carte... À signaler l'option achat/rachat Renault ou Peugeot (17 jours minimum, avec prise en France et remise en France ou ailleurs en Europe; ou encore 17 jours minimum sur la seule péninsule Ibérique) ainsi que Citroën (minimum 23 jours, prise en France, remise en France ou ailleurs en Europe).

Nos meilleures chambres d'hôtes en France

Nous avons sillonné les petites routes de campagne pour vous dénicher les meilleures fermes auberges, gîtes d'étapes et surtout chambres d'hôtes.

Plus de 1600 adresses qui sentent bon le terroir !

et des centaines de réductions

Hachette Tourisme

▲ VACANCES TOURBEC

Vacances Tourbec offre des vols vers l'Europe, l'Asie, l'Afrique ou l'Amérique. Sa spécialité : la formule avion + auto. Vacances Tourbec publie également une petite brochure France, avec chambres d'hôte (formules « terroir » ou « charme »), itinéraires découvertes. Vacances Tourbec suggère aussi des forfaits à la carte et des circuits en autocar pour découvrir le Québec. Pour connaître l'adresse de l'agence Tourbec la plus proche (il y en a 26 au Québec), téléphoner au ☎ 1-800-363-3786. Vacances Tourbec est membre du groupe Transat A.T. Inc.

OUTE L'ASIE, TOUS LES JOURS AU DÉPART DE PARIS

THAI, C'EST TOUTE LA THAILANDE

Qui mieux que THAI peut vous transporter confortablement vers 23 destinations de rêve, du Nord au Sud de la Thaïlande, en correspondance avec ses 10 vols hebdomadaires sans escale au départ de Paris CDG1 ?

MEMBRE DE STAR ALLIANCE

www.thaiairways.fr

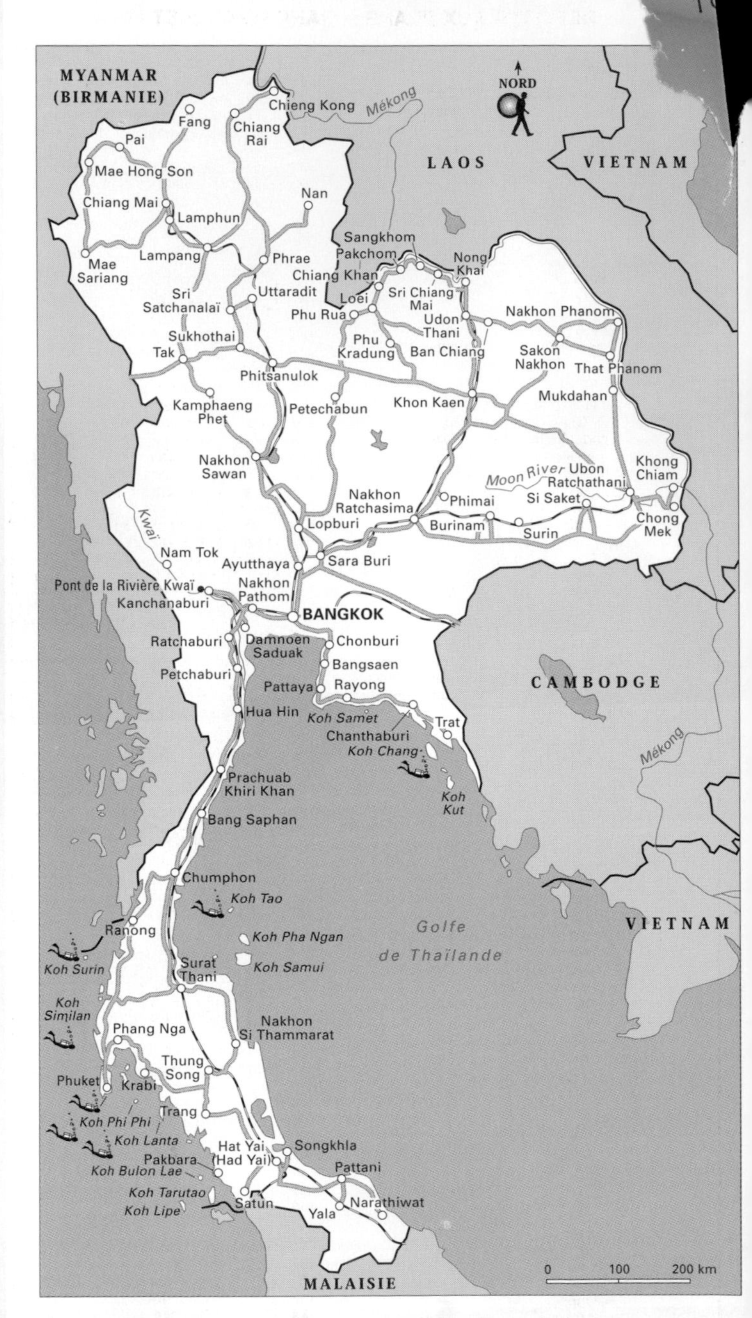

LA THAÏLANDE

REPORTS AUX PLANS – BANGKOK I, II ET III

Adresses utiles

- Office du tourisme TAT *(plan I)*
- Office du tourisme BTB *(plans I et III)*
- Gares ferroviaires *(plan I)*
- Gares routières *(plans I et II)*
- Aéroport *(plan I)*
- General Post Office *(plan I)*
- Banglampoo Post Office *(plan III)*

1 Ambassade de France *(plan I)*
2 Alliance française *(plan I)*
3 Ambassade de Belgique *(plan I)*
4 Ambassade de Suisse *(plan I)*
6 Service de l'Immigration *(plan I)*
7 Air France *(plan I)*
8 Thai Airways International *(plan I)*
9 BNH Medical Center *(plan I)*

Où dormir ?

20 Ranee's Guesthouse *(plan III)*
21 V.S. Guesthouse *(plan III)*
22 J and Joe Guesthouse *(plan III)*
23 Siam Oriental *(plan III)*
24 Orchid House *(plan III)*
25 Marco Polo Hostel *(plan III)*
26 Prasuri Guesthouse *(plan III)*
27 D & D Inn *(plan III)*
28 New Siam Guesthouse *(plan III)*
29 Au Thong *(plan III)*
30 Sawasdee House *(plan III)*
31 Wild Orchid Villa *(plan III)*
32 Buddy Lodge *(plan III)*
33 Sawasdee Khaosan Inn *(plan III)*
34 Backpackers Lodge, Tavee Guesthouse, Sawasdee Guesthouse, Shanti Lodge, Taewez *(plan I)*
35 Bangkok International Youth Hostel *(plan I)*
36 Salathai *(plan I)*
37 Freddy's Guesthouse 2 *(plan I)*
38 Lee 3 Guesthouse *(plan I)*
39 TTO Guesthouse *(plan I)*
40 Malaysia Hotel *(plan I)*
42 YWCA *(plan I)*
43 Suk 11 Hostel *(plan II)*
44 Nana City Inn *(plan II)*
45 Dynasty Inn *(plan II)*
46 Stable Lodge *(plan II)*
47 White Inn *(plan II)*
48 Narry's Inn *(plan II)*
49 Regency Park Hotel *(plan II)*
50 TT Guesthouse *(plan I)*
51 FF Guesthouse *(plan I)*
52 White Lodge *(plan I)*
53 The Bed & Breakfast *(plan I)*
54 Reno Hotel *(plan I)*
55 New Trocadero Hotel *(plan I)*
56 Tarntawan Place Hotel *(plan I)*
57 238 Guesthouse *(plan I)*
58 River View Guesthouse *(plan I)*
59 New Empire Hotel *(plan I)*
60 China Town Hotel *(plan I)*
61 White Orchid Hotel *(plan I)*

Où manger ?

2 Café 1912 *(plan II)*
80 Bai Bua *(plan III)*
81 Pannee Restaurant *(plan III)*
82 Tuptim Restaurant *(plan III)*
84 Tom Yum Kong *(plan III)*
85 Kaloang *(plan I)*
86 Silverspoon *(plan I)*
87 Food Center de l'Emporium *(plan II)*
88 Yong Lee Restaurant *(plan II)*
89 Oam Thong Restaurant *(plan II)*
90 Cabbages and Condoms *(plan II)*
91 Moghul Room *(plan II)*
92 Café Jenette *(plan II)*
93 Juyban Japanese Restaurant *(plan II)*
94 Baan Khanitha *(plan II)*
95 Seafood Market and Restaurant *(plan II)*
96 Lemon Grass *(plan II)*
97 Le Banyan *(plan II)*
98 One by One Seafood *(plan I)*
99 Once upon a Time *(plan I)*
100 Hard Rock Café *(plan I)*
101 Moon House Restaurant *(plan I)*
102 Wong's Place *(plan I)*
103 Himali Cha Cha *(plan I)*
104 Mango Tree *(plan I)*
105 Aoi *(plan I)*
106 Ban Chiang *(plan I)*
107 Harmonique *(plan I)*
108 Café de Paris *(plan I)*
109 Sala Rim Nam *(plan I)*
110 Bussaracum *(plan I)*
111 Le Bouchon *(plan I)*
112 Royal India Restaurant *(plan I)*
113 Nangnual Restaurant *(plan I)*
114 Texas Suki Yaki & Noddle *(plan I)*
115 China Town Scala Shark-Fins Restaurant *(plan I)*
116 Food Center du Suan Luang Night Bazaar *(plan I)*

Où sortir ? Où boire un verre ?

160 Q Bar *(plan II)*
161 The Club *(plan III)*
162 Ministry of Sound *(plan II)*
163 Lucifer et Radio City *(plan I)*
164 Concept CM2 *(plan I)*
165 Narcissus *(plan II)*
166 Calypso Cabaret *(plan I)*

À voir

130 Wat Phra Kaeo et Grand Palais *(plan I)*
131 Wat Pho *(plan I)*
132 Wat Mahathat *(plan I)*
133 Wat Arun *(plan I)*
134 Wat Benjamabopitr *(plan I)*
135 Wat Sakhet *(plan I)*
136 Wat Traimitr *(plan I)*
137 Wat Suthat *(plan I)*
138 Wat Rajabophit *(plan I)*
139 Wat Ratchanadaram *(plan I)*
140 Musée national *(plan I)*
141 Vimanmek Mansion Museum *(plan I)*
142 Théâtre national *(plan I)*
143 Musée national des Barges royales *(plan I)*
144 Maison de Jim Thompson *(plan I)*
145 Suan Pakkard Palace *(plan I)*
146 Snake Farm *(plan I)*
147 Khlong Toey Market *(plan II)*
148 Thewet Flower Market *(plan I)*
149 Pak Khlong Market *(plan I)*
150 Tour Baiyoke II *(plan I)*

Achats

151 Chatuchak Park *(plan I)*
152 Boutique Jim Thompson *(plan I)*
153 A. Song Tailor *(plan I)*
154 Grands Magasins de Siam Square *(plan I)*

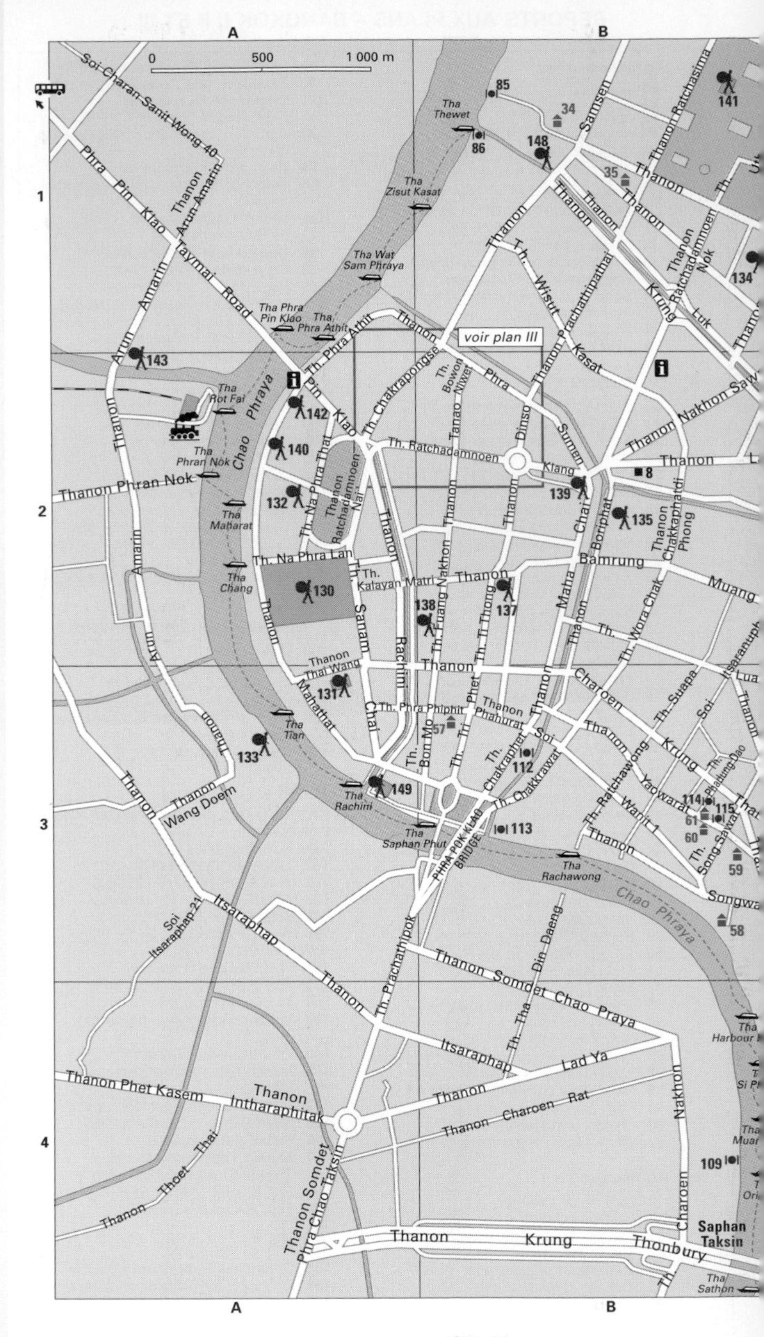
A
B
0
500
1 000 m
Soi Charan Sanit Wong 40
85
Tha Thewet
86
34
Samsen
141
Thanon Ratchasima
148
35
Tha Zisut Kasat
1
Phra Pin Klao Taymai Road
Thanon Arun Amarin
Thanon Ratchadamnoen Nok
134
Tha Wat Sam Phraya
Th. Wisut Kasat
Thanon Prachathipathai
Krung
Luk
Tha Phra Pin Klao
Tha Phra Athit
Th. Phra Athit
voir plan III
143
Arun Amarin
Th. Bowon Niwet
Phra Sumen
Tha Rot Fai
Chao Phraya
Th. Chakrapongse
Dinso
Thanon Nakhon Sawan
i
142
Pin Klao
140
Tha Phran Nok
Th. Ratchadamnoen Klang
8
139
135
Thanon Phran Nok
2
Thanon Ratchadamnoen Nai
Th. Na Phra That
132
Tha Maharat
Maha Chai
Boriphat
Thanon Chakkaphatdi Phong
Th. Na Phra Lan
Bamrung Muang
Tha Chang
130
Th. Kalayan Matri
Thanon Tanao
137
138
Th. Fuang Nakhon
Th. Ti Thong
Thanon Sanam Chai
Rachini
Th. Wora Chak
Thanon Thai Wang
131
Thanon Charoen Krung
Th. Phra Phiphit
Thanon Phahurat
57
Th. Phet
Th. Tri
Tha Tian
133
Thanon Mahathat
Th. Suapa
Soi
Th. Ratchawong
Yaowarat
Th. Bon Mo
Th. Chakraphet
112
149
Tha Rachini
Thanon Wang Doem
3
Th. Chakkrawat
113
Tha Saphan Phut
PHRA POK KLAO BRIDGE
114
115
61
60
Th. Song Sawat
Thanon Wanit 1
59
Tha Rachawong
58
Soi Itsaraphap 21
Itsaraphap Thanon
Th. Prachathipok
Thanon Somdet Chao Praya
Th. Tha Din Daeng
Itsaraphap
Thanon Lad Ya
Thanon Phet Kasem
Thanon Intharaphitak
Thanon Charoen Rat
Nakhon
4
Thanon Thoet Thai
Thanon Somdet Phra Chao Taksin
109
Saphan Taksin
Thanon Krung Thonbury
Charoen
Tha Sathon
Th.

BANGKOK – PLAN I

BANGKOK – PLAN I

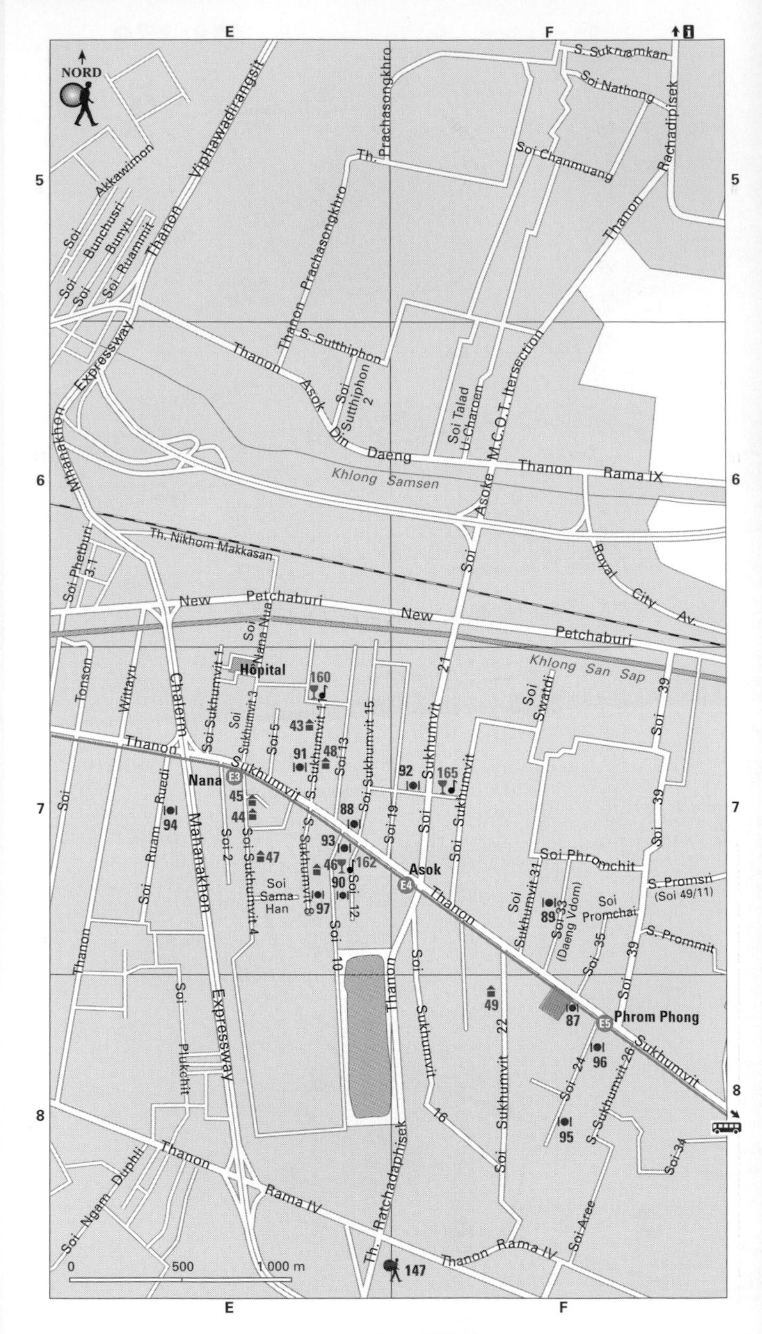

E
F
NORD
S. Sukruamkan
Soi Nathong
Th. Prachasongkhro
Soi Chanmuang
Thanon Rachadipisek
Soi Akkawimon
Soi Bunchusri
Soi Bunyu
Soi Ruammit
Thanon Viphawadirangsit
Thanon Prachasongkhro
S. Sutthiphon
Soi Sutthiphon 2
Thanon Asok Din Daeng
Soi Talad U-Charoen
M.C.O.T. Itersection
Expressway
Mhanakhon
Thanon Rama IX
Khlong Samsen
Soi Asoke
Th. Nikhom Makkasan
Royal City Av.
Soi Phetburi 31
New Petchaburi
Soi Nana Nua
Khlong San Sap
Hôpital
Tonson
Wittayu
Chalerm
Soi Sukhumvit 1
Soi Sukhumvit 3
Soi 5
S. Sukhumvit 11
Soi 13
Soi Sukhumvit 15
Soi Sukhumvit 21
Soi Swatdi
Soi 39
Thanon Sukhumvit
Nana
Asok
Phrom Phong
Soi Ruam Ruedi
Mahanakhon
Soi 2
Soi Sukhumvit 4
S. Sukhumvit 8
Soi Sama Han
Soi 12
Soi 10
Soi 19
Soi Sukhumvit
Soi Phromchit
S. Promsri (Soi 49/11)
Soi Sukhumvit 31
Soi 33 (Daeng Vdom)
Soi Promchai
Soi 35
S. Prommit
Thanon
Soi Sukhumvit 16
Soi Sukhumvit 22
Soi 24
S. Sukhumvit 26
Soi 34
Soi Plukchit
Expressway
Thanon Rama IV
Soi Ngam Duphli
Th. Ratchadaphisek
Thanon Rama IV
Soi Aree
0
500
1 000 m
E3
E4
E5
43 44 45 46 47 48 49
87 88 89 90 91 92 93 94 95 96 97
147 160 162 165
5
6
7
8

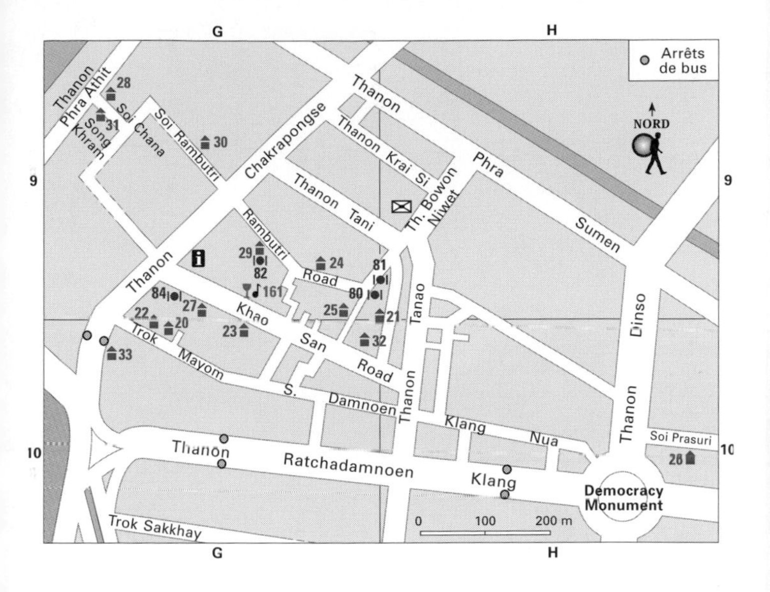

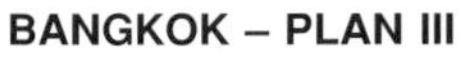

BANGKOK – PLAN III

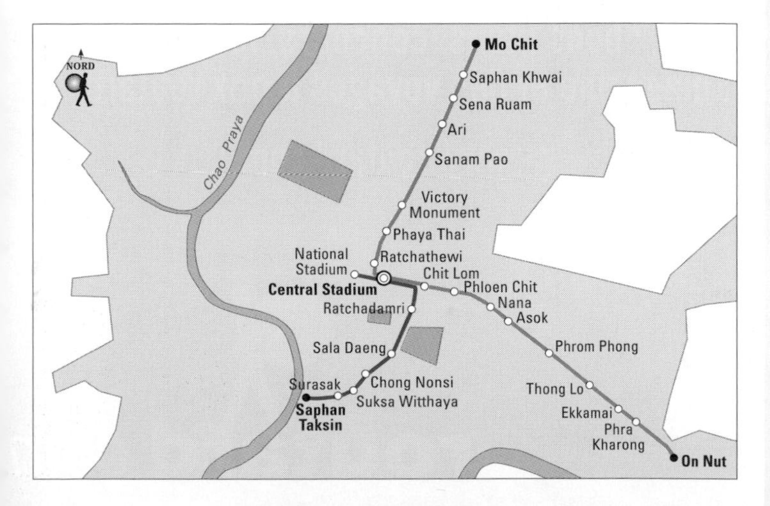

MÉTRO DE BANGKOK

Tout pour partir*

*bons plans, concours, forums, magazine et des voyages à prix routard.

> www.routard.com

GÉNÉRALITÉS

Pour la carte générale de la Thaïlande, voir le cahier couleur.

« Sourire éternel, douceur de vivre, tolérance religieuse, ouverture d'esprit et dynamisme économique. Contrée de la délicatesse exquise, de la courtoisie infinie et de la gentillesse innée ! Et d'une remarquable gastronomie... »

Tout cela est vrai, certes. Mais il faut nuancer et rappeler d'abord qu'il y a plusieurs Thaïlande. Tout d'abord, Bangkok, plus de 10 millions d'habitants, mégapole hyperactive et monstre urbain où l'on se perd avec plaisir. Puis le Sud, ses îles, ses plages et ses rocs jaillis de la mer, sa cuisine plus épicée, sa mentalité un peu différente, plus marquée par l'islam. Enfin, le Nord, Thaïlande profonde, originelle avec ses anciens royaumes fondateurs, son rythme de vie détendu, ses milliers de temples bouddhistes, sa terre fertile... Trois Thaïlande donc, physiquement et culturellement différentes.

Cependant d'un bout à l'autre du pays – 2000 km du nord au sud – se retrouvent les qualités nationales : une forte identité d'abord, le Siam n'ayant jamais été colonisé et ayant développé des arts, une culture et même un alphabet propres. Un sens aigu des conventions sociales et de la politesse, et aussi beaucoup de pudeur, de calme et de dignité. Une forte religiosité et, conjointement, une quasi-vénération pour la famille royale, élue de Dieu. Enfin, pas mal d'humour, car on est philosophe, et un solide appétit, de tout, de plaisirs surtout – Thaïlandais épicuriens, l'air de rien toujours prêts à faire la fête, à bien manger et bien boire.

Malheureusement, l'esprit mercantile et l'afflux touristique ont pu dénaturer par endroits le caractère aimable des Thaïlandais. Avec plus de 6,5 millions de touristes chaque année, la Thaïlande ne peut plus sourire à tout le monde ! Et puis, vu qu'une partie de ces touristes ne vient ici que pour la galipette, on voit mal pourquoi les Thaïlandais se forceraient à être toujours agréables. Du coup : transformation des sites privilégiés en ghettos à touristes, hausse des prix, rentabilité prenant le pas sur le service, etc.

Cela dit, *Muang Thai* (étymologiquement, « le pays des hommes libres ») reste l'un des derniers pays au monde à réunir tant d'ingrédients de qualité pour réussir la recette des vacances idéales : bungalows en bois sur plages somnolentes (même s'ils sont de plus en plus rares), vastes rizières et collines couvertes de jungle, attachement aux traditions, businessmen speedés et tribus ancestrales, cuisine raffinée et prix (encore) dérisoires. Ajouter quelques ingrédients personnels : un brin de tolérance, un zeste d'ouverture d'esprit, un nuage de curiosité, une pincée d'abnégation, et on ne voit pas comment vous pourriez rater votre séjour.

CARTE D'IDENTITÉ

- ***Population :*** un peu plus de 63 millions d'habitants.
- ***Superficie :*** 513115 km^2 (à peine plus petite que la France).
- ***Capitale :*** Bangkok (plus de 10 millions d'habitants).
- ***Langues :*** le thaï (langue officielle), le chinois et l'anglais.
- ***Monnaie :*** le baht (Bts).
- ***Religions :*** bouddhisme (93 %), islam (5 %), christianisme (1,5 %), animisme et hindouisme.
- ***Nature du régime :*** monarchie constitutionnelle à tendance autoritaire.
- ***Chef de l'État :*** le roi Bhumibol Adulyadej (depuis 1946 !).
- ***Premier ministre :*** M. Thaksin Shinawatra (depuis janvier 2001).

AVANT LE DÉPART

Adresses utiles

En France

🛈 ***Office du tourisme de Thaïlande :*** 90, av. des Champs-Élysées, 75008 Paris. ☎ 01-53-53-47-00. Fax : 01-45-63-78-88. • www.tourismethaifr.com • M. : George-V. Ouvert de 9 h 30 à 17 h 30 sans interruption du lundi au vendredi. Pas mal de brochures et d'infos touristiques. Accueil aimable.

■ ***Action-Visas :*** 69, rue de la Glacière, 75013 Paris. ☎ 0826-000-726. Fax : 0826-000-926. • www.action-visas.com • Ouvert du lundi au vendredi de 9 h 30 à 12 h et de 13 h 30 à 18 h 30. Le samedi de 9 h 30 à 13 h. Les visas peuvent s'obtenir rapidement et sans souci avec Action-Visas, spécialisé sur plusieurs destinations. Ils s'occupent d'obtenir et de vérifier les visas. Le délai est rapide, le service fiable et vous n'avez plus à patienter aux consulats ni à envoyer votre passeport à l'ambassade avec des délais de retour incertains et, surtout, sans interlocuteurs... ce qui permet d'éviter les mauvaises surprises juste avant le départ. Pour la province, demandez le visa par correspondance. Possibilité de télécharger gratuitement les formulaires sur • www.action-visas.com • N'oubliez pas de vous réclamer du *Routard*, une réduction vous sera accordée. Parce que voyager peut être aussi synonyme d'aide aux plus démunis, Action-Visas prélève 1 € de sa marge commerciale pour un projet humanitaire qui peut être suivi en direct sur leur site Internet.

■ ***Consulat royal de Thaïlande :*** 8, rue Cargo-Rhin-Fidelity, 13002 Marseille. ☎ 04-91-21-61-05 ou ligne téléphonique d'information (assez chère) : ☎ 0899-702-023. Ouvert les lundi, mercredi et vendredi de 8 h 30 à 11 h 30. Un visa n'est pas nécessaire pour un séjour n'excédant pas

30 jours avec un passeport français. On obtient le visa tourisme avec deux photos, une demande de visa et un passeport en cours de validité. Paiement en espèces.

■ ***Consulat royal de Thaïlande :*** 40, rue du Plat, 69002 Lyon. ☎ et fax : 04-78-37-16-58 ou ligne téléphonique d'information (assez chère) : ☎ 0899-702-023. • thai lande.consulatlyon@wanadoo.fr • M. : Bellecourt. Ouvert les lundi, mardi et vendredi, de 9 h à 11 h. Pour obtenir un visa par correspondance, envoyer une enveloppe timbrée, un formulaire vous sera alors adressé.

■ ***Consulat royal de Thaïlande :*** service visas et renseignements : 41, av. de la Libération, 33110 Le Bouscat, Bordeaux. ☎ 0892-686-916 (service d'information 24 h/24 et permanence téléphonique aux heures d'ouverture). Fax : 05-56-08-67-92. Ouvert les mardi et jeudi de 14 h à 17 h. Possibilité de délivrance de visa par correspondance en écrivant au consulat : 26, av. Carnot, 33200 Bordeaux.

■ ***Ambassade royale de Thaïlande :*** 8, rue Greuze, 75116 Paris. ☎ 01-56-26-50-50. Fax : 01-56-26-04-45. M. : Trocadéro. Visas du lundi au vendredi de 9 h 30 à 12 h. On obtient le visa en 2 jours (sauf en période de fête thaïlandaise où c'est un peu plus long). Coût du visa tourisme : 15 €. Pas de visa par correspondance.

■ ***Amitiés Sans Frontières :*** BP 2074, 28, rue Daguerre, 68059 Mulhouse Cedex. ☎ 03-89-43-21-11. Une association qui se propose de créer des liens entre la Thaïlande et la France. Contre souscription, visites guidées sur place par des anglophones ou des francophones, logement chez l'habitant, etc.

■ ***Musée Guimet :*** 6, pl. d'Iéna, 75016 Paris. ☎ 01-56-52 53-00. • www.museeguimet.fr • M. : Iéna ou Trocadéro. Ouvert de 10 h à 18 h. Fermé le mardi. Entrée : 5,50 € ; réductions. Gratuit le 1er dimanche de chaque mois. Au rez-de-chaussée, quelques pièces thaïlandaises, bien mises en valeur. Pour vous initier à l'art du Sud Est asiatique et aux styles propres au royaume de Siam.

En Belgique

■ ***Ambassade de Thaïlande :*** sq. du Val-de-la-Cambre, 2, Bruxelles 1050. ☎ 02-640-68-10. Fax : 02-648-30-66. Permanence téléphonique de 9 h 30 à 12 h 30 et de 14 h à 17 h. Ouvert au public du lundi au vendredi de 10 h à 12 h et de 14 h à 15 h. Délai minimum pour les visas : 2 jours ouvrables. Coût : 15 €. Le passeport doit être valable au moins 6 mois à partir du jour d'entrée en Thaïlande.

■ ***Consulat honoraire de Thaïlande :*** c/o Antwerp Business Center, Meir, 44 A, 2000 Anvers. ☎ 03-205-92-03. Fax : 03-226-44-82. Également rue de la Côte-d'Or, 274 B, 4000 Liège. ☎ 04-254-48-60. Fax : 04-252-24-75.

En Suisse

■ ***Ambassade de Thaïlande :*** Kirchstrasse 56, 3097 Liebefered (Berne). ☎ 031-970-30-30 à 34. Fax : 031-970-30-35. Ouvert du lundi au vendredi de 9 h à 12 h. Permanence téléphonique de 14 h à 17 h. Obtention des visas également.

■ ***Consulat général de Thaïlande :*** 16, cours des Bastions, 1205 Genève. Pour la correspondance, CP 289, 1211 Genève 12. ☎ 022-311-07-23 ou 079-342-95-79. Fax : 022-311-00-49. • www.thaiconsulate.ch • Ouvert les lundi et jeudi de 9 h à 11 h 30. Délai d'obtention des visas : 3 jours. Il faut deux photos, l'attestation de l'agence pour un aller-retour, un passeport valable 6 mois à partir de la date d'entrée et 17 € (25 Fs) pour un visa tourisme valable pour une entrée. *À Zurich :* Löwenstrasse 3, 8001. ☎ 043-344-70-00. Fax : 043-344-70-01.

Formalités

– Le ***visa*** n'est pas nécessaire pour les séjours de moins de 30 jours pour les membres de la Communauté européenne.
– Pour les séjours de moins de 30 jours (donc sans visa), ***passeport*** impérativement valable au moins 3 mois après le retour de Thaïlande. Et de plus en plus de pays d'Asie du Sud-Est exigent que le passeport soit valable désormais 6 mois après le retour. **En revanche, pour les séjours de plus de 30 jours (avec visa), le passeport doit être absolument valide 6 mois après le retour de Thaïlande.**
Selon la manière dont vous organisez votre voyage, vous avez le choix entre deux possibilités :
– Vous comptez rester en Thaïlande pendant plus de 30 jours consécutifs : demandez un visa qui vous donne droit à un séjour de 2 mois, renouvelable sur place éventuellement pour une durée de 1 mois (auprès du Bureau de l'immigration à Bangkok). Les requérants doivent fournir un passeport valable 6 mois minimum à partir de la date de demande de visa, une photo et 500 Bts (10 US$) à régler en espèces.
Demandez un visa à double entrée : il vous donne droit, pour chaque entrée, à un séjour de 2 mois en Thaïlande, à condition que la deuxième entrée soit utilisée dans les 3 mois à partir du jour de demande de visa. Sans cette double entrée, on vous redonne un visa de 30 jours.
– Si vous avez décidé de visiter la Thaïlande et les pays voisins et que votre séjour en Thaïlande n'excède pas 30 jours, vous obtiendrez sans problème, à la frontière, un visa (sauf en Malaisie où l'on peut séjourner 30 jours sans visa). Votre passeport devra néanmoins être valable 6 mois après votre retour de Thaïlande.
– Mêmes formalités pour nos amis canadiens, suisses et belges.

Quelques remarques

– Pour l'entrée en Thaïlande, vous pouvez choisir n'importe quel moyen de transport, avec ou sans visa.
– Pensez à vérifier la date limite inscrite sur votre passeport car il ne s'agit pas toujours de 30 jours pile, parfois moins. Et ne vous amusez pas à la dépasser lors d'un séjour en Thaïlande ! Les policiers n'apprécient guère la plaisanterie. Amende de 200 Bts ou 4 US$ par jour supplémentaire dépassant la date de limite du visa *(overstay)*, à payer en sortant du pays. Un bon tuyau : si votre visa arrive à expiration et que vous vous trouvez près de la frontière malaise, n'hésitez pas à faire l'aller-retour, on vous donnera un visa de 30 jours (gratuitement, bien sûr).
– Il existe une **taxe d'aéroport** de 400 Bts (8 US$) pour les vols intérieurs

vers Samui ou Sukhothai (ce sont des aéroports privés) et quand on quitte le pays (500 Bts ou 10 US$ en 2003), ainsi qu'une taxe pour chaque déplacement sur des vols intérieurs (30 Bts ou 0,6 US$).
– Pour vous présenter à la douane, préférez une tenue correcte (épaules et jambes couvertes) plutôt que votre bermuda râpé et votre débardeur échancré sur poitrail velu !

Vaccinations

– Aucun vaccin obligatoire pour les voyageurs en provenance d'Europe.
– Sont recommandés les vaccins déjà conseillés en France : tétanos, polio, diphtérie (DT polio, rappel adulte Revaxis®), hépatite B. Les vaccins contre l'hépatite A et la typhoïde sont conseillés. Enfin, les vaccins contre la rage et l'encéphalite japonaise sont à prévoir en cas de séjours ruraux de plus d'un mois ou d'expatriation.

Carte internationale d'étudiant (carte ISIC)

Elle prouve le statut d'étudiant dans le monde entier et permet de bénéficier de tous les avantages, services, réductions étudiants du monde, soit plus de 25 000 avantages concernant les transports, les hébergements, la culture, les loisirs... C'est la clé de la mobilité étudiante !
La carte ISIC donne aussi accès à des avantages exclusifs sur le voyage (billets d'avion spéciaux, assurances de voyage, carte de téléphone internationale, location de voitures, navette aéroport, etc.).
Pour plus d'informations sur la carte ISIC : • www.carteisic.com • ou ☎ 01-49-96-96-49.

Pour l'obtenir en France

Se présenter dans l'une des agences des organismes mentionnés ci-dessous avec :
– une preuve du statut d'étudiant (carte d'étudiant, certificat de scolarité...) ;
– une photo d'identité ;
– 10 €.
Ou envoyer les mêmes pièces par correspondance ainsi que 11 € incluant les frais d'envoi des documents d'information sur la carte. Émission immédiate.

■ ***OTU Voyages :*** ☎ 0820-817-817. • www.otu.fr • pour connaître l'agence la plus proche de chez vous.
■ ***Voyages Wasteels :*** Audiotel : ☎ 0892-682-206 (0,33 €/mn). • www.wasteels.fr •
■ ***Usit Connections :*** ☎ 0825-082-525. • www.usitconnections.fr •

En Belgique

La carte ISIC coûte 9 € et s'obtient sur présentation de la carte d'identité, de la carte d'étudiant et d'une photo auprès de :

■ ***CJB l'Autre Voyage :*** chaussée d'Ixelles, 216, Bruxelles 1050. ☎ 02-640-97-85.

■ ***Usit Connections :*** renseignements au : ☎ 02-550-01-00.

■ ***Université libre de Bruxelles*** *(service « Voyages ») :* av. Paul-Héger, 22, CP 166, Bruxelles 1000. ☎ 02-650-37-72.

En Suisse

Dans toutes les agences *STA Travel*, sur présentation de la carte d'étudiant, d'une photo et de 20 Fs.

■ ***STA Travel :*** 3, rue Vignier, 1205 Genève. ☎ 022-329-97-34.

■ ***STA Travel :*** 20, bd de Grancy, 1006 Lausanne. ☎ 021-617-56-27.

Sur Internet

Possibilité également de commander la carte en ligne : • www.carteisic.com •

Carte FUAJ internationale des auberges de jeunesse

Cette carte, valable dans 62 pays, permet de bénéficier des 6000 auberges de jeunesse du réseau *Hostelling International* réparties dans le monde entier. Les périodes d'ouverture varient selon les pays et les AJ. À noter, la carte AJ est surtout intéressante en Europe, aux États-Unis, au Canada, au Moyen-Orient et en Extrême-Orient (Japon...).

Pour adhérer à la FUAJ et s'inscrire

– ***Par correspondance :*** *Fédération Unie des Auberges de Jeunesse (FUAJ) :* 27, rue Pajol, 75018 Paris. Bureaux fermés au public. Envoyer une photocopie recto-verso d'une pièce d'identité et un chèque correspondant au montant de l'adhésion (ajouter 1,15 € de plus pour les frais d'envoi de la FUAJ). Une autorisation des parents est nécessaire pour les moins de 18 ans.

– ***Sur place :*** FUAJ, Antenne nationale, 9 rue Brantôme, 75003. ☎ 01-48-04-70-40. Fax : 01-42-77-03-29. M. : Rambuteau ou Les Halles (métro, RER A, B, D). Présenter une pièce d'identité et 10,70 € pour la carte moins de 26 ans, et 15,25 € pour les plus de 26 ans (tarif 2003).

Inscriptions possibles également dans toutes les auberges de jeunesse, points d'information et de réservation FUAJ en France. • www.fuaj.org •

On conseille de l'acheter en France car elle est moins chère qu'à l'étranger.

– La FUAJ propose aussi une ***carte d'adhésion « Famille »***, valable pour les familles de deux adultes ayant un ou plusieurs enfants âgés de moins de 14 ans. Compter 22,90 €. Fournir une copie du livret de famille.

– La carte donne également droit à des réductions sur les transports, les musées et les attractions touristiques de plus de 60 pays, mais ces avantages varient d'un pays à l'autre, ce qui n'empêche pas de la présenter à chaque occasion, cela peut toujours marcher.

En Belgique

Le prix de la carte varie selon l'âge : entre 3 et 15 ans, 3,50 €; entre 16 et 25 ans, 9 €; après 25 ans, 13 €.

Renseignements et inscriptions

■ ***À Bruxelles :*** LAJ, rue de la Sablonnière, 28, 1000. ☎ 02-219-56-76. Fax : 02-219-14-51. • www.laj.be • info@laj.be •

■ ***À Anvers :*** Vlaamse Jeugdherbergcentrale (VJH), Van Stralenstraat 40, B 2060 Antwerpen. ☎ 03-232-72-18. Fax : 03-231-81-26. • www.vjh.be • info@vjh.be •

Les résidents flamands qui achètent une carte en Flandre obtiennent 7,50 € de réduction dans les auberges flamandes et 3,70 € en Wallonie. Le même principe existe pour les habitants wallons.

En Suisse

Le prix de la carte dépend de l'âge : 22 Fs (14,30 €) pour les moins de 18 ans, 33 Fs (21,45 €) pour les adultes et 44 Fs (28,60 €) pour une famille avec des enfants de moins de 18 ans.

Renseignements et inscriptions

■ ***Schweizer Jugendherbergen (SJH) :*** service des membres des auberges de jeunesse suisses, Schaffhauserstr. 14, Postfach 161, 8042 Zurich. ☎ 01-360-14-14. Fax : 01-360-14-60. • www.youthhostel.ch • bookingoffice@youthhostel.ch •

Au Canada

La carte coûte 35 $Ca (24,75 €) pour un an (tarif 2003) et 175 $Ca à vie (112,85 €). Gratuit pour les enfants de moins de 18 ans, qui accompagnent leurs parents. Pour les juniors voyageant seuls, compter 12 $Ca (8,50 €). Ajouter systématiquement les taxes.

■ ***Tourisme Jeunesse :*** 4008 Saint-Denis, Montréal CP 1000, H2W 2M2. ☎ (514) 844-02-87. Fax : (514) 844-52-46.

■ ***Canadian Hostelling Association :*** 205, Catherine Street, bureau 400, Ottawa, Ontario, Canada K2P 1C3. ☎ (613) 237-78-84. Fax : (613) 237-78-68. • www.hihostels.ca •

ARGENT, BANQUES, CHANGE

Monnaie et change

– L'unité monétaire de Thaïlande est le ***baht*** (Bts dans le guide) – บาท.
– ***Taux de change en 2003 :*** 1 euro = 46 bahts. En gros, 100 Bts font 2 €.
– Il n'y a pas de marché noir et le ***change*** s'effectue partout sans aucun problème, même en euros ou en chèques de voyage en euros. Inutile donc d'apporter des dollars. Les grosses coupures de chèques de voyage (il est conseillé de les prendre libellés en euros) sont plus intéressantes que les petites, car on paie une petite commission sur chaque chèque de voyage.

– Les ***banques*** en Thaïlande sont ouvertes du lundi au vendredi de 8 h 30 à 15 h 30. Chaque ville, grande ou petite, possède son lot de *money-changers* ouverts jusqu'à 20 h et parfois 22 h, même les samedi et dimanche. Aucun problème de change donc.

Cartes de paiement

Les cartes *MasterCard, Visa* et *American Express* sont acceptées dans presque toutes les banques. Parmi celles-ci, la *Thai Farmers Bank* – ธนาคารกสิกรไทย propose sans doute les taux de change les plus intéressants.
Beaucoup de ces banques sont en outre équipées de distributeurs automatiques généralement accessibles de 6 h à 22 h, voire 24 h/24.
Attention, vous paierez une commission d'environ 6 € pour chaque retrait ou paiement. Pour toute information, avant de partir : • www.mastercardfrance.com • ou, sur Minitel, composer le 36-15, code EM ou le 36-16, code CBVISA (0,20 €/mn), pour obtenir les adresses de tous les distributeurs de billets du pays de destination. Attention cependant, certains distributeurs n'acceptent pas la carte *Visa.*
– La carte ***MasterCard*** permet à son détenteur et à sa famille (si elle l'accompagne) de bénéficier de l'assistance médicale rapatriement. En cas de problème, contacter immédiatement à Paris le : ☎ 00-33-1-45-16-65-65. En cas de perte ou de vol, appeler à Paris le : ☎ 00-33-1-45-67-84-84 (PCV accepté) pour faire opposition. • www.mastercardfrance.com •
– Pour la carte ***American Express***, téléphoner en cas de pépin au : ☎ 00-33-1-47-77-72-00, pour faire opposition, 24 h/24. PCV accepté en cas de perte ou de vol.
– Pour toutes les cartes émises par ***La Poste***, composer le : ☎ 0825-809-803 (pour les DOM : ☎ 05-55-42-51-97).
– Serveur vocal valable pour toutes les cartes de paiement : ☎ 00-33-892-705-705 (0,34 €/mn).

Besoin urgent d'argent liquide

Enfin, en cas de besoin urgent d'argent liquide (perte ou vol de billets, chèques de voyage, cartes de paiement), vous pouvez être dépanné en quelques minutes grâce au système *Western Union Money Transfer.* Pour cela, demandez à quelqu'un de vous déposer de l'argent liquide en euros dans l'un des bureaux *Western Union.* Les correspondants en France sont *La Poste* (fermée le samedi après-midi, n'oubliez pas ! ☎ 0825-009-898) le *Crédit Commercial de France* (ouvert le samedi... toute la journée, bon à savoir aussi ! ☎ 01-40-51-28-46). L'argent vous est transféré en moins de 2 h en Thaïlande. La commission est payée par l'expéditeur. En Thaïlande, ce sont surtout les *Banks of Ayudhaya* qui assurent ce service. On les indique le plus souvent possible.

ACHATS

L'artisanat

L'artisanat thaïlandais est de bon goût, sauf dans quelques domaines.
– ***Conseils :*** attention aux imitations de certains produits. Ce sont des contrefaçons de marques françaises, italiennes ou américaines très renom-

mées, de qualité souvent médiocre, dont l'importation en France exposerait leur détenteur à des poursuites judiciaires et à des amendes douanières sévères, quel que soit le nombre d'articles rapportés. Et attention, les douanes ne rigolent plus vraiment avec ça. Se faire piquer au retour coûte bonbon.
Si vous réglez le montant de vos achats avec une carte de paiement, ne la perdez pas des yeux et n'oubliez pas de récupérer le double. De manière générale, évitez de régler par carte de paiement pour les petits achats. Le liquide donne des marges de marchandage bien plus grandes que l'argent plastique.

– ***Les cotonnades :*** tissées ou imprimées, dans des motifs contemporains ou traditionnels, sont à des prix très intéressants. Possibilité pour les routardes de se faire tailler, à des prix avantageux, une robe dans l'un des nombreux petits ateliers de quartier. Et, en règle générale, les vêtements ne sont pas chers. Ne vous encombrez pas à l'aller !

– ***Les pierres précieuses :*** Bangkok est devenu le centre mondial de la taille des pierres précieuses surtout pour les saphirs et les rubis. Évidemment, beaucoup de pierres synthétiques en balade. Quelques conseils : évitez les bijouteries qui vendent à la fois pierres précieuses, bibelots, souvenirs et gadgets divers. Les belles pierres ne s'achètent que chez les spécialistes. Généralement, les bijouteries des grands hôtels sont dignes de confiance (ces hôtels ont une réputation à garder). De plus, le 5 décembre (anniversaire du roi), une réduction de 25 % est accordée.
Ne pénétrez **jamais** dans une boutique avec un guide d'agence de voyages. Il est automatiquement commissionné.
Pour plus d'infos et de conseils sur le sujet, voir plus bas la rubrique « Pierres précieuses ».

– ***L'argent :*** il est travaillé suivant des dessins traditionnels et décoré en « repoussé », une technique qui permet de présenter en relief les motifs symboliques ou mythologiques. Le *nielle*, lui, est obtenu avec de l'argent incrusté d'un autre alliage et souvent doré. Tout cet artisanat remonte au temps du roi Narai, d'Ayutthaya (1656-1688), et on peut en voir de beaux exemples au Musée national.
Attention, beaucoup d'objets en argent ressemblent à de l'alu. C'est de l'argent à 20 % qui ne vaut pratiquement rien. Il faut demander du « sterling ».

– ***Les bijoux en or :*** ils sont moins chers qu'en France, mais vous n'aimerez pas forcément. De plus, à moins d'être fin connaisseur, vous risquez de vous faire avoir (même s'il y a un poinçon, cela peut être du cuivre ou de l'or à 14 carats). Vous pouvez apporter votre flacon d'acide pour faire un test... Les bracelets de jade et d'onyx sont souvent bon marché.

– On trouve aussi de beaux ***laques*** (spécialité du Nord).

– ***Le bronze :*** matériau utilisé depuis des siècles dans l'artisanat thaï. Possibilité d'acheter, dans toutes les tailles et toutes les tonalités, les cloches et clochettes de temple en cuivre et bronze, et en forme de feuilles d'arbre de la Bodhi *(Ficus religiosa).*

– ***La poterie :*** on assiste au renouveau d'un art ancien : le *céladon*, notamment à Chiang Mai. Le céladon est fabriqué selon un procédé compliqué avec une terre qu'on ne trouve que dans certaines régions, et cuite à haute température. Il se distingue par un délicat craquelé d'un exquis vert jade.

– Citons encore les ***frottis de temple :*** avec un papier de riz, et à l'aide de charbon de bois, de poudre d'or ou de peinture à l'huile, ces « frottis » ont été enlevés sur les bas-reliefs des principaux temples de Bangkok.

– ***Les poupées thaïes :*** elles sont surtout faites en soie, très colorées, et figurent les personnages de la danse classique thaïe et les membres des tribus montagnardes.
– ***Les masques du Khon :*** ils servent au théâtre populaire dramatique, et peuvent s'acheter. Représentant les héros du *Râmakien*, version thaïe du *Râmâyana* : démons, singes et autres, ils peuvent servir d'éléments décoratifs magnifiques.
– ***Les objets en teck :*** provenant des jungles épaisses du Nord, le *teck* est utilisé pour la fabrication de quantité d'objets, des plateaux, de la vaisselle, des statuettes aux plus beaux meubles.
– ***La vannerie de rotin et le mobilier de bambou :*** ils sont très beaux, raffinés et pas chers, mais très souvent encombrants. On hésite à les rapporter. Les touristes se rabattent sur les ***chapeaux chinois pointus*** (en paille) et les ***ombrelles de papier*** (surtout à Chiang Mai).
– ***Les reproductions de tableaux célèbres :*** c'est la grande mode depuis quelques années. Passés maîtres dans l'art de reproduire, les Thaïlandais se sont dit que, puisqu'ils pouvaient copier des fringues et des bagnoles, pourquoi pas des chefs-d'œuvre de la peinture. Et c'est devenu ici un marché comme un autre. Le truc vraiment marrant est de se faire tirer le portrait en photo, puis de la donner à un atelier qui vous la reproduira en peinture. Tous les jours, vous pouvez venir voir l'avancement de votre toile. Amusant et pas si cher.
– ***Conseils :*** si vous voulez envoyer des objets en France par mer, comptez 3 mois de voyage. Pour les expéditions, préférez la poste officielle (en recommandé) aux marchands qui vous proposent de s'en occuper. Voir rubrique « Poste ».

Marchandage

C'est la tradition. Le prix de certains articles sera à diviser par deux. Pour d'autres, et c'est le cas le plus général, vous n'obtiendrez que 5 ou 10 %, 20 % au mieux. En tout cas, il faut toujours essayer ! Avoir cependant à l'esprit que certains petits artisans ont une marge très faible. En tenir compte. Même dans les boutiques chic où les objets sont étiquetés, n'hésitez pas à marchander (imaginez la même chose en France !).
En général, on vous accordera un rabais. Et la concurrence marche à fond. Visitez toujours plusieurs boutiques pour comparer les rabais proposés. Enfin, n'oubliez pas le principe de vente dans ces pays-là : vendre beaucoup, même avec des petites marges. L'affluence de touristes américains dans les îles du Sud commence pourtant à saboter la sympathique cérémonie du marchandage.
Même si le marchand reste ferme sur les prix, il sourira ou rira toujours. Un truc : riez encore plus que lui. Un Européen hilare, ça déconcerte.

La TVA

Il est possible de demander, en partant, le remboursement de la TVA (ici, on dit *VAT*) sur les achats – d'une valeur minimum de 5000 Bts (100 US$) – que vous aurez effectués dans les grands magasins ou les boutiques ayant pignon sur rue. Pour cela, remplir le formulaire de remboursement le jour de l'achat, chaque formulaire devant représenter une valeur de plus de 2 000 Bts (40 US$). Ainsi, le jour du départ, à l'aéroport, avant l'enregistrement, vous présenterez formulaires et articles en question au guichet spécial des douaniers qui se feront un plaisir de vous rendre votre argent.

BOISSONS

– Vous avez le choix entre vous démolir l'estomac avec le Coca et autres Seven-Up ou vous détraquer l'intestin avec les amibes. Mais on trouve aussi de l'eau filtrée en bouteille presque partout. Vérifiez qu'elle soit bien capsulée.
– Les fauchés apporteront leurs pastilles de *Micropur*. Sinon, on trouve partout des pastilles d'hydroclonazone. Le thé est universel, mais c'est soit du *Lipton* (si c'est pas malheureux !), soit un pâle succédané pas très ragoûtant.
– Il faut tester le whisky local : le *mekong* – แม่โขง, auquel on ajoute du Sprite. Ça ne vaut pas l'armagnac, autant vous le dire tout de suite ! On peut acheter sa bouteille pour la boire au restaurant, mais il n'y a pas de grosse différence de prix.
– Vous pouvez boire les jus de fruits frais (on n'en trouve pas partout). N'en abusez pas. Les prudents préciseront qu'ils ne veulent pas de glaçons dedans. Goûtez absolument au *Vitamilk* – ไว ตามิลค์, lait à base de soja, sucre, etc. Délicieux !
– Le café est à l'américaine, c'est-à-dire fadasse. Il est de plus en plus consommé par les Thaïs.
– La bière thaïe *Singha Beer* – เบียร์สิงห์ est bonne, mais assez chère. On peut se rabattre sur la *Leo Beer* ou la *Chang Beer*.
– Attention à la glace pilée : danger ! En revanche, les glaçons de forme cylindrique sont fabriqués dans de bonnes conditions d'hygiène.

BUDGET

Hébergement

D'une façon générale, on constate pour l'hébergement une augmentation des tarifs allant quasiment du simple au triple, du Nord (le simple) aux stations balnéaires les plus cotées du Sud (Phuket, par exemple). Bangkok est également plus chère que le Nord, même si on y dégote encore quelques *guesthouses* bon marché. Aux variations géographiques s'ajoutent les variations saisonnières. Il n'est pas rare qu'une même prestation soit facturée le double (ou presque) en haute saison, le problème étant que dans certaines îles la haute saison est permanente ! En haute saison à Phuket, on vous assommera littéralement. En revanche, l'écart entre basse et haute saison est nettement moins sensible dans le Nord.
En tenant compte de ces éléments, nous avons établi des échelles de prix, qui sont à chaque fois précisées dans le texte. Les prix sont exprimés en bahts, suivis de l'équivalent en dollars US (1 US$ = 43 Bts).
Échelle pour le Nord du pays :
– ***Pas cher*** ou ***bon marché :*** entre 80 et 200 Bts (1,6 et 4 € ou US$).
– ***Prix moyens :*** entre 200 et 400 Bts (4 et 8 € ou US$).
– ***Un peu plus chic :*** de 400 à 1 000 Bts (8 à 20 € ou US$).

– ***Plus chic :*** de 1 000 à 2 000 Bts (20 à 40 € ou US$).
– ***Encore plus chic :*** au-delà de 2 000 Bts (40 € ou US$).
Pour le Sud et autour de Bangkok, il convient de doubler les tarifs des deux premières catégories d'hébergement :
– ***Bon marché :*** de 150 à 400 Bts (3 à 8 € ou US$).
– ***Prix moyens :*** de 400 à 1 000 Bts (8 à 20 € ou US$).
– ***Un peu plus chic :*** de 1 000 à 1 500 Bts (20 à 30 € ou US$).
– ***Plus chic :*** de 1 500 à 3 000 Bts (30 à 60 € ou US$).
– ***Beaucoup plus chic :*** plus de 3 000 Bts (60 € ou US$).

Restauration

Dans ce domaine, les différences Nord-Sud sont moins marquées. C'est notamment vrai à Bangkok où l'on trouve toujours de quoi manger correctement à très bon prix, dans les petites cantines de rue. Les « vrais » restaurants, en revanche, y sont un peu plus chers que dans le Nord ; cette différence s'accentue encore dans le Sud où les stations balnéaires se sont mises à augmenter leurs prix.
– Les gargotes ***bon marché***, populaires, à moins de 100 Bts (2 € ou US$) le repas complet.
– Les restaurants à ***prix moyens***, où l'on peut aussi s'en tirer à bon compte pour 100 à 300 Bts (2 à 6 € ou US$).
– Puis les adresses ***plus chic***, où l'on débourse 300 Bts (6 € ou US$) et plus, et qui sont surtout destinées à une clientèle touristique, et/ou gastronomique.

Visite de sites, de musées et de temples

Les prix des visites des parcs, des musées, des sites et autres temples constituent un budget non négligeable. Ces tarifs ont connu une flambée assez spectaculaire ces dernières années. 100 ou 200 Bts (2 ou 4 € ou US$) pour un temple ou un zoo, c'est exagéré. Il faudra donc souvent faire un choix. Heureusement, comme on peut encore se loger et manger pour pas cher, ça permet de gérer les dépenses au mieux. Attention quand même à ne pas grever votre budget !

CLIMAT

Il fait chaud en toute saison, partout. Le climat est tropical, c'est-à-dire à deux saisons. La saison des pluies s'étend de juin à octobre : rien à voir avec la mousson indienne. Le temps reste ensoleillé avec parfois de gros orages imprévisibles et brefs. Les pluies sont plus abondantes dans le Nord, où l'air est également plus frais. La saison sèche devient torride de mars à mai (de façon presque insupportable), mais il fait froid la nuit, surtout en montagne (trekking). Dans le Sud (Phuket, Hat Yai), saison sèche et saison des pluies sont moins marquées : il peut pleuvoir un peu n'importe quand, alors qu'à Koh Samui la mousson a lieu entre octobre et décembre. De toute façon, ça ne dure jamais bien longtemps.
Un conseil : mieux vaut éviter septembre et octobre pour découvrir la Thaïlande, les typhons pouvant sévir à cette époque.

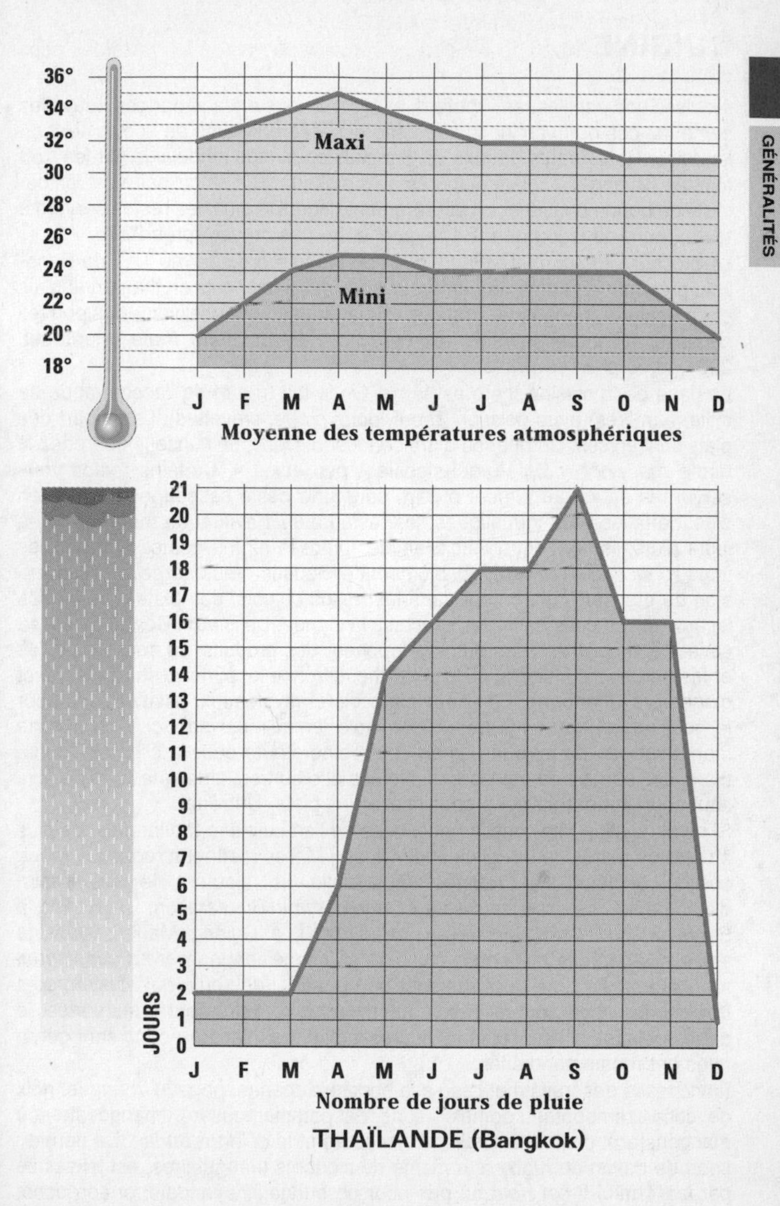

Moyenne des températures atmosphériques

Nombre de jours de pluie

THAÏLANDE (Bangkok)

CUISINE

Aiguisez vos papilles, ami routard, et laissez-vous envahir par ces nouvelles senteurs, ces parfums inconnus, cette richesse enivrante de la cuisine thaïlandaise. Restaurants de luxe de Bangkok ou stands ambulants sur les trottoirs de Chiang Mai, plats élaborés ou simple riz frit, l'art culinaire est ici toujours de bonne qualité et on est rarement déçu. De plus, les restos servent à toute heure de la journée. En revanche, ne pas arriver après 22 h.
La brochure *Eating in Thailand*, que l'on peut se procurer au TAT de Bangkok, présente les noms de nombreux plats délicieux écrits en thaï, en anglais et en écriture phonétique. Pratique ! En attendant, pour saliver, vous pouvez consulter un autre ouvrage très bien fait : ***Petits plats thaïs*** (Marabout, 2001) avec plein de photos.
La base de la cuisine thaïe est le riz. On le fait frire et on l'accommode de mille manières (avec poisson, bœuf, porc, crabe, crevettes). La plupart des plats sont épicés. Un peu, ou alors beaucoup. Donc, un conseil : apprenez le terme *maï phèt* – ไม่เผ็ด, qui signifie « peu épicé ». Certains restos vous servent la sauce au piment à part, dans une petite soucoupe. De plus en plus, dans les lieux touristiques, les restaurateurs évitent de mettre le feu à leurs plats, ils tiennent à leur clientèle. Outre le riz frit, goûtez aux nouilles frites (*phat thai* – ผัดไทย), absolument délicieuses. Vous aurez aussi l'occasion de manger, notamment dans les restos chinois, des plats de légumes locaux frits ou cuits dans des sauces à la viande. Délicieux ! Ce qui donne sa saveur à la cuisine thaïe, outre la fraîcheur des produits, ce sont les épices et les herbes : coriandre, curry, menthe, citronnelle, piment, safran blanc et gingembre lui apportent un goût inimitable et mystérieux, assez relevé pour le goût occidental, mais très appréciable lorsqu'il est adouci – ce que ne manquent pas de faire la plupart des restaurateurs pour la clientèle touristique. Les sauces de poisson, de moules et d'huîtres, ainsi que celle de soja sont couramment utilisées pour relever les plats. Un régal !
Si riz et nouilles frits constituent la base de l'art culinaire thaïlandais, de plus en plus de restos de Bangkok et de Chiang Mai se mettent à redécouvrir une cuisine ancienne et raffinée à laquelle ils ajoutent le savoir-faire d'aujourd'hui. Les résultats sont éloquents (voir *Bussaracum* – บุษราคัม, à Bangkok, ou *Heun Suntaree* – เฮือนสุนทรีย์, à Chiang Mai). La cuisine actuelle a subi les influences chinoise et indonésienne, tout en conservant sa personnalité. Les desserts sont peu prisés. Les seuls qui existent sont très sucrés. Noter tout de même (comment faire autrement ?) les sortes de carrés gélatineux aux couleurs fluorescentes. Les flans au coco sont généralement recommandables.
La richesse des fruits met l'eau à la bouche : ananas, papaye, mangue, noix de coco, ramboutan, pomelo (sorte de pamplemousse), mangouste (ou mangoustan), pastèque, *jack fruit* (jacquier) et le célèbre *durian.* Ce dernier, sorte de ballon de rugby agrémenté de piquants triangulaires, est très prisé par les Thaïs. Il est hors de prix pour un budget thaïlandais, et son achat représente un véritable « investissement » pour le chef de famille. Son odeur alléchante vous rappellera celle d'un camembert oublié dans un garde-manger et son goût celui d'échalotes pourries...Nous vous proposons ici quelques plats classiques, histoire de vous repérer dans la carte.

Les « frits »

– *Khao phat* – ข้าวผัด : riz frit, avec poulet, crabe ou crevettes.
– *Phat phak bung* – ผัดผักบุ้ง : assortiment de légumes frits.
– *Nua phat nam man hoï* – เนื้อผัดน้ำมันหอย : bœuf frit à la sauce d'huîtres aux oignons.
– *Thot man pla* – ทอดมันปลา : beignets de poisson frits.
– *Mi krop* – หมี่กรอบ : nouilles craquantes accommodées avec de la viande, des crevettes ou autres.

Les soupes

– *Kaeng chut* – แกงจืด : soupe de légumes avec crevettes ou porc.
– *Tom yam* – ต้มยำ : mélange aigre-doux accompagné de morceaux de porc, poulet ou poisson.
– *Tom yam kung* – ต้มยำกุ้ง : soupe de crevettes parfumée à la citronnelle.
– *Khao tom pla* – ข้าวต้มปลา : soupe à la sauce de poisson.

Les nouilles

– *Phat thay* – ผัดไทย : nouilles sautées accommodées avec viande ou fruits de mer, soja cru et soja cuit, cacahuètes pilées, *tofu,* crevettes séchées et la traditionnelle sauce de poisson.
– *Kuai tio haeng* – ก่วยเตียวแห้ง : nouilles agrémentées de viande et de légumes émincés, le tout épicé.
– *Kuai tio phat siu* – ก่วยเตียวผัดซีอิว : nouilles frites avec sauce chinoise, viande, légumes et œufs.
– *Ba mi krob rat na kung* – บะหมีกรอบราดหน้ากุ้ง : nouilles jaunes craquantes avec crevettes.
– *Suki yaki* – สุกี้ยากี้ : pâtes sèches avec des fruits de mer et de la viande, préparées avec une sauce assez indescriptible.

Les autres plats

– *Laab* – ลาบ : viande de porc hachée avec des épices. Se mange cru *(laab isan,* pas très conseillé pour les occidentaux*)* ou cuit *(laab kua).*
– *Kam pu thot* – ก้ามปูทอด : crabes frits.
– *Kaï yang* – ไก่ย่าง : poulet grillé.
– *Hu chalam sai pu* – หูฉลามใส่ปู : aileron de requin avec crabe.
– *Keng pla nam khao* – แกงปลาน้ำขาว : pomfret (sorte de poisson) cuit au court-bouillon, servi avec une sauce blanche.
– *Kaï phat phrik* – ไก่ผัดพริก : poulet grillé pimenté.
– *Lap* – ลาบ : viande hachée avec du citron et des échalotes saisie avec des piments.
– *Pla prio wan* – ปลาเปรี้ยวหวาน : poisson à l'aigre-doux.
– *Ho mok pla chonne* – ห่อหมกปลาช่อน : poisson à la pâte de curry cuit à l'étouffée dans une feuille de bananier.

DANGERS ET ENQUIQUINEMENTS

Voici la liste des pépins qui ne vous arriveront jamais une fois que vous aurez lu ces lignes !

Vols et brigandage

Le vol et le brigandage ne sont pas des problèmes particuliers à la Thaïlande, en tout cas pas plus – mais pas moins – que dans tout autre pays où le tourisme est important.
Cela dit, les pickpockets et les agresseurs potentiels existent. Ainsi il convient, pour ne pas se faire plumer, de rester vigilant et de ne pas baisser la garde dans les situations les plus décontractées. Un truc assez répandu, le vol « à la tire ». Les malfrats agissent seuls ou à plusieurs. Et ce ne sont pas des prières, même en latin, qui vous aideront à éviter les désagréments. En revanche, avec un peu de bon sens on évite bien des tracas. Par exemple, il est judicieux d'avoir au moins la moitié de son argent en chèques de voyage et de ne prendre sur soi que ce dont on a besoin. Certains hôtels possèdent des coffres et l'on vous remet un reçu de ce que vous y avez déposé. Évidemment, ne laissez rien de valeur dans un bungalow de bambou tressé, fermé par un simple cadenas. Conservez toujours votre passeport sur vous, tout en laissant des photocopies dans un sac à votre *guesthouse* ou votre hôtel.
– Dans les transports en commun et notamment les bus, il arrive que des bagages disparaissent lors des arrêts intermédiaires. Rien de plus facile en effet, au milieu de la nuit, que de faire descendre quelques sacs en plus. Ne laissez en soute que ce que vous ne pouvez prendre à bord, et veiller à ne rien placer de valeur dans ces bagages-là.
– Deux mots des « bars à filles » où les plus naïfs se font plumer sans s'en rendre compte en payant de larges tournées et se font piquer leur fric et leurs papiers une fois qu'ils sont bien allumés. On ne les plaint pas vraiment.
– Évitez aussi, aux alentours de Bangkok, les propositions de balades dans les *khlong* pour voir les marchés flottants à un prix super-alléchant.
– On ne compte plus non plus les arnaques du genre « Ce temple est fermé, venez voir celui-ci » proféré par un type en costard-cravate ou un gentil monsieur qui souhaite vous faire visiter la ville uniquement pour son plaisir... Une fois encore, refusez !
– Quand vous payez avec une carte de paiement, conservez bien les carbones et évitez de payer de petites factures dans des endroits peu sûrs.
– CONSEIL PRIMORDIAL : CONSERVEZ TOUJOURS VOTRE CARTE DE PAIEMENT AVEC VOUS. Ne la laissez pas dans le coffre à l'hôtel, quand vous partez en trek. Trop de lecteurs se retrouvent en France avec d'énormes découverts bancaires...

Pierres précieuses

Face au nombre toujours croissant de nos lecteurs victimes d'escroqueries qui nous écrivent, on ne saurait que trop recommander la prudence... Le scénario est le suivant : un conducteur de *tuk-tuk* – ตุ๊กๆ ou un simple passant sympathise avec vous, et vous mène très patiemment dans une boutique qui, ce jour-là (comme par hasard !), fait de très grosses réductions. Facile de se laisser embobiner : témoignages d'autres touristes (faux, évidemment) et certificats d'authenticité (encore plus faux !) leur servent de preuves. Là encore, le marchand ne compte ni les thés, ni les heures... et le tour est joué ! Lui a gagné sa journée et vous, vous avez perdu la vôtre... sûr cependant d'avoir fait une affaire. Alors, une fois pour toutes : prudence et vigilance. De toute façon, vous ne ferez pas d'affaires !

Assistance aux touristes

Des centres d'assistance aux touristes existent dans toutes les grandes villes et dans les lieux touristiques. Nous en donnons les coordonnées dans la rubrique « Adresses utiles » des villes concernées. La majorité des postes *Tourist Police* sont plutôt efficaces. En cas de pépin, n'hésitez donc pas à aller les voir.
– Si vous avez un problème, composez le : ☎ 16-99, numéro de la *Tourist Police*. Ce 16-99 est un peu l'équivalent du 17 pour Police-Secours en France.

Drogue

On ne va pas vous faire la morale, mais il faut savoir qu'essayer une drogue, même douce, peut coûter très cher en Thaïlande. Les sanctions sont terribles et une bonne vingtaine de Français sont actuellement sous les verrous pour ne pas avoir tenu compte des lois thaïes en vigueur, et ce souvent pour de longues peines (20 à 30 ans).

DÉCALAGE HORAIRE

Compter 5 h d'avance sur Paris en été ; 6 h en hiver. Quand il est midi à Paris, il est 17 h (été) ou 18 h (hiver) à Bangkok.
Enfin, n'oubliez pas que le temps, en Thaïlande, est régi par le ***calendrier bouddhique***. Ajoutez donc 543 années à votre bon vieux calendrier grégorien. Ce n'est qu'une question d'habitude, mais c'est toujours bizarre de se retrouver en 2546 ou 2547 !

DROITS DE L'HOMME

Plus de 2200 morts dans les 4 premiers mois de l'année 2003 : c'est le bilan effarant de la « Guerre de la drogue » annoncée officiellement par le premier ministre Thaksin Shinawatra le 1er février 2003. Officiellement, ces morts sont pratiquement tous liés à des affrontements entre bandes rivales. Mais les ONG affirment que nombre d'entre eux ont été victimes d'exécutions extra-judiciaires. Plus de 2 millions de Thaïlandais sont « accros » aux métaamphétamines *(Yaa Baa)* et les problèmes sociaux causés par la drogue sont innombrables. Mais ce vaste trafic ne peut fonctionner qu'avec la complicité et la corruption de nombreux fonctionnaires, ainsi que de membres des forces armées. Thaksin Shinawatra a annoncé fin avril 2003 que sa cible s'élargissait par conséquent désormais à l'ensemble du crime organisé, ainsi qu'aux fonctionnaires corrompus. Plus de 470 d'entre eux ont été inculpés depuis, même si le *South China Morning Post* remarque que « le nombre de gros bonnets qui ont été arrêtés [...] est très faible, si ce n'est nul ».
La dégradation des droits économiques et sociaux inquiète les ONG de défense des Droits de l'homme, dans un pays où les systèmes de protection sociale sont quasi inexistants... La situation est surtout préoccupante pour les nombreux travailleurs immigrés, qui, n'ayant pu renouveler ou prolonger leur permis de travail, sont devenus de fait clandestins. Plusieurs centaines de milliers de travailleurs immigrés vivent en effet clandestinement en Thaïlande, dont de nombreux Birmans et Cambodgiens. La Thaïlande reste en

outre l'une des destinations privilégiées du « tourisme sexuel ». La prostitution infantile demeure importante (1/4 des prostitués en Thaïlande seraient mineurs), en dépit de textes législatifs renforcés et de peines alourdies à l'encontre des proxénètes, mais aussi des clients.

L'afflux de réfugiés en provenance de régions frontalières sensibles a continué cette année, même si les autorités Thaïlandaises ont fortement restreint les conditions d'entrée sur le territoire. Ils sont aujourd'hui près de 130 000 à s'entasser dans des camps situés à la frontière birmane, pour fuir le régime de Rangoon. L'insécurité n'a cessé d'augmenter dans ces camps et des incursions birmanes ont été constatées dans certains camps Karens. Selon la FIDH, des rapatriements forcés sont organisés par l'armée thaïlandaise, sans qu'aucune garantie quant au sort des réfugiés de retour en Birmanie n'ait été prise. Enfin, les organisations de défense des Droits de l'homme dénoncent les violations des droits des minorités, et notamment des ethnies montagnardes, qui ne jouissent pas de la pleine citoyenneté thaïlandaise.

Pour en savoir plus, n'hésitez pas à contacter :

■ ***Fédération internationale des Droits de l'homme (FIDH) :*** 17, passage de la Main-d'Or, 75011 Paris. ☎ 01-43-55-25-18. Fax : 01-43-55-18-80. • www.fidh.org • fidh@fidh.org • M. : Ledru-Rollin.

■ ***Amnesty International*** *(section française) :* 76, bd de la Villette, 75940 Paris Cedex 19. ☎ 01-53-38-65-65. Fax : 01-53-38-55-00. • www.amnesty.asso.fr • info@amnesty.asso.fr • M. : Belleville ou Colonel-Fabien.

N'oublions pas qu'en France aussi les organisations de défense des Droits de l'homme continuent de se battre contre les discriminations, le racisme et en faveur de l'intégration des plus démunis.

ÉCONOMIE

Les fondements de l'économie thaïlandaise sont l'agriculture (quatrième exportateur mondial de riz, importante production maraîchère et fruitière dans le centre et le Nord), l'extraction minière et l'industrie mécanique (pas de grandes marques nationales, mais d'importants ateliers automobiles installés dans le pays : Toyota, General Motors). Cependant, malgré quelques gisements de gaz, le pays reste dépendant pour son énergie.

Après le krach boursier de 1997, la Thaïlande remonte progressivement la pente. Le salaire moyen est de 440 €, et 2 millions de travailleurs sont encore au chômage.

La croissance était à moins de 5 % en 2002, alors qu'elle représentait deux fois plus à la fin du siècle dernier ! Mais la Thaïlande peut se féliciter d'une hausse du nombre de touristes : + 7,3 % en 2002. Dans le contexte international, ces chiffres sont pour le moins surprenants.

ENVIRONNEMENT

De même qu'on avait rasé les mangroves (forêts de palétuviers) le long des côtes, pour raisons financières, on a depuis plus de 80 ans surexploité et détruit les dernières grandes forêts primitives de l'Asie du Sud-Est. Ainsi la Thaïlande a perdu presque tout son teck. L'équilibre ne sera jamais rétabli, malgré la création de parcs nationaux. Que dire aussi de ces stations bal-

néaires qui, à coups de rejets de déchets, sont en train de perdre leurs principaux atouts (vie marine, coraux notamment). N'oublions pas Bangkok, ville engorgée par les voitures et donc par la pollution, qui souffre aussi du pompage frénétique des nappes phréatiques. En somme, les écologistes ont du pain sur la planche !
Et puis il y a le problème des îles : Phuket est déjà saccagée, inutile de revenir sur son cas. Mais c'est vrai que ce qu'est en train de devenir une île comme Koh Phi Phi a de quoi inquiéter. Des centaines de palmiers rasés pour faire place à des bungalows, des problèmes de surpopulation et surtout d'évacuation des eaux usées. Le surpeuplement touristique de la haute saison provoque des va-et-vient incessants de bateaux « longues-queues » qui polluent et provoquent l'asphyxie de l'eau et, partant, la destruction de la faune. Ainsi les eaux aux abords du port sont devenues irrémédiablement troubles.

L'éléphant : le plus aimé de tous

L'éléphant est l'animal thaïlandais par excellence, respecté et aimé plus que tout autre. Pensez, ces pachydermes ont même droit à la retraite et à la sécurité sociale (un hôpital leur est spécialement destiné et il est admis qu'ils ne travaillent plus à partir de 60 ans afin de se reposer tranquillement jusqu'à la fin de leurs jours). S'ils sont beaucoup moins nombreux aujourd'hui, on en compte tout de même encore près de 4000 dans le pays. Mais la mécanisation du travail agricole (l'éléphant servait surtout au transport du teck ; or le teck, surexploité, a presque disparu du pays) et le coût exorbitant de son entretien ont porté un rude coup à l'animal sacré. Le tourisme est ainsi devenu le premier gagne-pain de ces grands animaux si sages. Sachez que les conditions de transport ne sont pas des plus agréables pour le roi des animaux thaïlandais : il ne se passe pas une semaine sans que la presse ne parle de traitements infâmes envers eux.
Mais plus aimé encore est l'éléphant blanc, l'animal sacré du bouddhisme, symbole de paix et de prospérité à travers l'Asie. L'origine de sa légende dépasse l'entendement : il aurait fécondé la mère du Bouddha pour qu'elle donne naissance au grand Sage... En Thaïlande, l'histoire de ces animaux d'exception a toujours été liée à la nation. Jadis insignes du drapeau siamois, les éléphants blancs sont traditionnellement la propriété du roi qui renforce ainsi sa position de demi-dieu. Le simple fait d'attraper un tel animal et de l'offrir au roi provoque des liesses populaires... Il n'en reste plus beaucoup aujourd'hui.

FÊTES ET JOURS FÉRIÉS

La plupart des fêtes ont lieu en fonction du calendrier lunaire, elles varient donc. Comme les travailleurs thaïlandais n'ont pas de congés payés, les jours fériés sont très attendus et respectés.
– ***Nouvel An*** (31 décembre au 1er janvier) : jours fériés. À Bangkok, grosse foule et bousculade sur l'immense place de Sanam Luang (en face du Wat Phra Keoh). À Chiang Mai, les hôtels sont archicombles. Bien réserver votre place de train une semaine à l'avance.
– ***Nouvel An chinois*** (fin janvier-début février) : fête de famille. Il ne se passe rien, sinon que tous les magasins sont fermés pendant quatre jours et que les bus, trains et hôtels sont bondés.

– ***Magha Puja*** (fin février) **:** fête bouddhique. Les gens vont dans les temples. Processions aux chandelles.
– ***Les combats de cerfs-volants*** (mars-avril) **:** à Bangkok, tous les après-midi à 16 h 30 sur Sanam Luang. Le jeu consiste à faire tomber les cerfs-volants. Le tout dépend du vent et attention aux fils électriques !
– ***Le jour des Chakri*** (6 avril) **:** fête de la dynastie actuelle. Cérémonies au temple du Bouddha d'Émeraude à Bangkok.
– ***Songkran*** (13 ou 15 avril) **:** Nouvel An bouddhique. Le jour le plus chaud en Thaïlande. Du coup, les gens s'aspergent d'eau mutuellement. Très pratiqué à Chiang Mai et à Phra Praokong, dans la banlieue de Bangkok.
– ***Le jour du Couronnement*** (5 mai) **:** anniversaire officiel du roi Bhumibol, actuel souverain régnant.
– ***La cérémonie du Labour*** (mi-mai) **:** cérémonie hindoue qui marque le début du repiquage du riz. Le roi et la reine sont visibles sur Sanam Luang à Bangkok.
– ***Visahka Puja*** (mai) **:** anniversaire de la naissance de Bouddha. Dans tous les temples, processions aux chandelles. Une des plus belles fêtes de Thaïlande.
– ***Khao Pansa*** (juillet) **:** magnifique festival des Bougies (surtout à Ubon Ratchatani, dans le Nord-Est).
– ***Tak Bat Dok Mai*** (fin juillet) **:** grande fête à Saraburi, à 136 km de Bangkok, à l'autel de l'Empreinte du pied. On dit que c'est le pied de Bouddha.
– ***L'anniversaire de la reine Sirikit*** (12 août) **:** jour férié.
– ***Ok Pansa*** (octobre) **:** fin du carême et début de la *saison des kathins* où les gens offrent aux moines bouddhistes leurs nouvelles robes. Processions en musique.
– ***Loy Krathong*** (novembre) **:** la plus belle fête de Thaïlande. Elle a lieu la nuit. Les gens fabriquent des *krathong,* minuscules bateaux de feuilles de bananier avec une bougie allumée et de l'encens, qu'ils déposent sur les rivières et les *khlong* pour honorer les esprits des eaux. À voir particulièrement à Bangkok sur la Chao Phraya, du côté de Memorial Bridge, à Chiang Mai sur la rivière Ping, et à Sukhothai (festival son et lumière, danses).
– ***Le rassemblement des éléphants*** (début novembre) **:** existe depuis 1955, organisé par le TAT (office du tourisme de Thaïlande) à Surin (dans l'est du pays). Des centaines d'éléphants en représentation. C'est bien le seul moment où l'on peut voir autant d'éléphants en Thaïlande.
– ***L'anniversaire du roi*** (5 décembre) **:** fête nationale ; encore un peu plus de photos du roi, déjà partout. Illuminations, villes pavoisées. À Bangkok, la zone comprise entre le Chittlâdâ Palace, l'Assemblée nationale et le Grand Palais est le théâtre d'une multitude de manifestations : films en plein air, danses, concerts...
– ***Noël :*** bien que Noël ne signifie rien en Thaïlande, bon nombre de supermarchés (comme les palmiers) sont enguirlandés comme chez nous. Il devient même possible de réveillonner dans certains établissements tenus par des Européens.

GÉOGRAPHIE

Avec ses 513115 km², la Thaïlande est à peine plus petite que la France pour une population de plus en 62 millions d'habitants. Son dessin est pour le moins curieux : une sorte de grosse masse un peu informe au nord et une

longue bande étroite qui part loin vers le sud. Voilà le résultat des guerres au cours de l'histoire. Remarquez, tous les pays en sont au même point.
Grosso modo, la Thaïlande, qui touche quatre pays (Cambodge, Laos, Myanmar [ex-Birmanie] et Malaisie) et s'ouvre sur deux mers (Chine et Andaman), peut se diviser en quatre régions :
– ***Le Nord :*** montagneux, couvert de jungle et des derniers rares bois de tecks, et creusé de profondes vallées où le riz pousse au soleil et les pieds dans l'eau. Dans ces contrées vivent d'incroyables tribus, visitées de plus en plus par d'autres peuplades qu'on rassemble sous le terme générique de « touristes ». Le plus haut sommet culmine à 2590 m.
– ***Le Nord-Est :*** le coin le moins fréquenté par les touristes. Finies les montagnes arrosées, bonjour les plateaux arides. C'est une région dure mais passionnante.
– ***Le centre :*** large bassin fertile, arrosé de manière idéale. C'est l'équivalent de la Beauce, chez nous. Rivières nombreuses, sol riche, climat propice à la culture, c'est là le creuset de la civilisation thaïlandaise.
– ***Le Sud :*** cette région qui s'effile vers le sud est productrice d'hévéas. Mais pour le touriste, le Sud c'est avant tout les plages qui bordent la côte, et le farniente. On ne va pas le contredire. Les belles îles de la mer d'Andaman et du golfe de Thaïlande sont devenues le rendez-vous des vacanciers.

HÉBERGEMENT

Aucun problème pour trouver à se loger. Il y a de tout, à tous les prix et partout : à Bangkok des *guesthouses* en dur, à Chiang Mai des maisons en teck au milieu d'un jardin et, dans les îles, des bungalows en bambou devant la plage. Il existe toujours plusieurs niveaux de confort : avec ventilo ou air conditionné ; et avec ou sans douche (chaude ou froide) et toilettes. En règle générale, pas de problème de propreté. Beaucoup d'endroits sont sommaires et pas chers, mais le balai est toujours passé.

Les auberges de jeunesse

– Il n'y a pas de limite d'âge pour séjourner en AJ. Il faut simplement être adhérent.
– La FUAJ propose trois guides répertoriant toutes les adresses des AJ du monde : un pour la France, un pour l'Europe et un pour le reste du monde, payants pour les deux derniers.
– Dommage que le système de réservation depuis la France ne fonctionne que pour une seule AJ à Bangkok. Possibilité de réserver en ligne • www.hostelbooking.com • Vous réglez en France, plus des frais de réservation (environ 6,15 €).
– Pour les adresses de la FUAJ, voir les adresses utiles « Avant le départ ».

HISTOIRE

Un des berceaux de l'Homo sapiens

L'histoire des Thaïs remonte certainement à plus de quatre mille ans. Les premiers vrais agriculteurs furent thaïs, et même les premiers hommes à travailler le métal ! Ces Thaïs de la toute première heure ont proliféré à travers tout le Sud-Est asiatique, jusqu'au sud de la Chine. Dès les IIe et IIIe siècles av. J.-C., des moines bouddhistes venus des Indes sont allés vers un pays appelé *Suvarnabhumi* (« la Terre d'or »). Ce territoire s'étendait vraisemblablement de la Birmanie, traversant le centre de la Thaïlande actuelle, jusqu'à l'est du Cambodge.

Les âges farouches : la période de Dvâravatî

Une pépinière agitée et changeante de cités-États fut désignée sous le nom de *Dvâravatî* (du sanskrit : « lieux ayant des portes »), durant une période qui débuta au VIe siècle et dura jusqu'au XIe, voire jusqu'au XIIe siècle de notre ère. Probablement érigées par le peuple môn – des descendants d'immigrants indiens métissés avec les Thaïs originels –, ces cités n'ont livré que peu de leurs secrets. Les Chinois connaissaient cette région sous le nom de *T'o-Lo-Po-Ti*, à travers les voyages du moine Xuan Zang. Il en reste quelques magnifiques œuvres d'art, notamment des représentations de Bouddha, des bustes en terre cuite, quelques bas-reliefs en stuc dans des temples ou des grottes, mais malheureusement peu d'éléments d'architecture sont demeurés intacts. La culture Dvâravatî a décliné rapidement à partir du XIe siècle sous la poussée des conquérants khmers.

Le Moyen Âge : l'apogée de l'influence khmère

Entre les XIe et XIIIe siècles, l'influence khmère est dominante dans l'art, la religion et le langage. Beaucoup de monuments de cette période, situés à Kanchanaburi, Lopburi et dans d'autres sites du Nord-Est, peuvent être comparés à l'architecture d'Angkor. Mais c'est aussi à ce moment que les premières peuplades thaïes, qui avaient émigré vers la Chine dans la préhistoire, repartirent dans le sens inverse, de la province du Yunnan vers la Thaïlande. Ces Thaïs furent appelés par les Khmers des *Syams*, ce qui signifie « basanés », référence faite à la couleur de leur peau. Un rameau de cette même souche fondera le royaume de Lan Xang (le Laos, « pays du million d'éléphants ») en 1353.

La Renaissance et le premier royaume : Sukhothai

Plusieurs principautés thaïes de la vallée du Mékong s'unirent aux XIIIe et XIVe siècles pour livrer combat aux Môns, et leur prirent Haripunchai pour fonder Lan Na. Ils s'attaquèrent ensuite aux Khmers et récupérèrent toute la région de Sukhothai. Et c'est ainsi qu'en 1238 fut proclamé le premier royaume et État organisé thaï. Cette période vit aussi la naissance et l'épanouissement de la culture, de la politique et de la religion thaïes à proprement parler. *Sukhothai* veut dire « l'aube de la félicité », et les Thaïs d'aujourd'hui considèrent cette période comme un âge d'or. La prospérité était telle que les sujets étaient dispensés d'impôts ! Un des rois, Ram Khamheng, a permis la mise en place d'un système d'écriture, base du thaï moderne, mais à sa mort le royaume éclata en plusieurs États, cependant qu'une nouvelle capitale attendait dans les coulisses...

Ayutthaya... capitale d'un million d'habitants !

Paris n'était qu'un village à l'époque, en comparaison de la puissance et de la richesse d'Ayutthaya. Cette nouvelle capitale fut fondée en 1350 par le roi Ramadhipati Ier. Bien que les Khmers fussent l'ennemi « héréditaire » et que les batailles fissent rage, la cour d'Ayutthaya adopta leur langage et leurs coutumes. L'un des résultats fut que les rois thaïs devinrent des monarques absolus avec le titre de « roi-dieu ». La capitale khmère Angkor tomba en 1431 et pendant quatre siècles les Thaïs, pourtant si souriants, furent craints et redoutés dans toute l'Asie du Sud-Est. C'est en 1498 que Vasco de Gama et ses vaisseaux portugais, ayant contourné le cap de Bonne-Espérance, ouvrirent une nouvelle route commerciale et inaugurèrent l'ère de l'expansion européenne en Asie. La première ambassade portugaise fut établie à Ayutthaya en 1511, suivie par celle des Hollandais en 1605, des Anglais en 1612, des Danois en 1621 et des Français en 1662.

Le royaume de Siam et Louis XIV : regards vers le soleil couchant...

Le mot *farang*, en thaïlandais moderne, signifie « étranger » et c'est une abréviation de *farangset*, qui désignait alors les Français... ce qui dénote une agressivité certaine à l'encontre de la France ! L'origine de cette ferme xénophobie est due... à un Grec, Constantine Phaulkon. Aventurier sans scrupule, il avait réussi grâce à un certain culot et à une « tchatche » imparable à infiltrer la cour et se vit nommé Premier ministre. La description de Phaulkon par Maurice Garçon est tout à fait éloquente : « Levantin d'origine, devenu anglais et converti à la religion anglicane par commodité, catholique sous la direction d'un jésuite, portugais par politique, siamois par accident, marié à une Japonaise par hasard, Constantine Phaulkon devint français de cœur par nécessité et résolut de faire du Siam, qui l'avait imprudemment accueilli, une colonie pour Louis XIV. »

C'est donc grâce à Phaulkon qu'un autre personnage haut en couleur, et de mœurs discutables, fit son apparition au Siam : François Timoléon, abbé de Choisy. Ce prélat extravagant envoyé par le Roi-Soleil aimait, entre autres, se déguiser en femme. Nous, on n'est pas contre, mais on peut s'interroger sur son dévouement religieux. Le roi Narai, sous l'influence de ces deux personnages, dont l'un dirigeait le royaume quasiment à sa place, accepta (un peu à contrecœur, il est vrai) de laisser stationner des garnisons françaises au Siam. Exaspérés par l'insolence de Phaulkon, les dignitaires siamois approuvèrent le coup d'État qui, en 1688, marqua la fin de cette première ouverture vers l'Europe. Le roi Narai perdit son trône, Phaulkon, sa vie, et tous les étrangers – Français en tête – furent chassés du Siam. Mais le mot *farang* resta dans le vocabulaire comme un stigmate disgracieux de cette époque...

La chute d'Ayutthaya

Durant tout le XVIIIe siècle, les principautés du Siam se livrèrent des guerres sans merci. Les Birmans en profitèrent pour envahir le pays et anéantir la splendide capitale Ayutthaya, après deux ans d'un siège commencé en 1769 et que les ruines attestent toujours. Malgré la mise à sac de l'ancienne cité, les Birmans ne réussirent pas à s'implanter au Siam. Le général thaï Phya Taksin érigea une nouvelle capitale, Thonburi, en face de la future Bangkok sur les bords de la rivière Mae Nam Chao Phraya, et se fit proclamer roi. Il ne régna pas longtemps : mégalomane et fanatique religieux (il se prétendait presque l'égal de Bouddha !), il fut assassiné (sagement ?) par ses ministres. En 1782, un autre général, Phya Chakri, monta sur le trône sous le nom de

Râma Ier, et fonda la capitale actuelle, Bangkok. Les souverains de la dynastie Chakri, encore au pouvoir aujourd'hui, portent tous le nom de Râma.

Les prémices de la modernité

C'est en 1851, avec l'avènement du roi Mongkut qui régna sous le nom de Râma IV, que les graines de la Thaïlande moderne furent semées. Homme instruit, raffiné et courtois, il vouait à l'Occident une admiration qui l'amena non seulement à entretenir une correspondance soutenue avec le président des États-Unis de l'époque, James Buchanan – il lui avait même offert des éléphants pour améliorer les transports américains ! –, mais aussi à signer des traités avec, entre autres, la Grande-Bretagne.
Une fois au pouvoir, il s'entoura de nombreux conseillers occidentaux. Pourrait-on imaginer en France une telle ouverture ? Malgré toutes ces influences occidentales, Mongkut, tout comme ses successeurs, conserva son goût des traditions thaïlandaises. Il fut un polygame convaincu, reconnaissant 82 enfants de 35 femmes différentes ! Il s'attacha les services d'une gouvernante anglaise, Anne Leonowens, dont les *Mémoires* ont inspiré trois films. Le plus célèbre, bien que fantaisiste sur le plan historique, fut sans conteste *The King and I* (« le Roi et Moi »), qui révéla Yul Brynner. Plus récemment, on a pu apprécier la prestation de la belle Jodie Foster sous les traits de ladite gouvernante dans *Anna et le Roi*. Un seul hic : le tournage a eu lieu en Malaisie !

Un roi révolutionnaire...

État tampon à l'époque entre la Birmanie britannique et l'Indochine française, la Thaïlande échappa à la colonisation grâce à une diplomatie habile. Fin politicien, l'héritier de Mongkut, le roi Chulalongkorn Râma V (1868-1910), fit contre mauvaise fortune bon cœur et céda plus de 100 000 km^2 (y compris tout le Laos) à ces pillards de Français et d'Anglais. Ce trait de génie préserva l'indépendance du Siam jusqu'à nos jours (c'est en 1939 que le Siam prit officiellement le nom de Thaïlande).
Le roi Chulalongkorn poussa si loin l'introduction des institutions et des mécanismes modernes que son propre fils le traita de révolutionnaire ! En 1873, à son couronnement, il interdit à ses sujets de se prosterner devant lui. Une des raisons qui ont dû influencer le roi dans son souci d'alléger l'étiquette fut la mort d'une de ses femmes, noyée sous les regards imperturbables de ses serviteurs car il leur était interdit de la toucher ! La raison d'être de ce genre de mesures draconiennes trouve son origine dans la volonté de protéger les membres de la famille royale des assassinats ; mais ne valait-il pas mieux être touché que coulé ?

La monarchie aujourd'hui

Depuis 1932, la Thaïlande est une monarchie constitutionnelle : le roi Bhumibol (né en 1927) règne sous le nom de Râma IX et est le chef de l'État, mais c'est le gouvernement qui exerce le pouvoir. Durant des années, cela sous-entendait les généraux, plus ou moins corrompus, mais depuis 1978 la Thaïlande a renoué avec la démocratie. Ce qui n'implique pas obligatoirement la transparence des Premiers ministres, même civils !

Sortie de crises?

Une crise économique sans précédent frappe le pays en juillet 1997. En novembre, le parti démocrate, mené par Chuan Leekpai, se retrouve à la tête du gouvernement. Mais ce changement n'arrange rien : chômage, dévaluation, on s'inquiète très sérieusement, le FMI vient à la rescousse. Licenciements massifs, baisse des salaires (de 20 à 30 % dans la plupart des entreprises), expulsion de travailleurs immigrés, exode de Bangkok vers les campagnes, où tout au moins l'on mange... Dur dur!
Aujourd'hui, le Premier ministre Thaksin Shinawatra, élu en 2001, tente, tant bien que mal, de rétablir la situation. Il est sur tous les fronts : politique, économique et social. « *Think new, act new* », telle est sa devise. Il privatise les entreprises publiques, multiplie les accords avec les instances boursières et bancaires pour recouvrir les dettes, soutient les ruraux au bord de la crise de nerfs, ordonne les arrestations de trafiquants de drogue à travers de grandes opérations très médiatisées dont 2200 ont déjà été tués dans des conditions inhumaines. Tout criminel mérite jugement! Même si Thaksin Shinawatra essaie de redresser le pays, on s'insurge devant ses méthodes antédiluviennes et barbares.

INFOS EN FRANÇAIS SUR TV5

On reçoit TV5 dans la plupart des hôtels de Thaïlande... Et pour ceux qui souhaitent s'y installer plus longtemps (ou qui voyagent avec leur antenne parabolique!), TV5 est disponible grâce à UBC.
Les principaux rendez-vous Infos sont toujours à heures rondes où que vous soyez dans le monde, mais vous pouvez surfer sur leur site • www.tv5.org • pour les programmes détaillés ou l'actu en direct, des rubriques voyages, découvertes...

LANGUE

La langue thaïe est, à l'origine, proche du chinois, puisque l'ethnie est originaire du sud de la Chine. Ensuite, elle s'est enrichie de mots et de tournures khmers, puis de sanskrit et de pali (langues de l'Inde). La langue nationale thaïe enseignée dans les écoles est une synthèse des dialectes du centre du pays. En effet, les quatre principales régions ont chacune leur dialecte, dialectes qui ont à peu près les mêmes différences entre eux que le portugais, l'espagnol, l'italien et le français. En plus, il y a le *rachasap*, vocabulaire spécial employé en présence des souverains, proche du langage encore pratiqué au Cambodge.
L'alphabet est composé de 44 consonnes et de 11 voyelles, plus 4 signes d'intonation, et s'écrit de gauche à droite. Ça ressemble à des spaghetti assez harmonieux. La grammaire du thaï populaire est rudimentaire : pas de genre, pas d'article, pas de pluriel, pas de conjugaison. Un mot peut aussi bien servir de nom, de verbe, d'adjectif ou d'adverbe. Tout ça se différencie par les tons. Il y en a 5 et ils sont les fondements du « parler » thaï. Un même mot pourra donc avoir 5 significations différentes pour une même écriture. On pourrait citer le célèbre « Mai mai mai mai mai? », qui signifie à peu de chose près « Le bois vert ne brûle pas, n'est-ce pas? »
– La langue des touristes est l'anglais, à l'exclusion de toute autre. À peu près pratiquée à Bangkok et dans les hôtels de Phuket, de Pattaya ou de

Chiang Mai. Ailleurs, vous éprouverez les angoisses de l'incommunicabilité et retrouverez les joies du mime et des petits dessins.

Quelques règles de prononciation

Il existe 5 tons en thaï : le ton neutre (a), bas (à), tombant (â), haut (á) et montant (a). Les lettres *p*, *t*, *k* suivies d'un « h » sont aspirées, et *ph* se prononce comme « p » dans « premier ». La dernière syllabe de chaque mot se prononce plus fort que le reste. Le *u* se dit « ou », le *aï* se prononce « ail », *j* se prononce « dj », et les *r* se roulent comme en Bourgogne !

Quelques expressions et mots courants

Le vocabulaire ci-dessous est donné avec une transcription phonétique qui est évidemment très imparfaite. Pour vous faciliter la vie, on a traduit en lettres thaïes une sélection de mots ou expressions parfois indispensables dans certaines circonstances. Du coup, au lieu de vous escrimer à baragouiner dans la langue du pays, vous n'aurez qu'à brandir votre guide préféré. Allez, bon courage !

Salutations et politesse

Bonjour, bonsoir, au revoir	*sawat di* – สวัสดี
S'il vous plaît	*karuna* – กรุณา
Merci (dit par un homme)	*kop khun khrap* – ขอบคุณครับ
Merci (dit par une femme)	*kop khun kha* – ขอบคุณค่ะ
Pardon	*kho thot* – ขอโทษ
Oui	*tchaï* – ใช่
Non	*may tchaï* – ไม่ใช่
Monsieur, madame	*khun* – คุณ (aussi pronoms tu et vous)
Comment allez-vous ?	*(khun) sabai ïdi ru ?* – (คุณ) สบายดีหรือ
Très bien	*sabaïdi khrap* (ou *kha*) – สบายดี ครับ (ค่ะ)
Je ne vous comprends pas	*may khao ja ï* – ไม่เข้าใจ
Parlez lentement, s'il vous plaît	*phut cha cha* – กรุณาพูดช้าๆ
Je ne parle pas thaï	*phut thaï mïa pen* – พูดไทยไม่เป็น

Questions, verbes et mots usuels

Combien ? (prix)	*rakha thao-raï ?* – ราคาเท่าไหร่
Quoi ?	*araï ?* – อะไร
Comment ?	*yang raï ?* – อย่างไร
Pourquoi ?	*thammaï ?* – ทำไม
Quand ?	*mua ra-ï ?* – เมื่ไหร่
Où ?	*thi naï ?* – ที่ไหน
À quelle heure ?	*wèla naï ?* – เวลาไหน
Je veux	*tchan tong kan* – ฉันต้องการ
Je ne veux pas	*tchan maï tong kan* – ฉันไม่ต้องการ
Changer	*plian* – เปลี่ยน
Acheter	*su* – ซื้อ
Vendre	*khaï* – ขาย
Aller	*paï* – ไป

Venir	*ma* – มา
Donnez-moi	*kho* – ขอ
Dormir	*non lap* – นอนหลับ
Manger	*kin* – กิน
Ouvert	*peut* – เปิด
Fermé	*pit* – ปิด
Assez	*pho lêo* – พอแล้ว
Plus	*mak kwa* – มากกว่า
Moins	*noï kwa* – น้อยกว่า
C'est cher	*phèng mak* – แพงมาก
C'est joli	*suay di* – สวยดี
Beaucoup	*maak* – มาก
Mauvais, mal	*maï di* – ไม่ดี
Doucement	*cha-cha* – ช้าๆ
Amusant, rigolo	*sanuk* – สนุก
Bouddha	*phra* – พระ
Bonze	*phrasong* – พระสงฆ์
Tailleur	*ráan tát sûa* – ร้านตัดเสื้อ
Médecin	*phêêt* – แพทย์

Dans le temps

Aujourd'hui	*wan nii* – วันนี้
Demain	*phrûng nii* – พรุ่งนี้
Hier	*mûea wann nii* – เมวานนี้
Matin	*tonn tchao* – ตอนเช้า
Après-midi	*tonn baï* – ตอนบ่าย
Soir	*tonn kam* – ตอนค่ำ
À midi	*thiang* – เทียง
Avant	*konn nii* – ก่อนนี้
Après	*lang* – หลัง

Dans l'espace

Où allez-vous ?	*khun kamlang tjà païnaï ?* – คุณกำลังจะไปไหน
Droite	*kwa* – ขวา
Gauche	*saï* – ซ้าย
Tournez à droite	*lio kwa* – เลี้ยวขวา
Tournez à gauche	*lio saï* – เลี้ยวซ ้าย
Conduisez tout droit	*khap rôt trong paï* – ขับรถตรงไป
Prenez un tuk-tuk	*nâng tùk tùk paï* – นึง ตุ๊กๆไป
Combien dois-je payer ?	*khâa rot thâu raï ?* – ค่ารถเท่าไร
Plus lentement	*cháa cháa noï* – ช้าๆหน่อย
Où est l'arrêt d'autobus ?	*pâï rôt mé yùu thi naï ?* – ป้ายรถเมล์อยู่ทิไหน
Rue	*thanon* – ถนน
Gare	*sathani rot faï* – สถานีรถไฟ
Gare des bus	*sathani rot mé* – สถานีรถเมล์
Cyclo-pousse	*samlor* – สามล้อ
Plage	*thalé* – ทะเล
Poste de police	*sathani tamrouat* – สถานีตำรวจ
Hôpital	*rong phayaabaan* – โรงพยาบาล

Ambassade de France	*sàthaanthuut faràngsèt* – สถานทูตฝรั่งเศส
Bureau de poste	*praïsanii* – ไปรษณีย์

À l'hôtel

Hôtel	*rong raem* – โรงแรม
Chambre	*hong* – ห้อง
Douche	*hong abnam* – ห้องอาบน้ำ
Téléphone	*thorasap* – โทรศัพท์
Eau chaude	*náam ron* – น้ำร้อน
Couvertures	*phâa hom* – ผ้าห่ม
Serviettes	*phâa chét tua* – ผ้าเช็ด ตัว
Combien pour la nuit?	*khun là thao raï?* – คืนละเท่าไร

Au restaurant

Restaurant	*ran a han* – ร้านอาหาร
Eau (carafe)	*nam plao* – น้ำเปล่า
Eau (bouteille)	*nam kwat* – น้ำขวด
Pain	*khanom pang* – ขนมปัง
Boire	*dum* – ดทรผ
Riz	*khao* – ข้าว (avec « r » suggéré entre le « k » et le « h »)
Riz sauté	*khao phat* – ข้าวผัด
Nouilles	*kuay tio* – ก๋วยเ ตียว
Nouilles sautées	*kuay tio phat* – ก๋วย เ ตียวผัด
Œuf	*khaï* – ไข่
Poisson	*pla* – ปลา
Viande	*neua* – เนื้อ
Soupe chinoise	*feu* (mais se dit plutôt *soup*) – ซุป
Avez-vous le menu anglais?	*mi meynuu pèn phaasaa angkrit maï?* – มีเมนูเป็นภาษาอังกฤษไหม
Qu'est-ce que vous avez de bon?	*mi araiïaroïbâang?* – มีอะไรอร่อยบ้าง
Pas trop épicé	*ao maï phèt* – เอาไม่เผ็ด
Faites le mien bien épicé	*ao phèt phèt* – เอาเผ็ดๆ
Thé	*nam chaa* – น้ำชา
Café	*kaafè* – กาแฟ
Thé chinois	*chaa yèn* – ชาจีน
Whisky thaï	*mè khong* – แม่โขง

Les chiffres

Un	*neung* – หนึ่ง
Deux	*song* – สอง
Trois	*sam* – สาม
Quatre	*si* – สี
Cinq	*ha* – ห้า
Six	*hok* – หก
Sept	*tjet* – เจ็ด
Huit	*pèt* – แปด
Neuf	*kao* – เก้า
Dix	*sip* – สิบ

Vingt	*yi sipp* – ยิสิบ
Trente	*sam sipp* – สามสิบ
Quarante	*si sipp* – สิสิบ
Cent	*roï* – ร้อย
Deux cents	*song roï* – สองร้อย
Mille	*neung phan* – หนึ่งพัน
1 baht	*rian báat* – เหรียญบาท
5 Bts	*rian hâa báat* – เหรียญห้าบาท
10 Bts	*baï sip* – ใบสิบ
20 Bts	*baï yi sip* – ใบยิสิบ
50 Bts	*baï háa sip* – ใบห้าสิบ
100 Bts	*baï roï* – ใบร้อย
500 Bts	*baï hâa roï* – ใบห้าร้อย
1 000 Bts	*baï phan* – ใบพัน

Lieux

Baie	*ao* – อ่าว
Village	*ban* – บ้าน
Ville	*chiang* – เชียง
Étranger de race blanche	*farang* – ฝรั่ง
Colline	*khao* – เขา
Canal	*khlong* – คลอง
Île	*koh* ou *ko* – เกาะ
Montagne	*phu* – ภู
Édifice religieux caractéristique du style khmer	*prasat* – ปราสาท
Ruelle	*soï* – ซ อย
Port, embarcadère	*tha* – ท่า
Rue	*thanon* – ถนน

LIVRES DE ROUTE

– ***La Sagesse du Bouddha***, de Jean Boisselier (éd. Gallimard, coll. Découvertes n° 194). La vie de Bouddha, né en 560 av. J.-C., avec des textes fondateurs. Parfait pour s'initier.

– ***Petits plats thaïs*** (éd. Marabout, 2001). Un livre de cuisine pour vous mettre en appétit avant le départ ou pour vous rappeler de bons souvenirs au retour.

– ***Paradis Blues***, roman de John Ralston Saul (éd. Rivages-Poche, n° 338, 2001). Bangkok de nos jours et le Triangle d'or. Transaction commerciale louche de l'autre côté du Mékong, au Laos.

– ***Le Bouddha derrière la palissade***, roman de Cees Nooteboom (éd. Actes Sud, coll. Terres d'aventure, 1992). Étrange : un voyageur occidental nous fait part de ses impressions lors d'un séjour à Bangkok. Un ami thaï lui fait voir, derrière une palissade, un bouddha en plastique pourtant placé sur un autel et vénéré à l'instar des bouddhas en or traditionnels. Comment réconcilier les images? se demande alors le voyageur...

– ***Comme un collégien***, polar de John Le Carré (éd. du Seuil, coll. Points n° 922, 2001). L'Asie du Sud-Est est le dernier champ de bataille du Cirque, le service secret anglais dirigé par George Smiley qui tente de reconstituer ses réseaux laminés par un espion soviétique.

– ***La Plage***, roman d'Alex Garland (éd. LGF, coll. Le Livre de Poche n° 14641, 1999). À la recherche de LA plage, éden mystérieux, où Richard et ses potes se déchirent et s'entretuent. Esprit baba mais pas cool.
– ***Venin***, de Saneh Sangsuk (éd. Seuil, 2001). Une Thaïlande mystérieuse, hantée par le divin. Nature, sorcellerie, on est loin des plages dorées du sud thaïlandais.
– ***Plateforme***, de Michel Houellebecq (éd. J'ai Lu n° 6345, 2002). Une vision désespérée et triste à mourir de la Thaïlande, qu'on ne partage absolument pas. Avec des femmes thaïes offertes aux portefeuilles d'Occidentaux en mal d'amour. Des héros sans aucun état d'âme. En prime, un portrait du *Guide du routard* pas piqué des vers... Mais nous acceptons toutes les opinions !

MÉDIAS

Premier ministre depuis 2001, Thaksin Shinawatra, un « Berlusconi asiatique », a compris depuis longtemps l'importance de la radio et de la télévision. Ce magnat des télécoms contrôle la majorité des chaînes de télévision du pays. La presse écrite, en thaï et en anglais, est en revanche assez indépendante et se bat pour le rester. La censure est très rare, mais les pressions sont régulières, notamment de la part des annonceurs publicitaires.

Radio

Le pays compte plus de 500 radios. La majorité d'entre elles sont locales et diffusent beaucoup de musique, mais relativement peu d'information. *Trinity Radio* (FM 97) diffuse les programmes d'information en thaï de la *BBC*, et *Smile Radio* (FM 107) reprend les nouvelles de *CNN Asia*. Les auditeurs raffolent des talk-shows. À vous d'apprendre le thaï...
L'armée thaïe, qui contrôle plus de cent vingt radios et deux chaînes de télévision dans le pays, n'est pas prête à abandonner ce secteur stratégique même si, d'après la Constitution de 1997, l'audiovisuel devrait être entièrement libéralisé et les fréquences redistribuées.
Vous pouvez retrouver *Radio France Internationale* et la plupart des FM françaises sur • www.rfi.fr •

Télévision

Les six chaînes nationales de télévision sont des concessions de l'État. Mais c'est sans compter avec les nombreuses télévisions régionales et surtout le câble et le satellite.
Les critiques contre le gouvernement sont rares à la télévision. Avant d'arriver au pouvoir, le Premier ministre Thaksin avait pris le contrôle de la seule chaîne hertzienne indépendante, *ITV*, et licencié la moitié de la rédaction. En revanche, l'accès aux grandes chaînes d'information, *BBC* ou *CNN*, est très facile grâce au câble. *MCM* ou la chaîne francophone *TV5* sont présents dans certains bouquets de câble ou de satellite.

Journaux

La lecture des deux principaux quotidiens anglophones *The Nation* et *Bangkok Post* ne pourra que vous convaincre de la qualité des journalistes thaïs

et de leur liberté de ton. Une bonne manière de savoir ce qui se passe dans le pays, la région et le monde. Certains titres de la presse en thaï sont également de bon niveau, notamment *Matichon*, *Khaosod Daily* et *Thai Rath*. C'est sans compter les nombreux tabloïds populaires qui misent sur le sensationnalisme.
Les grands titres de la presse étrangère sont facilement disponibles dans les kiosques des grandes villes. Pour la presse française, passez à l'Alliance française de Bangkok, sur Sathorn Road, qui dispose d'une médiathèque bien fournie. À l'aéroport et dans certains grands hôtels, on trouve également *Le Monde*, *Libération*, *Le Point* et... *Point de Vue-Images du Monde* !

Liberté de la presse

Entourée de pays très répressifs, notamment la Birmanie et le Laos, la Thaïlande est un « phare » de la liberté de la presse en Asie du Sud-Est. Les journalistes thaïs sont jaloux de cette indépendance et ne se laissent pas marcher sur les pieds par un Premier ministre populiste qui contrôle une dizaine de médias. L'Association des journalistes thaïs dénonce régulièrement les interférences « subtiles » du pouvoir. Elle a également réussi à faire capoter des projets de loi qui auraient permis au pouvoir d'avoir un droit de regard direct sur le contenu des informations diffusées à la télévision. Le gouvernement dénonce quant à lui une « conspiration » de certains médias locaux et de la presse internationale.
Preuves que la Thaïlande reste l'un des pays les plus respectueux de la liberté de la presse en Asie : des dizaines de correspondants étrangers y sont installés, et des journalistes birmans en ont fait leur base de repli. C'est donc à Chiang Mai et à Mae Sot, dans le Nord, que sont publiés les rares journaux indépendants birmans.
Ce texte a été réalisé en collaboration avec ***Reporters sans frontières***. Pour plus d'informations sur les atteintes aux libertés de la presse, n'hésitez pas à contacter :

■ ***Reporters sans frontières :*** 5, rue Geoffroy-Marie, 75009 Paris. ☎ 01-44-83-84-84. Fax : 01-45-23-11-51. • www.rsf.org • RSF@rsf.org • M. : Grands-Boulevards.

PATRIMOINE CULTUREL

Les grandes écoles artistiques

La découverte de sites préhistoriques à Ban Chiang, au nord-est, laisse à penser que la Thaïlande fut le berceau d'une civilisation vieille de 5000 ans. Le peuplement qui se fit par vagues successives, Môns, Khmers, Thaïs, apporta des influences religieuses et culturelles qui ont façonné son évolution.
– ***Période de Dvâravatî (VIe-XIe siècle) :*** les Môns, qui vivaient dans le sud-est de Myanmar, dans le centre et dans le nord-est de la Thaïlande, ont développé un État aux structures politiques mal connues, avec des cités construites suivant un plan ovale, ceinturées de douves. Les sculptures principalement bouddhiques, rarement hindouistes, ont subi trois sources d'influence : Ceylan (Ve-VIe siècle), art pala (Srîvijaya ; VIIIe-Xe siècle), et art khmer à la fin. Ces influences créèrent une image particulière de Bouddha,

• ***Époque de Dvâravatî (VIe-XIe siècles)***

Bouddha possède des traits accusés, un visage large et carré, un nez aplati et des lèvres épaisses. Ses yeux sont dirigés vers le bas, donnant un regard à la fois intérieur et bienveillant pour le fidèle qui prie à ses pieds. On le trouve au centre de la Thaïlande et dans le sud de la Birmanie. Représentation dans les musées de Nakhon Pathon, Ratchaburi, Khon Kaen et Lamphun.

• ***École de Lopburi (XIe-XIIIe siècles)***

Il s'agit de l'image même du bouddha khmer. Son visage est carré, ses sourcils rectilignes, sa bouche large. Un bandeau démarque le front des cheveux et une protubérance en coiffe le sommet, symbole de l'illumination. On le retrouve dans tout le centre et le Nord-Est de la Thaïlande. Le bouddha protégé par un capuchon à sept têtes est aussi l'une des innovations du culte khmer du roi-dieu (Devaraja).

• ***Époque du royaume du Lan Na (XIe-XVIIe siècles)***

Région de Chiang Saen et Chiang Mai. Le Bouddha de cette époque est caractéristique. On le reconnaît aisément avec son corps opulent, son visage rond, ses petits yeux et sa petite bouche. Il porte de grandes boucles sur le sommet du crâne, couronnées d'un bouton de lotus. Les statues sont généralement en cristal ou pierre semi-précieuse.

• ***Période d'U-Thong (XIIe-XVe siècles)***

Au centre de la Thaïlande, l'influence khmère de cette époque est très forte. Les représentations de Bouddha se font sur le même modèle. La seule originalité se trouve dans le fin soulignement des yeux et de la bouche, qui peuvent faire penser à une fine moustache.

• ***Période de Sukhothai (XIIIe-XVe siècles)***

Époque où l'image de Bouddha est la plus caractéristique de l'art thaïlandais. Les statues deviennent plus élancées, l'ovale du visage parfait, le nez long et aquilin, les sourcils arqués, les paupières lourdes et la chevelure pleine de fines bouclettes. Le crâne est surmonté d'une longue flamme *(ushnîsha)*, symbole de force spirituelle. L'autre innovation de cette période est celle du bouddha marchant, première représentation de Bouddha en mouvement.

• ***Période d'Ayutthaya (1350-1767)***

Durant la période d'Ayutthaya, au centre de la Thaïlande, les statues de Bouddha reprennent les influences des diverses écoles. On retrouve les courbes de l'école de Sukhothai, les yeux de l'époque dvâravatî, les parures des dieux khmers avec la reprise du culte du roi-dieu. Les statues de Bouddha sont alors parées de bijoux et deviennent colossales.

qui cessa d'être la copie d'un style indien, pour devenir le premier style d'art bouddhique original.

Bouddha, en pierre ou en bronze, se tient le plus souvent debout, les deux mains faisant le geste d'argumentation, ou assis à l'européenne, les pieds posés sur un socle en forme de lotus. Son visage est large, ses arcades sourcilières jointives et galbées, son nez épaté et ses lèvres charnues.

– ***Période de Srîvijaya (VIIIe-XIIIe siècle) :*** l'histoire de cet empire reste encore très obscure. Il se développa entre le VIIIe et le XIIIe siècle dans la partie péninsulaire de la Thaïlande. Certaines des statues sont d'une grande perfection, comme celle du torse d'Avalokiteçvara, du Musée national de Bangkok. Les formes des statues sont épanouies et parées de bijoux.

– ***Khmers ou école de Lopburi (XIe-XIIIe siècle) :*** l'influence khmère fut très grande et, jusqu'à l'aube du XIXe siècle, les provinces du nord-est ont continué à jouer (davantage que le Cambodge) le rôle d'un véritable conservatoire des traditions artistiques et iconographiques angkoriennes. Les grands temples (Prasat Hin Phimai, Phanom Rung, Phanom Wan, Muang Tham) furent construits en fonction à la fois de croyances hindouistes et du bouddhisme mahâyâna. Les temples khmers étaient bâtis selon les critères symboliques de la cosmologie hindouiste. Les douves et bassins représentaient l'océan, les enceintes des montagnes, et la tour sanctuaire *(prasat)* le mont Meru, axe du monde et séjour des dieux. Le *prasat* servait à abriter la divinité principale, dieu hindouiste, puis Bouddha au XIIe siècle. De petits *prasat* ceinturaient la tour principale, et servaient à abriter l'épouse et le véhicule du dieu. À côté s'ajoutaient des constructions secondaires destinées aux objets de culte. Une grande enceinte fermée par des portes ceinturait le tout. À l'intérieur, une seconde enceinte, construite en bois, contenait les habitations des prêtres, musiciens, danseuses... Le temple, construit au centre de la ville, devait se trouver près du palais du roi, mandataire des dieux sur terre.

Quant aux statues, les caractéristiques des bouddhas (principalement en grès) sont un visage carré, des sourcils rectilignes, une bouche large, un bandeau qui démarque le front des cheveux, et une protubérance au sommet du crâne, symbole de l'Illumination.

– ***Royaume du Lan Na (XIe-XVIIe siècle) :*** principalement influencé par la Birmanie, le royaume du Lan Na, avec ses temples aux toits à étages, ses porches élaborés soutenus par des *nâgas* (serpents), ses *chedîs* octogonaux à la partie supérieure en forme de cloche recouverte de cuivre et d'une fine flèche dorée, et ses statues délicates, a développé des styles artistiques propres. On décompose cette période en deux, avec le style de Chiang Saen (XIe-XIIIe siècle) qui montre un bouddha au corps robuste et au visage rond ; suivi par le style appelé Chiang Saen tardif ou Chiang Mai, qui révèle un bouddha plus élancé, avec un visage ovale. Les statues sont pour la plupart en pierre semi-précieuse, tel le bouddha d'Émeraude.

– ***École d'U-Thong (XIIe-XVe siècle) :*** ce petit royaume fut fortement influencé par les styles khmer, de Sukhothai et de Ceylan. Seule sa sculpture fut originale avec de fines lignes qui soulignent les lèvres et les yeux du Bouddha, ajoutant le tracé d'une fine moustache.

– ***Période de Sukhothai (XIIIe-XVe siècle) :*** c'est avec l'école de Sukhothai que débute l'art proprement thaïlandais. Il semblerait que ce soit le fait d'avoir adopté le bouddhisme theravâda (à la fin de l'Empire khmer, qui pratiquait le bouddhisme mahâyâna) qui engendra une forme d'art originale, dont le but était d'affirmer l'identité culturelle du nouveau royaume. Le bouddha de Sukhothai est l'une des images les plus caractéristiques de l'art thaïlandais (visage d'un ovale parfait, long nez aquilin, sourcils arqués, paupières lourdes, chevelure en bouclettes...). Il fit son apparition au XIIIe siècle. Les mains et toutes les proportions du corps deviennent plus stylisées et le crâne est surmonté d'une longue flamme *(ushnîsha)*, symbole de la force spirituelle. La seconde image typique est celle du bouddha marchant, dont la grâce et la délicatesse rendent parfaitement la description du Bouddha des textes palis. Quant à l'architecture, elle juxtapose des formes diverses, tours-sanctuaires khmères, *stûpa* effilés cinghalais, toitures incurvées chinoises, structures cubiques môns, retenant aussi du royaume disparu de Dvâravatî ses constructions en brique, ses niches en stuc et ses figures de terre cuite. Selon les Thaïlandais d'aujourd'hui, c'est la flèche en bouton de lotus qui représente l'apport le plus original des constructeurs de Sukhothai.

– ***Période d'Ayutthaya (1350-1767) :*** en 1350, un prince d'U-Thong fonde Ayutthaya, qui devient la capitale du royaume jusqu'en 1767 (date à laquelle les Birmans la détruisent). L'art à cette période juxtapose les influences les plus diverses. Mais la principale est l'influence khmère, qui prendra toute son ampleur avec la reprise, par les souverains, du *devaraja* (roi-dieu), le roi devenant objet de vénération. Le *prasat* khmer (tour-sanctuaire) devient le *prang* avec une forme en épi de maïs. Le royaume se porte bien et la splendeur ainsi que la dimension des temples sont le témoignage de la puissance royale.

Les statues de Bouddha se parent de bijoux et deviennent colossales.

– ***D'Ayutthaya à Bangkok :*** en 1767, les Birmans détruisent Ayutthaya et Râma Ier fonde en 1782 une nouvelle capitale, Bangkok. Le style architectural de la nouvelle capitale est pour la majeure partie l'héritage de l'ancien royaume. Temples et palais entourés par des jardins d'influence chinoise (une grosse communauté de Chinois vit à Bangkok) sont construits avec des matériaux plus légers. Les temples possèdent d'élégantes toitures recourbées, juxtaposées en gradins et recouvertes de tuiles vernies (influence chinoise). Des peintures murales et des panneaux de laque en garnissent l'intérieur.

Le *wat* Phra Kaeo (Bangkok), temple du bouddha en pierre précieuse, est l'exemple type de ce style d'architecture. Il est constitué par un sanctuaire rectangulaire. Ses toits concaves accusent une pente prononcée et sont couverts de tuiles de couleurs vives (influence chinoise). Le *bot* (salle de réunion) peut comprendre de une à trois nefs. La statue de Bouddha se dresse sur le mur face à l'entrée. Au nord-ouest s'élève un *chedî* en forme de cloche, sur lequel se dresse une flèche formée d'anneaux concentriques et décroissants, dérivé du *stûpa* cinghalais. Au nord se dresse un *mondop* de structure carrée, avec de hautes colonnes qui soutiennent des petits étages décroissants, le tout surmonté d'une flèche et d'une profusion de décorations multicolores. Au nord-est enfin, a été érigé un temple où sont conservées les statues des rois ; c'est un *prasat* hérité des Khmers, surmonté de toits superposés et fermé d'un petit *prang*.

La sculpture en Thaïlande

Presque jusqu'à nos jours, l'inspiration de la sculpture en Thaïlande est demeurée, pour l'essentiel, religieuse. Qu'il s'agisse de Bouddha, principale source d'inspiration, d'animaux réels ou mythiques, de décors... tout a sa place et son rôle dans la cosmogonie.

• ***Bhumisparsa ou « Geste de la prise de la terre à témoin »***

Position assise, la main droite touche le sol, tandis que la gauche repose sur les jambes, paume tournée vers le ciel. Ce geste représente l'Éveil de Bouddha. Il tient une très grande place dans l'imagerie thaïlandaise, car il est le symbole de la victoire sur Mâra (la mort, le démon, le grand dieu des Désirs). Mâra tenta d'interrompre la méditation du Bouddha, en lui présentant toutes les distractions possibles. Bouddha, en réponse, toucha la terre, faisant appel à la nature pour témoigner de sa résolution. Ce geste apparaît pour les Thaïlandais comme l'illustration du plus grand des miracles et représente le sommet de la vie de Bouddha.

• ***Dhyana ou « Attitude de méditation »***

Les deux mains reposent l'une sur l'autre, paumes vers le ciel, la main droite sur la main gauche. Les jambes sont pliées en tailleur, dans la position du lotus.

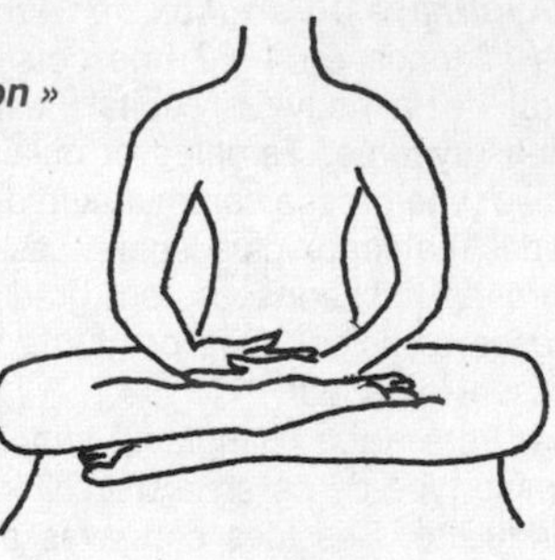

• ***Vitarka ou « Geste de l'argumentation »***

Position debout ou assise, le bras droit est levé, main à demi ouverte pour que le pouce et l'index se joignent et forment un cercle (la roue, symbole de l'enseignement). Peut être fait de la main droite ou gauche.

• *Dharmachakra*

Les deux mains sont levées, paumes face à face, pouce et index se joignant pour former un cercle. Geste de tourner la roue de Dharma, qui rappelle le premier sermon de l'enseignement du Bouddha.

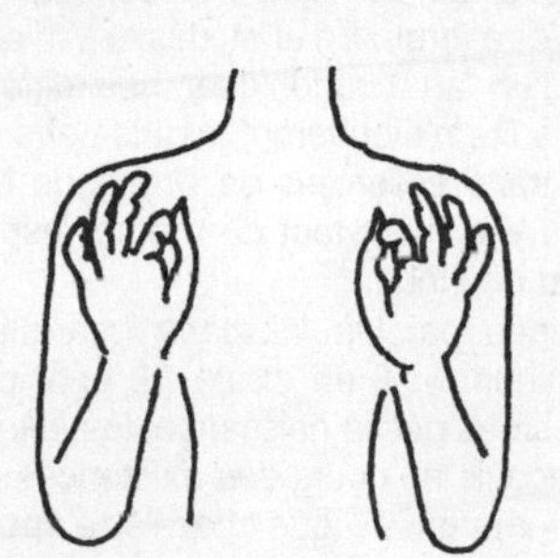

• ***Varada ou « Geste du don »***

Assis ou debout, main droite ouverte et offerte, bras allongés, ce geste est celui du don, de la charité, des faveurs répandues.

• ***Abhaya ou « apaisant les querelles »***

Position debout ou en marche, une ou deux mains levées, paume en avant. C'est le geste de l'absence de crainte et de l'apaisement.

LES GESTES DE BOUDDHA

– ***Les yakshas :*** des génies de la nature, mystérieux et parfois malfaisants, qui ont été « récupérés » par le bouddhisme. Ils sont devenus les protecteurs de la Loi bouddhique. On les retrouve sous leur aspect terrifiant dans les enceintes des temples, parés comme d'antiques guerriers, les vêtements incrustés d'or, d'émail et de verre coloré.

– ***Représentations de Bouddha :*** sous les différentes influences (môn, khmère, lan na...), un art local semble s'être forgé. En effet, dès le VIIe siècle, l'art dvâravatî présente la structure d'un art bouddhique. Les différents apports qui viendront s'y greffer par la suite n'étoufferont jamais cette originalité ni cette continuité, qui sont les traits essentiels de l'imagerie bouddhique thaïlandaise. Ces « innovations » doivent tout de même respecter une iconographie stricte, venant du sud de l'Inde.

L'apparence de Bouddha est déterminée par les *lakshana* (marques et signes) qui définissent « l'Homme Éminent ». Il en existe 32 principales, complétées par 80 secondaires. Manifestées dès la naissance, les *lakshana* sont le résultat des différents mérites acquis au cours des existences antérieures. On ne trouve la totalité de ces « marques » que chez l'être appelé à devenir un souverain, maître de l'univers, ou, s'il renonce au monde, un Bouddha.

Parmi les 32 marques principales, certaines ne concernent que des qualités psychiques intraduisibles (voix du lion, finesse du goût...). D'autres, au contraire, inspirées de préoccupations magico-religieuses, sont des signes qui dotent Bouddha d'une apparence hors du commun (une tête à protubérance, la rotondité d'un banian...).

– ***Gestes et attitudes :*** Bouddha peut être figuré dans quatre attitudes : assis, debout, marchant et couché (c'est dans ces positions qu'il est apparu à Srâvastî). Les statues en attitude de marche sont la grande innovation de l'école de Sukhothai (XIIIe-XVe siècle), et restent parmi les réalisations les plus originales de la sculpture thaïlandaise.

Les gestes n'ont pas en Thaïlande la même signification précise qu'en Inde où la conception mahâyâna (du Grand Véhicule) donne à chaque *mudrâ* (geste des mains et des doigts auquel on attribue une signification magique et mystique) la marque d'un *jina* (vainqueur), moyen qui permet de différencier les bouddhas qui, par essence, sont tous semblables. Vous suivez toujours ?

Dans le bouddhisme theravâda, et spécialement dans l'iconographie thaïlandaise, le terme de *mudrâ* n'est pas employé. En effet, les *mudrâ* ne suffisent pas à représenter l'ensemble des plus grands miracles du Bienheureux. Mais nous garderons cette appellation par souci de simplification.

PERSONNAGES

– ***Le roi Bhulibol :*** né en 1927, arrivé sur le trône en juin 1946. On le voit partout ! Très inventif, il vient de faire breveter son invention pour lutter contre la sécheresse, soit créer des nuages de différentes températures avec des avions. Ingénieux, non ?

– ***Thaksin Shinawatra :*** ce jeune quadra, magnat des télécommunications, élu Premier ministre en 2001, à la tête du parti populiste « Thaï Rak Thaï » (les Thaïlandais aiment les Thaïlandais), s'engage sur tous les fronts depuis son élection pour lutter contre la corruption et chercher des terrains d'entente avec ses voisins birmans. Il est très apprécié par le peuple.

– ***Bundit Ungrangsee :*** un chef d'orchestre honoré par Lorin Maazel lui-même, qui fit ses classes au New York Philharmonic Orchestra, jonglant entre les musiques traditionnelles thaïes et les classiques occidentaux. Du grand art !
– ***Saneh Sangsuk :*** écrivain publié au Seuil en France, considéré comme le « Joyce thaï »... rien que ça ! *Venin* ou *L'Ombre blanche*, ses deux romans les plus connus, vous feront découvrir une Thaïlande loin des clichés sur papier glacé du sud thaï.
– ***Hu Sengla :*** né en 1924 et disparu en 2001, ce Thaï est surtout connu pour ses exploits capillaires. Il a été recensé comme « homme ayant les plus longs cheveux du monde » par le *Livre Guinness des records*. Imaginez un peu, une tignasse de 5,79 m ! Paix à son âme. Elle a été coupée et donnée à son village comme protection. Le plus rassurant dans cette affaire, c'est que son frère Yi prend désormais sa place avec plus de 5 m à son actif.
– ***Râma :*** personnage mythique du théâtre épique thaïlandais (le *Ramakien*). Il représente le roi idéal, proche de Vishnu. C'est aussi un dieu tout-puissant capable de vaincre tous les démons.
– ***Bamrung Kayotha :*** la moustache bien fournie, chef de file des paysans thaïs, je boycotte les champs d'OGM près de la frontière birmane ; qui suis-je ? Mais le José Bové thaïlandais, pardi ! On le voit souvent à Porto Alegre.
– ***Paradorn Srichapan :*** la nouvelle star du tennis thaï, qui s'invite régulièrement sur les tournois du Grand Chelem avec un certain succès. Sa collègue ***Tamarine Tanasugarn*** chez les filles a un peu moins de chance.

PHOTOS

Les pellicules papier sont moins chères qu'en France ; ça vaut carrément le coup d'en rapporter un petit stock (bien vérifier leur date limite d'utilisation et ne pas acheter de vieilles pelloches dont la conservation a pu être hasardeuse). En revanche, éviter le développement, assez médiocre. Vous trouverez tout le matériel désiré à Bangkok et dans les grandes villes.

POSTE

La poste est généralement ouverte de 8 h à 17 h 30 dans les grandes villes et jusqu'à 16 h 30 dans les villes plus petites. Le samedi, de 8 h à 12 h. Fermée le dimanche, sauf à Bangkok. Personnel efficace et organisation parfaite. Tous les bureaux de poste disposent d'un service d'envoi de paquets par surface ou par air. Par mer, délai de 3 mois. Dans les grandes villes, on peut acheter la boîte, et une balance permet de peser son paquet. Vraiment bien et très sûr. Pour les cartes postales vers l'Europe, compter 15 Bts (0,3 US$).
Notons aussi la multiplication de postes privées, dans les grandes villes surtout, proposant un service postal, téléphonique et un *E-Mail service*. Horaires sensiblement différents le plus souvent (ouverture plus tardive).

POURBOIRE

En Thaïlande, on ne laisse pas de pourboire, bien que dans les grands hôtels et les lieux extrêmement touristiques les Thaïs se soient aisément habitués à cette gratification importée.

PROSTITUTION

Tout le monde connaît la réputation de la Thaïlande et de ses femmes « dociles », et tout le monde sait aussi que la prostitution y est assez répandue, voire très. Pourquoi ? Et quelle est l'ampleur de ce phénomène ?

Origines culturelles

Sur la question du pourquoi, il est primordial d'intégrer le rôle de la religion bouddhique, où, c'est ainsi, la femme est tenue pour « inférieure ». Mais attention, nul machisme ici : inférieure dans le sens des réincarnations, et c'est tout. Il faut aussi comprendre que le rapport à la sexualité, au corps en général, est vécu ici très différemment. On est à mille lieues du plaisir coupable et de nos tabous judéo-chrétiens, et la chose, comme on dit, est abordée beaucoup plus simplement. Le rapport à l'argent aussi est différent, plus franc. Et il n'est pas rare que l'homme, si la femme est indisposée, aille voir une prostituée. Il ne le criera pas sur les toits, mais n'éprouvera en revanche aucune honte.

Pour ces raisons, la prostitution choque beaucoup moins qu'en Occident, et n'est ni scandaleuse ni vraiment honteuse.

La plupart des filles sont contraintes d'aller vivre quelques années de leurs charmes à Bangkok, afin de nourrir leur famille, souvent avec l'assentiment des parents, qui parfois même les vendent. Leur nom en thaï est *phouyng ha kin*, qui signifie littéralement « celles qui cherchent à manger ». Bien souvent, elles sont achetées pour devenir... serveuses, et se retrouvent vite à faire des passes, contraintes et forcées.

Le laisser-faire des années 1970 et 1980, période d'explosion de la prostitution, avec notamment les Américains engagés dans la guerre du Vietnam, basés à Pattaya et les timbrés du monde qui venaient libérer leur libido sur les plus jeunes corps, a poussé à bout la logique du sordide. Le réveil, sous l'égide de nombreuses associations internationales, a été long à venir mais, finalement, même les autorités thaïlandaises ont commencé à se sentir concernées, moins pour des questions évidentes de morale qu'à cause de la dégradation de l'image du pays à l'étranger. Il s'agissait dès lors d'un problème de santé publique et d'économie, car sur le plan touristique, la Thaïlande était montrée du doigt et le pays boudé. Par ailleurs, le sida ayant fait des ravages, les rangs des prostituées se sont alors vite éclaircis.

Sida, pédophilie

Ainsi les choses ont-elles changé depuis quelques années et le dernier pointage, réalisé par l'armée américaine, ne donnait plus que 100 000 prostituées. Même si les chiffres manquent de précision, on a assisté ces dernières années à une baisse considérable, due d'abord au sida, catastrophique en Thaïlande (environ 1 million de séropositifs). Puis il y a eu le scandale de la pédophilie. Un scandale énorme, international, et qui ternissait considérablement l'image du pays. Car la prostitution, c'est une chose ; mais trouver dans n'importe quel bordel, ou presque, des gamins, des gamines de 10 ou 12 ans, vendu(e)s aux pédophiles venus du monde entier, c'est une tout autre affaire. Disons tout de suite qu'en Thaïlande ce commerce ignoble a considérablement reculé depuis. Car, face au scandale et à la colère des Thaïlandais eux-mêmes, le gouvernement a pris des mesures énergiques : répression judiciaire, fermeture de bordels, contrôle des « employées » et vote par le parlement du *Child Prostitution and Prevent*

Act. Rappelons aussi, avec la TAT *(Tourism Authority of Thailand)*, qui condamne l'exploitation sexuelle des enfants, que les « clients » sont passibles de 4 à 20 ans de prison si les prostituées ont entre 13 et 15 ans, et de prison à perpétuité si l'enfant a moins de 13 ans. Pour aider la TAT dans son combat et pour toutes infos : • tat@cs.ait.ac.th • De son côté, l'Unicef entreprend de nombreuses actions de lutte contre la pédophilie, relayée par la justice française, qui travaille en étroite collaboration avec les justices d'autres pays. Depuis 1994, la France s'est dotée de lois permettant de condamner pour abus sexuel des personnes qui se croyaient déchargées de toute responsabilité puisqu'elles étaient sur un sol étranger. On a ainsi vu se tenir récemment deux procès jugeant, en France, des actes innommables commis par des Français sur le sol thaïlandais. Une autre loi, adoptée en 1998 par le Congrès mondial sur l'exploitation sexuelle des enfants, est encore plus contraignante. Désormais, tout abus sexuel exercé à l'étranger sur un mineur de moins de 15 ans est passible d'une peine de 10 ans de prison et d'une amende s'élevant à plusieurs centaines de milliers d'euros. Les associations peuvent désormais se porter partie civile. C'est dans ce cadre que l'Unicef a pu mener ses campagnes de lutte en aidant des victimes thaïlandaises à venir témoigner en France. C'est là une grande avancée juridique pour combattre les abus sexuels. Les amateurs de tourisme sexuel, n'ignorant pas la fin de leur impunité, regardent désormais à deux fois avec qui ils finissent la soirée.

RELIGIONS ET CROYANCES

La vie de Bouddha

En 563 av. J.-C., au pied de l'Himalaya hindouiste, naquit un prince nommé Siddhartha Gautama. Il avait tout pour lui : un royaume, une femme aimante, un enfant, mais il ne connaissait pas le monde. Âgé d'une vingtaine d'années, il s'aventura hors de son palais et fit trois rencontres. Il croisa d'abord un vieillard, puis un malade, et enfin un mort qu'on portait au bûcher. Il comprit alors que l'homme ne pouvait échapper au temps, à la maladie et à la mort. Sa quatrième rencontre fut celle d'un mendiant très sage qui persuada le prince de renoncer à sa vie facile. C'est ainsi que Gautama abandonna sa famille et sa fortune, et entama une vie d'ascète. Il reçut l'enseignement des plus grands gourous de l'époque, mais ne fut pas convaincu par leur démarche, qui passait par la souffrance. Il commença donc une recherche solitaire. Après avoir médité immobile pendant 49 jours en luttant contre les tentations de Mara, le seigneur de la mort, et tous ses amis, Gautama parvint au nirvâna, à l'état de Bouddha, « l'Éveillé », un stade de connaissance parfaite.
On vous conseille à ce propos la lecture de *Siddhartha*, d'Hermann Hesse (éd. Le Livre de Poche, nº 4204, 1995).

L'enseignement de Bouddha

« La vie est assujettie à la souffrance. » *(duhkha)*
« La souffrance est causée par les désirs. » *(tanha)*
« Renoncer aux désirs entraîne donc l'arrêt de la souffrance. »
« Pour y parvenir, il suffit de renoncer au monde, de se détacher de soi, et de suivre l'Octuple Sentier. »

L'***Octuple Sentier*** est un mode de vie quotidien fondé sur huit principes dépendant les uns des autres :
– *compréhension juste,*
– *intention juste,*
– *parole juste,*
– *action juste,*
– *mode de vie juste,*
– *effort juste,*
– *conscience juste,*
– *concentration juste.*
L'acceptation des quatre vérités et le suivi des principes de l'Octuple Sentier, dans le cadre d'une expérience personnelle sincère, peuvent permettre de se libérer du cycle sans fin des renaissances *(samsâra)* et d'atteindre le nirvâna par la méditation.
On distingue deux bouddhismes : le *mahâyâna* (ou Grand Véhicule) répandu en Chine, au Tibet et au Japon, et le *theravâda* (appelé Petit Véhicule, par dérision, par les adeptes du Grand), qui se pratique en Asie du Sud-Est et donc en Thaïlande.

Le bouddhisme thaïlandais

Proportionnellement, il doit y avoir plus de temples en Thaïlande que d'églises à Rome. C'est dire comme le bouddhisme est présent dans la vie quotidienne des Thaïlandais.
Les temples sont des lieux ouverts et conviviaux, où l'on vient pour tout un tas de raisons (mariages, funérailles, prières...). Les moines, surtout dans les villages, interviennent dans les affaires courantes et sont sollicités pour donner leur avis, un peu comme les curés en Occident, il n'y a pas si longtemps. Outre les images de Bouddha, très vénérées, les Thaïlandais ont aménagé leur bouddhisme en y incluant une foule de démons et d'esprits.
Pour un Occidental, le bouddhisme thaï apparaît comme une religion tolérante, plutôt cool et souriante, très imbriquée dans la vie des gens.
Les Thaïlandais, bouddhistes à 95 %, doivent mener, au moins une fois dans leur vie et pour une période variable, une vie de moine en revêtant la robe safran. Certains travaillent bénévolement à la construction ou à la réfection des temples. Tous apportent aux statues de Bouddha de nombreuses offrandes (fleurs, cierges...) et subviennent aux besoins quotidiens des moines.

Les nonnes

Le monastère des nonnes bouddhistes ressemble à celui des hommes, sauf que les bâtiments communautaires comme la *sala* et le *bot* y sont généralement plus petits. Le public n'y est pas admis.
En Thaïlande, les nonnes sont entièrement vêtues de blanc. Elles ne sont que des novices, des « mèchis », le resteront toute leur vie et ne jouiront jamais du prestige des bonzes. La faute en revient à Bouddha, qui ne voulait pas fonder d'ordre féminin, malgré les demandes incessantes des femmes. Il finit tout de même par céder aux instances de sa tante, mais édicta huit règles très sévères, et les plaça sous la dépendance totale des bonzes. Comme elles ne doivent pas sortir du monastère pour quêter, ce sont les bonzes qui partagent avec elles la nourriture qui leur a été donnée. C'est la

raison pour laquelle les monastères des femmes sont toujours jumelés avec ceux des hommes.

Le temple bouddhique

Le temple bouddhique thaïlandais, le *wat*, regroupe un ensemble de monuments religieux, souvent d'époques et/ou de styles variés. Centre de la vie socioculturelle, le *wat* remplit de nombreuses fonctions : lieu de culte, d'enseignement, de réunion, d'échanges...

Le bot

Sanctuaire principal du *wat*, le *bot,* ou *ubosot,* est une salle de plan rectangulaire à nef unique avec des bas-côtés. Consacrée à la psalmodie des textes sacrés et aux ordinations monastiques, elle est délimitée par huit bornes *(bais simâs)*, plus ou moins hautes et ouvragées selon l'importance du *wat*, que personne ne doit dépasser lors d'une cérémonie. Considéré comme sacré, ce périmètre est soustrait à toute juridiction laïque.

Le vihara

Grande salle où moines et fidèles se rassemblent pour écouter les sermons. Elle renferme des représentations du Bouddha ainsi que les objets sacrés du temple. La salle est rectangulaire, avec des toits en pente sur plusieurs niveaux, décorés de *chofa* (têtes d'oiseaux) et de *nâga* (serpents).

Le sala

C'est l'un des premiers bâtiments que l'on rencontre en arrivant dans un monastère : sorte de grand hall dans lequel les bonzes se réunissent, matin et soir, pour la psalmodie des textes sacrés. Les fidèles y circulent pour leur propre méditation, pour assister aux offices, ou encore pour y écouter des sermons. Mais on peut aussi y prendre ses repas, parler et même y dormir ! Au fond trône une grande statue de Bouddha, entourée par de plus petites qui sont des donations de fidèles. Aux extrémités, il y a parfois de drôles de « décorations », différentes selon les donateurs et le message que veut faire passer le supérieur du temple. C'est ainsi que l'on peut y trouver, dans des cages en verre, un authentique squelette humain ou un bocal avec un fœtus d'enfant mort-né. Assez macabres, les Thaïs aiment à rappeler que « tout est éphémère, tout est souffrance » !

Les autres bâtiments

Le *bot*, le *vihara* et le *sala* forment, avec le réfectoire des moines, les bâtiments communautaires principaux. Les bonzes vivent autour, dans de petites huttes appelées *kutis*, ou dans des bâtiments quand la place vient à manquer. C'est là qu'ils passent le plus clair de leur temps à méditer, recevoir des visiteurs, se reposer... Ils sont entièrement libres de leur temps et personne ne contrôle ce qu'ils font.

– D'autres bâtiments composent un temple, dont le *chedî*, une tour-reliquaire contenant des reliques de Bouddha, d'un saint homme, ou d'un personnage royal. Le *chedî* est souvent à l'origine de la construction d'un *wat*. Sa forme de dôme, ou de cloche, est surmontée d'un empilement de parasols.

On peut aussi trouver un clocher qui sert à rythmer la journée des moines, des *ho trai* (ou bibliothèques) et un crématorium.

Petit glossaire pour circuler dans un temple

– *Wat :* nom du monastère bouddhique regroupant les divers édifices religieux.
– *Bot* ou *ubosot :* salle de réunion des moines dans le monastère (le *wat*), réservée aux seuls religieux et où se pratiquent les ordinations.
– *Vihara* ou *vihan :* de tradition indienne, cette salle abrite des images de Bouddha et sert de salle d'assemblée pour les fidèles.
– *Phra chedî ou chedî :* sorte de monument funéraire, désigne tous les édifices contenant des reliques. Définit plus spécialement le *stûpa.*
– *Stûpa :* dôme contenant des reliques bouddhiques ou servant d'objet de culte. Devenu très tôt le monument par excellence du bouddhisme, il est chargé d'un symbolisme très élaboré. Il s'agit soit d'un édifice contenant des reliques de Bouddha, soit d'un monument commémoratif. Il se compose d'un dôme surmonté d'un empilement de parasols.
– *Mondop :* prononciation thaïe du *mandala*, en sanskrit, qui est la salle de réunion des fidèles.
– *Prang :* terme utilisé pour désigner un sanctuaire carré, élevé avec de très hauts soubassements et une toiture importante. Le *prang* rappelle le *prasat* khmer (style d'Angkor Vat), mais en étant encore plus élevé. Il est caractéristique de l'architecture des périodes d'Ayutthaya et de Bangkok.
– *Prasat :* tour-sanctuaire.
– *Dvârapâla :* le gardien de la porte. Le gardien à droite de la porte a une expression bienveillante, tandis que celui de gauche a une expression terrible. À la fin de la période d'Ayutthaya, tous prennent l'apparence de *yaksha* au masque terrifiant.
– *Chofas :* ce sont les ornements qui sont aux extrémités des pignons sur les toitures à double pente. Ils représentent le plus souvent des serpents *nâga*, ou des oiseaux comme les *hamsas*.

Rites et superstitions

Les nâga

Les *nâga* (serpents) sont issus des anciennes croyances khmères. Ils servaient de décorations sur les ponts enjambant les douves. Le *prasat* khmer en tant que tour-sanctuaire était perçu comme le centre de l'univers. Il sert à mettre en évidence le lien existant entre le monde des humains et celui des dieux, entre le ciel et la terre. Il est aussi, dans la tradition bouddhique, l'animal qui protégea Bouddha des intempéries, durant sa première longue méditation transcendantale, en se dressant au-dessus de lui, par-derrière, sa large tête de cobra faisant office de pébroque (ce *nâga* bouddhique est alors souvent représenté à sept têtes, ça protège mieux). Le serpent relie donc le sacré à l'homme : le ciel à la terre, l'esprit au prophète.

Le culte du roi-dieu

Héritage khmer, le culte du roi-dieu *(deveraja)* est encore présent. Le *prasat*, la tour-sanctuaire, devait abriter les dieux. Ils servent maintenant à abriter les statues des rois, comme celui du Wat Phra Keo de Bangkok.

Libérer un oiseau

Dans le bouddhisme, une des vertus principales est le respect de la vie sous toutes ses formes. Ce qui peut conduire à des excès, voire des aberrations. Un des actes de piété est de rendre la liberté à des êtres captifs. Ce qui conduit à la capture d'oiseaux ou de poissons, dans le seul but de les vendre à la sortie des temples et des monastères. Il ne faut pas encourager ces conduites en achetant la liberté de ces animaux, nés le plus souvent en captivité et qui, s'ils ne retrouvent pas le chemin de leur prison, meurent. D'autant qu'en libérer un, c'est en emprisonner un autre (eh oui, pour le remplacer). Ne marchons pas dans cette combine!

Les porte-bonheurs

Dans toutes les pagodes de ville, on assiste à une pratique divinatoire qui n'a pourtant rien de spécifiquement bouddhique. Qu'en penserait Bouddha? Il la rangerait sûrement au rang des superstitions, mais c'est sans doute la superstition la plus populaire de tout le bouddhisme.
Après avoir prié devant Bouddha, il est possible de connaître son avenir grâce à la méthode des « bâtonnets ». Une vingtaine de bâtonnets sont disposés dans une boîte ronde, ouverte. Il faut la prendre dans ses mains et la secouer jusqu'à ce que l'un des bâtonnets tombe. Ce bâtonnet porte des inscriptions sibyllines que le bonze interprète, contre une offrande bien sûr!
Donnez une petite pièce à une icône représentant un dieu, et vous serez aspergé d'eau bénite. Si l'on veut rester sec, il est possible d'acheter toutes sortes d'amulettes aux bonzes, touffes de fils jaune et bleu portant bonheur, petits bracelets en bois, images du Bouddha... destinés à une population toujours fascinée par ce qui a trait à la magie.
Enfin, dans de nombreux temples, de beaux gongs peuvent être frappés, du poing s'il n'y a pas de frappe-gong à disposition, pour former un vœu. C'est joli et ça marche (si, si!).

Les compositions florales

Tout dans la vie des Thaïlandais est prétexte à une offrande (promenade en famille, accueil d'un visiteur...). L'offrande la plus prisée est la fleur, petite image terrestre du Bouddha. Les trois offrandes les plus courantes sont :
– ***les malai :*** ce sont les colliers de fleurs, confectionnés de boutons de jasmin, de roses, de pâquerettes africaines ou d'orchidées. Leur fonction est principalement religieuse, ce sont les offrandes des temples et lieux de pèlerinage. Mais, suspendus au rétroviseur des voitures, *tuk-tuk*, « longues-queues » ou tout autre moyen de transport, ces gris-gris odorants et éphémères sont un gage de bonne route, de chance;
– ***les bai-sri :*** compositions pyramidales, constituées principalement de feuilles de bananier très soigneusement pliées. C'est le gage que l'on offre aux nouveau-nés, aux jeunes mariés, pour l'obtention d'un premier poste... comme promesse de bonheur et de réussite. Si on ajoute du riz, un œuf dur et des fruits en son centre, on obtient un *bai-sri chan*;
– ***les jad pan :*** ce sont de gros boutons de lotus, formés par des fleurs de couleur, offerts lors des mariages. La forme du bouton de lotus représente le signe de la pureté, de la beauté, mais aussi de leur caractère éphémère.

Les maisons aux Esprits

À côté de la plupart des immeubles – anciens et nouveaux – se dresse une sorte de petite pagode colorée, posée sur un pilier. Cette demeure miniature abrite l'esprit de la maison, le *phra phum*. En effet, lorsque la construction d'un bâtiment quelconque est envisagée en Thaïlande, la première chose à faire est de trouver, dans le jardin, une place favorable à l'édification de la maisonnette où pourront se réfugier les esprits *(phi)* un moment délogés. La sélection de l'emplacement et l'aménagement de cette maison d'esprit sont du ressort exclusif d'une personne initiée : on ne place pas n'importe où une demeure réservée aux *phi* (surtout pas en un endroit qui risquerait de se trouver ombragé par l'immeuble), et un jour de bon augure doit être choisi pour la cérémonie d'installation des âmes dans leurs appartements.
On y dépose un bouquet de fleurs, quelques bâtonnets d'encens et plusieurs bougies. Lorsqu'un étranger est invité, il doit tout d'abord demander la permission d'entrer, faute de quoi il risquerait de très mal dormir. S'il ne respecte pas cette coutume, l'esprit viendra au cours de la nuit s'installer sur sa poitrine, ce qui engendre toujours, c'est bien connu, d'horribles cauchemars. Et le matin, il convient de le saluer avant de nourrir l'espoir de passer une bonne journée, de lui présenter l'une ou l'autre offrande si l'on aspire à voir quelque souhait exaucé.
Par ailleurs, le propriétaire qui s'enrichit et décide d'embellir et moderniser son habitation sait que l'oubli de parer en conséquence la maison de l'esprit risque de lui jouer de très mauvais tours.

SANTÉ

D'une manière générale, les hôpitaux sont de bonne qualité. Dans certaines villes, on donne les adresses des rares médecins qui parlent le français.
Au moment des grosses chaleurs, se méfier des problèmes de déshydratation, responsables de bien des maux.

Le paludisme

Dans tous les livres et brochures, on trouve la mention « Paludisme +++ multirésistant ». Cela est vrai, mais :
– ce paludisme n'est présent que dans des zones très limitées, forestières et frontalières ; la très grande majorité du pays, faite de plaines et de rizières, en est totalement indemne ;
– dans les zones impaludées, il n'y a risque de transmission que la nuit ;
– il n'y a pas de paludisme dans les grandes villes.
Prenons pour exemple un circuit touristique habituel : Bangkok, Pattaya, Phuket (par avion), Chiang Mai, Chiang Rai avec une visite diurne de la zone frontalière du Nord : il n'y a aucune possibilité de transmission du paludisme. Pourtant, nombre de touristes mal informés partent régulièrement bourrés d'antipaludiques majeurs dont les effets secondaires gâcheront le voyage d'une partie d'entre eux.
Ce n'est qu'au cas où un séjour comprendrait des nuitées dans les villages des zones frontalières qu'un traitement antipaludique s'imposerait : ce serait alors de la doxycycline (Tolexine), 1 comprimé par jour, en commençant la veille de l'arrivée en zone impaludée, à poursuivre pendant toute la durée du séjour et pendant les 4 semaines qui suivent le retour. Tous les autres anti-

paludiques sont insuffisants pour ces zones de multirésistance. Le seul inconvénient : il ne faut absolument pas s'exposer au soleil. La doxycycline entraîne une photosensibilisation de votre peau. Gare aux coups de soleil et aux douleurs ! Protégez-vous bien.

La dengue

Une épidémie de dengue peut survenir à tout moment en Thaïlande, comme dans tout pays de l'Asie du Sud-Est, en particulier lors de la mousson. Transmise par les piqûres de moustiques, la dengue est une forte fièvre d'origine virale, un peu comme une très grosse grippe, parfois très grave (1 à 2 % de décès). On ne dispose pas de traitement spécifique à l'heure actuelle. La seule prévention consiste à se protéger des moustiques, de nuit comme de jour. La dengue est présente depuis de nombreuses années en Thaïlande et fonctionne par épidémie. On entend de plus en plus parler de la dengue ces dernières années dans de nombreux pays car elle s'est propagée sur une bonne partie de la zone inter- et subtropicale et sur une bonne partie de la planète.

Les anti-moustiques

Les moustiques étant partout très nombreux en Thaïlande, il faut toujours utiliser des répulsifs anti-moustiques *(repellents)*. Beaucoup – pour ne pas dire la quasi-totalité – des répulsifs anti-moustiques/arthropodes vendus en grande surface ou en pharmacie sont peu ou insuffisamment efficaces. Un laboratoire *(Cattier-Dislab)* vient de mettre sur le marché une gamme enfin conforme aux recommandations du ministère français de la Santé. *Repel Insect* Adulte (DEET 50 %) ; *Repel Insect* Enfant (35/35 12,5 %) ; *Repel Insect* Trempage (perméthrine) pour imprégnation des tissus (moustiquaires en particulier) permettant une protection de 6 mois ; *Repel Insect* Vaporisateur (perméthrine) pour imprégnation des vêtements ne supportant pas le trempage, permettant une protection résistant à 6 lavages.

Disponibles en pharmacie, parapharmacie et en vente web sécurisée • www.sante-voyages.com • Voir coordonnées à la fin de cette rubrique pour plus d'infos.

Il est conseillé de s'enduire les parties découvertes du corps et de renouveler fréquemment l'application : toutes les 4 h au maximum.

Vaccinations

Diphtérie, tétanos, polio (avec un nouveau rappel adultes *Revaxis®*) et hépatite B. Vaccin contre la fièvre typhoïde en cas de séjour prolongé. Vaccin antirabique préventif en cas de séjour rural ou d'expatriation. En cas de séjour de plus d'un mois en zone rurale en période de mousson ou d'expatriation, l'OMS recommande la vaccination contre l'encéphalite japonaise.

L'hépatite A est l'une des maladies les plus fréquemment contractées dans cette zone. Elle se transmet par la consommation d'eau ou d'aliments contaminés. La vaccination contre l'hépatite A (une seule injection de *Havrix 1440* ou d'*Avaxim*) est donc très utile avant votre voyage. N'oubliez pas le rappel 6 mois à 1 an après, qui vous assurera une protection de longue durée (au moins 10 ans) pour vos prochaines destinations.

Le sida et les MST

La Thaïlande est un pays très touché par le sida. La vie sexuelle plutôt libre et active des Thaïlandais a favorisé l'avancée massive et foudroyante de la maladie. Le temps de comprendre et de réagir, et ce sont un million de personnes qui ont été contaminées. Quant aux prostituées, avancer un chiffre serait vain, car ça évolue vite et l'état des lieux ne peut pas être fait, mais on ne doit pas se tromper de beaucoup en disant qu'une sur deux (une sur trois si l'on est optimiste) est contaminée. L'usage systématique des préservatifs est donc vital et l'abstinence encore plus raisonnable.
Notons enfin une large (mais tardive) prise de conscience du gouvernement : ainsi peut-on en Thaïlande, dans toute pharmacie, obtenir gratuitement trois préservatifs (une idée de la famille royale, d'une des princesses). Une prise de conscience récompensée : si l'on comptait 143000 nouvelles infections en 1991, on n'en comptait plus « que » 29000 en 2001.

Soins dentaires

Peu de gens savent que la Thaïlande est réputée pour la qualité de ses dentistes (sous réserve que ceux-ci respectent les précautions d'hygiène élémentaires afin d'éviter tout risque de transmission du virus du sida et des hépatites B et C). C'est un peu une spécialité là-bas. Bien sûr, il existe des dentistes nuls, mais, dans la plupart des cas, n'hésitez pas à engager des travaux que vos finances ne vous permettraient pas de mettre en œuvre en France. Imaginez la minutie et la technicité thaïlandaises appliquées à vos quenottes ! Même sans le remboursement Sécu (misérable de toute manière), vous réaliserez de sacrées économies.

À emporter avec soi

Moustiquaire imprégnée d'insecticide (si l'on doit dormir dans des endroits sans AC), répulsifs anti-moustiques, insecticides, crèmes de protection solaire, ainsi que différents produits et matériels utiles au voyageur. Ils peuvent être achetés par correspondance :

■ ***Catalogue Santé Voyage*** : 83-87, av. d'Italie, 75013 Paris. ☎ 01-45-86-41-91. Fax : 01-45-86-40-59. • www.sante-voyages.com • (infos santé voyages et commande en ligne sécurisée). Envoi gratuit du catalogue sur simple demande. Livraison *Colissimo suivi* : 24 h en Île-de-France, 48 h en province. Expéditions DOM-TOM.

Les soins médicaux sont de qualité acceptable, de loin les meilleurs de la péninsule. Pour autant, il peut s'avérer judicieux de prévoir une assurance-santé avant le départ.

■ ***AVI International*** *(Routard Assistance)* : 28, rue de Mogador, 75009 Paris. ☎ 01-44-63-51-00. Fax : 01-42-80-41-57. • www.avi-international.com • Vous assure (entre autres) une prise en charge totale en cas d'hospitalisation ou de rapatriement sanitaire.

SAVOIR-VIVRE ET COUTUMES

Un certain savoir-vivre est utile. Au niveau des coutumes, il y en a quelques-unes à respecter et qui ne sont vraiment pas contraignantes. Voici quelques principes :
– ***Interdiction de fumer*** dans les lieux publics (halls d'hôtel, restos, bars). Ces mêmes lieux ferment aussi désormais à 2 h du matin, dernier carat et pas une minute de plus... On ne plaisante pas.
– ***Le roi et la famille royale :*** ils sont très respectés. Si l'hymne national retentit en pleine rue (c'est parfois le cas dans les villes à 8 h et/ou à 18 h), si le portrait royal apparaît au cinéma avant le film, il faut se lever. C'est simple, il suffit de faire comme tout le monde. Gardez-vous surtout de critiquer ouvertement la monarchie thaïe, car toute insulte publique à l'encontre du roi est passible de prison.
– ***Dans les temples bouddhiques :*** il faut enlever ses chaussures et, lorsqu'on s'assied, s'arranger pour ne pas mettre ses pieds face à Bouddha : c'est sacrilège. Ensuite, il faut s'y présenter en tenue décente. En règle générale, si une femme veut offrir quelque chose à un moine, elle doit d'abord le donner à un homme qui le lui remettra. Toutes les images ou sculptures de Bouddha, petites ou grandes, même abîmées ou en ruine, sont des objets sacrés.
– ***Dans les bus :*** à l'adresse des routardes, n'occupez pas les sièges à l'avant des bus. Ils sont généralement réservés aux moines, tenus d'éviter tout contact physique avec les femmes.
– ***Se saluer poliment :*** en général, les Thaïlandais ne se serrent pas la main. Le salut traditionnel est le *wai*, c'est-à-dire les deux mains jointes, comme pour prier... encore que son utilisation, soumise à des règles bien précises, soit hasardeuse. Très souvent, le *wai* traduit l'expression d'une inégalité. C'est toujours à l'inférieur (ou au plus jeune) que revient l'initiative du geste et la réponse se limite souvent à un léger sourire. Pas d'impair, ne « waiez » jamais un enfant, ni même une femme de chambre, vous les verriez gênés. En somme, utilisez de préférence votre sourire, c'est facile et – les Thaïs en sont la preuve – ça rend beau.
Attendez-vous à être appelé plutôt par votre prénom. C'est l'usage ici, généralement précédé de *khun* (M., Mme ou Mlle).
– ***Au restaurant :*** on ne partage pas l'addition. La règle est simple : c'est celui qui invite qui paie pour toute la table. Si aucune invitation n'a été faite, c'est au supérieur de se dévouer (aucune exception cette fois, l'égalité n'existe pas en Thaïlande !). À table, on mange habituellement avec fourchette et cuillère (jamais de couteau).
– ***Les gestes du corps :*** on ne doit jamais toucher la tête de quelqu'un, car c'est le siège de son âme, et ce geste peut être considéré comme du mépris envers cette personne. Le pied étant la partie la moins noble du corps, il faut éviter de montrer quelqu'un du pied, c'est très irrespectueux. En public, abstenez-vous donc de croiser les jambes, vous éviterez les malentendus.
– ***Les gestes impudiques :*** ceux et celles qui ont une libido exaltée remarqueront que le geste le plus licencieux des amoureux en Thaïlande est de se tenir par la main ! Même si les Thaïlandais occidentalisent leurs comportements à vue d'œil, le code pénal punit sévèrement tous les sacrilèges : la sanction 206, par exemple, prévoit un maximum de trois mois de prison ou

une amende pour tout geste ou attitude visant à insulter la religion... Comme dans le reste de l'Asie où la pudeur est plus forte qu'en Europe en public, il convient d'adopter une attitude réservée. Il n'est pas facile de considérer qu'un geste « normal » chez nous puisse être source d'offense pour le pays hôte. Nul doute que la légère baisse de l'accueil des Thaïs envers les « Blancs » trouve son explication en partie dans ce manque de retenue des touristes. Il ne s'agit pas de pudibonderie, mais de simple respect.

– ***Ne pas s'énerver et toujours sauver « la face » :*** par ailleurs, montrer des signes d'énervement, de perte de sang-froid, hausser le ton sont des attitudes considérées comme déplacées, voire dégradantes pour celui qui les arbore. Elles indiquent un signe de faiblesse. Le Thaï, face à ce type de comportement, peut perdre lui aussi son flegme, notamment si vous le mettez en cause. Dans une société où la dernière des hontes est de ***perdre la face*** en public, il se sentira menacé (surtout si des témoins assistent à la scène).
– ***Garder le sourire :*** le sourire légendaire des Thaïs est utilisé à toutes les sauces. À côté de la bienvenue ou de l'amusement (et Dieu sait si la vie est *sanouk* – rigolote – en Thaïlande), il fait aussi office d'excuse ou d'esquive ; ça évite ainsi dans de nombreuses situations d'avoir à s'expliquer et éventuellement d'en venir à des mots ou des gestes que l'on pourrait regretter plus tard.
– ***Respecter l'environnement :*** il vous faudra également être vigilant dans les rues où le respect du cadre environnant est pris particulièrement au sérieux. Pour tout crachat ou papier négligemment abandonné par terre, vous pourrez vous voir infliger une amende de 100 US$. Ainsi, les fumeurs apprendront-ils à rouler leur mégot entre leurs doigts pour l'éteindre, et jeter ensuite le filtre dans une poubelle.

Les massages : une vieille tradition

Venue d'Inde et de Chine, la tradition des massages a toujours été plus ou moins liée à la philosophie bouddhique qu'elle met en pratique à travers les quatre états de l'esprit divin enseignés par « l'Illuminé » (la bonté, la compassion, la joie de vivre et la sérénité). Cela explique pourquoi, dans le passé, une salle était réservée à cet effet dans chaque temple.
Mais au-delà de cet aspect spirituel, le massage est une pratique très répandue en Thaïlande : la mère apprend aux filles, qui massent le père, qui les masse à son tour, et l'on se masse entre soi le plus naturellement du monde. C'est un acte quotidien, familial, de réconfort et de convivialité. Et il y a bien sûr des écoles (notamment la fameuse école du *Wat Pho* – วัดโพธิ์, à Bangkok par exemple), où sont enseignés les trois principaux types de massage : massage traditionnel complet (tout le corps travaillé pendant 2 h), massage aux herbes et massage du pied. Ce dernier a d'ailleurs pris une ampleur incroyable. On ne voit plus que ça. Tout le monde le propose. Certains ne sont que des peloteurs d'orteils améliorés, mais ça ne peut pas faire de mal. Puis il y a les massages sexuels (voir plus avant la rubrique « Prostitution »), pratiqués dans des salons aux vitres fumées (souvent appelés *parlours*), où les masseuses sont effectivement expertes en sexe, bien plus qu'en massage. Mais le client y perd vite la tête et le porte-monnaie. Toutefois, il faut savoir que la limite n'est pas aussi nette : dans certains salons traditionnels, des femmes peuvent parfois proposer des massages moins classiques, sans toutefois le faire systématiquement ni sur commande. Elles cherchent simplement à arrondir leurs fins de mois, même si la prostitution n'est pas leur métier.

Cela dit, la plupart des massages proposés dans certaines *guesthouses* (et habituellement pratiqués par de vieux Chinois) ou au bord des plages du Sud, sont tout à fait sages et de qualité. Il ne faut pas en tout cas quitter la Thaïlande sans avoir essayé le massage traditionnel complet, où pressions, tensions et torsions vous réveilleraient un mort – et, c'est vrai, on revit !

SITES INTERNET

Infos pratiques

• ***www.routard.com*** • Tout pour préparer votre périple, des fiches pratiques, des cartes, des infos météo et santé et la possibilité de réserver vos prestations en ligne. Sans oublier *Routard mag*, véritable magazine avec, entre autres, ses carnets de route et ses infos du monde pour mieux vous informer avant votre départ.
• ***www.sawadee.com*** • Excellent site en anglais pour toutes les infos pratiques (bus, trains, avions, etc.) mais aussi calendrier des fêtes et festivals, sites à visiter et webcams pour voir s'il fait beau !
• ***www.tourismethaifr.com*** • Le site officiel de l'Office du tourisme thaïlandais de Paris. En français, donc. Intéressant et assez beau visuellement. Liens avec d'autres sites, et possibilité de visiter virtuellement des palais.
• ***www.tat.or.th*** • Le site officiel de la TAT, en anglais. La rubrique cuisine a particulièrement retenu notre attention, avec ses photos et recettes à l'appui. Sinon, intéressant guide des provinces et revue de presse récente.
• ***www.eurasie.net*** • Le webzine de la culture asiatique. Un important portail offrant des infos tous azimuts. Une vraie mine d'or.
• ***users.skynet.be/abottu/principal.htm*** • Les événements à fêter, les infos pratiques, les institutions politiques et sociales, ce site voit large et ce, pour notre plus grand plaisir.

Culture

• ***www.franco-thai.com*** • Site trilingue (français, anglais et thaï) de l'Association franco-thaïe de Paris. Très complet. Nouvelles, petites vidéos, forum de discussion, lexique avec prononciation en direct des mots, histoire de se familiariser avec la langue avant le départ, etc.
• ***www.palaces.thai.net*** • Le Wat Phra Kaeo et le Grand Palais comme si vous y étiez !

Médias

• ***www.bangkok-post.com*** • ***www.thenation.com*** • Deux des principaux journaux thaïs en ligne. En anglais.
• ***www.onlinenewspapers.com/thailand.htm*** • Journaux thaïs en ligne.
• ***www.comfm.fr*** • Radio et télévision en direct. À vous de vous faufiler pour dénicher la Thaïlande.

Sports

• ***www.oceanic-fr.com*** • Site extraordinaire sur la plongée, conçu par un instructeur passionné également photographe sous-marin. Bourré d'humour, ultra-complet et magnifique graphiquement parlant avec de superbes photos et fonds d'écran (libres de droits, sympa!), ce site a d'ailleurs obtenu le Net d'or 2000. Un autre site aussi tout en anglais : • ***www.thaidiver.net*** • avec description des sites de plongée.

• ***www.chiangmaiswing.com*** • Un site énumérant les greens thaïs. En français.

SPORTS ET LOISIRS

La boxe thaïlandaise

La violence, escamotée dans les rapports excessivement polis du quotidien, s'exprime à fond dans ce sport national. Le combat est impitoyable : on se sert non seulement des poings, mais aussi des genoux, des coudes et des pieds.

Le spectacle est également dans la salle. Si vous avez le temps, il faut assister à un match de boxe thaïe dans l'un des deux amphithéâtres de Bangkok, à Lumphini – ลุมพินี, Râma IV Avenue – ถนนพระรามิ้, ou à Ratchadamnoen – ราชดำเนิน, sur Ratchadamnoen Nok – ราชดำเนินนอก. À Chiang Mai également, bons combats professionnels. Expérience inoubliable! Les Thaïs, le *mekong* ou la bière aidant, se laissent parfois aller à des attitudes rarement visibles dans la rue. Ouvrez donc vos yeux d'ethnologues! La boxe thaïe, c'est aussi un sport d'argent, de parieurs. De fortes sommes sont misées sur une des têtes présentes sur le ring.

Avant le combat proprement dit, observez la curieuse gestuelle de chaque protagoniste, à cheval entre le yoga et l'expression corporelle. Ce rituel personnalisé constitue en fait une prière, une sorte d'incantation, exécutée (parfois) sur des musiques populaires. La délicatesse de ces premiers gestes contraste d'autant avec la violence des coups que les adversaires échangent durant le combat proprement dit.

La plongée sous-marine

La Thaïlande compte quelque 2614 km de côtes bordées de plages, avec, au large, de petites îles paradisiaques clairsemées. L'appel y est irrésistible! En fonction des saisons, deux zones se prêtent particulièrement à l'exercice de la plongée sous-marine avec bouteilles : la *mer d'Andaman* (côte ouest), de novembre à mai, et le *golfe de Thaïlande* (côte est), de juin à octobre. La visibilité sous-marine est variable et dépend de la température de l'eau (autour de 28 °C), mais aussi du plancton en suspension qui attire périodiquement raies mantas gracieuses et requins-baleines débonnaires. Respectez absolument cet environnement délicat. N'apportez pas de nourriture aux poissons, ne prélevez rien, et attention où vous mettez vos palmes!

Jetez-vous à l'eau!

Pourquoi ne pas profiter de votre escapade dans ces régions où la mer est souvent calme, chaude, accueillante, et les fonds riches et colorés, pour vous initier à la plongée sous-marine? Quel bonheur de virevolter librement au-dessus d'un nid de poissons-clowns... Les poissons sont les animaux les plus chatoyants de notre planète! Certes, un type de corail brûle, quelques rares poissons piquent, on parle (trop) des requins... Mais la crainte des non-plongeurs est disproportionnée par rapport aux dangers réels de ce milieu.

Les plus peureux s'essaieront au ***snorkelling***, une plongée avec masque, palmes et tuba, au bord de l'eau. Et **attention aux coups de soleil dans le dos** : prévoyez votre crème *waterproof*!

Pour faire vos premières bulles, pas besoin d'être sportif, ni bon nageur. Il suffit d'avoir au moins 8 ans et d'être en bonne santé. Sachez que l'usage des médicaments est incompatible avec la plongée. De même, nos routardes enceintes s'abstiendront formellement de toute incursion sous-marine. Enfin, vérifier l'état de vos dents, il est toujours désagréable de se retrouver avec un plombage qui saute pendant les vacances. Sauf pour le baptême, un certificat médical vous est normalement demandé, et c'est dans votre intérêt. L'initiation des enfants requiert un encadrement qualifié dans un environnement adapté (petit fond, sans courant, matériel spécial).

Non, la plongée ne fait pas mal aux oreilles; il suffit de souffler gentiment en se bouchant le nez. Il ne faut pas forcer dans cet étrange « détendeur » que l'on met dans la bouche, au contraire. Et le fait d'avoir une expiration active est décontractant puisque c'est la base de toute relaxation. Être dans l'eau modifie l'état de conscience car les paramètres du temps et de l'espace sont changés : on se sent (à juste titre) ailleurs. En contrepartie de cet émerveillement, suivez impérativement les règles de sécurité, expliquées au fur et à mesure. En vacances, c'est le moment ou jamais de vous jeter à l'eau... Attention : pensez à respecter un intervalle de 12 à 24 h avant de prendre l'avion, afin de ne pas modifier le déroulement de la désaturation.

C'est la première fois?

Alors l'histoire commence par un baptême; une petite demi-heure pendant laquelle le moniteur s'occupe de vous et vous tient la main. Laissez-vous aller au plaisir! Vous ne devriez pas descendre au-delà de 5 m. Nos lecteurs sensibles au mal de mer se laisseront glisser gentiment dans l'eau, sans stress ni angoisse, depuis le rivage. Pour votre confort, sachez que la combinaison doit être la plus ajustée possible afin d'éviter les poches d'eau qui vous refroidissent. Puis l'aventure se poursuit par un apprentissage progressif...

Les centres de plongée

En Thaïlande, les clubs sont tous affiliés à l'organisme international *PADI (Professional Association of Diving Instructors)*, représenté dans 60 pays, dont les règles et standards de plongée, d'origine américaine, sont aujourd'hui reconnus sous toutes les mers du globe. L'encadrement est assuré par des instructeurs certifiés – véritables professionnels de la mer – qui maîtrisent le cadre des plongées et connaissent tous les spots sur « le bout des palmes » (écoutez attentivement les briefings !).

Un bon centre de plongée est un centre qui respecte toutes les règles de sécurité, sans négliger le plaisir. Méfiez-vous d'un club qui vous embarque sans aucune question préalable sur votre niveau; il n'est pas « sympa », il est dangereux. Regardez si le centre est bien entretenu (rouille, propreté...), si le matériel de sécurité, obligatoire (oxygène, trousse de secours, radio...), est à bord, s'il n'y a pas trop de plongeurs par moniteur (6 maxi), et si vous n'avez pas trop à porter l'équipement. Les diplômes des instructeurs doivent être affichés. N'hésitez pas à vous renseigner car vous payez pour plonger. En échange, vous devez obtenir les meilleures prestations... Enfin, à vous de voir si vous préférez un club genre « usine bien huilée » ou une petite structure souple.

Les centres proposent généralement des prestations à la journée *(day trips)*, comprenant deux plongées et un « casse-croûte » selon l'endroit où vous passez vos vacances. La destination plongée la plus chère est incontestablement Phuket, suivie de Koh Phi Phi et de Koh Tao. Les fauchés iront « se rincer l'œil » à Koh Lanta ou à Koh Chang, vraiment plus abordables. Vous accéderez aux spots les plus proches en pirogue à moteur (*taxi-boat*, 6 personnes maxi), tandis que les bateaux de plongée classiques (15 personnes) vous mèneront un peu plus loin. Vous pourrez aussi prendre une vedette rapide (*speed boat*, 6 personnes maxi) pour gagner des sites plus lointains, ou embarquer sur un bateau de croisière (*dive-safari*, de 4 à 10 jours) à destination des spots les plus sauvages.

Formation et brevets

Partout dans le monde, les centres de plongée *PADI* délivrent des enseignements standardisés que nos routards-plongeurs pourront suivre et enchaîner aisément, au gré de leurs pérégrinations. L'apprentissage débute ainsi par le brevet d'*Open Water Diver*, dont l'ambition est de rendre autonome – jusqu'à 20 m de fond – un plongeur accompagné d'un binôme (le *buddy*) de même niveau. Compter alors de 8000 à 12000 Bts (160 à 240 US$), pour 4 jours de formation ; puis on enchaîne avec l'*Advanced Open Water Diver,* de 7000 à 11000 Bts (140 à 220 US$), en 2 jours ; on passe ensuite le *Rescue Diver*, de 8000 à 10000 Bts (160 à 200 US$), sur 2 jours également. Enfin, le diplôme de *Divemaster* prépare les futurs instructeurs à l'encadrement. Compter alors de 20000 à 30000 Bts (400 à 600 US$) pour les 3 semaines de formation.

Chaque brevet apporte une autonomie supplémentaire ; et l'on conseille d'étaler leur passage dans le temps, afin de pouvoir acquérir l'expérience indispensable. Demandez conseil à votre instructeur (il y est passé avant vous !). Tous les centres délivrent un carnet de plongée ou *log-book* qui retracera votre expérience, et réveillera vos bons souvenirs une fois les vacances terminées. Gardez-le soigneusement et pensez toujours à emporter ce précieux « passeport » en voyage.

Reconnaissance internationale

Avant de venir en Thaïlande, nos routards-plongeurs déjà expérimentés tâcheront d'obtenir une équivalence internationale de leurs brevets, auprès des organismes *CMAS*, *NAUI* ou *SSI*. Sinon, ils devront se mettre à l'eau pour une « plongée-test » avec un instructeur ; en piscine ou sur un site souvent sans intérêt. Si près de tant de merveilles, ce serait dommage de gâcher une plongée, non ? Dans tous les cas, sachez que pour votre première plongée en Thaïlande, le chef de palanquée vous demandera quelques petits exercices du style vidage de masque, interprétation de signes, récupération de détendeur, utilisation d'une source d'air de secours, stabilisation, etc. ; histoire de se remettre dans le bain...

Tour-opérateurs spécialisés dans la plongée

■ ***Ultramarina :*** 37, rue Saint-Léonard, BP 33221, 44032 Nantes Cedex 1. ☎ 02-40-89-34-44. • www.ultramarina.com • Ou à Paris : 25, rue Thiboumery, 75015. ☎ 0825-029-802. M. : Vaugirard.

■ ***Force 4 :*** 16, rue d'Argenteuil, 75001 Paris. ☎ 01-42-97-51-53. M. : Pyramides.

■ ***Aeromarine :*** 22, rue Royer-Collard, 75005 Paris. ☎ 01-43-29-30-22. • www.aeromarine.fr • RER B : Luxembourg.

■ ***Key Largo :*** 82, rue Balard, 75015 Paris. ☎ 01-45-54-47-47. • www.keylargo.to • M. : Javel, Balard ou Lourmel.

Le golf

C'est la nouvelle mode en Thaïlande. On compte déjà plus de 500 000 *aficionados* au royaume de Siam. Les *greens* poussent comme des champignons, notamment dans les environs de Bangkok (mais partout ailleurs également).

TÉLÉPHONE - TÉLÉCOMMUNICATIONS

Téléphone et fax

Les Thaïlandais sont passés maîtres dans l'art de la communication. Ils possèdent tous les derniers gadgets qui sortent en matière de téléphonie. Pour le téléphone, le moins cher consiste à téléphoner depuis le centre téléphonique officiel qui existe dans chaque ville et qui propose téléphones à cartes ou fax. Quelques endroits proposent aussi des appels en PCV *(collect calls)* pour certains pays, contre un prix forfaitaire. Les communications s'effectuent généralement sur la base de 1 mn. Le vrai problème est que ces lieux sont ouverts à des horaires de fonctionnaires, comme la poste. Outre ces centres téléphoniques, il existe partout dans le pays, et même dans le moindre trou, un *Telecommunication Centre*, un *Travel Agent* ou un *Telephone and E-mail Service* qui vous permettront d'appeler maman à quasiment n'importe quelle heure du jour ou de la nuit. Toutes les grandes villes et lieux un peu touristiques possèdent des dizaines de ces kiosques qui proposent des *overseas calls*. Certaines *guesthouses* proposent également ce service pour peu qu'elles aient une petite agence. Plus cher, mais on n'a pas à se déplacer (marchander quand même).

Depuis peu, les grandes villes (surtout Bangkok) sont équipées de téléphones à cartes. Plusieurs types de téléphones proposés : l'international (couleur verte) qui fonctionne avec des *overseas phonecards* (500 Bts l'unité, soit 10 US$; on les trouve dans les petits commerces ou à la poste) et le national (cartes à 100 Bts, soit 2 US$). Très pratique si vous voyagez avant tout dans les villes. Attention néanmoins, il existe deux compagnies qui ont chacune leurs propres cartes et leurs propres cabines. Repérez un peu les environs de votre lieu de séjour avant d'investir.

– ***Thaïlande → Thaïlande :*** composer l'indicatif à trois chiffres (indiqués dans les bandeaux des villes) de chaque ville et le numéro à 6 chiffres du correspondant.

– ***Thaïlande → France :*** composer le 001 + 33 + le numéro du correspondant, sans le 0 de la numérotation à 10 chiffres.

– ***France → Thaïlande :*** composer le 00 + 66 (indicatif du pays) + indicatif de la ville (sans le 0) + le numéro du correspondant. De 0,85 à 1,07 €/mn.

Internet

On trouve de très nombreux *E-mail Centers* un peu partout en Thaïlande, même dans les petites îles. Surfer sur le Net, envoyer un message ou consulter sa boîte coûte environ 100-150 Bts (2-3 US$) pour une heure. Ces *E-Mail Centers* permettent aussi de passer des appels *via* le réseau Internet à des prix défiant toute concurrence. Renseignez-vous.

Téléphones portables

Quasiment toutes les compagnies de téléphonie mobile couvrent la Thaïlande. Sachez toutefois que, dans les montagnes du Nord et à la frontière avec la Birmanie, les connexions sont plus difficiles. Pour bénéficier de l'option « Monde » à partir de votre téléphone portable, n'oubliez pas de joindre le Service Clients de votre opérateur AVANT votre départ.
Enfin, un phénomène nouveau se développe à travers le pays. Vous verrez des femmes dans la rue, assises derrière une petite table, des portables devant elles. Mais que font-elles ? Elles revendent les minutes gratuites et offertes par les compagnies thaïes à l'occasion de l'ouverture d'une nouvelle ligne. Les prix sont plus avantageux que dans les centres de télécommunications. Mais sachez aussi que c'est tout à fait illégal...

TOILETTES

On trouve encore des toilettes « à la turque » dans de nombreux établissements thaïlandais, les hébergements bon marché ou les gargotes. Précisons que la plupart du temps, dans ce genre de lieux, il n'y a pas de papier-toilette ! Les établissements d'un standing supérieur sont, quant à eux, semblables aux nôtres d'un point de vue sanitaire.

TRANSPORTS

La Thaïlande est un pays où les déplacements sont faciles et pas chers. Incroyable, le nombre d'agences qu'on trouve partout dans le pays : elles proposent de tout. N'importe quel boui-boui pourra, dans certains cas, vous vendre un billet d'avion ou de train. Sur le plan des transports, la notion de service joue ici à plein, tout comme la concurrence. Mais attention aux arnaques !

Trains

Ils sont d'une ponctualité étonnante, mais très lents (en général 40 km/h de moyenne pour les *express*) et un peu plus chers que les bus. Ils ont tous un wagon-restaurant, plus d'incessants vendeurs de Coca pour la soif. En outre, à chaque gare, vous trouverez des foules de vendeurs d'ananas, cacahuètes, poulet sauté, petits gâteaux, etc.
Il existe trois catégories de places : la 3e classe, qu'on vous déconseille (pas mal de vols), la 2e classe, ventilée ou climatisée, très confortable, et enfin la 1re classe, chère mais toujours climatisée et vraiment très chicos ! Attention aux divers suppléments pour les rapides, express, spécial express, les voitures avec AC et les couchettes. Les 1re et 2e classes couchettes, impeccables avec draps propres et couverture de temps à autre, sont à essayer au moins une fois ; notez que les couchettes supérieures sont moins chères que celles du bas (moins larges aussi).
Procurez-vous le dépliant général des horaires et tarifs à la gare centrale de Bangkok (Râma IV Road) – สถานีรถไฟหัวลำโพง (ถนนพระรามสี่ : rédigé en anglais et très pratique.

VILLES	DISTANCE	TEMPS EN TRAIN	TEMPS EN AVION
Ayutthaya	86	1 h 20	
Bangsaen	106		
Chanthaburi	319		
Chiang Mai	700	14 h	1 h
Chiang Rai	823		
Chumphon	460	9 h	
Had Yai	996	19 h	1 h 15
Hua Hin	230	4 h	
Kanchanaburi	126	2 h 30	
Kohn Kaen	445	8 h 30	1 h
Lampang	604	11 h 30	
Lamphun	667	13 h 30	
Nakhon Pathom	56	1 h 40	
Nakhon Phanom	735		
Nakhon Ratchasima	256	5 h	
Nakhon Si Thammarat	832	16 h 45	
Nan	745		
Pattaya	140		
Petchburi	125	4 h	
Phitsanulok	498	7 h	40 mn
Phuket	922		1 h 10
Rayong	208		
Songkhla	1 024		
Sukhothai	466		
Trat	387		
Ubon Ratchatani	647	10 h 30	1 h 35
Udon Thani	562	10 h 30	1 h 35
Yala	1 142	20 h	

N.B. *: des distorsions peuvent intervenir, selon les sources, dans l'évaluation des kilométrages (traduction des miles en kilomètres pas toujours rigoureuse). De même, les temps de trajet en train ou en avion sont donnés à titre indicatif, des variations existant selon le nombre d'arrêts ou d'escales.*

PRINCIPALES DISTANCES DE BANGKOK EN KILOMÈTRES

Pour les longs trajets (Bangkok–Chiang Mai, par exemple), on préfère le train, plus sûr et plus confortable que le bus.

Bus

Il se rendent partout où vous voulez aller, et notamment là où le train ne va pas. Les bus sont un peu plus rapides que les trains, et moins chers. Chauffeurs pas toujours très expérimentés, mais les accidents de bus sont rares. Pour les longues ou très longues distances, le train nous semble plus sûr et plus confortable, bien que plus lent.
Il existe *grosso modo* trois sortes de bus.
– ***Les bus gouvernementaux avec air conditionné** (AC) **ou sans air conditionné** (non-AC) :* on les prend généralement à un *Bus Terminal* où s'effectuent tous les départs. Les bus non-AC desservent toutes les villes et les villages dans les environs d'une grande ville, ils se rapprochent de l'omnibus. Très fréquents et pratiques pour les petites destinations, ils ont malheureusement la fâcheuse habitude d'appuyer un peu fort sur le champignon. Souvent surpeuplés, ils ne circulent que pendant la journée. Pour les longs trajets, préférer les bus AC. Les bus gouvernementaux sont moins chers que les bus privés, mais le confort est moindre (pas de boissons).
– ***Les bus privés climatisés :*** on en trouve dans toutes les villes où le tourisme existe. Ils sont confortables, rapides, plus chers que les autres, ponctuels ; on y sert à boire et, sur certains trajets, un carton-repas (parfois mangeable, parfois non). Ils effectuent en général de longues étapes et circulent principalement de nuit. Souvent TV avec films, bruyant. Refusez par précaution toute nourriture que vous offre un autre passager... On ne sait jamais !
Entre tous, les minibus privés assurent le meilleur confort (rarement plus de 10 passagers) mais l'expérience est sans doute plus inodore (contacts plus difficiles).
– ***Les bus VIP :*** il s'agit de bus climatisés de luxe, puisque le faible nombre de sièges permet une inclinaison maximale. Rapides et plus chers, mais on arrive frais et dispo. Petite laine conseillée pour la nuit. Mais vérifiez bien que figure sur votre billet la mention « VIP » et ne vous fiez pas aux photos de bus qu'on vous fera miroiter : certains se sont retrouvés dans un bus miteux, pensant faire un trajet confortablement lovés dans leur siège...

Avion

Un petit conseil : n'oubliez pas que vous devrez payer une taxe d'aéroport importante de 500 Bts (soit 10 US$ en 2003) pour les vols internationaux, et moins chère pour les vols intérieurs. Bon à savoir.
– La ***Thai Airways*** a multiplié ses liaisons depuis quelques années et on peut se rendre, souvent plusieurs fois par jour, dans des villes de province, comme Chiang Mai, Mae Hong Son, Chiang Rai, Phitsanulok, Khon Khaen, Ubon Ratchathani, Phuket, Hat Yai, Krabi, Trang, etc. Cette compagnie dispose d'un bureau à Paris qui communique toutes les fréquences et horaires des vols. En haute saison, il est conseillé de faire ses réservations à Paris avant de partir. Les vols intérieurs sont très bon marché. Une combinaison de trajet en avion avec des déplacements terrestres permet d'économiser pas mal de temps. Il est maintenant inutile de confirmer un vol sur la *Thai*. Cela dit, vérifiez quand même, ça a pu changer entre-temps et ça rassure toujours.

– ***Bangkok Airways*** dessert Koh Samui (une quinzaine de vols quotidiens). La compagnie relie aussi Koh Samui à Phuket (2 à 3 vols quotidiens). Également 1 vol quotidien Bangkok-Sukhothai, et 1 vol Chiang Mai-Sukhothai (cette compagnie est la seule à assurer la liaison avec Sukhothai).

■ ***Thai Airways International :*** 23, av. des Champs-Élysées, 75008 Paris. ☎ 01-44-20-70-80. Fax : 01-45-63-75-69. • www.thaiairways.fr • M. : Franklin-D.-Roosevelt. Ouvert du lundi au jeudi de 9 h à 17 h 30 par téléphone, jusqu'à 17 h (16 h 30 le vendredi) pour l'accueil du public. Un autre bureau à Nice : 8, av. Félix-Faure, 06000. ☎ 04-93-13-80-80. Fax : 04-93-13-43-43.

■ ***Bangkok Airways :*** 99 Moo, 14 Viphavadee Rangsit Rd. ☎ 02-265-56-78. • www.bangkokair.com •

Auto-stop

Très peu pratiqué, et par les Thaïs et par les touristes. À pratiquer seulement si vous le sentez. Sachez tout de même que le bus et le train sont bien plus rapides.

Location de voitures

– La Thaïlande est un pays facile pour le voyageur désireux de circuler en voiture. Comme aux États-Unis ou en Europe, il est possible de louer une voiture et de la conduire seul. On peut également louer des voitures avec chauffeur. Sur les grands axes, les panneaux routiers sont indiqués en thaïlandais et en anglais. Quand on circule sur les petites routes, il est conseillé de se munir d'une bonne carte détaillée et d'un petit lexique franco-thaïlandais pour demander sa route en cas de problème. Mais attention ! Les Thaïs aiment rendre service et, même s'ils ne connaissent pas votre destination, ils vous conseilleront quand même ! Donc fiez-vous à votre sens de l'orientation avant tout !
– Les principales agences de location sont représentées à Bangkok et dans les grandes villes de Thaïlande. Parmi celles-ci *Hertz* (☎ 0825-861-861), *Avis* (☎ 0820-05-05-05) et *Budget* (☎ 0825-00-35-64). Il existe aussi des petites agences locales qui offrent des tarifs moins élevés, pour des véhicules de même qualité.
– En matière de location de voitures, l'agence *Auto Escape* propose un nouveau concept dans le domaine de la location de voitures : elle achète aux loueurs de gros volumes de location, obtenant en échange des remises importantes dont elle fait profiter ses clients. C'est une vraie centrale de réservation (et non un intermédiaire) qui propose un service très flexible. Surveillance quotidienne du marché international permettant de garantir des tarifs très compétitifs. Numéro gratuit : ☎ 0800-920-940. ☎ 04-90-09-28-28. Fax : 04-90-09-51-87. • www.autoescape.com • info@autoescape.com • 5 % de réduction supplémentaire aux lecteurs du *Guide du routard* sur la plupart des destinations. Il faut réserver avant le départ et le plus tôt possible pour garantir la disponibilité du véhicule et éviter les augmentations de tarif. Vous trouverez également les services d'Auto Escape sur • www.routard.com •
– ***Formalités et pièces requises :*** l'âge minimum est de 21 ans. Le permis international de conduire est demandé, ainsi que le passeport et une carte internationale de paiement (nécessaire pour la facturation).

– ***Location de voitures sans chauffeur :*** au minimum, compter 1 350 Bts (27 US$) par jour pour la location d'une petite voiture japonaise avec AC. Ce prix est valable pour un kilométrage illimité, et il inclut l'assurance LDW, la TVA. Les frais d'essence ne sont pas inclus. Pour une voiture plus confortable, compter 2200 Bts par jour (44 US$).
– ***Location de voitures avec chauffeur :*** compter environ 1 500 Bts (30 US$) par jour pour une location de voiture avec chauffeur, essence incluse.
– ***Les stations-service :*** très nombreuses, très modernes (autant qu'en Europe) et faciles d'usage.
– ***Péage :*** entre 10 et 15 Bts (0,2 et 0,3 US$) par péage.

Moto

Certaines villes se prêtent admirablement bien à ce moyen de transport, surtout pour visiter les environs. Chiang Mai, Chiang Rai ou l'île de Phuket en sont quelques exemples. Dans les montagnes du Nord, c'est le pied : autonomie, choix du circuit... Les îles du Sud aussi sont bien agréables à parcourir à moto. En revanche, il serait suicidaire d'enfourcher un engin à deux roues à Bangkok.
Si la moto constitue un bon compromis prix-indépendance, il faut rappeler qu'en Thaïlande il n'y a pas de Sécurité sociale. De même, il n'y avait pas d'assurance il y a encore peu de temps. Si l'on vous propose un contrat d'assurance, lisez-le attentivement et faites bien préciser ce qui est ou n'est pas à votre charge ! Quand il n'y a pas d'assurance (la plupart du temps), cela signifie que, si vous êtes en tort, il vous faut payer l'hôpital pour vous et les passagers de l'autre véhicule. De plus, l'assurance ne couvre jamais votre véhicule... Bref, la moto, c'est super, mais prudence !
Ne louer que des motos neuves, afin d'éviter toute galère mécanique. Avant de payer, essayez-la, testez le freinage et reluquez son aspect (éraflures, accidents antérieurs...). Enfin, ayez votre permis international sur vous : contrôles assez fréquents, amendes...
Attention : certains loueurs de véhicules malhonnêtes réclament et conservent votre passeport jusqu'à votre retour. Bien sûr, lorsque vous remettez l'engin, on vous fait constater éraflures ou autres défauts et endosser les réparations même si vous n'y êtes pour rien, sinon pas de restitution de passeport ! Refusez toujours et soyez ferme, ou allez voir ailleurs. Par ailleurs, on met souvent dans le réservoir le strict nécessaire pour se rendre... à la pompe ! Calculez votre coup pour ne pas rendre la bécane avec le plein !

VTT

Très pratique dans les îles car nombreuses sont celles qui ne possèdent pas encore de réseau goudronné (Koh Samet, Koh Chang, Koh Tao...). Quelques proprios de bungalows en proposent. Les prix pratiqués sont relativement élevés comparativement à la moto, car la concurrence est moins rude.

BANGKOK ET SES ENVIRONS

Pour les plans de Bangkok, voir le cahier couleur.

BANGKOK (KRUNG THEP) – กรุงเทพฯ 10 millions d'hab.

Deux chiffres sont significatifs : l'agglomération regroupe 10 % de la population thaïlandaise et 90 % des voitures immatriculées dans le royaume. Et, en effet, c'est une ville champignon très étendue et, surtout – c'est ce qu'on retient –, une ville où la circulation est chaotique et exténuante et la pollution très importante. Notons aussi que cette ville faite de canaux s'affaisse parfois de 12 cm par an (contre 23 cm à Venise au XXe siècle !). Malgré ces problèmes qui s'aggravent, il existe beaucoup d'endroits tranquilles vivables au cœur de ce tumulte urbain. Après la boulimie d'immeubles toujours plus hauts, les autorités politiques essaient d'améliorer la circulation urbaine. Ainsi la ville s'équipe-t-elle d'un vaste réseau de voies suspendues, à la japonaise. Les voitures y circulent déjà, tout comme un métro aérien – le *Skytrain* – qui sera bientôt relié au réseau souterrain en cours de construction (fin 2003 logiquement) et dont on aperçoit quelques « bouches » aérodynamiques.
Bangkok est une étape pratiquement obligatoire, qui possède quelques belles curiosités : des temples superbes, un musée splendide, des restaurants de tous les styles, et une vie nocturne animée. Tout cela compense la chaleur, la poussière et le bruit de la journée.
Remarque : les Thaïs utilisent plus couramment *Krung Thep*, « Cité des anges » (sic !), que le mot Bangkok. Le nom complet de la ville est le plus long du monde : Krung Thep Maha Nakhorn Amorn Ratanakosindra Amhindraytthaya Mahadilokrop Noparatana Rajdhani Buriram Udon Rajnivet Mahasatan Amorn Pimarn Avatarn Satit, etc. Pas de panique, Krung Thep suffira !

TOPOGRAPHIE

Plus de 10 millions d'habitants : Bangkok est une ville immense ! Les distances sont importantes et les temps de parcours élevés. Aux heures de pointe, gare aux embouteillages gigantesques. Aux heures normales, les embouteillages continuent. La partie la plus intéressante de la ville est située aux abords de ***la rivière Chao Phraya***, où l'on trouve le Musée national, le Grand Palais, les temples... Routard, vous avez de la chance, c'est là que se situe le quartier des petits hôtels bon marché, le tout relié par un système de bateaux bien organisé.
Chinatown est en plein centre. Au sud de Râma IV Road s'étendent Sura-

wong et Silom Roads qui aboutissent sur Thanon Charoen Krung (New Road). Tout ce quartier concentre une partie de l'animation de la ville. Sukhumvit est aussi un axe important : hôtels, *shopping centers* et beaucoup de restos...

La partie ouest de la rivière, ***Thonburi***, construite bien avant Bangkok, conserve la plupart de ses canaux (qui ont tous été couverts à l'est). L'exploration de ces *khlong* par bateau est à faire. C'est l'ancien Bangkok, au visage rural. Pour oublier l'agitation du centre, aller à Thonburi, car là-bas c'est encore la campagne. Visite intéressante si l'on veut comprendre l'évolution urbaine de cette mégapole.

Conseils : à Bangkok, les adresses comportent souvent le nom de la rue, suivi d'un numéro de *soi*. Le *soi* est une petite rue perpendiculaire à une grande artère. Il faut donc se repérer par rapport à cette dernière, puis chercher le bon *soi*. Comme en France, *soi* pairs et *soi* impairs se partagent les deux côtés de la chaussée.

Un autre précieux conseil : les routards fumeurs en seront pour leurs frais ! Interdiction de fumer dans tous les restos, bars et lieux publics. Et la loi est particulièrement bien appliquée. Quant aux noctambules, *idem*. Tous les lieux dits de divertissement ferment désormais à 2 h du matin. Un point c'est tout !

Arrivée à l'aéroport

✈ ***Aéroport international*** – ท่าอากาศยานดอนเมือง *(hors plan couleur I par D1) :* à Don Muang, 25 km au nord de la ville. Infos générales : ☎ 02-535-11-11. Au terminal 1, infos départs : ☎ 02-535-12-54 ; infos arrivées : ☎ 02-535-11-49. Au terminal 2, infos départs : ☎ 02-535-13-86 ; infos arrivées : ☎ 02-535-13-01.

Consigne ouverte 24 h/24 mais assez chère. *Change* 24 h/24 (taux pas vraiment avantageux). Guichet de réservations *Thai Airways International.*

On y trouve aussi un *office du tourisme* (comptoir *Tourist Information*). ☎ 02-535-26-69. Officiellement ouvert de 8 h à minuit mais, dans la pratique, souvent fermé ! Avec un peu de chance, vous tomberez au bon moment. Profitez-en alors pour demander la feuille intitulée *Getting to the City*, qui indique tous les moyens de gagner la ville (voir aussi plus loin). ***Attention !*** Évitez tous les stands à la sortie de l'aéroport qui vous alpaguent et proposent de vous emmener partout en centre-ville pour 4 à 5 fois les prix en vigueur ! Filez droit dehors ! Bien étudier les différentes formules avant de choisir. On vous offre enfin une carte *Map of Bangkok* indiquant – par quartier – les principales lignes de bus, les grands monuments, ambassades, hôpitaux, quelques hôtels et banques.

On conseille quand même d'acheter dès que possible un autre plan plus détaillé, qui indique tous les parcours des bus et les arrêts des bateaux sur la rivière. En vente pratiquement partout en ville, y compris dans les librairies des grands hôtels.

✈ ***Aéroport national :*** se trouve juste à côté de l'autre. Infos départs : ☎ 02-535-11-92 ; infos arrivées : ☎ 02-535-12-53. Navette gratuite qui circule entre les deux terminaux toutes les 20 mn de 5 h à 23 h 30.

Moyens de gagner la ville

– ***Airport Bus :*** il s'agit de 3 lignes de bus climatisés avec espace à bagages, assez économiques (environ 100 Bts, soit 2 US$) et très pratiques. ☎ 02-995-12-52. L'arrêt se trouve juste devant la porte de l'aéroport, où vous indiquerez au guichetier votre destination. Passage toutes les 30 mn, de 5 h à minuit. Compter 2 bonnes heures de trajet. Le bus ***A1*** se rend dans le quartier de Silom. Si vous allez vers Khao San Rd (le coin des hôtels pas chers), grimpez dans le bus ***A2*** et descendez à *Democracy Monument*. La zone Sukhumvit et l'*Eastern Bus Terminal* sont desservis par le bus ***A3***.

– ***Public bus :*** pour les plus fauchés, car de très loin le moins cher (autour de 20 Bts, soit 0,4 US$!). Les bus publics sont reconnaissables à leur plaque bleue. Les bus sans clim' ordinaires circulent 24 h/24, les bus climatisés entre 4 h et 21 h. Durée du trajet : 2 h 30, et beaucoup plus s'il pleut. Si vous allez vers Khao San Road, prenez le ***nº 59*** et descendez à *Democracy Monument*. La ligne ***nº 29*** mène à la gare centrale de Hua Lamphong. Le bus ***nº 513*** conduit au quartier de Sukhumvit Road (hôtels plus chic) et à l'*Eastern Bus Terminal*. Le quartier de Silom et Charoen Krung Road (sud de la ville) est accessible avec le ***nº 504***, tandis que le bus ***nº 510*** passe à proximité du *Northern Bus Terminal* et du Victory Monument. Attention : les bus publics sont vraiment bondés le matin avant 10 h et le soir jusqu'à 20 h. Les autochtones voient d'un œil moyennement accueillant la flopée de routards avec sac à dos qui envahissent l'espace.

– ***Taxi-meters :*** on les trouve 24 h/24, tout de suite en sortant de l'aéroport, près du guichet *Taxi Stand*. Attention : dans tous les cas, exigez du chauffeur qu'il branche son compteur ; car beaucoup sont de mèche pour vous proposer un prix fixe, bien supérieur au prix moyen avec compteur... La course jusqu'au centre-ville tourne autour de 350 Bts (7 US$), et un peu plus si le chauffeur – avec votre consentement – emprunte les fameuses autoroutes suspendues, qui évitent pas mal d'embouteillages. C'est à vous de payer les péages. Compter alors une bonne heure de trajet. D'une manière générale, essayez de vous grouper pour réduire le coût ; et sachez que les vrais taxis ont tous des plaques jaunes. Attention, aux dires de nos lecteurs, certains chauffeurs peu scrupuleux profitent de la candeur du voyageur débarquant pour l'entraîner dans des arnaques en tout genre ; soyez vigilant et ferme !

– ***Thai Limousine Service :*** voitures climatisées qui vous déposent devant l'hôtel de votre choix. ☎ 02-535-28-01. Très cher (500 à 680 Bts, soit 10 à 13,6 US$). À éviter, sauf si vous êtes complètement envahi de bagages.

– ***Le train :*** on ne le conseille que si vous avez un train à prendre pour une autre ville ou si vous allez dans le quartier de la gare. Sinon, une fois à la gare, il vous faudra reprendre un bus (compliqué) ou un *tuk-tuk* fort cher pour regagner un autre secteur. L'*Airport Express* est passe toutes les heures en moyenne. Trajet en 35 mn. L'office du tourisme de l'aéroport dispose des horaires. Pour accéder à la gare, emprunter la passerelle qui mène à l'*Airport Hotel*. La gare est juste en face. On rappelle aussi que le bus nº 29 se rend à la gare centrale...

– ***Minibus climatisés :*** ils sont affrétés par certaines *guesthouses* pour leurs clients et font la navette vers l'aéroport.

Adresses utiles

Informations touristiques

TAT *(Tourism Authority of Thailand –* ท.ท.ท.การท่องเทียวแห่งประเทศไทย; *plan couleur I, B2)* **:** 4 Thanon Ratchadamnoen Nok (central, à côté de l'une des deux grandes salles de boxe). ☎ 16-72 (de 8 h à 20 h). • www.tourismthailand.org • Bureaux ouverts de 8 h 30 à 16 h 30 tous les jours. Parle le français. Une foule de prospectus utiles, dont le document intitulé *Where to eat in Bangkok* et *Bangkok Dining and Entertainment* qui répertorient, par genre, plus de 150 restos (se reporter aussi à la rubrique « Cuisine »). Pensez aussi à leur demander les numéros de bus pour les monuments que vous voulez visiter, ainsi que tous les horaires des trains et bus pour toutes les directions. Nombreuses brochures intéressantes. Possède aussi la liste des hôtels, services de santé, compagnies aériennes... Parfait pour préparer la suite du voyage.

BTB *(Bangkok Tourist Bureau –* ศูนย์การท่องเทียวกรุงเทพมหานคร; *plan couleur I, A2)* **:** 17/1 Phra Athit Rd. À 5 mn du *Musée national.* ☎ 02-225-76-12. Fax : 02-225-76-16. Ouvert de 9 h à 19 h tous les jours. Sensiblement les mêmes services que le précédent. Plein de docs, de plans et le magazine *Farang*, une mine d'infos. Organise des tours à vélo dans le quartier de Thonburi, des sorties en bateau et des visites de la ville. Également sur Thanon Chakrapongse, à proximité de Khao San Rd *(plan couleur III, G9)* : juste un petit kiosque très central pour des infos ponctuelles (horaires de bus, trains, avions). Personnel très sympa. À ne pas confondre avec le bureau du TAT de l'autre côté de la route : accueil exécrable.

***BTS Tourist Info* :** dans les stations de métro Nana (près de Sukhumvit), Siam (près des centres commerciaux) et Saphan Taksin (près de l'*Oriental Hotel*). ☎ 02-617-73-40. Ouvert de 8 h à 20 h. Des offices du tourisme bien fichus, avec personnel compétent et docs à disposition. Achat des cartes de métro et des *passes* fluviaux.

■ ***Police touristique* –** คำรวจท่องเทียว *(plan couleur I, B2)* **:** à l'angle du TAT, sur Thanon Ratchadamnoen Nok. ☎ 11-55. Un interprète français peut vous aider dans vos démarches en cas de vol, agression, etc. Tout ce qu'on ne vous souhaite pas !

– On vous signale aussi que Nancy Chandler publie son *Map of Bangkok*, drôle et plein de bons conseils. Disponible dans toutes les librairies et les magasins de souvenirs. Également quelques magazines gratuits, *BK Magazine* et *Farang*. Offre pas mal d'infos concernant les nouvelles tendances gastronomiques, les coins pour sortir, les concerts, etc. Un magazine payant, *Metro*, donne aussi de bons conseils pour vos sorties nocturnes.

Représentations diplomatiques

■ ***Ambassade de France* –** สถานทูตฝรั่งเศส *(plan couleur I, C4,* **1***)* **:** 35 Soi Rong Phasi Kao – ซอยโรงภาษีเก่า, Charoen Krung 36 – ถนนเจริญกรุง. ☎ 02-266-82-50 à 55. Fax : 02-236-79-73. Ouvert du lundi au vendredi de 8 h 30 à 12 h ; permanence téléphonique jusqu'à 18 h. Au-delà de ces horaires, un répondeur communique le numéro de téléphone de l'agent de permanence. Également une *section consulaire*, sur le même site. ☎ 02-266-05-50 à 53. Fax : 02-266-45-04. Mêmes horaires que l'ambassade. En cas d'urgence, la nuit ou les jours fériés, idem qu'à l'ambassade, le n° de l'agent de permanence vous est donné. La section consulaire peut, en cas de difficultés financières, vous indiquer la meilleure solution pour que des proches puissent vous faire parvenir de l'argent, et pourra vous conseiller en cas de problème.

■ ***Ambassade de Belgique*** – สถานทูตเบลเยียม *(plan couleur I, D4, **3**) :* Sathorn City Tower – ตึกสาธรซิตี้, 17ᵉ étage – ชั้น17, 175 South Sathorn Rd – ถนนสาธรใต้. ☎ 02-679-54-54. Ouvert de 8 h 15 à 11 h 30 (16 h sur rendez-vous) en semaine.

■ ***Ambassade de Suisse*** – สถานทูตสวิส *(plan couleur I, D3, **4**) :* 35 Wireless Rd. ☎ 02-253-01-56 ou 60. Ouvert en semaine de 9 h à 12 h.

■ ***Ambassade du Canada*** – สถานทูตแคนาดา *(plan couleur I, D4) :* Abdulrahim Place Building (15ᵉ étage), 990 Râma IV Rd. ☎ 02-636-05-40. Ouvert du lundi au jeudi de 7 h 30 à 16 h 30.

■ ***Ambassade du Myanmar*** *(ex-Birmanie)* – สถานทูตพม่า *(plan couleur I, C4) :* 132 Sathorn Nua Rd – ถนนสาธรเหนือ. ☎ 02-233-22-37 ou 72-50. En face de l'hôpital Saint-Louis. Ouvert en semaine de 8 h 30 à 12 h et de 14 h à 16 h 30. Coût du visa : 810 Bts (16,2 US$). Validité du visa : 30 jours. Il faut 2 photos et copies du passeport. Délivré sous 2 jours.

■ ***Ambassade du Laos*** – สถานทูตลาว : *(hors plan couleur I par D1) :* 520-502/1-3 Soi Ramkhamhaeng 39 – ซ อยรามคำแหง, Bangkapi. ☎ 02-536-36-42 et 02-539-73-41. Ouvert en semaine de 8 h à 12 h et de 13 h à 16 h. Validité du visa : 1 mois (coût : 1650 Bts, soit 33 US$). Si vous demandez le visa à un poste-frontière, la validité du visa lao n'est que de 15 jours (coût : 30 US$). Dans ce cas, il est renouvelable à Vientiane, la capitale du Laos, pour 15 autres jours.

■ ***Ambassade du Cambodge*** – สถานทูตกัมพูชา *(plan couleur I, D3) :* 185 Ratchadamri – ถนนราชดำริ, Lumphini. ☎ 02-253-79-67. Entrée sur Sarasin Rd, face au parc de Lumphini, dans une impasse. Ouvert en semaine de 9 h à 11 h. Pour le visa, compter 2 jours d'attente. Coût : 1000 Bts (20 US$). Apporter des photos, le passeport (et une photocopie). Validité du visa : 1 mois. Mais vous pouvez l'obtenir à Phnom Penh ou à Siem Reap sans problème.

■ ***Ambassade du Vietnam*** – สถานทูตเวียดนาม *(plan couleur I, D3) :* 83 Wireless Rd – ถ. วิทยุ. ☎ 02-251-58-36 ou 02-251-72-02. Ouvert de 8 h 30 à 11 h 30 et de 13 h 30 à 16 h 30 en semaine. Coût du visa : 2700 Bts (54 US$). Validité d'un mois. Délivré en 2 jours.

■ ***Ambassade d'Indonésie*** – สถานทูตอินโดนีเซีย *(plan couleur I, D2) :* 600-602 Petchaburi Rd – ถนนเพชรบุรี. ☎ 02-252-31-35. Ouvert en semaine de 8 h à 12 h et de 13 h à 16 h.

■ ***Ambassade de Malaisie*** – สถานทูตมาเลเซีย *(plan couleur I, D4) :* 33-35 Sathorn Tai Rd. ☎ 02-679-21-90. Ouvert en semaine de 8 h à 12 h et de 13 h à 16 h.

■ ***Ambassade de l'Inde*** – สถานทูตอินเดีย *(plan couleur II, F7) :* 46 Soi Prasanmitr – ซ อยประสานมิตร, 23 Sukhumvit Rd. ☎ 02-258-03-00. Ouvert en semaine de 7 h à 12 h et de 13 h 30 à 17 h. Coût du visa : 2100 Bts (42 US$). Apporter passeport et une copie, ainsi que 2 photos. Une semaine d'attente.

■ ***Ambassade de Singapour*** – สถานทูตสิงคโปร์ *(plan couleur I, C4) :* 183 South Sathorn Rd, Rajanakarn Building, 9ᵉ étage. ☎ 02-286-21-11. Ouvert en semaine de 8 h 30 à 12 h et de 13 h à 16 h 30.

Services

✉ ***General Post Office*** – ไปรษณีย์กลาง *(GPO; plan couleur I, C4)* : Charoen Krung Rd (ou New Rd), près de l'hôtel *Oriental*. ☎ 02-233-10-50. Ouvert du lundi au vendredi de 8 h à 20 h ; les samedi, dimanche et jours de fête, de 8 h à 13 h. Possibilité d'envoyer des paquets pour l'Europe. Très bien organisé. On vous fournit les boîtes (pas cher) et le ruban adhésif. Prix élevé par air et vraiment modique par mer. Efficace pour éviter la surcharge en bagages. Change les post-chèques.

✉ ***Banglampoo Post Office*** – ที่ทำการไปรษณีย์บางลำพู *(plan couleur III, H9)* : un autre bureau de poste, situé à proximité de Khao San Rd. ☎ 02-282-24-81. Ouvert du lundi au vendredi de 8 h 30 à 17 h et le samedi de 9 h à 12 h. Bien pratique si on loge dans le coin...

■ ***Téléphone*** : dans l'immeuble à gauche en sortant de la *General Post Office*. Possibilité d'appeler l'international 24 h/24. Vente de cartes de téléphone de 100 à 3 000 Bts (2 à 60 US$). Les cabines jaunes sont pour les cartes *Lenso*, les autres cabines acceptent toutes les autres cartes. De nombreuses cabines disséminées partout en ville. Service Internet (0,50 Bts/mn). Sur Khao San Rd, au moins une dizaine d'endroits, sans doute meilleur marché.

@ ***Internet*** : les kiosques et petites boutiques proposant des accès Internet ne cessent de s'ouvrir dans tout Bangkok. Grosse concentration dans Khao San Rd, notamment.

■ ***Service de l'Immigration*** – สำนักงานตรวจคนเข้าเมือง *(plan couleur I, D4, **6**)* : New Building-Immigration Bureau, Soi Suanphlu – ซอยสวนพลู, South Sathorn Rd. ☎ 02-287-31-01. Ouvert de 8 h 30 à 16 h 30 (12 h le samedi). Y aller plutôt le matin. Pour vos démarches de prolongation de séjour. Venir avec photocopie du passeport et de votre formulaire d'entrée dans le royaume et 2 photos.

Culture

■ ***Alliance française*** – สมาคมฝรั่งเศส *(plan couleur I, D4, **2**)* : 29 Sathorn Tai Rd – ถนนสาธรใต้. ☎ 02-670-42-00. Fax : 02-670-42-70. • www.alliance-francaise.or.th • À côté de la *YMCA*. Ouvert du lundi au samedi de 9 h à 17 h 30. On y rencontre des Thaïs parlant le français (rare !) et des Français qui y apprennent le thaï. Films français plusieurs fois par semaine. Ils éditent aussi un mensuel, *Alliance*, pas mal fait du tout. Vente de journaux et de magazines français. On y trouve aussi *Gavroche*, le magazine des Français de Bangkok et une chouette cafét' (voir « Où manger dans le quartier de Soi Ngam Duphli ? ») pour grignoter quelques pâtisseries françaises.

■ ***Aporia Books*** *(plan couleur III, H10)* : 131 Thanon Tanao (à gauche en sortant de Khao San Rd). ☎ 02-629-21-29. Bon choix de journaux, livres et guides de voyage, en anglais majoritairement.

Compagnies aériennes

■ ***Air France*** – สายการบินแอร์ฟรานซ์ *(plan couleur I, C4, 7)* : Vorawat Building (20ᵉ étage), 849 Silom Rd – ถนนสีลม. ☎ 02-635-11-99. Fax : 02-635-11-89.

■ ***Thai Airways International*** –

สายการบินไทย *(plan couleur I, B2, 8) :* 6 Thanon Lan Luang – ถนนหลานหลวง. Réservations 24 h/24 : ☎ 02-280-00-60 ou 02-628-20-00. Fax : 02-280-07-35.

■ ***Bangkok Airways*** – สายการบินบางกอกแอร์เวย์ *(hors plan couleur I par D1) :* 99 Moo, 14 Viphavadee Rangsit Rd. ☎ 02-265-56-78. Vols quotidiens pour Koh Samui, Phuket, Sukhothai et Chiang Mai.

■ ***Air Canada*** – สายการบินคาแนเดียน *(plan couleur I, D3) :* 130-132 Sindhorn Building, Tour 3, Wireless Rd. ☎ 02-253-02-60.

■ ***Swiss Airlines*** – สายการบินสวิส *(plan couleur I, D4) :* Abdulrahim Place Building (21e étage), 990 Râma IV Rd. ☎ 02-636-21-60.

■ ***KLM*** – สายการบิน เค.แอล.เอ็ม *(plan couleur I, C-D4) :* Thai Wah Tower (19e étage), 21/133-134 Sathorn Tai Rd. ☎ 02-679-11-00.

■ ***Lufthansa*** – สายการบินลุ๊ฟทันซ ่า *(plan couleur II, E7) :* Q House Asoke Building (18e étage), 66 Soi 21, Sukhumvit Rd. ☎ 02-264-24-00.

■ ***Alitalia*** – สายการบินอลิตาเลีย *(plan couleur I, C4) :* SPP Tower 3 (15e étage), 88 Silom Rd. ☎ 02-634-18-00.

■ ***Emirates*** – สายการบินเอมิเรทส์ *(plan couleur II, E7) :* BB Building (2e étage), 54 Soi 21, Sukhumvit Rd. ☎ 02-664-10-40.

■ ***Gulf Air*** – สายการบินกัลฟ์แอร์ *(plan couleur I, D3) :* Maneeya Center Building, rez-de-chaussée, 518/5 Phloen Chit Rd. ☎ 02-254-79-31.

■ ***Indian Airlines*** – สายการบินอินเดีย *(plan couleur I, D4) :* SS Travel Service, SS Building, 10/12-13 Convent Rd. ☎ 02-235-55-34.

■ ***Malaysia Airlines*** – สายการบินมาเลเซีย *(plan couleur I, D3) :* Phloen Chit Tower (20e étage), 898 Phloen Chit Rd. ☎ 02-263-05-65. Bien reconfirmer son vol 3 jours avant le départ.

■ ***Singapore Airlines*** – สายการบินสิงคโปร์ *(plan couleur I, D4) :* Silom Center (12e étage), 2 Silom Rd. ☎ 02-236-04-40 ou 02-22.

Médecins et hôpitaux

■ ***Docteur Philippe Balankura*** – หมอฟิลิป *:* 1 Nares Rd – ถนนนเรศ. ☎ 02-236-14-89 (cabinet) ou 02-236-13-89 (domicile). Il parle le français comme vous et moi. Compétent mais cher. Possibilité de prendre rendez-vous. Il exerce également au *BNH Medical Center* et au *Burumgrad Center.*

■ ***BNH Medical Center*** – บีเอ็นเอช เมดิคัล เซ็นเตอร์ *(plan couleur I, D4, 9) :* 9/1 Convent Rd – ถนนคอนแ วนต์, Silom. Dans une rue perpendiculaire à Silom Rd. ☎ 02-632-05-50 ou 60. Très bon hôpital (mais on espère que vous n'en aurez pas besoin !). Le personnel parle l'anglais. Pour les petits bobos.

■ ***Burumgrad Hospital*** – โรงพยาบาลบำรุงราษฎร์ *(plan couleur II, E7) :* 33 Sukhumvit Rd, Soi 3. ☎ 02-253-02-50. Le meilleur hôpital de l'Asie du Sud-Est. Très cher. En cas de gros pépin.

Banques

À Bangkok, on peut se procurer des bahts très facilement, avec de l'argent liquide, des chèques de voyage et toutes les cartes de paiement possibles. Les nombreuses banques ouvrent généralement en semaine de 8 h 30 à 15 h 30. En cas de fermeture, il suffit de s'adresser aux kiosques de change qui pullulent dans tous les coins touristiques (au moins une dizaine rien que sur Khao San Road). La plupart d'entre eux ferment entre 20 h et 22 h. On peut aussi utiliser les distributeurs automatiques extérieurs fonctionnant

24 h/24; les banques en sont pratiquement toutes équipées (attention, commission bancaire très élevée).

■ ***Bureaux de change :*** à la gare, à l'aéroport. Nombreux kiosques sur Sukhumvit, Silom, Khao San Rd... et puis dans les grands hôtels, mais à n'utiliser qu'en dernier recours car taux de change extrêmement défavorable.

■ ***Perte et vol :*** reportez-vous à la rubrique « Argent, banques, change » dans les « Généralités ».

Agences de voyages

■ ***SR Tours*** *(plan couleur I, C3)* **:** 452 Rong Muang Rd. ☎ 02-613-96-96. Fax : 02-215-49-82. • srtours@yahoo.com • La rue tout de suite à gauche en sortant de la gare ferroviaire. Une agence sérieuse, certes un peu plus chère que celles de Khao San Rd, mais au moins vous serez sûr d'arriver à bon port ! Demander Erwan, un Franco-Thaï très pro et sympa de surcroît.

■ ***East West Siam*** – บริษัทอีสเวสท์สยาม *(plan couleur I, D3)* **:** 183 Regent House, 15e étage, Ratchadamri Rd. ☎ 02-651-91-01. Fax : 02-651-97-66. • www.east-west.com • Le correspondant d'Asia Voyages en Thaïlande. Achat de billets pour le Myanmar (ex-Birmanie), la Malaisie, Hong Kong... Bonne qualité des prestations et tarifs intéressants.

■ ***Turismo Thaï*** – บริษัททูริสโมไทย *(plan couleur I, D2)* **:** 511 Soi 6, Sri Ayutthaya Rd. ☎ 02-245-15-51. Fax : 02-246-39-93. • rsvn1@mail.co.turismothai.th.com • Le correspondant de Voyageurs en Asie, de Maison de l'Indochine et de bien d'autres encore... Réputée compétente et sérieuse, cette agence propose des séjours à la carte et des circuits classiques, en individuel ou en groupe. Toutes les gammes de prix.

■ ***July Travel*** – บริษัทจูลิแทรเวล *(plan couleur II, F6)* **:** 1091/336 New Petchaburi Rd. ☎ 02-253-05-54. Le correspondant de Nouvelles Frontières. Organise des circuits pour groupes et individuels. Sans faille. Une autre adresse au 20/15-17 Sukhumvit Rd, Soi 4 *(plan couleur II, E7)*. ☎ 02-250-09-28. Fax : 02-656-76-75. • rsvn@juluytravel.co.th •

■ ***Compagnie générale du Siam :*** 645/42-43 Petchaburi Rd. ☎ 02-251-02-25 ou 02-252-02-99. Fax : 02-255-42-22. • cgsiam@cgsiam.com • Organise des voyages individuels au départ de Bangkok. Parle le français.

Les transports à Bangkok

L'efficacité thaïlandaise en matière de transports en commun se retrouve à Bangkok. Vous constaterez rapidement que la ville est immense et qu'il est pratiquement impossible de se déplacer à pied. Le plus important est de se munir d'une carte détaillée de la ville pour connaître les itinéraires des bus et métros, ou préciser sa destination aux chauffeurs de taxis, *tuk-tuk* et motos-taxis.

– ***Les tuk-tuk :*** c'est le grand truc à Bangkok. Sorte de scooter à trois roues décoré soigneusement, avec banquette à l'arrière. De véritables bolides pilotés par des jeunes intrépides qui manipulent leur engin avec dextérité ; ce qui n'empêche nullement les fesses de se serrer et les frissons d'envahir la nuque ! Le prix d'une course varie selon la distance et surtout votre talent de négociateur ! Pour exemple, entre Khao San et Patpong, compter environ 80 Bts (1,6 US$). Attention, les chauffeurs essaient toujours d'arnaquer les

Européens. Ils prétendent souvent que tel ou tel monument est fermé pour vous entraîner dans des magasins où ils perçoivent des commissions. Refusez ! Et n'hésitez pas à casser les prix de 30 % au moins. Sachez aussi que votre conducteur de *tuk-tuk* ne comprend que quelques mots d'anglais ; lui indiquer le nom d'un grand hôtel proche de la destination (voir sur votre carte), et le faire répéter, sinon il vous baladera gentiment avant de vous déposer où bon lui semble en vous disant que c'est là ! Enfin, s'il se prend un peu trop pour l'as du guidon, hurlez : « *cha-cha* ! » (ça signifie « doucement »).

– ***Les motos-taxis :*** pour gagner du temps dans les embouteillages (monstrueux à Bangkok aux heures de pointe). Vraiment moins chères que les taxis. Mais ce sont de vrais fous du guidon. À éviter.

– ***Les bus :*** devant la flambée des prix des *tuk-tuk*, ça vaut vraiment la peine d'y jeter un petit coup d'œil... Ils fonctionnent jusqu'à 22 h en général. Le réseau est dense et les lignes sont longues, le tout pour un prix dérisoire (les fauchés apprécieront !). Beaucoup de touristes paniquent à l'idée de prendre le bus. Il n'y a pas de quoi ! Attention simplement à la spécialité du coin : la découpe des sacs au rasoir. Il existe deux sortes de bus : avec air conditionné *(AC)* et sans air conditionné *(non-AC)*. Pas bien difficile de se diriger avec une carte indiquant tous les parcours. Mais d'une manière générale, bien se faire confirmer par le conducteur ou les passagers la destination souhaitée (en thaï). Si vous êtes à Bangkok pour 2 ou 3 semaines, ça vaut le coup. Mais pour 3 ou 4 jours, on déconseille carrément, car perte de temps incroyable. Les bus AC sont un peu moins bondés aux heures de pointe que les autres, mais ils sont plus chers.

– ***Les taxis :*** il en existe deux sortes. Le *taxi-meter* et le *taxi* tout court. Préférer le premier. Il possède un compteur qui marche. Si, si ! Finies les interminables négociations avec le chauffeur. Si certains refusent encore de se plier à la règle, surtout ne pas céder, et toujours bien demander « by meter ». À moins de connaître déjà parfaitement les prix et de négocier la course. Sur le compteur, un prix de départ qui vous crédite de 2 km. Puis ce prix grimpe lentement.

– ***Les bateaux :*** un moyen de transport bien pratique pour rallier certains coins de la ville et qui échappe aux embouteillages. Il en existe plusieurs sortes :

➢ *Chao Phraya River Express :* il s'agit de grosses vedettes qui montent et descendent tout le fleuve Chao Phraya. Ils desservent les deux côtés de la rivière, en zigzaguant. Pratique, pas cher et rapide. Ils fonctionnent de 6 h à 18 h environ. Beaucoup de monde aux heures de pointe. Un truc pour vous repérer : les bateaux sans drapeau desservent tous les embarcadères, quant à ceux avec drapeau jaune ou orange, ils ne desservent que quelques arrêts seulement. Tous les noms des arrêts commencent par *Tha (Tha Oriental, Tha Chang...)*. Le bateau s'arrête tout près de nombreux sites, comme le Wat Arun et le Grand Palace. Indiquez votre destination au vendeur de tickets car le bateau ne respecte pas systématiquement tous les arrêts.

➢ *Chao Phraya Tourist Boat :* quasiment les mêmes vedettes que le *River Express*, mais qui s'arrêtent aux points les plus touristiques de la ville (*Rachawongse Pier* pour Chinatown, *Tha Chang* pour le Grand Palais et le Wat Prah Kaeo, *Banglampoo Pier* pour Khao San Road, etc.). Embarcations nickel, commentaires (en anglais) à bord, mini-guide et petite bouteille d'eau offerts. Comme sur la Seine ! Forfait fluvial par personne à la journée de

75 Bts (1,5 US$) avec circulation illimitée. Achat dans les *BTS Tourist Info* ou au *Central Pier* (M. : Saphan Taksin), près de *l'Oriental Hotel*. Reste qu'il s'agit d'un moyen de transport un peu cher. Parfait pour les routards pressés avides de vite découvrir les points forts de la « Cité des anges » ! Les autres prendront le *River Express*, meilleur marché.

➢ *Ferries :* ces bateaux ressemblent un peu aux *River Express*, mais se contentent de traverser la rivière. On achète son ticket (pour une somme symbolique) à un guichet avant d'embarquer. Attention, des particuliers trompent les touristes pour faire prendre leur bateau plutôt que ceux des lignes régulières. Évidemment, c'est bien plus cher ! Les arrêts sont les mêmes que ceux des *Chao Phraya River Express*, ou juste à côté. Ils font constamment l'aller-retour.

➢ *Long-tail boats* (les bateaux « longue-queue ») *:* appelés ainsi à cause de la tige extrêmement longue qui relie le moteur à l'hélice. Ce sont des taxis privés au moteur souvent énorme (le genre usine à gaz !), que les pilotes conduisent avec une étonnante habileté. Ce sont eux qu'il vous faudra prendre si vous désirez explorer les *khlong* (petits canaux) qui sillonnent Thonburi. Balade quasi obligatoire qui vous montrera un tout autre Bangkok. Ne vous laissez pas impressionner par les types qui vous montrent des super albums de photos pour vous emmener sur les *khlong*. Allez plutôt négocier directement sur les bateaux, sans passer par les rabatteurs.
Pour les promenades sur les *khlong*, consultez la rubrique « À voir ».

– ***Le Skytrain :*** ce métro aérien flambant neuf ne compte encore que 26 stations sur 2 lignes, en service de 6 h à minuit. La 1re débute à proximité du *Northern Bus Terminal* (Thanon Phahon Yothin), frôle Victory Monument et Siam Square, avant de dévaler Sukhumvit Road en passant par l'*Eastern Bus Terminal*; terminus près du Soi 77. Plus courte, la 2e commence au National Stadium, chevauche l'autre ligne (correspondance des deux à *Central Station*) jusqu'au carrefour de Siam Square, puis tourne brusquement sur Ratchadamri Road avant d'enchaîner sur Silom et de bifurquer sur Sathorn ; terminus au King Taksi Bridge, près du fleuve. Rapide, pratique et sûr ; le prix du ticket varie entre 10 et 40 Bts (0,8 US$) et selon la distance à parcourir. Il existe aussi un « 3 Day Transit Pass » valable 4 jours et 3 nuits. Voyages illimités pour moins de 300 Bts (6 US$). Avec les autoroutes suspendues et le métro souterrain en cours de construction, le *Skytrain* s'inscrit dans un grand plan d'urbanisme destiné à libérer Bangkok de ses encombrements monstrueux...

Où dormir ?

IMPORTANT : très peu de chauffeurs de *tuk-tuk* lisent notre alphabet. Donc, dès que vous arrivez dans un hôtel, demandez la carte de visite avec l'adresse en thaï, avant de remettre les pieds dehors. De même, il n'est pas inutile d'avoir deux plans, un pour vous, un pour montrer la destination au chauffeur.

Dans Khao San Road – ถนนข้าวสาร *(quartier de Banglampoo –* ย่านบางลำพู *; plan couleur III)*

Depuis l'aéroport, prendre *l'Airport Bus A2* ou le *public bus* n° 59. Descendre à Democracy Monument – อนุสา วรีย์ประชาธิปไตย (une grande place avec un gigantesque et non moins laid monument au milieu). De là, c'est à 5-10 mn à pied. Ou bien descendre du bateau à Tha Banglampoo. Il s'agit d'un coin étonnamment calme pour Bangkok, mais la rue devient bruyante le soir, chaque *guesthouse* rivalisant avec la sono de sa voisine. Cette petite rue est depuis plusieurs décennies le rendez-vous de tous les routards qui viennent en Thaïlande, et certains semblent ne jamais en être repartis. Mais il règne une chouette ambiance avec tous ses étals et ses routards cosmopolites venus échanger leurs bons tuyaux. Quelques arnaques nous ont déjà été signalées concernant la vente de billets d'avion dans les nombreuses agences de la rue : surbooking, annulation ou pire encore... Pour éviter toute déconvenue, une règle d'or : n'achetez vos billets que dans des agences ouvertes depuis plusieurs années... ou ailleurs dans la ville (voir nos « Adresses utiles »).

Bon marché (autour de 200 Bts – 4 US$)

☗ ***Ranee's Guesthouse*** – ราณี เกสท์เฮ้าส์ *(plan couleur III, G9-10, **20**) :* 77 Trok Mayom – ตรอกมะยม (ruelle parallèle à Khao San Rd). ☎ 02-282-40-72. Fax : 02-281-67-45. Dans une vieille maison traditionnelle rénovée, une vingtaine de chambres, petites et agréables, sans salle de bains, avec ventilo. On a apprécié l'accueil, le charme exotique du jardin ombragé et rafraîchi par une fontaine, d'où se dégage une réelle convivialité. Cuisine sans prétention mais honnête.

☗ ***V.S. Guesthouse*** – วิ.เอส.เกสท์เฮ้าส์ *(plan couleur III, G-H9-10, **21**) :* sur Khao San Rd, dans la 1re ruelle à droite en venant de Thanon Tanao. ☎ 02-281-20-78. Belle et ancienne maison chinoise en bois. Chambres minuscules avec ventilo, et sanitaires sur le palier. Dortoirs de 6 vraiment pas chers. Du charme mais pas très propre. Accueil cordial. Nombreuses petites cantoches aux alentours.

☗ ***J and Joe Guesthouse*** – เจแอนด์โจเกสท์เฮ้าส์ *(plan couleur III, G9-10, **22**) :* 1 Trokmayom – ตรอกมะยม, Chakrapongse Rd – ถนนจักรพงษ์. ☎ 02-281-29-49. Fax : 02-281-55-47. • kurt@mozart.inet.co.th • *Guesthouse* dans une belle demeure en teck et bambou, bien cachée, et au calme. Courette agréable. Petites chambres sommaires dont certaines sans fenêtre. Sanitaires presque honorables, et matelas parfois à même le sol. Trois prix différents, selon l'équipement (ventilo ou AC ; sanitaires privés ou collectifs). Des triples très avantageuses. Une autre adresse : ***New Joe Guesthouse*** (juste après *Ranee's Guesthouse*). Plus propre que son aînée avec une terrasse, mais plus chère et moins charmante.

☗ ***Siam Oriental*** – สยามโอเรียลเต็ล *(plan couleur III, G10, **23**) :* 190 Khao San Rd. ☎ 02-629-03-12 ou 13. En plein cœur de Khao San, un hôtel propre, sans aucune prétention. Confort sommaire, sanitaires sur le palier ou privés, AC ou ventilo. Et même l'eau chaude pour les plus chères ! Cloisons un peu fines : mieux vaut avoir le sommeil lourd. Accueil souriant en prime.

De bon marché à prix moyens (de 250 à 600 Bts – 5 à 12 US$)

☗ ***Orchid House*** – ออร์คิดเฮ้าส์ *(plan couleur III, G9, **24**) :* 323/2-3 Rambutri Rd. ☎ 02-280-26-91 ou 92. À deux pas de Khao San Rd, 20 chambres rénovées et impeccables, toutes équipées de sanitaires, eau chaude et AC. Atmosphère sympa, reposante et un brin feutrée. Petit resto au rez-de-chaussée.

🏠 ***Marco Polo Hostel*** – มาร์โคโปโลโฮสเทล *(plan couleur III, G9, **25**)* **:** 108/ Soi Rambutri – ซอยรามบุตรี, Khao San Rd. ☎ 02-281-17-15. Dans un passage qui relie Khao San Rd à Rambutri Rd ; ne pas confondre avec la *Marco Polo Guesthouse*. Chambres rénovées, plutôt minuscules (7 m^2, pas de fenêtre, à déconseiller aux claustrophobes !), mais propres et relativement confortables. Toutes avec AC et sanitaires privés. Juste à côté, un centre de massage testé et approuvé par de nombreux lecteurs ! À moins que vous ne préféreriez le *Susie's Pub*, très sympa aussi.

🏠 ***Prasuri Guesthouse*** – พระสุรีย์เกสท์เฮ้าส์ *(plan couleur III, H10, **26**)* **:** 85/1 Soi Prasuri. ☎ et fax : 02-280-14-28. • prasuri_gh_bkk@hotmail.com • Juste à côté de Democracy Monument : quand vous y êtes, prenez la Dinso Rd, et c'est la 1re rue à droite. Un peu en dehors de Khao San Rd, loin de la faune touristique. Calme donc. Chambres avec douche, w.-c. et AC pour certaines. Bon plan si vous êtes 3. Pas très propre. Bon resto au rez-de-chaussée, où quelques collégiens viennent goûter après l'école.

🏠 ***D & D Inn*** – ดีแอนด์ดีอินน์ *(plan couleur III, G9, **27**)* **:** 68-70 Khao San Rd – ถนนข้าวสาร. ☎ 02-629-52-52. Fax : 02-629-05-29. • www.ddinn.com • Repérez le grand bâtiment dont l'enseigne lumineuse verte irradie les noctambules de Khao San Road, puis taillez-vous un chemin dans la « galerie » aux contrefaçons pour rejoindre la réception. Notre meilleur rapport qualité-prix-emplacement. Une soixantaine de chambres spacieuses, rénovées et confortables (AC, eau chaude, TV, parquet...). Un peu plus cher que les précédents, mais très raisonnable compte tenu de la qualité proposée et de la « vraie » piscine à disposition. Une batterie de coffres-forts individuels à la réception.

🏠 ***New Siam Guesthouse*** – นิวสยามเกสท์เฮ้าส์ *(plan couleur III, G9, **28**)* **:** 21 Soi Chana Song Khram – ซอยชนะสงคราม, perpendiculaire à Phra Athit Rd. ☎ 02-282-45-54. Fax : 02-281-74-61. • www.newsiam.net • Il s'agit d'un petit immeuble de 3 étages. Les chambres avec douche sont agréables et vraiment impeccables (à l'étage). Celles avec eau chaude, salle de bains et AC sont plus chères, forcément, mais le tout reste d'un bon rapport qualité-prix. Accueil dynamique. À signaler : la consigne ouverte à tous y compris aux non-résidents. Petit local Internet. Une annexe, deux rues plus loin, mais plus chère.

🏠 ***Au Thong*** – ฤู่ทอง *(plan couleur III, G9, **29**)* **:** 78 Rambutri Rd. ☎ 02-629-21-72. • au_thong@hotmail.com • C'est une maison bleue (encore une !) cachée au fond d'une impasse. À l'étage d'un bar, quelques chambres rustiques à louer, sanitaires sur le palier et ventilo. Pas le grand luxe mais on dort ici pour l'ambiance familiale, cool et calme à la fois. Repaire de *backpackers* aguerris mais pas blasés. Pour le petit dej', rendez-vous au *Tuptim Restaurant*, juste à côté !

🏠 ***Sawasdee House*** – สวัสดีเฮ้าส์ *(plan couleur III, G9, **30**)* **:** 147 Soi Rambutri – ซอยรามบุตรี, Chakrapong Rd (rue qui croise Khao San Rd). ☎ 02-629-34-57. Fax : 02-629-19-93. • swd_htravel@hotmail.com • Chaleureuse atmosphère teintée d'aventure et d'exotisme, dans cette belle maison dont la galerie-terrasse en teck déborde sur la rue. Petites chambres propres dont le prix varie selon le confort : salle de bains privée ou sur le palier ; ventilo ou AC. L'ensemble est assez propre, même si une bonne couche de peinture et un changement de literie s'imposeraient... Préférer les chambres sur l'avant avec balcon, plus calmes que celles de l'arrière donnant sur une école ! Resto et bar Internet au rez-de-chaussée.

Un peu plus chic (de 1000 à 2000 Bts – 20 à 40 US$)

Wild Orchid Villa – ไวด์ออร์คิดวิลล่า *(plan couleur III, G9,* ***31****) :* 8 Soi Chana Song Kram, juste en face de la *New Siam Guesthouse.* ☎ 02-629-43-78. Notre coup de cœur. Établissement aux couleurs fraîches et pimpantes. Café-galerie-resto au rez-de-chaussée qui invite aux rêveries siamoises. Chambres tout aussi propices au repos avec, selon le prix et le confort, AC ou ventilo, salles de bains sur le palier (rutilantes de propreté) ou privées... sur le balcon. Toilettes dernier cri (un luxe dans le quartier). Déco orientale sympa, literie impeccable et draps propres (un autre luxe !). Consignes à bagages.

Buddy Lodge – บัดดีลอดจ์ *(plan couleur III, G10,* ***32****) :* 265 Khao San Rd. ☎ 02-629-44-77. Fax : 02-629-47-44. • www.buddylodge.com • Sacré Buddy ! Après nous avoir régalé avec son resto, voilà qu'il nous séduit avec son hôtel de charme. Chambres alliant confort moderne (TV, minibar, AC, coffre-fort) et élégance orientale (bois de rose, parquets sombres, meubles asiatiques). Préférer celles avec balcon, un peu plus chères, mais idéales pour la bronzette, donnant sur l'arrière. Piscine (un rêve en plein cœur de Khao San). Petit déjeuner inclus. Discounts réguliers, bien négocier.

Sawasdee Khaosan Inn – สวัสดีข้าวสารอินน์ *(plan couleur III, G10,* ***33****) :* 18 Chakrapong Rd. ☎ et fax : 02-629-47-98. • www.sawasdee-hotels.com • À quelques encablures de sa petite sœur (ne pas confondre), sur 3 étages, des chambres propres, claires, toutes carrelées mais sans grand charme. TV, AC et salle de bains privée..

Dans le quartier de Thewet – ย่านเทเวศร์ *(plan couleur I, B1)*

Quartier populaire animé, au nord de la bruyante Khao San Road, à deux pas du fleuve et de la Bibliothèque nationale. Les chambres d'hôte y sont calmes et bon marché. Accessible par le *Chao Phraya River Express* (arrêt Tha Thewet). Pour s'y rendre en bus, prendre les n°s 3, 9, 49, 505 ou 506. Le bus n° 510 (climatisé), provenant de l'aéroport, est également intéressant (arrêt au carrefour de Thanon Samsen et Ratchawithi, au nord de la bibliothèque).

Bon marché (de 200 à 400 Bts – 4 à 8 US$)

Backpackers Lodge – บ้านพักแบ็คแพ็คเกอร์ *(plan couleur I, B1,* ***34****) :* 85 Sri Ayutthaya Rd, Soi 14 – ถ.ศรีอยุธยา ซ14 (tout au fond de la ruelle). ☎ 02-282-32-31. Accueil familial exceptionnel dans cette charmante pension proprette (ôtez vos godillots !) où l'on prend le petit déjeuner dans une courette bien fraîche. Plusieurs petites chambres avec ventilo ; sanitaires collectifs seulement. L'ensemble est nickel-chrome. Bonne cuisine pas chère du tout.

Tavee Guesthouse – ทวีเกส

ท์เฮ้าส์ *(plan couleur I, B1, **34**) :* 83 Sri Ayutthaya Rd, Soi 14. ☎ 02-280-14-47. Une bien belle maison en bois, à l'intérieur soigné (retirez vos chaussures !), donnant sur une terrasse ombragée où quelques poissons rouges font la ronde. Les chambres sont irréprochables, joliment décorées, mais les cloisons sont extra-fines... Sanitaires privés ou sur le palier (il y en a peu, c'est donc la queue le matin), ventilo ou AC. Pas d'eau chaude, mais propreté immaculée. Un peu plus cher que le précédent, mais accueil très cordial, et bons petits plats maison.

🏠 ***Sawasdee Guesthouse*** – สวัสดีเกสท์เฮ้าส์ *(plan couleur I, B1, **34**) :* 71 Sri Ayutthaya Rd, Soi 16 (pile en face du *Shanti Lodge*). ☎ 02-281-07-57. Vous entrez par un agréable hall-salon sur la rue, où quelques routards sirotent des jus de fruits sous le ventilo. Chambres au confort simple, mais propres et bien tenues par une patronne souriante. N'oubliez pas de vous déchausser.

🏠 ***Bangkok International Youth Hostel*** – บ้านพักเยาวชนกรุงเทพฯ *(plan couleur I, B1, **35**) :* 25/2 Phitsanulok Rd – ถนนพิษณุโลก. ☎ 02-281-03-61. Bus n° 12 depuis Democracy Monument. Sa façade porte une multitude de petits drapeaux... Normal, c'est le rendez-vous de la jeunesse internationale ! Dortoirs corrects (8 lits) et très bon marché (fermés de 11 h à 17 h). Chambres doubles assez confortables (ventilo et sanitaires privés), mais bien plus chères, avec lits superposés ou lits 2 places. Carte de membre exigée (FUAJ) ; à acheter sur place. Resto-salon sympa et bon marché au rez-de-chaussée.

De bon marché à prix moyens (de 250 à 600 Bts – 5 à 12 US$)

🏠 ***Shanti Lodge*** – บ้านพักสันติลอดจ์ *(plan couleur I, B1, **34**) :* 37 Sri Ayutthaya Rd – ถนนศรีอยุธยา ซ16, Soi 16. ☎ 02-281-24-97 ou 02-628-76-26. Délicieuse maison en teck, décorée avec quelques meubles patinés, et des objets insolites... Une trentaine de belles chambres absolument nickel. Les moins chères ont ventilo et sanitaires sur le palier ; quelques-unes sont climatisées. Également 2 dortoirs au rez-de-chaussée. Petit resto de spécialités végétariennes. Prudent de réserver à l'avance car on se bouscule à la porte.

🏠 ***Taewez*** – บ้านพักเทเวศร์ *(plan couleur I, B1, **34**) :* 23/12 Sri Ayutthaya Rd – ถ.ศรีอยุธยา. ☎ 02-280-88-56. Fax : 02-280-88-59. • taewez@yahoo.com • Au bout d'une allée pavée, un peu après le *Shanti Lodge*. Une grande maison en teck agrandie et transformée en auberge. Chambres impersonnelles mais confortables et propres. Sofas, hamacs et petit salon pour refaire le monde. Accueil avenant. Quelques ordinateurs pour se connecter à Internet. Une adresse qu'on aime bien.

🏠 En tout cas, évitez ***Sri Ayutthaya Guesthouse*** – ศรีอยุธยาเกสท์เฮ้าส์, juste à côté. Accueil... qui a parlé d'accueil ?

Dans le quartier de Soi Ngam Duphli – ย่าน ซ อยงามดูพลี *(plan couleur I, D4)*

Dans une petite rue donnant sur la grande Râma IV, un ancien coin très routard, supplanté depuis plusieurs années par Khao San Road. Plus calme et sympa quand même, le quartier accueille aujourd'hui essentiellement les touristes (très) long séjour, qui se partagent plusieurs bonnes adresses pas chères ou à prix moyens, et gays de tous pays. Bon point de chute pour ceux qui veulent être à l'écart de la foule. Même ordre de prix qu'à Khao San Rd. De nombreux bus s'y dirigent : n°s 4, 13, 22, 45, 109, 141 et 507. D'ici, on est tout près de l'Alliance française.

Bon marché (de 150 à 350 Bts - 3 à 7 US$)

Salathai – ศาลาไทยเกสท์เฮ้าส์ *(hors plan couleur I par D4, **36**) :* 15 Soi Si Bumphen – ซอยศรีบำเพ็ญ, Râma IV Rd – ถนนพระรามี่. ☎ 02-287-14-36. Dans le *soi*, au fond d'une impasse en forme de coude. L'une des meilleures adresses du coin, et surtout l'une des plus stables en terme de qualité. Les chambres, avec ventilo et sanitaires sur le palier, sont très propres et plutôt soignées (mobilier en rotin). Salon-TV au 1er étage. Si vous le souhaitez, le patron affable vous mènera jusqu'à la terrasse avec vue dégagée (rare à Bangkok !), au 2e étage. Bon rapport qualité-prix. Pour le petit dej' (non compris), le *Kenny's Restaurant*, de l'autre côté de la route propose toasts, confitures et même œufs brouillés !

Freddy's Guesthouse 2 – เฟรดดี้ส์เกสท์เฮ้าส์ *(hors plan couleur I par D4, **37**) :* 27/40 Soi Si Bumphen. ☎ 02-286-78-26. Fax : 02-213-20-97. • freddyguesthouse2@hotmail.com • En arrivant par le *soi* Ngam Duphli, c'est pratiquement au bout de la rue, sur la gauche, après *Salathai* et *Lee Guesthouse*. Pas bien engageante cette entrée par le garage du proprio, mais l'intérieur, bien qu'un peu sombre, présente bien des avantages. Chambres calmes à l'arrière et propres, avec sanitaires en commun et ventilo. Petit resto pour le petit dej' et patron sympa. Salon TV. Bon rapport qualité-prix.

Lee 3 Guesthouse – ลีเกสท์เฮ้าส์ *(hors plan couleur I par D4, **38**) :* 13 Soi Sapankoo (juste à côté de *Salathai Guesthouse*). ☎ 02-679-70 45. Bien mieux que ses comparses (*Lee 1, 2* et *4*) du même quartier, mais moins sympa que les précédentes. Chambres relativement correctes, avec ventilo et sanitaires complets pour certaines. Service laverie. En dépannage si *Salathai* affiche complet. Dans la même impasse, éviter *Madam Guesthouse*, connu pour sa clientèle pas toujours fréquentable...

TTO Guesthouse – ที.ที.โอ.เกสท์เฮ้าส์ *(plan couleur I, D4, **39**) :* 2/35 Soi Si Bumphen (dans une petite impasse de la rue, sur la droite en venant du Soi Ngam Duphli). ☎ 02-286-67-83. • ttotravl@linethai.co.th • Enseigne jaune et rouge visible de la route. Chambres très simples avec ventilo ou AC, douche et toilettes ; le tout d'une propreté exemplaire et le carrelage im-ma-culé ! Patronne charmante et dévouée. Un peu plus cher que les précédents, mais reste l'une de nos meilleures adresses du coin. Ne sert pas de petit déjeuner.

Prix moyens (de 500 à 900 Bts - 10 à 18 US$)

Malaysia Hotel – โรงแรมมาเลเซีย *(plan couleur I, D4, **40**) :* 54 Soi Ngam Duphli – ซอยงามดูพลี, Râma IV Rd. ☎ 02-679-71-27 ou 36. Fax : 02-287-14-57. • malaysia@ksc15.th.com • Un ancien (il va bientôt fêter ses 80 ans !) grand hôtel de routards, où les flics avaient l'habitude de descendre, non pour essayer les matelas, mais plutôt pour fouiller les armoires. Tout a été rénové en semi-luxe et on y rencontre plus de touristes avec Delsey que de routards avec sac à dos.

D'entrée, le grand hall donne le change, et les chambres, sans charme mais confortables, affichent une propreté exemplaire. La « standard » s'avère bien suffisante. Grand resto au rez-de-chaussée, et petite piscine correcte. Petit dej' assez cher.

Pluc chic (de 1 000 à 1 400 Bts – 20 à 28 US$)

☗ *YWCA* – วาย.ดับเบลยู.ซี.เอ. *(plan couleur I, D4,* ***42****) :* 13 Sathorn Tai Rd (derrière le concessionnaire BMW). ☎ et fax : 02-679-12-80. • www.ywcabangkok.com • Pas vraiment l'idée que l'on se fait d'une « Y ». Il s'agit plutôt d'un bâtiment chic, en retrait du bruit de la grande avenue, et fréquenté par beaucoup de jeunes Thaïs, et quelques touristes. Chambres simples ou doubles avec douche et w.-c. Mobilier fonctionnel et ensemble nickel. Les draps sont aussi propres que la robe de la Sainte Vierge. Petit dej' inclus. Accepte hommes et femmes, même sans carte de « Y ». À proximité : banques, salle de sport et 2 restos.

☗ La ***YMCA***, toute proche, est en complète rénovation. Très chère. À éviter.

Dans le quartier de Siam Square et Sukhumvit

– ย่านสุขุมวิทและสยามสแควร์ *(plan couleur II)*

Sukhumvit est une grande artère à l'est de la ville, dans le prolongement de Râma I. Là aussi, grosse concentration d'hôtels, réservés à la clientèle chic, genre voyages organisés, notamment autour des *soi* 4, 8 et 11. Si vous y choisissez un hôtel, sachez seulement que vous perdrez pas mal de temps dans les embouteillages pour rejoindre le quartier historique ; même si Sukhumvit Road est désormais desservie par le métro aérien qui vous rapproche un peu du centre... Pour rejoindre nos adresses, s'arrêter aux stations Nana ou Asok. Depuis l'aéroport, prendre l'*Airport Bus A3*.

Prix moyens (autour de 250 à 600 Bts – 5 à 12 US$)

☗ ***Suk 11 Hostel*** – สุข 11โฮสเท็ล *(plan couleur II, E7,* ***43****) :* 1/33 Sukhumvit, Soi 11. D'où le nom ! ☎ 02-253-59-27. Fax : 02-253-59-29. • www.suk11.com • On n'y croyait plus ! Une adresse pour *backpackers*, sympa et pas chère. Plutôt rare dans le quartier. Vous accédez à votre chambre par des caillebotis dans un dédale de bricoles en tous genres. Confort modeste et sans grand charme (un petit effort !), mais ensemble propre et fonctionnel. Dortoirs, doubles ou triples avec AC ou ventilo, sanitaires privés ou sur le palier, ce qui conviendra à toutes les bourses. Super-ambiance. Petite terrasse sur le toit. Proprio au sourire thaï légendaire. Consigne à bagages. Petit dej' inclus. La belle affaire du coin.

De prix moyens à plus chic (de 700 à 1 100 Bts – 14 à 22 US$)

☗ ***Nana City Inn*** – นานาซิ ตี้อินน์ *(plan couleur II, E7,* ***44****) :* 23/164 Nana City Sukhumvit, Soi 4. ☎ 02-253-44-68. Fax : 02-255-

24-49. • nanacityinn@hotmail.com • Moderne et de taille modeste, donc pas trop « usine à touristes ». On y trouve de très belles chambres rénovées, confortables et parfaitement équipées (salle de bains, AC, TV). Excellent rapport qualité-prix. Petit déjeuner compris. Accueil discret mais sympa.

■ ***Dynasty Inn*** – ไดนาสตี้อินน์ *(plan couleur II, E7,* ***45****) :* 5/4-5 Sukhumvit Rd, Soi 4. ☎ 02-656-81-00. Fax : 02-255-41-11. • www.dynastyinn.com • Tous les attributs du grand hôtel s'y retrouvent : grand lobby bar, pendules indiquant les horaires des grandes capitales, salon de beauté, *coffee-shop* et point Internet. Un luxe sans ostentation qu'on retrouve dans les chambres avec AC, douche, w.-c. et TV. Agréables et bien décorées.

■ ***Stable Lodge*** – สเตเบิ้ลลอดจ์ *(plan couleur II, E7,* ***46****) :* 39 Sukhumvit, Soi 8. ☎ 02-653-00-17. Fax : 02-253-51-25. • www.stablelodge.com • Hôtel de semi-luxe construit autour d'un beau jardin tropical. Les chambres sont spacieuses, coquettes et, côté confort, c'est déjà presque le grand luxe ! Celles avec vue sur la piscine sont assez remarquables, mais aussi plus chères. Petit dej' non inclus. Accueil très cordial. Excellentes prestations.

■ ***White Inn*** – ไวท์อินน์ *(plan couleur II, E7,* ***47****) :* 41 Sukhumvit, Soi 4. ☎ 02-252-70-90. Fax : 02-254-88-65. Dans une drôle de maison blanche à colombages, un peu en retrait de l'artère principale, au calme. Chambres standard un peu tristounettes avec AC, sanitaires et baignoire. Préférez celles qui s'ouvrent sur le jardin et... la vraie piscine, où on peut même nager ! Pas de petit dej'. N'accepte pas les cartes de paiement.

■ ***Narry's Inn*** – นารีอินน์ *(plan couleur II, E7,* ***48****) :* 155/22 Sukhumvit, Soi 11. ☎ 02-254-91-84 ou 85. Fax : 02-254-35-68. • www.narry.com • Narry, un ami qui vous veut sacrément du bien ! Un hôtel caché au fond d'un *soi* assez calme dont on manquerait presque l'entrée, juste à côté du *Swiss Hotel*, au-dessus du tailleur. Chambres carrelées, très propres avec AC et sanitaires privés. Pas de petit dej', mais accueil souriant et sympa.

Plus chic (de 2600 à 2800 Bts – 52 à 56 US$)

■ ***Regency Park Hotel*** – โรงแรม รีเจนซ์ปาร์ค *(plan couleur II, F8,* ***49****) :* 12/3 Sukhumvit Rd, Soi 22 – ถ.สุขุมวิทซ. ☎ 02-259-74-20. Fax : 02-258-28-62. • res@regencypark.net • L'un des meilleurs rapports qualité-prix dans le luxe. Tout le confort des grands hôtels à des prix plutôt corrects : TV, coffre-fort individuel, petite piscine, sauna et club de gym, le tout organisé autour de deux beaux patios fleuris et vitrés. Seulement 121 chambres, donc ambiance presque familiale. Géré par *Accor*. Prix intéressants en basse saison : négociez ferme !

Dans le quartier de Silom Rd et jusqu'à la gare du Hua Lamphong – ย่านถนนสีลมถึงหัวลำโพง *(plan couleur I)*

Au sud de Bangkok, Silom Road est une très longue avenue qui part de Charoen Krung et se termine à l'intersection de Râma IV Road, en face du Lumphini Park. Dans ce quartier chic et commerçant, parsemé d'hôtels luxueux, on vous a dégoté deux adresses à peu près abordables... Et quelques bonnes petites adresses du côté de chez Jim Thompson. Pour vous y rendre depuis l'aéroport, prendre l'*Airport bus A1*. En bus publics (climatisés), prendre les n°s 502, 504, 505 et 514. Les stations de métro les plus proches : Sala Daeng et Chong Nonsi. À proximité de la gare centrale, nous proposons également deux hébergements dans deux gammes de prix qui conviendront aussi bien à ceux qui arrivent très tard par le train qu'à ceux qui repartent très tôt.

Bon marché (autour de 250 Bts – 5 US$)

TT Guesthouse – ที.ที.เกสท์ท้าส์ *(plan couleur I, C3-4, 50)* : 516-518 Soi Sawang – ซอยสว่าง, Si Praya Rd – ถนนสิพระยา. ☎ 02-236-29-46. Fax : 02-236-30-54. • ttguesthouse@hotmail.com • En sortant de la gare, prendre, en face, la grande Maha Phrutharam Rd, puis à gauche le Soi Kaew Fa jusqu'au croisement de la Maha Nakhon Rd. C'est dans le petit *soi* en face. Bien indiqué. Si vous êtes chargé, préférez le *tuk-tuk*. Une *guesthouse* très sympa et parmi les moins chères de Bangkok. Chambres spartiates avec lit métallique, eau froide, ventilo et sanitaires communs. Certaines n'ont pas de fenêtre, mais toutes sont calmes et très bien tenues (retirez vos chaussures en entrant). Dortoir pas cher. Possibilité de faire laver son linge. Bonne ambiance.

FF Guesthouse – เอฟเอฟ เกสท์เฮ้าส์ *(plan couleur I, C3, 51)* : 338/10 Trok La-O. ☎ 02-233-41-68. À gauche en sortant de la gare, sur Râma IV, un petit *soi* sur la droite, juste avant le pont autoroutier. Tout au fond de l'allée, derrière un petit temple. Une *guesthouse* familiale dont on pousse la porte du salon pour accéder aux chambres sommaires à l'étage. Simple, sanitaires sur le palier, sans ventilo et encore moins d'AC ! Propreté limite, mais accueil très gentil et vraiment pas cher.

Prix moyens (de 400 à 500 Bts – 8 à 10 US$)

White Lodge – ไวท์ลอดิ์จ์เกสท์เฮ้าส์ *(plan couleur I, C2, 52)* : 36/8 Soi Kasemsan I, Râma I Rd – ถ.พระรามฟ ซ .เกษมสันต์ฟ. ☎ 02-216-88-67. Fax : 02-216-82-28. Une poignée de belles chambres rénovées et agréables – avec sanitaires complets et clim' – donnant sur une courette fleurie très calme. Propre et sans bavure. Très bon rapport qualité-prix, et accueil souriant en prime. Pour le petit déjeuner, aller au *Sorn's Café*, juste à côté.

The Bed & Breakfast – เดอะเบดแอนด์เบรคฟัสท์เกสท์เฮ้าส์ *(plan couleur I, C2, 53)* : 36/42-43 Soi Kasemsan I, Râma I Rd (quelques mètres après *White Lodge*). ☎ 02-215-30-04. Fax : 02-215-24-93. Une pension très propre et toute carrelée d'un blanc immaculé. Les chambres sont petites et sobres, mais offrent l'AC et les sanitaires complets. Gentillesse de la patronne, et petit déjeuner compris. Sans souci.

De prix moyens à un peu plus chic (de 800 à 1 200 Bts – 16 à 24 US$)

Reno Hotel – เรโนโฮเต็ล *(plan couleur I, C2-3, 54)* : 40 Soi Kasemsan I – ซ อยเกษมสันต์ฟ, Râma I Rd – ถนนพระราม1 (petit *soi* perpendiculaire à Râma I Rd). ☎ 02-215-00-26. Fax : 02-215-34-30. • renohotel@clickta.com • À l'ouest de Siam Square et à deux pas de la maison de Jim Thompson, un grand hôtel totalement rénové de 70 chambres calmes, claires, propres et plutôt confortables (salle de bains et AC de série). Choisissez donc celles donnant sur la piscine, pour mieux admirer le crawl de votre routard(e) !

Plus chic (de 1 000 à 1 300 Bts – 20 à 26 US$)

🏨 ***New Trocadero Hotel*** – โรงแรมนิวโทรคาเดโร *(plan couleur I, C4, **55**)* **:** 343 Surawong Rd – ถ.สุรวงศ์. ☎ 02-234-89-20. Fax : 02-234-89-29. • newtroc@ksc.th.com • Non loin du coin avec Charoen Krung, près de la rivière. Bien situé, cet hôtel de semi-luxe n'a plus grand-chose de nouveau et aurait bien besoin d'un bon coup de peinture. Même si les chambres restent spacieuses et confortables (baignoire, AC, TV). Les moins chères sont très correctes (tant mieux !). Demander une chambre en étage et ne donnant pas sur la rue, bruyante. Piscine de taille respectable mais entourée d'immeubles assez glauques. Petit dej' inclus.

De chic à beaucoup plus chic (de 2 000 à 4 000 Bts – 40 à 80 US$)

🏨 ***Tarntawan Place Hotel*** – ทานตะวันเพลสโฮเต็ล *(plan couleur I, C4, **56**)* **:** 119/5-10 Surawong Rd – ถนนสุรวงศ์. ☎ 02-238-26-20. Fax : 02-238-32-28. • www.tarntawan.com • À deux pas de Patpong, mais à l'abri de la trouble animation du quartier, cet hôtel moderne complètement rénové, au fond d'une allée fraîche et calme, propose des chambres tout à fait confortables, à des prix aisément négociables (en fonction de la saison, de la durée du séjour, de votre sourire, du taux de remplissage ou de l'âge du capitaine). Une bien belle adresse fleurie à souhait, des prestations de qualité et une foule de services en prime...

– Un peu plus au nord de Silom Road, près des stations de métro de *National Stadium* et de *Ratchathewi*, vous trouverez trois autres adresses (voir dans les rubriques « Prix moyens » plus avant).

Dans le quartier chinois et indien – ย่านจีนและอินเดีย *(plan couleur I)*

Vraiment pas cher (moins de 250 Bts – 5 US$)

Le long de *Chakraphet Road* – ถนนจักเพชร et dans les ruelles parallèles, à proximité de l'intersection avec le *soi Wanit 1 (Sampeng Lane)* – ซ อยสำเพ็ง, des quantités de ***guesthouses*** tenues par des Indiens, des Népalais ou des Pakistanais, et destinées aux hommes d'affaires de la péninsule. On se croirait parfois à Bombay, dépaysement garanti. En revanche, côté chambres, rien à voir avec les standards européens. Entretien négligé, pièces sombres et exiguës. Certaines *guesthouses* proposent néanmoins des chambres avec AC.

Prix moyens (de 400 à 750 Bts – 8 à 15 US$)

🏨 ***238 Guesthouse*** – 238 เกสท์เฮ้าส์ *(plan couleur I, B3, **57**)* **:** 238 Phahurat Rd. ☎ 02-623-92-87. Fax : 02-623-90-73. • 238guesthouse@east-thai.com • Dans le quartier indien et des joailliers (de pacotille). Un bel escalier en fer forgé vous conduit vers 16 chambres carrelées impeccablement tenues, claires et spacieuses. Matelas aux imprimés indiens très confortables. Quelques chambres avec clim' et sanitaires complets. Petit dej' non compris mais restauration possible au rez-de-chaussée, à côté du local Internet. Super accueil du patron.

River View Guesthouse – ริเวอร์วิ วเกสท์เฮ้าส์ *(plan couleur I, B3, **58**) :* 768 Soi Panurangsi – ซ อยภาณุรังษี, Songwat Rd. ☎ 02-234-54-29. Fax : 02-237-54-28. • riverview_bkk@hotmail.com • Accès très pittoresque par des ruelles où sont installés grand nombre de ferrailleurs. Une des très rares (pour ne pas dire la seule) *guesthouses* proposant des chambres avec vue unique sur le fleuve. Une situation privilégiée qui se paie : et par Bouddha, les prix sont loin d'être justifiés ! Grand ensemble moderne de 8 étages, sans charme particulier, à l'odeur de renfermé très prononcée. Chambres avec salle de bains et ventilo ou AC. Propreté pas vraiment au rendez-vous. Attention pourtant, l'aimable patronne affiche souvent complet ; il vaut mieux réserver. Resto panoramique au 8e étage, avec vue plongeante sur la vie du fleuve.

New Empire Hotel – นิวเอ็มไพร์โฮเต็ล *(plan couleur I, B3, **59**) :* 572 Yaowarat Rd – ถนนเยาวราช (près du temple Nat Traimitr). ☎ 02-234-69-90. Fax : 02-234-69-97. • www.newempirehotel.com • Un hôtel classique et parfaitement tenu, mais néanmoins un peu vieillot. On vous conseille de choisir parmi les chambres récemment rénovées (au 6e étage) pour voir briller tous les feux de la « Cité des anges », une fois la nuit venue.

De prix moyens à un peu plus chic (de 800 à 1 500 Bts – 16 à 30 US$)

China Town Hotel – เดอะไชน่าทาวน์โฮเต็ล *(plan couleur I, B3, **60**) :* 526 Yaowarat Rd. ☎ 02-225-02-04. Fax : 02-226-12-95. • www.chinatownhotel.co.th • Tout aussi classique que le *New Empire* mais nettement plus chic. En plein cœur de Chinatown, cet hôtel propose de petites chambres coquettes, avec salle de bains et AC. L'ensemble est particulièrement bien tenu par un personnel plutôt cordial. Idéal pour ceux qui veulent profiter de la vie nocturne exceptionnelle et pittoresque du quartier (nombreux marchés, cantoches...).

White Orchid Hotel – ไวท์ออร์คิดโฮเต็ล *(plan couleur I, B3, **61**) :* 409-421 Yaowarat Rd. ☎ 02-226-00-26. Fax : 02-225-64-03. En plein cœur de Chinatown. Réception au 1er étage. Chambres *standard* qui offrent tout le confort d'un hôtel de semi-luxe (TV, AC et salle de bains individuelle). Bien vérifier la présence d'eau chaude dans votre chambre. Salle de prière au 11e étage, où se rassemble la communauté musulmane chinoise. Un moment de vie de quartier.

Où manger ?

Bangkok propose toutes sortes de restaurants et une cuisine très variée. Des dizaines de petites cantines ambulantes qui éclosent à la tombée du jour mais aussi de vrais rendez-vous culinaires, ou des adresses originales. Pour les petites adresses pas chères, c'est facile, on en trouve partout, de la petite échoppe au coin de la rue à l'éventaire riche en odeurs. Pas la peine de traverser la ville pour dégoter un bon chinois, il suffit souvent de regarder autour de soi. Les restos de rue sont en général excellents et recommandables, mais impossible pour nous de vous donner des noms précis dans la catégorie « Pas cher ». Fiez-vous à ceux où vous verrez beaucoup de Thaïlandais attablés.

On vous indique quelques adresses bon marché dans des quartiers animés, mais surtout une liste de restos originaux ou possédant des spécialités intéressantes (sans même évoquer les kiosques ambulants qui vendent des vers de bambou frits !). Enfin, à Bangkok, on n'est jamais à plus de 100 m d'un endroit où manger, et cela (presque) 24 h/24.

Sur Khao San Road – ถนนข้า วสาร *(plan couleur III)*

Bon marché (moins de 150 Bts – 3 US$)

🍽 Dans le *soi* Rambutri et à l'angle de Rambutri Rd et Thanon Chakrapongse, plein de petites ***cantoches de rue*** – มุมถนนรามบุตรีและถนนจักรพงษ์เต็มไปด้วยร้านค้าเล็กๆ et de stands où l'on choisit dans les gamelles en montrant du doigt ses pâtes, sauces et autres condiments. C'est vraiment typique et on adore. Vraiment pas cher.

🍽 ***Bai Bua*** – ใบบัว *(plan couleur III, G-H9, **80**) :* 146 Rambutri Rd. Une bonne adresse depuis pas mal de temps maintenant. Agréable petit resto-terrasse isolé de la rue par une barrière végétale. La carte propose aux routards des plats thaïs (les moins chers) d'un goût exquis, et d'autres d'inspiration occidentale. On a bien aimé le poulet sauté au basilic *(phat kee moo)*, ou encore la batterie de salades vraiment copieuses. Simple et bon. Accueil très souriant.

🍽 ***Pannee Restaurant*** – ร้านอาหารพรรณี *(plan couleur III, G-H9, **81**) :* 150, Soi Rambutee Chana Song Khram. ☎ 02-282-55-76. Voilà un gentil resto tenu par une avenante patronne. Quelques plantes grimpantes courent au-dessus de la terrasse mignonnette... Côté cuisine, bel assortiment de bons petits plats thaïs, simples et copieux, servis avec le sourire. On a particulièrement apprécié le bœuf au maïs jeune (n° 83 sur le menu !), et les fruits frais coupés au dessert. La maison compte également quelques chambres, très médiocres...

🍽 ***Tuptim Restaurant*** – ร้านอาหารทับทิม *(plan couleur III, G9, **82**) :* 82 Rambutri Rd. ☎ 02-629-15-35. Derrière un rideau végétal (décidément c'est à la mode dans le quartier !). Belle terrasse, fauteuils en rotin pour déguster une cuisine thaïe sans prétention mais généreuse comme les nouilles au poulet, parfaitement réussies. Petit dej' copieux. Le tout pour quelques billets à peine.

Prix moyens (autour de 300 Bts – 6 US$)

🍽 ***Tom Yum Kong*** – ร้านต้มยำกุ้ง *(plan couleur III, G9, **84**) :* 9 Trok Mayom. ☎ 02-629-27-72. Entrée sur Khao San Rd, entre *D&D Inn* et *Gulliver's Tavern.* Ouvert de 11 h à 2 h. Ambiance orientale, sereine et calme. Au choix : tables en plein air ou *boxes* en bois sombre sous des ventilos nonchalants. Le tout autour d'une belle maison siamoise, de quelques cages d'oiseaux perchées ici ou là et de bien belles photos. Bons petits plats thaïs et spécialités de fruits de mer. Quelques snacks asiatiques, salades et petit dej' possibles. Intéressante carte de cocktails.

Dans le quartier de Thewet – ย่านเทเวศร์ *(plan couleur I, B1)*

Vraiment pas cher (moins de 200 Bts – 4 US$)

🍽 ***Kaloang*** – ร้านอาหารกาหลวง *(plan couleur I, B1, **85**) :* 2 Sri Ayutthaya Rd – ถ.ศรีอยุธยา. ☎ 02-282-75-81. Au bout d'un *soi* riche en *guesthouses* bon marché et au bord de l'eau. Très populaire et certainement l'un de nos restos préférés à Bangkok. On dîne dehors sur un gigantesque ponton de bois qui surplombe le fleuve. Cuisine excellente. Le poulet aux noix de cajou est grillé à souhait et le riz à l'ananas ferait fondre un bronze de plaisir ! Desserts à base de durian : goût proche de l'échalote ou du fromage bien fait. À tester au moins une fois !

Prix moyens (autour de 300 Bts – 6 US$)

🍽 ***Silverspoon*** – ร้านอาหารช้อนเงิน *(plan couleur I, B1, **86**) :* 2/1 Krung Kasem Rd. ☎ 02-281-29-00. À droite en sortant de l'embarcadère de Thewet. Avant de vous engouffrer dans le marché aux fleurs, allez donc goûter les plats de poisson et de fruits de mer de ce resto sur pilotis, face à l'embarcadère. Ne désemplit pas. Terrasse en plein air d'où l'on observe le spectacle des poissons affamés et prêts à tout ! Le soir, terrasse supérieure romantique avec vue imprenable sur le pont à haubans Râma VIII.

Sur et autour de Sukhumvit Rd – ถนนสุขุมวิทและรอบๆ *(plan couleur II)*

Bon marché (moins de 150 Bts – 3 US$)

🍽 ***Food Center de l'Emporium*** – ศูนย์อาหารเอ็มโพเรียม *(plan couleur II, F8, **87**) :* sur Sukhumvit Rd, entre les *sois* 22 et 24. ☎ 02-664-80-00. De 10 h à 22 h. Au 5e étage du grand centre commercial. Suivre les panneaux « Food Center ». Achat de coupons obligatoires dès l'entrée. Après avoir fureté du côté des boutiques de luxe hors de prix (Mazette, des originaux !), cette halte au sommet vous ravira. Un choix énorme de plats dont on connaît enfin les noms. Il n'y a qu'à choisir en échange des coupons achetés. Pour quelques bahts à peine, nouilles et viandes, en sauce ou grillées et bons desserts (goûter au *taro*, proche de la châtaigne, un délice). Belle vue sur le parc Benjasiri. Vite, les places près des vitres sont chères !

🍽 ***Yong Lee Restaurant*** – ร้านอาหารยงลี *(plan couleur II, E7, **88**) :* 213 Sukhumvit Rd, à l'angle du *soi* 15. Bon troquet chinois, mais bien se faire préciser les prix qui ne sont pas indiqués sur la carte. Crabe au curry (super !), crevettes, poisson et plein d'autres plats, notamment le canard laqué et le bœuf à la tomate (très bon), servis par un patron que l'on a déjà vu dans *Le Lotus bleu* ! Arrivez tôt, car vite plein.

Prix moyens (autour de 300 Bts – 6 US$)

|●| ***Oam Thong Restaurant*** – ร้านอาหารออมทอง *(plan couleur II, F7, **89**) :* 7/4-5 Sukhumvit Rd, Soi 33 (après le *Novotel Lotus* en arrivant dans le *soi*). ☎ 02-662-28-04. Ouvert tous les jours de 11 h à 23 h. Déco dépouillée pour ce resto spécialiste des plats de la mer, grande spécialité de la maison. On a craqué pour la poêlée de fruits de mer aux petits légumes ; vraiment délicieuse. Également quelques poissons en sauce ou crustacés frits. Bref, des préparations simples, efficaces et copieuses. Spectacles de danse thaïe en début de soirée. Très bonne adresse à prix moyens.

|●| ***Cabbages and Condoms*** – ร้านอาหารแคบเบจแอนด์คอนดอม *(plan couleur II, E7, **90**) :* 10 Sukhumvit Rd, Soi 12 (à 200 m sur la droite à l'intérieur du *soi*). ☎ 02-229-46-10. Ouvert tous les jours de 11 h à 22 h. « Choux et capotes » : tel est le nom de ce resto. Assez symptomatique de la prise de conscience dans certains milieux des ravages qu'engendre le sida. Le patron a décidé de sensibiliser les gens par le biais de son resto : présentation des différents modes de contraception, distribution gratuite de préservatifs. Après cette mise en bouche, passons à table : bons petits plats très classiques et quelques spécialités végétariennes (salades, soupes...) bien ficelées.

|●| ***Moghul Room*** – ภัคคาคารโมกุลรูม *(plan couleur II, E7, **91**) :* 1/16 Sukhumvit Rd, Soi 11 (dans un renfoncement à gauche, matérialisé par une enseigne verte et dorée). ☎ 02-253-44-65. Certainement le meilleur resto indien de la ville et l'un des plus anciens (il est ouvert depuis plus de 15 ans). Cadre assez kitsch, accueillant et un brin intime. Cuisine du Nord de l'Inde. Tous les *tikkas*, *raïtas* et *koftas* sont là ! Spécialités de *tandooris*. On a bien aimé le *kashmiri pullau* (riz safrané aux raisins et aux noisettes ou le *mursh qorma* (poulet à la crème de coco et aux noix de cajou). Service irréprochable. Cartes de paiement acceptées.

|●| ***Café Jenette*** – กาแฟเจอร์เน็ค *(plan couleur II, F7, **92**) :* 32/9-10 Sukhumvit, Soi 21. ☎ 02-258-58-27. En face du *Sino-Thai Building*. Voici un resto franco-thaï de bonne facture où la terrine de canard côtoie le curry de crevettes. Parfois les saveurs s'évadent d'un pays à l'autre pour créer de jolies surprises aigres-douces comme les filets de canard à l'ananas. Le cadre est soigné et le service stylé. Intéressante formule-buffet à midi. Au fait, pourquoi « Jenette » ? La femme thaïe du patron formé en Suisse n'arrive pas à prononcer Genève...

|●| ***Juyban Japanese Restaurant*** – ร้านอาหารญิปุ่นยุบัน *(plan couleur II, E7, **93**) :* 1/14 Sukhumvit, Soi 10, à 50 m à gauche de l'entrée du *soi*. ☎ 02-250-02-99. Ouvert tous les soirs, à partir de 17 h. De nombreux restaurants japonais cohabitent dans ce quartier. On a bien aimé celui-ci, tout petit, où l'on se serre autour du bar, sans perdre de vue les nombreuses variétés de *saké* (très cher) que propose la maison. Pour éviter un gonflement de la note, contentez-vous d'un seul verre, avec la soupe de nouilles. Dans ces conditions, addition raisonnable. Bonne atmosphère et service agréable.

Plus chic (autour de 600 Bts – 12 US$)

|●| ***Baan Khanitha*** – บ้านขนิษถา *(plan couleur II, E7, **94**) :* 49 Soi Ruam Rudee, sur Thanon Ploen Chit. ☎ 02-253-46-38. Ouvert tous les jours de 11 h à 14 h et de 18 h à 23 h. Un resto thaï installé

BANGKOK

dans une ancienne ambassade. Cadre charmant pour un dîner romantique sur la terrasse en teck, cachée sous une végétation dense. Également grande salle décorée de peintures d'artistes locaux, mais on préfère l'air libre pour déguster un curry de crevettes au lait de coco ou les traditionnelles *fried noodles*. Amuse-gueules offerts par la maison. À midi, formule très avantageuse. Service aux petits soins et excellent rapport goût-exotisme-prix.

IOI ***Seafood Market and Restaurant*** – ภัตตาคาร ซีฟู้ดมาร์เก็ต *(plan couleur II, F8, **95**)* **:** 89 Sukhumvit Rd, Soi 24, à 500 m sur la gauche. ☎ 02-261-20-71. Crevettes, langoustes, cigales de mer, calmars et poissons exotiques de tout poil : composez votre menu sur cet étalage réfrigéré (très frais, donc !). Pour ne pas payer trop cher, précisez bien aussi le poids que vous souhaitez en fonction du prix, et la cuisson souhaitée (en supplément). On trouve aussi du vin et du pain. Ne vous reste qu'à bien surveiller la douloureuse. Certains lecteurs ont eu quelques déconvenues. Dégustation en terrasse ou dans l'immense salle, style cantoche.

IOI ***Lemon Grass*** – ร้านอาหารเลมอนกราส *(plan couleur II, F8, **96**)* **:** 5/1 Sukhumvit Rd, Soi 24. ☎ 02-258-86-37. Service de 11 h à 14 h et de 18 h à 23 h. Un décor raffiné de boiseries travaillées, de tableaux, plantes, lumières tamisées dans une suite de petites salles en enfilade, sur fond de musique thaïe traditionnelle. Quelques tables joliment dressées dans le jardin. Bonnes crevettes marinées dans le lait de coco avec du citron ; ou la spécialité maison : le *poulet Lemon Grass*... Prix assez abordables. Cartes de paiement acceptées. Arriver tôt ou réserver, car ce resto est très connu.

Très chic (autour de 1 000 Bts – 20 US$)

IOI ***Le Banyan*** – ร้านอาหารเลอบันหยัน *(plan couleur II, E7, **97**)* **:** 59 Sukhumvit Rd, Soi 8. ☎ 02-253-55-56. Ouvert le soir seulement. Fermé le dimanche. Établi dans le cadre feutré d'une belle maison en bois donnant sur un jardin exotique, ce resto français peu ordinaire vous donnera l'occasion de manger gastronomique sans y laisser une somme astronomique ! Du grand art assurément, pour une cuisine digne d'un 2-étoiles Michelin. Au menu, soupe de coquilles Saint-Jacques, tournedos Rossini, plateau de fromages et crème brûlée. Également d'exceptionnelles recettes de canard, et une belle carte de vins qui fait malheureusement grimper la note. Service très pro. Un petit plaisir à s'offrir en fin de voyage en évitant d'y aller en tongs et short. Tenue correcte plus qu'exigée. Cartes de paiement acceptées.

Dans le coin et autour de Siam Square et World Trade Center – ย่านสยามสแควร์และเวิลด์เทรดเซ็นเตอร์และรอบๆ *(plan couleur I, C-D2-3)*

Le quartier de Siam Square est composé d'un ensemble de centres commerciaux et de dizaines de restos en tout genre. Prix généralement élevés. Mais nous vous en avons déniché quelques-uns.

Très bon marché (moins de 100 Bts – 2 US$)

IOI Tout le long du *soi Kasemsan Kasemsan* – ซอยเกษมสันต์ *(plan couleur I, C2)*, de nombreux ***stands et échoppes de rues*** où se retrouvent fans de

Jim Thompson et écoliers en goguette. Bon *satays* et soupes de nouilles riches et copieuses pour une poignée de baths. Goûter aussi à la délicieuse salade de papaye.

Bon marché (moins de 200 Bts - 4 US$)

|●| ***One by One Seafood*** – วันบายวันซีฟู้ด *(plan couleur I, D2, **98**)* **:** Nailert Market Pratunam, Petchaburi Rd (au nord de Siam Square). ☎ 02-656-60-02. Étalages de poissons extra-frais (ça ne sent pas la marée, camarade !). On y trouve l'un des meilleurs crabes au curry de la ville *(fried-crab with garie-powder)*. Service jovial et très aimable. Le patron est si content de figurer dans votre guide préféré, qu'il l'a même photocopié ! Saluez donc Lay de notre part.

|●| ***Once Upon A Time*** – ร้านอาหารวันส์อะพอนอะไทม์ *(plan couleur I, D2, **99**)* **:** 32 Petchaburi Rd, Soi 17. ☎ 02-252-86-29. Ouvert de 11 h à 23 h. Une vieille maison de style, tout en bois, genre bungalow des années 1940, dans un jardin tropical planté de grands manguiers. En plein centre de Bangkok et pourtant au calme. Certainement l'une des meilleures cuisines thaïes traditionnelles. Le mobilier patiné par les ans, la collection de portraits anciens (marotte du maître des lieux, Pierre Delalande), l'éclairage tamisé, la douce musique thaïe et les costumes des serveurs donnent l'impression de revivre dans la première partie du XXe siècle. Une expérience à ne pas manquer, d'autant que les prix sont d'une exceptionnelle douceur. Cartes de paiement acceptées.

Prix moyens (autour de 350 Bts - 7 US$)

|●| Pourquoi ne pas aller jeter un coup d'œil au énième ***Hard Rock Café*** – ฮาร์ดร็อคคาเฟ่ *(plan couleur I, D3, **100**)*, situé au cœur de Siam Square ? En entrant par Thanon Phaya Thai, en face du Maboonkhlong Shopping Center (MBK), dans le 3e renfoncement à droite. Ouvert de 11 h à 2 h du matin. Cher. Disques d'or, guitares, posters et *tutti quanti*. Les jeunes bellâtres de Bangkok s'y donnent rendez-vous, fiers comme des bars-tabac de montrer à leur flirt permanenté qu'ils sont capables de claquer des bahts pour leurs beaux yeux.

Dans le quartier de Soi Ngam Duphli – ย่านซอยงามดูพลี *(plan couleur I, D4)*

Très bon marché (autour de 100 Bts - 2 US$)

|●| ***Moon House Restaurant*** – ร้านอาหารมูนเฮ้าส์ *(hors plan couleur I par D4, **101**)* **:** 2/10-11 Soi Si Bumphen. ☎ 02-287-17-56. Cafét' ouverte sur la rue, d'où l'on observe le lent va-et-vient des passants. Plats thaïs simples mais copieux et bon *fried rice*. Des prix dérisoires et une télé dans la salle pour suivre le sport avec le patron. Bien tranquille.

Bon marché (moins de 200 Bts - 4 US$)

|●| ***Wong's Place*** – ร้านอาหารวงศ์เพลส *(plan couleur I, D4, **102**)* **:** 27/4 Soi Si Bumphen. Ouvert uniquement le soir. Troquet tenu par un jeune Chinois fana de musique des années 1970, comme l'attestent la déco et l'animation... Très fréquenté par les voyageurs au long cours.

Des petits plats familiaux typiquement thaïs. Très sympa pour boire un verre, surtout.

🍽 ***Food Center du Suan Luang Night Bazaar*** – ศูนย์อาหารสวนหลวง ไนท์บาซาร์ *(plan couleur I, D4, **116**)* **:** au bout de Wireless Rd (Witthayu Rd). Ouvert de 16 h à 2 h. En plein cœur du nouveau marché de nuit, des centaines de places assises, face à une scène où des groupes folkloriques ou de rock thaï se produisent chaque soir. On achète des coupons (pas chers) et on choisit sur les stands saucisses de Chiang Mai, poulet ou porc grillé, *fried noodles*, fruits et autres jus de fruits délicieux.

🍽 ***Café 1912*** – สมาคมฝรั่งเศส *(plan couleur I, D4, **2**)* **:** 29 Sathorn Tai Rd – ถนนสาธรใต้. Au sein de l'Alliance française. Ouvert de 7 h à 21 h. ☎ 02-670-42-00. Cantoche un peu chic dans un bel espace lumineux pour une cuisine thaïe vraiment pas chère. Assistez à la préparation des nouilles par les apprentis marmitons : un vrai savoir-faire. Peu ou pas de plats français à part quelques pâtisseries bien de chez nous.

Vers Silom Road et Patpong – ถนนสีลมและพัฒน์พงษ์ *(plan couleur I, B-C-D4)*

Bon marché (moins de 200 Bts – 4 US$)

🍽 ***Petites cantoches de rue*** **:** au coin de Silom et Convent Rds – ร้านค้าเล็กๆมุมถนนสีลมและคอนแวนต์. De simples et très bons plats thaïs, cuisinés dans une multitude de petits stands et servis sur des tables improvisées. On engloutit tout illico dans une chouette ambiance. À l'heure du déjeuner, tous les employés du quartier s'y précipitent ; et en soirée, de nombreux noctambules viennent là recharger leurs batteries. Rencontres authentiques. Vraiment pas cher.

🍽 ***Himali Cha Cha*** – ภัตตาคารหิมาลัยชาช่า *(plan couleur I, C4, **103**)* **:** 1229/11 New Rd – ถนนเจริญกรุง (au fond d'une ruelle paisible située sur New Rd ; entre Silom Rd et Surawong). ☎ 02-235-15-69. Ouvert tous les jours, midi et soir jusqu'à 22 h 30. Encore un bon resto indien vraiment très sympa, quoiqu'un peu sombre (on ne voit pas toujours dans son assiette !). Cuisine de l'Inde du Nord. *Vegetable kofta*, *curries*, *kormas* et *tandoori*, toujours réussis et à prix doux. Nos papilles se souviennent encore du *tandoori* à la menthe (très épicé) et du *curry kashmiri* (plus doux). Bonne carte de plats végétariens. Service diligent.

Prix moyens (moins de 350 Bts – 7 US$)

🍽 ***Mango Tree*** – เดอะแมงโกทรี *(plan couleur I, C4, **104**)* **:** 37 Soi Tantawan, Surawong Rd. ☎ 02-236-16-81. Dans une ruelle calme. Une de nos meilleures adresses. On aime beaucoup le cadre soigné de cette vieille maison siamoise, exotique et chic, assise au pied d'un magnifique manguier. Charmante terrasse verdoyante où vous dégusterez une excellente cuisine thaïe à des prix qui sonnent juste. On a craqué pour le délicieux canard au curry servi dans un ananas, mais aussi pour les salades copieuses, les soupes raffinées, les nouilles subtiles (pour les fauchés) ; au dessert, le *rice pudding* est une vraie petite merveille. Une symphonie de saveurs authentiques pour un excellent rapport qualité-prix-service. Belle carte de cocktails originaux. À découvrir absolument. Venir tôt ou réserver.

|●| ***Aoi*** – ถ้อย *(plan couleur I, C-D4,* ***105****)* ***:*** 132/10-11 Silom Rd, Soi 6. ☎ 02-235-23-21. Au fond du *soi*, à l'angle à gauche avant la première intersection. Pas facile à trouver. Prononcer « A-O-I ». Ouvert midi et soir. Cadre fait de bois, de pierres et d'alcôves en étage pour ce temple de la gastronomic japonaise. Les *sobas* et *udons* (d'énormes spaghettis préparés aux petits légumes) sont bien cuisinés et amplement suffisants pour une première approche. Variété de poissons crus ou marinés, pour les amateurs (très cher). En guise de desserts : flan à la mangue, purée de haricots rouges aux fruits... De quoi se faire harakiri ! À découvrir.

|●| ***Ban Chiang*** – ร้านอาหารบ้านเชียง *(plan couleur I, C4,* ***106****)* ***:*** 14 Srivieng Rd – ถนนศรีเวียง (dans une ruelle parallèle à Sathorn et Silom Rds). ☎ 02-236-70-45. Dans une maison de charme ancienne, au calme et délicieusement patinée par le temps, vous serez séduit par la cuisine typiquement thaïe, exquise et raffinée. Pour la petite histoire, *Ban Chiang* est le nom d'une civilisation préhistorique qui occupa le sol thaïlandais et dont le patron possédait une collection de poteries. Excellent accueil.

|●| ***Harmonique*** – ร้านอาหารฮาร์โมนิค *(plan couleur I, C4,* ***107****)* ***:*** 22 Charoen Krung, Soi 34. ☎ 02-237-81-75. Ouvert du lundi au samedi de 11 h à 22 h. Une adresse secrète cachée au fond d'un *soi*, à deux pas de l'ambassade de France. Dans une maison thaïe décorée avec goût, pleine de chinoiseries. Tonnelle agréable. À la carte, fruits de mer (très bon curry de crabe) et plats thaïs bien ficelés, comme le poulet au sésame ou au lait de coco. Ça change des noix de cajou... Service sympa.

|●| ***Café de Paris*** – ภัตตาคารคาเฟ่เดอปารีส *(plan couleur I, D4,* ***108****)* ***:*** Patpong II Rd. ☎ 02-237-27-76. Ceux qui ont le mal du pays trouveront ici de quoi se requinquer. Confit de canard, foie de veau à la lyonnaise, navarin d'agneau, lapin chasseur et de beaux desserts (les profiteroles !), le tout à déguster sur quelques notes de musique française, dans un joli cadre de bistrot de *Paname*. La cuisine est vraiment bonne, mais les prix n'apparaissent pas toujours sur le menu (attention à la bombe finale !). Dommage enfin que les amis du patron se croient parfois un peu trop chez eux...

Plus chic (de 400 à 800 Bts - 8 à 16 US$)

|●| Pour le déjeuner, tenter le *buffet-lunch* des grands hôtels. Nourriture de qualité à volonté, pour un prix vraiment malin. On vous recommande particulièrement le ***Sala Rim Nam*** – ภัตตาคารศาลาริมน้ำ, resto du très prestigieux ***Oriental Hotel*** – โรงแรมโอเรียลเต็ล *(plan couleur I, B4,* ***109****)*. Réservation souhaitable : ☎ 02-236-04-00. Tous les jours de 12 h à 14 h. De l'autre côté de la rivière Chao Phraya. Une navette gratuite effectue régulièrement l'aller-retour de l'hôtel au resto. Un cadre magique pour une cuisine enchanteresse... Rien que ça ! Très luxueux (évitez d'y aller en short !), hyper-varié, copieux et super-bon... Très cher cependant. Propose également des cours de cuisine.

|●| ***Bussaracum*** – ร้านอาหารบุษราคัม *(plan couleur I, C4,* ***110****)* ***:*** Sethiwan Tower, 139 Pan Rd. ☎ 02-266-63-12. Dans une rue perpendiculaire à Silom Rd, au rez-de-chaussée d'un grand immeuble moderne. Prononcer « Bussaracam » (à l'attention des

chauffeurs de taxi). Tapis rouge pour cette vieille institution dont la réputation n'est plus à faire (songez, même le roi de Suède est passé par là !) et qui ravit toujours les routards de passage. 72 plats différents au menu. Apéritif offert par la maison. Pour goûter plus de choses, on pourra opter pour les *set-menus*, jolie série de plats pour deux personnes minimum. On y déguste une excellente cuisine thaïlandaise au rythme du *Khim* ou du *Ranad*. Clientèle assez chic et européenne. Service impeccable et prix en conséquence. Le buffet du déjeuner est vraiment très abordable. Réservation recommandée.

|●| ***Le Bouchon*** – ร้านอาหารเลอบูชง *(plan couleur I, D4, **111**) :* 37/17 Patpong II Rd. ☎ 02-234-91-09 ou 01-845-02-91 (portable). À deux pas du *Café de Paris*, un Lyonnais – vous l'aviez deviné ! – venu concurrencer notre bonne vieille capitale. Atmosphère étonnamment chaleureuse et intime, à quelques mètres du brouhaha de Patpong. En guise de menu, on vous apporte un grand tableau noir (pratique pour les presbytes !), où sont inscrites quelques grandes spécialités françaises. De la soupe aux lentilles au magret de canard à l'orange, en passant par le feuilleté de fruits de mer à la crème... Cuisine délicate et soignée pour une addition un peu salée à notre goût.

Dans le quartier chinois et indien – ย่านจีนและย่านอินเดีย *(plan couleur I, B3)*

|●| De part et d'autre de *Yaowarat Rd* – ถนนเยา วราช, des ruelles s'enfoncent et proposent des dizaines de ***gargotes chinoises*** appétissantes. Le soir venu, atmosphère chouette avec lumières, néons, fumée et la foule évidemment... La plupart des restos ont deux tables, trois chaises, et la cuisine est vraiment comme là-bas !

Bon marché (moins de 200 Bts – 4 US$)

|●| ***Royal India Restaurant*** – ภัตตาคารรอยัลอินเดีย *(plan couleur I, B3, **112**) :* 392/1 Chakraphet Rd. ☎ 02-221-65-65. Ouvert tous les jours de 10 h à 22 h. Légèrement en retrait de Chakraphet Rd dans la ruelle qui fait face à la pagode chinoise et à l'ATM Department Store. Ouvert depuis les années 1970, ce minuscule resto climatisé (huit tables et une trentaine de chaises, tant pis pour les retardataires) est aujourd'hui devenu une véritable institution de la gastronomie indienne du Pendjab. La qualité exceptionnelle de sa cuisine – large choix de galettes (*chapati, roti, naan* et autres *parantha*), savoureux *curry, tandoori, biryani* et *thali végétariens*... – en fait une halte de choix dans le quartier de Pahurat. Délicieux *lassi* pour les connaisseurs. Clientèle d'habitués et quelques routards « perdus ». Réservation conseillée.

|●| ***Nangnual Restaurant*** – ร้านอาหารนางนวล *(plan couleur I, B3, **113**) :* sur le *Phra Pok Klao Bridge* – สะพานพระปกเกล้า. ☎ 02-223-76-86. Ouvert tous les jours de 16 h à 1 h. Point de vue unique sur la ville et cuisine thaïe traditionnelle. Ambiance sympa.

|●| ***Texas Suki Yaki & Noddle*** – ภัตตาคารเท็กซ สุกี้ยากี้ *(plan couleur I, B3, **114**) :* 17/1 Phadung Dao Rd – ถนนผดุงดาว. ☎ 02-222-06-49. Excellent *suki yaki* servi dans le traditionnel chauffe-plats thaïlandais (genre plat à fondue). Gâteaux

non moins savoureux, serveuses pleines de charme... Pourquoi *Texas*, au fait ? Personne ne saura vous le dire et pourtant tout le monde pourra vous indiquer ce quartier trépidant de Chinatown.

De plus chic à très très chic ! (de 800 à 3000 Bts – 16 à 60 US$)

I●I ***China Town Scala Shark-Fins Restaurant*** – ภัตตาคารหูฉลามไชน่าทาวน์สกาล่า *(plan couleur I, B3, **115**)* **:** 483-5 Yaowarat Rd, Corner Chalermburi. ☎ 02-221-17-13. Face au *Chinatown Hotel*, ce resto attire depuis près d'un demi-siècle les riches hommes d'affaires chinois en quête des plus prestigieux mets de l'Empire du Milieu : ailerons de requin braisés (la spécialité de la maison), nids d'hirondelle, *abalone*, cuisse d'oie, estomac de poisson... Certains plats, réputés pour leurs vertus médicinales ou aphrodisiaques, coûtent l'équivalent d'une nuit d'hôtel 4 étoiles (rien n'arrête décidément ces Chinois !) ; d'autres, au contraire, sont très abordables. Jolie collection d'ailerons de requin en devanture.

BANGKOK

En banlieue sud-ouest

Le plus grand restaurant du monde

I●I ***Royal Dragon (Man Gorn Luang)*** – ภัตตาคารมังกรหลวง **:** 35/222 Mu 4, Bangna Phrakanong. ☎ 02-398-00-37. Au sud-ouest de la ville. Compter 20 mn de taxi (environ 250 Bts, péage compris, soit 5 US$) depuis le centre. Ouvre dès 11 h du matin. Plats de base à partir de 100 Bts (2 US$). Repas moyen autour de 800 Bts (16 US$). Classé dans le *Livre Guinness des Records* comme le plus grand restaurant du monde, 5000 couverts, plusieurs centaines de serveurs sur patins à roulettes, 440 plats inscrits sur la carte ! Il ressemble à une sorte de grand parc d'attractions chinois avec des pagodons, des pavillons, des terrasses au bord d'un grand bassin central. Tous les soirs, entre 19 h 30 et 20 h 30, un spectacle de danse traditionnelle commence par un numéro de « serveur volant » qui apporte des plats, suspendu à un câble comme un acrobate dans un cirque. Il est conseillé de réserver en fin de semaine. Spécialités de fruits de mer. Très grand choix. La cuisine est bonne certes, mais pas extraordinaire. Un peu trop touristique à notre goût.

Où sortir ?

La loi en vigueur autorise bars et discothèques à ouvrir jusqu'à 2 h du mat' seulement. Les oiseaux de nuit en seront pour leurs frais... Voici tout de même quelques adresses pour bien terminer la journée.

Bars de nuit

🍸 ♪ ***Q Bar*** – คิวบาร์ *(plan couleur II, E7, **160**)* **:** sur Sukhumvit, tout au bout du *soi* 11, dans un renfoncement à gauche. ☎ 02-252-32-74. Ouvert tous les jours de 20 h à 2 h. Gratuit en semaine, payant le week-end avec 2 consos. On a un faible pour ce bar-boîte où l'on s'entend parler. Ça chaloupe sec sur des airs de disco, funk, soul, hip hop et *R'n'B* dans une belle lumière tamisée. Jolie terrasse pour les amoureux. Bonne ambiance. Très fréquenté par les expats.

🍸 ♪ Sur ***Sarasin Rd*** – คิวบาร์ *(plan couleur I, D3)*, tout près de l'ambassade du Cambodge et longeant le parc Lumphini, une rangée de ***bars*** furieusement en forme égaieront vos soirées. Musique *live*, ambiance décontractée et bon esprit. Très sympa.

🍸 ♪ ***The Club*** – เดอะคลับ *(plan couleur III, G9, **161**) :* 123 Khao San Rd. Ouvert de 18 h à 2 h. Un club de plage sur 3 étages. On danse autour d'une fontaine. Hip hop, pop et dance font bon ménage. Les soirs de *Premier League* de foot, on reste rivé au grand écran. Service jovial. Billard.

Discothèques

🍸 ♪ ***Ministry of Sound*** – มินิสตรี ออฟซาวด์ *(plan couleur II, E7, **162**) :* sur Sukhumvit, Soi 12. ☎ 02-229-58-88. Ouvert de 22 h à 2 h. Entrée payante, un peu plus chère le week-end. Gratuit pour les filles le lundi. Les ministres londoniens de la musique ont étendu leur politique jusqu'aux portes de l'Asie. Et ils ont sorti la grosse artillerie ! Stroboscopes, enceintes surdimensionnées et larges pistes de danse pour se trémousser sur de la *house*, de la techno et de la disco. Mais pas en même temps tout de même ! Et ça marche plutôt pas mal. Attention, messieurs, à ne pas venir en bermuda et en tongs.

🍸 ♪ ***Lucifer*** *(plan couleur I, D4, **163**) :* 76/1-3 Patpong Soi I. ☎ 02-234-69-02. Entrée : 120 Bts (2,4 US$), première boisson incluse. Au cœur de la rue chaude, envahie la nuit par les éventaires des marchands, cette discothèque jeune mérite une escale nocturne. Un escalier très pentu mène à l'étage. Stalactites pendues au plafond, déco style « Fantômes, Dracula et Halloween », serveurs portant des chapeaux diaboliques à pointe, musique techno à fond, comme d'habitude. Malgré tout, l'ambiance n'a rien d'infernal ou de malsain. Lucifer reste un sage bonzillon de la nuit.

🍸 ♪ ***Concept CM2*** *(plan couleur I, D3, **164**) :* au rez-de-chaussée de l'hôtel *Novotel*, Siam Square, Soi 6. ☎ 02-255-68-88. Décor de base spatiale avec balisage jaune, pistes d'avion et disc-jockey anglais. Divers karaoké et deux boîtes, fréquentées par la jeunesse dorée et les expatriés.

🍸 ♪ ***Narcissus*** *(plan couleur II, F7, **165**) :* 112, Sukhumvit Rd, Soi 23. ☎ 02-258-25-49. Entrée payante avec trois consommations. La disco la plus luxueuse et la plus frimeuse de Bangkok. Plein de *golden boys*, de dragueurs argentés ayant gagné au Loto. Cela dit, cadre assez étonnant : déco style science-fiction et Art déco, robot de la guerre des Étoiles, draperies vertes, bustes grecs, fresques et dorures.

Bars, cabaret et spectacles

Autour des rues Patpong I et II

🍸 ♪ ***Radio City*** – เรดิโอซิ ตี้ *(plan couleur I, D4, **163**) :* dans Patpong I, juste en dessous de *Lucifer*. On a bien aimé l'ambiance survoltée de ce bar très clean, où des orchestres sympas et talentueux reprennent les chansons occidentales du moment. Quelques verres aidant, les jeunes spectateurs – thaïs et touristes – poussent tables et chaises, et se laissent vite gagner par les démons de la danse. Une bonne soirée, et plein de rencontres sur le vif.

Également une bonne ambiance – saine et authentique – dans les petits ***bars du soi 4 de Silom Rd*** – บาร์เล็กๆ ตรงสีลมซ อยี่ (à proximité immédiate de Patpong II; *plan couleur I, D4*). On y rencontre la jeunesse thaïe étudiante et branchée qui sirote plus ou moins raisonnablement en terrasse.

Et un peu plus loin :

Calypso Cabaret – คาลิปโซ คาบาเร *(plan couleur I, C2, **166**)* **:** dans l'*Asia Hotel*, 296 Phayathai Rd. ☎ 02-653-39-60 (de 9 h à 18 h) et 02-216-89-37 (de 18 h à 22 h). Show tous les soirs à 20 h 15 et 21 h 45. Durée : 1 h 20. L'entrée (chère) comprend une consommation. On aime bien cet endroit car il prend un peu à contre-pied les autres rendez-vous nocturnes de la ville. Il s'agit d'un spectacle réalisé par une joyeuse bande de travestis qui dansent et chantent en play-back sur des airs du monde entier. Décidément, la Thaïlande est vraiment le pays de la contrefaçon! Le show est éminemment soft et bon enfant, et la candeur le dispute à la naïveté comme on dit dans les romans à trois bahts. Cela dit, c'est assez drôle.

– Pour les ***spectacles de danses traditionnelles*** et la ***boxe thaïe***, lire les détails dans « À voir », respectivement dans les paragraphes « Théâtre national » et « Matchs de boxe ».

Les attrape-touristes

Les « go-go bars » de Patpong : lire attentivement la rubrique intitulée « Prostitution » située dans les « Généralités » !... Si l'on pense que se priver d'une balade nocturne dans les ruelles de Patpong revient à ne pas monter jusqu'au 3e étage de la tour Eiffel, en revanche, on peut considérer qu'aller plus loin avec une des filles (surtout sans capote) reviendrait à se jeter du haut de cette même tour Eiffel. Patpong I et Patpong II sont deux ruelles composées essentiellement de bars à « go-go girls ». Les filles dansent en maillot sur la piste. Bien demander le prix de la bière avant d'entrer.

À voir

À l'ouest

Wat Phra Kaeo et le Grand Palais – วัดพระแก้วและพระบรมมหาราชวังง *(plan couleur I, A2, **130**)* **:** Sanam Chai Rd. ☎ 02-222-81-81. • www.palaces.thai.net • Desservi par les bus nos 1, 3, 6, 9, 15, 19, 25, 30, 44, 47, 48, 53, 60, 82, 91 ; et par le bateau : arrêt Tha Chang. Ouvert tous les jours de 8 h à 16 h. Ticket d'entrée autour de 200 Bts (4 US$) ; jumelé avec la visite du *Vimanmek Mansion Museum* (voir plus loin), valable 30 jours après achat. Des audio-guides sont disponibles en français (100 Bts, soit 2 US$) ; ou alors visites guidées en anglais sans supplément de prix à 10 h, 10 h 30, 13 h 30 et 14 h. Tenue correcte exigée (pantalon et épaules couvertes), mais si vous n'avez pas l'équipement adéquat, on vous le prêtera gracieusement. Conseillé d'y aller assez tôt afin d'éviter la chaleur et les hordes de touristes asiatiques singeant littéralement les poses des statues pour une jolie photo souvenir ! Conseillé aussi de commencer la visite par le Wat Phra Kaeo puis le Grand Palais : les gardes sont inflexibles si vous faites l'inverse !

Le palais fut construit en 1867 par Râma IV pour célébrer le 100e anniversaire de la dynastie Chakri, puis Râma V y apporta sa touche personnelle. À l'intérieur de l'enceinte (219 ha), on trouve le palais lui-même, des dépendances, ainsi qu'un ensemble de temples dont le Wat Phra Kaeo, le temple bouddhique le plus fameux de la Thaïlande, édifié pour accueillir le *bouddha d'Émeraude* (en fait, c'est du jade).
Cet ensemble de temples entourant le *wat* principal fut construit à la fin du XVIIIe siècle. C'est l'un des plus cohérents du pays sur le plan architectural, même si ça n'en a pas l'air. Envolée impressionnante de toits multicolores, de *chedî*, de sculptures et figures mythologiques où se mélangent divers styles.

La visite

Après avoir acheté vos tickets et avant l'entrée de l'enceinte du temple, sur la droite, musée de la Monnaie, des Médailles et Trésor royal : le *Royal Thai Decorations and Coin Pavilion*. Si monnaies et médailles ne présentent pas un intérêt formidable, en revanche, la collection de vêtements, sceptres, épées, bijoux et vaisselle de la famille royale est tout simplement prodigieuse.
On accède ensuite aux temples. Devant cet ensemble aux couleurs criardes, on hésite entre trouver cela somptueux ou carrément kitsch : toits superposés, façades chargées, recouvertes de verre, de bouts de miroir, de morceaux de faïences multicolores, agrémentées de petites sculptures. Ce qu'on aime particulièrement, ce sont les toits, colorés comme des tapis. Superbes *stûpa* dorés et colonnes couvertes de miroirs. On ne va pas vous faire l'historique de chaque temple, ce serait fastidieux. De plus, ce n'est pas palpitant. Voici les principaux éléments : commençons par l'édifice principal, le *Wat Phra Kaeo*, qui abrite la fameuse statuette de Bouddha. C'est en fait la chapelle royale du Grand Palais, édifiée par Râma Ier. Elle rappelle par son style les chapelles de Sukhothai et d'Ayutthaya. Le toit combine les styles thaï et cambodgien (époque où les deux pays étaient amis). On y entre par l'arrière.
L'histoire du bouddha d'Émeraude fait partie des célèbres légendes de l'Orient. Au XVe siècle, à la suite de la destruction d'un temple, on découvrit à Chiang Rai une statuette de Bouddha couverte de stuc. S'écaillant doucement, le stuc laissa apparaître une statue de jade, très belle. Elle fit un séjour à Lampang, puis le roi de Chiang Mai décida de récupérer l'objet vénéré. Un siècle plus tard, la statue était au Laos, ayant suivi les princes dans leur conquête. Après encore plusieurs voyages, Râma Ier, à la fin du XVIIIe siècle, récupéra la statuette en prenant la ville de Vientiane, puis la rapporta en Thaïlande et lui consacra un temple définitif : le Wat Phra Kaeo. Le temple fut achevé en 1784 et, depuis, la statue n'a plus bougé. Le Bouddha est dans une position de méditation, assis, les jambes repliées. Certains pensent que cette statue serait originaire du Nord du pays. D'autres chercheurs croient plutôt qu'elle provient du sud de l'Inde ou du Sri Lanka...
Le Bouddha est placé au sommet d'un piédestal et protégé par une sorte de baldaquin à neuf niveaux, symbole de la royauté universelle et de la dynastie Chakri. Photos interdites. Faire attention de ne pas pointer du pied la statue, insulte suprême. Bon, en réalité on ne voit pas vraiment la statue, car elle est placée à 11 m de haut et ne mesure que 66 cm ! Petite, oui, mais coquette ! Elle possède trois tenues que le roi lui-même change à chaque saison : une robe bleue à paillettes, et deux en or.

Remarquer aussi l'autel sur lequel il est dressé. Il est en bois recouvert d'or. Noter les panneaux de la porte incrustés de nacre, réalisés dans le style d'Ayutthaya. Sur les murs, belles fresques retraçant la vie de Bouddha. Les trois mondes sont évoqués : celui du désir, celui de la forme et celui de l'absence de forme. Figures hautement allégoriques, dont la signification nous échappe bien souvent. Apprécier aussi les offrandes, souvent somptueuses.

Tout autour du Wat Phra Kaeo, on trouve moult autres édifices. Bien sûr, vous aurez remarqué encore ce magnifique *chedî* doré qui cache le sternum de Bouddha, ces statues de monstres, gardiens des portes des temples et, autour de certains *chedî*, ces démons à tête de singe qui supportent les structures, parés de costumes de mosaïques multicolores et le *Panthéon royal* (juste derrière le *chedî* doré), ruisselant d'or et de faïence bleue, datant de la fin du XIXe siècle et abritant des statues de la dynastie actuelle. Ouvert uniquement le 6 avril, jour de célébration de la montée sur le trône de la famille.

Sous les grandes arcades tout autour, grande fresque retraçant la vie des rois de l'époque de Râma Ier. Les guides racontent en général force anecdotes et inventent d'ailleurs à peu près n'importe quoi. À côté de la bibliothèque, on trouve une *réplique d'Angkor Vat*, un des plus beaux ensembles de temples au monde, situé au Cambodge. La construction de cette maquette fut décidée par le roi Mongkut à l'époque où la Thaïlande avait la mainmise sur le Cambodge.

Outre les temples, on peut visiter certaines pièces du *Grand Palais*, ancienne résidence royale (fermées les week-ends et jours fériés). Chaque roi y étant allé de sa petite construction, ça fait un peu fouillis. Enfin, on peut voir le petit *musée* (8 h 30 - 16 h) : le rez-de-chaussée est assez pauvret, mais l'étage se révèle plus riche.

🏛🏛🏛 ***Wat Pho*** – วัดโพธิ์ *(plan couleur I, A3, 131)* : ☎ 02-222-59-10. • www.watpho.com • Situé à environ 10 mn à pied du Wat Phra Kaeo (accessible par les mêmes bus). De ce dernier, prendre Saman Chai Rd vers le sud, la 1re rue à droite. Ouvert de 8 h 30 à 17 h, tous les jours. Entrée pas chère. Visites en anglais uniquement.

Un de nos préférés. Bel ensemble de temples dont le principal contient le célèbre bouddha couché. Édifié par Râma Ier au XVIIIe siècle, c'est le plus vieux et le plus grand temple de Bangkok, mais certainement aussi le plus beau car situé dans un espace aménagé avec des coins de verdure et de repos. De plus, contrairement au Grand Palais, le Wat Pho est bien vivant. On y trouve des moines évidemment, mais aussi une école de massage, des diseurs de bonne aventure, un ashram de méditation, un petit café... Ce fut un centre d'éducation important au XVIIIe siècle, mais son origine est antérieure. Voici les éléments les plus importants.

– *Le temple du Bouddha couché* : à l'entrée, noter les deux grands personnages de pierre, coiffés d'un chapeau haut de forme et tenant de longs bâtons ! À l'intérieur du temple, un ***gigantesque bouddha couché***, de 45 m de long et de 15 m de haut, très à l'étroit dans son petit temple. Récemment, on l'a recouvert d'une nouvelle feuille d'or. Noter son sourire narquois, la délicatesse des cheveux et ses pieds joliment incrustés de nacre, qui illustrent les qualités de Bouddha. La position couchée est celle précédant l'atteinte du nirvâna, point de libération du cycle des réincarnations.

– Dans l'enceinte, quatre grands *chedî* recouverts de céramiques très décorées. Leurs formes et couleurs sont toutes différentes. Ils représentent les premiers rois de la dynastie Chakri. On les trouve vraiment superbes avec leurs flèches hautes et fines. De chaque côté, des statuettes dans des positions rigolotes, pleines d'inspiration ou de totale béatitude.

– Autour du temple, deux galeries abritent *394 bouddhas assis.*

– Au fond de l'enceinte (côté droit par rapport à l'entrée sud), *centre de massage traditionnel.* Compter entre 250 et 350 Bts (5 et 7 US$). À ne pas manquer. Ce sont des étudiants qui se font la main sur votre dos. Séances de 30 à 60 mn, avec ou sans herbes. C'est vraiment un pur moment de détente. Dans l'enceinte, buvette et toilettes.

★★ Wat Mahathat – วัด มหาธาตุ *(ou temple de la Grande Relique ; plan couleur I, A2,* ***132****)* **:** entrée sur Thanon Na Phra That, parallèle au grand parc de Sanam Luang. ☎ 02-221-59-99. Ouvert de 8 h à 17 h. Entrée gratuite. À quelques mètres des grands temples, un temple secret et loin des foules, à peine perturbé par le chant des oiseaux et des bonzes en prière. En revanche, le dimanche, c'est l'affluence pour l'impressionnante prière collective du matin. Dans l'enceinte centrale, belle collection de bouddhas en méditation, souriant et facétieux, gardant sagement les reliques de Bouddha (non visibles, dans le *chedî*), et les tombes des défunts. Centre de méditation (horaires changeants, à vérifier sur place), ouvert aux non-initiés. Université pour apprentis bonzes, ravis de vous éclairer sur l'état du *nirvâna*. En sortant, quelques amulettes sur les trottoirs voisins.

★★ Wat Arun – วัดอรุณ *(temple de l'Aube ; plan couleur I, A3,* ***133****)* **:** de l'autre côté de la rivière de Chao Phraya, à Thonburi – ฝั่งธนบุรี. ☎ 02-891-11-49. Prendre les navettes qui traversent le fleuve toutes les 10 mn au Tha Thien si vous venez du Wat Pho, ou au Tha Chang si vous venez du Wat Phra Kaeo. Contrairement à ce que l'on pourra vous dire, il est inutile de louer un bateau pour traverser. Ouvert de 7 h 30 à 17 h 30, mais préférer le matin car parfois le temple ferme plus tôt. Entrée pas chère.

Son nom provient d'*Aruna*, déesse de l'Aurore en Inde. Il fut édifié au XIXe siècle par Râma II et Râma III, dans cette partie de la ville, Thonburi, autrefois capitale du pays. On aime bien ce temple finalement assez modeste et moins visité que les autres. Le *prang* principal, haut de 86 m, est extraordinaire, totalement recouvert de morceaux de porcelaine cassés et accuse un style khmer assez marqué avec de délicieuses *apsara* (danseuses divines) sculptées à la base. Accès interdit jusqu'au sommet de la tour principale. Dommage, la vue doit être superbe... Juste à côté, la chapelle *(prah viharn)* est recouverte d'une céramique fleurie et champêtre. Belle porte au motif floral sculpté et gravé.

★★ Wat Benjamabopitr – วัดเบญจมบพิตร *(temple de Marbre ; plan couleur I, B1,* ***134****)* **:** à l'angle de Sri Ayutthaya Rd et de Râma V Rd – มุมถนนศรีอยุธยาและถนนพระราม. ☎ 02-282-74-13. Desservi par les bus nos 3, 5, 9, 16, 23, 50, 70, 72 et 99. Ouvert tous les jours de 8 h à 17 h 30. Entrée pas chère.

Juste en face du Palais royal actuel, un charmant temple de marbre qui date du tout début du XXe siècle. Le meilleur instant pour visiter est le matin, au moment des chants des moines dans la chapelle. Tout le marbre vient de Carrare, et la céramique des toits de Chine. Deux beaux lions au sexe bien dessiné gardent la porte en teck sculpté.

À l'intérieur du bâtiment principal, remarquable décoration d'or et de laque.

Sur l'autel, énorme bouddha qui abrite sous lui les cendres de Râma V, mort en 1910. Remarquer les personnages bouddhiques sur les vitraux d'inspiration anglaise. Cloître avec 52 bouddhas de bronze. Agréable jardin traversé par un mini-*khlong*.

Wat Sakhet **–** วัดสระเกศ *(temple de la Montagne d'or – วัดภูเขาทอง; plan couleur I, B2,* ***135****)* **:** Chakkaphatdi Rd ou Boriphat Rd – ถ.จักพัฒน์หรือถนนบริพัฒน์. Assez proche de l'office du tourisme, dans le quartier des menuisiers. Desservi par les bus n°s 8, 15, 37, 38, 39, 47 et 49. Ouvert tous les jours de 7 h 30 à 17 h 30. Petite donation demandée en haut de l'édifice.
Ce temple commencé par Râma III et fini par Râma V se trouve perché sur une colline artificielle et ne ressemble à aucun autre. Il présente peu d'intérêt, mais offre une vue unique à 80 m de hauteur.

Wat Traimitr **–** วัดไตรมิตร *(temple du Bouddha d'or; plan couleur I, B3,* ***136****)* **:** au carrefour de Charoen Krung Rd et de Yaowarat Rd – สิแยกเจริญกรุงเยาวราช, non loin de la gare de Hua Lamphong. Desservi par les bus n°s 1, 5, 7, 19, 25, 29, 53 et 73. Ouvert de 8 h à 17 h.
Le temple en lui-même ne présente pas un intérêt extraordinaire, mais il tire sa célébrité de sa statue de Bouddha, en or massif, de l'époque Sukhothai. Mesurant près de 3 m de haut et pesant plus de 5 t (!), elle était initialement recouverte d'une couche de stuc (peut-être voulait-on la protéger des convoitises birmanes ?). Il a fallu attendre 1955 et un déménagement hasardeux pour enfin découvrir la statue sous sa plus belle apparence.

Wat Suthat **–** วัดสุทัศน์ *(temple de la Balançoire géante; plan couleur I, B2,* ***137****)* **:** entrée par Bamrung Muang Thanon (face à la Balançoire). Desservi par les bus n°s 10, 12, 19, 35 et 42. Ouvert de 8 h 30 à 21 h. Entrée pas chère.
Construit par Râma Ier et achevé par Râma III. Fresques de grande qualité. On vient ici également pour le gigantesque portique de la Balançoire placé juste à l'entrée. Elle servait de balancier à de jeunes brahmanes dont l'objectif était de décrocher avec les dents des sacs pleins d'argent suspendus à 25 m au-dessus du sol. On ne voit pas bien le côté religieux de l'affaire...

Les mordus des temples pourront encore rendre visite au ***Wat Rajabophit*** – วัดราชบพิตร *(plan couleur I, B2,* ***138****)* et au ***Wat Ratchanadaram*** – วัดราชนัดดาราม *(plan couleur I, B2,* ***139****)*, entouré d'un marché aux amulettes.

Le Musée national **–** พิพิธภัณฑสถานแห่งชาติพระนคร *(plan couleur I, A2,* ***140****)* **:** Na Phra That Rd – ถนนหน้าพระธาตุ. ☎ 02-224-13-96. Desservi par les bus n°s 1, 3, 6, 8, 9, 15, 19, 25, 30, 42, 44, 47, 53 et 60. Ouvert du mercredi au dimanche de 9 h à 16 h. Fermé les jours de fête. Visite guidée en français les mercredi et jeudi à 9 h 30. Entrée : 40 Bts (0,8 US$). Un superbe musée à ne pas manquer.
Cet ensemble est composé de plusieurs édifices (se munir d'un plan à l'entrée) abritant les merveilles de l'art thaïlandais, ainsi que des anciens pavillons ou temples placés ici dans un but de conservation. Ce musée prépare admirablement bien à la visite ultérieure des temples. Tout l'art thaïlandais y est résumé ; de vraies merveilles...
Avant de démarrer, sachez que toutes les *salles du groupe N* regroupent l'art thaï de différentes périodes ; objets et sculptures d'époque de Lan Na (XIIIe siècle), dont la capitale était Chiang Mai ; art de Sukhothai (nombreux

bouddhas), d'Ayutthaya (influencé par l'art môn et khmer), ainsi que de Bangkok (création du XIXe siècle). Les *salles du groupe S* rassemblent l'art de Lopburi, Dvâravatî et Srivijaya.
Voici donc les salles qui nous ont semblé les plus intéressantes.

Salles 1 et 2

Elles retracent la préhistoire et l'histoire du pays (situées dans l'édifice d'entrée).

Salle 3

C'est en fait la *chapelle Buddhaisawan*, construite à la fin du XVIIIe siècle dans le style de Bangkok pour abriter un bouddha en bronze doré du XVe siècle. Extérieur assez banal mais panneaux peints superbes à l'intérieur. Ils décrivent la vie de Bouddha dans un style très allégorique. Plafond à poutres décorées. Panneaux de bois relatant la vie du Ramayana, héros national. Notre Astérix à nous, quoi !

Salle 6

Tous les objets liés au transport. Série d'exceptionnels palanquins royaux dont un en ivoire. Haut palanquin en bois sculpté de la fin du XVIIIe siècle.

Salle 7

Jolie collection de masques, figurines de théâtre et têtes de marionnettes. Jeux d'échecs en ivoire.

Salle 8 B

Présentation de superbes défenses d'éléphants sculptées et des boîtes incrustées de nacre.

Salle 10

La galerie du parfait petit tonton flingueur ! Armes de toutes sortes, parfois très raffinées. Éléphant équipé pour le combat.

Salle 11

Emblèmes royaux et collection de bouddhas en or (déchaussez-vous !).

Salle 14 B

Tissus et costumes traditionnels et militaires à travers les siècles. Soies chinoises ou cambodgiennes, brocarts indiens. La plupart proviennent des armoires de la famille royale.

Salle 15

Étonnante collection d'instruments de musique de toute l'Asie.

Salle 17

Étonnants chariots funéraires royaux construits sous le règne de Râma Ier pour les crémations royales. Un des chariots est encore utilisé. Il pèse 20 tonnes et est tiré par plusieurs centaines d'hommes.

Salle 22

C'est une vieille maison de teck qu'il faut absolument visiter. Ancien appartement privé d'une princesse. Toutes les planches sont chevillées et non clouées. Superbe de simplicité et de raffinement. Beau lit à baldaquin.

Vimanmek Mansion Museum – พิพิธภัณฑ์วิมานเมฆ *(plan couleur I, B1, 141)* **:** Ratchawithi Rd – ถนนราชวิถี. ☎ 02-628-63-00. • www.palaces.thai.net • Au nord-ouest, près du zoo. Desservi par les bus nos 12, 18, 28 70 et 108. Ouvert tous les jours de 9 h 30 à 16 h. Visites guidées en anglais toutes les 15 mn. Entrée : 100 Bts (2 US$). Attention, le ticket jumelé acheté à l'entrée du Grand Palais inclut aussi la visite de la Vimanmek Mansion. En revanche, le ticket acheté ici n'inclut pas le Grand Palais. Conclusion : visiter d'abord le Grand Palais. Attention, ici plus encore qu'ailleurs, une tenue correcte est exigée. On pourra même vous prêter un *sarong*. Le prix inclut les spectacles de danse ou d'art martial, qui ont lieu à 10 h 30 et 14 h dans un petit théâtre de plein air. Visites en anglais toutes les demi-heures.
Au fond d'un espace gazonné au bord de l'eau, on découvre une des plus merveilleuses maisons qui soient, considérée comme la plus grande demeure en teck du monde. Cette superbe résidence fut construite selon les désirs de Râma V à la fin du XIXe siècle sur une île au bord du golfe du Siam. Elle fut ensuite déplacée en 1901 à l'endroit actuel. Le roi y résida de temps à autre au 3e étage, laissant les deux autres niveaux occupés par les membres de la famille royale. Les rois qui lui succédèrent y vinrent finalement assez peu et la maison fut fermée pendant près d'un demi-siècle avant qu'une restauration en profondeur fût décidée. En tout cas, voilà qui est fait, pour notre plus grand plaisir. Toute la décoration intérieure a été reconstituée telle qu'elle était lors du règne de Râma V.
31 pièces, antichambres et vérandas disposées sur trois niveaux : il y en a de toutes les tailles, de toutes les formes, de tous les styles. Toutes les pièces possèdent des vitrines d'objets d'art, des cadeaux offerts à la famille, des souvenirs personnels et du mobilier de toute beauté ...

Le Théâtre national – โรงละครแห่งชาติ *(plan couleur I, A2, **142**)* **:** Na Phra That Rd. ☎ 02-224-13-42 ou 02-221-01-74. À côté du Musée national. C'est une construction récente bâtie dans un style mi-thaï, mi-moderne, où ont lieu des représentations de danses en costume traditionnel, tous les week-ends de novembre à mai à 16 h 30. Pas très cher et superbe. Danse classique thaïe le dernier vendredi de chaque mois à 17 h 30.

Le Musée national des Barges royales – พิพิธภัณฑสถานแห่ง ชาติเรือพระราชพิธี (ลงจากสะพานพระปิ่นเกล้า – *plan couleur I, A2, **143***) **:** ancrées sur le *khlong* Bangkok Noi, près de la gare de Thonburi. ☎ 02-424-11-04. Pour y aller, le plus simple : prendre le *Chao Phraya Tourist Boat*, qui s'arrête juste en face. Autre moyen, moins cher : s'arrêter au ponton du « Phra Pinklao Bridge » avec le *River Express*, prendre ensuite à gauche sous le pont, passer la *Wat Dusitaram School*, puis prendre tout de suite à gauche. Au fond du *soi* Wat Dusitaram, à gauche, puis suivre les pancartes

« Royal Barges ». Par de petits pontons de béton ou de bois, au milieu d'un dédale de maisons de bois sur pilotis (en profiter pour regarder vivre la population locale), on aboutit au *khlong* où se dresse le hangar aux barges. Ouvert de 9 h à 17 h, sauf jours fériés. Entrée pas chère mais photos payantes.
Vaste hangar sur l'eau où sont présentées huit incroyables barges décorées et sculptées qui servaient, jusqu'à une date récente, à transporter le roi pour offrir aux bonzes leur nouvelle robe lors de la saison des *Kathins*. La plus ancienne barge mesure 43 m de long et ne comptait pas moins de 54 rameurs. Proues admirables, somptueusement ciselées, représentant des héros légendaires thaïs.

*** ***Chinatown* – ย่านเยาวราช** *(plan couleur I, B3)* **:** elle s'ordonne autour de Yaowarat et Charoen Krung, deux rues parallèles. On peut y aller en bateau. Descendre à Tha Ratchawong ou à Memorial Bridge (Tha Saphan Phut). Difficile à décrire, c'est avant tout une atmosphère. Beaucoup de commerces, bien sûr, bijoux et tissus notamment, et puis d'innombrables petites cantoches fumantes et animées. À voir surtout quand la nuit tombe, lorsque les néons concurrencent les vieilles lanternes chinoises.
– *Yaowarat* (nombreuses boutiques d'or et d'apothicaires) est une artère large et peu chaleureuse ; mais partez donc explorer les ruelles minuscules qui s'infiltrent de part et d'autre. Les deux venelles les plus hautes en couleur restent sans conteste *Sampeng Lane* (*soi Wanit I* sur le plan), parallèle à Yaowarat, et surtout sa transversale *Itsaranuphap*. Des centaines de petites échoppes de bric-à-brac d'où se dégagent parfois des odeurs terrifiantes, des fatras d'objets, de vêtements, de vieilleries en tout genre. Le verbe « chiner » prend ici tout son sens. C'est là qu'on ressent toute l'atmosphère. Petits restos, stands de toutes sortes et mamies chinoises donnent le ton au quartier. Fouinez et vous trouverez des coins intéressants.
– Plus vers l'est, visitez aussi *Phadung Dao* et les ruelles avoisinantes. D'un côté, le *soi Texas* (la ruelle qui s'engage face à *Chinatown Hotel*) avec ses salons de coiffure où l'on se propose, pour une poignée de bahts, de s'occuper de votre barbe ou de vos petons. De l'autre côté, un enchevêtrement de venelles résidentielles où l'on rencontre des familles chinoises soudain souriantes et détendues. Dans les nombreuses gargotes (les moins chères de tout Bangkok), l'ambiance est à la fête, on se prend à surprendre les vieux Chinois le verre de whisky ou de bière à la main, chantant à pleine voix les derniers tubes de Canton, en regardant les petits derniers improviser un volley sur le trottoir entre deux arbres. Du coup, l'image qu'on s'était fait du Chinois cinq minutes plus tôt est balayée. À l'intérieur du quadrilatère formé de Charoen Krung, Chakkrawat, Yaowarat et Boriphat se trouve *Nakhom Kasem*, « le marché aux voleurs », où étaient vendues autrefois les marchandises chapardées. Plus connu aujourd'hui pour ses appareils photos d'occase et ses confiseries pas mauvaises du tout. À voir encore, le *temple Leng Noi Yee*, à l'angle de Charoen Krung et de Mangkon Rd. Atmosphère assez géniale, genre *Tintin et le Lotus bleu*.
– Tous les ans, début février, le Nouvel An chinois enflamme Chinatown lors d'une fête démesurée, nourrie de petits concerts et d'innombrables cantoches, installées dans les rues fermées à la circulation pour l'occasion. Un bon bain de foule à tenter si vous êtes dans le coin. De même, la mi-année du calendrier chinois est fêtée dans la rue...

Le quartier indien, le marché de Pahurat – ย่านอินเดีย,พาหุรัด *(plan couleur I, B3)* **:** à l'extrémité ouest de Chinatown, de part et d'autre de *Chakraphet, Pahurat* et *Triphet Rds*, l'atmosphère devient plus indienne et pakistanaise. C'est surprenant ! Un marché aux étoffes bigarrées, plein d'épices odorantes, de bindis (bijoux indiens) et de passementeries et autres saris. Atmosphère trépidante, un bon aperçu de la culture indienne.

Les marchés flottants – คลาคน้ำ **:** Bangkok en possède plusieurs. *Wat Sai Floating Market* – คลาคน้ำ วัคสาย, et, à 80 km au sud-ouest de Bangkok, le Damnoen Saduak Market – ลคาคน์าคำเนินสะค วก, à Ratchaburi – จังหวัคราชบุรี. Plus grand-chose ne flotte. Un vrai repère à touristes.

Balade sur les khlong – นีงเรือชมคลอง **:** à faire absolument. C'est un tout autre visage de Bangkok qu'on vous propose de découvrir. Les *khlong*, ces canaux qui sillonnent la partie ouest de Bangkok, permettent de s'infiltrer dans une vie locale insoupçonnée. Loin des gratte-ciel et de la circulation, des centaines de maisons de bois sur pilotis, vieilles baraques bringuebalantes, temples modestes, tourbillons de fleurs flottantes, petits commerces sur l'eau, etc., le tout enfoui dans une végétation exubérante.
Pour une chouette balade, éviter bien sûr les circuits organisés. On peut se procurer de la documentation au TAT ou au BTB (offices du tourisme, voir « Adresses utiles ») pour préparer son itinéraire.

Comment faire ?

– ➢ Prendre les bateaux réguliers *(taxi boat)* aux embarcadères indiqués ci-dessous. Pas cher du tout.
– ➢ Un peu plus cher : se grouper (au moins 10 personnes) et négocier avec un *long-tail boat* un circuit d'1 h (ou plus long, ce qui est mieux encore car cela permet d'aller plus loin dans la banlieue de Bangkok) à travers les *khlong*. On choisit de s'arrêter où l'on veut. Marchander un prix forfaitaire par personne pour la prestation et non à l'heure et prévoir les arrêts, s'il y en a, avec le pilote. Négocier fermement. Éviter de les prendre aux *piers* principaux, près des sites touristiques, et les prix diminueront comme par magie. Un super moment en perspective !

Quelques exemples de parcours

➢ ***Sur le khlong Mon :*** départs réguliers des quais de Tha Thien depuis tôt le matin jusqu'en fin d'après-midi sur un *taxi boat*. Toutes les 30 m environ. Possibilité également de louer un *long-tail boat*. Sur votre chemin, plein d'orchidées et une vraie vie lacustre.
➢ ***Sur le khlong Bang Noi et le khlong Bang Yai :*** départs fréquents de l'embarcadère de Tha Chang, proche du Grand Palais. Trafic de 6 h à 20 h environ. *Long-tail* disponible.
➢ ***Sur le khlong Om jusqu'à Nonthaburi (au nord) :*** arrivé à Bang Yai (entre 6 h 30 et 11 h), marcher jusqu'au quai du temple Sao Thong Hin et prendre l'un des bateaux réguliers (service de 4 h à 20 h). Belles maisons en teck le long du canal.

Descente (ou remontée) de la rivière Chao Phraya : se reporter à la rubrique « Transports ». Très nombreux quais *(tha)* d'où, pour quelques bahts, on peut emprunter le bateau-bus local. Ne pas oublier que le *River Express Boat* ou le *Tourist Express Boat* (un peu plus cher) sont d'excellents moyens de rallier le quartier de *l'Oriental Hotel* et l'ambassade de France, le Wat Arun, le Wat Pho et le Grand Palais. Et de remonter un peu plus au nord vers Banglampoo (pour Khao San Road) et Thewet pour son marché aux fleurs en admirant le pont à haubans Râma VIII. Sachez aussi qu'un *Bangkok River Tour* est organisé chaque jour avec descente de la rivière et visite des principaux sites touristiques au bord de l'eau. Guide en anglais et panier-repas compris ! Un peu cher mais idéal pour découvrir la ville rapidement. Renseignements au *Central Pier*, situé au terminus de la ligne de métro Saphan Thaksin. ☎ 02-623-60-01.

🚶 ***Le marché aux amulettes*** – ตลาดเครื่องรางของขลังสนามหลวง *(plan couleur I, B2)* **:** Mahachai Rd – ถนนมหาชัย. Ce petit marché jouxte le Wat Ratchanadaram et se situe non loin des grands temples. Quelques dizaines de petites boutiques concentrées sur une poignée de mètres carrés constituent le royaume des bondieuseries, ou plutôt des « bouddhaseries ». C'est ici que bonzes et bonzesses viennent faire des emplettes pour leurs temples.

Dans le centre

🚶🚶 ***La maison de Jim Thompson*** – บ้านจิมทอมป์สัน *(plan couleur I, C2,* ***144****)* **:** Soi 2 Kasemsan – ซ อยเกษมสันต์, Râma I Rd – ถนนพระรามที่, tout près du National Stadium. ☎ 02-216-73-68. • www.jimthompsonhouse.com • Bus n° 8. M. : Central Station. Ouvert tous les jours de 9 h à 17 h (dernière visite à 16 h 30). Entrée : 100 Bts (2 US$). Certains se contentent de jeter un rapide coup d'œil sans attendre la visite guidée en français. Ils ont tort. Voici peut-être les dernières vraies maisons thaïes en teck qui subsistent à Bangkok. Maisons en trapèze, sur pilotis, assises au bord d'un petit canal, dans un magnifique jardin luxuriant et très calme.

À l'intérieur, collections d'art très bien présentées et de bon goût. Jim Thompson était un ancien agent de la CIA qui s'était reconverti en relançant l'industrie de la soie dans ce pays, avant de disparaître mystérieusement en Malaisie, en 1967. À travers une succession de pièces et de salons décorés dans le plus pur style thaï, on découvre une collection d'objets d'art de toute beauté : vaisselle, sculptures, porcelaine Benjarong (à 5 couleurs), panneaux peints et, bien sûr, de magnifiques bouddhas, provenant de toute l'Asie. Un grand moment de plaisir ; on s'y installerait presque ! Profitez-en, on parle de construire un pont aérien au-dessus de la maison.

🚶🚶 ***Suan Pakkard Palace*** – วังสวนผักกาด *(plan couleur I, D2,* ***145****)* **:** 352 Sri Ayutthaya Rd – ถนนศรีอยุธยา (non loin de l'angle avec Thanon Phaya Thai Rd). ☎ 02-245-49-34. • www.suanpakkad.com • Desservi par les bus n°s 13, 14, 17, 63 et 72. Ouvert de 9 h à 16 h. Entrée : 100 Bts (2 US$). Ancien « jardin planté de choux » qui cache un bel ensemble de huit maisons thaïes traditionnelles, véritable bouffée d'oxygène dans ce quartier dévoré par les édifices prétentieux. Parmi les belles pièces, beaux masques de théâtre, collections archéologiques intéressantes et instruments de musique.

🚶 ***Snake Farm*** – สวนงูสภากาชาดไทย *(plan couleur I, D4,* ***146****)* **:** 1871 Râma IV Rd (presque au coin de Surawong Rd). ☎ 02-252-01-61. Desservi par les bus n°s 4, 16, 21, 45, 46, 50, 67 et 109. M. : Sala Daeng. Ouvert de 8 h 30 à 12 h et de 13 h à 16 h en semaine et de 8 h 30 à 12 h les week-ends et jours fériés. Entrée : 70 Bts (1,4 US$) à l'heure de la présentation, moins cher le reste de la journée.

La Croix-Rouge thaïe et l'institut Pasteur y élèvent des serpents pour fabriquer des sérums antivenin. À 11 h et 14 h 30, un vétérinaire extrait le venin des animaux (à 10 h 30 seulement les week-ends et jours fériés).

Le parc Lumphini – *สวนลุมพินี (plan couleur I, D3-4)* **:** Râma IV Rd. Un des derniers endroits de Bangkok à l'écart de la frénésie générale. Allez-y le temps d'une promenade à pied ou d'un tour en pédalo sur le lac. Le matin à l'aube, des centaines de vieux Chinois viennent y pratiquer l'art du *tai chi*. Autre génération, autre style : les jeunes Rocky ont maintenant leur aire de musculation... Très fréquenté le dimanche, idéal pour faire des rencontres. Nombreux cerfs-volants à la saison chaude.

Matchs de boxe, Thai Boxing – มวยไทย **:** le grand spectacle de Thaïlande où presque tous les coups sont permis, sauf les morsures. Le combat commence par une bizarre danse rituelle au ralenti, destinée à montrer le savoir-faire du boxeur et à mettre les esprits de son côté. Un orchestre l'accompagne et joue pendant tout le combat, augmentant d'intensité avec les coups. Les spectateurs parient de grosses sommes : ambiance délirante. Les mécontents jettent souvent des bouteilles vers l'arbitre, et tous les coups portés (surtout les coups de genou) sont accompagnés d'un « *di!* » du public, qui en gros veut dire « *bats-toi!* ».
Se renseigner sur les jours et heures des matchs au *Lumphini Boxing Stadium* – สนามมวยลุมพินี *(plan couleur I, D4)*, Râma IV Rd, au croisement de Wireless Rd (☎ 02-251-43-03; en général les mardi et vendredi à 18 h, et le samedi à 14 h et 18 h 30), et au *Ratchadamnoen Stadium* – สนามมวยราชดำเนิน (☎ 02-281-42-05; normalement les lundi et mercredi à 18 h, le jeudi à 17 h et 21 h, et le dimanche à 18 h), sur Ratchadamnoen Nok Rd, près du TAT et de la police touristique. Compter de 500 à 1 500 Bts, soit de 10 à 30 US$. Légers discounts possibles. Des spécialistes nous ont affirmé que les meilleurs combats étaient ceux du jeudi soir à *Ratchadamnoen*.

Khlong Toey Market – *ตลาดคลองเตย (plan couleur II, E-F8,* ***147****)* **:** en allant vers le sud par Râma IV Rd. De Democracy Monument, bus n° 47 direct. Le Rungis de Bangkok! Une visite qui vaut vraiment le coup d'œil, tôt en semaine, pour apprécier la diversité et la qualité de la production thaïe : fruits et légumes en abondance, des montagnes de riz de toutes sortes, fleurs, pâtisseries et (âmes sensibles, s'abstenir!) poisson, viande, grenouilles...

Pour les amateurs de marchés, à l'autre bout de la ville, le ***Thewet Flower Market*** – *ตลาดดอกไม้เทเวศร (plan couleur I, B1,* ***148****)*, où l'on trouve plantes, fleurs tropicales et orchidées, ainsi que le ***Pak Khlong Market*** – *ปากคลองตลาด (plan couleur I, A3,* ***149****)*, marché monumental aux fruits, légumes et fleurs essentiellement. Possibilité de relier ces deux marchés en prenant le *River Express*, du Saphan Phut Ferry Pier au Thewet Ferry Pier... Pas cher, rapide et agréable. L'occasion d'amusantes balades à la découverte du visage authentique de Bangkok. De *Pak Khlong Market*, remonter au nord vers le marché indien de ***Pahura Market*** (voir plus haut). Riche en étoffes et en bijoux.

La tour Baiyoke II – *อาคารใบหยก (plan couleur I, D2,* ***150****)* **:** 222, Rajprarop Rd, Rajthevee. On y accède par l'avenue Petchaburi et des rues commerçantes et encombrées qui traversent le quartier des magasins de textiles et de vêtements en gros, l'équivalent du quartier du Sentier à

Paris. En fait, il y a deux tours, très proches l'une de l'autre : la tour *Baiyoke I* et la tour *Baiyoke II*. Celle-ci est la plus futuriste et la plus haute de Thaïlande (309 m contre 321 m pour la tour Eiffel). Elle ressemble à une sorte de grand stylo coiffé d'une sorte de rotonde. De là-haut, vue superbe et très étendue sur la capitale que nous vous conseillons de découvrir la nuit. Fondations à près de 65 m sous terre (équivalent en taille d'un immeuble de 22 étages) pour s'assurer de la stabilité de la tour.

La visite

Accès payant. Soit vous montez pour la vue (120 Bts, soit 2,4 US$), soit vous optez pour un billet cumulé (410 Bts, soit 8,2 US$) qui couvre l'ascenseur plus le resto-buffet au 78e étage. Avec ce même billet, on peut accéder librement à la terrasse d'observation au sommet de la tour.
– Aux 76e et 78e étages : le *Bangkok Observation & Restaurant.* ☎ 02-656-35-00 ou 02-656-35-98. Il est très bon et, bien que ce soit un peu cher, ça vaut quand même la peine d'y venir à la nuit tombée. Ça fonctionne sur le mode du buffet à volonté. La vue superbe sur Bangkok la nuit et la qualité des plats servis en font un endroit exceptionnel. Pour séduire la femme de votre vie rencontrée en voyage !
– Au 77e étage : terrasse d'observation (à l'intérieur). Ouvert de 10 h à 22 h.
– Au 84e étage : terrasse d'observation tournante et en plein air *(Sky Walk Revolving Roof Deck)*. Ouvert de 10 h 30 à 22 h.

Au nord

¶¶¶ ***Chatuchak Park*** **–** จตุจักร *(Week-End Market ; hors plan couleur I par D1,* ***151****)* **:** sur Phahon Yothin Rd (route de l'aéroport international), pas très loin du *Northern Bus Terminal*. Desservi rapidement par le métro aérien (station : Mo Chit) ou par les bus nos 3, 29, 34, 39, 44 entre autres. Ouvert les samedi et dimanche de 7 h à 18 h. Pas trop de touristes le samedi matin. On y trouve à peu près tout : vêtements thaïs typiques, matériel de cuisine, alimentation, animaux, tissus, outils, cotonnades, artisanat, etc. De belles orchidées et des bonsaïs à des prix déments. Visite et marchandage obligatoires. Ne manquez pas le Sunday Market. Parfois des combats de coqs. Ne manquez pas non plus les poissons de combat *(fighting fish)*. Pas commodes ! Quelques boutiques d'antiquités. Nombreux éventaires et même un resto, le ***Toh Plue***, près des sections 17 et 19, au nord-ouest du marché. ☎ 02-536-44-59. Ouvert du mercredi au dimanche. Plats thaïs et chinois dans une ambiance *drive-in*.

Achats

Bangkok possède des dizaines de *shopping centers*, tous plus beaux les uns que les autres. Par ailleurs, dans certains secteurs, plusieurs rues voient leurs trottoirs se remplir de stands le soir. On y trouve de tout et surtout du faux. Incroyable comme ce pays est devenu celui de la contrefaçon : polos, montres, sacs, cassettes, CD, DVD, chemises, lunettes, bijoux... Heureusement, les soies sont bien authentiques.

La soie : relancée par Jim Thompson, l'industrie de la soie est aujourd'hui florissante. Tissée à la main, avec des motifs splendides et des tons très vifs et colorés, la soie thaïlandaise est considérée comme l'une des plus belles du monde. Faites donc un détour par la boutique *Jim Thompson* – ร้านจิมทอมป์สัน *(plan couleur I, D4, **152**)*, 9 Surawong Rd. ☎ 02-632-81-00. Ouvert de 9 h à 21 h tous les jours. Il y a beaucoup de choix, de la simple pièce de tissu aux chemises, en passant par les cravates, robes, foulards, etc. C'est beau, c'est cher, mais bien moins qu'en France. Et puis sachez aussi que tous les grands *shopping centers* ont des boutiques qui vendent de la belle soie...

Tailleurs : le grand truc, pour vous monsieur, c'est de vous faire tailler un costard et pour vous, madame, un beau tailleur (découpez les photos des modèles dans vos magazines préférés). Des centaines d'adresses pour cela. Voici celle qu'on a essayée et dont on est content : *A. Song Tailor* – เอสองเทลเลอร์ *(plan couleur I, C4, **153**)*, 8 Trok Chartered Bank Lane (dans la rue qui mène à l'*Oriental Hotel* – หน้าโรงแรมโอเรียลเต็ล). ☎ 02-235-27-53. C'est le tailleur attitré des gens de l'ambassade de France. Jolies coupes, beaux tissus, magnifiques cachemires, bon rapport qualité-prix. Compter 3 essayages minimum. Très peu de choix de tissus pour les femmes. Cela dit, si vous devez aller à Chiang Mai, patientez pour faire confectionner vos fringues. C'est beaucoup moins onéreux là-bas.

Sukhumvit Road – ถนนสุขุมวิท *(plan couleur II, E7)* **:** au début de la rue, entre les *soi* 5 et 20, des stands ambulants vendant toutes les grandes marques... contrefaites, jusqu'en fin d'après-midi. C'est vilain de copier et désormais ça peut coûter cher ! Savoir par ailleurs que les montres se détraquent vite et que les étoffes passent rapidement au rayon des chiffons à chaussures. Un tas de souvenirs en tout genre.

Chatuchak Park – ลดาคนัดจตุจักร *(Week-End Market ; hors plan couleur I par D1, **151**)* **:** autrefois l'un des plus prodigieux marchés ouverts (se reporter à la rubrique « À voir. Au nord »).

Silom Road et Surawong Road – ถนนสีลมและถนนสุรวงศ์ *(plan couleur I, C-D4)* **:** boutiques d'antiquités (pour ne pas dire antiquitocs !), de laques, bijoux, porcelaines et pacotilles. Marchandage de rigueur, même si l'endroit est chic.

Yaowarat Road – ถนนเยา วราช *(plan couleur I, B3)* **:** dans le quartier chinois. Toute la rue est bordée de bijoutiers. Essentiellement de l'or. Dans les petites rues adjacentes, échoppes de toutes sortes où l'on trouve des herbes, des potions genre poudre de perlimpinpin aux odeurs bizarres. Plus loin, le *Nakhom Kasem* (le « marché aux voleurs »). Porcelaines chinoises et thaïlandaises, et quantité d'objets inutiles.

Patpong Night Bazaar – พัฒน์พงษ์ไนท์บาร์ ซาร์ *(plan couleur I, D4)* **:** Patpong I Rd n'est pas seulement un grand marché à viande ! Le soir, les rues sont envahies de stands qui vendent de tout : babioles, CD, DVD, montres, T-shirts... Ne vous fiez pas aux marques, tout est archifaux, bien sûr !

Khao San Road – ถนนข้าวสาร *(plan couleur III)* **:** possède aussi son lot de stands divers. Tous les soirs, on y trouve pas mal de bijoux fantaisie, de contrefaçons en tout genre et des artistes adroits qui vous dessinent le tatouage de vos vacances.

– Ne pas négliger les dizaines de ***shopping centers*** (ouverts généralement jusqu'à 22 h) car ils proposent des articles intéressants. On peut y acheter des tas de choses à un prix bien moindre qu'en Europe (lingerie, produits de beauté, tissus, grandes marques – authentiques ! –, etc.). En voici quelques-uns : *Siam Square*, le plus important – ศูนย์การค้าสยามสแควร์ *(plan couleur I, D3, **154**)* ; Charn Issara Tower – ตึกชาญอิสระ, 942 Râma IV Rd et *Emporium* sur Sukhumvit Rd, pour son élégance et sa beauté.

Shopping nocturne : les trois marchés nocturnes les plus animés sont situés sur *Khao San Rd* (la rue des *guesthouses* pour routards), sur *Sukhumvit* entre les *soi* 5 et 15 environ, et bien évidemment sur *Patpong I*. On y trouve toutes sortes de stands à la sauvette proposant presque exclusivement des contrefaçons de célèbres marques européennes (chemises, lunettes, polos, ceintures, montres, cassettes...). Il est tentant d'acheter, d'autant que les copies sont parfois de qualité comparable au modèle original... Sachez toutefois que si l'achat de ces produits est permis, leur importation en Europe est en revanche formellement interdite. Le risque encouru à la douane est clair : confiscation des produits et paiement d'une amende d'un montant équivalant au double du prix des originaux. Réfléchissez-y à deux fois ou votre retour risque de s'avérer douloureux...

QUITTER BANGKOK

En avion

Attention : vous devez vous acquitter d'une taxe d'aéroport importante en quittant le pays, de 500 Bts (soit 10 US$ en 2003) pour les vols internationaux, moins chère pour les vols intérieurs.

➢ Nombreux vols intérieurs chaque jour pour *Chiang Mai*, *Chiang Rai*, *Phuket*, *Koh Samui*, *Krabi*, *Surat Thani*, *Trang*, *Hat Yai*.

Quasiment aucun problème pour visiter le reste de l'Asie en avion au départ de Bangkok, sauf les tensions passagères entre les pays qui ferment les frontières. Bangkok est une des plates-formes de cette région. Quelques exemples de prix et de trajets aller-retour :

– ***pour le Laos :*** 6 800 Bts (136 US$) pour *Luang Prabang*;
– ***pour le Cambodge :*** 11 000 Bts (220 US$) pour *Siem Reap*, 8 800 Bts (176 US$) pour *Phnom Penh*;
– ***pour le Vietnam :*** 9 800 Bts (196 US$) pour *Hanoi* ou *Ho-Chi-Minh-Ville*;
– ***pour la Birmanie :*** 7 000 Bts (140 US$) pour *Rangoon*;
– ***pour la Malaisie :*** 9 300 Bts (186 US$) pour *Kuala Lumpur* ou *Penang*.

Bien se renseigner sur les visas avant votre départ, si vous ne l'avez pas demandé dans votre pays d'origine. Sachez aussi que la majorité des pays d'Asie du Sud-Est exigent que votre passeport soit valable plus de 6 mois après votre date d'entrée dans le pays. Le consulat français à Bangkok ne pourra en aucun cas vous en refaire un !

Pour les billets internationaux achetés dans les agences de Khao San Road, faire attention. Là encore, on ne veut pas crier à l'arnaque systématique, mais ça arrive : surbooking, vols inexistants, stand-by... Les billets les moins chers ne sont pas forcément les meilleurs. De plus, aucun recours possible vu que les agences changent de nom et de personnel en un clin d'œil. Chinez et renseignez-vous auprès d'autres routards.

✈ L'***aéroport Don Muang*** – ท่าอากาศยานดอนเมือง *(hors plan couleur I par D1)* se trouve à environ 25 km au nord de la ville. Un bus fait la navette entre les deux terminaux (international et intérieur) : compter 20 mn de trajet. Pour tous renseignements concernant les horaires :

✈ ***Bangkok International Airport*** – ท่าอากาศยานดอนเมืองระ หว่างประเทศ **:** au terminal 1, infos départs : ☎ 02-535-12-54 ; infos arrivées : ☎ 02-535-11-49. Au terminal 2, infos départs : ☎ 02-535-13-86 ; infos arrivées : ☎ 02-535-13-01.

✈ ***Bangkok Domestic Airport*** – สนามบินภายในประเทศ ***:*** infos départs : ☎ 02-535-11-92; infos arrivées : ☎ 02-535-12-53. Sans sombrer dans la parano, il convient de rapporter ici quelques petits faits livrés par des lecteurs et des amis. Dans certains aéroports « sensibles » d'Asie du Sud-Est (Thaïlande, Philippines), il est arrivé (rarement!) que des types glissent de la drogue dans les poches de vêtements ou de sacs à dos de voyageurs pour mieux les dénoncer après (car ils touchent une prime). On ne sait jamais, jetez-y un petit coup d'œil juste avant de partir.

Pour aller à l'aéroport

➢ ***En train :*** une bonne dizaine de liaisons quotidiennes depuis la gare centrale; tous les trains allant vers le Nord s'y arrêtent. Pratique aux heures de pointe pour éviter les embouteillages (environ 1 h de trajet). Mais encore faut-il gagner la gare...

➢ ***En Airport Bus :*** avant de gagner l'aéroport, ces 3 lignes de bus climatisés sillonnent la ville avec des arrêts devant les grands magasins, sites notoires et hôtels chic. Autant de points de repère utiles qui vous permettront de sauter dans le bon bus en temps voulu. Ramassage toutes les 30 mn, de 5 h à minuit, pour 2 bonnes heures de trajet (environ 100 Bts, soit 2 US$). On conseille de se procurer le détail des trajets auprès de l'office du tourisme *TAT* ou de votre *guesthouse*. Le bus ***A1*** démarre dans le quartier de Silom, à proximité de l'*Oriental Hotel*. La ligne ***A2*** passe par Democracy Monument. Le bus ***A3*** remonte Sukhumvit Rd.

➢ ***En public bus :*** ils circulent 24 h/24 et sont reconnaissables à leur plaque bleue. Un trajet d'environ 2 h 30; beaucoup plus s'il pleut; et pas cher du tout (environ 20 Bts, soit 0,4 US$). Le ***nº 59*** passe par Democracy Monument. La ligne ***nº 29*** commence sa folle course à la gare de Hua Lamphong. Le bus ***nº 513*** remonte Sukhumvit Road en passant par l'Eastern Bus Terminal. Le ***nº 504*** démarre du quartier de Silom et Charoen Krung Road, alors que le bus ***nº 510*** frôle Victory Monument. Sachez enfin que les bus publics sont souvent bondés, et pas vraiment adaptés si vous êtes bien chargé.

➢ ***En bus privé ou minibus :*** sur Khao San Road ou Soi Ngnam Duphli (deux quartiers éminemment routards), plusieurs agences de voyages proposent des transferts pour l'aéroport à prix raisonnable. Trois avantages : ils ont des départs fréquents, ce n'est pas la ruine et enfin c'est au pied de votre hôtel.

➢ ***En taxi :*** nettement plus cher évidemment. Compter entre 250 et 300 Bts (5 et 6 US$). Raisonnable pourtant, d'autant que les chauffeurs de *taximeter* acceptent plus facilement de mettre leur compteur dans le sens ville-aéroport que dans l'autre sens. Permet de gagner 45 mn environ sur le bus.

En train

Il existe 3 classes dans le train. On déconseille vraiment la 3e si vous tenez à vos effets personnels.

Deux grandes gares à Bangkok :

🚆 ***Gare de Hua Lamphong*** – สถานีรถไฟหัวลำโพง *(plan couleur I, C3)*, d'où partent les trains vers le Nord, le Nord-Est et certains trains vers le Sud. Pour tout renseignement : ☎ 16-90. • www.thailandrailway.com • D'une manière générale, réservez dès que vous pouvez. Les billets peuvent être achetés deux mois à l'avance en gare. Horaires fluctuants à vérifier au bureau d'infos, situé à droite de l'entrée, juste avant les guichets. Assez sympa. Consigne à bagages à gauche de l'entrée, ouverte de 4 h à 23 h.

Gare de Thonburi – สถานีรถไฟธนบุรี *(plan couleur I, A2)*, d'où partent des trains pour Nakhon Pathom, Kanchanaburi et Nam Tok. Tous les dimanches, la gare organise un aller-retour pour visiter Nakhon Pathom, Kanchanaburi et Nam Tok (petites chutes d'eau). Départ à 6 h 30, retour à 22 h 30.

➢ ***Pour Chiang Mai :*** 3 trains de jour et 4 de nuit. Compter entre 350 et 1 300 Bts (7 et 26 US$). Préférer les trains de nuit. Ça évite de perdre une journée et le trajet paraît moins long (de 12 à 15 h). Éviter le *Rapid* (!), quasiment le plus long. Le meilleur train est l'*Express Special*. Pensez à réserver vos couchettes bien à l'avance car c'est souvent complet, en vous assurant que le train en propose (ce n'est pas toujours le cas). Les couchettes du haut sont moins chères que celles du bas car il n'y a pas de fenêtre, et elles sont aussi moins larges. Un service de restauration est assuré dans les 1re et 2e classes. Un tuyau : si vous voyagez de nuit, préférez les couchettes avec ventilo. Presque tous ces trains s'arrêtent à ***Ayutthaya*** et ***Phitsanulok***.

➢ ***Vers le Nord-Est :*** 4 départs quotidiens pour Khon Kaen, Udon Thani et Nongkhaï ; 11 pour Surin et 7 pour Ubon Ratchathani.

➢ ***Vers le Sud :*** une dizaine de départs tous les jours pour Hua Hin, Prachuab Khiri Khan, Chumphon et Surat Thani, 5 départs quotidiens pour Hat Yai, 2 pour Sungai Kolok (à la frontière de la Malaisie) et 1 à destination de Butterworth (Malaisie).

➢ ***Vers la Malaisie (et en poussant un peu, jusqu'à Singapour) :*** en effet, possibilité de descendre en train jusqu'à Singapour mais il faut changer au moins 2 fois : à Butterworth et à Kuala Lumpur. Pour ces destinations, réservez vos places assez longtemps à l'avance. Si vous passez par une petite agence, n'achetez que la section de billet jusqu'à Butterworth, ça évite les embrouilles. Ne pas prévoir de correspondances trop justes, il y a souvent du retard. Entre Kuala Lumpur et Singapour, il est intéressant de prendre un train de nuit.

En bus gouvernemental

Il en existe de deux sortes. Les bus avec air conditionné (AC) et les bus sans air conditionné (non-AC). Pour les longues distances, on conseille vivement les bus AC. Ils sont moins chers que les compagnies privées, mais pas énormément. Il existe trois terminaux de bus gouvernementaux selon votre destination.

Northern Bus Terminal – สถานีขนส่งสายเหนือ *(hors plan couleur I par D1) :* derrière Chatuchak Park. ☎ 02-537-80-55. Desservi par de nombreux bus urbains, et principalement les nos 39 et 59 à partir de Democracy Monument. Ou station de métro Mo Chit.

➢ *Départs de tous les bus AC et non-AC vers le Nord et le Nord-Est :* départs quotidiens et réguliers pour Chiang Mai (10 à 11 h de trajet), Ayutthaya (1 h 30), Lopburi (environ 2 h), Phitsanulok (5 h 30), Sukhothai (7 h 30), Chiang Rai (11 à 12 h), Surin, Ubon Ratchathani, etc.

Southern Bus Terminal – สถานีขนส่งรถปรับอากาศสายใต้ *(hors plan couleur I par A1) :* Boromratchonnani Rd à Thonburi (dans le prolongement de Phra Pin Klao Taymai Rd, à 4 km). ☎ 02-435-11-99 ou 02-435-12-00 (infos). Desservi par le bus no 30.

➢ *Départs des bus (AC et non-AC) pour le Sud :* Hua Hin (3 h de route),

Prachuab Khiri Khan (4 h), Bang Saphan (6 h), Chumphon (7 h), Surat Thani (10 h), Koh Samui (13 à 14 h), Phuket (13 h), Phang Nga (13 h), Krabi (12 h), Trang (12 h), Hat Yai (14 h), etc. C'est également d'ici que partent les bus pour Nakhon Pathom, Kanchanaburi et Damnoen Saduak (marché flottant à 2 h de route).

Eastern Bus Terminal – สถานีขนส่งสายตะวันออก *(hors plan couleur II par F8) :* Sukhumvit Rd, près du Soi 42. ☎ 02-391-25-04 ou 02-391-80-97 (infos). Desservi par le bus nº 2 à partir de Democracy Monument ; sinon station de métro Ekkamai.

➢ *Départs de tous les bus AC et non-AC vers l'Est :* Pattaya (2 h 30 de trajet), Rayong (3 h 30), Chanthaburi (4 h), Ban Phe (Koh Samet ; 3 h 30), Trat (Koh Chang ; 5 h)...

En bus privé

Plusieurs agences se trouvent sur Khao San Rd, sur Sukhumvit Rd et dans le quartier des grands hôtels. Bien sûr, prix plus élevés que les bus gouvernementaux, mais service impeccable : oreiller, boisson, nourriture... Plus cher lorsqu'on passe par une agence, mais que de temps gagné ! Éviter les minibus : *a priori* plus confortables, mais peu de place pour les jambes.
Les bus sont généralement assez luxueux, voire très luxueux. Pour les longues distances, prendre les bus de nuit. Avant d'acheter un billet, consulter plusieurs agences.
Refuser toute nourriture ou boisson suspecte au cours du voyage : pas mal de routards se sont retrouvés en slip kangourou-chaussettes sur le bord de la route le lendemain matin !
Autre chose : pour Chiang Mai, certaines agences proposent, en plus du ticket de bus à prix écrasé, une nuit gratuite à l'arrivée dans l'hôtel avec lequel ils sont de connivence. C'est très gentil : sachez simplement que c'est dans l'unique intention de vous pousser à vous inscrire à un trek organisé par l'agence de l'hôtel. En cas de refus, on a hâte que vous quittiez l'hôtel. Parfois même, si vous ne signez pas tout de suite, on vous fout dehors !
Encore une autre arnaque : tous les bus privés partant de Khao San Road s'arrêtent à une dizaine de kilomètres de Chiang Mai, généralement sur un parking quelconque où siègent des hordes de rabatteurs prêts à vous sauter sur le poil. Et comme, de toute façon, vous n'aurez pas d'autre possibilité pour arriver dans le centre de Chiang Mai que de prendre un *pick-up* de rabattage, méfiance...
On signale aussi qu'il y a de plus en plus d'accidents. Les chauffeurs roulent vite et sont astreints à des horaires serrés. Pour Chiang Mai ou d'autres longs trajets, nous, on préfère le train, même si c'est bien plus cher comparé aux prix d'appel que pratiquent les compagnies de bus. À vous de voir.

AU SUD-EST DE BANGKOK

ANCIENT CITY ET CROCODILE FARM – เมืองโบราณและฟาร์มจระเข้

À 30 km au sud-est de Bangkok, sur l'ancienne route de Pattaya. En face du bureau Mercedes sur Democracy Monument, prendre le bus nº 11 jusqu'à

Paknam (le terminus), puis un minibus qui s'arrête à Muang Boran (nom thaï de Ancient City). Pour le retour, on fait pareil, après avoir traversé l'autoroute à pied. Enfin, dernières solutions, louer un taxi à plusieurs ou, peut-être plus économique encore, prendre une excursion.

Sur la route, ne manquez pas l'INCROYABLE ***Elephant museum*** en construction. Ouverture probable en 2004. En allant sur Ancient City, arrêtez-vous pour prendre une photo de cet éléphant à 3 têtes et haut comme un immeuble de 10 étages !

Ancient City *(Nuang Boran)* – **เมืองโบราณ :** ☎ 02-323-92-53. • www.ancientcity.com • Ouvert tous les jours de 8 h à 17 h. Entrée : 50 Bts (1 US$). Compter 3 ou 4 h de visite pour cette excursion souvent ignorée par les voyageurs.

Il s'agit d'une « folie » du concessionnaire Mercedes pour la Thaïlande. Milliardaire nostalgique et cultivé, il y a laissé la quasi-totalité de sa fortune. Sur plusieurs dizaines d'hectares, il a reconstitué 110 grands monuments (à taille réelle ou au tiers) de ce que l'on appelait le Siam. Le travail est superbe. Un endroit « zen », à visiter de préférence au début du voyage pour se donner une idée de l'architecture du pays.

– Quelques monuments exceptionnels : le *Khao Phra Wihan* (nº 72 sur le plan donné à l'entrée), magnifique temple khmer bâti sur une gigantesque colline artificielle gagnée par la jungle.

– L'empreinte des pieds de Bouddha (nº 33 sur le plan) à Saraburi. L'un des endroits les plus sacrés de Thaïlande. L'empreinte est dans une pagode, creusée dans une pierre.

– Autre chef-d'œuvre, le *Sanphet Prasat* (nº 27 sur le plan). Ce palais d'Ayutthaya, entièrement détruit par les Birmans, a été reconstruit selon des documents d'époque, au tiers de sa taille originale. Sachez que dans le vrai temple, le roi reçut la visite du chevalier de Choisy, envoyé de Louis XIV... Possibilité d'y déjeuner pour pas cher.

Crocodile Farm **– ฟาร์มจระเข้ :** à 3 km de Ancient City. ☎ 02-703-48-91. Ouvert tous les jours de 7 h à 18 h. À éviter le week-end car archi-bondé. Entrée : 300 Bts (6 US$; assez cher pour l'intérêt que ça représente, sauf si vous avez des enfants). Un véritable parc d'attractions avec shows d'éléphants et de crocodiles (en alternance toutes les demi-heures, de 9 h à 16 h et bien sûr restaurants et boutiques de souvenirs (notamment en peau de croco...).

Au total 60 000 crocodiles et 9 espèces. Les plus impressionnants sont les *salt-water crocodiles* car ils peuvent atteindre 5 m ! Ils sont capables de survivre plusieurs mois sans manger. Quand ils s'enfoncent dans l'eau, des membranes empêchent l'eau de pénétrer dans les oreilles et la gorge. La chaleur extérieure est nécessaire pour accélérer les fonctions de leur organisme. Mais trop de chaleur tue le système de reproduction du crocodile. Seuls les éclairs ou le tonnerre déclenchent à nouveau leur libido. Dilemme quand il fait plus de 40 °C plus de 6 mois de l'année. Pourtant une étude récente indique que le bruit des hélicoptères (proche de celui du tonnerre) les inciteraient à nouveau à copuler. Pas tous les jours facile d'être crocodile... De 16 h 30 à 17 h 30, c'est le repas des bébêtes.

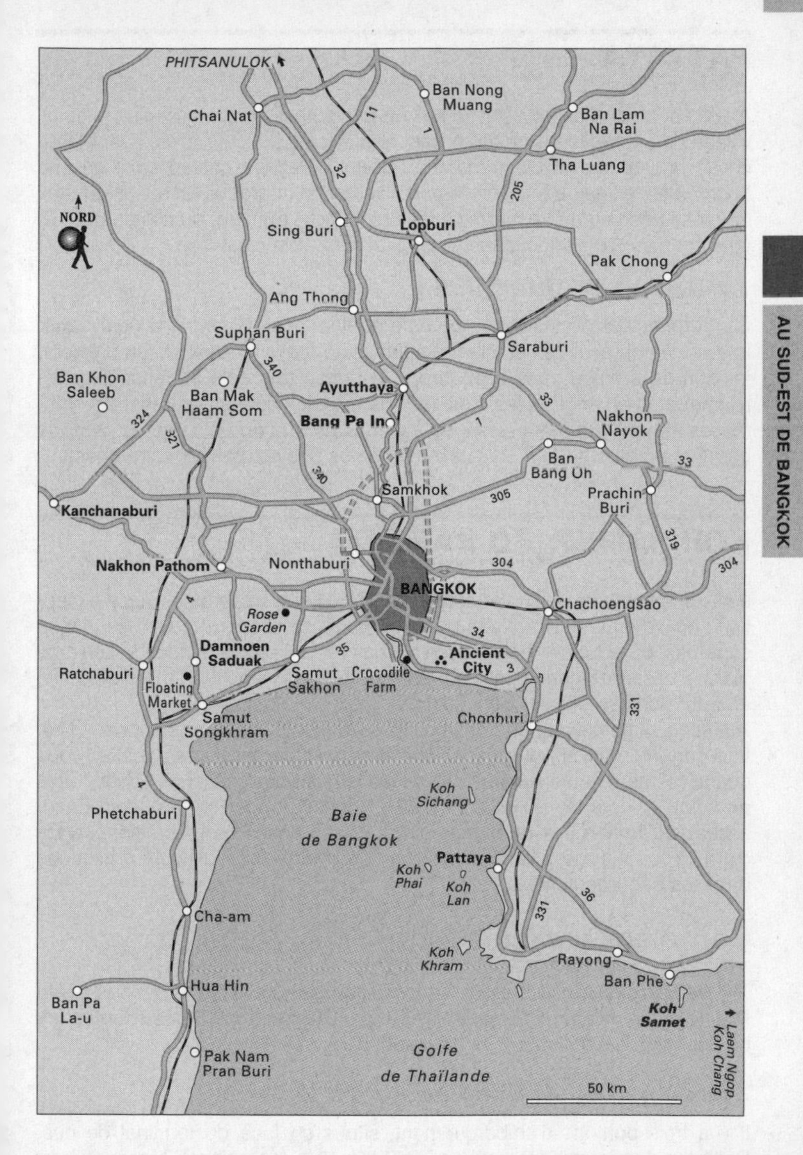

LES ENVIRONS DE BANGKOK

PATTAYA – พัทยา

À 145 km au sud-est et à 2 h de bus de Bangkok. Pattaya n'est plus le gentil village de pêcheurs qu'il était. Autant prévenir les lecteurs, c'est avant toute chose la Sodome et Gomorrhe de l'Orient : Pattaya est au sexe ce que Lourdes est à l'eau bénite. Nulle part ailleurs, on ne trouve un aussi fort taux de prostituées au mètre carré. On le dit tout net : Pattaya, on n'aime pas ! Et ce n'est pas par pudibonderie, mais vraiment, trop c'est trop.

PATTAYA L'AGUICHEUSE

La rue principale est jalonnée de bars dont la fonction est sans équivoque. Les seuls qui racolent dans la rue sont les *ka-toeys* (travestis). On prévient, les surprises n'étant pas à exclure... Ajoutez à tout cela les enseignes en allemand ou en anglais, les boutiques de luxe, les néons agressifs, les strip-teases minables et les massages à cinq sous, et vous êtes sur le Strip de Las Vegas, plus du tout en Thaïlande ! Vous pouvez passer votre chemin.

KOH SAMET (KO SAMET) – เกาะเสม็ด

Jadis une petite île de carte postale... aujourd'hui bien abimée. Seule exception : en s'aventurant vers le sud, ou à l'ouest de l'île, on trouve des plages superbes, où le tourisme de masse n'a pas encore pointé le bout de son nez. Vous y passerez donc quelques jours de rêve, en oubliant le reste de l'île et... du monde ! Ailleurs, c'est l'horreur...

Attention : il semblerait que des souches de paludisme subsistent dans l'île. Les gens sur place vous diront que non, évidemment ; mais méfiez-vous quand même des moustiques... Droit d'accès au parc national (si vous êtes en solo) : autour de 200 Bts (4 US$). Réduction pour les groupes. Enfin, sachez qu'il n'y a pas de banque dans l'île ; prenez vos précautions avant d'arriver, ou acceptez les commissions de change très élevées pratiquées dans les hébergements...

Comment y aller ?

➢ ***De Bangkok :*** *Eastern Bus Terminal* sur Sukhumvit Rd. Bus jusqu'à Ban Phe (c'est le village d'où partent les bateaux pour Koh Samet) toutes les heures de 5 h à 19 h (3 h 30 de trajet).

Traversée depuis Ban Phe – บ้านเพ

Il y a trois pontons d'embarquement, situés en face du terminal de bus. Départ toutes les heures environ, de 8 h à 18 h (en saison). L'appareillage peut être retardé si le bateau n'est pas plein (20 passagers en moyenne). Dans ce cas, tentez votre chance à un autre ponton... On ne vous conseille pas d'acheter un billet aller-retour, car vous seriez contraint de revenir sur le continent avec le même bateau (qui n'est pas toujours le 1er à partir). Certains petits bateaux appartiennent aux propriétaires des bungalows de l'île, qui essaieront, bien sûr, de vous vendre l'hébergement, mais il n'y a aucune obligation... Traversée d'une heure.

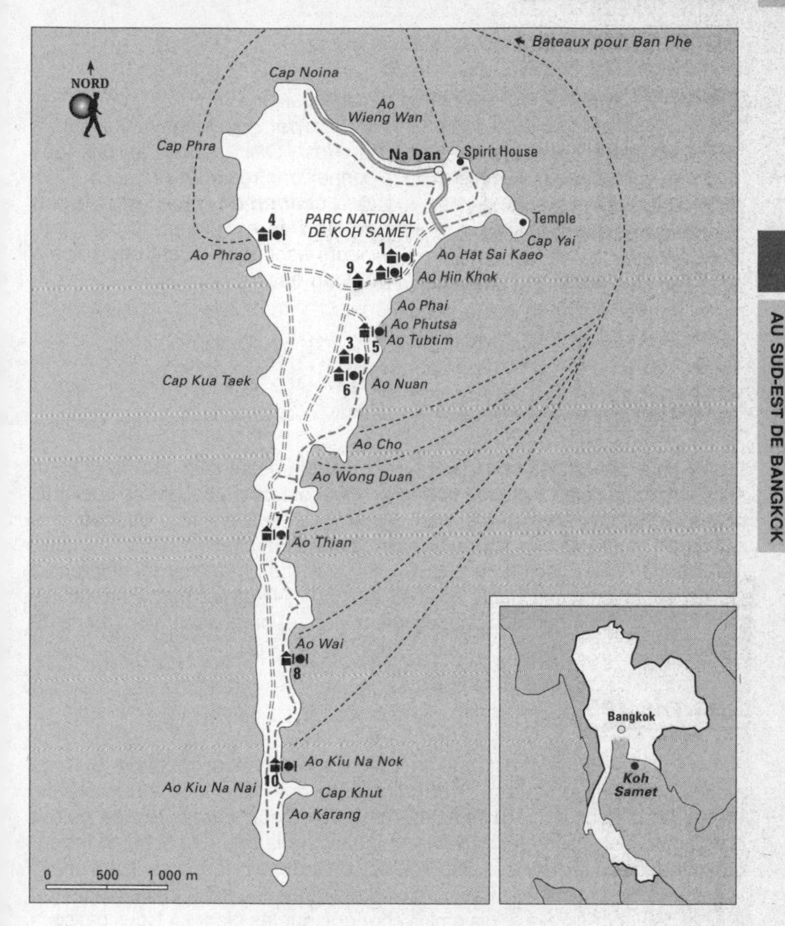

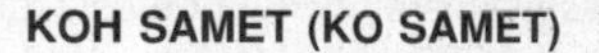
KOH SAMET (KO SAMET)

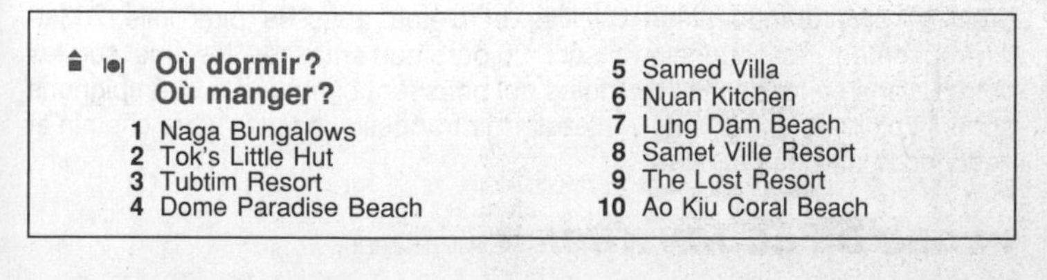
Où dormir ?
Où manger ?

1 Naga Bungalows
2 Tok's Little Hut
3 Tubtim Resort
4 Dome Paradise Beach
5 Samed Villa
6 Nuan Kitchen
7 Lung Dam Beach
8 Samet Ville Resort
9 The Lost Resort
10 Ao Kiu Coral Beach

Plusieurs points de débarquement sur l'île : la plupart des bateaux s'arrêtent au nord, dans l'unique village de *Na Dan*. D'autres – plus rares – peuvent se rendre directement sur les plages de *Ao Cho*, *Ao Wong Duan*, *Ao Thian*, *Ao Wai*, *Ao Kiu Na Nok* ou *Ao Phrao* (seule plage à l'ouest de l'île)...

Adresses utiles

■ ***Health Center*** – ศูนย์สุขภาพอยู่ระหว่างหน้าด่านและทางเข้าด้านตะวันออกของสวนสนุก *:* sur la gauche de la route goudronnée qui mène du débarcadère à l'entrée du parc.

■ ***Police Station :*** juste à côté du *Health Center.*

✉ ***Post Office :*** au tout début de la plage de Ao Hin Khok ; juste avant *Naga Bakery.*

@ ***Internet :*** quelques ordinateurs à la *Post Office*, mais le prix des connexions reste élevé.

■ ***Location de vélos :*** entre le port de Na Dan et l'entrée du parc, plusieurs échoppes louent des vélos à la journée.

Circuler dans l'île

La majorité des plages se trouvent à l'est. Vu la petite taille de l'île (7,5 km sur 3 km dans sa plus grande largeur), l'idéal est de parcourir ses quelques pistes et sentiers à vélo ou à pied. Il est également possible de louer des motos à l'heure ou à la journée, mais c'est assez cher (400 Bts, par jour, 100 Bts de l'heure, soit 8 ou 2 US$!). Si vous êtes très chargé, empruntez les taxis-camionnettes (tarifs affichés au port). N'hésitez pas à arrêter les *pick-up* des hôtels qui circulent souvent à vide, et proposez un pourboire au chauffeur...

Les plages

Sur les plages du nord-est, pas mal de bungalows pour routards. Sur nos plages préférées, au sud et à l'ouest, sachez que les prix sont plus élevés. Le rêve et la tranquillité, ça se paie ! Vérifiez bien que votre bungalow ne soit pas à côté d'un générateur. Prévoyez aussi une lampe de poche, indispensable si vous voulez sortir le soir. Toutes nos adresses font resto (sauf une !). Entre Na Dan et l'entrée du parc, on trouve quelques bons petits restos (où le petit déjeuner est 2 à 3 fois moins cher que sur les plages). Nous passons en revue les différentes plages en partant de celle qui est la plus au nord.

PLAGE DE AO HAT SAI KAEO – ชายหาดอ่าวทรายแก้ว

C'est la plus grande plage de l'île, et c'était aussi la plus jolie... Malheureusement, les bungalows sont aujourd'hui entassés les uns sur les autres, sans parler des tas d'ordures qui poussent comme des champignons après la pluie. Aussi, si vous voulez dormir tranquille, passez votre chemin et descendez un peu plus bas.

PLAGE DE AO HIN KHOK – หาดหินคอก

Séparée de Ao Hat Sai Kaeo par des rochers surmontés d'une statue de sirène assez kitsch. La plage demeure encore assez correcte, mais la piste qui la borde est infecte. Voici deux adresses pour les fauchés, accessibles à pied depuis le port.

Où dormir ? Où manger ?

Bon marché (de 150 à 300 Bts – 3 à 6 US$)

🏠 🍽 ***Naga Bungalows*** – นาคาบังกาโล *(plan, 1)* : ☎ 038-652-448. À l'extrême gauche de la plage quand on regarde la mer. Bungalows en bambou, tout simples, installés sur une petite colline : quatre murs, un néon, une moustiquaire, avec ou sans ventilo, et c'est tout. Sanitaires communs. Sommaire mais propre. On y mange très bien (excellentes *fried noodles, chicken in peanut sauce, sweet and sour pork*...). Délicieux petit déjeuner. Gâteaux mai son exquis. Attention cependant au générateur bruyant et à la musique que l'on entend jusqu'à 3 h du matin... Guichet de change assez intéressant.

🏠 🍽 ***Tok's Little Hut*** – โต๊กลิตเติลฮัท *(plan, 2)* : un peu après *Naga Bungalows*. ☎ 01-218-51-95 (portable). Bungalows en bois avec salle d'eau privée, ventilo et moustiquaire. Les prix varient en fonction de l'emplacement par rapport à la plage. Fait aussi restaurant, mais on conseille d'aller plutôt chez *Naga Bungalows*. Accueil style porte de prison, dommage !

PLAGE DE AO PHAI – หาดไผ่

Une plage qu'on aime bien, mais dont les hébergements sont souvent mal tenus et chers, donc inacceptables. Voici cependant deux adresses mignonnettes, dont vous nous direz des nouvelles...

Où dormir ? Où manger ?

Bon marché (autour de 300 Bts – 6 US$)

🏠 ***The Lost Resort*** – เดอลอสต์รีสอร์ท *(plan, 9)* : en suivant la piste vers le sud, après *Ao Phrao Travel Agency* et *Silver Sand*. ☎ 01-810-37-93 (portable). Une dizaine de belles chambres très propres, avec ventilo et salle d'eau, situées dans une grande maison. Le *Lost Resort* porte bien son nom : à l'écart de la plage (et des bars), on y dort du sommeil des sages. Accueil aimable. Ne fait pas resto. L'un des meilleurs rapport qualité-prix de l'île.

Prix moyens (de 500 à 1 000 Bts – 10 à 20 US$)

🏠 🍽 ***Samed Villa*** – เสม็ดวิลล่า *(plan, 5)* : à l'extrémité sud de la plage, bien en retrait de la piste (accès par Silver Sand). ☎ 01-945-54-81 (portable). Ce gentil village de bungalows ombragés, avec sanitaires, moustiquaire, ventilo ou AC, est admirablement tenu par un proprio suisse qui concocte une excellente cuisine bon marché. On a bien aimé le bœuf sauté au curry vert et lait de coco, le poisson vapeur et les *pancakes* d'ananas. Également quelques spécialités occidentales bien ficelées, à déguster sur la terrasse, dominant la mer. Une excellente adresse.

PLAGE DE AO PHUTSA – ชายหาดอ่าวพุทรา

On aime bien aussi cette plage tranquille...

Où dormir ? Où manger ?

De prix moyens à un peu plus chic (de 500 à 1 200 Bts – 10 à 24 US$)

■ ●● *Tubtim Resort* – ทับทิมบังกะโล *(plan, 3)* **:** à l'extrémité sud de la plage. ☎ et fax : 038-615-041. Dans un parc, une vingtaine de bungalows propres et bien tenus, avec douche, w.-c. et ventilo. Certains, plus spacieux, sont aussi plus chers. Agréable resto sur une terrasse couverte, mais aussi quelques tables sur la plage. Excellent accueil.

PLAGE DE AO NUAN – หาดนวล

Pas facile d'accéder à cette minuscule plage lovée dans une adorable petite crique bordée de rochers. Il faut monter dans la forêt en suivant le chemin côtier et redescendre vers la plage. On peut aussi l'atteindre par les rochers du bord de mer... Ouvrez l'œil car il ne faut pas la manquer.

Où dormir ? Où manger ?

Bon marché (de 200 à 400 Bts – 4 à 8 US$)

■ ●● *Nuan Kitchen* – นวลคิทเช่น *(plan, 6)* **:** quelques bungalows, situés autour d'un superbe jardin aux belles essences odorantes. Véritables paillotes traditionnelles, simples mais coquettes, avec moustiquaires. Sanitaires communs. Excellente cuisine à prix tout doux. Une adresse on ne peut plus calme. Le seul problème est que, bien sûr, c'est souvent complet (le meilleur moyen est de demander à ceux qui séjournent la date de leur départ, et de réserver). Accueil familial adorable. Notre coup de cœur à Koh Samet.

PLAGE DE AO CHO

Une assez grande plage plutôt jolie mais un peu trop fréquentée à notre goût. C'est un peu la petite sœur de Ao Wong Duan en moins « chic ».

PLAGE DE AO WONG DUAN – หาดวงเดือน

C'est la grande plage de l'île avec Ao Hat Sai Kaeo. Elle est belle certes, mais c'est loin d'être notre préférée, pour plusieurs raisons : c'est l'un des principaux points de débarquement des bateaux venant de Ban Phe ; c'est ici que se concentre toute la clientèle chic et huilée, puisqu'on y trouve les bungalows les plus chers. Et puis beaucoup de bateaux passent par là, ce qui trouble la sieste.

PLAGE DE AO THIAN – หาดเทียน

Plage très calme pour ceux qui sont en mal de solitude... Depuis Ao Thian, on peut se rendre à pied sur la côte ouest de l'île pour admirer le coucher du soleil.

Où dormir ? Où manger ?

Bon marché (autour de 300 Bts – 6 US$)

☗ |●| ***Lung Dam Beach*** – ลุงดำบีช *(plan, 7) :* juste face au ponton, les pieds dans l'eau. ☎ 01-452-94-72 (portable). Bungalows rustiques et très simples, avec moustiquaires, et équipés ou non de salle d'eau privée. Sanitaires limites, mais accueil très chaleureux. Propose aussi une restauration correcte (de toute façon ici, vous n'aurez guère le choix).

PLAGE DE AO WAI – ชายหาดอ่าวไว

C'est une jolie plage de sable clair, bordée de cocoteraies. Elle serait totalement déserte et coupée du monde, si un seul hôtel ne s'y était implanté. Avis aux amateurs de grand calme !

Où dormir ? Où manger ?

Prix moyens (autour de 900 Bts – 18 US$)

☗ |●| ***Samet Ville Resort*** – เสม็ดวิลล่ารีสอร์ท *(plan, 8) :* au bord de l'eau. ☎ 01-949-53-94 (portable) ; ☎ et fax : 038-651-681. ● www.sametvilleresort.com ● Un village de bungalows, noyés dans la végétation. Chambres plutôt petites mais confortables. Cadre paisible à souhait. Les prix semblent un peu surévalués compte tenu de ce qui est offert, mais ils sont seuls sur la plage ! Accueil cordial.

PLAGE DE AO KIU NA NOK

La dernière plage « habitée » de l'île et aussi la seule où vous pourrez admirer le lever et le coucher du soleil. De la superbe plage de sable blanc et fin à l'est, il suffit de traverser un jardin luxuriant puis la piste pour se retrouver sur la côte ouest : magique ! À nos yeux, la plus jolie plage de l'île, tout simplement.

Où dormir ? Où manger ?

De bon marché à prix moyens (de 300 Bts à 800 Bts – 6 à 16 US$)

☗ |●| ***Ao Kiu Coral Beach*** *(plan, 10) :* depuis la piste, traversez l'adorable jardin fleuri, vous y êtes ! ☎ 01-321-12-31 (portable) ou 02-579-62-37 (à Bangkok). Joli village de bungalows dispersés au sein d'un jardin. Les bungalows en bois, les moins chers, sont aussi les plus sympathiques. Les autres, en dur, sont moins charmants mais tout

AU SUD-EST DE BANGKOK

aussi propres et confortables. Fait aussi resto (et bar). Cuisine succulente. Bon poisson vapeur à la sauce citronnée et fruits de mer goûteux frits à l'ail et au poivre. Accueil froid pour les bungalows.

PLAGE DE AO PHRAO – ชายหาดอ่าวพร้าว

La seule plage de la côte ouest; belle, peu fréquentée et, en même temps, assez proche du port. Un endroit conseillé pour roucouler au soleil couchant.

Où dormir? Où manger?

Prix moyens (de 800 à 1 000 Bts – 16 à 20 US$)

🏠 🍽 ***Dome Paradise Beach*** – โดมพาราไดซ์บีช *(plan, 4)* : ☎ 01-982-88-33 (portable). Bungalows construits à flanc de colline parmi des bougainvillées en fleur. Chambres bien tenues avec sanitaires, moustiquaire et ventilo ou AC (plus cher). Fait aussi resto. Très calme. Accueil dynamique. Location de motos et virées en bateau.

À faire à Koh Samet

Pas grand-chose et c'est tant mieux!

⛱ Au sud de Ao Kiu Na Nok, d'autres ***plages*** sont accessibles par des chemins. Occasion de balades agréables... Nombreuses autres possibilités de promenades d'une plage à l'autre, en passant soit par la côte soit par l'intérieur de l'île, le long de la piste.

– ***Location de planches à voile et de surf, jet-ski, ski nautique,*** notamment sur les plages de Ao Hat Sai Kaeo et Ao Wong Duan.

➢ Certains bateaux proposent le ***tour de l'île*** et des ***excursions*** sur les îles environnantes.

QUITTER KOH SAMET

➢ Retour en bateau à ***Ban Phe :*** en saison, départs quotidiens toutes les heures de 7 h à 17 h depuis l'embarcadère principal de l'île, à Na Dan. Également quelques liaisons à partir de Ao Wong Duan. Pour un embarquement depuis les autres plages, se renseigner directement auprès de votre *guesthouse.*

➢ ***Pour Bangkok :*** le terminal des bus se trouve sur le Nuanthip Pier, face au grand marché couvert (ça vous permettra de prendre votre mal en patience; principalement coquillages et poissons séchés). Compter 12 bus AC réguliers entre 4 h et 18 h 30; et seulement quelques départs en bus non-AC.

➢ ***Pour Pattaya :*** en *songthaews.* Tout de suite à droite en venant de la gare routière. Ils partent une fois pleins. Ils vous emmènent jusqu'à la gare routière de Rayong. De là, bus pour Pattaya. Trajet : 2 h.

➢ ***Pour Koh Chang :*** voir la rubrique « Comment y aller? » ci-dessous.

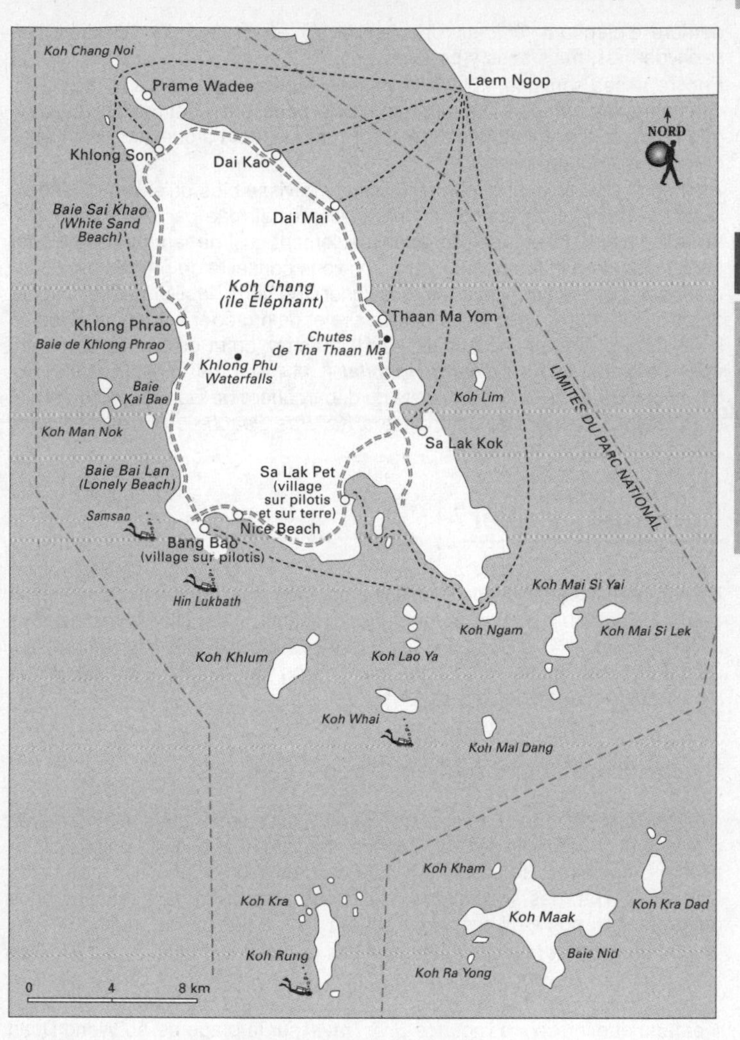

KOH CHANG (KO CHANG)

KOH CHANG (KO CHANG) – เกาะช้าง

Mu Koh Chang est un archipel d'une cinquantaine d'îles, classées Parc national. La plus grande, Koh Chang, domine majestueusement les flots de ses hautes montagnes couvertes de jungle (le Khao Jom Prast culmine à 744 m !). C'est la deuxième île de Thaïlande (après Phuket) par sa taille, et elle est encore aux trois quarts intacte. Quand on arrive en bateau depuis la côte, située seulement à 8 km, on est impressionné par sa force et sa virginité. La légende dit qu'elle a été surnommée ainsi à cause de sa forme en derrière d'éléphant *(chang).* Une famille a bien essayé d'y introduire ces pachydermes, mais sans y parvenir...

Encore assez sauvage, l'île se développe rapidement. On parle même d'y construire un aéroport. Les constructions poussent comme des champignons. Un seul distributeur d'argent, sur l'unique route à quelques kilomètres du point d'embarquement.

Attention : il semblerait que le paludisme y sévisse plus qu'ailleurs, pendant la saison des pluies notamment. Information confirmée par les routards installés ici. Les habitants de l'île disent seulement qu'il ne faut pas se balader dans la jungle à la tombée du jour... On vous conseille de prendre un traitement antipaludéen préventif (se renseigner), de vous habiller dès le coucher de soleil, de dormir sous une moustiquaire et de protéger votre peau avec un puissant répulsif anti-moustiques (ouf !). Sachez enfin qu'en cas de pépin, vous trouverez le ***Koh Chang Hospital*** – โรงพยาบาลเกาะช้าง (☎ 039-58-61-31 ou 039-58-61-21) à proximité du débarcadère de Dai Mai (nord-est), et deux ***Health Centers*** de campagne à *Kaï Bae Beach* – ไก่แบ้บีช et *Khlong Son* – คลองสน (nord de l'île).

Comment y aller ?

De nombreuses agences de Bangkok proposent une formule pratique « minibus AC + bateau » pour vous emmener directement sur l'île. Adressez-vous à ***S.R. Tours*** : 452 Rong Muang Rd. ☎ 02-613-96-96. Vos démarches seront limitées ; mais l'ambiance mini-groupe de touristes est beaucoup moins authentique que celle du bus...

Se rendre d'abord à Laem Ngop – แหลมงอบ

➢ ***De Bangkok :*** de l'*Eastern Bus Terminal*, il vous faut déjà rejoindre *Trat*, province et grande ville de l'est. Départs réguliers et quotidiens en bus climatisés ou ordinaires, de 6 h à 23 h 30. Compter 320 km et 5 à 6 h de trajet. Une fois à Trat, des *songthaews*, stationnés près de la gare routière, vous emmènent au port de *Laem Ngop* situé à 16 km (30 mn de trajet).

➢ ***De Koh Samet :*** en bus, ça n'est pas pratique... Il faut, du port de Ban Phe, rejoindre *Rayong* en *songthaew*, puis bus pour *Trat* via *Chanthaburi*, et re-*songthaew* vers Laem Ngop. Le plus facile est de prendre un trajet « bateau et minibus » à l'agence *S.T. Travel* sur la plage de Ao Wong Duan *(Wong Duan Resort)*, ou auprès de votre *guesthouse* si elle propose ce genre de prestation (fiable !). Un à 2 départs par jour, mais réserver à l'avance.

Bateaux pour Koh Chang

En saison (de novembre à avril), départs quotidiens du petit port de Laem Ngop toutes les heures, de 7 h à 17 h. Les bateaux peuvent avoir du retard si le nombre de touristes est faible... Compter une bonne heure de traversée. Plusieurs pontons de débarquement tout autour de l'île. Le principal se situe à Dai Kao, au nord-est, sur la côte la plus proche de Laem Ngop.

Circuler dans l'île

Il n'y a que deux pistes sur Koh Chang, que l'on cimente progressivement (pourvu que les travaux n'avancent pas trop vite...). L'une descend à l'est et rejoint le village de Sa Lak Pet. L'autre longe la côte ouest. Sur les pontons de débarquement (le principal est à Dai Kao, au nord-est), des taxis pick-up attendent pour vous emmener sur la plage de votre choix. Là, vous trouverez location de motos et surtout de VTT (idéal pour profiter de la nature et du peu de circulation). Et, depuis peu, une route relie la côte ouest à la côte est.

Les plages

La plupart des bungalows sont installés sur la côte ouest, où l'on trouve les plus belles plages. Aujourd'hui, le courant électrique venu du continent a remplacé les groupes électrogènes bruyants, et le téléphone se répand peu à peu. Le monde moderne prend ses marques !

WHITE SAND BEACH – หาดทรายขาว

La plus longue plage de l'île. On vous la déconseille, à moins que vous ne soyez client des vidéos bruyantes, et de bars qui n'en finissent pas d'ouvrir (clientèle majoritairement jeune). Si vous voulez y séjourner, vous n'avez pas besoin de nous pour trouver un bungalow, il y a des dizaines d'adresses, de la simple hutte à l'hôtel de luxe. En plus, les courants marins sont très dangereux.

KHLONG PHRAO BEACH – หาดคลองพร้าว

C'est notre plage préférée. Immense étendue de sable blanc, avec seulement quelques ensembles de bungalows – simples ou plus confortables – perdus dans les cocoteraies du bord de mer. Minuscule village de pêcheurs de Khlong Phrao à visiter absolument. Pour ceux qui préfèrent le calme et l'authenticité. Vélo ou moto indispensable si vous voulez bouger un peu.

Où dormir ?

Vraiment bon marché (moins de 200 Bts – 4 US$)

☗ ***P.S.S. Bungalows*** – พี.เอส.เอส. บังกะโล *:* prendre le même chemin ; à l'extrême pointe de la plage, près de la rivière Khlong Phrao (juste en face d'un petit village de pêcheurs installé sur l'eau). ☎ 01-817-63-44 (portable). Une vingtaine de bungalows assez spartiates, disséminés dans un joli coin de nature, ombragé par les cocotiers. Sanitaires communs et moustiquaire. Simple et correct. Vue sur mer imprenable.

De bon marché à prix moyens (de 250 à 550 Bts – 5 à 11 US$)

☗ ***Coconut Beach Bungalows*** – โกโกนัทบีชบังกะโล *:* à l'extrémité nord de la plage, bien avant les deux adresses précédentes. ☎ 01-949-38-38 ou 01-861-24-58 (portables). En bord de mer, quelques huttes en bois et bambou avec ventilo, moustiquaire et sanitaires communs. Également des bungalows neufs en dur, équipés de sanitaires (les plus chers). Cadre sympa (cocotiers et bougainvillées) et ensemble plutôt bien tenu. Resto correct. Location de motos et excursion en *taxi-boat*.

Où manger ?

Pas cher (autour de 200 Bts – 4 US$)

I●I ***Sunset Seaside Restaurant*** – ร้านอาหารซันเซ็ทซีไซด์ **:** en bord de plage, dans l'enceinte du *Koh Chang Resort*. Sur une grande terrasse en partie couverte, vous dégusterez des plats thaïs raffinés et délicieux... les yeux dans le bleu. On a bien aimé les nouilles sautées aux fruits de mer. Bon rapport qualité-prix. Cadre un tantinet romantique le soir. Service très aimable.

KAI BAE BEACH – หาดไก่แบ้

On l'aimait bien cette plage... Mais elle a cédé au démon de la construction touristique. En certains endroits, la plage a même été transformée en digues bétonnées, pour mieux préserver les nouveaux hébergements ! Voici, au cas où, deux adresses bon marché que l'on connaît depuis longtemps et qui gardent, malgré tout, un brin d'authenticité...

Où dormir ?

Bon marché (autour de 300 Bts – 6 US$)

☗ ***Nang Nual*** – บังกะโลนางนวล **:** une des premières adresses, à droite quand on arrive sur la « plage ». ☎ 01-295-13-48 (portable). Une vingtaine de paillotes entourées de plantes et de fleurs, avec sanitaires, ventilo et moustiquaire. La chaleureuse proprio, Mama, propose aussi une excellente cuisine thaïe. Parmi ses spécialités, on a bien aimé les raviolis vapeur et le copieux petit déjeuner. Également des sorties en mer organisées, avec visite de 3 îles et *snorkelling* (plongée avec masque, palmes et tuba), à prix très honnêtes. Atmosphère bien conviviale.

Où manger ?

Pas cher (moins de 150 Bts – 3 US$)

I●I ***Comfortable Bar*** – บาร์คอมฟอรโทเบิลของคุณวิวัฒน์ **:** petit resto-bar, installé en retrait à l'extrême droite de la plage (quand on regarde la mer). Tenu par Vivat, professeur de *Thai boxing*. Décor tout en bois, bambou, coquillages, graffiti et peaux de serpents. On s'assoit sur des balançoires aux mouvements rythmés sur la musique psychédélique diffusée. À l'extérieur, un sac de punching-ball attend les amateurs. Accueil souriant.

LONELY BEACH – โลนลิบีช

Une jolie plage de galets bordée par la jungle et située « au bout du monde », comme son nom l'indique. Pour goûter à ce petit paradis terrestre, une seule adresse remarquable...

Où dormir ? Où manger ?

Bon marché (moins de 300 Bts – 6 US$)

🏠 🍽 ***Tree House Lodge*** – ทรีเฮ้าส์ลอดจ์ **:** accès par la piste, ou en *taxi-boat* à partir de Kai Bae Beach. Au bord de l'eau, une poignée d'adorables huttes en bambou verni joliment décorées. Avec ou sans sanitaires, et moustiquaire. L'ensemble, simple et très propre, est tenu par un couple germano-thaï. Cuisine du cru à déguster assis en tailleur sur la belle terrasse en bambou dominant la mer. Possibilité d'y planter sa tente et de participer à des randonnées organisées dans la jungle. Atmosphère très routarde.

NICE BEACH – ไนซ์บีช

À l'extrême sud de l'île, une baie somptueuse avec sa plage bordée par la jungle, et une vue directe sur Bang Bao, charmant village de pêcheurs sur pilotis. Bien sûr, vous oublierez cet endroit enchanté après y être passé... Merci de préserver ce pur joyau !

Où dormir ? Où manger ?

Vraiment bon marché (autour de 200 Bts – 4 US$)

🏠 🍽 ***Dragon House :*** accès par la route qui se prolonge après le village de Bang Bao, ou par *taxi-boat* depuis Kai Bae Beach. Sur le front de mer, une dizaine de huttes traditionnelles perdues dans la flore. Elles sont toutes équipées de salle d'eau (douche froide et w.-c.), moustiquaire, et d'une minuscule terrasse privée où il fait bon lire dans son hamac... Côté cuisine, la patronne mitonne de bons petits plats thaïs que l'on déguste assis en tailleur à de petites tables. Service de *taxi-boats*.

À voir. À faire à Koh Chang

👁👁 ***Bang Bao*** – บางเบ้า est un petit village typique de pêcheurs, composé d'une quarantaine de maisons en tôle ondulée et bois, installées sur pilotis (80 habitants environ). On circule entre les habitations sur des planches, alignées côte à côte, et matérialisant les rues. De nombreux bougainvillées en pots à chaque carrefour ! Des équipages aux visages mats et burinés s'activent à l'entretien des engins de pêche (casiers, filets, lignes...). Le poisson gardé pour la consommation courante sèche en plein soleil, suspendu au toit des maisons. Également deux salles de billard (il faut bien que les jeunes du village s'amusent !), une épicerie et trois restos-bars pépères... On y accède à moto ou à VTT (pour les plus sportifs) par une route cimentée récemment ouverte. Avant, il fallait louer un bateau « longue-queue » (toujours possible depuis Kai Bae Beach) ou bien marcher deux bonnes heures dans la jungle ! On aimait bien aussi...

Khlong Phu Waterfalls – **น้ำตกคลองพลู** : plus petites que celles de Than Mayom (accessibles depuis la côte est). Entrée : 200 Bts (4 US$). Ces chutes offrent l'intérêt d'une balade sympa dans la jungle avec, au bout, la possibilité de piquer une tête... L'idéal est de le faire à VTT (location au *Coral Cove*). De Kai Bae Beach, remontez la piste en direction du nord (5 km), puis empruntez une petite route à droite (c'est fléché). Traversez la première rivière avec votre engin, vous pourrez continuer après. Arrivé au parking, laissez votre vélo et grimpez le chemin qui vous conduira jusqu'à la cascade (30 m de chute). Un bassin naturel avec une eau limpide et fraîche vous y attend. Compter 1 h 15 à VTT et 2 h 30 à pied.

➢ ***Belles balades dans la jungle*** – **เดินป่า** : les chemins les plus courus se trouvent dans le sud de l'île. La découverte de la jungle est une expérience étonnante et inoubliable. Pour pénétrer dans cette végétation exubérante et bruyante, on vous recommande de prendre tous les renseignements nécessaires auprès de votre *guesthouse* et de vous faire accompagner d'un guide, bien sûr.

Quelques petits conseils :
– bien que les gens d'ici fassent le trajet pieds nus, prévoyez de bonnes chaussures (baskets ou chaussures de rando) ;
– en cas de doute à un croisement de chemins (il y en a très peu), prenez toujours celui le plus proche de la côte ;
– sur le trajet, vous rencontrerez quelques habitations isolées, dont les occupants travaillent dans les cocoteraies ou sur les plantations d'hévéas (latex). N'hésitez pas à leur demander confirmation de votre itinéraire.

Plongée sous-marine à Koh Chang

Un spot qui monte, qui monte ! Encore peu exploré (ouf !), le parc national de Koh Chang livre aux plongeurs des sites sauvages intacts et peu profonds, où la profusion de poissons est partout une constante. Une richesse inestimable à prix très raisonnables : voici ce que proposent les rares centres de plongée de l'île... Bande de p'tits veinards !

Club

■ ***Eco Divers*** – **อีโคไดเวอร์ส** : sur White Sand Beach, dans le *Banpu Hotel*. ☎ 01-863-73-14 (portable). • charny14@hotmail.com • Un centre de plongée *PADI* bien équipé et animé par une équipe d'instructeurs allemands. Baptêmes, formations et encadrements. Les palanquées embarquent pour la journée sur les deux bateaux du centre et réalisent ainsi deux plongées. Ambiance sympa. Langue anglaise de rigueur.

Nos meilleurs spots

Hin Lukbath – **หินลูกบาด** : au sud-ouest de l'île. Une plongée sympa et « fastoche » sur un plateau corallien (de 10 à 20 m) particulièrement riche en vie sous-marine. Dans des eaux pas toujours limpides, symphonie jamais achevée de poissons-papillons, perroquets, lions, trompettes, clowns. Aux alentours, quelques beaux « bestiaux » (fusiliers, barracudas, carrangues). Également des langoustes dans les failles. Pour plongeurs de tous niveaux.

Samsao – สามเสาว *:* au sud-est de l'île. Un caillou sympa et peu profond (de 3 à 16 m). De beaux bénitiers, des oursins aux piquants monstrueux et la classique gamme des poissons colorés (à vous de les reconnaître !). Il n'est pas rare de se trouver nez à nez avec de petits requins curieux. Pour plongeurs de tous niveaux.

Koh Rung – เกาะรัง *:* un îlot à 1 h 30 au sud de Koh Chang. Sur ce bel ensemble rocheux sauvage (entre 5 et 25 m), de belles gorgones rouge flamboyant. Également des anémones roses dans lesquelles les poissons-clowns prennent leurs aises (un exemple à ne pas suivre !), et de beaux coraux colorés. Ici, les barracudas, poissons-perroquets et autres raies sont de très classiques compagnons de plongée, et messieurs les requins à pointes blanches font bien souvent des passages très remarqués... L'une des plongées les plus cotées du coin. Pour plongeurs de tous niveaux.

Koh Whai – เกาะหวาย *:* île perdue au sud de Koh Chang. Un site où les coraux se plaisent particulièrement. Entre 9 et 20 m, on admire leurs formes généreuses que survolent d'imposantes escadrilles de poissons colorés. Quelques beaux prédateurs affamés tournicotent avec envie ; l'heure de la soupe a sonné ! Sur le fond sablonneux, on peut souvent approcher un gentil requin léopard et des raies pastenagues immobiles. Pour plongeurs de tous niveaux.

QUITTER KOH CHANG

Pour rejoindre l'embarcadère, grimpez dans l'un des nombreux *songthaews* sillonnant la route à l'ouest de l'île. Les bateaux circulent entre 7 h et 17 h et vous débarquent à Laem Ngop (une bonne heure de traversée). Ensuite vous rejoignez Trat en *songthaew*...

➢ ***Pour Bangkok :*** de la gare routière de Trat, un bus AC toutes les heures, de 7 h à 23 h (5 h de trajet).

➢ ***Pour Koh Samet et Pattaya :*** du même endroit, 4 bus de 7 h 30 à 15 h. En chemin, il s'arrête au port de Ban Phe (Koh Samet). Compter 2 à 3 h de trajet.

➢ ***Pour le Cambodge :*** juste à côté de la gare routière de Trat, vous trouverez une flotte complète de minibus AC partant pour Longyai et Hadlek, toutes les 45 mn, de 6 h à 18 h.

À L'OUEST DE BANGKOK

NAKHON PATHOM – นครปฐม

C'est en ce lieu, considéré comme le berceau de l'enseignement bouddhique en Thaïlande, que se dresse le plus haut *chedî* (ou *stûpa*) du monde, d'une hauteur de 120,50 m et entièrement recouvert de tuiles vernissées de

Chine. Les uns avancent que Bouddha s'y serait reposé, les autres que des reliques lui appartenant y seraient enfouies, mais tous sont d'accord pour reconnaître à l'édifice son caractère hautement sacré.

Comment y aller de Bangkok?

➢ ***En train :*** 11 départs quotidiens de la gare de *Hua Lamphong* et 3 de celle de *Thonburi*. Compter 1 h à 1 h 30 de trajet. Très pratique.

➢ ***En bus :*** départ toutes les 20 mn de 6 h à 22 h 30 à partir du *Southern Bus Terminal* sur Boromratchonnani Road à Thonburi (dans le prolongement de Phra Pin Klao Taymai Rd). Compter 1 h de trajet, mais parfois plus aux heures de pointe!

Où dormir?

Rien ici qui puisse justifier de passer la nuit. Un seul hôtel décent parmi les quelques adresses bon marché que compte la ville.

Bon marché (de 200 à 300 Bts – 4 à 6 US$)

☗ ***Mit Paisal Hotel*** – โฮเต็ลมิตรไพศาล : 120/30 Prayapan Rd. ☎ 034-242-422. • mitpaisal@hotmail.com • Dans la première ruelle sur la droite en sortant de la gare ferroviaire, réception dans le hall de l'immeuble. Chambres ventilées ou climatisées, assez vieillottes mais relativement propres. Accueil froid. Très central.

Où manger?

Pas cher (moins de 150 Bts – 3 US$)

|●| Conseillé de manger sur le ***marché*** qui se tient chaque jour le long de la route qui relie le *chedî* à la gare, et dans les rues transversales. Goûter au *khao lam*, cette spécialité locale à base de riz gluant et de lait de coco cuite à la vapeur et servie dans une tige de bambou. Brochettes et fruits en abondance. Également de belles orchidées. Folle ambiance le dimanche avec un concert donné par les aveugles du coin, tous baffles dehors, et la foule des Thaïs encore plus souriants qu'à l'accoutumée.

|●| Deux ***restos*** à la bonne franquette en bordure du *khlong*, sur la droite en venant du *chedî* – ร้านอาหารสองร้านบรรยากาศดีอยู่ที่ริมคลองเมมาจากเจดีย์จะอยู่ทางขวามือ. Jolie vue sur le pont.

À voir

★★★ ***Le chedî :*** ouvert de 6 h à 20 h. Peu ou pas de guides anglophones sur place et peu de secours à attendre des moines. Compter 1 h 30 pour une visite détaillée.

Maintenant, suivez le *Guide du routard* et en route pour une ronde au départ de l'entrée nord (face à la gare) et dans le sens horaire (gardez toujours l'édifice sur votre droite).

– On accède aux deux terrasses circulaires par quelques marches pour découvrir d'abord la première chapelle ou ***viharn nord*** (trois édifices semblables sont disposés aux trois autres points cardinaux), intéressante pour sa statue de Bouddha debout de style Sukhothai. On aperçoit les premières cloches du *chedî* destinées à témoigner tout haut de l'Illumination du Bouddha. Elles vous accompagneront tout au long de la visite : autant d'occasions pour les fidèles d'acquérir des mérites... D'ailleurs, chaque année au mois de novembre, pendant la pleine lune, des milliers de pèlerins viennent offrir de nouvelles cloches dont certaines sont disposées en haut du dôme à l'occasion de festivités religieuses.

– À gauche, le ***musée*** (ouvert de 9 h à 12 h et de 13 h à 16 h, sauf lundi, mardi et fêtes) qui présente un vrai « bric-à-brac » poussiéreux : des pendentifs à l'effigie de Bouddha, des statuettes Dvâravatî, mais aussi des bizarreries en tout genre comme ces vieux billets sous verre (on reconnaît au passage le célèbre Voltaire).

– Puis viennent sur la droite le ***temple chinois*** suivi du ***viharn est*** et son bouddha méditant sous l'arbre de l'Illumination.

– Face au musée en direction du sud, se dresse le ***bot*** où ont lieu, entre autres, les ordinations des jeunes moines. À l'intérieur, un bouddha très vénéré de style de Dvâravatî.

– Peu avant la porte sud, un ensemble de trois ***grottes*** (dont l'une daterait de plus de mille ans) recèle des dizaines de statues de Bouddha. Juste à côté, on découvre la réplique de l'ancien *chedî* aujourd'hui enseveli sous l'actuelle pagode.

– Une autre réplique, un peu plus loin, trône après le ***viharn sud***. Celui-ci abrite la statue de Bouddha assis sur un *nâga*, lors de son premier sermon à ses cinq disciples. Plus loin encore sur la gauche, en contrebas de la terrasse, un ensemble de bungalows destinés à accueillir les pèlerins ayant opté pour la retraite méditative (entrée libre...).

– Autour, quantités d'arbres saints tels que le *bo* ou le *banian*. Pour finir, le ***viharn ouest*** présente un bouddha couché (et non endormi) en passe de rejoindre le nirvâna et, un peu après sur la gauche, un petit parc mignon tout plein, une occasion de s'asseoir et de méditer sur les principes de cette fameuse « Voie du Milieu » qui fait aujourd'hui courir tant d'Européens.

Pour être complet, la possibilité vous est offerte de suivre, en compagnie des jeunes moines, les enseignements d'un professeur de théologie (à l'intérieur de la première enceinte, chaque jour de la semaine entre 13 h et 16 h). Allez-y au moins pour l'atmosphère...

QUITTER NAKHON PATHOM

➢ ***Pour Kanchanaburi et la rivière Kwaï :*** 2 trains (1 en matinée, l'autre l'après-midi) ; 1 h 30 de voyage. Également des bus (ligne n° 81) partant à proximité de la porte est du *chedî*.

➢ ***Pour Damnoen Saduak :*** emprunter le bus n° 78. Départ toutes les 30 mn de 6 h 30 à 11 h. Arrêt près du bureau de la police face à l'entrée sud du *chedî*.

➢ ***Pour Bangkok :*** 12 départs quotidiens en train, dont 2 pour *Thonburi*. En bus AC (n°s 997 et 83), départ toutes les 20 mn sur Phayaapun Rd, au bord du *khlong* (la rue à gauche après avoir traversé le pont, en venant du *chedî*).

DAMNOEN SADUAK (FLOATING MARKET) – ดำเนินสะดวกตลาดน้ำ

Petite ville à un peu moins de 100 km à l'ouest de Bangkok, réputée pour son marché flottant, assez touristique et de moins en moins pittoresque.

Comment y aller ?

➢ ***En bus :*** du *Southern Bus Terminal* de Bangkok, sur Boromratchonnani Rd à Thonburi (dans le prolongement de Phra Pin Klao Taymai Rd). Bus n° 78. Départ toutes les 40 mn à partir de 6 h (2 h de trajet) jusqu'à 20 h. Certains bus vous déposent directement sur le quai à proximité du marché, mais d'autres s'arrêtent à la gare routière. Dans ce cas, prendre un *songthaew*. Retours sur Bangkok aux mêmes fréquences.

➢ Ceux qui veulent ***partir pour le Sud*** (après leur visite) n'ont pas besoin de repasser par Bangkok. Nombreux bus de Damnoen Saduak (gare routière) pour Ratchaburi. Puis train. Mêmes bus pour ceux qui veulent rejoindre Nakhon Pathom et Kanchanaburi, après la visite.

Où dormir ? Où manger ?

Bon marché (de 200 à 350 Bts – 4 à 7 US$)

☗ ***Little Bird Hotel*** – ลิตเติ้ลเบิร์ดโฮเต็ล **:** ☎ 038-254-382. Petit hôtel genre motel sur deux étages. Très calme, un peu à l'écart de la rue principale (pratiquement en face du terminal des bus). Chambres avec ventilo ou AC. Sanitaires un peu décrépits, mais la literie est propre. Accueil souriant de Nieta.

|●| Petits ***restos*** ouverts en journée et fermés vers 19 h 30 le long de la rue principale.

À voir

★★ ***Damnoen Saduak (Floating Market) :*** ne fonctionne que de 7 h à 13 h sauf pendant les trois jours du Nouvel An chinois (se renseigner quand même). Quelle déception ! Ce marché flottant a dépéri sous la pression touristique. Négociez ferme pour louer une pirogue ou visitez à pied, en prenant la berge à gauche le long du canal, le must étant d'y aller en pirogue et de revenir à pied. Vous verrez surtout des femmes, coiffées d'un chapeau de bambou traditionnel, vendre leurs marchandises en pirogue. Les étalages de pacotilles pour touristes se font de plus en plus oppressants (dites non !). En s'aventurant dans des canaux moins fréquentés, on découvre de charmantes maisons fleuries plantées au bord de l'eau. Un moyen unique de rencontrer de vrais villageois et de saisir quelques tranches de vie authentiques.

KANCHANABURI ET LA RIVIÈRE KWAI – กาญจนบุรีและแม่น้ำแคว

À 130 km à l'ouest de Bangkok, Kanchanaburi s'étale sur 5 km le long de la célèbre rivière Kwai. Sa situation lui donne une atmosphère toute particulière, assez séduisante et, d'ailleurs, de plus en plus appréciée des touristes. Mais le charme est intact et il règne une douce torpeur au bord de l'eau.

Comment y aller de Bangkok ?

➢ ***En bus*** *(plan B3)* **:** départ toutes les 15-20 mn du *Southern Bus Terminal*, sur Boromratchonnani Rd à Thonburi (dans le prolongement de Phra Pin Klao Taymai Rd). Liaisons assurées de 4 h 30 à 20 h environ. Compter 3 h de trajet.

➢ ***En train*** *(plan B2)* **:** 2 départs de la gare de *Thonburi*, tôt le matin et en début d'après-midi. Compter environ 2 h de trajet. Le nombre des départs étant restreint, on vous conseille de prendre le bus.

Adresses utiles

TAT – ท.ท.ท. *(plan B3)* **:** Saeng Chuto Rd (juste à côté du terminal de bus). ☎ 034-511-200. Ouvert tous les jours de 8 h 30 à 16 h 30. Accueil sympa. On peut s'y procurer la liste des hôtels et des *guesthouses*, ainsi qu'un plan de la ville, des infos loisirs, les horaires des bus et des trains en partance.

■ ***Toi's Tour*** – บริษัทต้อยทัวร์ *(plan B2,* ***1****)* **:** 45/3 Rong Heeb Oil Rd (à côté de *Sam's River Rafthouse*). ☎ 034-514-209 ou 01-856-55-23 (portable). • toistour@yahoo.com • Un autre bureau sur la route de Mae Nam Khwae, plus près du pont. Agence d'excursions animée, avec beaucoup de compétence d'ailleurs, par Toi, la seule guide officielle de la ville. Cette jeune femme parle bien le français et vous chaperonnera lors d'étonnantes balades en bateau, à vélo, à pied, à dos d'éléphant, en minibus, etc. De jolis programmes à prix très raisonnables.

@ ***Internet*** **:** plusieurs boutiques proposent des connexions sur la petite route qui mène au célèbre pont, et principalement aux alentours du resto *Jolly Frog (plan B2,* ***20****)*.

Où dormir ?

De bon marché à prix moyens (de 150 à 600 Bts – 3 à 12 US$)

Toutes les adresses que nous avons sélectionnées dans cette rubrique sont sur ou à proximité de la rivière.

Sugar Cane Guesthouse – ชูการ์เคนเกสท์เฮ้าส์ *(plan A2,* ***11****)* **:** 22 Soi Pakistan Maenam Kwai Rd. ☎ 034-624-520. Charmante *guesthouse* située au bord de la rivière Kwai, composée de petits bungalows en bambou disposés autour d'une pelouse bien entretenue. Salle d'eau particulière, ventilo et moustiquaire. Quelques chambres avec AC. Également 4 belles chambres neuves et plus chères, dans un gros bungalow flottant sur la rivière. Absolument nickel et un brin romantique. Notre meilleure adresse.

Et face au succès de la formule, ***Sugar Cane II*** *(plan A1,* ***17****)* est apparu ! Rendez-vous au 7 Soi Cambodia, sur la route Maenam Kwai. ☎ et fax : 034-514-988. À quelques encablures de la première adresse, on retrouve les mêmes avantages. Propreté, accueil et confort. Mais les bungalows, tout près du célèbre pont, ont un peu moins de charme. Manque la patine du temps, mais ça viendra ! Très calme, bien qu'un peu plus cher.

Nita Rafthouse – เรือนแพนิดาใกล้พิพิธภัณฑ (*plan B3, **10***) : ☎ 27/1 Phakphrak Rd. ☎ 034-514-521. À 100 m au nord du *JEAATH Museum*. Une vingtaine de chambres en bambou, propres et pittoresques, construites sur un gros radeau flottant sur la rivière. Toutes avec ventilo, mais certaines sans salle d'eau (les moins chères). Cuisine délicieuse que l'on déguste assis en tailleur à des tables basses (on inscrit soi-même sur la note ce que l'on mange). Ambiance décontractée et patron très sympa. Notre meilleur rapport qualité-prix, malgré la proximité bruyante des *discorafts*, le week-end (voir la rubrique « Où manger ? », plus loin).

Sam's River Rafthouse – แซมริเวอร์ราฟท์เฮ้าส์ (*plan B2, **12***) : 48/1 Rong Heeb Oil Rd. ☎ 034-624-231. Fax : 034-512-023. Plantée dans un joli petit jardin tropical, cette *guesthouse* compte une trentaine de chambres impeccables, avec salle d'eau, ventilo ou AC (les plus chères). Certaines, sur des pontons flottants, vous permettront de dormir au fil de l'eau (nos préférées). Les autres se trouvent sur la terre ferme (les moins chères et les moins propres). Resto agréable où l'on sert de bons petits plats, et accueil attentionné.

Sam's House – แซมเฮ้าส์ (*plan A2, **13***) : 14/2 Mooh 1 Thamakarm (assez près du Sutchai Bridge). ☎ 034-515-956. Fax : 034-512-023. Un village pittoresque de petites maisons en bambou avec douche, w.-c. et ventilo ou AC. Les plus chères dominent la rivière, tout comme l'agréable terrasse du resto. Accueil un peu froid, dommage !

Blue Star Guesthouse – บลูสตาร์เกสท์เฮ้าส์ (*plan A2, **14***) : 241 Meanumk Rd (à proximité du Sutchai Bridge). ☎ 034-512-161. Une allée de bungalows rutilants, avec salle d'eau et ventilo. Belle terrasse de resto en bambou dominant la rivière, où le gentil patron sert une cuisine très correcte. Une bonne adresse.

Prix moyens (de 400 à 700 Bts - 8 à 14 US$)

Luxury Hotel – โรงแรมลักเชอรี่ (*plan B2, **16***) : 284/1 Saengchuto Rd (assez proche de la gare). ☎ 034-511-168. Un peu en retrait de la route principale, cet hôtel entièrement rénové propose des chambres

Adresses utiles
- TAT
- Gare ferroviaire
- Terminal de bus
- Poste
- 1 Toi's Tour

Où dormir ?
- 10 Nita Rafthouse
- 11 Sugar Cane Guesthouse
- 12 Sam's River Rafthouse
- 13 Sam's House
- 14 Blue Star Guesthouse
- 15 Bamboo House
- 16 Luxury Hotel
- 17 Sugar Cane 2

Où manger ?
- 20 Jolly Frog

À voir
- 30 Pont de la rivière Kwaï
- 31 JEAATH Museum
- 32 Marché

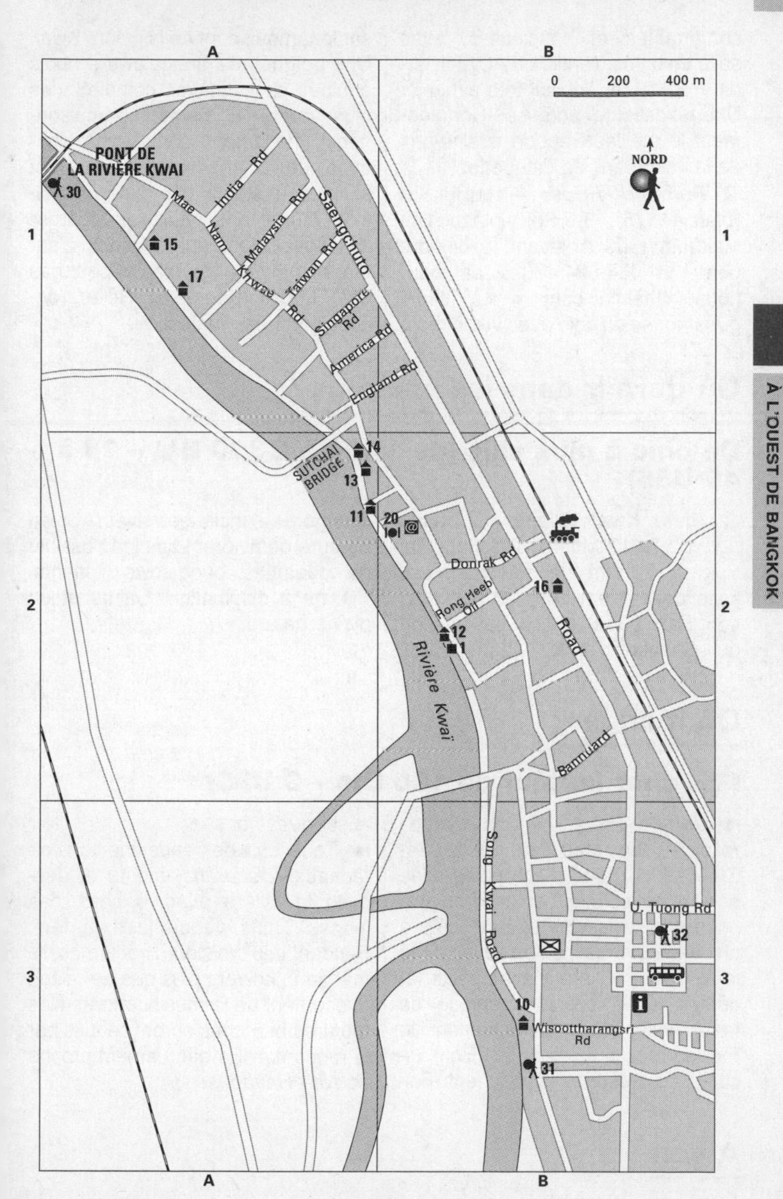

KANCHANABURI

confortables et spacieuses, avec salle de bains, ventilo ou AC. Joli jardin tropical, et accueil très aimable. Une excellente adresse. Certainement le meilleur rapport qualité-prix de la ville, dans sa catégorie.

⌂ ***Bamboo House*** – แบมบูเฮ้าส์ *(plan A1, **15**) :* 3-5 Soi Vietnam Tha Makham (500 m avant le célèbre pont). ☎ 034-624-470. • bambouhouse@thaimail.com • La seule *guesthouse* du coin avec vue directe sur le fameux pont de la rivière Kwai. Une poignée de bungalows en bois équipés de sanitaires complets (les plus chers). Également 3 maisonnettes flottantes, composées chacune de 2 chambres propres et simples (matelas par terre et ventilo). Même pas peur des lézards ! Les aventuriers apprécieront, d'autant qu'on y mange bien et pour pas cher. Location de vélos. Hélas, l'accueil n'est pas fantastique.

Où dormir dans les environs ?

De chic à plus chic (de 1 400 à 2 300 Bts – 28 à 46 US$)

⌂ ***River Kwai Village*** – ริเวอร์แคววิลเลจ *:* 74/12 Moo 4, Tha Sao, Sai Yok (à 70 km de Kanchanaburi, juste avant Nam Tok). ☎ 034-634-455. Fax : 034-634-456. Réservation de Bangkok : ☎ 02-251-75-52. Chambres spacieuses avec AC, en bordure de rivière. Location possible de quelques bungalows flottants. Piscine à disposition. Calme et en pleine nature.

Où manger ?

Pas cher (autour de 150 Bts – 3 US$)

|●| ***Jolly Frog*** – จอลลิฟร็อก *(plan B2, **20**) :* Mae Kwai Rd. ☎ 034-514-579. Au fond d'une petite allée boisée, ce resto tout en bambou propose une délicieuse cuisine thaïe à prix vraiment malins. On a bien aimé le riz sauté au bœuf avec petits légumes et la copieuse salade de fruits, jolie, jolie ! Certainement le meilleur resto du quartier. Bon accueil, mais service un peu lent. Fait aussi *guesthouse*.

|●| Tous les week-ends une flotte de radeaux *(discorafts)* monte et descend la rivière avec, à bord, des jeunes Thaïs venus faire la fête. Pendant ces croisières nocturnes, ils mangent, boivent plus que de raison et écoutent de la musique forte. Nos routards branchés seront séduits par la rencontre. Embarquement proche de *Nita Rafthouse*.

À voir

★★★ ***Le pont de la rivière Kwai*** – สะพานแม่น้ำแคว *(plan A1, **30**) :* à 3 km au nord de la ville. Immortalisé par le roman de Pierre Boulle et le film de David Lean (tourné au Sri Lanka). En 1942, l'armée impériale japonaise ordonna la construction d'une voie de chemin de fer qui devait relier le Siam à la Birmanie. 30 000 prisonniers occidentaux et 100 000 travailleurs asiatiques œuvrèrent à ces 415 km de voie ferrée, au prix d'incroyables souffrances.

Les cadences devinrent infernales quand les Japonais décidèrent d'utiliser cette liaison ferroviaire pour envahir l'Inde. Ce qu'ils ne firent jamais. En tout cas, le travail forcé ainsi que la malaria causèrent des milliers de morts. Les derniers mois, les gardes japonais furent, eux aussi, contraints de participer aux travaux afin de respecter le plan. Le pont fut bombardé une dizaine de fois. Le gouvernement thaï décida de restaurer cette ligne pour attirer les touristes. Ironie de l'histoire, il n'hésita pas à demander le financement à des banques japonaises. Ces dernières répondirent qu'on ne construit pas un Disneyland à Auschwitz. On peut franchir le pont à pied. À proximité du pont, deux trains d'époque dont un camion transformé en locomotive. Grande fête annuelle pendant une semaine (fin novembre-début décembre) avec reconstitution des événements de 1942, son et lumière. Plusieurs trains à vapeur fonctionnent pour l'occasion.

👁👁👁 ***JEAATH Museum*** – พิพิธภัณฑอักษะเชลยศึกหรือพิพิธภัณฑสงคราม *(plan B3, **31**) :* dans le centre, près de la rivière. Ouvert tous les jours de 8 h 30 à 16 h 30. Entrée payante (pas chère). Ce musée rassemble les divers objets, photos d'époque et gravures qui rappellent les incroyables souffrances qu'endurèrent les prisonniers de guerre pour la construction du chemin de fer. Photos, coupures de journaux retracent en guise de témoignage l'horreur de cette période. Au passage, JEAATH sont les initiales de « Japan, England, America, Australia, Thailand et Holland ». Ce terme JEAATH était utilisé au lieu de DEATH, considéré comme tabou. Le musée est installé dans une cabane de bambou, fidèle réplique des dortoirs de prisonniers. Assez émouvant.

👁 ***Le marché*** – คลาดในเมือง *(plan B3, **32**) :* dans le centre-ville. Vivant et coloré.

👁👁 ***La Nonne flottante*** – แม่ชีลอยน้ำ *(hors plan par B3) :* dans le temple Tham Mongkon Thong – วัดถ้ำมังกรทอง. Y aller en fin de journée ou le week-end, car le reste du temps la piscine n'est pas chauffée. Offrandes possibles à l'entrée. Des centaines de personnes font le voyage chaque jour pour voir Among, « la Nonne flottante », réaliser, dans un bassin où l'eau lui arrive à la taille, les différentes positions du Bouddha. La cérémonie se termine par la bénédiction des fidèles avec l'eau sacrée du bassin. Among est la deuxième nonne flottante de ce temple, qui est devenu grâce à elles un véritable lieu de pèlerinage. Nombreux touristes chinois et coréens.

➤ DANS LES ENVIRONS DE KANCHANABURI

➢ ***Petite excursion en tortillard à Nam Tok*** – ขึ้นรถไฟไปเทียวน้ำตก **:** c'est une balade de 2 h sympa car la voie ferrée traverse le fameux pont, longe la rivière Kwai et passe sur des surplombs impressionnants (60 km). Prenez un siège sur la gauche, dans le sens de la marche du train. Il s'arrête souvent sans qu'on sache pourquoi, siffle à perdre haleine quand il croise une route car il n'y a pas de passage à niveau. Paysages magnifiques, mais sur une portion du trajet seulement. Trois départs depuis la gare de Kanchanaburi à 6 h 10, 11 h et 16 h 35 (qu'on ne vous conseille pas, à moins de dormir sur place). Retour de Namtok à 13 h et 15 h 15. Le week-end, il est possible de découvrir la partie la plus intéressante de ce trajet jusqu'à Wang Pho dans un train tiré par une locomotive à vapeur. Un seul départ, à 10 h 25 (durée : 1 h 30 environ) ; retour à 14 h. Pour plus de détails, contacter la gare ferroviaire de Kanchanaburi : ☎ 034-561-052. Les fanas de la vie du rail apprécieront...

➢ ***Balade aux Erawan Waterfalls*** **– ไปเที่ยวน้ำตกเอราวัณ :** superbes cascades à 65 km de Kanchanaburi situées dans un parc national. Entrée payante : 200 Bts (4 US$). En été, les cascades sont réduites à un simple filet d'eau (bien se renseigner). Mais le reste de l'année, un chemin remonte les sept niveaux de cascades (2 h de marche). Nombreuses piscines naturelles. Apportez chaussures de marche et maillot de bain. Paysages superbes. Possibilité de louer des bungalows et des tentes sur place. Petits restos. Pour vous y rendre, prenez le bus n° 8170 au terminal de Kanchanaburi. Départ toutes les 50 mn de 8 h à 17 h 20 (2 h de trajet). Attention, si vous ne désirez pas dormir sur place, le dernier bus part des chutes à 16 h (archi-plein, bien entendu).

➢ Autres chutes d'eau : ***Sai Yok Noi*** **–** น้ำตกไทรโยคน้อย, petites mais belle baignade sauf en été où l'eau se fait rare; et ***Sai Yok Yai*** **–** น้ำตกไทรโยคใหญ่, plus importantes. Elles se trouvent respectivement à 60 et 105 km de Kanchanaburi. Départ toutes les 30 mn de 6 h à 18 h 30 au terminal des bus. Compter 1 h 30 et 2 h de trajet. C'est le même bus, le n° 8203. Au retour, sachez que le dernier bus quitte le site à 17 h.

➢ ***Balades en grand raft*** **–** ล่องแพ, de 1 à 2 jours selon la demande. Demandez donc conseil à *Toi's Tour* (voir la rubrique « Adresses utiles »), qui connaît bien son affaire.

➢ Quelques beaux temples *(hors plan par B3)* à voir dans la journée en louant un vélo ou une moto : le ***Wat Ban Tum*** **–** วัดบ้านทุ่ม, construit dans une grotte, et, côte à côte, un temple thaï et une pagode chinoise : le ***Wat Tham Sua*** **–** วัดถ้ำเสือ et le ***Wat Tham Kaeo*** **–** วัดถ้ำแก้ว, à 20 km de Kanchanaburi.

QUITTER KANCHANABURI

En bus

➢ ***Pour Bangkok :*** départ des bus AC et non-AC toutes les 15-20 mn, entre 3 h 30 et 18 h 30 (3 h de trajet). Arrivée au *Southern Bus Terminal* de Bangkok.

➢ ***Pour Nakhon Pathom :*** bus non-AC toutes les 15 mn, de 3 h 30 à 18 h 30. Environ 2 h de trajet.

➢ ***Pour Damnoen Saduak (Floating Market) :*** prendre un bus ordinaire pour Ratchaburi; toutes les 15 mn, entre 5 h 10 et 18 h 20 (durée : 2 h). De là, nombreux autres bus pour rejoindre le marché.

➢ ***Pour le Sud :*** bus pour Ratchaburi. De là, une dizaine de trains partent pour le Sud, dans l'après-midi essentiellement. Ils desservent les gares de *Hua Hin, Prachuab Khiri Khan, Chumphon, Surat Thani, Trang* et *Hat Yai.*

En train

➢ ***Pour Bangkok :*** 2 trains par jour, tôt le matin et en début d'après-midi, pour la gare de Thonburi (environ 3 h de trajet). Ils s'arrêtent brièvement à *Nakhon Pathom.*

AU NORD DE BANGKOK

BANG PA IN – บางปะอิน

À une soixantaine de kilomètres au nord de Bangkok. Ouvert tous les jours même les week-ends et jours fériés de 8 h 30 à 15 h 30. Parking et entrée payants (pas chers).
Un palais d'été construit par Râma V à la fin du XIXe siècle. Bâtiments dans le style européano-thaï qu'affectionnait Râma V. D'où cette église néogothique qui serait banale en France, mais qui détonne ici, où elle sert de temple (notez que ce temple insolite, visible du parc, n'est cependant accessible que depuis le parking, par une nacelle qui traverse la rivière). D'où ce *palazzo* à l'italienne, servant d'ailleurs toujours aux réceptions royales. Beau parc exotique.
➢ ***Balade en bateau :*** au fond du parking à gauche, de 8 h à 15 h 30 environ, des bateliers proposent la balade en « longue-queue ». Petit tour seulement ou 2 h jusqu'à Ayutthaya. Assez cher (on loue la pirogue) mais intéressant si on est plusieurs. Huit personnes maximum.

AYUTTHAYA – อยุธยา

À 88 km de Bangkok. Son nom complet en thaï est *Phra Nakon Sri Ayutthaya* (« ville sainte d'Ayutthaya »), et c'est généralement celui qui figure sur les cartes.
Ayutthaya est une ancienne capitale de la Thaïlande, avec un parc archéologique intéressant. Certes, ceux qui disposent de peu de temps privilégieront d'abord Sukhothai. Les autres pourront programmer Ayutthaya sans remords et, même, effectuer l'excursion dans la journée depuis Bangkok.

UN PEU D'HISTOIRE

Ancienne capitale du Siam donc, fondée en 1350. Trente-trois rois y régnèrent. Le royaume d'Ayutthaya fut l'objet, au XVIIe siècle, d'une étrange relation avec la France. Louis XIV, après une première mission, envoya une nouvelle délégation avec le dessein d'en faire un allié et, éventuellement, de le convertir au catholicisme. François de Chaumont dirigea l'ambassade, accompagné de l'abbé de Choisy à qui l'on doit un des premiers récits de routard moderne, *Journal du voyage de Siam* (éditions Fayard, 1998) et qui aimait se travestir en femme. L'ambassade siamoise reçue par Louis XIV, quant à elle, fit grand bruit et Brest s'en souvient encore, qui baptisa rue de Siam son artère principale en l'honneur de l'événement.
Au Siam, la situation fut largement facilitée par la francophilie d'un aventurier grec, Phaulkon, qui possédait une totale influence sur le roi Narai. Phaulkon évinça Anglais et Hollandais au profit des Français, et ceux-ci obtinrent d'installer des troupes au Siam. La lune de miel prit fin cependant en 1688 avec

l'assassinat de Phaulkon par des nationalistes, la destitution du roi et l'expulsion de tous les étrangers du royaume.
En 1767, Ayutthaya fut rasée par les Birmans, et Bangkok devint alors la capitale. Les Siamois achevèrent la liquidation d'Ayutthaya en utilisant les matériaux des anciens temples et pagodes pour construire ceux de Bangkok. Le reste, laissé à l'abandon et livré à la végétation, fut réhabilité il y a une trentaine d'années seulement.

Comment y aller de Bangkok?

➢ ***En bus :*** du *Northern Bus Terminal*, bus de 4 h 30 à 19 h. Trajet en 1 h 30 environ.
➢ ***En train :*** de la gare centrale *Hua Lamphong*. Départs tous les jours, toutes les heures de 5 h 45 à 23 h (moins de trains le week-end). Durée : 1 h 30. Vivement recommandé de prendre le premier du matin.

Adresses utiles

🛈 ***TAT*** – ท.ท.ท. *(Tourism Information's Center; plan A2)* **:** Sri Samphet Rd. ☎ 035-322-730. Ouvert de 9 h à 17 h.
■ ***Thai Farmers Bank*** – ธนาคารกสิกรไทย **:** Naresuan Rd. ☎ 035-243-791.
■ ***Location de vélos :*** au *Tourist Police Office (plan A2, **3**)*, juste à côté du TAT. Prévoir seulement quelques bahts pour la location à la journée.
■ ***Visites guidées de nuit des temples à vélo :*** renseignements et réservations auprès du *Moon Café* – มูนคาเฟ่ *(plan B1, **33**)*. Une visite pour 100 Bts (2 US$) par personne. Un peu cher, mais quel charme !

Où dormir ?

De bon marché à prix moyens (de 150 à 450 Bts – 3 à 9 US$)

🏠 ***BJ Guesthouse*** – บีเจ.เกสท์เฮ้าส์ *(plan B1, **11**)* **:** 19/29 Naresuan Rd. ☎ 035-246-046. À 300 m des monuments et à 15 mn à pied de la gare. Spartiate, mais vraiment pas cher et relativement propre. Douche et w.-c. communs. Dortoir correct. Terrasse au mobilier en teck donnant sur la rue. Bonne nourriture.
🏠 ***Chantana Guesthouse*** – ฉันทนาเกสท์เฮ้าส์ *(plan B1, **10**)* **:** Chao Phrom Rd. ☎ 035-885-025. Dans une petite rue qui donne sur Naresuan Road, au nord. Près de la gare routière et du marché Chaophrom. On se croirait presque dans un *B&B* anglais. Carrelage rutilant, chambres avec ventilo ou AC (les plus chères), toutes décorées avec beaucoup de goût. Jardinet. Accueil cordial et bon rapport qualité-prix.
🏠 ***U Thong Hotel*** – โรงแรมอู่ทอง *(plan B1, **12**)* **:** U Thong Rd. ☎ 035-251-136. En sortant de la gare, traverser la rivière vers le centre-ville. C'est dans la première rue à droite en venant du pont de la rivière Pa Sak, en face de la poste. Assez loin à pied. Certaines chambres avec AC donnent sur la rivière, assez bruyantes cependant. Accueil nonchalant. Et un peu cher pour une literie qui n'est plus de première jeunesse et des draps pas très frais. En dépannage.

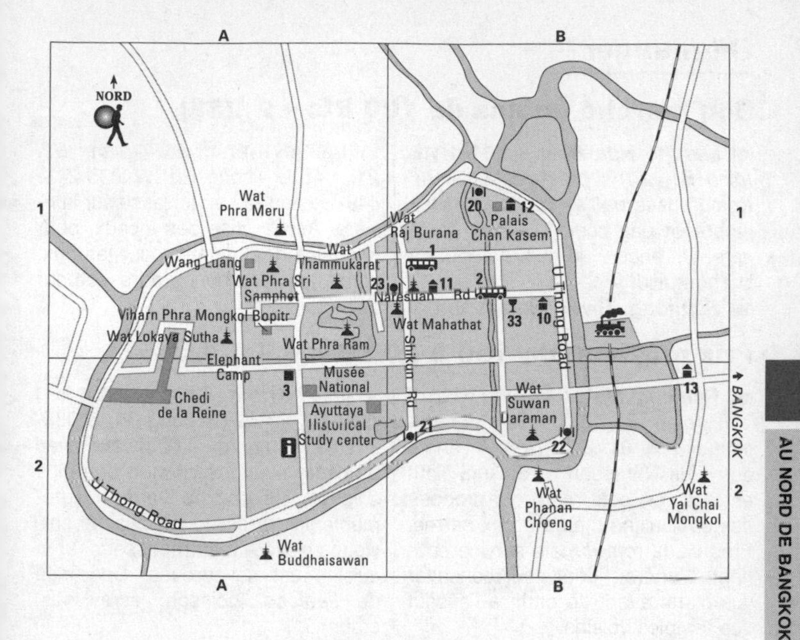

AYUTTHAYA

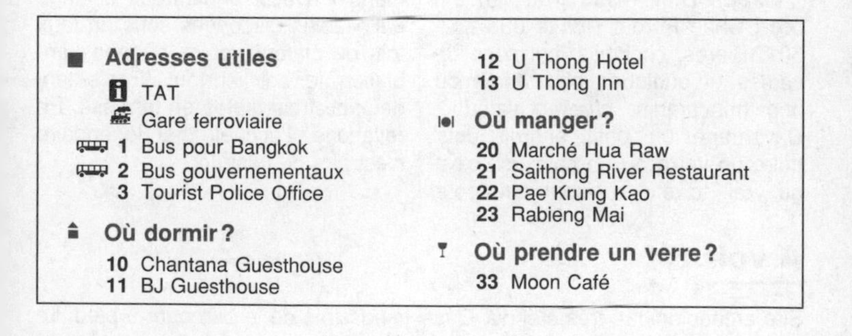

Bien plus chic (de 1 400 à 2 400 Bts – 28 à 48 US$)

U Thong Inn – โรงแรมอู่ทองอินน์ *(plan B2, 13)* **:** Rotchana Rd. ☎ 035-242-236. Fax : 035-242-235. • uthong@ksc.th.com • Un peu excentré. Hôtel-building sans surprise, de standing, pour touristes pas fauchés ou hommes d'affaires. Piscine. Prestations à la hauteur des prix, qui restent abordables.

Où manger ?

Bon marché (moins de 100 Bts - 2 US$)

|●| ***Marché Hua Raw*** – ตลาดหัวรอ *(plan B1, **20**)* **:** près de la rivière. Nombreuses *petites cuisines*. Assez propre et pas cher. Ou près de la gare. Ou encore, la nuit, au bout de U Thong Rd.

|●| ***Saithong River Restaurant*** – ร้านอาหารสายทองริเวอร์ *(plan B2, **21**)* **:** 45 U Thong Rd. ☎ 035-241-449. Restaurant en terrasse sur la rivière. Assez prisé des locaux, pour la qualité des mets et pour les prix, plutôt bas. Une bonne adresse pour déjeuner.

Prix moyens (de 100 à 200 Bts - 2 à 4 US$)

|●| ***Rabieng Mai*** – ร้านอาหารระเบียงไม้ *(plan B1, **23**)* **:** 22/13 Naresuan Rd. ☎ 01-853-27-86. À l'angle des rues Naresuan et Shikun. Tout en teck, un petit resto qui propose des spécialités thaïes à prix serrés. Près de la route, mais service souriant. L'endroit idéal pour consulter vos plans avant de partir à l'assaut des temples voisins.

|●| ***Pae Krung Kao*** – แพกรุงเก่า *(plan B2, **22**)* **:** 2 U Thong Rd. ☎ 035-241-555. En bordure de rivière, avec un cadre et un service un peu plus soignés. Un peu de verdure agrémente la terrasse, nappes et serviettes ont été bien repassées, et la cuisine est savoureuse. Spécialité de *seafood* (poisson, écrevisses, crabe).

Où boire un verre ?

🍸 ***Moon Café*** – มูนคาเฟ่ *(plan B1, **33**)* **:** Chao Phrom Rd. ☎ 035-232-507. Bières, cocktails, boissons diverses et quelques plats thaïs ou non (macaronis, *chicken salad*...). Davantage un petit endroit pour boire un verre ou un café (ici, c'est du vrai, torréfié maison) que pour manger. Décor chaleureux et original : tables disposées sous un faux toit et plafond peint. Bonne ambiance le soir surtout. Également deux ou trois tables en terrasse. En revanche, l'accueil thaï légendaire n'est pas de mise ici.

À voir

Site archéologique très étendu. Quasi impossible de le parcourir à pied. Le mieux est de louer un vélo (voir « Adresses utiles »). On peut aussi s'entendre avec un chauffeur de *tuk-tuk*, négocier la tournée de tant de sites, ou la demi-journée. À vous de calculer, en tenant compte également du fait que la visite de chacun des temples est payante (somme très modique). Les temples sont ouverts de 8 h à 17 h.

En dehors de la ville

Ces sites se trouvent avant Ayutthaya si l'on vient du sud par la route.

★★★ ***Wat Yai Chai Mongkol*** – วัดใหญ่ชัยมงคล *(plan B2)* **:** l'un des ensembles les plus intéressants. Situé hors de l'île, à environ 3 km de la gare. Construit en 1360. Entièrement restauré et bien fleuri. Le *chedî* fut construit en 1592 par le roi Naresuan pour fêter une victoire sur les Birmans (après, il n'y eut plus d'invasions pendant près de deux siècles). Entouré de plusieurs dizaines de bouddhas drapés d'orange. À l'intérieur du sanctuaire, gros bouddha de cuivre. Sur le chemin du gros *chedî*, on notera un beau bouddha couché et drapé, sur lequel les fidèles viennent écrire des messages d'espoir.

*** ***Wat Phanan Choeng*** – วัดพนัญเชิง *(plan B2)* **:** à 1 km du précédent. Situé face au sud-est de l'île. Temple récent et classique. Surtout intéressant pour son énorme bouddha ancien (1350) s'élevant au-dessus des fumées bleues d'encens et pour la ferveur populaire qu'il suscite. C'est le plus haut bouddha assis en brique de Thaïlande (19 m). Dans les murs, une multitude de niches, chacune abritant un bouddha... Il y en a 48000 en tout dans le temple, pour les 48000 paroles de Bouddha !

En ville

*** ***Wat Phra Sri Samphet*** – วัดพระศรีสรรเพชญ์ *(plan A1)* **:** dans le coin nord-est de l'île. L'ensemble le plus imposant d'Ayutthaya. Édifié au XVe siècle. Les trois grands *chedî* symbolisent les trois premiers rois qui régnèrent ici. Beaucoup de monde (mais moins le matin).

** ***Viharn Phra Mongkol Bopitr*** – วิหารพระมงคลบพิตร *(plan A1)* **:** pas loin du précédent. Le *viharn*, de construction récente, abrite un bouddha de bronze. Daté du XVe siècle. Le fait d'avoir traversé autant de périodes troublées et survécu à tant d'épreuves a, bien entendu, suscité un culte très important.

** ***Wat Phra Meru*** – วัดพระเมรุ *(ou Wat Na Phramen ; plan A1)* **:** situé au nord, hors de la ceinture d'eau, il fait face à l'ancien palais. Miraculé de l'occupation des guerriers birmans à la fin du XVIIIe siècle, il a conservé un très beau plafond à caissons en bois du XVe siècle et laqué d'or, ainsi que de majestueuses colonnes en fleur de lotus. La curiosité tient surtout au bouddha vêtu du costume royal.

* ***Wat Raj Burana*** – วัดราชบูรณะ *(plan B1)* **:** à côté du Mahathat. Édifié en 1424, il a miraculeusement conservé un superbe *prang* (tour à base carrée de style khmer).

* ***Wat Mahathat*** – วัดมหาธาตุ *(plan B1)* **:** ensemble malheureusement en ruine, mais ses fondations et quelques pans de mur subsistants laissent entrevoir combien il dut être imposant. Au moment des fouilles, on y découvrit nombre de bijoux et objets religieux de grande valeur, aujourd'hui au musée.

** ***Le Musée national Chao Sam Praya*** – พิพิธภัณฑสถานแห่ง ชาติเจ้าสามพระยา *(plan A2)* **:** ouvert de 9 h à 16 h. Fermé les lundi, mardi et jours fériés. Magnifique expo des produits des fouilles réalisées sur le site. Petit droit d'entrée.

Au rez-de-chaussée : portes sculptées splendides, *toranas* de temples, porcelaines, céramiques, petits bronzes, etc.

Au 1er étage : trésor du Wat Burana, une vraie merveille ! Orfèvrerie religieuse : « arbres votifs » en or, statuettes, collections de bijoux superbes, plaques votives, tiare d'un prince, fascinant éléphant ciselé et orné de

pierres précieuses. *Salle du Wat Mahathat :* coffres peints, tablettes votives, bouddha debout, maquette d'un *viharn* du XVIIe siècle.
À l'extérieur : maison traditionnelle sur pilotis ; on constate que les Thaïlandais ne s'encombrent pas de meubles inutiles.

Ayutthaya Historical Study Center – ศูนย์ศึกษาประวัติศาสตร์อยุธยา *(plan A2) :* Rojana Rd. ☎ 035-245-124. Ouvert de 9 h à 16 h 30. Entrée : 100 Bts (2 US$). Élégante construction alliant modernité et tradition thaïlandaise. À l'intérieur, vaste hall divisé en espaces thématiques, où sont abordées l'histoire, l'économie et l'ethnologie locales. Pièces archéologiques bien mises en valeur. Librairie.

À faire

➢ ***Balade à dos d'éléphant :*** de 8 h à 17 h. Les éléphants stationnent dans la vieille ville, à *l'Ayutthaya Elephant Camp* – ศูนย์ฝึกช้างอยุธยา *(plan A1)*, non loin du musée Ayutthaya Historical Study Center. Pensez à eux ! Une balade à dos d'éléphant c'est toujours sympa, et vous trimbaler c'est leur gagne-pain (à ces braves bêtes, leur gagne-bananes) !
➢ Une autre balade sympa consiste à faire le ***tour de la ville en bateau***, puis aller jusqu'à ***Bang Pa In*** (voir plus haut). Endroit sans caractère particulier mais charmant. Agréable d'y déjeuner. Balade sur un cours d'eau parsemé de nénuphars. Durée : environ 4 h aller-retour.

Fête

– ***Grande foire annuelle :*** une semaine en janvier ou février selon le calendrier. Grande expo-vente à prix intéressants de toutes les productions artisanales locales (tissage, bois, bambou, etc.).

QUITTER AYUTTHAYA

En bus

De la station de bus *(plan B1, 1) :*
➢ ***Pour Bangkok :*** départ toutes les 30 mn de 6 h à 19 h en bus AC, et toutes les 15 mn en bus non-AC. Trajet : 1 h 30 environ.
Du terminal de bus sur Choa Phrom Market *(plan B1, **2**) :*
➢ ***Pour Lopburi :*** départ toutes les 30 mn. Compter 2 h de trajet.
➢ ***Pour Phitsanulok :*** 6 départs par jour de 7 h à 19 h. Prévoir 5 h de trajet.
➢ ***Pour Sukhothai :*** 10 départs quotidiens de 7 h à 20 h 30. Compter 6 h de trajet.
➢ ***Pour Chiang Mai :*** de 6 h 30 à 20 h 50, 9 départs par jour et 9 h de trajet. Courage !

En train

La ***gare*** *(plan B1)* est excentrée à l'est de la ville, de l'autre côté du canal. ☎ 24-15-21. Sept trains par jour (surtout le matin) pour Bangkok.

➢ ***Pour Lopburi :*** train plus rapide que le bus. Plusieurs départs quotidiens. Arrivée environ 1 h 15 après. Le premier train du matin (vers 9 h 30) vous donne largement le temps de visiter *Lopburi*, puis de reprendre un autre train en fin de matinée pour *Phitsanulok* (où il arrive dans l'après-midi). Puis un bus pour *Sukhothai*, plus intéressante. Bien entendu, vérifiez tout cela sur les horaires de bus de la Northern Line. ☎ 16-90 (n° d'appel spécial).

➢ ***Pour Bangkok :*** toutes les 30 mn.

LOPBURI – ลพบุรี

Situé à 155 km au nord de Bangkok. Ville de garnison dont l'origine est très ancienne, calme et paisible, mais assez importante avec plus de 400 000 habitants. Elle fit partie intégrante, au Xe siècle, de l'Empire khmer et vit se développer le « style Lopburi » qui resta dans l'histoire comme l'une des étapes de transition du style khmer au style thaï. C'est à Lopburi que fut reçue la fameuse ambassade de Louis XIV, conduite par le chevalier de Chaumont. Le roi Narai préférait résider à Lopburi plutôt qu'à Ayutthaya. L'été, le climat y était moins humide et plus sain.
La visite des temples se fait en 2 h environ. Attention, la ville est livrée aux singes en liberté. Pas très commodes. Mais c'est original !

Comment y aller de Bangkok ?

➢ ***En train :*** de la gare de *Hua Lamphong (plan B2)*. Nombreux départs quotidiens. Trajet en 2 h 45 environ.

➢ ***En bus :*** du *Northern Bus Terminal (hors plan par B2)*. Départ toutes les 20 mn environ, de 4 h 30 à 20 h 30. Compter 2 h environ.

Adresses utiles

🅸 ***TAT*** *– ท.ท.ท. (plan A2)* **:** Rop Wat Pharthat Rd. ☎ 036-422-768. Fax : 036-424-089. • tatlobri@tat.or.th • Quelques infos disponibles, des plans, les horaires des bus dans un anglais balbutiant.

@ ***Internet*** *(plan A2,* ***1****)* **:** sur le trottoir en face de *White House Garden (plan A2,* ***23****)*, quelques mètres plus loin, en direction de l'artère principale, Phra Yam Jamkat Rd. D'autres adresses sur cette même rue.

Où dormir ?

De bon marché à prix moyens (de 150 à 450 Bts – 3 à 9 US$)

⌂ ***Nett Hotel*** – เนตต์โฮเต็ล *(plan A2,* ***10****)* **:** Soi Rach Chadamnern 2. ☎ 036-411-738. En sortant de la gare, prendre la rue qui longe le Wat Phra Sri Ratana Mahathat, puis la 2e à gauche (5 mn à pied à peine). Propre. Larges couloirs avec, de part et d'autre, des chambres banales, avec ventilo ou AC. Rien de formidable, mais des prix modérés. Préférer celles sur l'arrière, plus calmes. Correct dans l'ensemble.

Râma Plaza Hotel – รามาพลาซ่าโฮเต็ล *(plan A1, 12)* : 4 Ban Pom Rd. ☎ 036-411-663. Au nord de la ville, accessible à pied de la gare (10 mn). Prendre la rue qui contourne par la gauche le Prang Sam Yod. C'est un peu plus haut, sur la droite. Hôtel moderne, propre et fonctionnel, un peu sombre et très calme. Chambres climatisées. Très bon marché pour la prestation. Demander à voir la chambre avant, car certaines n'ont pas de fenêtre et sentent un peu le renfermé.

Sri Indtra Hotel – ศรีอินทราโฮเต็ล *(plan B2, 11)* : 3-5 Prakarn Rd. ☎ 036-411-261. C'est la grande avenue qui part à droite de la gare et se dirige vers le Prang Sam Yod. Propreté acceptable. Chambres assez bon marché, fort simples, avec ventilo ou AC. Patron pas aimable et impassible.

Où manger ?

Bon marché (autour de 100 Bts - 2 US$)

White House Garden – ร้านอาหารไวท์เฮ้าส์การ์เด้น *(plan A2, 23)* : ouvert de 12 h à 23 h. Cadre agréable de tables et chaises disposées dans un jardin fleuri et honnête cuisine thaïe.

Un peu plus chic (plus de 300 Bts - 6 US$)

Lopburi Inn – ร้านอาหารลพบุรีอินน์ *(hors plan par B2, 21)* : à 3 km du centre, sur Narai Maharat Rd. ☎ 036-412-300. Ouvert de 6 h à minuit. C'est le resto de l'hôtel du même nom. Pour s'y rendre, prendre un bus local près du temple de Kala. Bonne cuisine locale ou légèrement occidentalisée, au choix. Adresse appréciée des gens du coin. Très vivant et souvent complet. Animation musicale tous les soirs.

Chanchao Restaurant – ร้านอาหารจันทร์เจ้า *(plan A2, 22)* : 3 Ropwatphatad Rd. Prendre la rue à droite du site en face de la gare ; le resto se trouve à côté du Wat Phra Sri Ratana Mahathat, en angle, et sa façade en bois foncé se remarque aisément. Ouvert le soir uniquement. Excellente cuisine servie dans une jolie salle, carte bien appétissante. Assez cher pour la ville.

À voir

Wat Phra Sri Ratana Mahathat – วัดพระศรีรัตนมหาธาตุ *(plan A2)* : ses ruines s'étendent juste devant la gare. Ouvert tous les jours de 7 h à 17 h sauf les lundi et mardi. Entrée pas chère. Vestiges importants de *prang* et *chedî*. Très belles sculptures, notamment sur le *prang* central (remarquable fronton). Le lieu le plus reposant de la ville !

Le palais du roi Narai – นารายณ์ราชนิเวศน์ *(plan A2)* : Surasonkram Rd. D'immenses portes dans la muraille permettent l'accès à de vastes cours verdoyantes où s'alignent les anciens communs, magasins et écuries. Deux pavillons du palais royal, au fond, dans la 2e cour, ont été transformés en *musée*. Ouvert de 9 h à 16 h. Fermé les lundi et mardi. Intéressantes collections de sculptures de style Lopburi, meubles, etc. Au dernier étage, un peu

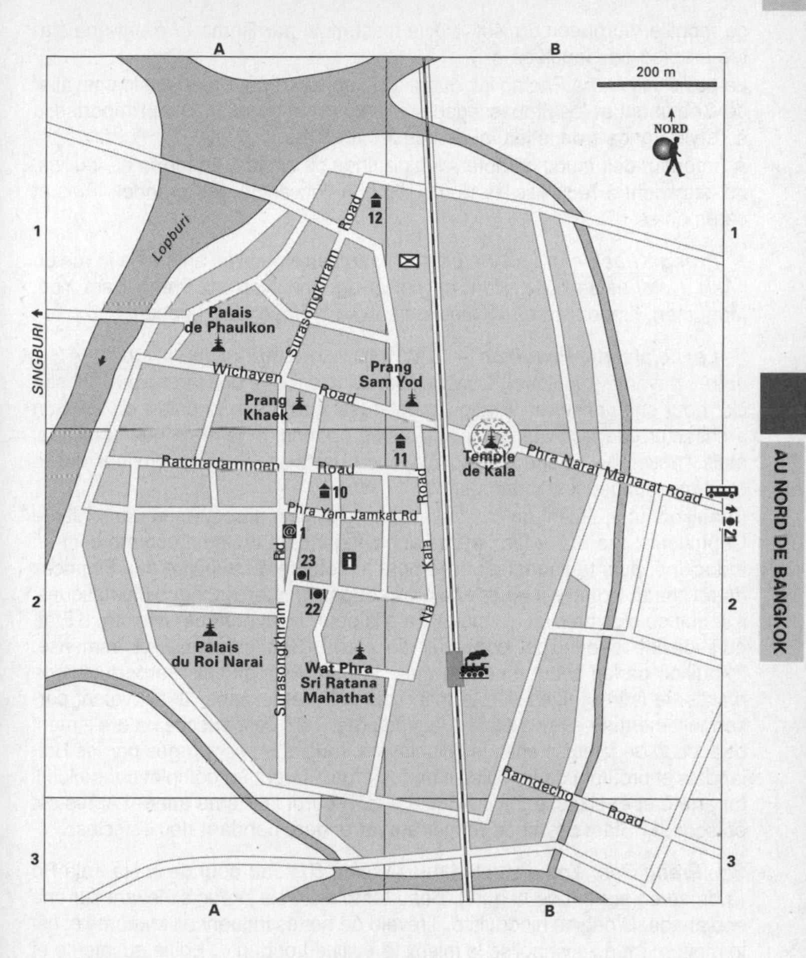

A
B
200 m
NORD
1
Lopburi
Surasongkhram Road
12
SINGBURI
Palais de Phaulkon
Wichayen Road
Prang Sam Yod
Prang Khaek
11
Temple de Kala
Phra Narai Maharat Road
Ratchadamnoen Road
10
Phra Yam Jamkat Rd
Na Kala Road
@ 1
23
Rd
22
2
21
Palais du Roi Narai
Wat Phra Sri Ratana Mahathat
Surasongkhram
Ramdecho Road
3

LOPBURI

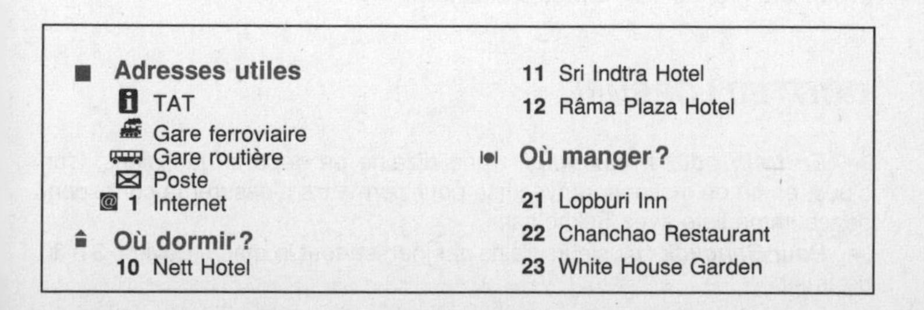

Adresses utiles
TAT
Gare ferroviaire
Gare routière
Poste
1 Internet
Où dormir ?
10 Nett Hotel
11 Sri Indtra Hotel
12 Râma Plaza Hotel
Où manger ?
21 Lopburi Inn
22 Chanchao Restaurant
23 White House Garden

de mobilier européen du XIXe siècle rassemblé par Râma IV (dont une statue en pied de Napoléon Ier !).
Le *hall Dusit Maha Prasad* fut, quant à lui, construit pour recevoir le chevalier de Chaumont et les ambassadeurs étrangers en général. D'où l'importance du style français dans les miroirs ou les fenêtres.
À l'intérieur des murs, on notera les dizaines de niches, en forme de feuilles, qui servaient à recueillir les illuminations à l'occasion des grandes fêtes et cérémonies.

🔭 ***Prang Khaek*** – ปรางค์แขก *(plan A1)* **:** au carrefour très animé de la rue de l'*Asia Hotel* et de celle allant du palais de Phaulkon au Prang Sam Yod. Monument hindouiste du Xe siècle, de style typiquement Lopburi.

🔭 ***Le palais de Phaulkon*** – บ้านวิชาเยนทร์หรือพอลคอนเฮ้าส์ *(plan A1)* **:** entrée payante (modique). Construit pendant le règne de Narai, au XVIIIe siècle, pour son conseiller. Pratiquement aussi grand que le palais du roi. Son architecture dégage quelques effluves européens. Il ne reste que la façade, mais l'ensemble, d'une grande élégance, laisse facilement deviner quelle existence luxueuse s'y déroulait.
Phaulkon fut vraiment un cas : aventurier d'origine grecque, né dans l'île de Céphalonie, marin sur les navires anglais pendant dix ans, commerçant en Indochine, puis trafiquant d'armes pour le compte du ministre des Finances du roi Narai. Comme il réussit de gros coups commerciaux et diplomatiques, il acquit de plus en plus d'importance à la cour, se fit nommer ministre d'État, puis devint le principal conseiller de Narai. Son influence fut immense. Phaulkon parlait couramment le grec, le français, l'anglais, le portugais, le malais, le latin et, bien sûr, le thaï. Louis XIV et le pape lui écrivaient personnellement. Ses fêtes étaient légendaires. Tout cela suscita naturellement beaucoup de jalousie chez les dignitaires thaïs qui, encouragés par les Hollandais et profitant de la maladie du roi, organisèrent un complot contre lui. Il fut arrêté et exécuté le 5 juin 1688. Le roi mourut la même année. Après cet épisode, le Siam devait se fermer aux étrangers pendant deux siècles.

🔭🔭 ***Prang Sam Yod*** – ปรางค์สามยอด *(plan B1)* **:** au bout de la Na Kala Rd (à droite en sortant de la gare). Beau temple à trois *prang* s'élevant sur une esplanade. D'origine hindouiste, il révèle de nettes influences khmères et est le monument qui symbolise le mieux le « style Lopburi ». Édifié en latérite et grès, il présente une intéressante décoration sculptée. Quantité de singes, parfois chapardeurs, abondamment nourris de bananes et autres victuailles par la population.
– Avec un *rickshaw* (station au marché), aller voir les ***pêcheurs*** sur la rivière avec leurs grands filets carrés à balancier.

QUITTER LOPBURI

➢ ***En train pour Phitsanulok :*** une dizaine de départs quotidiens. L'un d'eux, en fin de matinée, arrive juste pour permettre d'assurer la correspondance immédiate avec Sukhothai.
➢ ***Pour Bangkok :*** plusieurs trains par jour, surtout le matin. Environ 3 h 30 de trajet.

LA PLAINE CENTRALE

De Bangkok au nord du pays s'étend une assez vaste plaine agricole, la plaine centrale, riche d'un important patrimoine architectural. D'abord, encore proches de Bangkok, le palais royal de Bang Pa In, puis Lopburi, un peu plus haut (décrits dans la partie précédente, « Au nord de Bangkok »). Mais les choses sérieuses commencent avec Kamphaeng Phet, site archéologique de premier plan et pourtant peu visité, puis Phitsanulok et surtout Sukhothai, l'ancienne capitale du royaume homonyme. Un superbe détour culturel.
On conseille donc, avant de monter sur Chiang Mai et le Triangle d'or, de s'attarder dans cette plaine centrale, accessible par train, bus ou avion (bus uniquement pour Kamphaeng Phet). Ensuite évidemment ces lignes se poursuivent vers le Nord, vers Chiang Mai et Chiang Rai.

Comment y aller ?

➢ ***En avion :*** rapide, sûr et pas si coûteux que cela (moins de 2 fois le prix du bus AC). Liaison quotidienne de Bangkok pour Sukhothai avec *Bangkok Airlines*. Voir « Quitter Bangkok » et « Adresses utiles » à Sukhothai. Inconvénient, l'aéroport de Sukhothai est à une trentaine de kilomètres de la ville.
➢ ***En bus :*** bon marché, c'est l'avantage. Un peu plus cher, le bus AC vous évitera de crever de chaleur. Plus cher encore, le bus VIP est réellement confortable. Se reporter à la rubrique « Quitter Bangkok ».
➢ ***En train :*** notre moyen de transport préféré malgré les petites contraintes (réservations, se rendre à la gare...). Beaucoup moins de risques que par le bus, et tout le charme du chemin de fer, du bercement mécanique du convoi et des Thaïlandais calmes ou hilares. La vie du rail, quoi ! Se reporter à la rubrique « Quitter Bangkok ».

KAMPHAENG PHET – กำแพงเพชร

Bourg assez important mais tranquille, situé en bordure de la rivière Ping et vivant notamment de la canne à sucre et de la banane (la fameuse « banane petit doigt », qu'on retrouve dans la spécialité culinaire locale, le *kluay kai*, succulente banane à l'œuf, en vente sur le marché et aux abords de la ville, le long des routes). Mais Kamphaeng Phet est aussi un site archéologique majeur, curieusement peu visité.
La ville fut une des trois capitales du royaume de Sukhothai, qu'elle défendait à l'ouest ; et c'est ici que se réfugia le dernier souverain de Sukhothai, avant de se soumettre au roi d'Ayutthaya (1378). De cette époque subsistent quelques remparts (Kamphaeng Phet signifie « Muraille de diamant ») mais surtout des temples monumentaux assez émouvants, en partie ruinés et environnés de verdure, avec d'énormes bouddhas livrés aux intempéries mais toujours vénérés et drapés de safran. Rien d'autre à faire à part ça.

Adresses utiles

■ ***Office du tourisme*** – การท่องเที่ยว *(plan B4)* **:** un ersatz d'office du tourisme est installé dans un petit bâtiment de la chambre de commerce *(Kamphaeng Phet Chamber of Commerce)*, sur Tesa Rd. ☎ 055-418-050. Peu de documents en anglais, que les hôtesses ne parlent d'ailleurs quasiment pas.

■ ***Banques*** *(plan B4,* ***1****)* **:** change et distributeur à la *Thai Farmers Bank* – ธนาคารกสิกรไทย, sur Charoensuk Rd (route de Phitsanulok). Également une autre banque, juste à côté : *Siam Commercial Bank* – ธนาคารไทยพาณิชย์.

Gare routière *(plan A3)* **:** route de Tak, 200 m après le pont sur la droite.

Où dormir ?

Qu'on se le dise, l'hébergement à Kamphaeng Phet n'est pas de bonne qualité. La nuit ici n'est pas indispensable, même si on a bien aimé la *Canaan Guesthouse.*

De bon marché à prix moyens (de 150 à 650 Bts - 3 à 13 US$)

Canaan Guesthouse – คานาอ้นเกสต์เฮ้าส์ *(plan B3,* ***10****)* **:** 60 Rd, Soi 1, ruelle quasiment en face de la Police Station. ☎ 01-986-05-03 (portable). La véritable case de l'Oncle Tom sur pilotis ! Juste 3 chambres avec ventilo et eau chaude à partager. Une promiscuité qui ne déplaira pas à ceux qui aiment entendre parler les sages : et Tom fait partie de ceux-là ! Il saura vous faire bénéficier des bons plans de la région, en guide officiel qu'il est, parlant très bien l'anglais. Très bon marché. Un vrai coup de cœur.

Navarat Hotel – โรงแรมนวรัตน์ *(plan B4,* ***11****)* **:** Tesa 1 Rd, Soi Prapan 2. ☎ 055-711-106. Fax : 055-711-961. Un hôtel qui devait être beau dans les années 1970, mais qui a perdu de sa superbe ! Vieux meubles, ascenseur plus très jeune, comme l'AC ou la literie d'ailleurs. Bien tenu tout de même et propre. Resto au rez-de-chaussée. Sourire à l'accueil, mais rapport qualité-prix moyen.

■ **Adresses utiles**
- Office du tourisme
- Gare routière
- **1** Thai Farmers Bank

Où dormir ?
- **10** Canaan Guesthouse
- **11** Navarat Hotel

Où manger ?
- **20** Kwai Tiao Manao

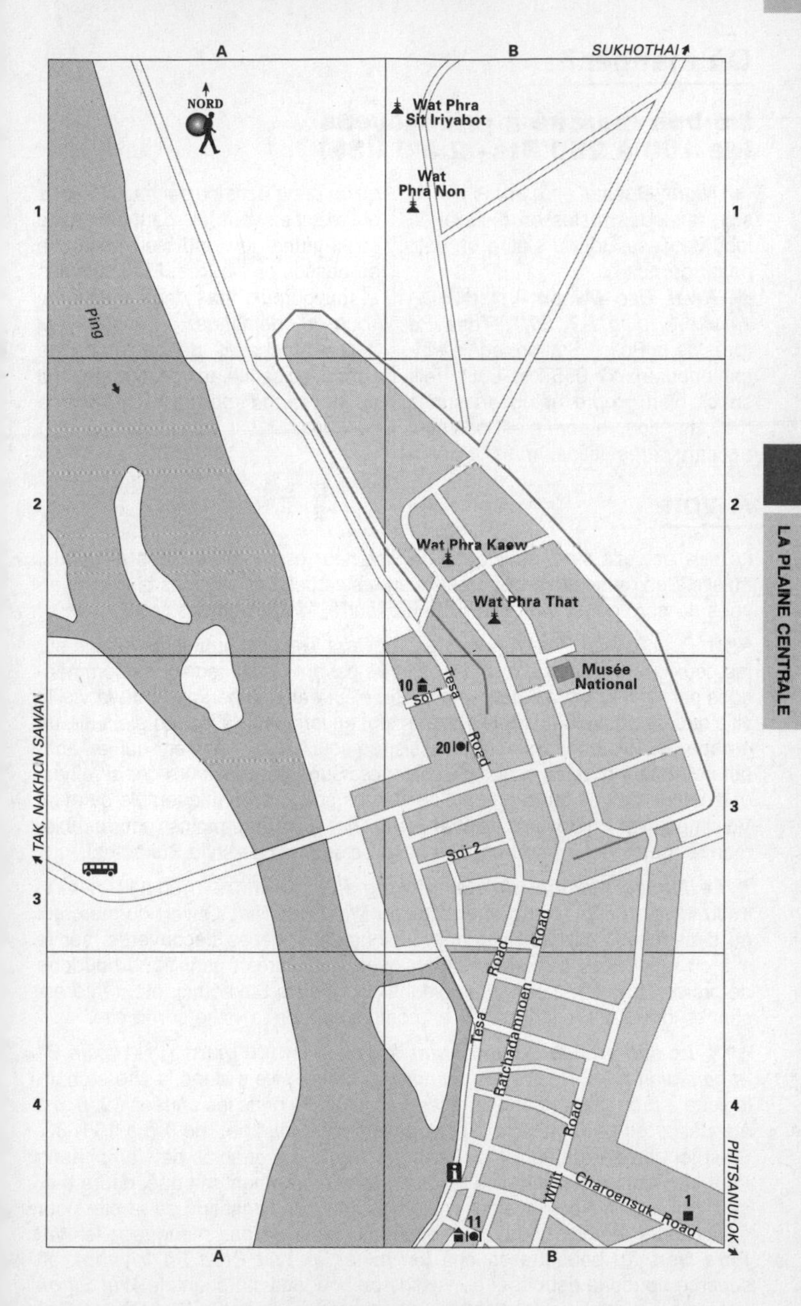

KAMPHAENG PHET

Où manger ?

De bon marché à prix moyens (de 100 à 250 Bts– 2 à 5 US$)

|●| ***Night Bazaar*** – ไนท์บาซาร์ **:** le soir, quelques restos en plein air le long de Tesa Rd, où s'étire un petit bazar de nuit.

|●| ***Kwai Tiao Manao*** – ก๋วยเตี๋ยวสูตรมะนาว *(plan B3, **20**)* **:** Tesa Rd (près de la Police Station, sur le trottoir opposé). ☎ 055-711-856. Petit snack bien propre et ouvert sur la rue. Attention, le nom n'est pas écrit en caractères latins, mais il n'y a qu'un resto dans ce secteur. Si vous doutez, fiez-vous au panneau avec soleil jaune sur fond bleu accroché au-dessus de l'entrée. Plats simples et savoureux, pas trop épicés si vous le demandez. Pensez aux *satay*, brochettes de poulet ou de porc avec sauce aux cacahuètes, ou au *sweet and sour pork*. Une bonne cantine.

À voir

La ville actuelle s'est développée à l'intérieur et au sud-est des remparts, qu'elle a en partie absorbés ; mais il en reste quelques sections bien conservées au nord-ouest (muraille crénelée, porte, forts d'angle).

★★★ Pour le *Wat Phra Kaew* et le *Wat Phra That*, ticket unique valable sur les deux sites. Ne le perdez pas ! Entrée payante mais modique. Commençons par le ***Wat Phra Kaew*** *(plan B2)* **:** c'est dans ce périmètre de la vieille ville que se trouve ce temple vaste et tout en longueur, avec, en plein air, un groupe de trois bouddhas, deux assis, un couché. Du bâtiment qui les abritait ne restent que les bases de colonnes. Superbe. Plusieurs *chedî* ruinés, et d'autres statues ou fragments de statues épars, ornent le temple çà et là. Voisin du Wat Phra Kaew, le ***Wat Phra That*** *(plan B2)*, moins remarquable, montre toutefois un beau *chedî* à base octogonale de style Sukhothai.

★ ***Le Musée national de Kamphaeng Phet*** – พิพิธภัณฑ์สถานแห่งชาติกำแพงเพชร *(plan B3)* **:** presque en face du *Wat Phra That*. Ouvert du mercredi au dimanche. Petit droit d'entrée. Nombreuses pièces découvertes sur le site ou rapportées d'ailleurs : céramiques, sculptures (magnifique bouddha de bronze, très beau et monumental Civa de style Sukhothai, etc.). Intéressant et tout à fait recommandé en complément de la visite sur le site.

★★★ ***Le site archéologique Aranyik*** – สถานโบราณวัดฤอรัญญิก *(plan B1 et hors plan par B1)* **:** à 2 km au nord du centre-ville s'étend le site archéologique à proprement parler. Dégagé de la jungle dans les années 1970, il a été classé en parc protégé. Accès payant (bon marché), de 8 h à 16 h 30. C'est ici que se trouvent les ruines les plus remarquables de Kamphaeng Phet, dans un vaste domaine boisé au relief légèrement marqué, cadre harmonieux. Les moines avaient voulu s'éloigner de l'agitation de la cité pour édifier leurs temples, souvent monumentaux. À ne pas manquer : le ***Wat Phra Non***, au bouddha couché (en ruine), le ***Wat Phra Sit Iriyabot***, au superbe bouddha debout et au vestige de bouddha marchant, le ***Wat Singh*** avec son bouddha assis, ceint de son écharpe orange et le ***Wat Chang Rop*** *(hors plan par A1)* au grand *chedî* en cloche de style sri-lankais, ceint de

68 avant-corps d'éléphants, en bon état dans l'ensemble même si pas une trompe ne répond présente.

QUITTER KAMPHAENG PHET

Pas de train à Kamphaeng Phet. Bus et *songthaews* se prennent à la gare routière *(plan A3)*.

➢ ***Pour Bangkok :*** liaison par car, un départ toutes les heures environ.

➢ ***Pour Sukhothai :*** liaison par *songthaew*, toutes les heures environ.

➢ ***Pour Phitsanulok :*** liaison par *songthaew* également, toutes les 2 h environ.

PHITSANULOK – พิษณุโลก

Ville commerçante, pas très belle d'un point de vue architectural (elle brûla totalement il y a trente ans) mais tout de même vivante, et avec quelques pittoresques maisons flottantes en bord de rivière. Les « wat addicts » s'intéresseront particulièrement au *Wat Phra Si Ratana Mahathat* – วัดพระศรีรัตนมหาธาตุ, qui date du XVe siècle (et qui seul échappa à l'incendie) : à droite du pont sur le Nan menant à Sukhothai. Il abrite le *Phra Buddha Chinara* – พระพุทธชินราช, un bouddha très vénéré en bronze doré, symbolisant la victoire de Sukhothai sur les Khmers. Une aura dorée et finement ciselée entoure la tête et les épaules. C'est le bouddha le plus copié et représenté en Thaïlande. Notez les superbes portes de la chapelle, incrustées de nacre, sur lesquelles plus de cent artisans travaillèrent de longs mois au XVIIIe siècle. Superbe *wat* (intérieur en bois) récemment restauré pour incruster des spots de lumière dans le châssis en bois afin d'éclairer un peu mieux Sa Divinité !

Comment y aller ?

➢ ***En train :*** 11 trains par jour. Tôt le matin ou dans l'après-midi. Durée du trajet : environ 5 h avec l'*Express Train*.

➢ ***En bus et songthaew :*** de Bangkok, 5 bus réguliers du Northern Bus Terminal, dont 3 en soirée. De Kamphaeng Phaet, le *songthaew* (camionnette) est le seul transport en commun.

➢ ***En avion :*** 1 à 2 vols quotidiens de Bangkok *(Thai Airways)*; utile pour gagner du temps et assez bon marché.

Adresses utiles

i ***TAT*** – ท.ท.ท. *(plan A2)* **:** 209/7 Surasi Trade Centre, Boromtrailo Kanat Rd. Amphoe Muang. ☎ 055-25-27-42 et 43. Ouvert de 8 h 30 à 16 h 30. Une mine d'infos : plan, hôtels, restos, excursions, horaires détaillés des trains et des bus.

@ ***Moom Online Café*** *(plan A1-2)* **:** en face du *Petchpaylin Hotel (plan A1,* ***12****)*. Compter 40 Bts (0,8 US$) l'heure. Pas mal de jeunes s'y retrouvent pour boire un verre, papoter, etc. Et même envoyer des e-mails !

Où dormir ?

De bon marché à prix moyens (de 150 à 400 Bts - 3 à 8 US$)

☗ ***Youth Hostel*** – บ้านเยาวชน *(plan B3, **10**)* **:** 38 Sa Nam Bin Rd. ☎ 055-242-060. Fax : 055-210-864. Au sud-est de la ville, sur la route de l'aéroport. De la gare ou de l'aéroport, prendre le bus n° 4. De la gare routière, prendre le bus n° 1, 8 ou 10 jusqu'au collège technique, puis prendre le bus n° 4. Superbe auberge de jeunesse. Environnement très agréable, verdoyant et un peu en retrait de la rue, et coin relax avec hamacs et tout et tout. Deux dortoirs de 5 lits, sommaires mais clean (pas très bon marché en revanche). Très belles chambres simples, doubles et triples au mobilier en teck dans un pavillon indépendant, certaines avec AC. Petit déjeuner inclus. Moustiquaires à prévoir. Service de nettoyage, et location de vélos et voitures. Resto en terrasse dans le jardin.

☗ ***Petchpaylin Hotel*** – เพชรไพลิน โฮเต็ล *(plan A1, **12**)* **:** 4/8 Artitwong Rd. ☎ 055-258-844. Chambres très confortables, propres avec AC et literie toute neuve. Il règne même une bonne odeur de fraîcheur dans les couloirs ! Prix serrés à souhait et accueil délicieusement souriant. Une bonne adresse.

☗ ***Phitsanulok Hotel*** – พิษณุโลกโฮเต็ล *(plan A-B2, **11**)* **:** situé juste à gauche, en sortant de la gare (facilement repérable à la vieille loco posée sur la placette). ☎ 055-258-425. Fax : 055-251-666. Moche et bruyant, on vous le recommande ! Non, on plaisante. Confort minimal pour ce bloc de béton. AC dans certaines chambres. Propre. Et c'est vrai qu'on évitera les chambres côté rue. Idéal cependant pour ceux qui ont un train à prendre de bonne heure ou pour ceux qui arrivent par l'*Express* de minuit.

Un peu plus chic (de 500 à 700 Bts - 10 à 14 US$)

☗ ***Rajapruk Hotel*** – โรงแรมราชพฤกษ์ *(plan B1, **13**)* **:** 99/9 Praongdum Rd. ☎ 055-212-727. Fax : 055-251-395. Un hôtel classique avec ascenseur et portier, mais qui ne date pas d'hier (mobilier des années 1970) et propose des chambres d'assez bon confort et bien tenues, à prix très intéressants car le petit déjeuner est compris. Dispose également d'une piscine. Le meilleur plan dans cette catégorie à Phitsanulok.

☗ ***Thep Nakorn Hotel*** – โรงแรมเทพนคร *(plan A2, **14**)* **:** 43/1 Sri Thamtripidok Rd. ☎ 055-244-070. Fax : 055-244-075. En sortant de la gare, partez tout de suite à gauche et marchez 10 mn. Si vous êtes chargé, prenez plutôt un *rickshaw*. Hôtel de bon confort à prix raisonnables. Sans charme.

Encore plus chic (1 600 à 2 000 Bts - 32 à 40 US$)

☗ ***Topland Hotel*** – โรงแรมท๊อปแลนด์ *(plan A1, **15**)* **:** 68/33 Ekathosarot Rd. ☎ 055-247-800. Fax : 055-247-815. • www.toplandhotel.com • Un gros building tout neuf, bourré de confort. Chambres de très bon stan-

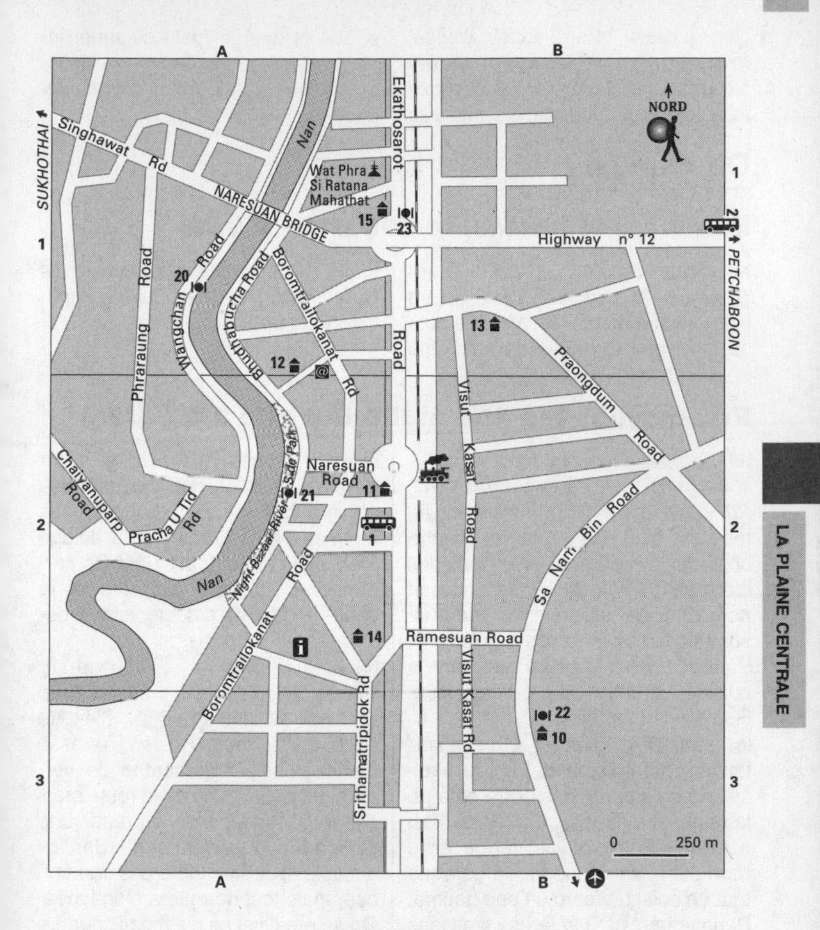

A
B
NORD
Singhawat Rd
SUKHOTHAI
NARESUAN BRIDGE
Nan
Ekathosarot Road
Wat Phra Si Ratana Mahathat
15
23
Highway n° 12
2
PETCHABOON
Wangchan Road
Phraraung Road
Bhudhabucha Road
Boromtrailokanat Rd
20
13
12
Praongdum Road
Visut Kasat Road
Naresuan Road
11
21
Chaiyanuparp Road
Pracha U Tid Rd
1
Nan
Night Bazaar River S. de Park
Sa Nam Bin Road
Road
Ramesuan Road
14
Boromtrailokanat
Srithamatripidok Rd
Visut Kasat Rd
22
10
0
250 m
1
2
3

PHITSANULOK

Adresses utiles
TAT
Gare ferroviaire
1 Bus pour Bangkok
2 Bus gouvernementaux
Moom Online Café
Où dormir ?
10 Youth Hostel
11 Phitsanulok Hotel
12 Petchpaylin Hotel
13 Rajapruk Hotel
14 Thep Nakorn Hotel
15 Topland Hotel
Où manger ?
20 Fahthai Floating Restaurant
21 Night Bazaar
22 Meals Thaï
23 Past Time

ding, jacuzzi, billard, *lobby lounge*, resto, piscine, et service 4 étoiles évidemment. Supermarché à proximité (ça peut dépanner). Tarifs pas si élevés que ça (petit déjeuner inclus), et même très honnêtes vu les prestations et les prix pratiqués ailleurs en Thaïlande.

Où manger?

Bon marché (moins de 100 Bts - 2 US$)

|●| ***Night Bazaar*** – ตลาดกลางคืน *(plan A2, **21**)* **:** le long de la rivière Nan, au sud de la ville. N'ouvre qu'à 19 h, jusque tard dans la nuit. Une foule de stands proposant moult plats à manger sur le pouce... Populaire et animé.

Prix moyens (de 100 à 300 Bts - de 2 à 6 US$)

|●| ***Fahthai Floating Restaurant*** – ร้านอาหารฟ้าไทยโฟลทติ้ง *(plan A1, **20**)* **:** Wangchan Rd. Quasiment en face du Wat Mahathat, de l'autre côté de la rivière. Ouvert tous les jours de 11 h à 23 h. Comme son nom l'indique, un ensemble de maisons flottantes et tables en plein air. Vaut plus pour le cadre que pour la cuisine, somme toute classique. Reste bon marché.

|●| ***Past Time*** *(plan B1, **23**)* **:** en sortant de l'hôtel *Topland*, à droite. Passer sous l'arcade, de l'autre côté de la route, et à gauche. Ouvert de 16 h à minuit. Entre la voie ferrée et le rond-point, dans une vieille baraque tout en bois, un resto un peu paumé. Banquettes et lumières tamisées (suffisamment pour ne pas voir l'état réel des nappes!) et TV. Large choix de plats thaïs un peu épicés, juste ce qu'il faut, servis par de jeunes femmes plus attirées par le déluge MTV que par votre assiette. On pardonne! C'est bon, pas cher et le cadre un peu hors d'âge vaut le détour.

|●| ***Meals Thaï*** – มีลส์ไทยที่บ้านเยาวชน *(plan B3, **22**)* **:** 38 Sa Nam Bin Rd. ☎ 055-210-862. C'est le resto de la *Youth Hostel*. Terrasse bien agréable agrémentée de verdure, un peu proche de la route mais pas trop (surtout si vous prenez une table au fond, évidemment). Service aimable et cuisine thaïe pas trop épicée, mais tout de même bien typée. On se régale et ce n'est pas cher. Le bon plan!

QUITTER PHITSANULOK

En train

➢ ***Pour Bangkok*** **:** une dizaine de départs quotidiens. Environ 7 h de trajet. Un train de nuit. Également le *Diesel Railcar* qui relie Bangkok en 5 h environ : 3 départs quotidiens.

➢ ***Pour Chiang Mai*** **:** 2 trains de nuit. Arrivée le lendemain matin.

En bus

➢ ***Pour Bangkok*** *(plan A2, **1**)* **:** une quinzaine de départs quotidiens en bus AC.

LA PLAINE CENTRALE

➢ ***Pour Khon Kaen*** *(dans l'Est; hors plan par B1)* **:** environ 13 départs quotidiens. Compter 6 h de trajet. Très belle route. Porte d'entrée de la visite de la région Est (Phimai, Nakhon Ratchasima, Udon Thani, etc.).

➢ ***Pour Sukhothai*** **:** environ 60 km et 1 h 30 de trajet. De la gare ferroviaire, prenez un des petits bus bleu clair (moins chers que les *tuk-tuk*) jusqu'au terminal des bus situé en dehors de la ville à environ 2 km *(hors plan par B1,* ***2****)*. Le dernier part vers 18 h.

SUKHOTHAI – สุโขทัย

La première capitale du Siam est située dans une large vallée entourée de douces collines boisées. C'est l'un des plus beaux sites archéologiques de Thaïlande. Temples disséminés dans une superbe nature, aujourd'hui parc national. Autant dire que c'est très touristique, très organisé aussi (parkings, postes de contrôle, barrières, etc.). Ainsi conseillons-nous à nos lecteurs d'arriver la veille à Sukhothai et d'y rester la nuit. Cela permet de partir dès l'aube sur le site et d'en bénéficier pleinement avant les groupes. À 10 h, il est déjà trop tard (et il commence à faire chaud).

UN PEU D'HISTOIRE

D'abord, le prince thaï Bang Klang Thao bouta les Khmers hors de la région au début du XIIIe siècle, avant de fonder une dynastie de huit rois qui devaient régner 150 ans environ. Le nom Sukhothai signifierait « aube » ou « naissance du bonheur » et proviendrait d'un mot sanskrit ou pali (la langue du bouddhisme *theravâda*). Les terres étaient riches, l'eau ne manquait point et on y trouvait carrières de pierre et forêts pour la construction des temples. La région produisit même un roi de légende, Phra Ruang, fils d'une princesse Naga, et qui aurait possédé des dons et pouvoirs surnaturels. La dynastie de Sukhothai connut aussi un grand roi, Râma Khamheng (Râma le Fort), qui régna de 1275 à 1317. Une stèle de pierre gravée, premier exemple connu d'écriture thaïe, raconte sa vie et son œuvre. Ce fut un monarque éclairé. Il créa l'alphabet thaï, établit des relations diplomatiques avec la Chine (qu'il visita par deux fois), instaura le bouddhisme comme religion nationale. Sur le plan artistique, Râma Khamheng fit venir des potiers chinois qui créèrent un artisanat florissant faisant la richesse et le renom du royaume. Dans un tel climat favorable, la production artistique fut, bien sûr, fantastique. Sukhothai se couvrit de temples, de sculptures merveilleuses. L'art de Sukhothai venait de naître, produit de cette atmosphère de liberté créatrice et de l'ouverture vers le monde extérieur. Il digéra de façon harmonieuse les traditions artistiques des anciens oppresseurs khmers, les techniques chinoises, l'apport de l'art birman, saupoudré d'influence cinghalaise. Est-ce un hasard si c'est ici que l'on trouve le célèbre Bouddha qui marche, d'une grâce presque précieuse, se dirigeant vers « l'aube du bonheur » ?
Avec ses derniers rois, la civilisation de Sukhothai déclina cependant, tandis que le royaume d'Ayutthaya montait irrésistiblement. Sukhothai mourut langoureusement, avec élégance. Elle nous laisse aujourd'hui des dizaines de merveilles en pierre, un site incomparable et une capacité de rêver lorsqu'on a le bonheur d'arriver le premier sur les lieux...

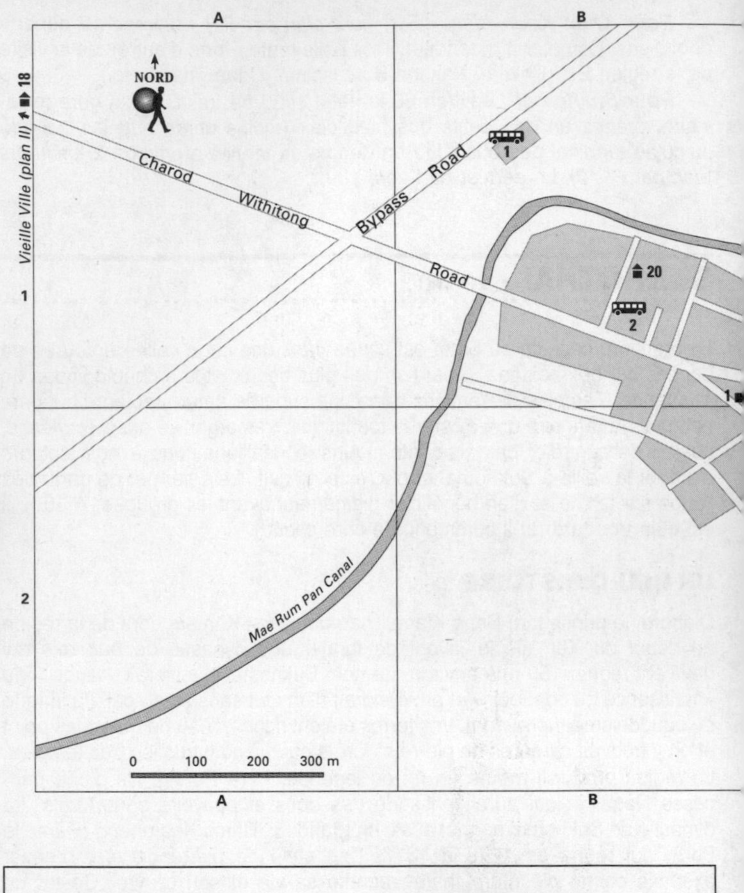

Adresses utiles

- Poste
- 1 Terminal des bus
- 2 Arrêt des bus pour Old Sukhothai
- 1 Thai Farmers Bank

Où dormir ?

- 10 Sukhothai Guesthouse
- 11 Banthai Guesthouse
- 12 Chinawarat Hotel
- 13 Lotus Village
- 14 Sukhothai Hotel
- 15 Sawaddiphong Hotel

Comment y aller ?

➢ ***En bus de Bangkok :*** nombreux départs du *Northern Bus Terminal*. Quatre bus de nuit. Trajet : 7 h 30 environ.

➢ ***En bus d'Ayutthaya et de Chiang Mai :*** plusieurs bus directs et quotidiens, avec ou sans AC.

➢ ***En avion :*** l'aéroport est situé à environ 20 km de la ville. Deux liaisons quotidiennes avec Bangkok et Chiang Mai, avec *Bangkok Airways* (voir plus bas, « Adresses utiles »).

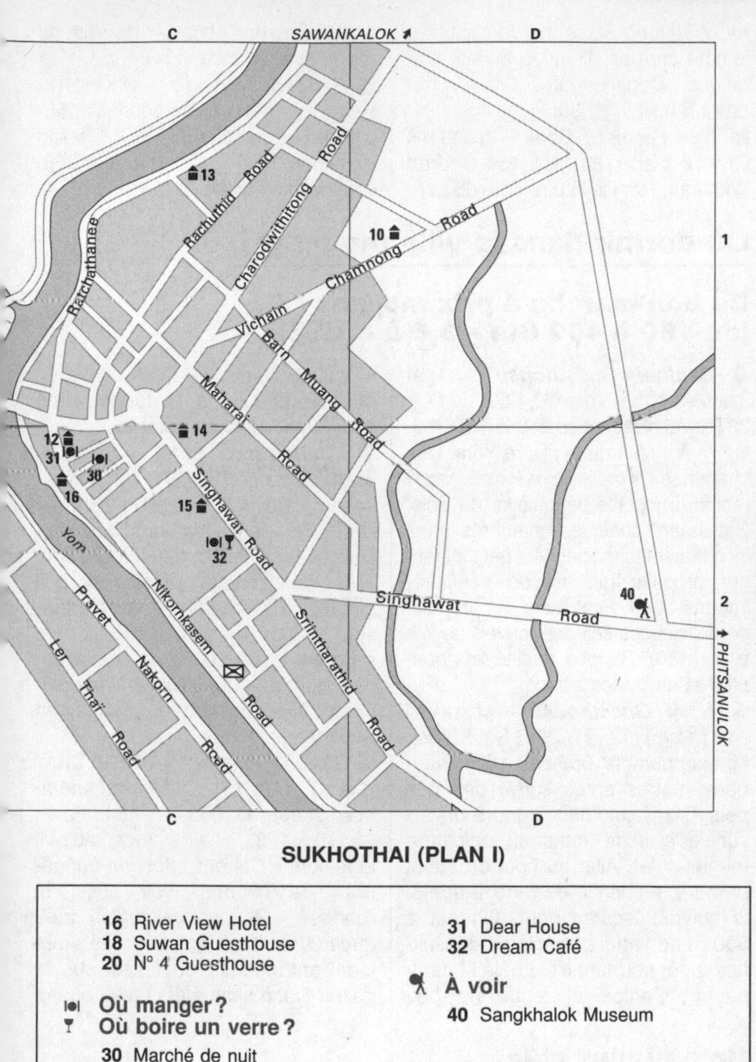

SUKHOTHAI (PLAN I)

16 River View Hotel
18 Suwan Guesthouse
20 N° 4 Guesthouse

Où manger ?
Où boire un verre ?

30 Marché de nuit
31 Dear House
32 Dream Café

À voir

40 Sangkhalok Museum

Adresses utiles

Poste – *ไปรษณีย์ (plan I, C2) :* Nikornkasem Rd. Appels téléphoniques longue distance.

Terminal des bus – *สถานีรถขนส่ง ถนนประเสริฐ์พงศ์ (plan I, B1, 1) :* Bypass Rd. Tous les bus (excepté ceux pour Old Sukhothai) partent de cette gare routière toute neuve. Un peu éloignée tout de même. Du centre, prendre un *tuk-tuk*. Compter environ 30 Bts (0,6 US$) pour la course.

Arrêt des bus pour Old Sukhothai – *สถานีรถสองแถวเพไปอุทยานประวัติศาสตร์ (plan I, B1, 2) :* Charod Withitong Rd. Après le pont, sur le côté droit en direction du site historique. Départ toutes les 10 mn entre 6 h et 17 h 30.

■ ***Thai Farmers Bank*** – ธนาคารสิกรไทย *(plan I, B1, **1**)* **:** 134 Charod Withitong Rd. De l'autre côté du pont sur la route des ruines. Possibilité de retrait avec la carte *Visa*.

■ ***Bangkok Airways*** – สายการบินบางกอกแอร์เวย์ **:** à l'aéroport. ☎ 055-612-448. En ville : 10 Moo 1, Charod Withitong Rd. ☎ 055-633-266. • www.bangkokair.com •

Où dormir dans la ville moderne ?

De bon marché à prix moyens (de 180 à 400 Bts – 3,6 à 8 US$)

☗ ***Banthai Guesthouse*** – บ้านไทยเกสท์เฮ้าส์ *(plan I, C2, **11**)* **:** 38 Pravet Nakorn Rd. ☎ 055-610-163. De l'autre côté de la rivière Yom. Des chambres simplissimes mais correctes, en petits bungalows de bois. Également quelques chambres dans le bâtiment principal. Au petit déjeuner, produits frais maison (confiture, yaourts, etc.). Petit resto qui propose de délicieuses salades (ouvert de 7 h à 20 h 30). Rapport qualité-prix honnête et ambiance sympa.

☗ ***N° 4 Guesthouse*** – นำเบอร์สี่เกสท์เฮ้าส์ *(plan I, B1, **20**)* **:** Soi Khlong Maelumpun. ☎ 055-610-165. Quelques mètres après l'arrêt des bus pour Old Sukhothai. Prendre un *soi* sur votre droite (panneau indicateur mi-nus-cule). Aller au bout du *soi* et prendre le chemin de terre à droite, le suivre jusqu'au bout. On est à 500 m de l'artère principale de Sukhothai, et pourtant c'est déjà la campagne. Confort et tenue un peu « limite », dans un cadre atypique. Douche chaude à l'extérieur. Pas cher. Une adresse routarde.

☗ ***Chinawarat Hotel*** – โรงแรมชินวัน์ *(plan I, C2, **12**)* **:** 1/3 Nikornkasem Rd. ☎ 055-611-385. À l'entrée du pont. Chambres bon marché, avec ventilo et douche chaude. Très quelconque, mais accueil aimable. Les chambres sur l'arrière sont moins bruyantes. Resto de style européen au rez-de-chaussée, pas donné, mais *milk-shake* délicieux... Fait également change, en dépannage.

☗ ***Lotus Village*** – โลตัสวิลเลจ์ *(plan I, C1, **13**)* **:** 170 Ratchathanee Street. ☎ 055-621-484. Fax : 055-621-463. • www.lotus-village.com • Cet ensemble de bungalows de charme (voir aussi la rubrique « Plus chic ») recèle quelques chambres bon marché, très bien entretenues. Toilettes sur le palier. Déco simple et chaleureuse.

Un peu plus chic (de 400 à 1 000 Bts – 8 à 20 US$)

☗ ***Sukhothai Guesthouse*** – สุโขทัยเกสท์เฮ้าส์ *(plan I, D1, **10**)* **:** 68 Vichain Chamnong Rd. ☎ 055-610-453. • sukhogh@yahoo.com • Une adresse qu'on adore. Des bungalows bien propres, plutôt mignons et au confort satisfaisant (eau chaude, moustiquaire, ventilo), répartis dans une courette-jardin reposante. D'autres chambres toutes neuves et tout confort. Excellent accueil de Dang, Indien d'origine, et de Phon, son épouse, des gens très gentils et qui assurent aussi les repas pour les hôtes. Sans doute le meilleur rapport confort-cadre-convivialité-prix de Sukhothai. Le patron se fera une joie de vous aider à découvrir la région. Massage thaï sur demande (payant). Une véritable adresse de séjour, à un prix qui n'incite pas vraiment à quitter les lieux!

🏠 ***Sawaddiphong Hotel*** – สวัสดิพงษ์โฮเต็ล *(plan I, C2,* ***15****) :* 56/4 Singhawat Rd. ☎ 055-611-567. Dans l'une des rues principales. En direction de Phitsanulok. Moderne et sans charme, mais très bien tenu, avec une réelle odeur de fraîcheur! Chambres spacieuses au rapport qualité-prix intéressant pour 4 personnes. Avec ventilo ou AC. Attention, chambres sur la rue très bruyantes. Bon accueil.

🏠 ***Sukhothal Hotel*** – สุโขทัยโฮเต็ล *(plan I, C1-2,* ***14****) :* 15/5 Singhawat Rd. ☎ 055-611-133. Chambres doubles ordinaires correctes pour le prix. Propres et assez spacieuses, avec ou sans AC, mais sans aucun charme. Demandez-en une à l'arrière. Plus calme. Atmosphère et accueil très quelconques.

🏠 ***River View Hotel*** – ริเวอร์วิวโฮเต็ล *(plan I, C2,* ***16****) :* 92/6 Nikornkasem Rd. ☎ 055-611-656. Fax : 055-613-373. Près de la station de bus. Moderne et propre. Chambres avec salle de bains, AC et TV. Bon rapport qualité-prix dans l'ensemble. Pendant la saison des pluies, préférer les chambres à l'étage. Celles d'en bas sont très humides. Resto au rez-de-chaussée avec terrasse sur la rivière. Nourriture correcte et bon marché, mais pas très variée. En dépannage.

Plus chic (de 800 à 1000 Bts – 16 à 20 US$)

🏠 ***Lotus Village*** – โลตัสวิลเลจ *(plan I, C1,* ***13****) :* 170 Ratchathanee St. ☎ 055-621-484. Fax : 055-621-463. • www.lotus-village.com • Accès soit par Rachuthid Rd, soit par les quais. Une *guesthouse* de charme, perdue dans un jardin luxuriant et tenue par Michel et sa femme Tan, originaire de Sukhothai. Des bungalows pour 2 personnes et des maisons traditionnelles thaïes pour 6 personnes, tous en teck et sur pilotis, aménagés avec un goût très sûr. Quelques chambres également. Prix à la mesure du cadre et des prestations. Copieux petit déjeuner continental et plats français sur demande. Bibliothèque. Une adresse qu'on apprécie.

Où dormir près des ruines?

De bon marché à prix moyens (de 150 à 300 Bts – 3 à 6 US$)

🏠 ***Suwan Guesthouse*** – สุวรรณเกสท์เฮ้าส์ *(hors plan I par A1,* ***18****) :* 28/4 Charod Withitong Rd. ☎ 055-697-515 ou 01-886-48-86 (portable). Mêmes proprios que l'*Old City Guesthouse*. En face du Musée national *Râma Kamheng*. À 100 m de l'entrée du parc historique, au fond d'un jardin. Dans une vieille bâtisse assez chouette de style lanna, des chambres pas chères avec ventilo et toilettes sur le palier. Ou bien des chambres plus confortables pour quelques bahts de plus dans des bungalows avec AC et eau chaude, sans grand charme mais très propres. Accueil assez insignifiant, mais vous serez les premiers sur le site au lever du soleil!

Où manger? Où boire un verre?

Bon marché (autour de 100 Bts - 2 US$)

|●| ***Le marché de nuit*** – ตลาดกลางคืน *(plan I, C2, **30**)* **:** ouvert les mercredi et jeudi soir uniquement, de 18 h à 21 h 30, devant le *River View Hotel*. On y trouve plusieurs ***cuisines de plein air***. En général, propre et bonne nourriture pas chère. Atmosphère plus animée que dans les restos des hôtels. Notez que ce marché s'installe les vendredi, samedi et dimanche soir dans la *galerie du Sangkhalok Museum*, assez excentrée et au cadre moins typique, mais tout de même animée.

|●| ***Dear House*** – เดียร์เฮ้าส์ *(plan I, C2, **31**)* **:** 7 Nikornkasem Rd. ☎ 055-611-474. Ouvert de 8 h à 22 h. Petit restaurant fort simple et pas désagréable, où l'on sert une cuisine locale propre et bon marché. La patronne s'y entend aux fourneaux, régal assuré quand elle est là. Mais il arrive (rarement) qu'elle s'absente, et alors là, on ne vous garantit rien...

Prix moyens (entre 100 et 300 Bts - 2 et 6 US$)

|●| 🍸 ***Dream Café*** – ครีมคาเฟ *(plan I, C2, **32**)* **:** un café-restaurant qui plaira aux fanas de brocante : vieux meubles et objets de collection constituent le décor original de ce lieu où l'on vient surtout pour dîner de plats thaïs et européens. Quelques cocktails vitaminés comme le « Old Play-Boy ». Tout un programme! Cuisine ordinaire mais tout de même satisfaisante. En revanche, la variété FM en fond sonore nous a cassé les oreilles.

Où manger près des ruines?

Pas cher (moins de 100 Bts - 2 US$)

|●| @ ***The Coffee Cup :*** à 100 m de l'entrée des ruines et à 50 m de *Suwan Guesthouse*. Un snack vraiment pas cher pour des petits plats consistants après quelques heures de marche dans les ruines. Très bonnes glaces rafraîchissantes. Terrasse à l'ombre. Service sympa et accès Internet à l'intérieur.

À voir dans la ville moderne

🍴🍴 ***Sangkhalok Museum*** – พิพิธภัณฑ์สังขโลก *(plan I, D2, **40**)* **:** 10 Ban Lum. ☎ 055-614-333. Ouvert du lundi au vendredi de 10 h à 18 h et de 10 h à 20 h le week-end. Entrée : 100 Bts (2 US$). Dans un grand bâtiment neuf, sur deux niveaux, exposition de céramiques d'une qualité exceptionnelle. *Sangkhalok* est le nom donné à la production de céramique de Sukhothai. Ce terme n'est autre que la déformation du nom de la ville par les marchands chinois qui faisaient commerce au XIIIe siècle et qui n'arrivaient pas à prononcer « Sukhothai ». Quantité impressionnante de pièces rares, des périodes Lanna ou Sukhothai (XIVe siècle), mais aussi chinoises Yuang ou Ming (XIIIe et XVe siècles). On comprend ici pourquoi ces vieilles poteries peuvent valoir des fortunes. Splendide! Magnifiques bouddhas également, de terre cuite ou en céramique, antiques céladons parfaitement conservés, etc.

Le parc Suang Luang – สวนหลวง **:** à l'est de la ville. Prendre Singhawat Rd (route de Phitsanulok) et toujours tout droit. C'est à 3 km environ, sur la droite. Entrée gratuite. *Suang Luang* signifie « parc énorme », et c'est tout à fait ça. Un grand espace de verdure, plantations, aires de pique-nique, jeux pour enfants, pièces d'eau... Endroit relax et populaire.

À voir dans Old Sukhothai

Ruines situées à 12 km de Sukhothai. Des camionnettes effectuent le trajet en 25 mn environ. Elles se prennent sur Charod Withitong Rd, après le pont, côté site historique et à l'angle avec Panitsan Rd (voir *plan I* de Sukhothai, plus haut). Très bon marché. Départ toutes les 10 mn entre 6 h et 17 h 30. Sur place, location de vélos pas chère près de l'entrée principale (demandez le plan gratuit du site, un peu fantaisiste – les distances ne sont pas respectées ! –, au loueur de vélos) ; un des meilleurs moyens pour découvrir une bonne partie des ruines (bien vérifier cependant l'état des vélos : freins et pneus notamment). Possibilité de louer aussi un *tuk-tuk* pour quelques heures. Beaucoup de concurrence entre les *tuk-tuk,* donc marchandage aisé. Il est aussi possible de faire un tour en char à bœufs, en fait un char à zébus, à l'extérieur du site (départ à côté du Wat Phra Pai Luang).
Nous renouvelons, ici, nos conseils : rendez-vous aux ruines le plus tôt possible (dès 7 h). Vous disposerez ainsi de deux bonnes heures où elles seront à vous tout seul. La lumière est superbe, les couleurs vivaces, la fraîcheur de l'aube bien agréable. Entrée payante pour le site principal et quelques temples extérieurs. Plusieurs billets par groupes de sites. Prévoyez la matinée, surtout si vous voulez flâner sous les grands arbres, le regard perdu sur la ligne mauve des lotus en fleur...
La ville ancienne mesurait 1,8 km de long sur 1,5 km de large et était entourée de remparts. Principaux temples à l'intérieur de l'enceinte entourée de douves.

Centre d'information touristique *(plan II, E3)* **:** à l'extérieur de l'enceinte, au nord-ouest, près du Wat Phra Pai Luang. Personne pour nous recevoir lors de notre dernier passage, mais maquette des ruines qui vous permettra éventuellement de repérer et visualiser les temples que vous choisirez de visiter. N'ayez crainte, tout le long du parcours, vous trouverez de nombreux plans des temples dans l'enceinte même du parc.

■ **Location de vélos :** compter 20 Bts (0,4 US$) pour la journée. Plusieurs loueurs à l'entrée du site. Quasiment tous les mêmes prix. N'oubliez pas de vous protéger, à vélo, le soleil frappe fort sous la légère brise...

À l'intérieur de l'enceinte

Wat Mahathat – วัดมหาธาตุ *(plan II, F4,* ***41****)* **:** l'édifice le plus important du site. Ce temple était réservé à la famille royale. Les douves autour font près de 1 km. Devant, imposante esplanade avec ses rangées de colonnes. *Chedî* central orné à la base d'une frise de moines. De chaque côté, deux bouddhas prisonniers de leur gangue de brique. L'ensemble des ruines avec leur bassin aux lotus constitue l'une des plus belles diapos du voyage.

Wat Sri Sawai – วัดศรีสวาย *(plan II, E4,* ***42****)* **:** fondé à l'époque de la domination khmère. Un ancien site brahmanique transformé en temple bouddhique. Trois *prang* hindouistes de style Lopburi qui consoleront ceux qui rêvent de voir Angkor ou n'iront pas à Phimai.

Wat Trapang Ngoen – วัดตระพังเงิน *(plan II, E4,* ***43****)* **:** juste à côté du Wat Mahathat. *Chedî* en forme de pousse de lotus. De là, vue splendide sur le grand lac et ses lotus. À deux pas, un bouddha en marche très élégant.

Wat Sa Si – วัดสระศรี *(plan II, E3-4,* ***44****)* **:** entouré par un charmant petit lac, un des temples les plus croquignolets du site. Petite île qu'on atteint par une passerelle. La forme arrondie du temple rappelle celle des *stûpa* cinghalais. Gros bouddha au nez étrangement disproportionné. Devant s'étendent les vestiges du *viharn* avec ses colonnes tronquées. Sur la pelouse, un bouddha en marche, à la démarche extrêmement gracieuse.

Wat Sorasak – วัดสรศักดิ์ *(plan II, F3,* ***45****)* **:** très belle frise d'éléphants restaurée, sculptée à la base. Vaut le coup d'œil.

Le Musée national Râma Kamheng – พิพิธภัณฑ์สถานแห่งชาติรามคำแหง *(plan II, F4,* ***46****)* **:** à l'entrée du site, quand on arrive de Sukhothai. Ouvert de 9 h à 16 h. Entrée payante (prix modique). Un important musée en Thaïlande même si les pièces sont, hélas, mal mises en valeur. Nombreux produits des fouilles régionales, ainsi que des sculptures, céramiques et fresques d'une qualité extraordinaire. Il faut dire que le style Sukhotai est le plus abouti qui soit. Une bonne occasion pour distinguer les différents styles des royaumes siamois (tous y sont quasiment représentés). Photos et vidéos interdites (et ça rigole pas !).

À l'extérieur de l'enceinte

Wat Phra Pai Luang – วัดพระพายหลวง *(plan II, E3,* ***47****)* **:** au nord du site. L'un des plus anciens temples de Sukhothai. Fondé par les Khmers au XIIe siècle. Vestiges du *viharn* avec ses rangées de colonnes. Il reste un *prang* quasiment intact avec de magnifiques stucs et sculptures copiés sur ceux d'Angkor (surtout le fronton). Étonnants restes d'un bouddha marchant en brique.

Wat Sri Chum – วัดศรีชุม *(plan II, E3,* ***48****)* **:** au nord-ouest, pas loin du précédent. Ouvert de 8 h 30 à 16 h. Un genre de blockhaus, rébarbatif de l'extérieur, contient un énorme bouddha assis d'un peu plus de 11 m de haut. Un escalier encastré dans le mur permettait d'accéder à la tête du bouddha (peut-être l'ascension symbolique vers l'état de bouddha ?).

Wat Chang Lom – วัดช้างล้อม *(hors plan II par F4)* **:** à l'entrée du site, juste à côté du *Thai Village House.* Entrée payante (prix modique). Là aussi, sculptures intéressantes, notamment les figures d'éléphants, autour du socle. Intéressant pour ceux qui ne pourraient pas aller voir le Wat Chang Lom à Sri Satchanalai.

À quelques kilomètres de l'enceinte

Pour ceux qui ont loué un *tuk-tuk* ou un *samlor* (ou même un vélo), possibilité d'aller visiter quelques ruines qui ne manquent pas d'intérêt.

Wat Saphan Hin – วัดสะพานหิน *(hors plan II par E3,* ***49****)* **:** à environ 4 km

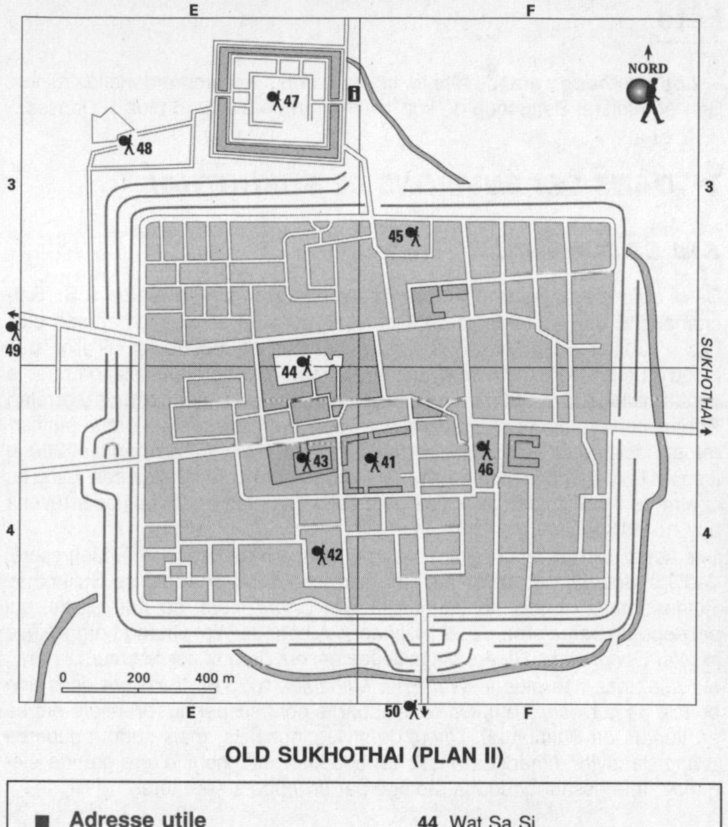

OLD SUKHOTHAI (PLAN II)

■ **Adresse utile**

🅸 Centre d'information touristique

À voir

- **41** Wat Mahathat
- **42** Wat Sri Sawai
- **43** Wat Trapang Ngoen
- **44** Wat Sa Si
- **45** Wat Sorasak
- **46** Musée national Râma Kamheng
- **47** Wat Phra Pai Luang
- **48** Wat Sri Chum
- **49** Wat Saphan Hin
- **50** Wat Chetupon

à l'ouest de l'enceinte. Entrée payante. Intéressant pour son chemin de grosses pierres surélevé qui mène au sommet. En haut, ruines du *viharn* et un bouddha de 12 m.

Wat Chang Rop – วัดช้างรอบ **:** situé un peu plus loin. Moins spectaculaire et en assez mauvais état. *Stûpa* avec éléphants sculptés à la base.

Wat Chetupon – วัดเชตุพน *(hors plan II par F4,* ***50****)* **:** au sud, à environ 2 km. Vestiges de l'enceinte en schiste et des douves. Bel ensemble. Surtout le sanctuaire principal aux Quatre Bouddhas. Ceux qui sont assis et couchés ont pratiquement disparu. Restent les bouddhas debout et marchant. Noblesse du coup de ciseau, délicatesse des courbes, de la démarche. D'autres petits *wat* tout autour pour rentabiliser le déplacement.

Fête

– ***Loy Krathong :*** grande fête fin octobre, début novembre dans les ruines. Son et lumière. Beaucoup de son, même (on ne s'entend plus !). Danses.

➤ *DANS LES ENVIRONS DE SUKHOTHAI*

SRI SATCHANALAI – ศรีสัชนาลัย

Ceux qui n'ont pas une overdose de temples peuvent se rendre à Sri Satchanalai, à une soixantaine de kilomètres au nord de Sukhothai (voir plus bas « Quitter Sukhothai »). Desservi par bus de Sukhothai. N'allez pas jusqu'au centre-ville. 20 km avant, sur la route principale, indication pour le centre historique, à 500 m à gauche. Demandez au chauffeur de s'y arrêter. Prenez cette route, passez sur un pont, puis première route à droite (au carrefour, location de vélos pour visiter les ruines) que l'on suit pendant 300 m jusqu'à l'entrée principale du site. On le répète encore, n'allez pas jusqu'au centre de Sri Satchanalai, vous seriez obligé de prendre un taxi pour revenir aux ruines.
Site assez extraordinaire, car sauvage et encore peu fréquenté. Lieu sacré, dédié à Bouddha et fondé au XIIIe siècle pour les vice-rois de Sukhothai. Ruines intéressantes, notamment le *Wat Chang Lom*, du XIIIe siècle, qui possède un *stûpa* orné de 39 éléphants. À côté du Wat Chang Lom s'élève le *Wat Chedî Chet Thoeo*. Magnifiques décors floraux sur les murs.
Ne ratez pas non plus le *Wat Phra Mahathat*, à 2 km. Il s'élève dans une boucle de la rivière Yom. On l'atteint par le pont suspendu (première entrée en venant de Sukhothai). *Chedî* de style cinghalais, mais surtout superbe *prang* de style khmer. Là aussi, un bouddha marcheur d'une grande élégance. Intéressant bouddha protégé par un *nâga* à sept têtes.

QUITTER SUKHOTHAI

En train

Nécessité de retourner à Phitsanulok (se reporter à ce chapitre).

En bus

➢ ***Pour Chiang Mai :*** 4 départs *Win Tour* par jour (2 le matin et 2 l'après-midi). *Government Transportation Bus :* nombreux départs quotidiens. Environ 5 h de trajet. Mêmes prix mais plus confortable.
➢ ***Pour Chiang Rai :*** trois bus *Win Tour* tous les jours, avec AC ou ventilo. *Government Transportation Bus :* 2 départs quotidiens le matin. Trajet : environ 6 h.
➢ ***Pour Sri Satchanalai :*** plusieurs liaisons quotidiennes, entre 6 h et 18 h. Durée du trajet : 1 h.
➢ ***Pour Phitsanulok :*** départ toutes les 30 mn avec *Win Tour*, de 6 h à 18 h.

➢ ***Pour Bangkok :*** 9 départs quotidiens AC ou non-AC avec la compagnie *Government Bus*, de 7 h 50 à 22 h 40. Possibilité de s'arrêter à Ayutthaya sur demande préalable. Environ 6 h de trajet.

➢ ***Pour Khon Kaen*** (est de la Thaïlande) ***:*** 7 départs quotidiens en moyenne. Environ 7 h de trajet.

En avion

➢ Liaisons quotidiennes avec *Bangkok Airways* entre Bangkok, Chiang Mai, Luang Prabang (Laos), Siem Reap (Cambodge) et Kunming (Chine). ☎ 02-229-34-34. • www.bangkokair.com •

CHIANG MAI ET SA RÉGION

Si l'on n'est pas passé par Sukhothai et la plaine centrale, on y monte directement depuis Bangkok en train, bus ou avion (voir les rubriques « Quitter Bangkok » ou « Comment y aller ? » à Chiang Mai). Région particulièrement intéressante pour sa douceur de vivre, sa cuisine, ses temples et les activités « nature » qu'elle permet (le trek notamment). En outre, le climat, moins torride qu'à Bangkok ou dans le Sud, n'est pas désagréable non plus. Enfin, il y a les gens, les Thaïs ou les ethnies montagnardes, attachants. Une bonne virée.

AVERTISSEMENT CONCERNANT LES CARTES DE PAIEMENT

Tout le monde a plus ou moins entendu parler de l'arnaque à la carte de paiement qui sévit dans le nord de la Thaïlande, et plus particulièrement à Chiang Mai. Schéma classique : projetant un trek et voulant éviter la perte de votre carte de paiement, vous la confiez à la *safety-box* de votre *guesthouse*. Le patron de celle-ci profite de votre absence pour remettre votre carte à une personne qui ira à Bangkok faire des courses qui atteignent souvent 4 000 ou 5 000 € avec la complicité de certaines boutiques. On remet la carte en place, ni vu, ni connu. Vous découvrez le pot aux roses à votre retour en Europe et vous ne pouvez rien prouver. Vous voilà Gros-Jean comme devant, les poches vides.
Bien que cette arnaque tende à disparaître, un bon conseil : emportez avec vous en trek votre carte de paiement et votre passeport.
Un dernier tuyau : bien déchirer le carbone du récépissé de paiement. Sinon, il peut être réutilisé ou la somme être transformée.

PETIT AVERTISSEMENT CONCERNANT LA DROGUE

Ce n'est un secret pour personne : Chiang Mai est une plaque tournante importante pour la drogue. Petit routard, soyez averti que même un petit pétard peut vous apporter de gros pépins. Alors, un gros kilo, imaginez ! Sanctions terribles assurées. Ne pas oublier : les dealers sont les balances. Air connu. De plus, la police effectue des fouilles fréquentes dans la région des treks.

CHIANG MAI (CHIENG MAI) – ณชียงใหม่

On éprouve de la tendresse pour cette bonne grosse ville de province, entourée de montagnes verdoyantes, dans laquelle on se balade à la

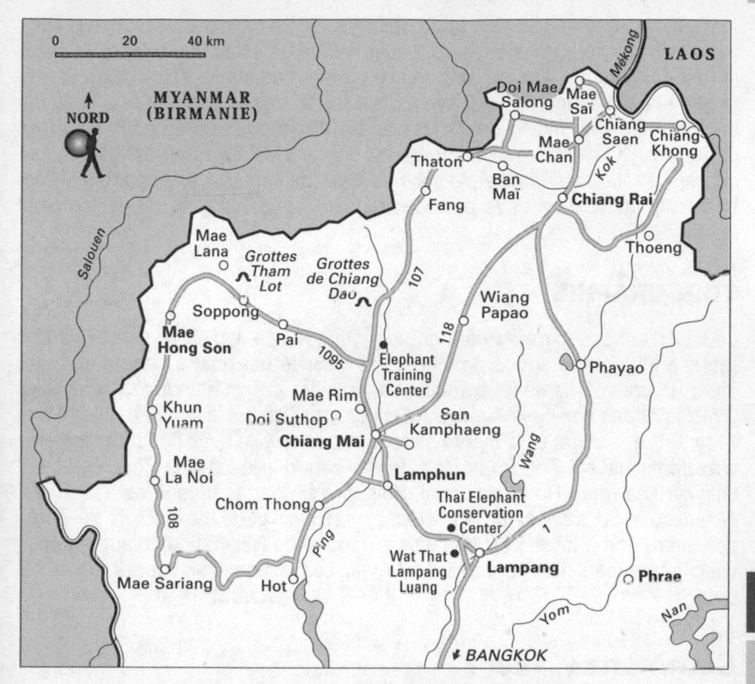

LE NORD ET LE TRIANGLE D'OR

recherche des dernières vieilles maisons traditionnelles de bois. Mais hélas, la cité explose depuis quelques années et les constructions anarchiques se multiplient. Elle compte aujourd'hui 160 000 habitants, mais rassemble en journée une bonne partie du 1,5 million d'habitants du district. Des grands hôtels et de gigantesques centres commerciaux (comme *Carrefour* et *Auchan*) font leur apparition dans le centre-ville et les environs. Et puis le trafic se fait de plus en plus intense. Rien à voir avec Bangkok, certes, mais les bouchons sont devenus une réalité depuis peu, ainsi que le bruit. Si Chiang Mai, ville étudiante, est suffisamment animée pour qu'on ne s'y ennuie jamais, elle abrite également nombre de quartiers très calmes. Les routards au long cours aiment y séjourner longtemps. Plusieurs raisons à cela : climat agréable (sauf, bien sûr, pendant la saison des pluies), bonne nourriture et innombrables « Thai Kitchen Schools » pour s'initier, petites *guesthouses* bien sympas enfouies au fond des jardins et population accueillante. Mis à part les temples, il n'y a pas énormément de choses à voir à Chiang Mai même, mais les environs proposent de chouettes excursions. La ville est aussi le plus grand point de départ du pays pour les treks en montagne. Plus de cent agences se battront pour vous avoir comme client.

UN PEU D'HISTOIRE

Fondée par le roi Mengrai à la fin du XIIIe siècle. C'est à cette époque que les canaux et les remparts formant le carré central de la ville furent creusés et édifiés. La petite ville devint la capitale du royaume du Lan Na au début du

XIVe siècle après l'alliance des royaumes de Sukhothai et de Chiang Rai. Pour éviter toute agression, le roi passa même un accord de protection avec le roi de Sukhothai. Malgré cela, la cité fut très fréquemment attaquée et elle tomba sous la coupe d'Ayutthaya, puis dans les mains des Birmans de la fin du XVIe siècle au milieu du XVIIIe siècle. Coupé du reste du pays jusqu'au début du XXe siècle (aucune route n'y menait), le royaume développa un courant artistique particulier, le style Lan Na (ou Lanna) inspiré par les styles birman et lao. On retrouve dans les musées cet art singulier, l'un des plus beaux de Thaïlande.

TOPOGRAPHIE

La ville n'est pas extrêmement grande. Ce que l'on appelle le *vieux quartier* (qui n'a plus grand-chose de vieux) est délimité par quatre canaux qui forment un carré, à l'intérieur duquel se trouvent des *guesthouses*, quelques temples et des édifices officiels. À l'est de ce carré coule la rivière *Mae Nam Ping*. Entre le canal et la rivière s'étend le centre-ville avec pas mal d'hôtels. L'axe principal est *Tha Phae Rd* et le vrai centre-ville est *Tha Phae Gate*, au coin de Tha Phae Rd et du canal. Puis tout le quartier au sud de *Tha Phae Rd* jusqu'à *Sri Don Chai Rd, grosso modo* un carré de 500 m de côté, concentre une grande part des commerces et de l'animation chiangmaïens, avec notamment le *Night Bazaar*. Avec ces éléments, impossible de se perdre.

Comment y aller ?

Tous les chemins mènent à Chiang Mai (ou presque) !

➢ ***En avion :*** de Bangkok, *Thai Airways* assure une dizaine de vols par jour. *Bangkok Airways* propose quelques vols directs au quotidien et environ 5 vols avec un crochet *via* Sukhothai.

➢ ***En bus :*** au départ de **Bangkok** (Northern Bus Terminal), compter 15 départs par jour de 5 h 30 à 22 h en bus non-AC et AC. Durée du trajet : 10 à 12 h. Oublier les formules trajet + nuit à Chiang Mai : les bus sont souvent en piteux état. De ***Chiang Rai***, nombreux départs de 6 h à 16 h 45. Durée du trajet : 3 h.

➢ ***En train :*** de Bangkok (gare de Hua Lamphong), préférer les *Special Express*, rapides et confortables (avec couchettes). Deux en fin d'après-midi. Environ 13 h à 14 h de trajet.

Comment gagner la ville ?

De l'aéroport (à environ 6 km au sud-ouest)

✈ À l'***aéroport*** *(hors plan par A4)*, on trouve office du tourisme, poste et bureau de change.

– ***Les Airport Taxis :*** prix fixe intéressant. Compter 100 Bts (2 US$) pour la course. On s'y retrouve déjà à partir de 2 personnes. Pour acheter les tickets, deux bureaux à la sortie des arrivées domestiques et internationales.

De la gare (à 1,5 km du centre, vers l'est)

Des dizaines de rabatteurs pour les *guesthouses* à l'arrivée avec photos et cartes de visite. Ils vous proposent de vous emmener à leur *guesthouse* gratuitement. À vous de choisir ! Vous pourrez marcher si vous n'êtes pas trop chargé, ou prendre un *samlor*, un *tuk-tuk* ou un *songthaew*, ces camionnettes qui font office de bus.

Transports en ville

– ***Le vélo :*** le moyen le plus sympa de visiter la ville, qui est assez plate. Attention quand même, trafic important aux heures de pointe (tôt le matin et en fin d'après-midi). On se repère aisément. Nombreux loueurs un peu partout,

■ **Adresses utiles**

- TAT
- Poste principale
- Gare ferroviaire
- Arcade Bus Station
- Chang Puak Bus Station
- Aéroport
- **1** Thai Airways International
- **2** Alliance française
- **3** Immigration Office
- **4** Loi Khro Clinic
- **5** Ram Hospital
- **6** Thai Farmers Bank
- **7** North Wheels
- **8** Suriwong Library
- **9** Ambassade de Chine

Où dormir ?

- **10** C & C Teak House
- **11** Lek House
- **12** Top North Hotel
- **14** Bungalows Guesthouse
- **15** Pun Pun Guesthouse
- **16** Lamchang House
- **18** Ben Guesthouse
- **19** Mr Whisky House (Chiangmai Holiday GH)
- **20** Pha-Thai Guesthouse
- **22** Rendez-Vous Guesthouse
- **24** Green Lodge et Kim House
- **25** Little Home Guesthouse
- **26** Chiang Mai Youth Hostel
- **28** Srisupan Guesthouse
- **29** Paradise Hotel and Guesthouse
- **30** Top North Guesthouse
- **31** Chiang Mai Gate Hotel
- **32** Pathara House
- **33** YMCA
- **34** Hollanda Montri House
- **35** Chiang Mai Kristi House
- **38** Gap's House
- **39** Chiang Mai Travel Lodge
- **41** Wiriya House
- **42** B.M.P. House
- **62** Swairiang Chiang Mai Lakeside Ville

Où manger ?

- **45** Restaurants de nuit de Somphet Market
- **46** Aroon Rai
- **47** Galare Food Center (Night Bazaar)
- **49** Grilled Chicken with Honey
- **51** Daret's House and Restaurant
- **54** Heun Suntaree
- **55** Fatty
- **56** Tha-Nam Restaurant
- **57** Arabia Restaurant
- **58** Antique House 1
- **59** Ta-Krite
- **60** Zest
- **62** Swairiang Chiang Mai Lakeside Ville
- **63** Le Grand Lanna
- **65** Vangpla Restaurant
- **66** New Lamduan Faharm
- **67** Whole Earth Restaurant
- **68** Muslim Food
- **69** Hilltribe Hemp Café
- **71** Huen Phen
- **72** Beer House Restaurant
- **73** The Wok

Où sortir ?

- **80** The Riverside
- **81** Antique House River
- **82** West-Side
- **83** Brasserie
- **84** Kafe
- **85** Bar Beer Center
- **86** Nice Illusion
- **88** Bars karaoké

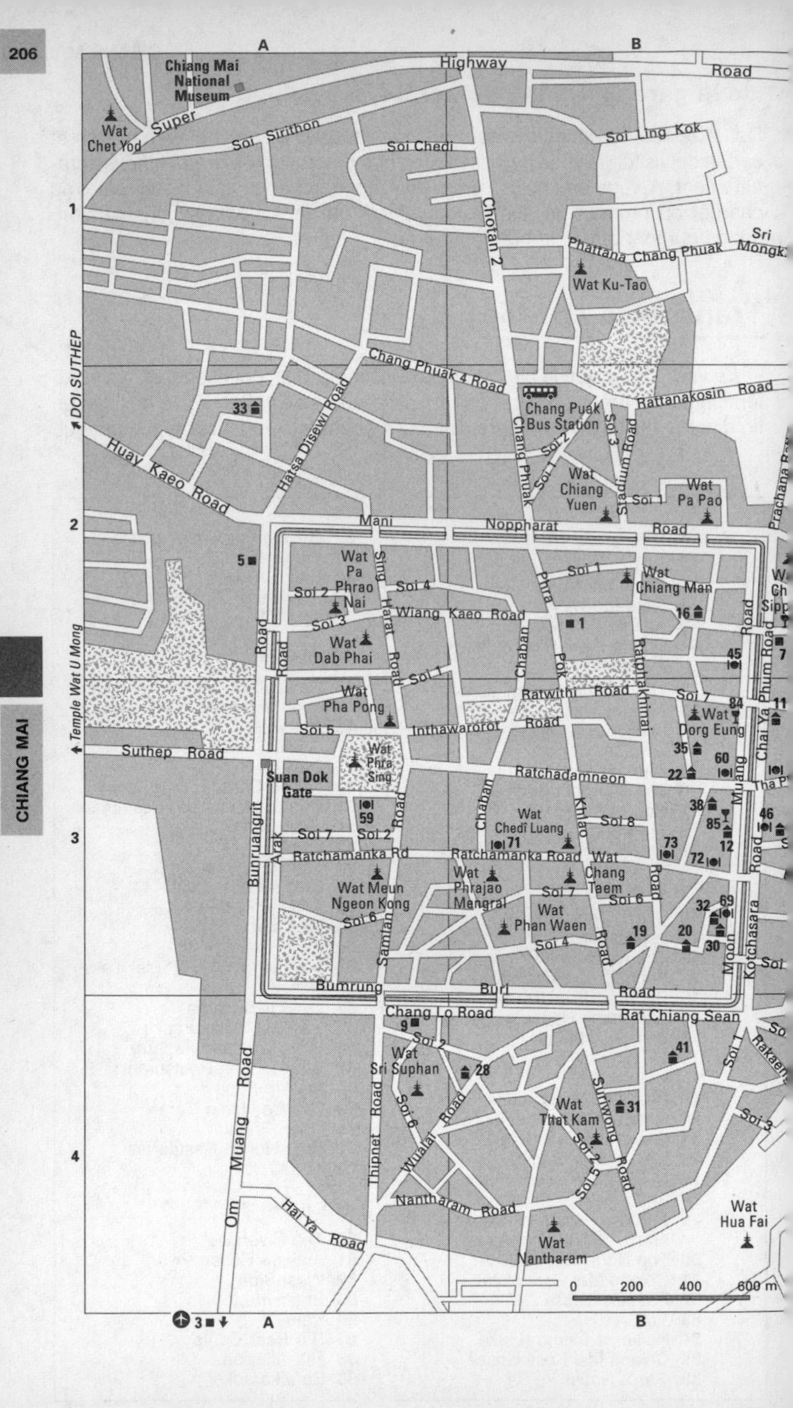

Chiang Mai National Museum
Wat Chet Yod
Super Highway Road
Soi Sirithon
Soi Chedi
Soi Ling Kok
Chotan 2
Phattana Chang Phuak
Sri Mongk
Wat Ku-Tao
DOI SUTHEP
Chang Phuak 4 Road
Rattanakosin Road
Chang Puak Bus Station
Chang Phuak
Soi 2
Soi 3
Soi 1
Stadium Road
Huay Kaeo Road
Hatsa Disewi Road
Wat Chiang Yuen
Wat Pa Pao
Prachana
Mani Noppharat Road
Wat Pa Phrao Nai
Sing Harat Road
Soi 4
Soi 2
Soi 3
Wiang Kaeo Road
Wat Chiang Man
Phra Pok Khlao
Chaban
Ratphakhinai
Chai Ya Phum Road
Temple Wat U Mong
Wat Dab Phai
Wat Pha Pong
Ratwithi Road
Soi 7
Wat Dorg Eung
Soi 5
Inthawarorot Road
Suthep Road
Wat Phra Sing
Suan Dok Gate
Ratchadamneon
Muang
Tha P
Wat Chedî Luang
Soi 8
Arak Road
Bunruangrit
Soi 7
Soi 2
Ratchamanka Rd
Ratchamanka Road
Wat Meun Ngeon Kong
Wat Phrajao Mengrai
Wat Chang Taem
Soi 6
Wat Phan Waen
Soi 4
Samlan
Moon
Kotchasara
Bumrung Buri Road
Chang Lo Road
Rat Chiang Sean
Wat Sri Suphan
Rakaen
Wat That Kam
Suriwong Road
Soi 3
Wualai Road
Thipnet Road
Soi 6
Soi 2
Soi 5
Muang Road
Om
Nantharam Road
Hai Ya Road
Wat Nantharam
Wat Hua Fai
0 200 400 600 m
A
B
1
2
3
4

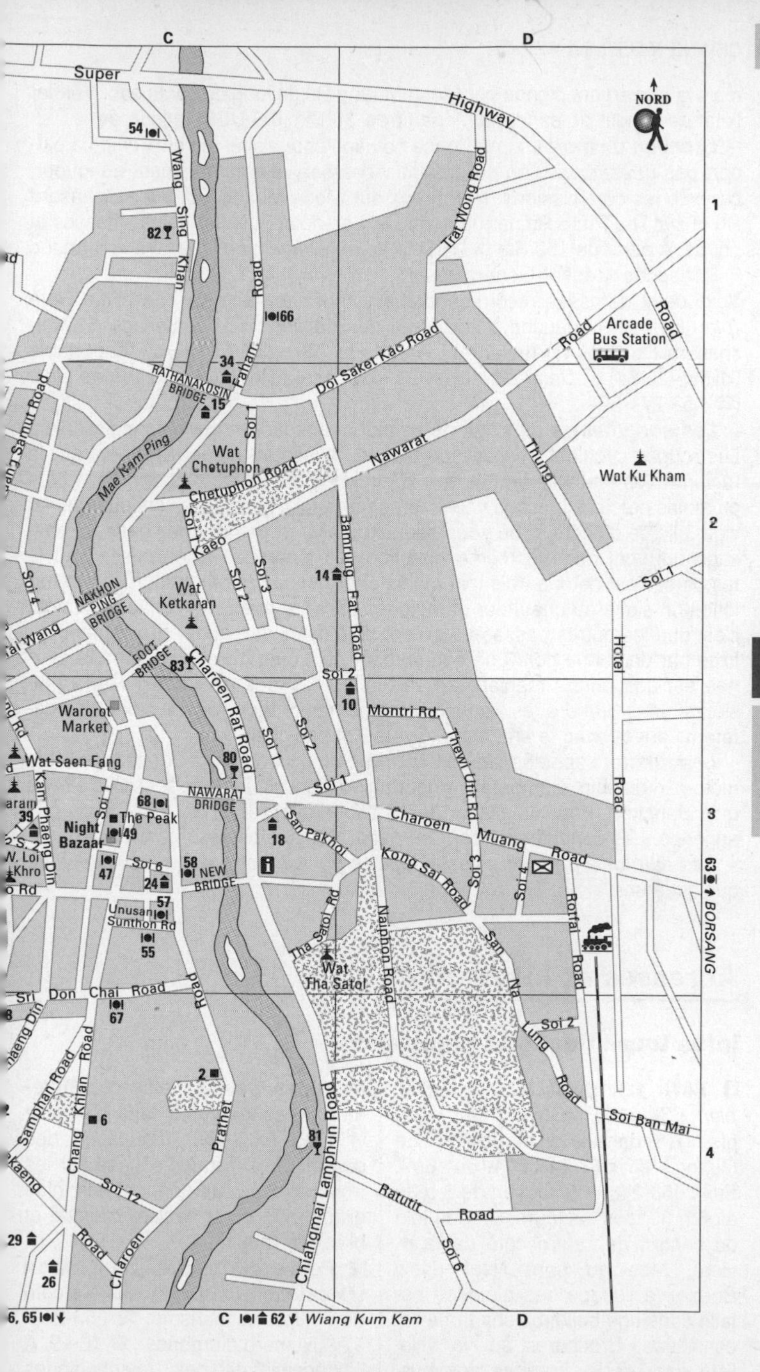

C
D
Super
Highway
NORD
Trat Wong Road
Wang Sing Khan
Road
Fahan
Arcade
Bus Station
Road
Doi Saket Kao Road
RATHANAKOSIN BRIDGE
Samut Road
Soi 1
Mae Nam Ping
Wat Chetuphon
Chetuphon Road
Nawarat
Thung
Wat Ku Kham
Kaeo
Soi 1
Soi 2
Soi 3
Bamrung Rat Road
Soi 1
Soi 4
NAKHON PING BRIDGE
Wat Ketkaran
Wang
FOOT BRIDGE
Charoen Rat Road
Hotel Road
Soi 2
Montri Rd.
Warorot Market
Thewi Utit Rd.
Wat Saen Fang
Kam Phaeng Din
NAWARAT BRIDGE
Soi 1
The Peak
Night Bazaar
Soi 6
NEW BRIDGE
San Pakhoi
Charoen Muang Road
Kong Sai Road
Soi 3
Soi 4
Unusan Sunthon Rd
Tha Satoi Rd
Naiphon Road
San Na Lung Road
Rotfai Road
BORSANG
Wat Tha Satoi
Sri Don Chai Road
Road
Soi 2
Soi Ban Mai
Samphan Road
Chang Khlan Road
Prathet
Chiahgmai Lamphun Road
Soi 12
Road
Charoen
Ratutit Road
Soi 6
Wiang Kum Kam
1
2
3
4

CHIANG MAI

mais la plupart ont pignon sur Moon Muang Rd (le long du canal est). Vérifier l'état de l'engin et les freins. À partir de 30 Bts (0,6 US$) la journée.

– ***Location de motos :*** une bonne solution pour visiter les environs. La plupart des *guesthouses* en proposent. Adressez-vous directement au loueur, ça évite les commissions. Nombreux sur Moon Muang Rd, sur Kotchasara Rd et sur Tha Phae Rd, la rue centrale. Là encore, vérifier freins, vitesses et pneus. À partir de 150 Bts (3 US$) la journée. *Attention :* bien lire la rubrique « Transports » des « Généralités ».

Voici deux adresses recommandables, situés en face de Tha Phae Gate *(plan B3)*, sur la gauche à l'extérieur des douves : *C & P Service,* 51 Kotchasara Rd, près du restaurant *Aroon Rai* (☎ 053-273-161 ou ☎ portable 01-885-20-64) et *Deng Bike Hire*, 23 Kotchasara Rd, face à *Tha Phae Gate* (☎ 053-271-524).

– ***Les songthaews :*** il s'agit de camionnettes facilement reconnaissables. Les rouges circulent en ville ; les bleues, jaunes et autres rayonnent sur la région. Elles fonctionnent un peu comme les bus, avec des directions plus ou moins précises puisque vous n'êtes pas seul à bord. Si la camionnette est vide, elle se dirigera là où vous souhaitez aller et prendra des gens au passage qui vont dans la même direction. Très pratique, il en passe tout le temps et c'est deux à trois fois moins cher que les *tuk-tuk*. Pour les arrêter, faites un signe au chauffeur et indiquez-lui votre direction. S'il vous dit non, c'est que les autres passagers en ont déjà défini une autre. Prix à peu près fixes par personne pour une course donnée. Louer un *songthaew* à la journée est une bonne manière de visiter les environs de Chiang Mai à plusieurs, sans prendre les transports en commun. Bien fixer le prix et les différents arrêts avec le chauffeur. Sympa et pas cher.

– ***Les tuk-tuk :*** appelés aussi *samlor à moteur*. Comme à Bangkok, c'est la moto-taxi du coin. Comparativement aux distances, les prix sont plus élevés qu'à Bangkok. Pour obtenir un tarif raisonnable, retirer 30 à 50 % du prix annoncé. Les conducteurs sont en général moins pressés qu'à Bangkok.

– ***Les samlor à pédales :*** aussi appelés pousse-pousse, on en voit encore quelques-uns.

Adresses et infos utiles

Infos touristiques et générales

🅸 ***TAT*** – ท.ท.ท. *(office du tourisme ; plan C3)* **:** 105/1 Chiang Mai Lamphun Rd, dans le district d'Amphoe Muang. ☎ 053-248-604 ou 607. Fax : 053-248-605. Ouvert de 8 h 30 à 16 h 30 tous les jours. Un peu loin du centre, de l'autre côté de la rivière, face au pont Neuf (New Bridge), à l'usage des piétons. Installé dans une belle maison thaïe reconstituée. Brochures sur la ville, liste des hôtels, horaires des bus, trains et avions... Accueil souriant mais pas vraiment efficace. Autrement, vous trouverez dans le centre-ville les *Tour Map Information*, des pagodes métalliques situées sur les trottoirs, qui vous donnent des infos grâce à un écran tactile. Ludique et bien pratique.

■ ***Police touristique*** – ตำรวจท่องเที่ยวถนนลำพูน *(plan C3)* **:** juste à côté de l'office du tourisme. ☎ 053-248-974. Numéro d'urgence : ☎ 16-99. À l'extérieur, cabines téléphoniques pour l'international.

Services

✉ ***Poste principale*** – ไปรษณีย์กลาง *(plan D3)* **:** Charoen Muang Rd. À 10 mn de la gare à pied. Autre poste : Praisanee Rd, à 200 m du Nawarat Bridge, non loin de la grande rivière. Ouvert en semaine de 8 h 30 à 16 h 30 et uniquement le matin le week-end.

✉ ***Postes privées*** – ไปรษณีย์ **:** on en trouve un peu partout en ville. Elles proposent des services de courrier, de téléphone international, de fax et parfois d'e-mail. Moins de monde qu'à la poste principale.

■ ***Téléphone*** – โทรศัพท์ **:** Praisanee Rd. Face à la petite poste. Ouvert tous les jours de 8 h 30 à 20 h. Nombreux kiosques et cabines en ville. Les cabines pour l'international sont de couleur orange (carte spéciale nécessaire, minimum 300 Bts, soit 6 US$). À la poste, prix pour 3 mn minimum en général. Plus pratiques, les boutiques Internet proposent des tarifs à partir de 15 Bts (0,3 US$) la minute. On peut également appeler en PCV moyennant une commission depuis de nombreuses *guesthouses* et kiosques.

@ ***Internet*** **:** les centres Internet poussent comme des champignons aux quatre coins de la ville. Tarifs ultra-compétitifs : entre 15 et 30 Bts (0,3 et 0,6 US$) l'heure. Dirigez-vous vers les boutiques au sud-est de la vieille ville (pas loin du *Top North Guesthouse*) ou vers l'université pour les meilleurs prix. Notez le début de votre connexion et vérifiez les minutes comptées au final.

Change

Les banques sont nombreuses et généralement ouvertes de 8 h 30 à 15 h 30 environ. On les trouve principalement sur Tha Phae Rd et aux alentours du *Night Bazaar* (où les bureaux de change restent ouverts jusqu'à 21 h). Pas mal d'établissements possèdent des distributeurs de billets extérieurs. Cela évite les frais supplémentaires de retrait par carte effectués au comptoir.

■ ***Thai Farmers Bank*** – ธนาคารกสิกรไทย **:** permet de retirer de l'argent avec une carte de paiement. Deux adresses parmi tant d'autres : 169-171 Tha Phae Rd *(plan C3)* et une autre au 145 Chang Khlan Rd *(plan C4, **6**)*. Banques ouvertes de 8 h 30 à 15 h 30 du lundi au vendredi. La première possède un distributeur automatique à l'extérieur, ainsi qu'un kiosque qui fait le change de 8 h 30 à 21 h tous les jours. Juste en face de la *TFB*, sur Tha Phae Rd, la ***Bank of Ayudhaya*** – ธนาคารกรุงศรีอยุธยา assure les transferts d'argent avec *Western Union Money Transfer*.

■ Pour ***les chèques de voyage ou le liquide***, on peut s'adresser à beaucoup d'autres banques. Une adresse parmi tant d'autres : la *Bangkok Bank*, 53-59 Tha Phae Rd, très intéressante pour le liquide.

Représentations diplomatiques, immigration

■ ***Alliance française*** – สมาคมฝรั่งเศส *(plan C4, **2**)* **:** 138 Charoen Prathet Rd. ☎ 053-275-277. Fax : 053-821-039. Ouvert de 10 h à 12 h et de 14 h 30 à 19 h 30, le samedi de 10 h à 12 h. Un film français le mardi après-midi (à 16 h 30 en général) et le vendredi soir à 20 h. Programme disponible dans le mensuel *Chiang Mai Guidelines*. Pelouse bien entretenue. Terrain de boules. On vous les prête (les boules !). Concours tous les samedis après-midi. À part ça, pas beaucoup d'aide ou de tuyaux. En somme, un bon petit club de pétanque !

■ ***Consulat honoraire :*** du lundi au vendredi de 10 h à 12 h, seulement en cas de gros pépin. ☎ 053-281-466.

■ ***Immigration Office*** – สำนักงานตรวจคนเข้าเมือง *(hors plan par A4, **3**) :* 97 Sanambin Rd. ☎ 053-277-510. Juste à côté de l'aéroport. Ouvert de 8 h 30 à 16 h 30. Fermé les samedi, dimanche et fêtes. Sert notamment à prolonger son séjour en Thaïlande : de 10 jours supplémentaires pour ceux qui utilisent le *transit sans visa* de 30 jours ; d'un mois pour les titulaires de visas. Se munir de 2 photos et de 500 Bts (10 US$). Fait en moins d'une heure. On peut faire les photocopies nécessaires sur place et même casser la croûte !

■ ***Ambassade de Chine*** – สถานทูตจีน *(plan A4, **9**) :* 111 Chang Lo Rd. ☎ 053-200-424. Fax : 053-274-614. Sur la rive extérieure sud des douves, dans un grand domaine aux murs blancs. Ouvert du lundi au vendredi de 9 h à 11 h 30. Le délai d'obtention d'un visa de tourisme est de 4 jours ouvrables. Celui-ci n'est valide que pour 1 mois de séjour mais on peut facilement le prolonger sur place et cumuler ainsi une période totale de 3 mois.

Médecins et hôpitaux

■ ***Loi Khro Clinic*** – คลีนิคลอยเคราะห์ *(plan C3, **4**) :* 62/2 Loi Khro Rd. ☎ 053-271-571. En face du Wat Loi Khro. Ouvert du lundi au vendredi de 8 h à 13 h et de 16 h 30 à 20 h 30 ; le samedi de 8 h à 13 h et le dimanche de 16 h 30 à 20 h 30. Médecine sérieuse.

■ ***Ram Hospital*** – โรงพยาบาลราม *(plan A2, **5**) :* 8 Bunruangrit Rd. ☎ 053-224-861. Ultramoderne et bien équipé. Hôpital privé, donc cher.

■ ***Chang Puak Hospital*** – โรงพยาบาลช้างเผือก *:* 8 Bunruangrit Rd. ☎ 053-224-861. Très propre et matériel de qualité. Pas plus cher que les autres.

■ ***Maharaj Public Hospital*** – โรงพยาบาลมหาราช *:* 110 Suthep Rd, à l'extérieur de Suan Dok Gate (la porte ouest). ☎ 053-221-122. Bien moins cher que le premier, car public, mais beaucoup plus de monde, donc d'attente. Vaste complexe.

■ ***Dentistes :*** *Peerayoot Dental Clinic* – พีระยุทธิทันตแพทย์, 141 Somphet Market, Moon Muang Rd, Amphur Muang. ☎ 053-212-653. Reçoit de 9 h à 20 h tous les jours, sur rendez-vous. Fermé les 2e et 4e dimanches du mois. Excellente dentiste, mais assez chère. Autres bonnes adresses, le *Chiang Mai Dental Hospital*sur Super Highway Road. Plusieurs dentistes sur place mais ne parlent pas le français. Matériel performant. Autrement, *Dr Nawapoomin Chaichompoo :* 13/1 Sankhampang Rd. ☎ 053-248-920. Sur la route des fabriques d'usine. Pas cher, explications en anglais précises et petite musique pour oublier...

■ ***Pharmacies*** – ร้านขายยา *:* 46/3 Charoen Prathet Rd. ☎ 053-274-764. Face au *Diamond Hotel.* Ouvert de 8 h à 22 h. Fermé le dimanche. On en trouve aussi dans la même rue, au niveau du *Night Bazaar.*

Loisirs

■ ***Suriwong Library*** – ร้านหนังสือสุริวงษ์ *(plan C4, **8**) :* 54/1 Sri Don Chai Rd. Ouvert de 8 h à 19 h 30, fermé dimanche après-midi. La plus grande librairie de Chiang Mai. Quelques quotidiens français. Tous plans et cartes également dont l'excellente et rigolote carte de Chiang Mai de Nancy Chandler. Bonnes cartes.

■ ***D.K. Book House*** – ร้านขายหนังสือดี.เค.ดวงกมล : 79/1 Kotchasara Rd. Ouvert tous les jours de 9 h à 21 h. Même genre que *Suriwong*, grande librairie climatisée mais avec un peu moins de choix en titres français.

■ ***The Chiang Mai Book Exchange*** : 59 Chiang Moi Tud Mai Rd, près du Wat Saen Fang non loin de Tha Phae Rd. Une petite boutique avec quelques bouquins d'occasion, dont certains en français.

■ ***Journaux*** sur Tha Phae Gate (à 20 m du *Bar Beer Center*, voir « Où sortir ? »). On y trouve *Le Monde* ou *Libération*.

– Plusieurs journaux gratuits *(Welcome to Chiang Mai, Good Morning Chiang Mai, Chiang Mai Guidelines...)*, que vous trouverez dans les hôtels et les restaurants, se partagent le gâteau des annonceurs publicitaires de Chiang Mai. Pas très informatif en vérité, même si l'on peut piocher ici et là un tuyau, un plan de ville ou des horaires de bus...

■ ***Piscines*** – สระว่ายน้ำ : on en propose quelques-unes. Celle du *Prince Hotel* : 3 Tai Wang Rd. ☎ 053-252-025. Billet d'entrée en vente à la réception de l'hôtel. Ouverte de 10 h à 20 h. Derrière l'hôtel, à gauche. Eau très propre. Notre préférée. Une autre, au *Sara Health Club*, à l'écart du centre, 109 Bumrung Rat Rd. Au fond d'une cour d'école, en face du consulat britannique. Entrée payante (pas chère). Belle piscine olympique avec transats, chaises et parasols. Eau très propre. Également celle du *Amari Rincome Hotel* (voir ci-dessous).

■ ***Tennis*** – สนามเทนนิส : outre sa belle piscine, le *Amari Rincome Hotel* – โรงแรมรินคำ, 301 Huay Kaew Rd (☎ 053-894-884), possède un court, mais la location de raquettes et de balles est hors de prix. Autres courts à louer face au musée. Moins chers mais moins bien.

■ ***Photo-Bug*** : 42 à 46 Chaif Ya Phum Rd. Après *Daret's House*, juste avant Chang Moi Rd. Cameras, accessoires et pelloches. Tous travaux, classique ou digital, scans, tirage depuis CD, etc. Qualité pro et prix très compétitifs.

Compagnies aériennes

■ ***Thai Airways International*** – สายการบินไทย *(plan B2, **1**)* : 240 Phra Pok Khlao Rd. ☎ 053-210-043. Même adresse et téléphone pour les vols nationaux ou internationaux. Ouvert de 8 h à 17 h tous les jours. À l'aéroport : ☎ 053-277-782.

■ ***Bangkok Airways*** – สายการบินบางกอกแอร์เวย์ : à l'aéroport. ☎ 053-281-519. Liaisons quotidiennes avec Bangkok, Sukhothai ; tri-hebdomadaires avec Jinghong (Chine).

Agence de voyages

■ ***Trans World Travel Co*** – ทรานซ์เวิร์ลทราเวล : 259-261 Tha Phae Rd. ☎ 053-272-415. Ouvert de 8 h à 17 h. Agence de voyages réputée sérieuse.

Transports

■ ***North Wheels** (plan B2, **7**) :* Chai Ya Phum Rd. ☎ 053-874-478. Fax : 053-874-378. • www.northwheels.com • Depuis une dizaine d'années, c'est le grand spécialiste de la location de voitures sur le Nord. Offre les mêmes services que les grandes enseignes pour des tarifs très intéressants ; à partir de 800 Bts (16 US$) la journée pour une petite jeep 4 places. Les prix sont dégressifs à partir d'une semaine.

Où dormir ?

Plus de 300 *guesthouses* à Chiang Mai, donc large choix ! On signale que certains de leurs propriétaires feront grise mine si vous ne prenez pas le trek que tous ou presque proposent. Certaines agences de voyages de Bangkok offrent une nuit gratuite à Chiang Mai à l'arrivée, là encore, pour vous inciter à prendre le trek de l'hôtel. D'ailleurs parfois, si vous refusez le trek, on vous demande alors de régler votre nuit ! Ces pratiques commerciales abusives deviennent courantes.
Attention : à la gare des bus ou des trains, les *tuk-tuk* ou taxis racontent parfois que la *guesthouse* de votre choix a brûlé ou d'autres histoires dans le but de vous conduire là où leur commission est la plus forte. À vous de ne pas vous faire mener par le bout du nez !

Bon marché (de 80 à 200 Bts – 1,6 à 4 US$)

***Lamchang House** – ลำช้างเฮาส์ (plan B2, **16**) :* 24 Moon Muang Rd, Soi 7. ☎ 053-210-586. Dans une rue calme et pourtant centrale, une excellente petite adresse, pleine de charme, simple, impeccablement tenue par une famille thaïlandaise. Belle maison de teck où tout semble d'origine, au fond d'un jardin calme. Bambou tressé, confort simple, mais douche chaude et toilettes à l'extérieur très propres. Très bon accueil. On n'y organise pas de trek, ce qui peut être considéré comme un gage de sérieux.

***Ben Guesthouse** – เบญเกสท์เฮ้าส์ (plan C3, **18**) :* 4/4 Chiang Mai Lamphun Rd, Soi 2. ☎ 053-244-103. • soiphet99@hotmail.com • Au fond d'un minuscule *soi* calme, tout près de l'office du tourisme, dans un quartier loin de l'agitation de la ville. Maison en dur, sans rien de particulier, mais qui inspire confiance. Chambres très propres avec sanitaires (douche chaude). Accueil courtois et discret des patrons, et prêt de vélos gratuit.

***Lek House** – เล็กเฮ้าส์ (plan B3, **11**) :* 22 Chai Ya Phum Rd. ☎ 053-252-686. Pas loin de Tha Phae Gate, au niveau de Chang Mai Rd. Construction en brique et teck. Chambres très simples, avec ventilo et mobilier en bambou, équipées de salle de bains avec eau froide, pas vilaines mais pas très bien tenues et inégales. Si possible, visiter avant de faire son choix. Jardin ombragé tranquille. Souvent complet car bien situé et très bon marché.

***Mr Whisky House (Chiangmai Holiday GH)** – นายวีสกี้เฮ้าส์ เชียงใหม่ ฮอลิเดย์ เกสท์ เฮ้าส์ (plan B3, **19**) :* 31 Soi 3 Phra Pok Khlao Rd. ☎ 053-207-091 ou 01-724-65-06 (portable). Dans le coin sud-est du vieux quartier. Des petites chambres avec sanitaires dans une maison récemment rafraîchie. Celles du rez-de-chaussée font vraiment boîte à sardines. Petit restaurant et agence de trek mais pas de pression sur la clientèle. Correct dans l'ensemble.

Prix moyens (de 200 à 500 Bts – 4 à 10 US$)

≜ ***C & C Teak House*** – ซี.แอนด์.ซี.ทีคเฮ้าส์ *(plan D3, **10**)* **:** 39 Bamrung Rat Rd. ☎ et fax : 053-246-966. • ccteakhouse@hotmail.com • De la gare, tourner à droite au 3ᵉ feu ; c'est à droite, à 200 m. On peut y aller à pied. Une de nos adresses préférées à Chiang Mai. La recette : un couple franco-thaï, Simon et Rung, une maison en teck fin XIXᵉ siècle, au calme malgré la rue animée, une entrée faite de racines suspendues assez spectaculaire, une ambiance conviviale, une cuisine simple mais soignée... et des prix serrés. Une vingtaine de chambres en tout, où se côtoient les styles asiatiques. Quadruple intéressante. Ventilées (sauf une triple, climatisée). Eau chaude et prêt de bicyclettes. Au resto-terrasse, les proprios préparent des plats mixtes et ils proposent aussi de bons treks de un à plusieurs jours (appréciés par nos lecteurs) et des treks à moto. Bref, un bon rapport confort-gentillesse. Pas mal de Français.

≜ ***Pun Pun Guesthouse*** – ปันปันเกสท์เฮ้าส์ *(plan C2, **15**)* **:** 321 Charoen Rat Rd. ☎ 053-246-180. Fax : 053-246-140. • www.armms.com • Assez loin du centre, sur la rive gauche de la rivière. Au bord de l'eau, des chambres simples incorporées dans de petites maisons en bois sur pilotis. Pour les moins chères, des sanitaires bien tenus sont à partager. Ventilo uniquement. Bon choix si vous êtes motorisé, car plus aéré que les adresses du centre. Accueil souriant du proprio.

≜ ***Chiang Mai Youth Hostel*** – บ้านเยาวชนเชียงใหม่ *(plan C4, **26**)* **:** 21/8 Chang Khlan Rd. ☎ 053-276-737. Fax : 053-204-025. • www.chiangmaiyha.com • En venant du centre, prendre une ruelle à droite après un terrain de foot. Peut-être verrez-vous même le minuscule panneau bleu ? Un gros bâtiment sans charme, au sud de la ville. Chambres simples mais très propres, avec salle de bains. Calme.

≜ ***Chiang Mai Kristi House*** – เชียงใหม่คริสตี้เฮาส์ *(plan B3, **35**)* **:** 14/2 Ratchadamneon Rd, Soi 5. ☎ 053-418-165. Dans un petit *soi* du centre-ville, bâtiment de 3 étages disposant de chambres très propres, avec bonne literie, ventilo et vraie salle de bains (on a bien dit « salle de bains »), certaines avec balcon. Hélas pas d'espace extérieur. Quartier calme et accueil souriant. Parking à motos juste devant, surveillé la nuit.

≜ ***Wiriya House*** – วิริยะเฮ้าส์ *(plan B4, **41**)* **:** 10/4 Rat Chiang Sean, Soi 1. ☎ 053-272 340. Fax : 053-272-346. • wiriyah@loxinfo.co.th • S'engager 200 m dans le *soi* 1 depuis Rat Chiang Sean puis prendre le sous-*soi* qui part sur la gauche. Quartier très calme. Une grande maison moderne de 4 étages avec réception et restaurant au rez-de-chaussée. Bains, eau chaude, ventilo ou AC. Vieillot, mais gentil accueil.

≜ ***B.M.P. House*** – บีเอ็มพีเฮ้าส์ *(plan C4, **42**)* **:** 97 Rakaeng Rd. ☎ 053-820-663. Fax : 053-820-665. • bmp–tourservice@yahoo.com • Rakaeng Rd a un tracé curieux, quittant la vieille ville au niveau de son coin sud-est, à l'extérieur des douves. Aller au-delà de l'intersection en S jusqu'à repérer la pancarte sur la gauche après le petit pont. Maison blanche de 3 étages toute neuve avec une terrasse devant. Une dizaine de chambres très propres avec parquet et bons lits, ventilées ou climatisées. Trek de facture classique mais sans mauvaise surprise.

☗ ***Pha-Thai Guesthouse*** **–** ฟ้าไทย เกสท์เฮ้าส์ *(plan B3,* ***20****)* **:** 48/1 Ratphakhinai Rd. ☎ 053-278-013. Fax : 053-274-075. Maison impeccablement tenue par un couple thaï adorable, toujours prêt à rendre service. Chambres avec grand lit, ventilo ou AC (parfois les deux, mon capitaine !), toutes avec douche chaude. Petit jardin pour le petit dej'. Un endroit où on se sent bien. Monsieur parle le français.

☗ ***Rendez-Vous Guesthouse*** **–** รองเดวูเกสท์เฮ้าส์ *(plan B3,* ***22****)* **:** 3/1 Ratchadamneon Rd, Soi 5. ☎ 053-213-763. Fax : 053-419-009. Dans un *soi* calme, petite structure moitié moderne, moitié dans le style du pays. Au rez-de-chaussée, bar accueillant. Chambres tout confort. Celle du dernier étage nous a bien plu avec sa petite terrasse privative. À l'étage, vue sur une partie calme de la ville.

☗ ***Little Home Guesthouse*** **–** ลิตเติลโฮมเกสเฮ้าส์ *(plan B3,* ***25****)* **:** 1 Kotchasara Rd, Soi 3. ☎ 053-206-939. Petite maison assez charmante, précédée d'un jardin fleuri et tenue par un couple thaïlando-hollandais. Douze chambres seulement, simples et propres. Douche chaude, toilettes, ventilo.

☗ ***Green Lodge*** **–** กรีนลอดจ์ *(plan C3,* ***24****)* **:** 60 Charoen Prathet Rd. ☎ et fax : 053-279-188. Grand hôtel moderne assez quelconque mais très bien tenu (ôter ses chaussures avant d'entrer). Bonne literie et chambres spacieuses, ventilées ou climatisées. Pas de resto. Hôtel non-fumeurs, terrasse pour s'en griller une.

☗ ***Hollanda Montri House*** **–** ฮอลลันดามนตรีเฮ้าส์ *(plan C2,* ***34****)* **:** 365 Charoen Rat Rd. ☎ et fax : 053-242-450. • hollandamontri@asia.com • *Guesthouse* très propre, toutes les chambres avec salle de bains. AC ou ventilo. La literie aurait besoin d'être renouvelée, mais la jovialité de la proprio hollandaise fait plaisir à voir. En plus, elle a installé un petit resto sympa au bord de l'eau. Bon rapport qualité-prix.

☗ ***Kim House*** *(plan C3,* ***24****)* **:** 62 Charoen Prathet Rd. ☎ et fax : 053-282-441. • kim–hometel@hotmail.com • Tout près du Night Bazaar, une adresse tenue par une femme charmante. Chambres avec AC ou ventilo et douche à l'intérieur. Correct. Pas d'incitation aux treks ici !

☗ ***Paradise Hotel and Guesthouse*** **–** พาราไดซ์โฮเต็ลแอนด์เกสท์เฮ้าส์ *(plan C4,* ***29****)* **:** 12 Sri Chandorn Rd. ☎ 053-270-413. Fax : 053-270-596. • www.paradise.co.th • Au sud, assez excentré. Dans un immeuble très banal. Confort variable, selon qu'on choisit la partie *guesthouse*, moins chère mais aussi plus modeste, ou l'hôtel proprement dit (là, AC, TV, etc.). Tout est propre et plutôt mignon. Une atmosphère d'AJ, de campus presque, avec le grand hall où l'on se retrouve pour un billard ou une partie de ping-pong, une salle Internet où pianotent des jeunes gens heureux... Ascenseur. Piscine également, et jardin. À quelques centaines de mètres se trouve le resto de l'hôtel : pas cher et plutôt bon.

☗ ***Top North Guesthouse*** **–** ท็อปนอร์ทเกสท์เฮ้าส์ *(plan B3,* ***30****)* **:** 15 Moon Muang Rd, Soi 2. ☎ 053-278-900. Fax : 053-278-485. • topnorth@hotmail.com • Sur trois niveaux, un hôtel en dur proposant une centaine de chambres confortables (certaines familiales) avec douche chaude, ventilo ou AC. L'ensemble est bien tenu même s'il commence à accuser le poids de l'âge : pour les premiers prix (sur la droite en entrant), évitez les chambres du rez-de-chaussée. La super-

CHIANG MAI

piscine, entourée de verdure et de chaises longues, fait beaucoup pour la popularité de l'endroit. Peut toutefois s'avérer bruyant certaines nuits. Accueil plutôt aimable et efficace. Préférable de réserver en haute saison.

■ ***Pathara House*** – พัทลาเฮ้าส์ *(plan B3,* ***32****)* **:** 24 Moon Muang Rd, Soi 2. ☎ 053-206-542. Fax : 053-206-543. À l'intérieur des douves, presque face au *Top North Guesthouse*. Une vingtaine de chambres avec salles de bains (eau chaude et carrelage nickel), ventilo ou AC. Visitez-en plusieurs car certaines sont claires et d'autres très sombres. Bon accueil et ambiance décontractée.

■ ***Srisupan Guesthouse*** – ศรีสุพรรณเกสท์เฮ้าส์ *(plan B4,* ***28****)* **:** 92 Wualai Rd, Soi 2. ☎ 053-270-087. Fax : 053-270-086. • stccnx45@hotmail.com • Au sud du centre. Repérable à son rez-de-chaussée décoré de grandes roues de charrette (l'enseigne, en revanche, n'est pas bien visible). Une adresse de moyenne gamme supérieure. Vaste et belle maison privée, habitée par une famille accueillante. Une trentaine de chambres en général impeccables, aérées et lumineuses avec balcon, TV, à prix un peu élevés, mais toutes avec sanitaires (eau chaude) et ventilo ou AC au choix. Quartier bien calme. Transport gratuit depuis la gare.

Plus chic (de 400 à 1 200 Bts – 8 à 24 US$)

■ ***Gap's House*** – แก็ปส์เฮ้าส์ *(plan B3,* ***38****)* **:** 3 Rachadamneon Rd, Soi 4. ☎ 053-278-140. • thaiculinaryart@yahoo.com • Dans un endroit charmant, presque « junglesque » au milieu de la ville, de petits bungalows en bois avec eau chaude et AC, assez coquets (meubles et bibelots anciens). Le prix de la chambre, petit dej' compris, est très raisonnable. L'atmosphère est plutôt vivante et animée. Pas conseillé pour une retraite paisible. Cours de cuisine. Leurs dîners-buffets sont remarquables et ouverts aux non-résidents. Accueil un peu nonchalant mais gentil. Pas de résa possible.

■ ***Chiang Mai Travel Lodge*** – เชียงใหม่แทรเวลลอดจ์ *(plan C3,* ***39****)* **:** 18 Kam Phaeng Din Rd. ☎ 053-272-448. Fax : 053-271-572. Immeuble blanc de 3 étages, pas trop vilain, disposant d'une quarantaine de chambres impersonnelles mais confortables (AC, douche, w.-c.) et bien tenues. Bon rapport qualité-prix. Situation très centrale (attention peut-être au bruit pour les chambres côté rue). Petit restaurant simple et tranquille.

■ ***YMCA*** – วาย.เอ็ม.ซี.เอ. *(plan A2,* ***33****)* **:** 11 Sermsuk Mengrairasmi Rd. ☎ 053-222-366. Fax : 053-215-523. Au nord-ouest, dans le quartier assez résidentiel de *Lanna Villa*. Gros immeuble banal, mais très bien tenu, de 5 étages. Large éventail de chambres, donc de prix, de celle avec douche commune jusqu'à la suite. Correct dans l'ensemble, mais atmosphère un tantinet morne et tarifs un peu élevés (pour les chambres avec AC, c'est quand même petit dej' compris). Cafétéria-buffet pas chère du tout. Réservation indispensable, car on y accueille souvent des groupes. Très propre tout de même.

■ |●| ***Swairiang Chiang Mai Lakeside Ville*** – สไวเรียงเชียงใหม่เลคไซด์วิลล *(hors plan par C4,* ***62****)* **:** sur la route de Lamphun. ☎ 053-322-061. Fax : 053-322-062. • swairiang-cm@hotmail.com • 2 km après l'intersection de l'autoroute « Super Highway » (308 Moo 1 Nong Phung, Soi 8), une pancarte (en thaï) vous indique de tourner à droite, puis suivez les panneaux roses et verts (toujours en thaï).

Superbe ensemble de maisons traditionnelles sur pilotis, au bord d'un petit lac et au milieu de « golden bambous » et de nénuphars, reliées entre elles par des pontons flottants (gare aux écarts de route après une soirée arrosée !). Une des plus belles adresses de la ville. Est cependant assez éloigné : pour y séjourner, il vaut mieux se procurer un moyen de locomotion, voiture ou moto plutôt que d'utiliser le taxi (environ 400 Bts soit 8 US$ la course). D'un côté, le restaurant, où la cuisine typique du Nord est préparée avec finesse. De l'autre côté, de petits bungalows avec terrasse sur l'eau.

Ces derniers, rustiques mais confortables, sont fort joliment aménagés et meublés. Les salles de bains en pierre et en bois pour le moins originales. Classe et simplicité. Une vraie adresse de charme, aux prix assez élevés. On regrettera toutefois que certains soirs l'agitation du restaurant où les Thaïs fortunés amènent leurs conquêtes pour flamber nuise à la quiétude des chambres.

Chiang Mai Gate Hotel – โรงแรมเชียงใหม่เกต *(plan B4, **31**) :* 11/10 Suriwong Rd. ☎ 053-279-895. Fax : 053-279-085. • cmgate@lox info.co.th • À 300 m de la porte de Chiang Mai, au sud de la vieille ville (à l'extérieur). Hôtel moderne de bon standing dans un quartier calme, qui pratique des tarifs encore raisonnables. Deux catégories de chambres aux prix variant du simple au double : dans la partie *guesthouse*, un peu moins spacieuses, ou dans l'hôtel proprement dit, plus confortables. Toutes avec AC, douche ou salle de bains et w.-c. Certaines chambres avec balcon, d'autres avec vue sur le *chedî* voisin. Piscine plutôt agréable. Coffres-forts à disposition.

Top North Hotel – โรงแรมท็อปนอร์ท *(plan B3, **12**) :* 41 Moon Muang Rd. ☎ 053-279-623. Fax : 053-279-626. • top–north hotel@hotmail.com • Au fond de l'allée qui part de Moon Muang, juste avant d'arriver à Tha Phae Gate. Hôtel moderne de 4 étages autour d'une piscine et d'un restaurant en plein air. Très propre. Personnel diligent. Chambre avec ventilo ou AC. Un bon choix.

Bungalows Guesthouse – บังกะโลเกสท์เฮ้าส์ *(plan C-D2, **14**) :* 105/2 Bamrung Rat Rd. ☎ 053-302-206. Fax : 053-302-207. • bunga lows–guesthouse@hotmail.com • À 500 m de *C&C Teak House*. Bungalows tout confort (clim' et salles de bains) dans un jardin. Dans la maison centrale, 4 chambres moins chères et pourtant confortables, avec literie neuve, salle de bains sur le palier, AC ou ventilo. Un seul bémol : route assez bruyante, préférer donc celles sur l'arrière du jardin ! Propose également, pour une poignée de bahts, quelques chambres en dortoir avec ventilo dans une annexe.

Où manger ?

Gourmands, à vos fourchettes ! Les restaurants de Chiang Mai sauront ravir vos papilles délicates. La cuisine locale, délicieuse et raffinée, emprunte aux voisins birmans et chinois nombre de saveurs inconnues dans le Sud.

Pas cher (moins de 100 Bts – 2 US$)

Petits restaurants de nuit de Somphet Market – ร้านอาหารเล็กตอนกลางคืนตลาดสมเพชร *(plan B2, **45**) :* sur Moon Muang Rd, 500 m au nord de Tha Phae Gate. Cuisine populaire thaïe et chinoise, appétissante et bon marché, servie en plein air. N'ouvre que le soir, mais sert jusque tard dans la nuit. Animation sympathique.

|●| ***New Lamduan Faham*** – ร้านอาหารลำดวนฟ้าฮาม *(plan C1,* ***66****)* **:** sur la droite de Faham Rd, 500 m au nord en venant du pont Râma 9. ☎ 053-243-519. Repérer le panneau sur le mur d'une grande maison blanche qui abrite le restaurant au rez-de-chaussée avec terrasse. Ouvert de 9 h à 15 h. Célèbre pour sa recette secrète de *Khao Soi*, approuvée par le roi lui-même. Pas de chichi, que de l'authenticité.

|●| ***Galare Food Center (Night Bazaar)*** – กาแลฟู้ดเซ็นเตอร์หน้าไนท์บาซ่าร์ *(plan C3,* ***47****)* **:** Night Bazaar, Chang Khlan Rd. Ouvre de 11 h à 23 h 30 tous les jours. C'est la partie restauration du *Night Bazaar*. Grand complexe de stands divers : spécialités du nord de la Thaïlande, chinoises, indiennes, végétariennes. Très bon marché et très correctement cuisiné. Goûter aux *rötis* en dessert, petites crêpes enduites de chocolat ou de bananes. Hmmm ! Le principe est simple : acheter des tickets à la caisse centrale avant d'aller sur le stand de son choix. Les tickets non utilisés sont remboursés. Spectacles (gratuits) de danse et musiques traditionnelles, entre 20 h et 21 h ; à 21 h, boxe thaïe bidon mais distrayante.

|●| ***Muslim Food*** – ร้านอาหารมุสลิม *(plan C3,* ***68****)* **:** Chaoren Prathet, Soi 1. En venant du pont Nawarat, s'engager dans la rue du Night Bazaar et prendre le premier *soi* sur la gauche. C'est sur la gauche de la rue, un peu après la mosquée. Pas d'enseigne, juste un panneau. Ouvert de 8 h à 15 h. En plein dans le quartier de ces musulmans venus du Yunnan, dont on dit qu'ils importèrent le *Khao Soi*, ici particulièrement recommandé. D'autres préparations simples mais succulentes en vitrine : pointez-les du doigt !

|●| ***Daret's House and Restaurant*** – ร้านอาหารดาเรศ *(plan B3,* ***51****)* **:** 4/5 Chai Ya Phum Rd. ☎ 053-235-440. Ouvert de 7 h à 22 h. Grande terrasse ombragée donnant sur la rue. Nombreuses tables occupées par des visages pâles, qui viennent surtout pour la cuisine occidentale (steaks, pizzas, etc.) ou pour la bière *Chang*, la moins chère de Chiang Mai.

|●| ***Aroon Rai*** – ร้านอาหารอรุณไร *(plan B3,* ***46****)* **:** 45 Kotchasara Road. ☎ 053-276-497. À une centaine de mètres de Tha Phae Gate, dans le sens des voitures. Ouvert toute la journée et jusqu'à 22 h. Une institution à Chiang Mai. Resto populaire et simple, offrant une bonne cuisine chinoise et du nord de la Thaïlande à prix très modérés. Large choix dont de nombreux currys tels le *Kaeng Kari Kay* au poulet légèrement relevé. Sympathique sélection d'insectes... Également une terrasse à l'étage, moins bruyante mais ouverte le soir uniquement.

|●| ***Hilltribe Hemp Café*** – ร้านอาหารฮิลไทป เฮม กาเฟ *(plan B3,* ***69****)* **:** 19 Moon Muang Rd. Sur la rive intérieure sud-est des douves, au coin du *soi* qui mène à la *Top North Guesthouse*. Terrasse sur la rue. Cuisine locale et occidentale à prix doux. Ambiance musicale *Bluegrass* tous les soirs de 20 h à 22 h.

|●| ***Grilled Chicken with Honey*** – ร้านอาหารไก่ย่างอบนาผึ้ง *(plan C3,* ***49****)* **:** 40-42 Charoen Prathet Rd. ☎ 053-818-982. Tout près du Night Bazaar. Ouvert de 10 h à 22 h. Une sorte de fast-food thaï spécialisé dans le poulet grillé au miel, comme son nom l'indique. Endroit quelconque, mais terrasse agréable bien que bruyante, et accueil chaleureux.

Prix moyens (de 100 à 200 Bts – 2 à 4 US$)

|●| ***Huen Phen*** – ร้านอาหารเฮือนเพ็ญ *(plan B3, **71**)* **:** 112 Ratchamanka Rd. ☎ 053-814-548 pour le midi, ☎ 053-277-103 pour le dîner. Au centre de la vieille ville. Ouvert de 8 h 30 à 15 h, puis de 17 h à 22 h. Lieu idéal pour goûter aux spécialités de la région, aussi délicieuses qu'abordables. À midi, on mange comme à la cantine. Le soir, on déménage dans un espace intérieur plus formel et décoré de bric et de broc. Bon *Khao Soi* (bien sûr!) et *Kaeng Hua Plii* (curry de fleurs de banane et d'herbes). Réserver en haute saison pour le dîner.

|●| ***Fatty*** – ร้านอาหารแฟตตี้ท์ตลาดอนุสรณ์ *(plan C3, **55**)* **:** situé sur l'Anusarn Market, marché qui donne dans Chang Khlan Rd, à deux pas du Night Bazaar. Facile à trouver, il y a un *Routard* peint en façade. Ouvert de 11 h à 2 h du matin. Un resto donnant sur la rue, plutôt populaire et bon enfant, avec ses tables et ses chaises cheap et dépareillées. Fruits de mer et poissons *(seafood)* remarquables, dont certaines espèces barbotent dans le vivier. Service parfois un peu inattentif, réveillez-les!

|●| ***Arabia Restaurant*** – ร้านอาหารอาราเบีย *(plan C3, **57**)* **:** Anusarn Market (quasiment face au restaurant *Fatty*). ☎ 053-818-850. Cuisine indienne, arabe et pakistanaise dans ce petit établissement de quelques tables proprettes en salle, et quelques-unes en terrasse. Spécialité de viandes (mouton, poulet *tikka*) et surtout un excellent canard laqué, un peu cher, mais il est énorme et délicieux. Également quelques plats végétariens et thaïs classiques à la carte.

|●| ***The Wok*** *(plan B3, **73**)* **:** 44 Ratchamanka Rd. ☎ 053-208-287. Idéalement situé dans un joli jardin calme, dans un quartier paisible. La carte est aussi variée qu'un livre de cuisine! Et pour cause : Sompon et Elizabeth Nabnian sont de la *Chiang Mai Thai Cookery School*, l'une des écoles de cuisine les plus réputées sur la place de Chiang Mai. N'oubliez pas de préciser au serveur : épicé ou non (*spicy* ou *mild*).

|●| ***Zest*** – เซส *(plan B3, **60**)* **:** angle de Ratchadamneon Rd et Moon Muang Rd. ☎ 053-418-090. Ouvert de 6 h 30 à 23 h. Endroit très propre, genre grand snack climatisé et aseptisé, pour se faire un hamburger, une pizza, un petit dej' ou quelques plats thaïs très classiques. Et évidemment, comme dans toute *bakery*, du pain frais... et des croissants! Également des *ice-creams* appréciables. L'adresse est connue à Chiang Mai comme lieu de drague ou de rendez-vous. Beaucoup de jeunes aussi, et du monde, Thaïs ou touristes... Tarifs un peu plus élevés que dans une cantine de base, mais pas exorbitants. Une annexe dans le *Night Bazaar*.

|●| ***Beer House Restaurant*** – ร้านอาหารเบียร์เฮ้าส์ *(plan B3, **72**)* **:** 34/1 Ratchamanka Rd. ☎ 053-278-815. À 200 m, sur la gauche en venant de Moon Muang. C'est arrivé à tout le monde après tant de finesses exotiques : un besoin urgent de jarret de porc ou de cordon-bleu accompagné de pommes sautées et de moutarde. Peut-être pas de la grande cuisine mais, comme on dit, ça le fait!

|●| ***Vangpla Restaurant*** – ร้านอาหารวังปลา *(hors plan par C4, **65**)* **:** 11 Moo, 2 Chang Khlan Rd. ☎ 053-275-961. Ouvert de 11 h à minuit. Attention, pas d'enseigne en alphabet latin, et d'ailleurs quasiment rien pour indiquer l'adresse. On ne voit, de la route, qu'un mur de parpaings gris et ce qui ressemble à un parking. À côté du *Tha-Nam Restaurant.* Spécialités de poissons. Goû-

ter au *tom yam*, épicé à souhait et bien mitonné. Pas de carte en anglais. Demandez à voir le « Nok Kunthong », le héros de la maison qui vous réserve quelques surprises. Un peu cher tout de même.

Un peu plus chic (plus de 200 Bts – 4 US$)

Antique House 1 – บ้านโบราณ1 *(plan C3, 58)* : 71 Charoen Prathet Rd. ☎ 053-276-810. Ouvert de 11 h à minuit. Belle demeure construite en 1870, en teck, par un riche homme d'affaires birman. Fine cuisine traditionnelle et légère musique du pays chaque soir (jouée pour de vrai par d'authentiques musiciens). Essayez donc le *pla rai kang*, poisson farci frit, pas mauvais du tout. À l'intérieur, de petites salles non-fumeurs où teck lustré, tables basses et coussins créent une ambiance raffinée. Dehors, la terrasse est bien agréable, fleurie et assez profonde pour trouver à s'asseoir à l'écart de la rue. Également un balcon-terrasse à l'étage. Service dans le ton, délicat voire indolent. Et, pour finir, une addition raisonnable. Ça roule, Raoul !

Heun Suntaree – ร้านอาหารเฮือนสุนทรีย์ *(plan C1, 54)* : 46/1 Wang Sing Khan Rd. ☎ 053-252-445. Un peu après le café *Wild West*. Ouvert tous les soirs de 18 h à 23 h. Des tables au bord de l'eau, d'autres en mezzanine, où l'on mange par terre « à la thaïe », et certaines près de la scène, que Mme Suntaree, ex-chanteuse de variétés à succès, illumine chaque soir de sa voix cristalline en interprétant des chansons traditionnelles, accompagnées à la guitare. Bonne cuisine thaïe. Essayez l'assortiment de « hors-d'œuvre Muang », pour prendre la mesure de la cuisine, ou un *laab kua*. Parfois complet en fin de semaine.

Tha-Nam Restaurant – ร้านอาหารท่าน้ำ *(hors plan par C4, 56)* : 43/3 Chang Khlan Rd. ☎ 053-275-125. À deux gros kilomètres du centre. Prendre un *tuk-tuk* pour y aller. Ouvert de 7 h à 23 h. Une vaste et superbe demeure en teck sur plusieurs niveaux, ouverte sur un jardin verdoyant et sur la rivière. Cuisine classique, mais néanmoins raffinée et consistante. Musique le soir. Louent quelques très belles chambres avec sanitaires privés, à prix moyens.

Ta-Krite – ร้านอาหารตะไคร้ *(plan A3, 59)* : Samlan Rd, Soi 1. ☎ 053-278-298. Derrière le Wat Phra Sing. Ouvert de 10 h à 23 h, en continu. Une des bonnes cuisines thaïes classiques de la ville dans cette gamme de prix. Un conseil : prendre plusieurs petits plats accompagnés de riz, ou carrément un *set-menu* complet pour 2 personnes, et partager le tout (plus économique). Nombreuses préparations à base de citronnelle *(ta krite)*. Un délice ! Atmosphère intime, dommage que le service soit aussi expéditif et à peine souriant.

Le Grand Lanna – ร้านอาหารเลอแกรนด์ลานนา *(hors plan par D3, 63)* : 51/4 Chiang Mai-Sankampaeng Rd, Moo 1. ☎ 053-262-568. Un peu à l'est de la ville, en allant vers les fabriques d'artisanat, un gros kilomètre après la « Super Highway », dans une ruelle qui part à droite, non loin d'un temple. Ouvert tous les jours, pas forcément jusque très tard. Beau restaurant, installé dans plusieurs anciens greniers à riz, de petites constructions sur pilotis, souvent rebâties pour servir de résidences secondaires aux citadins fortunés. Très bonne cuisine thaïe du Nord, et cadre fort agréable. Service classe. Très au calme. Prix assez élevés tout de même.

Whole Earth Restaurant – ร้านอาหารโฮลเอิร์ท *(plan C4, 67)* : Sri Don Chai Rd. ☎ 053-282-463. À côté de l'hôtel *Chiang Mai Plaza*. Fort joli cadre de maison traditionnelle environnée de verdure, pour une cuisine végétarienne assez raffinée, sans être chiche pour autant. Plats thaïs traditionnels non végétariens également. Prix tout à fait corrects compte tenu de la qualité du service, soigné, du cadre agréable et du plaisir gustatif. Réservation très conseillée.

Swairiang Chiang Mai Lakeside Ville – สไวเรียงเชียงใหม่เลคไซด์วิลล์ *(hors plan par C4, **62**)* **:** voir « Où dormir ? ».

Kantoke dinner

Le *kantoke* est un plateau en bois (de teck dans le Nord du pays, de bambou et rotin dans le Sud et l'Est) où est disposée une série de spécialités de la région : curry thaï, plats épicés, charcuterie de Chiang Mai, accompagnés de riz gluant. On s'asseyait autrefois autour du *kantoke* pour les grandes occasions : mariage, funérailles, naissance...
Mais c'est devenu tellement touristique qu'on ne vous recommande pas vraiment les *kantoke dinners*, par ailleurs relativement bon marché (de 180 à 300 Bts la soirée, soit 3,6 à 6 US$). On n'indique donc pas d'adresse en particulier, car vous trouverez partout en ville des publicités et des accroches pour ces soirées-spectacles, qui à peu de chose près se ressemblent toutes. Mais à notre avis, pour voir des danses traditionnelles et manger thaï, autant aller au *Galare Food Center*, sur le *Night Bazaar*.

Où sortir ?

Si la vie nocturne est ici moins variée, moins explosive et débauchée qu'à Bangkok, Chiang Mai offre toutefois assez de possibilités pour ceux qui ne se couchent pas avec les poules. Les établissements sont généralement ouverts de 17 h à 2 h du mat', bien que certains bars jouent de discrètes prolongations au gré des contrôles et du versement de *l'argent du thé* – nom donné par les thaïs aux pots-de-vin.

The Riverside – เดอะริเวอร์ไซด์ *(plan C3, **80**)* **:** 9 Charoen Rat Rd. ☎ 053-243-239. C'est LE rendez-vous nocturne des routards de toutes nationalités depuis pas mal d'années. Beaucoup de monde d'une façon générale. Groupes de musiciens tous les soirs, de qualité inégale. Mais comme il y a deux scènes (donc deux musiques et deux ambiances), vous trouverez toujours votre compte. Le *Riverside* est le plus grand et le plus beau des cafés-concerts qui bordent la rivière Ping, avec ses salles décorées dans un style country-moderne de bois et bambous. Terrasse ouverte surplombant la rivière. Clientèle jeune. Bière à la pression. Fait aussi restaurant, et même dîner-croisière, avec un bateau qui embarque les convives pour un tour sur la rivière (départ à 20 h). Très sympa. Il est conseillé de réserver sa table pendant la haute saison et le week-end. Si c'est complet, essayez le *Good View* juste à côté ou, un peu plus loin, *La Brasserie* (voir ci-dessous), dans un style différent.

Antique House River – บ้านโบราณริเวอร์ *(plan C4, **81**)* **:** Lamphum Rd. ☎ 053-240-270. Cadre assez différent de l'*Antique House 1*, puisque nous sommes ici en terrasse sur la rivière, mais le décor est également harmonieux et de bon goût. Clientèle assez jeune et mélangée, Thaïs et touristes, petite formation musicale un peu rock ou jazz, accueil et service au poil... Une bonne adresse du soir ; on peut aussi y manger.

West-Side – บาร์เวสท์ไซด์ *(plan C1, **82**) :* 36 Wang Sing Khan Chang Moy. ☎ 053-234-431. Sur la rive ouest de la rivière, à 2 km du centre. Un peu comme le *Riverside*, mais fréquenté principalement par des Thaïs. Terrasse au bord de la rivière. Groupes de rock thaïs, souvent très bien, et qui tournent façon radio-crochet. Soirée dépaysante qui change des indécrottables rendez-vous de *farang*. Possibilité d'y manger. Pas cher et bon.

Brasserie – บ้านร่มริมน้ำ *(plan C2, **83**) :* 37 Charoen Rat Rd. ☎ 053-241-665. 500 m après le *Riverside* en venant du pont Nawarat. Atmosphère calme en bord de rivière, sur une terrasse toute simple ou club-bar, avec *rhythm'n'blues* de qualité (concerts *live*) à partir de 22 h. Clientèle d'habitués thaïs ou *farang*.

Kafe – กาเฟ *(plan B3, **84**) :* 127/9 Moon Muang Rd. ☎ 053-212-717. Ouvert de 9 h du matin à minuit. *Happy hour* de 17 h à 20 h. L'endroit pulse doucement, mais sûrement. La clientèle est un mix inhabituel de Thaïs, d'expats et de voyageurs.

Bar Beer Center – บาร์เบียร์เซ็นเตอร์ *(plan B3, **85**) :* sur Moon Muang Rd, tout près de Ratchadamneon Rd. Entrée payante. On l'appelle aussi *BBC*. Pas un bar, mais un véritable complexe de troquets disposés autour d'un ring de boxe thaïe où se produisent des combats assez bidons mais rigolos plusieurs fois par semaine (en général vers 23 h). Également une scène où des femmes (bien qu'on ne soit pas formel sur le sexe de toutes les dames) dansent et chantent en play-back.

Bossy – บาร์บอสซี่ *:* 406 Chiang Mai Land Rd. Une rue sur la droite de Chiang Klang Road, avant le *Park Hotel*, en venant du centre. À ne pas confondre avec *Bossy 2000* sur la gauche. Quelques tables au rez-de-chaussée, des couleurs criardes, c'est un peu bruyant, mais c'est ici que ça bouge ! Musique et regards croisés entre les étages et la console du *DJ*. Ambiance jeune et décontractée.

Nice Illusion – ไนซ์อิลลูชั่น *(plan B2, **86**) :* 82 Chai Ya Phum Rd. En face du marché Somphet. Ouvert à partir de 21 h. Une boîte fréquentée par les jeunes Thaïs pour ses concerts de groupes qui reprennent la musique pop locale. Entrée gratuite, consommations pas chères. Ambiance débridée, dans un cadre sombre et un peu caverneux. Beaucoup de filles intéressées viennent là après leur travail : autant le savoir.

Les bars karaoké – บาร์คาราโอเกะ *(hors plan par C4, **88**) :* sur Chiang Mai Lane (ruelle perpendiculaire à Chang Khlan Rd), plusieurs bars karaoké se disputent la clientèle chantante, principalement thaïlandaise, malgré quelques *farang* égarés. On pousse la chansonnette dans ces bars, en compagnie d' « hôtesses » qui peuvent, moyennant finance, vous tenir compagnie. Rien de pesant dans leur démarche, qu'on peut facilement refuser.

À voir. À faire

Les temples et les musées

Tous les temples de la ville sont accessibles à vélo. Hmm ! Quelle chouette balade en perspective ! Il n'y a pas loin de 350 temples dans Chiang Mai ;

quasi à tous les coins de rue. On vous signale les plus célèbres, sachant que, dans les plus modestes, on peut toujours goûter avec respect à la vivante quiétude d'un temple. Ne pas hésiter à entrer. *Rappel :* ne pas oublier de se déchausser et de conserver une certaine retenue. On peut, à certaines périodes, suivre des cours de méditation, notamment au *Wat Ram Poeng*. Renseignez-vous à l'office du tourisme si vous êtes tenté. Cela ne peut pas faire de mal.

👁 ***Wat Chiang Man*** – วัดเชียงมั่น *(plan B2)* **:** Ratphakinai Rd. Ouvert de 9 h à 17 h (normalement). Ensemble de temples dont les deux plus intéressants sont face à l'entrée (le grand) et à droite (plus petit). Le grand est le temple le plus ancien de la ville, fondé à la fin du XIIIe siècle. Façade élégante, tout en bois sculpté et charpente de bois à l'intérieur, typique du Nord du pays. À côté du temple de droite, en cage, un bouddha de marbre qui aurait plus de 2000 ans (on n'a pas vérifié)... Derrière le temple principal, beau *chedî* à dôme doré.

👁👁 ***Wat Phra Sing*** – วัดพระสิงห์ *(plan A3)* **:** au bout de Ratchadamneon, au coin de Sing Harat Rd. Ouvert tous les jours de 8 h à 17 h. Fondé au XIVe siècle, c'est le plus important et le plus intéressant de la ville. Le temple principal arbore une belle façade classique, mais seul le temple du fond, plus petit et à gauche du principal, présente un véritable intérêt. Façade délicieusement sculptée et ornée de fresques du XVIIe siècle. Le clou de cette visite est le bouddha du VIIIe siècle qui arriva de Ceylan après de nombreuses vicissitudes.

👁 ***Wat Chedî Luang*** – วัดเจดีย์หลวง *(plan B3)* **:** Phra Pok Khlao Rd. Construit en 1391 sous le règne du roi Saen Muang Ma. D'effrayants *nâga* gardent l'entrée du temple où l'on découvre un *chedî*, haut de 85 m, qui date du XVe siècle, et qui abrita le bouddha d'Émeraude (celui de Bangkok). Remarquez la câblerie qui grimpe le long du *chedî* : c'est une petite télécabine à eau bénite permettant d'asperger le sommet de l'édifice, notamment à l'occasion de la Fête de l'Eau.

👁 ***Wat Bupparam*** – วัดบุพพาราม *(plan C3)* **:** 234 Tha Phae Gate. Surtout intéressant pour son *viharn* trois fois centenaire, tout en bois et sur lequel ont été collés des stucs à motifs floraux incrustés de miroirs de couleur.

👁👁👁 ***Wat Chet Yod*** – วัดเจ็ดยอด *(plan A1)* **:** sur la route de Lampang (« Super Highway »), au nord de la ville, côté gauche, quelques centaines de mètres avant le musée. Le vieux temple du XVe siècle qu'on vient voir est sis dans un environnement verdoyant, entouré d'autres petits temples, de *stûpa* et de logements pour les moines. On apprécie le calme de ce lieu. Pour une fois, voici un vieux temple qui n'a pas été rénové et c'est tant mieux. Il possède un vieux *chedî* à sept pointes qui symbolisent les sept semaines que Bouddha passa en Inde, avant son Illumination. Autour, quelques vestiges de bas-reliefs en stuc, assez abîmés, où l'on devine des bouddhas en position de méditation. Il y a toujours des bonzes et des enfants qui se baladent autour des temples et c'est agréable, même si l'entretien de la pelouse semble un peu négligé.

👁 ***Wat U Mong*** – วัดอุโมงค์ *(hors plan par A3)* **:** complètement à l'ouest de la ville. Temple, ou plutôt *chedî* en plein milieu d'une forêt. Pas grand-chose à voir, mais une impression étrange émane de cet endroit. Sur de nombreux arbres, des proverbes thaïs sont traduits en anglais. Ringards au possible.

Intéressant pour son parc animalier, ses grottes et son lac. C'est aussi un centre de spiritisme.

🎯🎯 ***Wiang Kum Kam*** – เวียงกุมกาม *(hors plan par C4)* **:** à 5 km au sud-est de la ville. En bus, embarquer pour Pha Gluay Sarapee depuis Warorot Market et descendre à Wat Ku Khao. À bicyclette ou à moto, suivre la Highway 106 bordée d'arbres gigantesques qui va vers Lamphun, passer sous la voie rapide et tourner à droite au niveau d'un *chedî* (repérer l'affiche). Cet ensemble de vestiges archéologiques fut la première capitale du roi Mengrai.

🎯🎯 ***Le Musée national de Chiang Mai*** – พิพิธภัณฑ์สถานแห่ง ชาติเชียงใหม่ *(plan A1)* **:** au nord de la ville, à côté du Wat Chet Yod. Ouvert tous les jours de 9 h à 16 h, sauf Nouvel An et Songkran. Entrée : 30 Bts (0,6 US$). Bel ensemble de bâtiments modernes, mais inspirés par la tradition. Très belle collection d'objets sacrés et profanes, reflétant les différentes tendances de l'art thaï, avec une grande place laissée à l'art du Lan Na, le style du Nord influencé par les Shan (nez pointu, lobes allongés). Énorme et magnifique tête de bouddha dans ce style. Puis, entre autres, rare empreinte de Son pied, bois peint de 1794, et curieux fusils géants, longs de 2 m au moins et devant peser 30 kg (« Pourquoi sont-ils si grands ? » Réponse de notre guide : « Autrefois, les gens étaient plus grands aussi ! » avec un sérieux désarmant). Dans d'autres salles, objets, panneaux et maquettes illustrent l'économie et le style de vie des habitants de la région à travers les époques ; repérer les remarquables bateaux « scorpions » des commerçants chinois datant de l'époque pas si éloignée où la rivière était la principale voie commerciale du pays.

Les marchés

🎯🎯🎯 ***Warorot Market*** – ตลาดวโรรส *(plan C3)* **:** près de Foot Bridge, à l'angle de Chang Mai Rd et Witchayanon Rd. Tous les jours jusqu'à la nuit. Énorme, coloré et odorant. On y trouve vraiment de tout. Vêtements, tissus, ustensiles divers, légumes frais, fleurs, gros tas de poissons et crevettes séchés... Il faut s'y promener avant d'aller au Night Bazaar, bien plus touristique, donc bien plus cher. On n'y rencontre pratiquement que des Thaïs qui font leurs courses. Au milieu d'un stand de poissons séchés, on a même trouvé de la fort belle porcelaine. On peut aussi y acheter des sortes de chemises en jean et sans col que portent les habitants de Chiang Mai, et quantité d'étoffes brodées. On peut bien évidemment y manger.

🎯🎯 ***Night Bazaar*** – ไนท์บาซ่าร์ *(marché de nuit ; plan C3)* **:** sur Chang Khlan Rd, rue parallèle à Charoen Prathet Rd. Actif de 18 h à 23 h même si quelques magasins « en dur » sont ouverts pendant la journée. Très touristique et donc un peu surfait. Stands colorés, restos en plein air (voir « Où manger ? ») ou encore spectacles de danse et de boxe thaïe gratuits (dans le *Galare Food Center*) qui rendent la sortie agréable. Sur les trottoirs, on trouve des souvenirs, chapeaux, et pas mal de contrefaçons. Attention aux différents dealers et pickpockets.

Les autres distractions

– ***La boxe thaïe*** **:** au *Kawila Boxing Stadium (plan C-D3)*, sur San Pakhoi Khong Sai. ☎ 09-265-74-43 (portable). Prendre la 2e rue à droite après le

Nawarat Bridge, puis sur la gauche à la fourche. Entrée payante. En général un soir en fin de semaine, mais cela change. Il est impératif d'appeler ou de se renseigner au bureau du TAT si vous n'avez pas repéré d'affiches annonçant les matchs (où l'on peut lire « en accroche » : *Authentic Muay Thai, no exhibition !*). Et c'est vrai, là, c'est pas pour la galerie, ils se frappent vraiment comme des dingues. Très grosse ambiance avec paris et tout et tout.
Sinon, des combats un peu bidon mais amusants (et gratuits) se déroulent au *Galare Food Center* du Night Bazaar (voir « Où manger ? ») et au *BBC* (*Bar Beer Center*; voir « Chiang Mai by night »).

– ***Le tiercé du dimanche :*** chaque dimanche vers 11 h, à l'hippodrome, Chotana Road, km 1, passé la « Super Highway ». À côté du terrain de golf Lanna. Assez en dehors de la ville, vers le nord, sur la route de Mae Ring et des camps d'éléphants, de serpents... Spectacle dans les gradins où les joueurs échangent pognon et tuyaux dans une ambiance hystérique. À voir vraiment. Très amusant.

– ***Le zoo :*** au nord-ouest de la ville, pas loin de la résidence d'été du roi, sur la route de la montagne Doi Suthep. ☎ 053-211-179. Ouvert de 8 h à 18 h tous les jours. Entrée : 30 Bts (0,6 US$). On n'aime pas les zoos, mais on doit avouer que celui-ci n'est pas mal conçu. Les 6000 animaux sont ici un peu moins à l'étroit qu'ailleurs. À pied, prévoyez une grosse demi-journée. Les pressés le visitent en voiture, les motos sont malheureusement interdites. Plusieurs spectacles sont organisés, quelques attractions (petits bateaux, jeux pour enfants...).

– ***Apprendre à cuisiner thaï :*** très en vogue en ce moment chez le touriste indépendant et curieux (c'est tout vous !), les cours d'initiation au mystérieux art culinaire thaïlandais fleurissent. On vous donne une adresse où une charmante dame nous a appris à préparer le curry comme personne. *Thai Kitchen Cookery Centre*, 25 Moon Muang Rd, dans la vieille ville. ☎ 053-219-896. • thaikitchen5@hotmail.com • Classes ouvertes tous les jours de 9 h 30 à 17 h. Réservation obligatoire. Un peu cher, mais le tarif inclut un bouquin et, *of course*, la nourriture et la boisson. Ambiance bon enfant.

– ***La méditation :*** certains temples (notamment le *Wat U Mong*, le dimanche à 15 h) organisent des séminaires de méditation, parfois ouverts aux touristes. Si vous avez du temps (mieux vaut en avoir pour envisager de méditer), renseignez-vous au TAT.

– ***L'escalade :*** *The Peak (plan C3)*, 28/2 Changklan Rd (côté ouest). ☎ 053-820-777. • info@thepeakthailand.com • De l'escalade sur un mur artificiel de 15 m de haut répondant aux normes internationales, à deux pas du Night Bazaar ! Convient aussi bien aux débutants qu'aux experts ainsi qu'aux... spectateurs grâce à de nombreux bars et restaurants tout autour d'une plazza dédiée. Une heure pour 250 Bts (5 US$), tarifs spéciaux enfants et membres. *The Peak* organise aussi des sorties sur de la vraie roche, dans la région de Sankampang.

Massages traditionnels

■ ***Thai Massage Conservation Club*** – สมาคมนวดแผนโบราณ **:** 9 Ratdamri Rd. ☎ 053-406-017. Tous les jours de 8 h 30 à 21 h. Le centre le plus sérieux. Massages pratiqués par des filles aveugles (il paraît que ce sont les meilleures dans ce domaine) sortant toutes de l'école de Wat Pho à Bangkok (gage de qualité !). Notre préféré.

■ ***Chiang Mai Anatomy Thai Massage :*** 1 Changmoi Kao Rd (à côté de Tha Phae Gate). ☎ 053-251-407. Un autre endroit sérieux pour des massages aux plantes et au miel, cette fois.

■ ***Jatuporn Samoonrai Traditional Massage*** – จาตุพร สมุนไพร นวดแผนโบราณ : 9/3 Moon Muang Rd, Soi 2. ☎ 053-208-250. Ouvert de 9 h à 22 h. En plein centre-ville, mais dans un petit *soi* et dans une maison traditionnelle avec poules caquetant dans la cour. Très bons massages traditionnels, à l'huile ou aux herbes si l'on veut, *foot massage*... Les deux patronnes dispensent également des cours excellents. Assez bon marché.

Achats

Tout le monde sait que Chiang Mai est le grand centre de production artisanale de la Thaïlande. Environ 90 % de tout l'artisanat que vous verrez ailleurs est réalisé ici. Bref, c'est sans doute ici que vous trouverez le plus grand choix. Une grande partie de la production est réalisée dans de grands ateliers ou de petites usines situés à quelques kilomètres à l'est de Chiang Mai, sur la route qui traverse les villages de ***Borsang*** et ***Sankampaeng***. Les premiers ateliers sont à 3-4 km de la ville et les derniers à environ 12 km. Mais les boutiques ressemblent plus à des centres commerciaux qu'à des masures en bambou. Reste qu'on y découvre les techniques de fabrication de la soie, de la laque, etc. Attention : la plupart des ateliers sont fermés le dimanche (mais pas les boutiques, dont les vendeurs sont par ailleurs un peu collants).

À faire à vélo (mais attention à la circulation), à moto, en bus (départ toutes les 20 mn de 8 h à 18 h de Chang Puak Bus Station), ou en louant les services d'un taxi ou d'un *tuk-tuk*. On s'arrête ainsi où l'on veut et quand on veut, à moins que le chauffeur ne prenne le pouvoir et ne trouve tout un tas de bonnes raisons pour vous conduire là où il touchera une meilleure commission.

Voici quelques-uns des ateliers qu'on a bien aimés, classés du plus proche au plus éloigné de Chiang Mai. Il y en a beaucoup d'autres. À vous de faire votre choix.

U Pienkusol et Kinaree Thai Silk – ยู.เพียรกุศลและกินรีไทยซิลค์ : sur la droite, à 3 ou 4 km de Chiang Mai. Pour la soie.

Lanna Thai Silverware – ล้านนาไทยเครื่องเงิน : sur la gauche. Fabrication de bijoux. Bof.

Bombix – ร้านผ้าไหมบอมบิกซ : autre soierie. Visite guidée en français.

Laitong Laquerware – ร้านเครื่องเขินลายทอง : sur la droite, une fabrique d'objets en teck ou en bambou laqués, décorés de feuille d'or ou de coquille d'œuf.

Gems Gallery International – ร้านเพชรเจ็มส์แกเลอริอินเตอร์เนชั่นแนล : sur la droite. Ouvert de 8 h à 17 h. Ami routard, tenez-vous bien, c'est la plus grande bijouterie de Thaïlande. Autant dire qu'elle a la taille d'un hypermarché...

Sudaluck – สุดาลักษณ์ : sur la gauche. Un véritable *Conforama* asiatique. On y trouve tout, du mobilier de jardin au lit à baldaquin !

À Borsang – บ่อสร้าง (petit village) : à l'angle d'une grande route qui part sur la gauche, tout un quartier est consacré à la décoration

CHIANG MAI

d'ombrelles. Notre préféré ! Cette fabrication traditionnelle remonte à deux siècles au moins, lors du passage d'un moine qui, ayant cassé son ombrelle, aurait demandé à un paysan de la lui réparer. Après avoir satisfait le moine, le paysan aurait appris à tout le village la technique qu'il avait improvisée. Manifestement, c'est une réussite, tout le monde s'y est mis.

Siam Celadon **– สยามศิลาดล :** un peu plus loin encore, toujours sur la gauche. Visite tous les jours de 8 h 30 à 17 h 30. Les céladons sont des poteries de couleur verte, dont la technique de fabrication fut inventée en Chine, il y a plus de 2000 ans !

Et puis, ne pas oublier le ***Night Bazaar***, dans le centre-ville et, encore dans le centre, les nombreux tailleurs qui, pour une poignée de bahts, pourront vous couper n'importe quel modèle.

Fêtes

– ***Festival des Ombrelles :*** le 3e week-end de janvier, dans le petit village artisanal de Borsang (à 8 km environ à l'est de Chiang Mai). Les artisans y présentent et vendent leur collection d'ombrelles de l'année, élection d'une Miss Ombrelle... Un vrai festival de couleurs.
– ***Carnaval des Fleurs :*** chaque année, début février, époque à laquelle on en trouve la plus grande variété.
– ***Festival des Eaux :*** entre le 13 et le 15 avril à Chiang Mai. Très amusant, c'est le Nouvel An *(Songkran)* bouddhique, souhaité à coups de seaux d'eau... À ne pas rater. Une des fêtes les plus sympas, surtout à Chiang Mai. À propos du Nouvel An, il faut savoir qu'outre le leur, les Thaïs fêtent également le nôtre et celui des Chinois.
– ***Loi Kraton :*** célèbre fête qui a lieu à la pleine lune de novembre. Défilé de chars. Multitude de petites bougies sur le fleuve. Les habitants exorcisent leurs fautes. Vu le nombre de bougies qui flottent, ils ont dû beaucoup pécher !
– ***Winter Fair :*** grande foire fin décembre-début janvier. Animation folle pendant une dizaine de jours, concentrée autour du parking du City Hall. Plein d'attractions, dont l'élection de Miss Chiang Mai qui n'est pas celle qui déclenche le moins de passion.

➤ *DANS LES ENVIRONS DE CHIANG MAI*

Excursion à la journée

Voici une chouette balade à la journée (ou à la demi-journée si vous n'avez pas beaucoup de temps), à effectuer à moto ou éventuellement en louant un *songthaew* à plusieurs (à vélo c'est impossible et en bus c'est trop galère...). Cela permet de découvrir la campagne même si les *resorts* poussent comme des champignons dans cette région en pleine expansion touristique.
Le circuit emprunte la route du Nord puis oblique vers l'ouest. Sur cette route, on trouve plusieurs « fermes » d'orchidées et de serpents et plusieurs « centres d'entraînement d'éléphants ». On ne les indique pas tous, évidemment.

Sortir de Chiang Mai par la Chuang Phuak Gate (la route du Nord), en direction de Fang. On passe devant le golf, l'hippodrome et une immense base militaire (à cause du Myanmar voisin, l'ex-Birmanie, dont on se méfie toujours en Thaïlande).

À environ 16 km, on rencontre et on traverse le village de ***Mae Rim***, où vous aurez tout intérêt à vous arrêter pour déjeuner. Les restaurants y sont bien moins chers que ceux des différentes « fermes ». On vous recommande le premier sur la droite (panneau en thaï), à côté du poste de police. Cuisine ouverte, gros bancs en bois, excellente soupe de nouilles et prix dérisoires.

À la sortie de Mae Rim, prendre la route sur la gauche. Un vaste panneau indique « Mae Sa Butterfly Farm ; Mae Sa Waterfalls ; Mae Sa Elephant Camp, etc. ».

☞ ***Tribal Museum*** – พิพิธภัณฑ์ทริบาล (ทางไปแม่ริม) *:* au nord-ouest du Musée National, à 6 km environ de Chiang Mai, sur la gauche de la Highway 107 qui mène à Mae Rim. ☎ 053-210-872. Accessible facilement à vélo ou à moto. En *tuk-tuk*, compter 50 Bts (1 US$). Ouvert de 9 h à 16 h du lundi au vendredi. Entrée gratuite. Le musée est installé dans les beaux jardins royaux de Suang à l'abri d'une construction récente de style traditionnel ressemblant à un *chedî*. Sur 3 niveaux, intéressante présentation des principales tribus montagnardes, à l'aide de mannequins costumés, d'outils divers et d'artisanat, comme dans un écomusée. Petits panneaux de propagande sur les bonnes actions du gouvernement envers les tribus (écoles, soins médicaux, etc.) Diaporamas payants disponibles en français.

☞ ***Mae Sa Butterfly and Orchids Farm*** *(Sainamphung Orchids and Butterfly Nursery)* – ฟาร์มผีเสื้อแม่สาและสวนกล้วยไม้สายน้ำผึ้ง *:* situé à un peu plus de 4 km de l'embranchement sur la gauche. ☎ 053-298-605. Ouvert tous les jours de 8 h à 17 h. Entrée à prix modique. Les orchidées sont des plantes épiphytes, vivant sur un support végétal ou minéral, sans le parasiter. La plupart des dizaines de milliers d'espèces poussent sans terre. Ici, petit parcours entre verdure et orchidées (peu de variétés). Également une volière à papillons (à la saison des pluies), quelques chats siamois, chiens thaïs et volatiles en cage. Bref, une petite visite pas extraordinaire mais pas désagréable. Bar-restaurant à l'intérieur, et boutique de souvenirs. Possibilité d'acheter des orchidées en bouteille qui, selon certains lecteurs, tiendraient assez bien en France.

☞☞ ***Mae Sa Snake Farm*** – ฟาร์มงูแม่สา *:* après la ferme des orchidées, reprendre la route principale. *Snake Farm* 300 m plus loin, sur la droite. ☎ 053-860-719. Entrée payante (et chère) : 200 Bts (4 US$). S'arranger pour assister à l'un des shows impressionnants à 11 h 30, 14 h 15 ou 15 h 30. Nombreuses vitrines où évoluent des dizaines de serpents qui mordent, étouffent et empoisonnent tous ceux qui ne sont pas sages. La meilleure attraction est le « Cobra Show » de 20 mn, pas mal fait du tout et carrément terrifiant pour qui a peur des serpents. Phobiques, s'abstenir.

☞☞ ***Mae Sa Waterfalls*** – น้ำตกแม่สา *:* environ 3 km plus loin, sur la gauche. Entrée : 200 Bts (4 US$). Un réseau de chemins mène à un petit chapelet de cascades pas palpitantes. Il y en a sept et pas une pour relever l'autre. Pas mal de monde en fin de semaine. Un chouette arrêt pour déjeuner. Sur le parking, nombreux petits restos. Cuisses de poulet grillées, soupes...

☞☞ ***Mae Sa Elephant Camp*** – ปาง ช้างแม่สา *:* en reprenant la route principale, 4 km après les Mae Sa Waterfalls, sur la gauche. Ou bien depuis la gare routière de Chang Puak à Chiang Mai, un départ toutes les 20 mn en direction de Fang, de 5 h 30 à 17 h 30 tous les jours. ☎ 053-297-060. Entrée payante (pas chère). Quatre shows dans la matinée, de 8 h à 10 h 30. Durée : 40 mn. Démonstration de ce que peut faire un éléphant avec sa trompe, danse des éléphants, éléphants jouant au foot... Un peu le cirque mais rudement bien fait, les enfants adorent (les éléphants aussi, semble-t-il). Un panneau – qui nous a fait rire – précise de ne pas tenir bananes et appareil photo dans la même main. Cela dit, le conseil est judicieux.

Le lac artificiel de ***Huay Tung Tao*** – ห้วยตึงเฒ่า *(hors plan par A2)* **:** à 15 km au nord-ouest de la ville. Ouvert de 7 h à 19 h. Entrée : 10 Bts (0,2 US$). On s'y baigne (mais en short et T-shirt, à la mode locale), on fait du pédalo, du canoë, voire de la planche à voile.

À voir encore

Vers le nord-ouest

La montagne Suthep et le Wat Doi Suthep – ดอยสุเทพและวัด พระบรมธาตุดุดอยสุเทพ **:** le Suthep est un mont qui culmine à 1 000 m d'altitude, situé à une vingtaine de kilomètres au nord-ouest de Chiang Mai. Prendre la route du zoo devant lequel des *songthaews* attendent les passagers ; prix du trajet : 30 Bts (0,6 US$) par personne. Sinon, balade agréable et facile en moto. Tenue correcte exigée. Presque au sommet, on trouve un temple bouddhique qui dresse fièrement son grand *chedî* avec reliques de Bouddha. Panorama superbe sur la plaine. Fait assez rare, il est habité par des bonzesses tout en blanc (à ne pas confondre avec les gonzesses, plaisantait notre guide, ah ah !).

Phuping Palace – พระตำหนักภูพิงค์ราชนิเวศน์ **:** à quelques kilomètres du temple de Doi Suthep. C'est la résidence d'hiver du roi. En réalité, il y met rarement les pieds. On peut jeter un petit coup d'œil aux jardins, ouverts à la visite seulement les vendredi, samedi et dimanche (sauf quand le roi est là).

Doi Puy National Park – อุทยานแห่ง ชาติดอยปุย **:** tout ce secteur fait partie d'un parc national protégé. Pour les voyageurs au long cours, nombreuses balades possibles. Se renseigner sur place.

Vers le nord

Elephant Training Center Chiang Dao – ศูนย์ฝึกช้างเชียงดาว **:** à 50 km environ de Chiang Mai, sur la route de Fang, donc de Chiang Dao, fléché à droite. Entrée à prix modique, mais promenade payante assez chère. Shows à 9 h et 10 h. Environnement plus « junglesque » (il y a même un pont de singe) que les autres camps du coin, spectacle plus axé sur le travail et moins « cirque », et balade agréable sur la rivière.

Chiang Dao Caves – ถ้ำเชียงดาว **:** à environ 75 km au nord de Chiang Mai, sur la même route de Fang (à mi-chemin environ). On peut très bien y aller en bus, surtout pour ceux qui poursuivent leur route vers Thaton après. D'autres préféreront y aller à moto et revenir sur Chiang Mai. En bus, descendre à l'embranchement des grottes (dans le village de Chiang Dao), sur la gauche. Elles se trouvent à 5 km de la route principale. Des motos-taxis sont là pour vous y conduire. Entrée payante modeste, mais obligation de

louer les services d'un guide muni d'une lampe à pétrole. Grottes accessibles tous les jours de 8 h à 17 h 30.
Bel ensemble de grottes qui se faufilent sur plusieurs kilomètres dans la montagne de la « Ville de l'Étoile » (*Doi Chiang Dao* en thaï), le troisième sommet du pays. Plusieurs bouddhas dans les premières grottes (éclairées), puis des galeries qui partent dans tous les sens avec force stalactites (et stalagmites). La légende raconte que la grotte fut découverte par un roi chasseur qui poursuivait une biche d'une rare beauté. Les deux ne sont jamais ressortis de la grotte mais, à notre connaissance, aucun touriste ne les a encore rejoints. Une sacrée aventure quand même.
Chiang Dao est par ailleurs un lieu de pèlerinage important pour les Thaïs. Quelques vestiges y furent retrouvés et un temple s'est implanté devant. Ne manquez pas de nourrir les poissons du bassin. Pour votre propre estomac, vous trouverez ici de nombreux restaurants locaux, corrects et bon marché, comme partout.

Malee's Nature Lovers Bungalows – มาลิบังกะโล *:* sur la même route que les grottes, mais un peu plus loin, juste avant l'entrée de la réserve ornithologique. ☎ 053-456-508. •maleenature@hotmail.com • Six bungalows en bois saupoudrés dans un jardin luxuriant et un dortoir. Possibilité de camper. Eau chaude. Malee, la patronne, est absolument adorable et met à votre disposition de nombreuses cartes et informations sur les possibilités de balades aux alentours. Le soir, elle prépare le dîner pour tout le monde et l'on discute nature et oiseaux dans ce repère d'ornithologues en tous genres !

Vers le sud

Lamphun – ลำพูน *:* à 25 km environ au sud de Chiang Mai. Bus toutes les 15 mn environ, à prendre à la porte nord des remparts (Chang Puak Gate). Compter 45 mn de trajet. On peut aussi y aller en *songthaew* bleu (départ du pont Narawat). Lamphun constitue une bonne excursion à la demi-journée, sans être non plus primordiale.
Lamphun est l'ancienne capitale du petit royaume môn d'Hariphuncha. Ce petit royaume est toujours parvenu à conserver son indépendance. Voyez les temples (surtout le *Wat Hariphuncha* du XIIe siècle ; splendides peintures représentant les diverses étapes de la vie de Bouddha). À noter, dans un pavillon ouvert, un gong suspendu (l'un des plus gros du monde). Les moines le frappent deux fois par jour, à 6 h et à 18 h ; mais vous pouvez le frapper vous-même, du poing s'il n'y a pas de frappe-gong à disposition. C'est même une tradition, en Thaïlande, de frapper les gongs en formant un vœu. Fermons les yeux, mon Dieu, faites que je sois riche dans l'année, et gong, c'est gagné !

Le temple de Lampang, Wat Phra That Lampang Luang – วัดลำปาง วัดพระธาตุลำปางหลวง *:* attention, bien que connu comme temple de Lampang, il se trouve tout de même à 20 km de cette ville. De Chiang Mai, ne pas aller jusqu'à Lampang, prendre à droite 12 km avant (indiqué). Le temple est ensuite à environ 5 km de là. Incontestablement l'un des plus beaux temples thaïlandais.
Ceint d'une antique muraille (une forteresse existait ici dès le VIIIe siècle) et surélevé, on y accède par un escalier monumental, bordé de *nâga*. L'ancien-

neté des bâtiments (du XVe siècle pour la plupart), leur facture, le cadre tranquille et l'architecture typique du Nord de la Thaïlande, avec ses toitures basses et étagées, ses élévations, tout concourt à l'harmonie générale. Le grand *chedî* abrite un cheveu de l'Éveillé, à la belle teinte cuivrée (le *chedî*, pas le cheveu !).

Vers le sud-ouest

Mae Klang Falls* – น้ำตกแม่กลาง *: à environ 60 km au sud-ouest de Chiang Mai. Belle cascade, surtout à la saison des pluies. Pour y aller, prendre un bus à la Chiang Mai Gate, au coin de Whulai Road, mais c'est un peu galère. À côté des cascades, la petite ville de ***Chom Thong***. À l'entrée de celle-ci, temple avec *chedî* doré.

Si vous faites ce circuit à moto, vous pourrez pousser jusqu'au ***Doi Inthanon*** – ดอยอินทนนท์ (110 km de Chiang Mai), le plus haut sommet du pays (2 590 m). Entrée du parc : 200 Bts (4 US$). Balade agréable, beaux paysages. Seulement si vous disposez de temps. Sur la route, quelques kilomètres avant le sommet, deux temples récents. Architecture intéressante. Des bus directs partent de Chiang Mai Gate au sud de la vieille ville.

QUITTER CHIANG MAI

En train pour Bangkok

Gare ferroviaire – สถานีรถไฟ *(plan D3)* ***:*** 27 Charoen Muang Rd. ☎ 053-247-462. Trains uniquement pour et de Bangkok. Aucune ligne ne monte plus vers le nord. Compter 7 départs entre 6 h 35 et 23 h 30. Trajet entre 12 et 15 h. S'y prendre plus d'un jour à l'avance pour la réservation car parfois complets. Prix : entre 320 et 420 Bts (6,4 et 8,4 US$).

En bus gouvernemental

Arcade Bus Station – สถานีรถอาร์เขต *(plan D1)* ***:*** Lampang Super Highway. ☎ 053-242-664. Située en périphérie de la ville, au nord-est. Pour les bus qui quittent la province de Chiang Mai. AC ou non-AC, ce sont les moins chers.

Chang Puak Bus Station – สถานีรถช้างเผือก *(plan B2)* ***:*** Chang Puak Rd. ☎ 053-211-586. À 500 m au-delà de Chang Puak Gate, au nord de la ville. Pour rayonner dans la province

Quand on ne l'indique pas, c'est que le départ se fait de l'Arcade Bus Station.

➢ ***Pour Bangkok*** (720 km) ***:*** en bus AC ou non-AC, environ 15 départs par jour depuis tôt le matin jusqu'en fin d'après-midi pour les bus non-AC et jusqu'à 21 h environ pour les bus AC. Durée du trajet : 10 h.

➢ ***Pour Chiang Rai*** (180 km) ***:*** 15 départs quotidiens de 6 h à 17 h 30, dont une dizaine en bus AC. Durée : 3 h.

➢ ***Pour Mae Hong Son*** (par Mae Sariang, 335 km) ***:*** 5 liaisons quotidiennes de 6 h 30 à 21 h, dont 3 en bus AC. Durée : 8 h.

➢ ***Pour Mae Hong Son*** (par Pai, itinéraire plus sympathique, 250 km) ***:*** 4 bus non-AC par jour de 7 h à 12 h 30. Durée : 7 h.

➢ ***Pour Fang*** (Chang Puak Bus Station) ***:*** bus toutes les 30 mn de 5 h 30 à 19 h 30. 150 km. Durée : 3 h.

➢ ***Pour Thaton*** (Chang Puak Bus Station) ***:*** 6 départs quotidiens de 6 h à 15 h 30. Durée : 4 h. Pour l'excursion sur la rivière Kok, prendre celui de 7 h 20.

➢ ***Pour Lamphun*** (Chang Puak Bus Station) ***:*** bus toutes les 10 mn de 6 h à 18 h. Compter 1 h de trajet.

➢ ***Pour Sukhothai et Phitsanulok :*** plusieurs bus AC et non-AC par jour. Durée : 6 h pour Sukhothai et 5 h 30 pour Phitsanulok.

➢ ***Pour Chiang Khong*** (à la frontière avec le Laos, 337 km) ***:*** 3 bus dont un avec AC, de 6 h 30 à 12 h 30. Durée : 6 h.

En bus VIP

Ces bus privés desservent surtout Bangkok et Chiang Rai. Confortables, car peu de passagers : leurs sièges s'allongent, tout comme le prix des billets évidemment. La plupart des agences se trouvent sur Anusarn Market, d'où les bus partent. On peut acheter les billets sur place ou dans les *guesthouses* moyennant une petite commission. Pratique.

➢ ***Pour Bangkok :*** 5 départs environ, entre 7 h et 21 h.

➢ ***Pour Chiang Rai :*** on peut très bien se contenter d'un bus traditionnel. Ce n'est pas si loin. Bien vérifier que le bus n'emprunte pas l'ancienne route (bien plus longue).

Une compagnie parmi des dizaines : *Tangit*, à l'Anusarn Market.

En avion

➢ ***Pour Bangkok :*** selon la saison, une dizaine de liaisons par jour au moins, entre 7 h et 20 h.

➢ ***Pour Chiang Rai :*** 2 liaisons (matin et soir).

➢ ***Pour Mae Hong Son :*** 3 liaisons, entre 10 h et 15 h 30.

➢ ***Pour Phuket :*** 1 vol par jour. Durée de vol : environ 2 h. Départ en fin de matinée.

➢ ***Pour Phitsanulok :*** 1 liaison quotidienne. Horaire variable selon les jours.

➢ ***Pour Sukhothai :*** escale du vol quotidien pour Bangkok par la *Bangkok Airways*.

➢ ***Également des vols pour : Vientiane***(Laos), 2 fois par semaine avec *Lao Aviation*; ***Singapour***, 3 fois par semaine avec *Silk Air*; ***Jinghong*** (Chine), trois fois par semaine.

TREKS CHEZ LES ETHNIES MONTAGNARDES

Chiang Mai est le grand point de départ des treks (en français : randonnées à pied) dans les montagnes environnantes. L'intérêt principal de ces excursions est la découverte des villages et du paysage, qui sont superbes, et la rencontre avec l'habitant, qu'il soit akha, karen, lisu, lahu ou yao (une vingtaine d'ethnies en tout). Mais du trek originel, aventureux et authentique, à l'industrie touristique qui s'est développée aujourd'hui, la différence est grande. Voici quelques éléments et conseils qui vous permettront de mieux comprendre ce qu'est le trek, et comment éviter les déconvenues et autres mauvaises surprises.

LE TREK AUJOURD'HUI

Aujourd'hui, Chiang Mai compte plus de 100 agences qui organisent des treks, dont une quarantaine labellisées par le gouvernement (on ne sait pas ce que vaut ce label, mais il est certain en revanche que l'agence sans véritables moyens ni structure ne peut pas l'obtenir). Comme il y a foule d'agences et foule de trekkeurs, fatalement tous les groupes se retrouvent sur les mêmes sentiers et dans les mêmes villages. Il existe cependant des régions moins visitées que d'autres, renseignez-vous, mais aucune n'est vierge.
Le trekking, tel qu'on le pratique aujourd'hui en Thaïlande, est d'une durée moyenne de 2 à 3 nuits. Il cumule en général la marche en terrain accidenté, de difficulté modérée (les montagnes du Nord thaïlandais ne dépassant pas les 2500 m), la virée à dos d'éléphant et la descente de rivière en raft ou radeau de bambou. La visite de deux ou trois ethnies est bien sûr au programme. Allez, 10 ethnies, le tour en éléphant et un coup d'hydrospeed en un jour, et pas cher avec ça ! Et il existe même maintenant des treks « spécial 3e âge », au parcours extra-plat, sans effort. Mais trek tout de même !

QUELQUES ÉLÉMENTS SUR LES CULTURES MONTAGNARDES

Sur le plan culturel, ces sociétés distinctes et longtemps isolées des basses terres ont conservé, malgré le tourisme et la siamisation, des traditions d'une grande originalité, et cette seule dimension suffit largement à justifier la visite. Les groupes ethniques qui habitent les montagnes de Thaïlande comptaient en 1988 un peu plus de 550000 individus répartis dans 3500 villages sur une quinzaine de provinces du Nord.
Ces ethnies sont issues de trois grands groupes linguistiques : le ***groupe sino-tibétain*** (sous-groupes tibéto-karen et tibéto-birman), qui inclut les ethnies *karen*, *lisu*, *lahu* et *akha* ; le ***groupe austro-thaï*** (sous-groupe *miao-yao*), qui inclut les ethnies *hmong* et *mien* ; et le ***groupe austro-asiatique*** (sous-groupe môn-khmer), incluant les ethnies *htin*, *khamu*, *lawa* et *mlabri*. Ce qui nous fait dix groupes ethniques principaux. En réalité, on pourrait en dénombrer davantage, une vingtaine en tout, mais ça deviendrait compliqué.
Tous ces groupes sont traditionnellement de religion animiste, c'est-à-dire qu'ils rendent un culte aux esprits des choses, des éléments et, en particulier, des parents défunts. Tous ont une structure sociale centrée sur le lignage et parfois le clan ; et la maisonnée est l'unité économique de base. Leur organisation politique n'excède généralement pas les limites de la famille élargie, et toute décision impliquant plusieurs lignages, voire plusieurs villages, se prend en discutant entre chefs de lignage mâle.
Les groupes ethniques sont très dispersés sur le territoire. Ce qui a pour agréable conséquence qu'il est très facile de visiter plusieurs villages d'ethnies différentes au cours d'un même trek.
Voyons quelques détails sur chacun des groupes.

Karens, Lahus, Akhas et Lisus

Ces quatre ethnies comptent respectivement pour 50 %, 11 %, 6 % et 4 % de la population montagnarde du pays.
– ***Les Karen*** (prononcer « Karène », *Kariang* en thaï) **:** ce sont les plus

anciens à s'être implantés en territoire thaïlandais. Il y a près de 300 ans, ils sont venus des hautes terres de Birmanie, où réside toujours le plus gros de cette population. C'est donc le long de cette frontière qu'on trouve le plus grand nombre de villages karen, et là aussi que certains de leurs habitants militent pour la création d'un État karen qui serait à cheval sur la Thaïlande et le Myanmar (mais principalement sur le Myanmar). Il faut noter que la répression, côté Myanmar, est terrible envers ces indépendantistes. Réfugiés politiques en Thaïlande, ils ont été « parqués » dans des villages militarisés où leurs conditions de vie, si elles ne sont pas enviables, sont toutefois incomparablement meilleures que celles vécues en Birmanie. Ils sont divisés en quatre sous-groupes : les *Saw Karen* ou *Karen blancs*; les *Pwo Karen* ou *Plong*; les *Taungthu* ou *Karen noirs*; et les *Kayah* ou *Karen rouges*. Bref, un véritable arc-en-ciel.

Arrivés en Thaïlande, ils ont pu occuper des terres à une altitude relativement faible (autour de 500 m), près des villages thaïs, et ont ainsi subi une importante influence culturelle. Leur agriculture est sédentarisée et centrée sur la riziculture inondée.

Ils élèvent également des animaux domestiques : poulets, porcs, buffles et éléphants, dont ils sont d'excellents dresseurs. Les poulets sont en général sacrifiés lors des cérémonies. Les Karen sont pour partie de croyance animiste. Le divorce et l'adultère sont rares, mais, si ce dernier arrive, un sacrifice doit être pratiqué pour apaiser les esprits. Il existe aussi beaucoup de chrétiens. Évangélisés au XIXe siècle par deux pasteurs américains, les Karen chrétiens respectent une morale profondément imprégnée de principes puritains : ni alcool ni drogue. Bref, ça ne rigole pas ! Il y a aussi pas mal de bouddhistes.

Dans certaines tribus des Karen, l'on trouve des ***femmes-girafes*** (*Padong* ou *Kayan* en thaï) qui font partie du groupe des Karen. Ces tribus (8000 personnes environ) vivent principalement dans la région de Mae Hong Son. À l'image des montagnards, ces femmes ont les muscles des épaules atrophiés par les nombreux anneaux qu'elles portent autour du cou. L'origine de cette coutume est assez discutée : pour les uns, les anneaux auraient d'abord servi à se protéger des griffes du tigre, pour d'autres, c'est un privilège réservé aux femmes nées pendant la pleine lune, enfin on entend dire aussi que ces anneaux représentent et concentrent l'esprit de la tribu... Allez savoir. Toujours est-il qu'aujourd'hui les *Padong* vivent dans des conditions assez dégradantes. Le côté « zoo humain » choque vraiment, davantage que pour les autres tribus. On y revient plus loin (chapitre « Mae Hong Son »), mais profitons-en déjà pour vous déconseiller la visite (même si ça leur apporte de l'argent, toute l'ambiguïté est là).

– ***Les Lahu*** (ou *Musoe* en thaï) **:** d'origine sino-tibétaine, on en dénombre environ 61 000 en Thaïlande qui sont installés le long de la frontière birmane, au nord de Chiang Mai et de Chiang Rai. On compte de nombreux sous-groupes, notamment les *Lahu Nyi* (Lahu rouges) et les *Lahu Na* (Lahu noirs). Leurs villages sont petits, dispersés et situés en altitude (environ 1 000 m), donc à l'écart des lieux de résidence thaïs. Mais leur isolement ne les empêche pas d'avoir le sens de la fête : au Nouvel An, les animations sont nombreuses.

Ils cultivent l'opium en plus du riz et du maïs et en tirent une grande source de revenus. Les *Lahu* sont également éleveurs et surtout chasseurs. Leur arbalète est toujours prête à servir. Animistes, ils croient aux esprits, ont des sorciers, et accordent une place importante à leurs ancêtres.

– ***Les Akha*** (*Ikaw* en thaï) ***:*** d'origine tibéto-birmane, ils viennent du Laos et du sud de la Chine (province du Yunnan), et se sont d'abord installés en Birmanie à la fin du XIXe siècle. Puis ils ont émigré vers les régions de Chiang Rai et de Chiang Mai au siècle dernier. On en dénombre environ 33 000. Ils vivent sur les montagnes ou à flanc de colline : ils sont donc assez difficiles à atteindre. Ils cultivent l'opium, le riz, le maïs, mais également le millet et des légumes divers. Leur élevage de volailles, cochons et buffles répond à leur besoin de sacrifices. La soupe de chien constitue un de leurs plats favoris, faisant l'objet d'un véritable événement.
Leur habitat est d'une monacale simplicité, contrastant avec leur mode de vie où tout est prétexte à chanter et à faire la fête.
Les *Akha* sont panthéistes : le culte des ancêtres et les offrandes constituent des événements importants. D'ailleurs, à chaque entrée et sortie des villages, une « porte pour les esprits » est dressée afin de délimiter le monde des esprits de celui des hommes. Franchir cette porte est un moyen de se purifier des mauvais esprits de la jungle. La « cérémonie de la balançoire » est l'événement principal de la société akha.
Je ne comprends pas « colorée en fer blanc »
Enfin, leurs costumes sont étonnants. Les *Akha* détiennent la palme pour l'esthétique vestimentaire, basée sur le noir et le rouge. La femme porte la jupe, ainsi que des jambières décorées. Sa tête est couverte d'une sorte de coiffe haute, agrémentée de dizaines de pièces d'argent. Les costumes ne sont pas de Donald Cardwell !
– ***Les Lisu*** (*Lisao* en thaï) ***:*** on en recense aujourd'hui 25 000 en Thaïlande (et 400 000 au Myanmar). Ils ont suivi la même vague migratoire que les *Akha*, mais sont d'origine sino-tibétaine. Leurs villages se concentrent près de la frontière birmane, au nord de Chiang Mai, à l'ouest de Chiang Rai et plutôt en altitude. On croit avoir observé l'entrée des premiers arrivants en sol thaïlandais il y a à peine 60 ans.
Ils exploitent leur sol (riz des montagnes, maïs, légumes...) et connaissent, bien entendu, la culture de l'opium. Très influencés par la culture chinoise, ils célèbrent le même Nouvel An qu'en Chine. Lors de cette fête, les femmes portent une coiffe particulièrement colorée.

Hmong (prononcer « mongue » ; aussi appelés *Méo*) et Mien (aussi appelés *Yao*)

Ces deux groupes sino-tibétains composent respectivement 15 % et 6 % du total de la population montagnarde de Thaïlande. En plus d'une proche parenté linguistique (leur écriture utilise les caractères chinois), ils sont tous deux originaires du centre de la Chine et ont laissé d'importantes concentrations de leurs congénères là-bas, ainsi qu'au Laos et au Nord-Vietnam. On estime la population hmong dans le Sud chinois à près de 5 millions d'individus ! Ces deux groupes ont une vision du monde se rapprochant beaucoup de la cosmogonie chinoise et pratiquent un chamanisme foisonnant (assister à une cérémonie chamanistique est une expérience inoubliable... mais malheureusement difficile d'accès pour le trekkeur de passage). Les deux sont des migrants tardifs en sol thaïlandais (environ un siècle) et peut-être est-ce pour cela qu'ils occupent les crêtes les plus hautes du massif montagneux, à plus de 1 000 m. En raison de cette altitude, les maisons hmong et mien sont systématiquement construites sur terre battue, plus chaudes que les constructions sur pilotis pratiquées par presque tous les autres groupes.

Cette situation en altitude constitue également un avantage marqué quand vient le temps de cultiver le pavot; les *Méo* et les *Yao* sont les experts incontestés de cette activité.

– ***Les Méo :*** ils sont originaires du sud de la Chine et on en compte environ 100000 en Thaïlande (et 5 millions en tout!), installés principalement à la frontière du Laos, au nord et à l'ouest de Chiang Mai. Ils s'installèrent ici vers la fin du XIXe siècle tout d'abord, puis après la guerre du Vietnam.

Ils se divisent en trois sous-groupes : les *Méo bleus.* On reconnaît les femmes grâce à leurs superbes jupes plissées couleur indigo et à leurs jolies broderies. Certaines sont de véritables pièces d'art composées de batik, broderie et pliage. Les *Méo blancs* : les femmes portent une jupe blanche pour les cérémonies, et un pantalon indigo pour aller aux champs. Ce sont des brodeuses hors pair. Les *Méo Gua Mba*, quant à eux, viennent du Laos et habitent pour la majorité dans des camps de réfugiés; la révolution de 1975 ne leur a rien valu. Leurs villages sont établis pour la plupart en haute altitude pour la Thaïlande (1 000-1 200 m). La culture de l'opium dépasse celle du riz et du maïs. Principale source de revenus malgré les nombreuses tentatives des autorités pour leur imposer des cultures de substitution, l'opium est surtout apprécié des vieux, qui le fument selon des rites ancestraux.

Leur organisation sociale permet la polygamie. Leur religion combine le panthéisme et le chamanisme. Leurs croyances ont subi une importante influence chinoise, tout comme leur langue, qui ne s'écrit pas. Le Nouvel An (fin décembre) reste la fête la plus importante. Une des traditions est le lancer de balle entre garçons et filles se courtisant. Les tribus méo autour de Chiang Mai sont devenues très touristiques.

– ***Les Yao :*** venus du sud de la Chine il y a environ 150 ans, ils se sont installés près de la frontière du Laos, autour de Chiang Rai et de Nan. Comme leurs amis des autres ethnies, ils s'adonnent à la culture de l'opium dont ils tirent le gros de leurs revenus, mais les autres cultures ont aussi leur importance.

Leurs costumes sont gais, surtout ceux des femmes (touches de couleur rouge sur fond indigo). Remarquable est aussi le boa rouge écarlate qu'elles portent autour du cou. Par ailleurs, les *Yao* sont connus pour leur côté extrêmement économe.

Htin, Khamu, Lawa et Mlabri

Ces trois premières ethnies, Htin, Khamu et Lawa, du sous-groupe linguistique môn-khmer totalisent ensemble moins de 8 % de la population montagnarde de Thaïlande. Considérées plus près culturellement des populations môn et khmères, qui avaient fondé de puissants empires dans la péninsule il y a plus de douze siècles, elles sont sédentarisées depuis beaucoup plus longtemps que les autres montagnards de la région. Elles pratiquent toujours un animisme qui était la norme dans toute la péninsule avant l'arrivée du bouddhisme. Il y a peu de chances pour que vous en rencontriez durant un trek.

– ***Les Khamu :*** rien à voir avec Albert, ils sont originaires du Laos et sont installés dans les provinces de Nan, sur la frontière du Laos, ainsi que dans la région de Lampang et de Kanchanaburi.

– ***Les Htin*** se situent dans le même secteur.

– ***Les Lawa :*** ils immigrèrent ici vers le VIIe siècle. Ils ne sont que 8000 et on les trouve surtout au sud-ouest de Chiang Mai et au sud-est de Mae

Hong Son. C'est le seul groupe de montagnards qu'on ne trouve qu'en Thaïlande. Ils sont presque complètement intégrés à la majorité thaïe.

– ***Les Mlabri :*** appelés aussi ***Phi Thong Luang*** (« esprits des feuilles jaunes »). Ce groupuscule compte autour de 150 individus. Ils habitent les provinces de Nan et de Phrae. Ce sont les derniers montagnards nomades qui déplacent leur campement tous les 3 ou 4 jours (des vrais routards, quoi !). Ils vivent essentiellement de la chasse et ne possèdent pas de terre. En fait, bien souvent, ils travaillent chez les autres. Les *Mlabri* vivent en toutes petites communautés de 3 à 12 membres.

SAVOIR-VIVRE DANS LES VILLAGES MONTAGNARDS

Les vertus cardinales durant votre visite chez les montagnards sont le ***respect*** et le ***savoir-vivre***. Vous n'êtes pas chez vous, vous en êtes même très loin ; beaucoup de choses qui peuvent vous paraître évidentes échappent en fait à votre entendement, et votre guide, qui n'est généralement pas chez lui non plus, n'y comprend peut-être rien de plus que vous. Ne prenez pas pour acquis que ce que le guide fait est bien, les exemples déplorables sont légion ; jugez plutôt par vous-même selon votre bon sens.

Les montagnards sont accueillants, c'est une tradition. Veillez donc à la faire durer en évitant d'abuser de leur patience, et surtout de celle des esprits. Car il ne faut jamais oublier cette dimension animiste. La santé, l'humeur, toutes choses et tous événements dépendent des esprits. Ne pas trop chercher à comprendre, à rationaliser, mais plutôt admettre et respecter les esprits, tout comme les lieux et les objets sacrés. Cela est essentiel. Respectez aussi le sommeil de vos hôtes, surtout si vous avez bien bu et même si vous et vos amis êtes en vacances, car eux se lèvent à 5 h. Respectez leur intimité. De la même manière que vous n'apprécieriez pas que l'on vienne vous photographier dans votre salle de bains, sachez reconnaître quand le moment de prendre une photo est approprié ou non : consultez donc votre sujet du regard avant de vous exécuter, et dans le doute, n'hésitez pas à vous abstenir. Dites-vous que déjà vous êtes privilégié de venir ici, car rien au fond ne les oblige à vous recevoir. En résumé, la meilleure des bonnes manières reste la discrétion.

COMMENT RÉUSSIR UN TREK ?

La meilleure époque se situe de novembre à mars. Petits Français qui venez en juillet-août, vous risquez de rencontrer de chouettes averses. Une condition physique moyenne et une certaine volonté de faire un effort, entre les plages du Sud et les plaisirs de Bangkok, suffisent pour être à la hauteur.

Pour s'assurer du sérieux d'une agence, il est bon de demander la durée exacte du trek (il arrive que 3 jours se transforment en 2 jours) ; s'assurer que le guide parle l'anglais ainsi qu'une ou deux langues des tribus ; enfin, il est prudent de se faire décrire le parcours sur la carte...

Refuser les offres des guides rencontrés en ville. Les *guesthouses* sont pratiquement toutes affiliées à une agence.

Se faire raconter le trek par ceux qui en reviennent est aussi une bonne méthode pour s'assurer du sérieux d'une agence.

ÉQUIPEMENT POUR LE TREK

– Chaussures de marche.
– Plusieurs slips et chaussettes (traversées de cours d'eau).

– Petite (voire grosse) laine pour la nuit. Attention : entre décembre et février, il peut faire très froid en montagne la nuit. Apporter son duvet, un vrai, bien chaud, pendant ces périodes car les couvertures fournies sont plutôt minces.
– Pantalons longs (broussailles et ronces).
– Chapeau (insolations fréquentes) + crème solaire (bras).
– Un *Opinel* peut servir (construction de radeaux par exemple !).
– Lotion anti-moustiques.
– *K-Way* ou, mieux, cape de pluie, surtout en été.
Ne chargez pas inutilement vos valises pour la Thaïlande, car tout cela se trouve à Chiang Mai, et pour une poignée de riz (ou deux).
– Pastilles *Micropur* (ou autre marque).
– Une gourde.
– Une torche.
– *Ercéfuryl* et *Imodium* pour les petits ennuis intestinaux.
– PAS de papier hygiénique. Bientôt on va suivre les touristes à la trace !
– Emporter sa carte de paiement et son passeport ou alors les laisser dans une banque, mais pas à la *guesthouse*.

QUELQUES ZONES DE TREKS

– ***Aux alentours de Chiang Dao*** – บริเวณเชียงดาว ***:*** à 80 km au nord-ouest de Chiang Mai, une multitude de villages rassemblant toutes les ethnies. Région assez visitée, 60 % des treks s'y déroulent, mais le grand nombre de villages (voir plus loin) permet d'éparpiller les touristes. Quelques agences ont trouvé de nouveaux secteurs peu fréquentés.
– ***Vers le Doi Inthanon, Samoneng et Ma Chaem :*** un bon tiers des treks au départ de Chiang Mai a lieu dans ce secteur situé à 60 km au sud-ouest de la ville, dans et aux alentours du parc naturel de *Doi Inthanon*.
– ***Mae Hong Son*** – แม่ฮ่องสอน (voir plus loin) ***:*** toute une région à l'ouest de Chiang Mai d'où l'on peut organiser des treks. C'était la grande mode à une période à cause du passage possible en Birmanie par les chemins de contrebandiers pour voir les *long-necks* (« femmes-girafes » ; *padong* en thaï. Voir plus haut). Les treks dans les environs de Mae Hong Son présentent l'avantage de traverser de beaux paysages. On y rencontre surtout des Karen.
– ***Au nord de la rivière Kok*** – เหนือแม่น้ำกก ***:*** le ***Triangle d'or*** – สามเหลี่ยมทองคำ. Nom pittoresque, mais région très touristique avec vente de T-shirts, souvenirs, etc., à chaque arrêt. Secteur usé jusqu'à la corde.
Il reste encore bien sûr des tas d'autres chemins possibles ouverts par des guides indépendants mais, là, c'est la jungle dans tous les sens du terme.

À LA RENCONTRE DES ETHNIES SANS AGENCE : PAS BON !

Il est possible, depuis Pai ou Soppong par exemple, et en 1 ou 2 h de marche (facile !), de gagner des villages lahu, karen ou méo. Cependant on le *déconseille formellement*. Les escarmouches, embuscades et autres tirs de mortier surviennent de temps à autre à la frontière, opposant l'armée birmane aux rebelles karen, ou aux troupes des rois de l'opium, et, parfois, mêlant l'armée thaïlandaise, qui se trouve prise entre trois feux (le Myanmar lui reproche de servir de base arrière aux Karen ; les Karen réclament l'asile, des armes, des soins, des sous et à manger, etc., et montent des opérations commando pour montrer qu'ils ne rigolent pas ; enfin, les rois de l'opium lui font ouvertement la guerre et tirent sur tout ce qui bouge). Non, vraiment, laissez tomber la balade, dans le secteur c'est trop risqué. Certes, avec les agences, ça manque peut-être un peu de sel, mais au moins c'est balisé et on ne risque pas, en principe, de se faire trouer la peau.

QUELQUES ORGANISATEURS DE TREKS À CHIANG MAI

Avec plus de 100 agences, Chiang Mai est la reine du trek. Neuf treks sur dix partent de là. Certaines agences ont fait leurs preuves depuis des années. Nous, on préfère s'en tenir à ce qu'on connaît, et les trois organisateurs de treks suivants ne nous ont jamais posé de problème. On nous signale en revanche régulièrement de mauvaises agences, des *guesthouses* aux treks pas bons du tout, etc. Prudence !

■ ***Mr. Wuthi Yunnan, S.T. Tours and Travel*** – นายวุฒิยุนนาน,เอส.ที. ทัวร์แอนด์ทราเวล : 143/18 Lanna Villa, Super Highway. ☎ 053-222-174. Fax : 053-212-829. M. Yunnan parle très bien le français et organise des tours de toutes sortes. On n'a pas eu à s'en plaindre.

■ ***Udom Porn Tours*** – บริษัทอุดมพรทัวร์ : Chang Khlan Rd (petite rue à 50 m d'Anusarn Market). ☎ 053-204-718. Fax : 053-279-836. • udom@chmai.cscoms.com • Agence bien organisée, bien équipée (4x4, motos, etc.). Guides anglophones en majorité. Tous types de treks. Location de véhicules également.

■ ***Youth Hostel*** – บ้านเยาวชนเชียงใหม่ : 21/8 Chang Khlan Rd. ☎ 053-276-737. • www.chiangmaiyha.com • Plusieurs types de treks. Ils essaient de changer leurs parcours régulièrement. Certains guides parlent (soi-disant) le français. Assurez-vous bien des prix proposés, certains lecteurs ont connu quelques déconvenues. Et puis certains treks sont sous-traités par une autre agence. Des petits problèmes que vous ne manquerez pas de régler avant votre expédition...

TREKS À MOTO

Depuis quelques années se développe une nouvelle forme de trek, non plus à pied mais à moto... Elle est tout aussi physique et sportive, et requiert même des aptitudes qui ne sont pas celles du trek à pied. En gros, voici quelques recommandations générales et éléments de sûreté propres à rendre votre balade le plus agréable possible.

Les formalités

– Au cas où vous ne vous en souviendriez plus, en Thaïlande, on conduit à gauche.
– Le permis de conduire international est officiellement obligatoire mais, dans les faits, très peu demandé. Nous, on le conseille.
– Les assurances commencent à être obligatoires pour les loueurs. Vérifiez bien ce point avant de monter sur la machine et prévoyez une bonne assistance personnelle en France.
– Le passeport doit être laissé en dépôt... Autant bien se mettre d'accord avant le départ avec le loueur sur les conditions de location, et, surtout, s'assurer du bon état de marche de la bécane.
– Pas de limitation de vitesse affichée mais, quoi qu'il en soit, les locaux

conduisent eux-mêmes assez lentement, alors prenez exemple... Surtout lorsque vous traversez des villages (enfants et animaux).

– Pas d'obligation non plus concernant le port du casque (sauf à Bangkok depuis 1995 et à Chiang Mai depuis janvier 1996). Quoi qu'il en soit, chez vous, vous êtes habitué à en porter un (c'est dans votre intérêt !). Aucune raison donc pour que vous ne le fassiez pas en Thaïlande. Les loueurs peuvent en fournir un (parfois assez miteux, mais c'est mieux que rien). Il suffit souvent de le demander. De préférence à visière pour éviter de manger la poussière.

Le matériel

Il est le même que pour les treks à pied (voir plus haut), à quelques suppléments près :

– crème solaire indispensable. À moto, on ne ressent bien souvent pas la chaleur, et pourtant, le soleil est là ;

– pantalons et T-shirts à manches longues pour se protéger contre le vent, le soleil, les insectes, la poussière et les chutes ;

– une paire de gants et de chaussures hautes de préférence, voire des bottes de motard ;

– de grands sacs en plastique, style sac-poubelle, pour protéger vos bagages de la poussière.

Quelques astuces et conseils techniques

– Respecter les distances de sécurité... en cas de chute d'un des compagnons de route.

– Éviter de conduire à la tombée de la nuit. La visibilité est moins bonne et le trafic souvent dense.

– Être attentif lors de journées très ensoleillées : le bitume, d'assez mauvaise qualité, devient gras et glissant. Dérapages fréquents dans les virages.

– Sur les chemins de terre, dans les descentes, bien doser l'usage des freins avant et arrière pour éviter le blocage des roues et, une fois de plus, le dérapage... Toute une technique !

– Enfin, dernier conseil de maman poule, il ne s'agit pas de faire de la compét' de motocross, ni de se surpasser... N'oubliez pas que vous êtes là en randonneur pour découvrir merveilles et paysages des environs de Chiang Mai... Et surtout, *ne partez jamais seul.*

Location de motos

■ ***Goodwill Motorcycle Hire*** – กู๊ดวิลเช่ารถมอเตอร์ไซค์ *:* 2/6 Changmoi Kao, Chiang Mai. ☎ et fax : 053-234-161. À l'ouest de la ville, sur les remparts, tout près de Suan Dok Gate. Tenu par un Anglais qui connaît la région comme sa poche. La qualité du service et le bon état des motos justifient amplement les prix.

■ Voir aussi chez ***Deng Bike Hire*** (on en parle dans la rubrique « Transports en ville » de Chiang Mai).

Organisateurs de treks à moto

■ ***Safari Moto Aventure*** – ซาฟารีโมโต้อาวอองตูร์ *:* Prasing Post Office, BP 102, Chiang Mai. ☎ 053-810-103. Thierry, le proprio, un ancien de *C & C Teak House* (voir « Où dormir ? »), est un des précurseurs du trek à moto. Il connaît parfaitement pistes et sentiers de la région, et vous accompagne sur des circuits d'un à plusieurs jours. S'adresse aux routards sportifs et confirmés. Pour ceux qui ont vraiment soif d'aventures, Thierry propose désormais des safaris en jeep. Plus convivial peut-être. Mais aussi douloureux pour les passagers à l'arrière... Thierry s'occupe de tout (assurance, essence, nourriture et hébergement). N'hésitez pas à le contacter pour plus d'infos.

■ ***Udom Porn Tours*** – บริษัทอุดมพรทัวร์ *:* propose aussi des treks à moto sérieusement menés. Voir plus haut, « Organisateurs de treks à Chiang Mai ».

À L'OUEST DE CHIANG MAI : LA PROVINCE DE MAE HONG SON

Toute cette région à l'ouest de Chiang Mai peut être explorée soit en bus, soit en faisant une grande randonnée à moto de 4 ou 5 jours à partir de Chiang Mai. On peut aussi louer une moto à partir de Mae Hong Son et effectuer une boucle vers les autres villages.
La population de la région se compose de 34 % de tribus montagnardes, 65 % de Shan et 1 % de « vrais » Thaïs. Vous noterez d'ailleurs que l'architecture des temples est fortement influencée par la majorité shan, dont le style birman s'est imposé.
Les circuits que nous proposons partent de Mae Hong Son, modeste mais attachante capitale de la province du même nom. On revient à Chiang Mai par Soppong (appelé aussi Pang Mapha, le nom du district) et Pai. On peut évidemment aussi partir de Chiang Mai, visiter Pai, Soppong et enfin Mae Hong Son. L'autre itinéraire, passant par le Sud, *via* Khun Yuam, Mae Sariang et Chom Thong pour finir à Chiang Mai, est également réversible.

MAE HONG SON – แม่ฮ่องสอน

À 250 km de Chiang Mai en passant par la route de Pai et Soppong (la route aux 1 864 virages, on n'a pas compté mais ça y ressemble fort !). Gros bourg gentil et calme, situé à quelques kilomètres de la frontière birmane. Point de base idéal pour explorer la région. On y rencontre quelques tribus montagnardes, surtout des Karen, mais aussi des Lahu noirs, Méo et Lisu, qui viennent au marché, pour vendre et acheter. La ville constitue une étape reposante, sympathique et au caractère encore unique. Un petit air de villégiature thermale suisse dans les montagnes extrême-orientales et des odeurs d'épices. Et si vous cherchez les frissons, songez que Mae Hong Son est une plaque tournante pour l'opium produit dans la région, et le rendez-vous des exploitants birmans et des trafiquants chinois, mais ça, vous

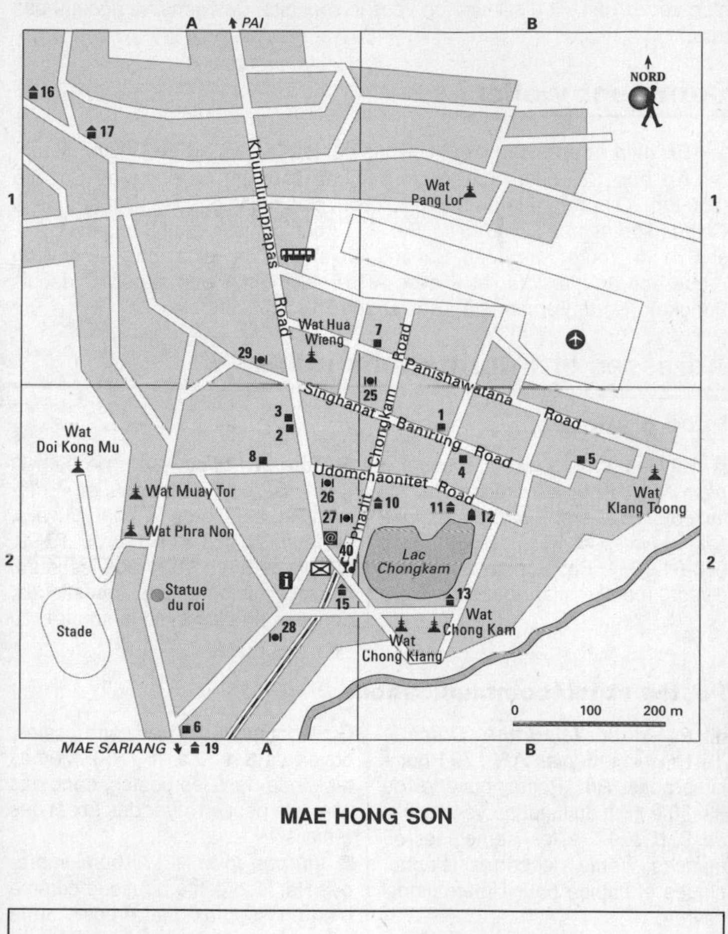

MAE HONG SON

Adresses utiles

- TAT
- Poste et Telegraph Office
- Aéroport
- Gare des bus
- 1 Tourist Police
- 2 Thai Farmers Bank
- 3 Bangkok Bank Ltd
- 4 Thai Airways
- 5 Hôpital Srisangwan
- 6 T.N. Tours
- 7 Motos-taxis
- 8 Téléphone international

Où dormir ?

- 10 Friend House
- 11 Prince's House
- 12 Johnnie House
- 13 Rim Nong Lakeside Guesthouse
- 15 Piya Guesthouse
- 16 Rimtarn Guesthouse
- 17 Yok Guesthouse
- 19 Fern Resort

Où manger ?

- 25 Marché central
- 26 Kai Mook Restaurant
- 27 Thip Restaurant
- 28 Fern Restaurant
- 29 Lucky Restaurant

Où boire un verre ?

- 40 Lakeside Bar

n'en verrez rien. Et d'ailleurs, on vous le souhaite. Ces gens ne rigolent pas trop.

Comment y aller ?

➢ ***En avion :*** en moyenne 3 liaisons par jour au départ de Chiang Mai.

➢ ***En bus :*** 2 routes possibles, par Pai (250 km) ou par Mae Sariang (350 km). On préfère la première solution, plus montagneuse. Départs de la *Chiang Mai Arcade Bus Station*. Par Pai, 6 bus par jour, dont 2 bus avec AC, et 8 h de route ; par Mae Sariang, trajet à peine plus long et environ 7 bus non-AC par jour, et 2 avec AC. Également 1 bus sans AC depuis Bangkok *(North Terminal)* à 18 h. Durée : 14 h.

Adresses et informations utiles

Infos pratiques

■ ***TAT*** – ท.ท.ท. *(office du tourisme ; plan A2)* **:** Khumlumprapas Rd, en face de la poste et à côté du *Baiyoke Chalet Hotel*. ☎ 053-612-982. Fax : 053-612-984. Pas encore beaucoup d'infos, mais un plan tout de même.

■ ***Tourist Police*** – ตำรวจท่องเที่ยว *(plan B2, **1**)* **:** Singhanat Bamrung Rd, à 50 m de la *Thai Airways*, en face. ☎ 053-611-812 ou 16-99. Ouvert de 8 h à 18 h tous les jours. Quelques informations touristiques, données en plus avec le sourire.

Postes et télécommunications

✉ ***Poste et Telegraph Office*** – ไปรษณีย์กลาง *(plan A2)* **:** 79 Khumlumprapas Rd. Poste ouverte de 8 h 30 à 16 h du lundi au vendredi et de 9 h à 12 h les samedi et dimanche. Vente de cartes téléphoniques et cabine pour l'international devant.

■ ***Téléphone international*** *(plan A2, **8**)* **:** Udomchaonitet Rd. Gros bâtiment des télécom locales, ouvert de 8 h 30 à 16 h 30. Mêmes tarifs que dans les postes, donc pas cher. On peut envoyer des fax et des e-mails.

@ ***Internet*** *(plan A2)* **:** Khumlumprapas Rd. Une petite boutique comme il en pousse aux quatre coins de la ville.

Argent, banques, change

■ ***Thai Farmers Bank*** – ธนาคารกสิกรไทย *(plan A2, **2**)* **:** dans la rue principale. Ouvert de 8 h 30 à 16 h 30 du lundi au vendredi. Possibilité de retirer de l'argent avec les cartes *MasterCard* et *Visa* au distributeur extérieur.

■ ***Bangkok Bank Limited*** – ธนาคารกรุ่งเทพ *(plan A2, **3**)* **:** 68 Khumlumprapas Rd. Banque ouverte de 8 h 30 à 15 h 30. Distributeur à l'extérieur, n'acceptant pas la carte *Visa*, ouvert 24 h/24. Sinon, comptoir de change également à l'extérieur de la banque, ouvert de 8 h 30 à 17 h.

■ ***Bank of Ayudhya :*** juste en face de la *Bangkok Bank Limited*. Assure le transfert d'argent avec *Western Union Money Transfer*.

Transports

✈ ***Aéroport*** – ท่าอากาศยานแม่ฮ่องสอน *(plan B1)* **:** juste au nord du centre (on peut y aller à pied). ☎ 053-612-220 (réservations) ou 053-611-297. Rabatteurs pour les *guesthouses* de la ville. Change.

■ ***Thai Airways*** – สายการบินไทย *(plan B2,* ***4****)* **:** 71 Singhanat Bamrung Rd. ☎ 053 612-220 (à l'aéroport) ou 053-612-221. Ouvert tous les jours de 8 h 30 à 17 h.

■ ***Motos-taxis*** *(plan B1, 7)* **:** station derrière le marché municipal en service de 8 h à 18 h. Se reconnaissent grâce au dossard rouge ou orange numéroté des conducteurs. Discuter fermement le prix avant de monter. C'est aussi ici que vous trouverez taxis (pour les villages environnants) et *tuk-tuk* (mais très peu).

■ ***Location de motos*** – เช่ารถมอเตอร์ไซค์ **:** plusieurs loueurs dans Khumlumprapas Rd, la rue principale. Comparez les prix de chacun d'entre eux avant de vous décider. On n'en indique aucun car il y a de fortes chances qu'ils augmentent leurs prix le lendemain de la parution du bouquin !

Santé

■ ***Hôpital Srisangwan*** *(plan B2, 5)* **:** à l'est du centre. ☎ 053-611-378. Appuyer sur le zéro pour avoir l'opérateur.

Treks

■ ***Namrin Tour*** – น่ารินทัวร์ **:** 5/2 Khumlumprapas Rd, juste en face de la poste *(plan A2)*. Facile à repérer avec son *Routard* en vitrine. ☎ 053-611-857. M. Dam (authentique), connaît bien son sujet. « Good food, good trek, good tour guide et bad jokes ! » Organise des circuits sur mesure à la carte pour individuels ou groupes restreints. Balades en radeau, à dos d'éléphant ou visites de grottes. Une bonne adresse.

■ ***T.N. Tour*** – ที.เอ็น.ทัวร์ *(plan A2, 6)* **:** 107 Khumlumprapas Rd (route de Mae Sariang), après le *Mountain Hill Resort* en venant du centre-ville. ☎ 053-620-059. Fax : 053-620-060. • tntour@hotmail.com • Une adresse sérieuse, un peu plus chère que la moyenne. Organise le même genre de treks que les autres. Pas très sympa.

■ La ***Piya Guesthouse*** (voir « Où dormir? ») organise quelques treks également *via* son agence ***VR Travel***. À voir.

Divers

■ ***Tubtim Thaï Massage*** **:** derrière le *Lakeside Bar*, dans la rue perpendiculaire à celle qui longe le lac. Enseigne jaune. ☎ 053-620-553. Ouvert de 10 h à 16 h et de 18 h à minuit environ. Institut de massage modeste. Si vous y allez le soir, vous serez massé au son de la musique du bar voisin. Sympa et bon marché.

■ ***Laveries*** **:** plusieurs en ville, non loin de la poste. Pas cher du tout, et linge lavé dans la journée.

Où dormir ?

De bon marché à prix moyens (de 100 à 350 Bts – 2 à 7 US$)

■ ***Friend House*** – เฟรนด์เกสท์เฮ้าส์ *(plan B2, **10**) :* 20 Phadit Chongkam. ☎ 053-620-119. Superbe maison en teck tenue par une douce et jeune mère de famille. Quelques chambres seulement : 5 à l'étage avec parquet verni et murs tapissés d'écorces de bambou tressées, quasiment toutes avec salle de bains et eau chaude dont une pour 4 personnes très avantageuse. Grande galerie-terrasse commune aménagée avec coussins et tables basses, et vue sur le lac. Au rez-de-chaussée, 5 chambres simples, matelas à même le sol, dont 2 avec sanitaires communs ultra-propres. Accueil discret. Cadre paisible. Sert le petit dej'.

■ ***Prince's House*** – พรินส์เฮ้าส์ *(plan B2, **11**) :* 37 Udomchaonitet Rd. ☎ 053-611-136. Chambres rudimentaires avec murs blanchis et sol de béton brut, certaines équipées d'une douche chaude. En fait, ce sont surtout les deux ou trois chambres à l'étage qui sont valables, celles du bas n'ont pas de vue et guère de lumière. Petite restauration. Accès direct à la pelouse du lac.

■ ***Johnnie House*** – จอนนิเฮ้าส์ *(plan B2, **12**) :* 5/2 Udomchaonitet Rd. ☎ 053-611-667. Au bord du lac, en face des temples. Petites chambres simples, tout en bois, avec salle d'eau à l'extérieur. Propre et très bon marché. D'autres avec salle de bains (plus chères). Accueil souriant. Pour l'anecdote, Johnnie était le nom du premier touriste à avoir dormi ici.

■ ***Rim Nong Lakeside Guesthouse*** – ริมหนองเลคไซด์เกสท์เฮ้าส์ *(plan B2, **13**) :* 4/1 Chumnansatid Rd. ☎ 053-611-667. Au bord du lac, au calme. Une douzaine de chambres-placards dans cette *guesthouse* de poche. L'ambiance 100 % thaïe ne manque pas de cachet. Préférer les chambres du 1er étage plus claires, plus grandes et plus coquettes, ou celles, plus récentes, avec douche et w.-c. Dortoirs au rez-de-chaussée. Plutôt pour dépanner que pour un vrai séjour.

MAE HONG SON

De prix moyens à un peu plus chic (de 350 à 650 Bts – 7 à 13 US$)

■ ***Yok Guesthouse*** – หยกเกสท์เฮ้าส์ *(plan A1, **17**) :* 14 Sirimongkol Rd ; à l'extérieur du centre, au nord-ouest. ☎ 053-611-532. Une dizaine de chambres, dont une avec AC, toutes avec salle de bains (eau chaude), d'une propreté irréprochable avec dessus-de-lit et moquettes bigarrés. Un bon pied-à-terre.

■ ***Rimtarn Guesthouse*** – ริมธารเกสท์เฮ้าส์ *(plan A1, **16**) :* 18/ Pangmoo Muang. ☎ 01-671-22-48 (portable). Un peu excentré. Dans un grand jardin propret, une série de bungalows en dur, avec AC et douche chaude ; certains, un peu plus chers, avec balcon, TV et frigo, bénéficient d'une chouette vue sur un val « junglesque ». Un peu cher, car les bungalows, s'ils sont corrects et propres, n'ont rien d'exceptionnel et ne sont pas bien grands.

Un peu plus chic (de 650 à 950 Bts – 13 à 19 US$)

▲ ***Piya Guesthouse*** – ปิยะเกสท์เฮ้าส์ *(plan A2, **15**)* : 1/1 Khumlumprapas Rd, Soi 3. ☎ 053-611-260. Fax : 053-612-308. Tout près de la poste. Les proprios ont construit des bungalows climatisés très coquets avec plancher et salle de bains. Assez cher, mais de bon confort et bien tenu. Grandes chambres bon marché. Ambiance décontractée et cuisine pas chère.

Plus chic (de 950 à 1 200 Bts – 19 à 24 US$)

▲ ***Fern Resort*** – เฟิร์นรีสอร์ท *(hors plan par A2, **19**)* : à 6 km au sud de la ville, fléché à gauche pour encore 2 km. ☎ 053-613-585. Fax : 053-680 001. Dans un coin paumé, au bord d'une petite rivière, un ensemble de bungalows en bois et toit de feuilles de *tung* (*tong tung* en thaï), disséminés dans un jardin exotique fort bien entretenu et parcouru par de petits ruisseaux qui font chanter les bambous (pour écarter les bébêtes). Qualité de confort variable. Très cher néanmoins, mais une belle piscine et un calme olympien.

Où manger ?

Bon marché (autour de 100 Bts – 2 US$)

I●I ***Marché central*** – คลาดกลางถนนขุมลุมประพาส *(plan B1-2, **25**)* : en plein centre (étonnant, non ?), entre Singhanat Bamrung Rd et Panishawatana Rd. Le grand rendez-vous culinaire à toute heure du jour, avec son animation, ses plats simples et délicieux et sa petite population active. On y mange pour trois fois rien, dans un ensemble de stands sympas, de 7 h à 18 h environ.

I●I ***Lucky Restaurant*** – ร้านอาหารลัคกี้ *(plan A1, **29**)* : 5 Singhanat Bamrung Rd. ☎ 053-620-654. Une bonne petite cuisine thaïe, copieuse et adoucie au goût du touriste, servie dans une salle proprette, ouverte sur la rue, avec le sourire (celui du patron est même caricatural) et pas trop cher payée. Que demander de plus ? Peut-être la petite terrasse agréable à l'arrière. Parfait.

Prix moyens (de 100 à 400 Bts – 2 à 8 US$)

I●I ***Kai Mook Restaurant*** – ร้านอาหารไข่มุก *(plan A2, **26**)* : 23 Udomchaonitet Rd. ☎ 053-612-092. Ouvert de 10 h à 14 h et de 17 h à 22 h. Belle salle soutenue par des piliers en bambou et éclairée par des lampes fabriquées avec des chapeaux locaux (excellente idée déco). Cuisine chinoise et thaïe de très bonne qualité. On y mange du *laab*, plat du Nord à base de bœuf coupé fin avec oignons et légumes, et des rouleaux de printemps exquis. Mais LA spécialité reste le canard rôti et ses feuilles de basilic. À ne surtout pas manquer. Tous les plats sont proposés en petite ou en grande version.

I●I ***Fern Restaurant*** – ร้านอาหารเฟิร์น *(plan A2, **28**)* : 87 Khumlumprapas Rd. ☎ 053-611-374. Ouvert de 10 h à 22 h tous les jours. Cartes de paiement acceptées. Notre adresse préférée à Mae Hong Son. Aspect chicos mais atmosphère décontractée. Dans une salle superbe en bois de teck, ouverte sur la rue et prolongée à l'arrière par une terrasse sur cour (attention aux moustiques!). Plus cool encore (et moins cher!) le midi. Cuisine classique réussie, service diligent et tout en douceur. Grand choix de *spicy dishes*. Plats de grande qualité. Demandez le *amok* (fruits de mer cuisinés avec légumes, en papillote). Ne ratez pas le *kai ho bai teoi* (n° 5 sur la carte), du poulet grillé dans des feuilles de « on ne sait pas quoi », un des meilleurs trucs qu'on ait mangés en Thaïlande. Évitez les plats internationaux, on est là pour manger thaï, que diable! Goûtez aux quelques desserts fins et délicats. Hmmmm... Prix raisonnables pour la tenue de l'établissement et la qualité des préparations.

Thip Restaurant – ร้านอาหารทิพย์ *(plan A2, **27**)* **:** Phadit Chongkam Rd. ☎ 053-620-553. Ouvert tous les jours, midi et soir jusqu'à 22 h. Dans une belle et grosse maison en teck au bord du lac, avec joli balcon sculpté, un restaurant thaï classique et de bonne facture. Très bon rapport qualité-prix. Deux tailles de plats, mais les petits sont déjà fort copieux. Goûtez aux *crispy spring rolls* (rouleaux de printemps frits), particulièrement réussis. Mais à éviter les jours où les cars de touristes y font leur pause-déjeuner. Le soir, le faible éclairage donne à la salle un petit air mystérieux.

Où boire un verre?

Mae Hong Son n'est pas vraiment une ville animée. Rien de la fièvre nocturne de Chiang Mai. Ici, c'est dodo et de bonne heure! Il y a pourtant une petite adresse bien sympathique, en bordure du lac, où prendre un verre en musique.

Lakeside Bar – เลคไซด์บาร์ *(plan A2, **40**)* **:** Phadit Chongkam Rd (pas loin du *Thip Restaurant*, et dirigé par la même équipe). Au bord du lac. Belle terrasse avec gros bancs de bois, où l'on vient siroter une *Singha* bien tranquillement, en écoutant les vedettes de *rhythm and blues* de la scène locale, qui jouent tous les soirs autour de 20 h 30. Sympa et décontracté.

MAE HONG SON

À voir

Le marché – ตลาดสด *(plan A1-2)* **:** dans le centre, entre Singhanat Bamrung Rd et Udomchaonitet Rd. De 6 h à 19 h, mais plus animé le matin. Surtout des fruits et des légumes, mais aussi de la vaisselle, du tissu, etc. Certaines femmes des tribus montagnardes viennent s'y approvisionner.

Wat Hua Wieng – วัดหัวเวียง *(plan A1)* **:** tout à côté du marché, ce petit temple shan pâtit de la proximité d'une chapelle à l'esthétique discutable et d'une réfection bâclée. Ne ratez pourtant pas, autour du bouddha birman vieux de deux siècles, les quelques mètres carrés du magnifique carrelage d'origine. Un grillage protège l'ensemble.

Wat Chong Klang – วัดจองกลาง *(plan B2)* **:** au sud-ouest de la ville, juste au bord du petit lac. Ouvert de 6 h à 18 h. Monastère tout en bois avec des toits étagés de style birman. La grande salle de prière est construite sur pilotis. D'anciennes plaques de verre peintes rappellent quelques grands moments de la vie de Bouddha. Petit musée très bien, au fond, proposant une collection de statues en bois de paysans, d'animaux, de vieillards... venant de Birmanie et souvent très impressionnantes, avec des expressions de douleur mystique, peu courantes en Thaïlande. Nombreuses scènes tirées de la vie de Bouddha. Beaucoup plus rigolo, glissez une pièce dans les troncs pour faire tourner le manège (qui tourne aussi sans qu'on mette de pièce, il suffit de l'actionner, mais ce serait de la dernière incorrection).

👁 ***Wat Doi Kong Mu*** – วัดพระธาตุดอยกองมู *(plan A2)* **:** à 3 km du centre. Une route assez escarpée mène en haut de cette colline surmontée d'un temple très important pour les habitants de Mae Hong Son. Il faut dire que les bandits qui occupaient autrefois ce menaçant promontoire furent chassés par leurs ancêtres. Depuis, on vénère logiquement le site. On peut aussi y accéder par un escalier. Vue superbe sur la ville, le lac, la vallée... et l'aéroport.

👁 ***Wat Phra Non*** – วัดพระนอน *(plan A2)* **:** au pied de la colline qui mène au Doi Kong Mu. Le sanctuaire principal, tout en teck, abrite un bouddha couché de plus de 11 m. Également un petit musée où est entassé tout un bric-à-brac de porcelaines, bouddhas et autres vieilleries. C'est ici que seraient entreposées, dans un cercueil gardé par deux effrayants dragons, les cendres de la famille royale de Mae Hong Son.

À voir dans les environs

👁👁 Vers le nord (donc sur la route de Pai), à environ 18 km à gauche, venez donc rendre un petit hommage aux poissons sacrés de ***Tham Pla*** – ถ้ำปลา. Ces carpes sacrées, d'un beau gris bleuté, nagent dans la résurgence d'une rivière souterraine, protégées par un bouddha érémitique. Celui qui les mangeait mourait dans des souffrances abominables. Jolie petite balade dans le petit parc paysagé.

Coup de gueule contre l'exploitation touristique des tribus montagnardes

C'est dans cette région montagneuse, couverte de forêts, à la frontière birmano-thaïlandaise, que vivent les ***femmes-girafes*** *(long-necks)*, membres d'une tribu apparentée aux *Karen*, les *Padong* (ou *Kayan*). Le cas des *Padong* est assez différent de celui des autres tribus de la région. En effet, ils ne sont installés en Thaïlande que depuis les années 1950. Ce sont donc des réfugiés politiques à part entière que la Thaïlande a tout d'abord accueillis dans des camps militaires dirigés par des *Karen*, sous contrôle du gouvernement thaïlandais. Jusque-là, pas de problème. Mais la situation a pris une tournure différente avec le développement du tourisme ethnique : ces *femmes-girafes*, évidemment spectaculaires, ont un potentiel d'attraction énorme. Et donc une grosse rentabilité. Et c'est ainsi que, de réfugiées, elles se sont bientôt retrouvées bêtes de foire, exhibées contre leur gré, certaines même ayant été vendues comme esclaves. Bref, une histoire complètement sordide. Et du gâteau touristique, elles ne reçoivent, bien sûr, que les miettes.

Ces *Padong* (hommes et femmes) ne peuvent pas, en outre, en tant que réfugiés, cultiver la terre. Alors c'est vrai que le tourisme est un de leurs

seuls moyens d'existence (avec un peu d'élevage), mais toutefois, compte tenu de ce que l'on sait, on ne peut pas encourager cette activité « touristique » (les guillemets s'imposent), condamnable par la morale comme par le droit. Certaines associations en France se battent bec et ongles pour essayer de sauver leur dignité. Des programmes d'aide sont mis en place. Si vous voulez plus d'infos sur cette question, contactez l'ICRA *(International Commission for the Rights of Aboriginal People)*, une association pour la défense des ethnies : 236, av. Victor-Hugo, 94120 Fontenay-sous-Bois. ☎ 01-48-77-86-02. Fax : 01-43-94-02-45. • www.icrainternational.org •
Mais les visites de tribus dans le cadre de treks autour de Mae Hong Son ne se limitent pas à celle des *Padong*. Plusieurs *guesthouses* et petites agences en organisent où l'on voit d'autres *Karen*, mais aussi des *Lisu* et *Lahu* (voir, plus haut, les commentaires sur ces tribus). Les treks par ici sont sans doute moins courus que vers Chiang Mai, c'est un avantage. ***Attention***, la région de Mae Hong Son est la grande voie de passage pour la contrebande et le trafic d'opium en Thaïlande.
Possibilité de promenades à dos d'éléphant. À ce propos, on vous conseille d'expérimenter ce moyen de transport dans la région, plutôt qu'à l'intérieur d'un camp. La balade gagnera en authenticité.

QUITTER MAE HONG SON

➢ ***Pour Chiang Mai :*** 7 bus environ *via* Mae Sariang (3 avec AC) dans la journée et en moyenne 6 *via* Pai. Ceux qui passent par Pai s'arrêtent tous un moment à Soppong. Renseignements : ☎ 053-611-318.
Par avion, 3 vols quotidiens.

DE MAE HONG SON À CHIANG MAI PAR PAI

Cette route, que nous appellerons « du Nord », est plus tourmentée, mais peut-être plus belle que celle qui passe par Mae Sariang (que nous appellerons « du Sud », bien vu la taupe !). Il va sans dire que nous la décrivons dans un sens, mais que vous inverserez l'ordre des villes traversées si vous partez de Chiang Mai.
Au départ de Mae Hong Son, la première curiosité réside dans la visite des grottes de ***Tham Pla*** – ถ้ำปลา, dont on parle un tout petit peu plus haut.
Et 16 km avant Soppong (voir à la fin du chapitre sur cette ville), vous pourrez faire un crochet pour rendre visite aux *Shan* du village de Mae Lana.
Pour ne laisser planer aucune ambiguïté, reportez-vous à la carte régionale.

SOPPONG (OU PANG MAPHA) – สบพง

À 2 h de Mae Hong Son (65 km) et à 1 h de Pai (45 km). Le bus qui relie Mae Hong Son à Chiang Mai s'y arrête malgré la petitesse du village et l'absence quasi totale de touristes (tant mieux !). Soppong (ou Pang Mapha, nom du district sur certaines cartes) se résume à un groupe de maisons le long d'une rue principale. Tout près du village, on trouve les superbes grottes de ***Tham Lod***.

Si vous restez un peu dans le secteur, procurez-vous la carte des environs auprès d'une *guesthouse*, ou du modeste bureau touristique installé dans le centre, en bord de route.

Où dormir ? Où manger ?

Bon marché (de 100 à 250 Bts - 2 à 5 US$)

■ |●| ***Jungle Lodge*** – จังเกิลลอดจ *:* à 1,5 km du centre, sur la route de Mae Hong Son. ☎ 053-617-099. Petites huttes rustiques en bambou, accueillant jusqu'à 15 personnes, disséminées dans le jardin en terrasse. Douche chaude et toilettes à l'extérieur, et salle d'eau intégrée dans certains bungalows. Tenue générale impeccable. Agréable mais on entend le bruit de la route. Pas cher. Belle terrasse en bois où sont servis petits déjeuners et petits plats *farang* ou locaux.

■ ***Lemon Hill*** – เลมอนฮิลล์เกสท์เฮ้าส์ *:* dans le centre, juste en face du terminal des bus et du marché local. ☎ 053-617-039. Derrière la maison en bord de route, quelques bungalows rustiques avec ventilo descendent vers la rivière Lang. L'ensemble est loin d'être d'une propreté exemplaire et d'un grand confort, mais bénéficie d'une situation stratégique appréciable. Une dizaine de chambres à prix modérés. Proprio sympa.

Prix moyens (de 250 à 500 Bts - 5 à 10 US$)

■ ***Little Eden Guesthouse*** – ลิคเคิลเอเคนเกสท์เฮ้าส์ *:* 295 Moo 1 (dans le centre). ☎ 053-617-054. Fax : 053-617-053. ● www.littleeden-guesthouse.com ● Le long d'un terrain arboré et fleuri, tout en profondeur, une poignée de bungalows pas très grands mais mignons, avec eau chaude, ventilo, moustiquaire. Deux chambres également, dans la maison au fond du jardin, carrément coquettes et partageant une salle de bains délirante (rocs apparents). Notez qu'on peut louer la maison entière, avec grand salon. Vraiment intéressant pour deux couples par exemple. D'une façon générale, que ce soit pour les bungalows ou les chambres, prix très corrects. D'autant qu'il y a, devinez quoi ? La piscine, la piscine, la piscine !!! Un bel endroit.

Où dormir ? Où manger dans les environs ?

Attention, voici deux adresses assez loin du centre de Soppong et de la route goudronnée, en direction des grottes de Tham Lod. Pas facile d'accès sans moyen de locomotion et surtout en période de pluie.

Bon marché (de 150 à 300 Bts - 3 à 6 US$)

■ |●| ***Lang River Guesthouse*** – ลางริเวอร์เกสเฮาส์ *:* au bord de la rivière, à quelques centaines de mètres des grottes. ☎ 053-619-024 (téléphone au village, le même que pour l'adresse suivante). Les bungalows, tout simples, sur pilotis et avec matelas sur le sol, sont divisés en deux chambres séparées par une salle d'eau commune. Petite terrasse pour rêvasser. Ne pas hésiter à prendre les bungalows avec eau chaude, à peine plus chers et propres. Également un dortoir d'une trentaine de places. Petite restauration de qualité assurée par le proprio.

🏠 🍽 ***Cave Lodge*** – เคฟลอดจ์บ้านถ้ำ **:** situé à 9 km au nord de Soppong, à 200 m du village de Ban Tham et tout près des grottes de Tham Lod. ☎ 053-619-024 (téléphone au village). Un lieu assez exceptionnel, dans un cadre unique. Surplombant la rivière, à flanc de colline, un ensemble de huttes minimalistes en bambou sur pilotis, avec matelas au sol, moustiquaire, et une petite terrasse dominant l'eau. Également quelques bungalows en dur un peu plus confortables, avec ventilo et eau chaude. Ne pas manquer le « Swimming Hole », piscine pour le moins originale. Ici, on sert également des petits plats simples et pas chers.

➤ DANS LES ENVIRONS DE SOPPONG

Les grottes de Tham Lod – ถ้ำลอด **:** non loin des deux adresses juste au-dessus, à 9 km du village. Ouvert tous les jours de 9 h à 17 h environ. Entrée gratuite, mais guide obligatoire (100 Bts, soit 2 US$), pour 4 personnes maximum. Il s'agit de vastes grottes dont l'artère principale est traversée par la rivière Lang, devenue souterraine sur environ 1 km. Vous trouverez d'assez bonnes explications en anglais à l'entrée. Attention, l'intérieur peut s'avérer dangereux quand la rivière est en crue. Ne pas jouer les Indiana Jones ! D'ailleurs, pendant la mousson, seule la première grotte est accessible.
En suivant les guides en tongs (on vous conseille des chaussures plus robustes), on découvre un monde étrange fait de stalagmites, de vastes galeries, d'étroits boyaux... Le guide vous montrera probablement les rochers les plus célèbres. Des échelles de bois parfois bien bringuebalantes permettent de se hisser sur des sortes de terrasses d'où partent d'autres galeries. Assez impressionnant. Normalement, le prix inclut au moins la visite de trois grottes latérales, pour une durée d'environ 2 h. Si les deux premières sont accessibles à pied, il faut prendre un radeau en bambou (payant) pour se rendre à la troisième (évidemment fermée quand l'eau est trop haute). Aujourd'hui, de nombreuses chauves-souris y trouvent refuge.

De Soppong, possibilité de rejoindre ***Mae Lana*** – แม่ลานนา, village perdu au milieu d'un site superbe à 16 km de Tham Lod, accessible depuis peu par une route bitumée. Cadre merveilleux...
On peut aussi y aller par la route normale. En venant de Mae Hong Son, 15 km avant Soppong, prendre une route à gauche. Après 2 km, on traverse un village lahu puis, 5 km plus loin, on parvient à Mae Lana. Installé dans une cuvette où l'on cultive le riz, ce village shan est centré autour de son beau temple d'influence birmane. Plein de balades à faire (il y a même une grotte) et une atmosphère attachante. Si l'on avait eu du temps, on y serait bien resté plus longtemps.

PAI – ปาย

À 112 km de Mae Hong Son. Un village qui rassemble pas mal d'Occidentaux dans une région absolument superbe. C'est un bon endroit pour les

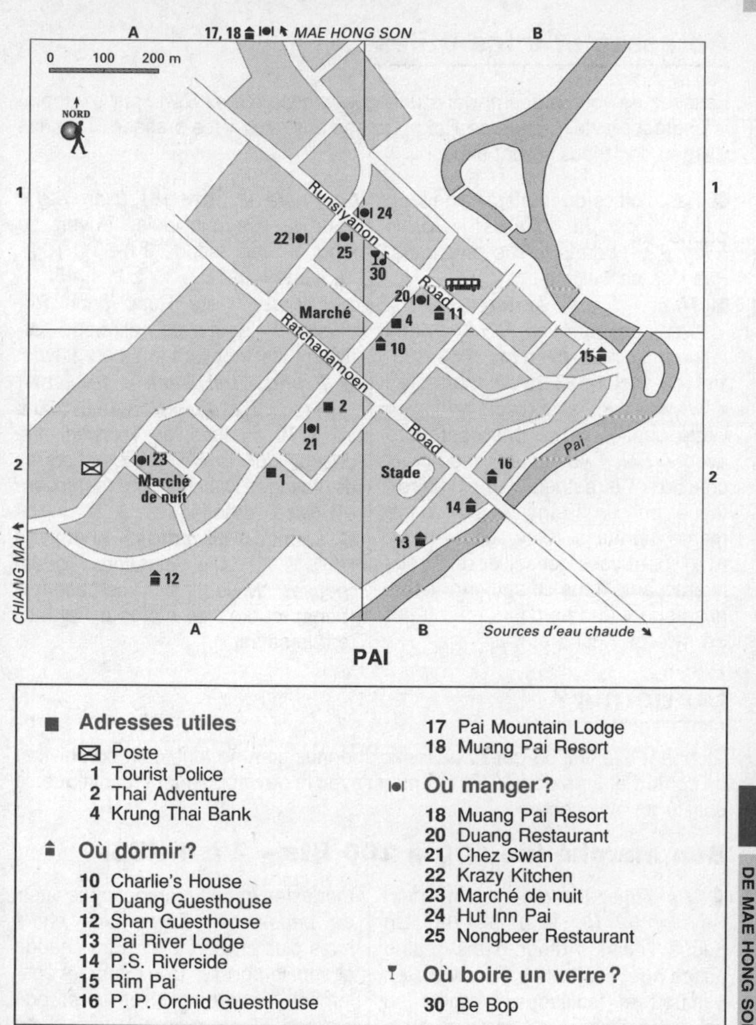

treks dans les tribus montagnardes, pour les balades dans les environs... et pour ne rien faire du tout. Mais un phénomène tend à s'accroître ces derniers temps, la vente et la consommation de drogue... Gaffe ! Mais le village reste bien cool, avec des chouettes *guesthouses* bon marché et sa mosquée bien cachée derrière le bar *Be Bop*.

Comment y aller ?

Pai est sur la route dite (par nous) « du Nord », entre Chiang Mai et Mae Hong Son. Tous les bus dans les deux sens peuvent s'y arrêter. On vous rappelle qu'il y en a 5 par jour. Compter 4 h de belle route montagnarde tourmentée depuis Chiang Mai, et autant depuis Mae Hong Son.

Adresses et infos utiles

Essayez de vous procurer dans une *guesthouse* (*Chez Swan* par exemple) la photocopie de la carte de Pai et de ses environs. Très pratique. Tous les villages des tribus y sont situés.

■ Pas d'office du tourisme, mais un bureau de la ***Tourist Police*** *(plan A2, **1**)* dans la rue principale. Pas très accueillant.

■ ***Thai Adventure*** – ไทยแอดเวนเทอร์ *(plan A2, **2**)* **:** dans la rue principale. ☎ et fax : 053-699-111 ou ☎ 01-993-96-74 (portable). • www.activethailand.com/rafting • Cette agence (à ne pas confondre avec *Pai Adventure*, douteux concurrent et authentique plagiaire), tenue par un Français d'un commerce agréable (Guy, dit « Khun Ki »), peut vous conseiller des treks intéressants dans ce secteur. Il propose surtout un parcours en raft sur les rivières Khong et Pai.

✉ ***Poste*** – ไปรษณีย์ *(plan A2)* **:** dans la rue principale. Ouvert du lundi au vendredi de 8 h 30 à 16 h. Le samedi, de 8 h 30 à 11 h 45.

@ ***Internet*** **:** sur Runsiyanon Rd, plusieurs boutiques alignées affichent les mêmes tarifs peu élevés.

■ ***Krung Thai Bank*** – ธนาคารกรุงไทย *(plan B1, **4**)* **:** ouvert de 8 h 30 à 15 h 30 du lundi au vendredi. Ne change que le *cash* et les chèques de voyage. Distributeur *MasterCard* et *Visa* à l'extérieur.

■ ***Location de motos*** – เช่ารถมอเตอร์ไซค์ **:** dans certaines *guesthouses*. Mais il y a carence de (bons) loueurs de motos à Pai, autant le savoir.

Où dormir ?

Étonnant éventail de *guesthouses* mignonnes comme tout, d'un bon niveau de confort et à prix doux. Espérons qu'avec le développement touristique, la qualité se maintiendra.

Bon marché (de 100 à 200 Bts – 2 à 4 US$)

🏠 ***Pai River Lodge*** – ปายริเวอร์ลอดจ์ *(plan B2, **13**)* **:** ☎ 01-984-697. Un peu à l'écart. Autour d'une prairie assez nue, des huttes sur pilotis, en bambou et feuillages. Matelas au sol, moustiquaire. Sommaire mais très bon marché et bien tenu. La maison centrale possède un bar relax. On domine le fleuve. L'endroit serait idyllique s'il n'était placé juste à côté d'un collège parfois très bruyant... Gare aux moustiques !

🏠 ***Charlie's House*** – ชาลีส์เฮ้าส์ *(plan B2, **10**)* **:** dans une rue perpendiculaire à l'angle de la rue principale. ☎ 053-699-039. Dans un charmant jardin fleuri, entretenu avec amour. Des chambres en dur, modestes et bon marché, mais aussi de beaux bungalows, plus chers mais plus confortables. Eau chaude et ventilo partout. Deux dortoirs également, entièrement refaits et bon marché. Très propre, mais literie vieillotte. Souvent complet.

🏠 ***Shan Guesthouse*** – ชาญเกสท์เฮ้าส์ *(plan A2, **12**)* **:** au sud de la ville, sur la route de Chiang Mai. ☎ 053-699-162. Étonnante réception sur pilotis (comment ça tient !) au milieu d'un tout petit lac qui confère à l'adresse un charme indéniable. Tout autour, sur un vaste terrain gazonné, 9 bungalows, tous avec eau chaude, et 5 huttes avec toilettes. Tous avec petite terrasse privative. Très agréable, très calme et très bon rapport qualité-prix.

■ ***P.S. Riverside*** – พี.เอส ริเวอร์ไซด์ *(plan B2, 14)* : ☎ 053-698-095. Là encore près de la rivière, un ensemble de huttes rudimentaires en forme de V renversé, dans un jardin calme. Deux seulement ont une salle de bains avec eau chaude. Prévoir un cadenas. Quelques tables sous une tonnelle au bord de la rivière... Ici, le temps n'a plus de sens, et le confort moderne devient un vague souvenir ! Vraiment bon marché, mais confort minimum.

Prix moyens (de 200 à 400 Bts – 4 à 8 US$)

■ ***P.P. Orchid Guesthouse*** – ออร์คิดเกสท์เฮ้าส์ *(plan B2, 16)* : juste à l'entrée du village, sur la droite quand on vient de Chiang Mai. ☎ 053-699-159. Très agréable *guesthouse* : bungalows en dur, propres et au confort satisfaisant (eau chaude, ventilo, bonne literie...), répartis dans un chouette cadre de verdure. Atmosphère relax, bon accueil. Propose aussi une savoureuse cuisine thaïe à prix corrects. Porte fermée après 21 h.

■ ***Duang Guesthouse*** – ดวง เกสท์เฮ้าส์ *(plan B1, 11)* : face à l'arrêt de bus. ☎ 053-699-101. Fax : 053-699-581. Dans une maison coquette, entourée d'un jardinet, doubles avec salle de bains et eau chaude très bon marché, d'autres sans sanitaires mais tout aussi charmantes. Également un petit appartement familial avec coin cuisine et terrasse dans les mêmes prix. Propreté rigoureuse et bon accueil. La patronne parle un peu l'anglais, mais les colombes roucoulent en thaï. Conviendra à plusieurs niveaux de budget. Organisent aussi de bons treks et louent des VTT et des motos. Sur un panneau sont indiqués les différents centres d'intérêt de la région.

Un peu plus chic (de 500 à 800 Bts – 10 à 16 US$)

■ ***Rim Pai*** – ริมปาย *(plan B2, 15)* : pas loin de la rivière. ☎ 053-699-133. Fax : 053-699-234. • rimpaicottage@travel.to • Ensemble de bungalows en bois disposés autour d'un bar en rond, où l'on sert le petit dej' un peu frugal. Toutes les chambres sont équipées de salle d'eau (chaude), mais on distingue plusieurs niveaux de confort. Celles offrant la vue sur la rivière sont les plus coûteuses. En moyenne gamme, des maisonnettes indépendantes avec une petite terrasse, vraiment très bien. Endroit très agréable.

Où dormir dans les environs ?

Plus chic (de 700 à 1 100 Bts – 14 à 22 US$)

■ I●I ***Muang Pai Resort*** – เมืองปายรีสอร์ท *(hors plan par A1, 18)* : à une dizaine de kilomètres de Pai, non loin des chutes d'eau. Réservation à Chiang Mai. ☎ 053-270-906. Fax : 053-272-895. • muangppai-resort@infothai.com • Y aller à vélo, pour les très courageux, ou à moto. Prendre la direction de Mae Hong Son sur environ 7 km puis tourner à gauche (panneau indicateur). Poursuivre sur environ 5 km. Genre de petit paradis perdu dans la nature : des bungalows d'architecture traditionnelle séparés les uns des autres par des allées, chacun avec terrasse aménagée, des chambres lumineuses à la décoration personnalisée (mais un peu vieillotte aujourd'hui, il faudrait revoir ça...). Prix tout à fait corrects. Resto vraiment bon. Une bonne adresse.

Pai Mountain Lodge – ปาย เมาเทนลอดจ์ทางไปน้ำตก *(hors plan par A1, **17**)* **:** un peu après le *Muang Pai Resort*. ☎ et fax : 053-699-995. Une vingtaine de bungalows agencés autour d'un étang, dans un espace vallonné, et d'un calme parfait. Prix un peu élevés par rapport aux prestations proposées. Bungalows de bois avec mini-salon d'entrée équipé d'une cheminée de brique, parquet, douche chaude. Un peu vieillot.

Où manger ?

Bon marché (autour de 100 Bts – 2 US$)

Sur le (et autour du) petit ***marché de nuit*** – ตลาดกลางคืน *(plan A2, **23**)*, on trouvera quantité de ***stands*** servant de la cuisine locale. Certaines échoppes restent ouvertes assez tard... ou très tôt (y voir les bonzes à l'aube est un spectacle rare).

De prix moyens à chic (de 100 à 500 Bts – 2 à 10 US$)

Nongbeer Restaurant – ร้านอาหารน้องเบียร์ *(plan A1, **25**)* **:** 39/1 Chaisongklamb (face au *Hot Inn Pai*). Resto en angle de rues, à terrasse ouverte. Bonne cuisine populaire, très propre, bon marché. Les Thaïs du coin connaissent bien l'adresse. Pas du tout épicé, les *satays* (brochette porc ou poulet, sauce coco, cacahuète et curry), ou le *fried chicken with cashew nuts* (noix de cajou, y'a bon !) *and oyster sauce*, s'avalent avec joie.

Duang Restaurant – ร้านอาหารดวง *(plan B1, **20**)* **:** attenant à la *Duang Guesthouse*, à l'angle de la rue principale. Ouvert de 7 h à 22 h. Une cuisine thaïe qui se permet quelques incursions dans l'art culinaire birman. *Pad thai* réussi. Goûtez la spécialité locale, le *khao soi*, d'origine birmane. Plats copieux. Également quelques sandwichs et spaghetti, pour ceux qui préfèrent. Et mémorables *fruit-shakes*. Cadre en revanche tout à fait banal.

Chez Swan – ร้านอาหารสวอนแอนด์กาย *(plan A2, **21**)* **:** en plein centre, dans la rue principale. ☎ 053-699-274. Resto agréable de Guy, tout en teck et décoré d'antiquités, qui permettra aux nostalgiques de retrouver le goût du gratin dauphinois, de l'entrecôte « marchand de vin » et autres incontournables hexagonaux. Spécialité de bonnes grosses viandes, grillées ou en sauce. Une cuisine honorable, et qui change un peu, à prix raisonnable. Également 3 chambres à louer.

Krazy Kitchen – ร้านอาหารโฮมไสคลคิทเช่น *(plan A1, **22**)* **:** à deux pas du carrefour central. Dans une maison en bois, Supata, une jeune femme gentiment planante a mitonné un endroit baba et chaleureux, un peu fourre-tout, plutôt sympa, tout de bois sombre et au plafond bas, genre vieille taverne. L'on s'y restaure agréablement. Dans un coin, on peut manger assis par terre façon *kantoke*. Dans cette ambiance un peu *new age*, éclairée le soir à la bougie, on sert une honnête cuisine thaïe et végétarienne, un peu épicée tout de même (surtout les curries). Super-cool néanmoins.

Hut Inn Pai – หัดอินน์ปาย *(plan A-B1, **24**)* **:** dans le centre. ☎ 053-698-103. Resto un peu chic avec ses tables en bois bien verni mais qui reste bon marché. Belle maison en teck, récente mais élégante, et cuisine locale de facture classique. Patron sympa.

Où boire un verre ?

Be Bop – ร้านอาหารบีบ๊อบ *(plan B1, **30**)* **:** dans le centre. C'est le grand rendez-vous des jeunes de Pai. Tous les soirs, sauf exception, petit « bœuf » façon *rhythm and blues*.

➤ *DANS LES ENVIRONS DE PAI*

Les chutes de Mo Paeng – น้ำตกหมอแปง **:** à une dizaine de kilomètres au nord de Pai. Prendre la route de l'hôpital.
Après 5 km environ, on arrive au ***village chinois du Kuomintang*** (KMT). Jetez-y un œil. Les habitants sont des membres de l'armée chinoise communiste qui combattirent Mao Zedong. Certains se sont réfugiés en Birmanie et vivent du trafic d'opium. D'autres se sont rangés et vivent de l'agriculture, de la culture du thé prédominant dans la région et du commerce en Thaïlande. Les habitations en dur ont peu à peu remplacé les traditionnelles maisons en terre battue, le décor en souffre mais le confort s'améliore.
À la fourche, à l'entrée du village, prendre à droite vers les chutes. Le chemin est très difficilement praticable, même en 4x4. Prendre plutôt la direction du *Pai Mountain Lodge* (route de Mae Hong Son) sur 7 km environ, puis à gauche en direction de l'hôtel (c'est fléché à 1 km, en fait plutôt 2, de mauvaise piste ; allez-y à pied). Évidemment, c'est moins pittoresque, mais ça a le mérite d'être faisable !
Charmante chute d'eau avec, au pied, un agréable bassin de 10 m sur 5 environ dans lequel les gamins du coin barbotent. Entouré de forêts, un petit lieu absolument charmant pour une baignade. Pour y aller, on traverse un mini-village *lahu*, où les cochons des montagnes gambadent en semi-liberté. Les arbustes qui bordent la route sont des litchis.

Les sources chaudes – น้ำพุร้อน **:** à 10 km environ au sud de Pai. Se diriger vers le temple Mae Yen et suivre la route. Pancarte de bois sur la gauche de la route indiquant ***Tha Pai Hot Springs***. Emprunter la piste sur environ 1 km. Dans une petite forêt, au bord d'un cours d'eau chaude sulfureuse, où l'on peut faire trempette quand la température de l'eau le permet... Elle est brûlante à la résurgence ! D'ailleurs, certains y mettent les œufs du pique-nique à cuire. Les arbres, les oiseaux, le calme... un bon bain. Hmm... En fin d'après-midi, un moment de détente extra. Ne pas oublier une serviette et un vêtement de rechange.

➢ ***Balade à dos d'éléphant*** – นั่งหลัง ช้างเทียว (ทิทางไปน้ำพุร้อนไทยปาย) **:** sur la route des sources de Tha Pai Hot Spring (voir ci-dessus). Sur la gauche de la route (indiqué). Une famille d'agriculteurs possède deux éléphants et propose la balade en montagne ou vers la rivière (choisissez celle-ci, plus agréable, moins galère et l'éléphant la préfère). Bureau en ville, un peu après le resto *Chez Swan (plan A2, **21**)* en venant du centre. ☎ 053-699-286. • thoms-elephant-camp@yahoo.com •

➢ ***Les treks :*** beaucoup de *guesthouses* en proposent. De 2 à 5 jours, avec ou sans raft, plus ou moins bien préparés. Certains organisent des descentes de rivières en radeaux de bambou. *Duang Guesthouse* propose une balade d'une journée vers les villages *lisu* et *lahu* ainsi que vers une cascade. Ils organisent aussi un trek de 3 jours avec promenade à dos d'éléphant et rafting. Et n'hésitez pas à demander conseil à Guy Gorias (voir *Thai Adventure* dans les « Adresses et infos utiles »).

Attention : pour certains treks, il semble que les organisateurs s'arrangent pour que, incidemment, le soir au village d'étape, le touriste puisse s'offrir une « défonce » bon marché à l'opium. Ne prenez de l'opium en aucun cas : c'est une drogue dure, donc très dangereuse (un Français a été victime d'une overdose il y a quelques années).

Pour ceux qui sont à moto, les environs de Pai offrent de chouettes balades (avoir une carte). Se renseigner sur place. Voir aussi la rubrique « Treks à moto » dans « Treks chez les ethnies montagnardes », plus haut.

QUITTER PAI

➢ ***Pour Mae Hong Son ou vers Chiang Mai :*** 4 bus par jour, de 8 h 30 à 16 h (4 h de trajet environ, dans un sens comme dans l'autre).

DE MAE HONG SON À MAE SARIANG

Cette route, que nous appellerons « du Sud », est plus rapide dans sa première partie que celle qui passe par Pai. Cependant, le tronçon Mae Sariang-Chiang Mai, plus montagneux et superbe, peut aussi se révéler ardu ; et si l'on veut poursuivre vers le sud et Mae Sot, risque de glissements de terrain pendant la saison des pluies : bien se renseigner avant de partir.

Nous suivons donc cette route au départ de Mae Hong Son jusqu'à Chiang Mai. Vous changerez l'ordre des sites traversés si vous partez de Chiang Mai.

La route du Sud (voir la carte régionale) est empruntée 7 fois par jour (en moyenne) par des bus réguliers dans les deux sens. Le voyage dure 8 petites heures pour effectuer 350 km.

En quittant Mae Hong Son, on traverse une région peuplée de nombreux Karen aux vêtements chatoyants.

20 km après les sources d'eau chaude où des villageois viennent laver leur linge (15 km, sur le côté droit), une route part sur la gauche, à hauteur d'un petit hôtel.

Cette route monte vers deux villages. Le premier, minuscule et perdu, est occupé par des Karen (chemin à gauche à 3,5 km de l'embranchement) ; dans l'autre (4,5 km plus loin) vivent huit à dix familles hmong. On reconnaîtra leurs habitations de plain-pied au sol en terre battue et les broderies de leurs vêtements noirs.

Malgré leur desserte facile par une route goudronnée qui mène à un relais TV au sommet de la montagne, ces deux villages ne sont absolument pas touristiques, avec les conséquences agréables et contraignantes que

MAE SARIANG

vous imaginez. Vous n'y êtes pas en terrain conquis. Donc respectez les gens, souriez, et tout se passera bien. Si vous sortez des grandes routes, vous découvrirez un certain nombre de villages dans le même genre.

MAE SARIANG – แม่สะเหรียง

Après avoir traversé le village de Mae La Noi, on arrive à Mae Sariang, un peu à l'écart de la grande route. La ville s'organise autour d'un carrefour. Près de 4000 personnes vivent ici, principalement des Shan et des Thaïs. Vous remarquerez sans doute que la ville possède de nombreux hôtels. Le bourg, assez commerçant, est une étape quasi obligatoire pour les voyageurs de commerce et les camionneurs qui sillonnent la région. Pour en revenir à notre vocation touristique, disons aussi que les montagnards de la région viennent s'y approvisionner, que le village a gardé son authenticité, et qu'il possède un hôtel où l'on a adoré dormir.

Adresses utiles

■ Sur Wiang Mai Rd, la rue qui vient de la route principale, vous trouverez ***poste*** *(plan B1)*, ***hôpital*** *(plan B1, **2**)* et une ***Thai Farmers***

Bank *(plan A1,* ***3****)* avec change de 8 h 30 à 15 h 30. En face du restaurant *Intira*, un ***distributeur Visa***.

🚌 ***Gare routière*** *(plan A1)* **:** Mae Sariang Rd.

Où dormir ? Où manger ?

De bon marché à prix moyens (100 à 400 Bts - 2 à 8 US$)

🏠 ***Riverhouse et Northwest Guesthouses*** *(plan A1,* ***10****)* **:** 77 Langpanich Rd. ☎ 053-621-201. Fax : 053-621-202. • river house@hotmail.com • La belle affaire. Deux jolies maisons en teck, situées de part et d'autre de la rue, tenues par la même propriétaire consciencieuse. *Riverhouse Guesthouse* coiffe la rivière de sa terrasse et propose des chambres décorées avec un goût sûr, et certaines (oh ! à peine plus chères) offrent une belle vue sur la montagne. La familiale à 3 lits s'avère très intéressante. La *Northwest Guesthouse*, juste en face, dispose de chambres plus sobres, toujours nickel mais moins confortables.

🏠 ***Mitra Ree Hotel*** **–** มิ ค รอ ารีย์โฮเค ล *(plan B1,* ***11****)* **:** Wiang Mai Rd. ☎ 053-681-110. Fax : 053-681-279. Complexe hôtelier proposant plusieurs possibilités et plusieurs prix, de la simple chambre avec ventilo à celle, spacieuse, avec AC et TV, ou encore le luxueux bungalow avec vue sur les rizières et les champs de soja. Selon votre choix, tarifs variant du simple au quadruple.

🍽 ***Intira Restaurant*** **–** ร้านอาหารอินทิรา *(plan A1,* ***12****)* **:** Wiang Mai Rd. Ouvert tous les jours de 8 h à 21 h. On a d'abord le choix de la salle : ouverte sur la rue et donc bruyante, ou fermée et climatisée. On a aussi le choix des plats avec une carte proposant une excellente cuisine locale, préparée avec soin. On aura enfin le choix de prendre, ou non, les grenouilles géantes de la région, qu'on pêche en automne, mais qui sont une espèce protégée.

🍽 En face, le ***Renu Restaurant*** **–** ร้านอาหารเรณู, à la déco assez kitsch, s'est spécialisé dans la « wild food ». Mais attention, sanglier *(boar)* et sittelle *(nuthatch)*, un petit oiseau préparé au curry, sont aussi des espèces qui deviennent rares.

À voir

✪ ***Wat Si Bunruang*** **–** วัดศรีบุญเรือง et ***Wat Jong Sun*** **–** วัดจองสุน **:** les deux plus beaux temples de la ville, bâtis au XIXe siècle, se touchent presque. S'ils sont tous deux de style birman, le premier possède une certaine originalité dans sa structure avec décrochements. Trois *chedî* peints précèdent le second, plus classique.

✪ ***Le marché*** **:** dans le moindre village, le marché est un ravissement de couleurs, de bruits et d'odeurs. On poussera la balade jusqu'au *pont* sur la rivière Yuam, gardé par deux autres temples sans grand intérêt architectural.

DE MAE SARIANG À CHIANG MAI

La route 108, fort bien tracée et entretenue, partant de Mae Hong Son, bifurque vers l'ouest, puis le nord après Mae Sariang pour finir à Chiang Mai. 190 km séparent ces deux villes.
Si vous voyagez en bus, ce ne sera pas facile de vous arrêter pour voir les sites que l'on décrit ici. Les distances données s'entendent au départ de Mae Sariang.

Km 18 : ***Thoong Bua Thong*** (aussi appelée ***Doi Mae Ho***) est une montagne que vous ne pourrez pas rater si vous voyagez entre octobre et décembre, période où les tournesols mexicains qui couvrent ses flancs fleurissent. Cette explosion jaune d'or est une image largement répandue sur les cartes postales du pays.

Km 91 : les ***gorges Obluang***, creusées par la rivière Mae Chaen, qu'enjambe un impressionnant petit pont de bois. Bien aménagée, avec aire de pique-nique, camping et baignade possible, cette petite balade suit les traces (gravures, tombes...) d'hommes qui vécurent ici il y a 7000 ou 8000 ans. Entrée : 200 Bts (4 US$).

Km 105 : le village de ***Hot*** ne nous a pas laissé un souvenir impérissable.

Km 142 : plus intéressant, ***Chom Thong*** possède un temple dont le magnifique *chedî* abrite une importante relique de Bouddha lui-même. Du coup, le village est le théâtre d'une grande fête, qui a lieu à la pleine lune de juin.

Juste derrière le temple, plusieurs ***kiosques*** proposent une convaincante nourriture locale. Montrez ce que vous voulez, et n'hésitez pas à goûter ce qui vous fait envie, en vous méfiant tout de même de la viande crue ou de la soupe au sang de porc. Plein d'alcools pimentés et des prix dérisoires. Les flippés de l'hygiène et les estomacs fragiles s'abstiendront.

Km 150 : à la sortie de la ville, une route part à gauche vers ***Doi Inthanon***, le plus haut sommet du pays (2590 m), autour duquel un parc national permet à des espèces animales rares de trouver refuge. L'armée interdit l'accès au sommet, mais de nombreuses balades restent possibles. Des *songthaews* au départ de Chom Thong pourront vous y conduire. Comptez une centaine de kilomètres par une route correcte.

Km 190 : arrivée à Chiang Mai par le sud.

EXCURSION SUR LA RIVIÈRE KOK

Deux solutions : prendre le bus direct, ou faire comme tout le monde en prenant le bus à Chiang Mai vers ***Thaton*** et descendre la rivière Kok en bateau jusqu'à Chiang Rai. Attention : on décrit le parcours dans un sens, mais il peut très bien se faire dans l'autre, à savoir Chiang Rai – Thaton. Mais dans ce cas, on est contraint, une fois à ***Thaton***, de reprendre le bus pour Chiang Mai car il n'y a pas de bus direct pour Chiang Rai : prendre un *songthaew* de Thaton à Fang, puis un bus de Fang à Chiang Rai ou bien prendre un *songthaew* de Thaton à Chiang Rai (mais plus cher que le bus !).

Comment y aller ?

Les pirogues partent de ***Thaton*** **– ท่าตอน** (à 177 km de Chiang Mai). Pour s'y rendre, prendre le bus assez tôt le matin à la Chang Puak Bus Station, sur Chang Puak Rd. À partir de 6 h, 1 bus toutes les heures environ jusqu'à 15 h 30 (durée : 3 h 30 à 4 h). En prenant le premier bus ou le suivant, ça laisse le temps de se promener, de déjeuner et d'embarquer tranquillement sur l'une des *pirogues officielles*, aussi appelées « longues-queues », qui partent toutes ensemble, à 12 h 30, du quai (à 200 m à droite du pont, sans le traverser). Bien sûr cet horaire est susceptible d'être modifié, même s'il n'a pas varié depuis plusieurs années. Compter 250 Bts (5 US$) par personne. On peut aussi louer une *pirogue privée* si l'on est un groupe et qu'on arrive trop tard. Autour de 1 700 Bts (34 US$) la location d'une pirogue privée. Ça devient intéressant à partir de 8-10 personnes. Dans ce cas, prévoir des arrêts sur les rives avec le pilote. L'avantage est qu'on peut alors partir quand on veut (mais maximum 15 h) et qu'on peut en outre demander à s'arrêter à son gré.
Le trajet dure environ 3 h jusqu'à Chiang Rai, 4 h dans l'autre sens (arrêts aux postes de police inclus). Apportez de l'eau, quelques gâteaux pour tromper les petits creux, et de quoi vous couvrir la tête. Avec la vitesse, on ne sent pas la force du soleil.
Deux autres options :
– *descendre la rivière Kok si on loge à Chiang Rai :* on peut prendre un *songthaew* jusqu'à Thaton (compter une bonne heure de route), puis descendre la rivière. Notez que cette formule n'est pas inintéressante si vous avez l'intention de séjourner à Chiang Rai, car le trajet Chiang Mai – Thaton (il n'y a pas de bus direct Thaton – Chiang Rai ; voir ci-dessus) n'est pas très amusant, du moins peut-on s'en passer.
– *Remonter la rivière Kok (Chiang Rai – Thaton) :* cela peut se faire mais ce n'est pas vraiment drôle, car d'abord on remonte le courant, la pirogue doit faire tourner son moteur à plein régime et c'est assommant, puis on ne peut pas apprécier les « rapides » (on met les guillemets car ils ne sont jamais très décoiffants), quand il y en a (entre saison sèche et saison des pluies). Enfin, c'est un peu plus long, compter 1 h de plus. On peut donc remonter la rivière depuis Chiang Rai, voilà, c'est dit.

Informations utiles

– Avant d'embarquer, il faut signer le livre de police au kiosque, juste au niveau du pont. Bureau ouvert de 8 h 30 à 16 h 30.
– Motos-taxis à l'arrivée du bus (sur la rive opposée au départ des pirogues).

THATON – ท่าตอน

Site agréable, dominé par une colline où trône un gros bouddha ; le bon choix d'adresses charmantes, *guesthouses* ou hôtels en bordure de rivière, incite à y séjourner quelque temps, ne serait-ce que pour voir les apprentis-bonzes se baigner avec les petits gamins. Les touristes viennent également de plus en plus ici pour les treks dans les environs, un peu plus sauvages que ceux de Chiang Mai.

Où dormir ?

Bon marché (de 100 à 300 Bts – 2 à 6 US$)

🏠 ***Thip's Travellers House 1*** – ทิปส์ทราเวลเลอร์เฮ้าส์ฟ : juste avant de passer le pont, sur le côté gauche. ☎ et fax : 053-459-312. Chambres modestes mais très propres, en demi-dur avec ventilo et eau froide. Cloisons en bambou tressé très fines. Toilettes et douche chaude payante. Patronne plutôt accueillante. Pas cher du tout. Petit resto en terrasse. Bon petit dej'. Treks.

🏠 ***Chankasem Guesthouse*** – จันเกษมเกสท์เฮ้าส์ : face au débarcadère, mais sans vue. ☎ 053-459-313. Bungalows avec douche froide, w.-c., ventilo. Quelques-uns avec eau chaude, plus chers (mais mieux vaut alors voir les adresses suivantes). Correct, sans plus. D'autres établissements du même genre à côté. Le resto, en revanche, est plutôt bien dans la catégorie « Bon marché ».

De prix moyens à un peu plus chic (de 300 à 1 200 Bts – 6 à 24 US$)

🏠 ***Garden Home*** – การ์เด้นโฮมเกสท์เฮ้าส์ : passer le pont et prendre le chemin qui borde la rivière, immédiatement à gauche. C'est à quelques minutes de marche, sur la gauche. ☎ 053-373-015. Bungalows et huttes en bambou répartis dans une véritable plantation de litchis. Cadre vraiment extra, aéré, bien entretenu et même une (petite) plage en haute saison. Tout une gamme de prix, variant du simple au quadruple. Sauf pour la vue, on aime autant les bungalows plus simples. *Coffee-shop*.

🏠 ***Baan Suan Riverside Resort*** : dans le même secteur que l'adresse précédente, rive gauche de la rivière. ☎ 053-373-214. Fax : 053-373-215. Un ensemble d'une quinzaine de bungalows, ordonnés autour d'un jardin. AC ou ventilo, eau chaude et w.-c. partout, propreté irréprochable. Certains bungalows plus luxueux, avec vue sur la rivière, valent nettement plus cher. Une bonne adresse tout de même, d'autant que le petit dej' est compris – ce qui met les bungalows les plus simples à prix vraiment attractif.

🏠 ***Thaton Garden Riverside*** – ท่าตอนการ์เดนริเวอร์ไซด์ : rive gauche de la rivière, une des premières *guesthouses* en amont du pont. ☎ 053-459-286. Fax : 053-373-158. Une dizaine de huttes ou bungalows, avec eau chaude et ventilo. Les bungalows sont un peu plus grands. On est en bordure de rivière, et la terrasse du resto donne sur l'eau. Nappes blanches et cuisine thaïe et occidentale pas trop chère. Bon rapport qualité-prix dans l'ensemble.

Plus chic (de 1 200 à 1 500 Bts – 24 à 30 US$)

🏠 ***Thaton River View*** – ท่าตอนริเวอร์วิว : rive gauche de la rivière Kok, en longeant celle-ci vers l'amont par la première voie qui se présente. Non loin du pont. ☎ 053-373-173. Fax : 053-459-288. Agréables bungalows en dur, spacieux, avec parquet et petite terrasse, disposés le long de la rivière et auxquels on accède par un petit ponton tout à fait exotique. Bel environnement végétal. Excellente literie. Un endroit vraiment chouette, et vendu au prix juste (petit dej' compris). Le restaurant aussi est bien (voir plus loin).

Beaucoup plus chic (de 2250 à 3250 Bts – 45 à 65 US$)

🏠 ***Maekok River Village Resort*** – แม่กกริเวอร์วิลเลจรีสอร์ท **:** le long de la rivière, un peu à l'écart du centre du village, rive droite, après l'*Apple Guesthouse.* ☎ 053-459-355. Fax : 053-459-329. • www.track-of-the-tiger.com • Cartes de paiement acceptées. En bordure de rivière, dans un cadre aéré et fleuri. Bel ensemble d'une vingtaine de chambres disposées autour d'une piscine, et de quelques villas un peu en retrait (spacieuses et élégantes, 2 chambres et salon, chouette salle de bains). Très bon standing. Le *Maekok River Village* est aussi un centre de formation, où l'on peut apprendre la cuisine thaïe et la culture bio (recettes réalisées à partir des plantations sur place). Propose également des treks très intéressants. Un peu cher tout de même mais, pour une petite famille pas désargentée, les villas sont parfaites.

Où manger ?

De bon marché à prix moyens (de 100 à 400 Bts – 2 à 8 US$)

|●| ***Apple Restaurant*** – ร้านอาหารแอปเปิล **:** face au débarcadère. ☎ 053-373-144. Cuisine thaïe simple mais bonne et pas chère, servie avec le sourire, et dans un cadre typique (ombrelles au plafond). Permet d'attendre le moment du départ puisqu'on a vue sur le ponton. Propose également des chambres à prix moyens (300-400 Bts, soit 6-8 US$), spacieuses et d'un bon niveau de confort, mais certainement bruyantes à cause du resto.

|●| ***Chankasem Guesthouse*** – จันทรเกษมเกสท์เฮ้าส์ **:** non loin de l'*Apple Restaurant*, resto correct aussi (voir plus haut).

|●| ***Thaton River View*** – ท่าตอนริเวอร์วิว **:** c'est le resto de l'hôtel de charme dont on parle plus haut, et qui se situe de l'autre côté du pont, au bord de la rivière. Bien bonne table, avec terrasse idéalement située face à la rivière. Pleine de charme, et de moustiques ! Mais voir le soleil se coucher sur les temples voisins, on ne s'en lasse pas. Plus cher que les adresses populaires, mais pas excessivement. On peut aussi se contenter d'y prendre un verre.

Trek dans les environs

➢ Le long de la rivière, à une heure ou deux de marche à l'intérieur des terres, vivent plusieurs tribus *lisu*, *akha*, *karen* et *yao*. Quelques *Lahu* et *Karen* sont installés non loin des rives. Il est donc possible d'explorer cette région en louant les services d'un guide et une pirogue. Ça revient cher mais c'est encore un peu l'aventure.

CHIANG RAI ET LE TRIANGLE D'OR

La pointe septentrionale de la Thaïlande ne manque pas d'attraits : chaleureux *Night Bazaar* de Chiang Rai, animation commerçante de Mae Sai, village-frontière sur le Mékong, curieux village de Mae Salong, tout chinois, et bien sûr point de vue sur le fameux « Triangle » où Laos, Myanmar et Thaïlande se rencontrent – ou plutôt, s'observent – de part et d'autre du majestueux Mékong...

CHIANG RAI – เชียงราย

Capitale de la province du même nom, Chiang Rai est une petite ville pas bien excitante, à l'urbanisme anarchique et sans grâce. Marché de jour typique et *Night Bazaar* assez animés. Chiang Rai est, par ailleurs, le point de départ vers la région du Triangle d'or que l'on peut explorer à moto. Paysages uniques. Balades extraordinaires dans une région qui n'est plus vierge mais qui reste très belle.

Comment y aller ?

➢ ***En bus :*** nombreux bus de Chiang Mai Arcade Bus Station, de 6 h à 17 h environ. Départ toutes les heures en moyenne.

➢ ***En avion :*** 2 avions par jour de Chiang Mai et 3 ou 4 de Bangkok. Attention, l'aéroport de Chiang Rai est assez excentré par rapport au centre-ville (10 km environ). Prendre un *tuk-tuk*. Compter de 80 à 150 Bts (1,8 à 3,4 US$).

➢ ***En pirogue :*** descente de la rivière Kok de Thaton (voir plus haut « Excursion sur la rivière Kok »).

Adresses utiles

Informations touristiques et communications

ℹ ***TAT*** – ท.ท.ท. *(office du tourisme ; plan B1) :* Singhaklai Rd. ☎ 053-711-433 et 053-744-674. • tatcei@loxinfo.co.th • Ouvert tous les jours de 8 h 30 à 16 h 30. Brochures en anglais, liste des *guesthouses*, horaires des bus, infos trekking...

■ ***Tourist Police*** – ตำรวจท่องเที่ยว *:* au rez-de-chaussée de l'office du tourisme, sur Singhaklai Rd. ☎ 053-717-779 ou 796. Urgences : ☎ 11-55, jour et nuit.

■ ***Chiang Rai Telecommunication*** – ศูนย์โทรศัพท์ *(plan A2, 1) :* Ngam Muang Rd. Centre de télécommunication ultramoderne, ouvert tous les jours de 8 h à 20 h (8 h 30 à 15 h 30 le week-end). Téléphone international, fax, etc. Prix les plus bas de la ville.

✉ ***Poste et téléphone*** – ไปรษณีย์ *(plan B2)* **:** Utrakit Rd, à l'angle de Tha Luang Rd. Ouvert de 8 h 30 à 16 h 30 du lundi au vendredi. Le samedi, de 9 h à 12 h. À l'étage de la poste, centre téléphonique ouvert de 8 h à 20 h tous les jours. Connexion Internet. On trouve aussi en ville (sur Thaton Pemavipat) des privés qui, installés sur leur table de camping et chrono en main, vous permettent de téléphoner à la maison. Prix raisonnables en général.

✈ ***Aéroport*** – ท่าอากาศยานเชียงราย *(hors plan par D1)* **:** ☎ 053-793-000. Situé à 8 km au nord du centre-ville. Pas de bus. *Tuk-tuk* ou taxi (200 Bts, soit 4 US$, pour rejoindre le centre-ville).

■ ***Thai Airways*** – สายการบินไทย *(plan B2,* ***2****)* **:** 870 Phahon Yothin Rd. ☎ 053-711-179. Ouvert de 8 h à 17 h. Fermé les samedi et dimanche. À l'aéroport : ☎ 053-793-048.

D.K. Book House – ร้านขายหนังสือดี.เค.ดวงงมล *(plan C2,* ***6****)* **:** 882/102 Utrakit Rd. Ouvert de 10 h à 21 h. Livres spécialisés sur la Thaïlande, cartes, mini-dictionnaires... Moins de choix que dans celle de Chiang Mai.

Change

Aucun problème pour changer de l'argent ou pour en retirer avec une carte de paiement. Voici quelques adresses parmi tant d'autres, situées non loin du bureau de la *Thai*.

■ ***Thai Military Bank*** – ธนาคารทหารไทย *(plan B3,* ***3****)* **:** 870/12 Phahon Yothin Rd. Ouvert tous les jours de 8 h 30 à 15 h 30. Retrait possible avec la carte *Visa*.

■ ***Siam Commercial Bank*** – ธนาคารไทยพาณิชย์ **:** 573 Rattanaket Rd. Ouvert du lundi au vendredi de 8 h 30 à 15 h 30. Distributeur d'argent à l'extérieur, accessible de 7 h à 22 h.

■ ***Thai Farmers Bank*** – ธนาคารกสิกรไทย **:** 537 Banpha Prakarn Rd. Ouvert de 7 h à 15 h 30 tous les jours. Retrait avec la carte *Visa* possible.

Santé

■ ***Overbrooke Hospital*** – โรงพยาบาลโอเวอร์บรู๊ค *(plan B1,* ***4****)* **:** à l'angle de Singhaklai Rd et de Trairat Rd. ☎ 053-711-366 ou 053-715-830. C'est l'ancien hôpital de Chiang Rai, bien meilleur que le nouveau.

■ ***Sriburin Hospital*** – โรงพยาบาลศรีบุรินทร์ **:** Superhighway, vers l'ancien aéroport. ☎ 053-717-499.

■ ***Boots*** *(plan B2,* ***5****)* **:** 873/7-8 Prathat Yothin Rd. ☎ 053-600-983. Ouvert de 11 h à 23 h tous les jours. Ce magasin de la célèbre firme anglaise propose des médicaments disponibles en France et en Europe. C'est très propre et on y parle l'anglais.

Transports

En ville

– ***Samlors à pédales :*** bien pour des petits déplacements.
– ***Location de motos :*** bon moyen d'explorer la région. Plusieurs loueurs en ville dans la rue principale. Les *guesthouses* s'en chargent souvent.
– ***Songthaews :*** petites camionnettes bleues à Chiang Rai (elles étaient

rouges à Chiang Mai !). Fonctionne comme un *tuk-tuk* mais peut prendre des gens au passage. La station principale se trouve au marché de jour. Bien moins cher que les autres modes de transport.
– ***Tuk-tuk :*** pratique, rapide mais excessivement cher. Ici, les conducteurs ne s'en font pas trop et annoncent des prix délirants. Négocier ferme.

Dans les environs

Les bus : une seule ***station de bus*** *(plan B-C2)*, sur Prapopsuk Rd, à l'angle de Phahon Yothin Rd. Ne possède pas de numéro de téléphone commun. Tous les bus non-AC, AC et VIP partent de là. Les compagnies privées sont représentées à la station de bus. Tous les villages du Nord sont reliés à Chiang Rai, environ toutes les 30 mn. Bus pour Mae Salong, Mae Sai, Mae Chan, le Triangle d'or et Chiang Saen.
– ***Les songthaews :*** ils desservent les moindres petits villages et hameaux de toute la région Nord, là où les bus ne vont pas. Départ du marché principal, situé sur Suk Sathit Road et presque au coin de Utrakit Road.

Où dormir ?

Nombreuses *guesthouses* de bonne qualité. Pratiquement chacune d'entre elles propose des treks ou des excursions vers les villages du Nord et le Triangle d'or. On rappelle que beaucoup de balades peuvent se réaliser sans être accompagné. On rappelle également qu'il est facile de se perdre...

Bon marché (de 100 à 200 Bts - 2 à 4 US$)

Chat House – ชาติเกสท์เฮ้าส์ *(plan A1,* ***12****) :* 3/2 Soi Sang Kaeo Trirat Rd. ☎ 053-711-481. Dans un quartier populaire, lacis de ruelles, où vivent manifestement pas mal de propriétaires de *samlors*. Accueil gentil et charmant, ambiance sympathiquement bordélique, pelouse

Adresses utiles

- TAT
- Poste et téléphone
- Aéroport
- Station de bus
- 1 Chiang Rai Telecommunication
- 2 Thai Airways
- 3 Thai Military Bank
- 4 Overbrooke Hospital
- 5 Boots
- 6 D.K. Book House

Où dormir ?

- 10 Chian House
- 12 Chat House
- 13 Lotus Guesthouse
- 14 White House Hotel
- 16 Bowling Guesthouse
- 17 Ben Guesthouse
- 19 Boon Bun Dan Guesthouse
- 21 The Golden Triangle

Où manger ?

- 21 Resto du Golden Triangle
- 30 Marché
- 31 Phaiphon Restaurant
- 32 Night Bazaar
- 34 Cabbages and condoms
- 35 9-9-9 (Ton Kao)
- 37 Muang Thong
- 38 Hawnariga
- 39 Loo Lam Restaurant
- 40 Ratanakosin Restaurant

Où boire un verre ?

- 50 Night Bazaar
- 51 Sabun-Nga Pub & Restaurant
- 53 Cheer

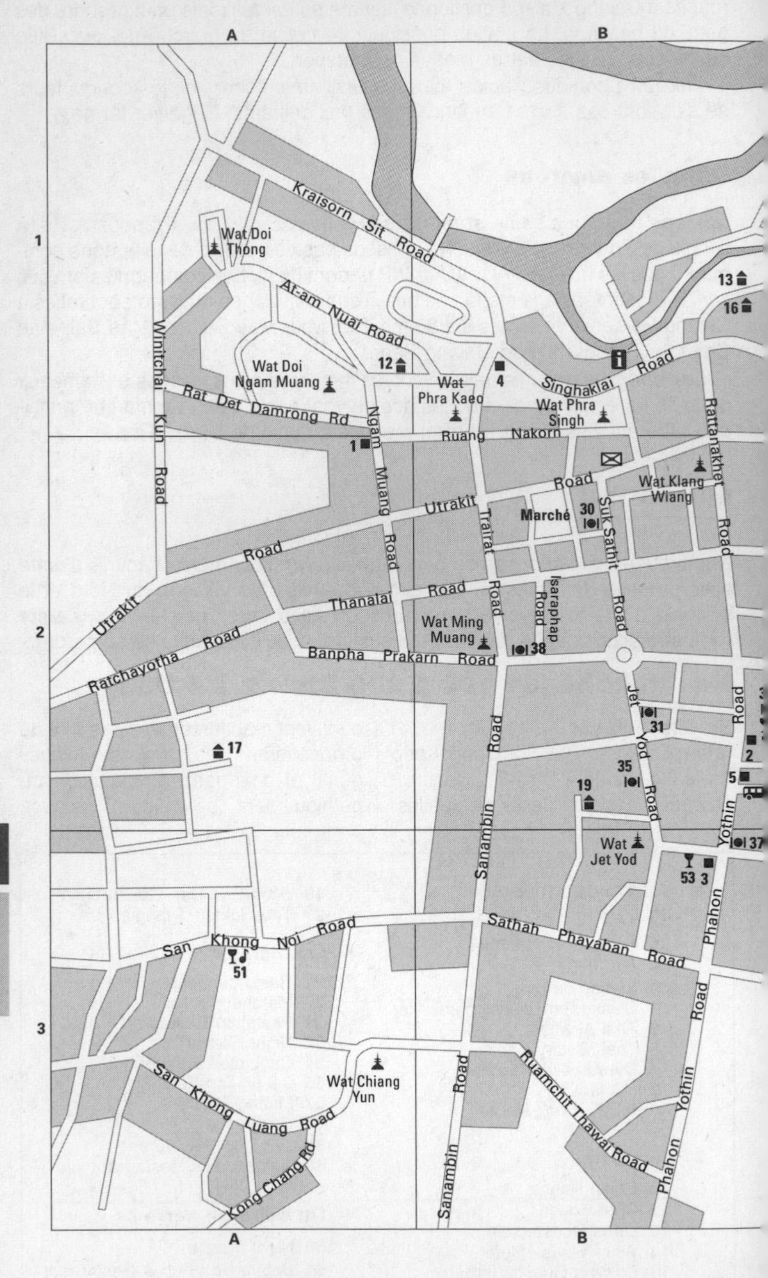
A
B
1
2
3
Kraisorn Sit Road
Wat Doi Thong
At-am Nuai Road
Wat Doi Ngam Muang
12
4
Wat Phra Kaeo
Singhaklai Road
Wat Phra Singh
13
16
Winitchai Kun Road
Rat Det Damrong Rd
Ngam Muang Road
1
Ruang Nakorn
Rattanakhet Road
Utrakit Road
Marché
30
Wat Klang Wiang
Suk Sathit Road
Trairat Road
Isaraphap Road
Thanalai Road
Wat Ming Muang
38
Banpha Prakarn Road
Ratchayotha Road
Utrakit
Jet Yod Road
31
35
19
17
2
5
Wat Jet Yod
37
53
3
Sanambin Road
Yothin
Sathah Phayaban Road
Phahon Road
San Khong Noi Road
51
San Khong Luang Road
Wat Chiang Yun
Kong Chang Rd
Ruamchit Thawai Road
Sanambin Road
Phahon Yothin

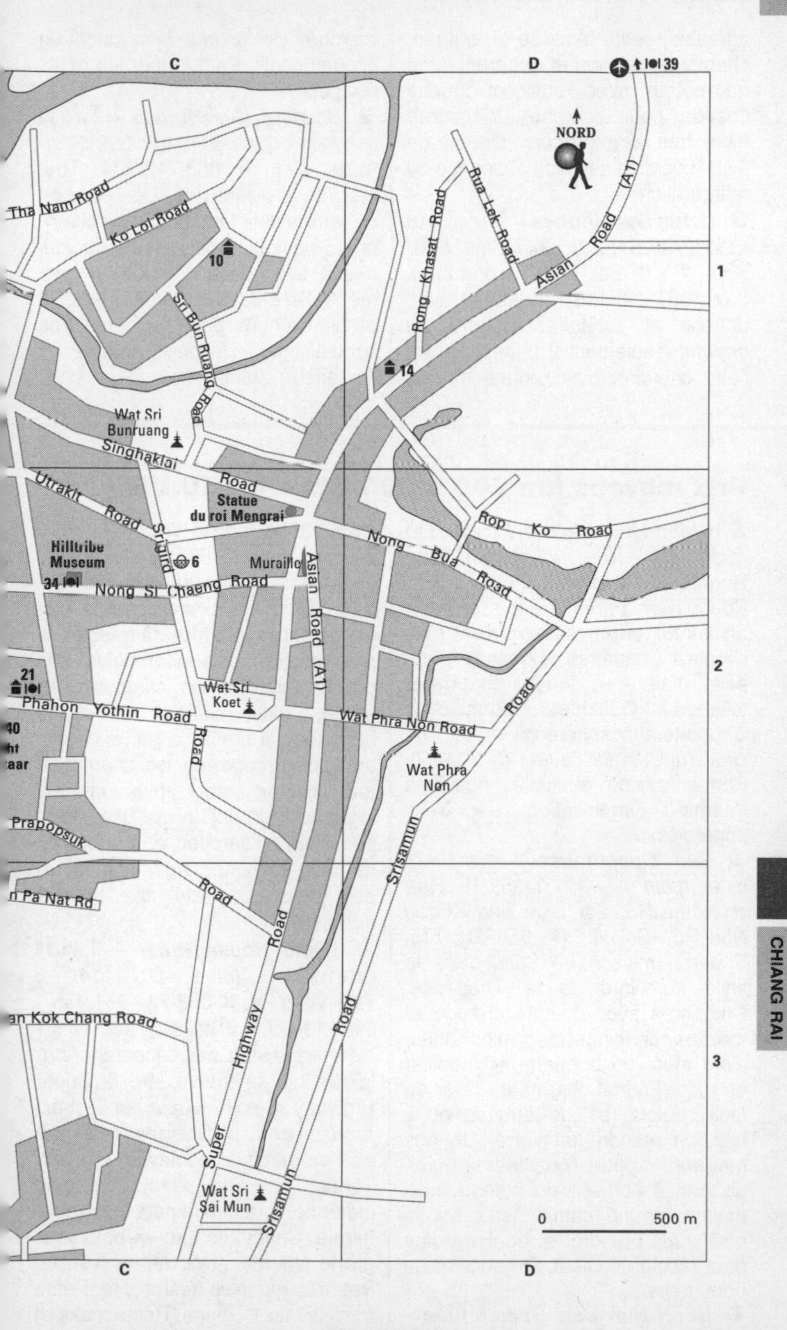
C
D
NORD
39
Tha Nam Road
Ko Loi Road
10
Sri Bun Ruang Road
Rong Khasat Road
Rua Lek Road
Asian Road (A1)
1
14
Wat Sri Bunruang
Singhaklai Road
Utrakit Road
Statue du roi Mengrai
Rop Ko Road
Hilltribe Museum
34
Srijgird
6
Muraille
Asian Road (A1)
Nong Bua Road
Nong Si Chaeng Road
21
2
Wat Sri Koet
Phahon Yothin Road
Wat Phra Non Road
Road
40
Road
Wat Phra Non
Prapopsuk
Road
Srisamun
n Pa Nat Rd
Road
Road
an Kok Chang Road
Super Highway
3
Wat Sri Sai Mun
Srisamun
0
500 m
C
D

CHIANG RAI

agréable, petite terrasse ombragée, chambres calmes et propres, bien que petites, avec ventilo et douche chaude pour certaines. Chambre triple très avantageuse. Dortoir de 4 lits. Location de vélos et service de restauration.

☗ ***Lotus Guesthouse*** – โลตัสเกสท์เฮ้าส์ *(plan B1, **13**) :* 247 Singhaklai Soi. ☎ 01-681-59-87 (portable). Fax : 053-715-115. Chambres avec douche et sanitaires dehors ou dedans (seulement 2 chambres ont l'eau chaude), bien tenues et bon marché. Un endroit bien cool, un accueil gentil. Parfait pour les petits budgets.

☗ ***Bowling Guesthouse*** – โบว์ลิ่งเกสท์เฮ้าส์ *(plan B1, **16**) :* 399 Singhaklai Soi. ☎ 053-712-704. Tout près de la rivière Kok. Une pension de famille petit format. Quatre chambres riquiqui (mais tarif riquiqui aussi) avec douche froide uniquement, sises dans un jardin agréable et bien tenues par une dame très accueillante. Douche chaude à l'extérieur. Calme.

Prix moyens (de 200 à 500 Bts – 4 à 10 US$)

☗ ***Chian House*** – เชียนเกสท์เฮ้าส์ *(plan C1, **10**) :* 172 Sri Bun Ruang Rd. ☎ et fax : 053-713-388. Pour y aller la première fois, prendre un *tuk-tuk* ou un *samlor*, c'est plus simple. Chambres simples, sans éclat, mais avec douche chaude et toilettes. Quelques bungalows. Chouette atmosphère générale. Piscine (une vraie, avec de l'eau !). Bonne cuisine familiale. Accès à Internet. Organisation de treks appréciés.

☗ ***Ben Guesthouse*** – เบญเกสท์เฮ้าส์ *(plan A2, **17**) :* 351/10 Ratchayotha Rd, Soi 1 ou San Khong Noi Rd, Soi 4. ☎ 053-716-775. Superbe maison en bois, dans le style du Nord de la Thaïlande. Chambres avec douche chaude et toilettes, certaines bien mignonnes, avec murs de briquette et mobilier en rotin. Endroit charmant : pilier de teck sculpté, balcon-terrasse où il fait bon prendre un verre. Un des meilleurs rapports qualité-prix qu'on ait vus. À l'arrivée du bateau, normalement une camionnette est là pour vous prendre, et on en profite pour racoler le client. Organisent de bons treks.

☗ ***Boon Bun Dan Guesthouse*** – บุญบันดาลเกสท์เฮ้าส์ *(plan B2, **19**) :* 1005/13 Jet Yod Rd. ☎ 053-717-040 ou 041. Fax : 053-712-914. Dans une calme ruelle près du Wat Jet Yod, 2 bâtiments sans grande élégance qui se font face : à gauche, le plus ancien mais néanmoins très propre (préférer les chambres en étage, plus claires et moins humides) ; à droite, la partie neuve, en brique rouge, où les chambres, tout confort, sont plus chères, logique ! Petit dej' inclus. Transferts possibles à l'aéroport et à la station de bus (payant). Organisent aussi des treks. Une de nos bonnes adresses.

☗ ***White House Hotel*** – ไวท์เฮ้าส์เกสท์เฮ้าส์ *(plan D1, **14**) :* 789 Asian Rd. ☎ 053-744-051. Fax : 053-713-427. • white789@ksc.th.com • Ne vous laissez pas décourager par la rue qui se trouve être la Super Highway. Sur 3 niveaux, une *guesthouse*, avec piscine (payante), un peu en retrait du boulevard bruyant. Tenue par un patron d'origine indienne, éminemment sympathique. Chambres tout en bois sans grand charme. Avec AC ou ventilo. Pas très gai mais très propre. Petite terrasse au 1er étage. Resto, treks et piscine.

Un peu plus chic (à partir de 600 Bts – 13 US$)

■ ***The Golden Triangle*** – เดอะ โกลเด้นไทรแองเกิล *(plan C2, **21**) :* 590 Phahon Yothin Rd. ☎ 053-711-339. Fax : 053-713-963. • gotour@loxinfo.co.th • Près du terminal des bus. Bel hôtel de charme, aménagé avec un goût sûr. Chambres tout confort (avec baignoire), de style traditionnel, au sol recouvert de belles tomettes. Absolument impeccable. Dommage que l'accueil ne soit pas au rendez-vous. La meilleure adresse de la ville dans cette catégorie. Ne pas s'en priver si le baht est bas... ou si vos moyens vous le permettent. Bon restaurant chic, dont on parle plus loin.

Où manger ?

Pas cher (moins de 100 Bts – 2 US$)

La plupart des *guesthouses* préparent une bonne petite cuisine familiale. Sinon, assez peu de bonnes tables.

I●I Sur le ***marché*** – ตลาด *(plan B2, **30**) :* vers 11 h ou midi, des stands de nourriture en plein centre du marché servent une cuisine typique et authentique, pour trois fois rien. Notre adresse préférée. Derrière le marché, un bouddha chinois garde l'entrée d'un curieux temple.

I●I ***Night Bazaar*** – ไนท์บาซ่าร์ *(plan B2, **32**) :* à partir de 19 h et jusqu'à minuit ou plus tard. Formidable cantine nocturne en plein air. Les stands entourent les terrasses, et l'on prend ici une brochette de poulet, là des grosses crevettes au curry. Pour arroser le tout, une *Singha Beer*, en regardant le spectacle gratuit (2 scènes, où alternent danses traditionnelles et chanson thaïe actuelle, entre 20 h et 22 h). Très agréable. Attention, souvent, toutes les tables sont occupées.

I●I ***Muang Thong*** – ร้านอาหารเมือง ทอง *(plan B3, **37**) :* 889/1-2 Phahon Yothin Rd. ☎ 053-711-162. Une vieille cantine avec ses tables en formica et ses étals sur le trottoir. Cadre gentiment vieillot, pas de la grande cuisine, mais de quoi vous rassasier pour une poignée de bahts et deux coups de cuillères de riz.

Prix moyens (de 100 à 300 Bts – 2 à 6 US$)

I●I ***Loo Lam Restaurant*** – ร้านอาหารหลู้ลำ *(hors plan par D1, **39**) :* 188/8 Thanon Rd. ☎ 053-748-223. Attention, pas d'enseigne en alphabet latin. Pour s'y rendre, prendre la *Highway* direction Mae Sai (le Nord) et l'aéroport, et, sitôt franchi le pont sur la rivière Kok, passer sous le prochain pont et, dans l'autre sens, sortir à nouveau à la première à gauche : là vous pouvez prendre la rue qui longe la rivière, c'est celle qui nous intéresse, le resto est à 400 m côté rivière. Il y a une cabine téléphonique juste devant. Ça paraît un peu compliqué, mais en fait c'est très simple. Ce petit restaurant thaï-thaï, en terrasse sur la rivière, mérite cet effort. Bonne cuisine traditionnelle, cadre simple et service souriant, prix doux. Belle vue.

I●I ***Hawnariga*** – ร้านอาหารหอนาิกา *(plan B2, **38**) :* 402 Banpha Prakarn Rd. ☎ 053-713-738. Une des tables les plus réputées de Chiang Rai, où nous avons pris la spécialité, la viande de buffle, et c'était bien bon. Mais le *deep fried duck* était un peu trop *fried*, justement. Ambiance assez animée, tarifs encore honnêtes, même si un poil plus chers que ceux du restaurant thaï de base.

I●I ***Phaiphon Restaurant*** – ไพพรร้านอาหาร *(plan B2,* ***31****) :* 528/12 Jet Yod Rd. ☎ 053-711-042. Dans une des rues les plus animées de Chiang Rai, une petite adresse en retrait, flanquée de faux éléphants dès son entrée et d'une cour pavée très prisée des *farang*. Peut-être pour le billard ? Pour les tables en bois et les nappes à carreaux ? Cuisine thaïe (pas trop chère) et japonaise (un peu plus onéreuse). Bonne ambiance, un peu touristique mais sympathique.

I●I ***9-9-9 (Ton Kao)*** – ร้านอาหารค้นข้าว *(plan B2,* ***35****) :* 1013/3 Jet Yod Rd. ☎ 053-752-261. L'enseigne verte indique seulement les trois 9 (*Ton Kao* signifie « triple neuf »). Ouvert de 17 h à 1 h. À deux pas du quartier chaud de Chiang Rai, où pullulent aussi les gargotes (certaines très bonnes), voici un petit havre de paix. Jardin sur l'arrière, délicatement éclairé par des lanternes et bercé par le glouglou d'une fontaine. Cuisine thaïe du Nord classique et correctement exécutée.

I●I ***Cabbages and condoms*** – ร้านอาหารแคบแบจแอนด์คอนดอม *(plan C2,* ***34****) :* 620/1 Thanalai Rd. ☎ 053-740-784. Au rez-de-chaussée du *Hilltribe Museum*. Ouvert de 9 h à minuit. Un resto, comme à Bangkok, lié à l'association PDCA *(Population and Community Development Association)* à laquelle sont reversés tous les bénéfices de cet établissement. Histoire de faire une B.A. en mangeant une cuisine thaïe pleine de saveurs (riz aux crevettes, curry de poulet, etc.) sous une verrière ou en salle, sur des tables en bois. Prix un peu élevés.

I●I ***Ratanakosin Restaurant*** – ร้านอาหารรัตนโกสินทร์ *(plan C2,* ***40****) :* sur le Night Bazaar. ☎ 053-740-012. Très bon restaurant un peu chic, mais à peine, idéalement situé face à la scène du Night Bazaar. Choisir une table en terrasse, à l'étage, on a la meilleure vue sur l'animation et les spectacles. Excellente cuisine, notamment les « Chef's Recommandations ». Quel délice ! Et copieux avec ça ! Ah tu meurs ! Et pas si cher.... Dommage cependant que l'ensemble soit pris d'assaut par les cars de touristes : dans ces cas-là, la qualité s'en ressent... À vous de voir.

Un peu plus chic (plus de 400 Bts – 8 US$)

I●I ***Resto du Golden Triangle*** – ร้านอาหารโรงแรมโกลเด้นไทรเองเกิล *(plan C2,* ***21****) :* voir « Où dormir ? ». Ouvert de 7 h à 22 h. Cartes de paiement acceptées. Cadre agréable typique et original (un arbre dans une vitrine), lumière tamisée, cuisine thaïe avec des incursions européennes. L'adresse chic pour une soirée en amoureux sans grosse entorse au budget. Pour la déco : brique, bambou, appliques et nappes blanches. La classe.

Où boire un verre ?

On trouve pas mal de ***bars chauds*** autour de Pramawipat, une ruelle qui relie Jet Yod Road à Phahon Yothin Road. Ça va du bar à bière avec forte sono, où les touristes commencent la soirée, au bar à *go-go girls* numérotées, dévoilant tristement leurs charmes à vendre (spectacle navrant). Pour info, notez que les jeunes filles de Chiang Rai qui travaillent dans les bars ont la triste réputation d'être celles dont on ne veut plus à Bangkok ou à Pattaya parce qu'elles sont séropositives. Sympa !

Bars du ***Night Bazaar*** – บาร์ที่ไนท์บา ซ่าร์ *(plan B2, **50**)* **:** heureusement, la jeunesse noctambule de la ville a quelques endroits nettement moins sordides à sa disposition, comme le Night Bazaar. Une partie du marché de nuit (à vous de trouver, c'est facile en déambulant un peu) est occupée par une enfilade de bars en plein air (où parfois les serveuses ou hôtesses, on ne sait trop, peuvent se montrer un peu aguicheuses). Ambiance vaguement enivrante, sensuelle et populaire. On vous conseille notamment le *Wheel of Fortune*, très sympa.

Cheer – บาร์เชีย **:** *(plan B3, **53**)* ***rue du Wat Jet Yod*** – ถนนวัดเจ็ดยอด. Juste en face du temple. Dans cette petite rue, un bar (qui fait aussi resto) tout entier voué au dieu Football. Retransmission de matchs en différé (surtout de la *Premier League* anglaise... sans commentaires !) avec programme sur l'ardoise devant l'entrée. Autant d'action sur la terrasse que sur l'écran !

Sabun-Nga Pub & Restaurant – สบันงาพับแอนด์เรสโตรอง *(plan A3, **51**)* **:** 226/50 San Khong Noi Rd. ☎ 053-712-190. Petite scène où se produisent des groupes, ambiance variétés. La clientèle tourne autour de la quarantaine. Bon restaurant. Tous les soirs à 19 h, dans une autre salle, a lieu un spectacle *kantoke* (dîner-spectacle de danses locales).

À voir

Pas grand-chose, à vrai dire.

Le marché – ตลาด *(plan B2)* **:** pittoresque, grand, couvert et animé. On y trouve de tout et la balade est sympa. De nombreux paysans de la région et habitants des tribus viennent y faire leurs emplettes. Épices, vêtements, bassines, tongs, équipement en tout genre. Bref, Madame, tout pour aménager votre intérieur. On y mange bien.

Le Night Bazaar – ไนท์บา ซ่าร์ *(plan B-C2)* **:** tous les soirs, à partir de 19 h, des montagnards déballent sans conviction leurs objets d'artisanat de pacotille. Bien sûr, c'est du déjà vu. Cependant, ici, on trouvera le cadeau à rapporter à la famille et aux amis (écharpe, chemisette, statuette quelconque, mini-gong...), moins cher qu'à Chiang Mai, en n'oubliant pas de discuter les prix.

La muraille et la statue du roi Mengrai – กำแพงเมืองและอนุสาวรีย์พ่อขุนเม็งรายมหารา ช *(plan C2)* **:** au bord de la Super Highway. On vous les signale pour qu'ils vous servent de points de repère. Ni les quelques mètres d'ancienne muraille reconstituée, ni l'effigie du roi, pourtant abondamment fleurie, ne méritent vraiment un détour.

Hilltribe Museum – พิพิธภัณฑ์ชาวเขา *(plan C2)* **:** 620/35 Thanalai Rd. ☎ 053-740-088. • crpda@hotmail.com • Ouvert tous les jours de 9 h (10 h le week-end) à 20 h. Au 2e étage d'un immeuble occupé, au rez-de-chaussée, par le resto *Cabbage & Condom* et, au 1er étage, par un service d'aide sociale. Entrée payante (mais pas chère). Ce relais d'un organisme chargé d'aider, d'instruire et d'informer les tribus, présente, à l'aide d'un diaporama au commentaire français (supplément 50 Bts, soit 1 US$) un peu soporifique mais instructif, les différents montagnards. Boutique. Plus intéressant, ils organisent des treks de quelques jours (chers mais certainement plus respectueux des populations que les autres) et même des séjours humanitaires. Bonne documentation, surtout en anglais.

Wat Phra Kaeo – วัดพระแก้ว *(plan B1)* **:** en face de l'Overbrooke Hospital. Temple du XVe siècle qui donna un temps l'hospitalité au bouddha d'Émeraude (celui de Bangkok). C'est la foudre qui fendit le *stûpa* qui le cachait. Le bouddha apparut et fut ensuite apporté à Bangkok. Le temple prit le nom de Wat Phra Kaeo, comme celui de la capitale. Belle porte sculptée. À l'intérieur, intéressants piliers de bois à motifs floraux. Dans le chœur, on a replacé depuis 1991 un nouveau bouddha, toujours en jade. Sa pose n'est pas tout à fait la même que celle du « vrai » bouddha d'Émeraude. Bien sûr, la statue est moins sacrée que celle de Bangkok. Mignonne tout de même. Derrière le temple principal, vieux *chedî* du XIVe siècle (paraît beaucoup moins).

Wat Jet Yod – วัดเจ็ดยอด *(plan B3)* **:** il possède une élégante façade assez surchargée. Également un bouddha énorme et d'effrayants dragons à l'entrée du temple. Pour chasser les mauvais esprits, certainement. Oussst !

Wat Doi Ngam Muang – วัดดอยงามเมือง *(plan A1)* **:** sur une colline qui domine la ville, à laquelle on accède par un escalier. Son *chedî* contiendrait les restes du roi Mengrai.

Quelques organisateurs d'excursions ou de treks

Pratiquement toutes les *guesthouses* en proposent : à pied, à moto, en raft, en radeau ou à dos d'éléphant. Tiens, on n'a rien vu à dos de chameau ! Choisissez en priorité une labellisée par le TAT.
Par ailleurs, la petite rue Pramawipat, coincée entre Jet Yod Rd et Phahon Yothin Rd, abrite une bonne dizaine d'agences proposant toutes sortes de treks : descente de rivière en radeau de bambou, balade à dos d'éléphant, visite du Triangle d'or en minibus.
On rappelle que l'exploration de la région de Chiang Rai peut parfaitement se réaliser tout seul, en respectant un certain nombre de règles élémentaires de prudence. En effet, contrairement à Chiang Mai, ici de nombreux villages ethniques se trouvent au bord de la route ou pas loin. Bien sûr, pour le radeau et l'éléphant, il faudra passer par une agence. En revanche, pour le Triangle d'or et tous les villages à la frontière birmane, on fait ça tout seul sans problème. Certains se font embobiner par des agences, pensant que c'est compliqué.
De manière générale, comparer les prix dans plusieurs *guesthouses*. Ils varient du simple au double. Pensez aussi à vous renseigner auprès du *Hilltribe Museum* (voir plus haut), qui organise des treks plus « humanitaires » que les agences.

■ **Golden Triangle Tour** – โกลเด้นไทรแองเกิลทัวร์ **:** 590/2 Phahon Yothin Rd. ☎ 053-711-339. Leurs circuits, organisés sérieusement, ont bonne réputation.

■ **Chat House** – ชาติเฮ้าส์ **:** voir

l'adresse dans « Où dormir ? ». Organise de bons treks, sur mesure, entre Thaïlande et Birmanie. Pour l'instant, aucun lecteur n'en est revenu mécontent.

Balades à moto

Lisez nos recommandations de treks à moto dans le chapitre « Treks chez les ethnies montagnardes » et munissez-vous d'une bonne carte, ce qui n'est pas toujours une mince affaire.

➢ ***Chiang Rai-Mae Chan* – เชียงรายแม่จัน :** 29 km, compter 30 à 45 mn. Commençons par un crochet pour aller voir des chutes d'eau. Départ du deuxième pont de la ville, non loin du débarcadère. Suivre cette route jusqu'au village de *Ban Tuan* (nom du village indiqué seulement en thaï : บ้านท วน). Dans le village, tourner à gauche en direction de la *cascade de Hue Mae Sai* – น้ำตกห้ วยแม่สาย (panneau indicatif en anglais, donnant 4 km). Début d'une piste sur 8 km en fait, pour arriver à un village *akha*, juste après un village *yao* (moderne). Dans le village *akha*, prendre (à pied) le chemin qui monte le long de la maison sur pilotis, puis bifurquer vers la droite. Après un gros quart d'heure de marche, on parvient aux petites mais belles chutes d'eau qui constituent le point de départ d'autres randonnées pédestres dans le coin.
Retourner au pont principal de la rivière Kok, sur la route 110 (Super Highway). À 29 km, bifurquer à gauche en direction de *Mae Chan* – แม่จัน, qui se trouve à 150 m environ.
À *Mae Chan*, départ du poste de police. Aller tout droit et traverser l'autoroute. Continuer tout droit pendant environ 4,5 km, jusqu'au carrefour, et tourner à gauche. Au bout de 6 km, village *yao* de *Thummajaric* ; 500 m plus loin, à droite, se trouve le village *akha* de *Cho Pa Kha* – ช่อผกา. Retour ensuite à Mae Chan.

Laan Tong Village – ลานทองวิลเลจ : 10 km à l'ouest de Mae Chan, à gauche de la route de Thaton (1089). Ouvert de 8 h à 18 h. Spectacle à 11 h. Entrée : 300 Bts (6 US$). Parc et vaste espace touristique avec reconstitution d'un village *akha*, gong géant (le plus grand du monde, oh là, là !) et vaste amphithéâtre (au moins 1 000 places assises) pour des shows de danses traditionnelles suivis d'une prestation de Joe l'éléphant. Un peu pipeau. À éviter.

➢ ***Mae Chan-Mae Sai*** *via* ***Mae Salong*** et ***Doi Tung*** (103 km, compter 1 journée, et voir un peu plus loin les informations sur ces sites) **:** de *Laan Tong* – ลานทอง (à 11 km de Mae Chan par la route n° 1089) à *Doi Mae Salong* – ดอยแม่สลอง, 2 routes possibles.
– La première, qui part à gauche au nord de *Mae Chan*, n'est conseillée qu'aux pilotes expérimentés : tourner 7 km après *Mae Chan,* au village de *Pang Sa* – ปางสา. Continuer toujours tout droit sur cette route n° 1130, jusqu'à ce qu'elle devienne route n° 1234. Le premier kilomètre est très abrupt et souvent glissant. Prendre ensuite à gauche la direction de *Mae Salong* (44 km).
– La seconde, nettement plus facile, emprunte la route n° 1089 sur 24 km. Tourner ensuite à droite au carrefour. Route indiquée pour *Mae Salong* (36 km de route goudronnée). Cette route traverse de nombreux villages de minorités à travers la montagne.
De *Mae Salong*, vous pourrez redescendre par la route que vous n'avez pas empruntée à l'aller. Ceux qui opteront pour la route n° 1234 et qui n'ont pas

froid aux yeux pourront se balader dans le coin, et même pousser jusqu'au village militarisé de *Toed Thai* – เทอดไทย, ancien fief du seigneur de l'opium, Khun Sa. Comme ça vous pourrez dire : « J'y suis allé », mais autant que vous le sachiez, il n'y a pas grand-chose à voir, d'autant qu'une partie du village est barrée (au niveau du poste de police). Il faut alors faire demi-tour, revenir sur 3 km et prendre à gauche, juste après la sortie du village, puis longer la rivière et le grand temple chinois. Là, 10 km de piste facile et de paysages magnifiques s'offrent à vous.

Une fois arrivé sur la route n° 1234, prendre à gauche et rouler 6 km. À l'intersection, prendre la direction de *Ban Pha Bur* – บ้านฟ้าบูรณ์ (vers la route n° 1149) sur 8 km. Au total, 14 km de routes de campagne où les paysages sont très verts, même en saison sèche. En arrivant sur la grande route, prendre à gauche pour *Doi Tung Mae Sai*. C'est le moment de parcourir ces 24 km sur une petite route goudronnée, à travers des paysages grandioses entourés de montagnes aux parois quasi verticales.

De *Doi Tung*, vues formidables sur le Mékong et le lac Chiang Saen à partir du promontoire (accès par un petit sentier, une cinquantaine de mètres avant l'entrée du temple). Compter 45 mn pour monter... C'est un peu long, mais ça en vaut vraiment la peine : la vue est imprenable !

De *Doi Tung* à *Mae Sai*, il reste 35 km (1 h de trajet environ).

Autrement, de *Doi Mae Salong*, une solution plus simple consiste à revenir jusqu'à la route principale n° 110, puis reprendre à gauche quelques km au nord, directement la route n° 1149 qui monte vers *Doi Tung*. On pourra ensuite poursuivre directement jusqu'à *Mae Sai*.

QUITTER CHIANG RAI

En bus

Station de bus *(plan C2)* **:** à l'angle de Phahon Yothin Rd et de Prapopsuk Rd. Tous les bus vers Chiang Mai et Bangkok partent de cette station qu'ils soient non-AC, AC ou VIP. Nombreuses liaisons toute la journée.

➢ ***Pour Bangkok :*** en général, bus vers 8 h 30 ou alors en fin d'après-midi (bus de nuit). Nombreux départs assurés par plusieurs compagnies. Durée : 11 h (845 km).

➢ ***Pour Chiang Mai :*** départ en moyenne toutes les 30 mn, toute la journée de 6 h à 16 h 45. Durée : 3 h.

➢ ***Pour tous les villages du Nord :*** départ toutes les 15 mn de 6 h à 18 h.

➢ ***Pour Mae Salong :*** prendre un bus pour Ban Pasang (compter 45 mn). De là, prendre un *songthaew* (station au marché de jour). Départs fréquents.

En avion

✈ **_Aéroport_** *(hors plan par D1)* **:** à 10 km au nord de la ville. Pas de bus pour y aller. Taxi et *tuk-tuk* uniquement.

➢ ***Pour Bangkok :*** 3 vols par jour.

➢ ***Pour Chiang Mai :*** 2 vols par jour.

LA RÉGION DU TRIANGLE D'OR – สามเหลี่ยมทองคำ

Environ la moitié de l'opium illicite consommé dans le monde vient de ce fameux « Triangle d'or », également appelé « région des trois frontières », car c'est là que se rejoignent celles du Laos, de la Thaïlande et du Myanmar (ex-Birmanie). La partie thaïlandaise de cette région est composée de villages richement boisés. Le triangle s'étend en gros de Kentoung (Myanmar) à Chiang Rai (Mae Hong Son, Mae Sariang, nord-est de Nam...) et à Ban Houay Sai (Laos). On comprend pourquoi « Triangle », mais pourquoi « or » ? Tout simplement parce que déjà, à l'époque, l'opium valait de l'or. Et il était payé avec de l'or.

Ce sont des tribus d'origine chinoise ou sino-birmane qui se livrent à cette activité dans les montagnes couvertes de jungle, souvent difficilement accessibles.

Il est fort peu recommandé pour un Européen de s'aventurer dans la montagne sans guide, à cause du banditisme. En revanche, on emmène des cars de touristes photographier la rivière, à *Sop Ruak*, au point de rencontre des trois pays, histoire de leur donner un peu de frisson, bien calés dans leur siège. Mais ce site n'est pas le plus beau, on préfère les villages voisins ou la région au nord-ouest de Chiang Rai.

Les caravanes d'opium descendent des confins birmans, laos et thaïs entre mars et juin ; les plus importantes peuvent transporter jusqu'à 20 t d'opium. Ce commerce lucratif est, pour l'essentiel, entre les mains du KMT. Formées des débris de l'armée nationaliste chinoise de Chiang Kaï-Chek, ces troupes furent chassées de Chine communiste après la victoire de la révolution de 1949. Utilisées dans les années 1950 par la CIA pour boucler la frontière sino-birmane, les forces du KMT sont aujourd'hui au service des opérations de contre-guérilla menées dans les régions montagneuses du Nord.

À lire : *Les Grandes Manœuvres de l'opium*, de Catherine Lamour et Michel R.-Lamberti (Points Actuels n° 9).

Il est bon aussi de préciser qu'au lieu-dit « le Triangle d'or », au bord du Mékong, là où l'on peut voir effectivement les trois pays d'un coup, il n'y a plus de champs d'opium depuis 1965. Les autorités les ont remplacés par des cultures de substitution : café et tabac (attention, là aussi abus dangereux). D'une façon générale d'ailleurs, les plantations de pavot ont une petite tendance à déserter la Thaïlande – même s'il en reste d'importantes – depuis que la politique anti-drogue du gouvernement s'est tout de même durcie.

Pour s'y rendre, voir la rubrique « Transports » à Chiang Rai.

EXPLORER LA RÉGION PAR SOI-MÊME

Cette région est passionnante avant tout parce qu'elle permet de nombreuses balades. Tous les moyens de transport sont envisageables.

Si vous disposez de quelques jours et que vous voulez simplement vous balader dans les villages du Nord, dans la région du Triangle d'or, absolument inutile de vous inscrire dans une agence. Toutefois, prenez bien garde à ne pas vous aventurer trop en dehors des villages, pour les raisons d'insécurité dont on vient de parler.

Les bus locaux vous conduisent aux mêmes endroits pour bien moins cher. Dans les coins les plus reculés, des camionnettes prennent le relais des bus locaux. Louer une moto (une 125 cm^3 est parfaitement adaptée) est une solution idéale à condition d'être prudent.

MAE CHAN – แม่จัน

Petite ville à 29 km au nord de Chiang Rai et à 30 km au sud de Mae Sai. Pas grand-chose à voir, ni à faire, sauf, bien sûr, traîner au marché. Traverser Mae Chan ; 2 km plus loin vers le nord, une route sur la gauche se dirige vers Mae Salong (à 36 km). À 10 km environ, on aboutit à un *Hill Tribe Center* sur la droite. Vente d'objets pas folichons et expo pas très convaincante.

MAE SALONG – แม่สลอง

Les deux routes (goudronnées) qui y mènent sont tout simplement sublimes (voir plus haut, les itinéraires à moto autour de Chiang Rai). Elles gravissent et dévalent les collines verdoyantes, plongent dans les vallées, resurgissent au sommet des montagnettes, ondulent autour des plantations et composent une balade sereine et bucolique. Le village, totalement créé pour et par les réfugiés du Kuomintang (KMT), qui fuirent la révolution chinoise, ne présente pas un intérêt majeur mais on peut y flâner quelques heures. Original.

Où dormir ? Où manger ?

Pas cher (de 100 à 300 Bts – 2 à 6 US$)

■ *Shin Sane Guesthouse* – ชินแสนเกสท์เฮ้าส์ *:* à la sortie du village (par la route n° 1234). ☎ 053-765-026. Dans une maison chinoise agréable. Chambres ou bungalows, avec ou sans douche. Les plus modestes (avec matelas au sol) sont très bon marché ; les bungalows, plus chers, sont très corrects (douche chaude et w.-c.). Simple et propre dans l'ensemble. Ambiance familiale, avec les gamins jouant dans la cour. Sur un mur, une carte dessinée indique la position de tous les villages de la région *(akha, lisu, lahu...)*. Propose des treks à cheval.

■ *Akha Guesthouse* – อาก้าเกสท์เฮ้าส์ *:* juste à côté de *Shin Sane*. ☎ 053-765-103. Grandes chambres avec parquet, plutôt claires et mignonnes. Toilettes sur le palier, douche chaude au rez-de-chaussée. Très propre et bon marché. Accueil sympa. De nouvelles chambres en construction.

Plus chic (de 500 à 1 000 Bts – 10 à 20 US$)

■ *Mae Salong Central Hills Hotel* – แม่สลองเซ็นทรัลฮิลล์โฮเต็ล *:* 18/4 Doi Mae Salong. ☎ 053-765-113. Fax : 053-765-349. Au centre du village (enfin, là où tout se concentre !). Une vingtaine de chambres dans un bâtiment de bon confort (TV, ventilo, douche chaude), claires et propres, toutes avec vue sur la vallée. Aucun charme, mais c'est correct et pas trop cher payé. Du resto au 1er étage, belle vue sur la vallée.

■ |●| *Mae Salong Villa* – แม่สลองวิลล่า *:* à l'entrée du village sur la gauche, quand on vient de la route de Chiang Rai (route n° 1234). ☎ 053-765-114. Fax : 053-765-039. Passé la réception, style salle des fêtes froide et sans charme, on découvre de grands bungalows accolés les uns aux autres avec terrasse, offrant un superbe panorama sur la vallée. Chambres confortables, avec sanitaires complets. Propreté rigoureuse. Prix un brin élevés pour les prestations ; on paie la vue ! Resto agréable. De temps en temps, soirée-dîner avec danses *akha* et *lahu*.

À voir

Dans le haut du village, une sorte de ***rue-marché***. Certains stands ou boutiques proposent des objets en jade et en rubis (plusieurs fabriques dans le secteur), des pots d'herbes chinois, du thé et des décoctions bizarres avec des animaux à l'intérieur (beurk !). La spécialité de la région est une sorte de whisky (en fait, un alcool de maïs) absolument interdit. Quelques stands de *noodles* pour déjeuner.

➤ DANS LES ENVIRONS DE MAE SALONG

Redescendre vers la route principale (n° 110), Mae Chan-Mae Sai, sauf pour les aventuriers qui pourront rejoindre directement le temple par les pistes. Sur cette route n° 110, quelques kilomètres plus loin, dans le village de ***Huay Krai*** – ห้วยไคร้, une route (n° 1149) sur la gauche mène au ***temple de Doi Tung*** (à 24 km de la jonction) et à la ***Doi Tung Royal Villa*** (un peu avant, à 17 km de la jonction). Pour ceux qui y vont par les transports en commun, descendre du bus au croisement de la route à Huay Krai. De là, *songthaews* mauves pour Doi Tung. Stands de nourriture à la croisée de ces chemins. Précision : deux routes (la nouvelle et l'ancienne) montent vers Doi Tung. Elles se croisent à plusieurs reprises avant d'arriver à la villa royale puis au temple.

Wat Noi Doi Tung et la montagne Doi Tung – วัดน้อยดอยตุง **:** les routes qui mènent à ce temple traversent une région splendide. Tout ce secteur fait l'objet, de temps à autre, de combats entre l'armée et les contrebandiers. Il n'est pas rare que ceux qui explorent ces sentiers inconnus (à leurs risques et périls) se retrouvent en Birmanie, sans le vouloir et sans le savoir. Le temple, situé à 1 500 m d'altitude, ne présente que peu d'attraits. Désormais, c'est une superbe route très large qui y mène. Il fut offert par le roi à sa mère qui possédait déjà par ailleurs une splendide demeure dans les environs (voir plus loin).
C'est dans l'atmosphère que dégage la région, dans le paysage et la belle route que réside l'intérêt de la balade. De là-haut, panorama unique sur les environs. À mi-chemin, une terrasse-point de vue pour admirer la région, souvent noyée dans la brume. Les derniers kilomètres sont particulièrement pentus. À l'arrivée du temple, stands *akha* de babioles, petits plats et boissons. Ce temple est un lieu de culte très important puisqu'un *chedî* renfermerait une clavicule de Bouddha. De plus, l'empreinte de son pied (que l'on peut voir) symbolise son passage ici même.
De Doi Tung, il est possible de redescendre directement sur Mae Sai par une route de montagne qui longe la frontière birmane. Piste carrossable absolument fantastique. Très peu fréquentée.

Doi Tung Royal Villa & Garden – ดอยตุงรอยัลวิลลาแอนด์การ์เด้นท์ **:** à 1 000 m d'altitude, en contrebas du temple et du sommet du Doi Tung (voir ci-dessus). La reine mère, décédée en 1995, s'était fait construire ce superbe chalet en pin et teck dans le courant des années 1980. L'édification de ce bâtiment permit en outre de pacifier la région, qui était le théâtre d'affrontements liés à l'opium, et de donner du travail aux montagnards du coin. Notons aussi que le bois utilisé est exclusivement du bois de réemploi, la reine mère ayant appliqué la consigne royale de ne plus abattre de teck thaïlandais (il n'y en a d'ailleurs quasiment plus, sauf des jeunes, récemment plantés).

Entrée modique. Visite guidée (en thaï) de 8 h 30 à 17 h tous les jours, départ toutes les 30 mn environ. Le respect porté à la reine confine à la dévotion, et bien des Thaïlandais se rendent ici comme les catholiques à Lourdes, en pèlerinage. Lunettes de soleil, casquette et short interdits ! Photos absolument prohibées bien sûr (à l'intérieur, pas dans les jardins ni sur la terrasse). Et gare à ne pas pointer un pied vers l'image de la reine, dans le grand salon où trône son portrait, en vous asseyant pour vous recueillir devant cette icône. On a l'air de plaisanter, car c'est vrai qu'il y a pour nous, Occidentaux, quelque chose d'incompréhensible dans cette sacralisation. La maison est bien belle, épurée. On ne voit les pièces à vivre (chambres, cuisine, etc.) qu'à travers les fenêtres, de la terrasse, où la vue est splendide. Balade possible tout de même à l'intérieur, vaste salon à décors sculptés. Notez les nombreuses références à l'astrologie, avec les signes astraux représentés (sur la terrasse, dans un couloir...) : c'était le hobby de la reine mère.

Un peu plus bas, on pourra se promener dans le magnifique jardin botanique attenant (de 7 h à 18 h ; entrée séparée, également payante). Un enchantement.

Face à l'entrée du jardin, un *self-service* propose des petits plats de cantine corrects.

À voir le long de la route n° 1 (Super Highway)

Retour sur la route principale, la n° 1, dite aussi « Super Highway », autoroute donc, bien que mobylettes et vélos y circulent, vers Mae Sai. À 5 km environ au nord de Huay Krai, pancarte sur la gauche – un peu avant le village de Ban Thun – pour ***Saohim Cave and Lake*** – ถ้ำเสาหินและบึง (attention, pas de panneau en anglais ; ouvrir l'œil).

À 2 km de là, jolie pièce d'eau. À 500 m du lac, sur la droite, le ***Wat Tham Pla*** est un temple bâti à côté d'un bassin où nagent des poissons sacrés. Vous n'avez rien à craindre des carpes et des poissons-chats, mais on vous invite à vous méfier de la colonie de singes qui vit ici.

En reprenant la route n° 110, quelques kilomètres plus loin encore (6 ou 8 km), toujours sur la gauche, pancarte pour ***Tham Luang Caves*** – ถ้ำหลวง, une autre série de grottes, situées à 3 km de l'autoroute. C'est un étroit boyau long de 7 km. Attention, à faire avec un guide.

Par ailleurs, sur le même site, chemins menant en quelques minutes de marche à des « cavernes », de petites excavations naturelles plutôt, dont une abrite un bouddha, comme au *Wat Tham Pla*.

Quelques kilomètres avant Mae Sai, on longe la montagne dite ***The Sleeping Lady***, parce qu'elle aurait la forme d'une femme qui dort. Avant l'arrivée dans cette ville, part l'embranchement pour *Chian Saen*.

MAE SAI – แม่สาย

La ville la plus septentrionale de la Thaïlande. Une grande route principale, bordée d'édifices sans charme et d'une invraisemblable quantité d'échoppes, avec tout au bout un marché (sur la gauche en retrait de la route), puis un pont, frontière avec le Myanmar. Séparant les deux pays, la rivière *Mae Sai*. Sur la gauche, en arrivant au pont, un chemin mène à quelques super-*guesthouses* (et au coin le plus sympa).
Les gamins piaillent et les autres font la navette entre les deux pays dans l'indifférence générale. Cela dit, ne vous amusez pas à traverser par ce moyen, qui est également le plus sûr pour s'attirer des ennuis. L'indifférence n'est qu'apparente et, sur chaque rive, les douaniers veillent.

Adresses utiles

■ ***Immigration Office*** – สำนักงานตรวจคนเข้าเมือง *:* sur la route principale, à gauche, à l'entrée de la ville, juste après la passerelle pour piétons. Ouvert de 8 h à 12 h et de 13 h à 16 h 30 ; fermé le week-end (si vous arrivez le week-end, possibilité d'effectuer les démarches au poste-frontière, sur le pont, c'est ce que font les Birmans, mais pour les touristes c'est moins commode et les douaniers n'aiment pas). Passage obligatoire pour aller au Myanmar. Dans ce bureau vous sera accordé un visa pour le Myanmar valable une journée. Pour des séjours plus longs, s'adresser à l'ambassade à Bangkok. Préparez une photocopie de votre passeport, que vous donnerez aux douaniers thaïlandais (qui demandent parfois l'original). On vous remet aussi un document, qu'il faut présenter au poste-frontière à proprement parler, qui se trouve à l'entrée du pont. De l'autre côté de ce pont, les Birmans, eux, vous demanderont la somme modique de 5 US$ (tarif en 2003) pour les frais de visa. Retirer des bahts avant la traversée (pas de distributeur au Myanmar).

■ ***Thai Farmers Bank*** – ธนาคารกสิกรไทย *:* 122/1 Phahon Yothin Rd, sur la route principale, quelques centaines de mètres à droite avant le pont. Ouvert de 8 h 30 à 15 h 30 (17 h le week-end). Possibilité de retrait avec les cartes *MasterCard* et *Visa* au comptoir ou au distributeur.

Terminal des bus : sur la route principale, mais à l'entrée de la ville.

✉ ***Poste et téléphone :*** sur le côté gauche, à 800 m environ du terminal des bus, un peu en retrait de cette même route (Phahon Yothin Rd), vous trouverez un centre téléphonique, et la poste à côté.

Où dormir ?

Plusieurs *guesthouses* au bord de la rivière, à gauche du pont. Attention, certaines ont des noms très voisins et les aubergistes profitent de la confusion. Chaussez vos besicles et lisez bien les noms.

Bon marché (de 120 à 150 Bts – 2,4 à 3US$)

Mae Sai Plaza Guesthouse – แม่สายพลาซ่าเกสท์เฮ้าส์ *:* sur la route qui longe la rivière, à gauche du pont. ☎ 053-732-230. Une adresse qu'on adore. Quantité de petits bungalows aux couleurs un peu passées et aux pittoresques tuiles de bois, agrippés à la colline (mais bon sang, comment ça tient?) et dominant la rivière. Confort sommaire et pas très propre.

🏠 ***Chad Guesthouse*** – ชัชเกสท์เฮ้าส์ : 52/1 Soi Wiengpan. ☎ 053-732-054. Fax : 053-642-496. Dans un coin calme et résidentiel, sur la gauche à l'entrée de la ville quand on arrive, fléché juste après le premier concessionnaire Honda en arrivant à Mae Sai. Dortoirs et chambres bon marché, avec ventilo. Sanitaires communs et eau chaude. Vue pas terrible, mais calme. Fait aussi resto pour les hôtes.

Prix moyens (de 300 à 400 Bts – 6 à 8 US$)

🏠 ***Mae Sai Guesthouse*** – แม่สายเกสท์เฮ้าส์ซอยเวียงพานคำ : tout au bout du chemin qui longe la rivière, là où il se termine. ☎ 053-732-021. On a bien dit tout au bout du chemin, et pas avant ! Accès à pied uniquement. La plus ancienne *guesthouse* de Mae Sai. L'endroit idéal ! Bungalows en bambou (dotés de très jolies salles de douche), dominant la rivière et possédant chacun une terrasse, d'où l'on observe les gamins qui batifolent dans l'eau. Resto un peu décevant. Possibilité de treks.

Où manger ?

Toutes les *guesthouses* proposent une bonne cuisine familiale. C'est là qu'on conseille de manger.

🍽 ***Jojo Coffee-Shop*** – โจโจคอฟฟีช็อป : dans la rue principale, sur la gauche en arrivant dans le village, à la hauteur du marché. N'ouvre que de 6 h à 17 h tous les jours. Cuisine simple et réputée. Carte en thaï, en birman, en chinois, en japonais, en anglais, et même en photo ! Comme ça, on ne peut pas se tromper.

🍽 ***Le marché*** – ตลาด : un peu en retrait de Phahon Yothin Rd, sur le côté gauche à 300 m du pont. On ne le voit pas de la rue. Des petits plats de bonne femme pour trois fois rien.

🍽 ***Rabieng Khew*** – ร้านอาหารระเบียงแก้ว : dans la rue principale, sur la gauche, après le marché et *Jojo Coffee-Shop*. Cadre rustique. À la carte, poisson au barbecue, mais tous les classiques thaïs sont à la carte, ainsi que quelques plats occidentaux. Service efficace et souriant. Bon rapport qualité-prix.

🍽 ***Rimnam Restaurant*** – ร้านอาหารริมน้ำ : exactement en bas du pont, face à la frontière du Myanmar. Ouvert de 7 h 30 à 20 h. Deux longues terrasses au bord de la rivière. On y déguste d'excellentes soupes de poisson pimentées, du poisson frit et de bonnes grosses grenouilles servies entières (hum, la tête, craquante, est délicieuse !). Bon *fried-beef with oyster sauce* également. Service un peu négligé.

Pas grand chose à faire le soir.

À voir

★ On peut bien sûr aller visiter la petite usine de taille de jade et d'albâtre, importés de Birmanie : ***Thong Tavee Factory*** – โรงงานทองทวี, 17-

17/1 Phahon Yothin Rd (c'est la rue principale). ☎ 053-731-013. Visite (gratuite) de 8 h à 12 h et de 13 h à 17 h. Visite des ateliers, bruyants et poussiéreux, mais quel travail ! Au moins, là, ce sont des vrais !

Le marché couvert : juste en face de la fabrique. Confection vraiment cheap, invraisemblables chaussures en plastique moulé, monceaux de victuailles, piments à la tonne, groins de cochon, mulets vivants... Quel spectacle !

Un peu avant le pont, tourner à gauche de la rue principale. La ruelle mène à l'entrée du temple de ***Wat Doi Wao*** – *วัดดอยว่าว*, apparemment anodin, mais qui se trouve au sommet d'une colline d'où l'on découvre un superbe panorama sur le Myanmar et la ville, tout de béton bâtie. Escalier de 207 marches pour y accéder... ou route menant jusqu'en haut, il suffit de poursuivre à pied au niveau de l'escalier ou bien de prendre une moto-taxi pour 20 Bts (0,4 US$). En haut, sculpture moderne de deux affreux scorpions géants (*doi* en thaï). S'ils se mettaient à bouger, vous partiriez en courant.

QUITTER MAE SAI

➢ ***Pour Mae Chan, Chiang Rai et Chiang Mai :*** départs des bus du nouveau terminal, 1 km avant le pont. Plusieurs départs de 6 h 30 à 14 h 30. Pour Chiang Rai : toutes les 15 mn, de 6 h à 18 h. Pour Mae Chan, la liaison se fait en *songthaew*.

➢ ***Pour Sop Ruak et Chiang Saen :*** liaisons en *songthaew* uniquement, toutes les heures en moyenne, de 9 h à 13 h environ. Le départ s'effectue sur Phahon Yothin Rd (la rue principale), à hauteur de la fabrique de jade, donc sur la droite quand on se dirige vers le pont. Les *songthaews* sont le long de la rue.

LA ROUTE DE MAE SAI AU TRIANGLE D'OR

La route n° 1290 part vers l'est juste après Mae Sai (embranchement à la sortie sud de la ville, à gauche sur la route n° 1). Promenade agréable sur une large route refaite à neuf, bordées d'habitations coquettes (belles maisons modernes en teck) ou typiques (cabanes sur pilotis), et traversant des paysages plats, doux et paisibles, mais ne longeant pas la rivière. Encore quelques paysans *lahus* et *lisus* dans leurs costumes traditionnels et utilisant encore d'antiques outils agricoles ou moyens de transport.

SOP RUAK – สบรวก

Nous y voilà ! C'est ce coin-là, précisément, qui a « usurpé » le nom de Triangle d'or. Ici s'opère la jonction de la rivière Mae Nam Ruak et du Mékong ; on a une perspective sur les trois pays : Thaïlande, Myanmar (la bande de terre entre les deux cours d'eau ; le gros bâtiment est un casino) et Laos (rive gauche du Mékong).

Le village de Sop Ruak ne présente en lui-même aucun intérêt. C'est une série de stands d'artisanat et de T-shirts. Point trop n'en faut et, là, c'est trop. Flopée de cars de touristes évidemment. En haut du « village », plusieurs temples et belvédère avec portique « Golden Triangle », histoire que les touristes aient quelque chose à photographier. Belle vue tout de même, et un des temples, datant du VIIIe siècle, est assez pittoresque. On y accède par un bel escalier décoré de *nâga*.

Revenez sur vos pas. Redescendez à pied de ce temple, en direction de la *House of Opium*. Vous croiserez au passage un autre temple, le ***Wat Pra Phat Pukhao*** – วัดพระธาตุภูเขา. On y aperçoit de prime abord Bouddha de dos, puis en le contournant, on tombe sur un escalier monumental, d'où l'on a également une vue assez chouette avec d'impressionnants *nâga* au bas de l'escalier. Après être redescendu, vous voici à nouveau au niveau de la *House of Opium*.

Bon, question trafic d'opium, il ne s'est jamais passé grand-chose par ici. L'endroit est beaucoup trop à découvert. Tout l'opium transite par les montagnes, beaucoup moins accessibles. Bref, le Triangle d'or, c'est de la flambe. On fait une photo pour frimer à la soirée diapo devant les copains.

|●| Pour manger, quelques *cantines* en bas du village, sur une place le long du Mékong.

À voir. À faire

★ ***House of Opium*** – พิพิธภัณฑ์ดอกฝิ่น ***:*** dans le centre. Ouvert tous les jours de 8 h à 19 h. Entrée modique. Malgré son côté ultra-touristique, ce petit musée propose quelques vitrines où sont réunies plusieurs dizaines de pipes à opium, couteaux, balances, poids sculptés, etc., avec parfois des explications en anglais. Le *Paver somniferium* est une plante d'origine méditerranéenne dont Alexandre le Grand assura la promotion. Curieusement, une impasse pudique est faite sur le rôle du gouvernement dans l'industrie de l'opium et dans son essor. Un oubli sans doute...

★★ ***Musée de l'Opium*** – พิพิธภัณฑ์ฝิ่น (ตรงข้ามโรงแรมเมอริเดียน) ***:*** face à l'hôtel *Meridien Baan Boran*, à la sortie du village, un nouveau musée de l'Opium. • www.goldentrianglepark.org • La famille royale est à l'origine du projet. Tout ce que vous avez toujours voulu savoir sur cette triste substance.

★★ ***Balade en bateau de Sop Ruak à Chiang Saen :*** à plusieurs, c'est accessible. Un petit coup de canif dans le budget quand même. En s'adressant aux bateliers privés et en préférant les bateaux moins rapides, on peut parfois obtenir un prix plus intéressant. Durée : 30 mn environ. On peut aussi se contenter d'un petit tour sur le Mékong. Balade très agréable.

CHIANG SAEN – เชียงแสน

À 35 km de Mae Sai. Certainement le village le plus authentique de toute cette région. Un vrai bout du monde où les touristes ne se bousculent pas. Chiang Saen fut la capitale d'un royaume bien plus ancien que Chiang Mai

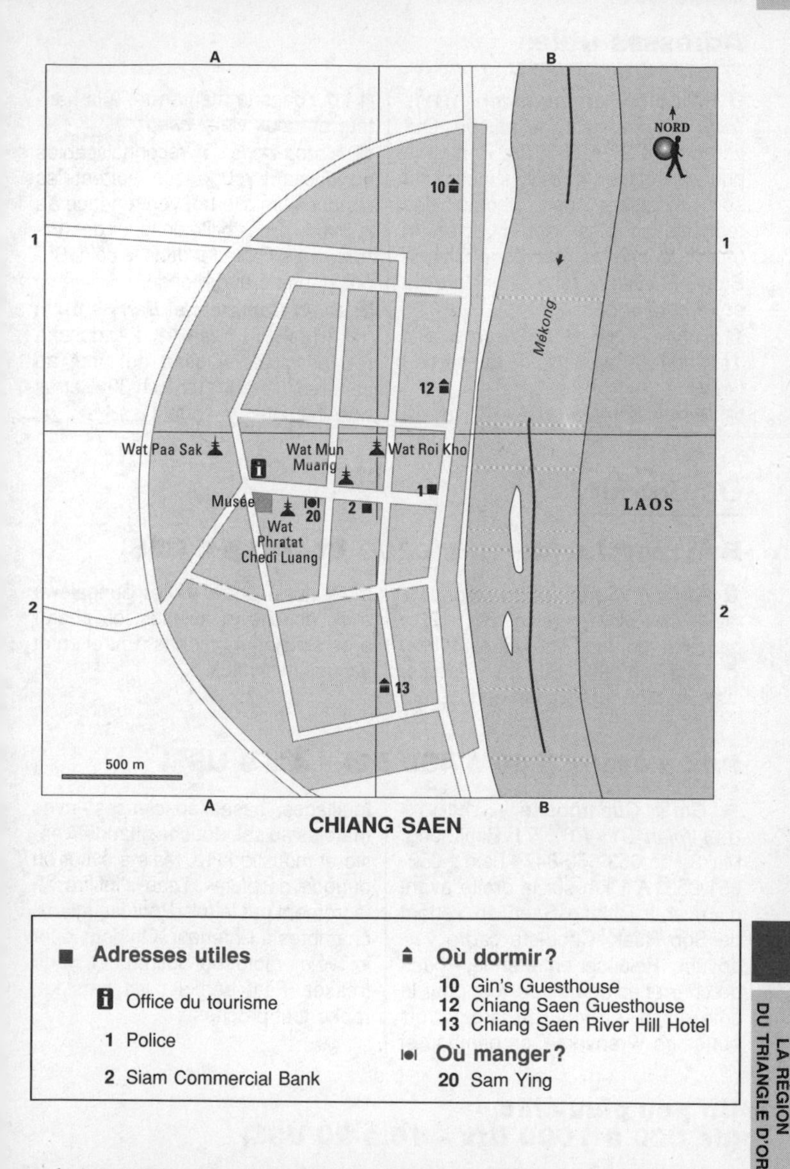

CHIANG SAEN

et était autrefois entourée de remparts. Nombreuses ruines du Xe au XIIIe siècle. La ville fut rasée au XVIIIe siècle. Avec son marché coloré bien que modeste et ses habitants gentils, on apprécie cette halte, au bord du fleuve, par lequel arrivent de Chine des barges chargées de marchandises.
Une poignée de *guesthouses* incitent à y passer la nuit, ne serait-ce que pour regarder couler le Mékong, dont les 4200 km racontent une bonne partie de l'Asie.

Adresses utiles

- Petit ***office du tourisme*** – ท.ท.ท. *(plan A2)* **:** en face du musée. Ouvert de 8 h 30 à 16 h 30. Personne pour renseigner, mais des locaux où sont exposées des photos des temples les plus remarquables et une maquette de l'ancienne Chiang Saen. En pleine rénovation lors de notre dernier passage.
- ***Police*** – สถานีตำรวจ *(plan B2, 1)* **:** dans la rue principale qui part du fleuve.
- ***Poste & téléphone*** – ไปรษณีย์ สสาร **:** dans la même rue, à la hauteur de deux vieux *chedî.*
- ***Motos-taxis*** **:** reconnaissables au dossard rouge que portent les conducteurs. Se trouvent en face de la mairie. Possibilité de louer des ***vélos*** pour se balader dans le coin. Super et pas grand monde.
- ***Siam Commercial Bank*** – ธนาคารไทยพาณิชย์ *(plan A2, 2)* **:** dans la rue principale. Ouvert du lundi au vendredi de 8 h 30 à 15 h 30. Retrait possible avec la carte *Visa.*

Où dormir ?

Bon marché (de 100 à 200 Bts – 2 à 4 US$)

Chiang Saen Guesthouse – เชียงแสนเกสท์เฮ้าส์ *(plan B1, **12**)* **:** pas loin de la *Gin's Guesthouse.* ☎ 053-650-196. Situation idéale, juste en face du Mékong et du Laos, mais aussi de la route. Bungalows avec douche et toilettes, ou chambres simples à prix bas. Entretien et accueil minimaux.

Prix moyens (200 à 450 Bts – 4 à 9 US$)

Gin's Guesthouse – ยินเกสท์เฮ้าส์ *(plan B1, **10**)* **:** 71 Rimkhong, Mu 8. ☎ 053-650-847. Fax : 053-651-053. À 1 km sur la droite avant d'arriver à Chiang Saen en venant de Sop Ruak. Chouette cadre verdoyant. Pelouse entretenue, roues de charrettes un peu partout pour le côté ranch. Au fond du jardin, trois huttes en V renversé, en bambou et feuillages, assez spacieuses, avec matelas au sol, douche chaude, ventilo et moustiquaire. Mais à éviter en période de pluie : l'eau s'infiltre allégrement par le toit. Pour les frileux, chambres à l'intérieur. On peut louer ici vélo, moto ou voiture, et partir trekker. Petit bémol : les bars karaoké tout proches...

Un peu plus chic (de 800 à 1 000 Bts – 16 à 20 US$)

Chiang Saen River Hill Hotel – เชียงแสนริเวอร์ฮิลล์โฮเต็ล *(plan B2, **13**)* **:** 714 Moo 3 Tambol Viang. ☎ 053-650-826. Fax : 053-650-830. Fléché depuis la rue principale. Dans sa catégorie, cet hôtel est sans doute le meilleur de la ville. Dans un bâtiment d'un rose étrange, les chambres sont spacieuses et très bien tenues. Climatisées, elles possèdent également un petit coin salon thaïlandais. Accueil aux petits soins. Petit dej' inclus.

Où manger ?

Autant vous le dire tout de suite : c'est pas à Chiang Saen que vous découvrirez toutes les subtilités de la cuisine thaïlandaise... On vous a tout de même déniché une petite adresse.

|●| ***Sam Ying*** – ร้านอาหารสามหญิง *(plan A2,* ***20****) :* dans la rue principale, à côté de la *Krung Thai Bank.* Ouvert de 8 h à 20 h tous les jours. Pas de nom en alphabet latin, mais un auvent rouge et blanc. La carte plastifiée a, elle, le bon goût d'être bilingue, ce qui vous facilitera la commande. Les prix ne sont certes pas indiqués, mais ne vous inquiétez pas : tous les plats sont abordables. Excellente cuisine du Nord, notamment les soupes *Northern style.* Si l'estomac vous en dit, goûtez au *kep moo* (*fried pork skin* en anglais), de la couenne frite.

– Quelques échoppes le soir le long de la rive du Mékong. Pour quelques bahts seulement.

À voir. À faire

★★ ***Wat Phratat Chedî Luang*** – วัดพระธาตุเจดีย์หล ว ง *(plan A2) :* il date du XIIIe siècle, ça se voit, et cela lui confère un charme indéniable. De ce temple, il ne subsiste en fait que le pourtour de brique, abrité par un toit de tôle. Pourtant l'endroit est toujours vénéré. À côté, grand *chedî* d'une quarantaine de mètres, mangé par les herbes. Bien ruiné, mais émouvant malgré sa taille.

★ D'assez nombreux temples ruinés subsistent çà et là en ville, créant une atmosphère assez romantique. Parmi ceux-ci, le ***Wat Mun Muang*** *(plan A2),* avec son teck géant et son alcôve à bouddha debout, et le ***Wat Roi Kho*** *(plan A-B2)* possèdent un vrai charme.

★ ***Le musée*** – พิพิธภัณฑ์ *(plan A2) :* juste à côté du Wat Phratat Chedî Luang et face à l'office du tourisme. Ouvert de 8 h 30 à 16 h 30. Fermé les lundi, mardi et jours fériés. Entrée payante (modique).
On y a regroupé toutes les trouvailles archéologiques du secteur. Statues et têtes de bouddha de style du Lan Na, s'étalant du XIVe au XVIIIe siècle, superbes et d'expressions variées. Plusieurs exemples de mains de bouddha. Belles céramiques. Et puis étoffes, monnaie, armes, poisson-chat géant, pipes à opium, instruments de musique, costumes de tous les Thaïs...

★★ Dans les environs du village, plusieurs autres *wat.* Parmi ceux-ci, ne pas manquer le ***Wat Phrathat Pha Ngao*** – วัดพระธาตุพระเงา, à environ 6 km sur la droite de la route de Chiang Khong. Dans le style birman, ressemble à une pagode, et richement ornementé de bois doré sur les murs, relatant la vie de Bouddha. Il renferme également la base d'un temple originel et un très ancien et très vénéré bouddha de pierre. Un des plus beaux temples de la Thaïlande septentrionale avec des *nâgas* à vous couper le souffle. Même si l'on peut aussi y voir un distributeur automatique d'horoscopes du plus mauvais goût, côtoyant sans vergogne l'Éveillé, décidément imperturbable. À quelques mètres plus haut, une vue imprenable sur le Mékong et le Laos.

★ Possibilité éventuelle de ***balade sur le Mékong***, mais bien se renseigner sur l'état des relations de part et d'autre des frontières avant de s'y aventurer.

QUITTER CHIANG SAEN

➢ De Chiang Saen, on peut soit replonger directement vers Mae Chan puis Chiang Rai (en bus, dernier à 16 h 45), soit faire le détour par Chiang Khong et repiquer sur Chiang Rai. Les bus se prennent dans la rue principale, celle qui est perpendiculaire au fleuve. Départs réguliers toute la journée.

CHIANG KHONG – เชียงของ

Agréable route (n° 1129) de Chiang Saen à Chiang Khong, en bon état, toute champêtre et vallonnée (autre parcours possible en longeant la frontière au nord par une petite route moins rapide). Bel effet des joncs dans la verdure et, de novembre à janvier, séchage du tabac sur le bord de la chaussée. Outre le *Wat Phrathat Pha Ngao* où l'on pourra faire une halte (voir plus haut), on trouve plus loin un beau point de vue sur le Mékong *(Sala View)*, avec aire de repos et petite restauration.
Chiang Khong est un village frontière entre la Thaïlande et le Laos, au bord du Mékong, juste en face de Houeisay. Mais ici c'est très calme et le lieu n'a rien à voir avec l'activité foisonnante de Mae Sai à la frontière birmane, par exemple. Pas touristique pour un rond, mais agréable. Très chouette *guesthouse* en bordure du Mékong.

Adresse utile

■ ***Poste douanier*** – ด่านศุลกากร *:* dans la descente vers le quai d'embarquement, sur la gauche. Ouvert de 8 h à 18 h, fermé les samedi et dimanche. Attention : on ne peut plus obtenir son visa à ce poste comme autrefois. Toutefois, cela pourrait changer (selon les riverains). En attendant, les *guesthouses* alentour sauront vous aider dans vos démarches, mais il faudra attendre 2 ou 3 jours pour obtenir votre visa. C'est pourquoi il est préférable de s'occuper de ces formalités avant d'atterrir ici, à Bangkok ou dans votre pays de départ, c'est plus sûr. Les prix varient de 1200 à 1800 Bts (24 à 36 US$). Traversée payante mais très bon marché.

Où dormir ? Où manger ?

Bon marché (de 150 à 250 Bts - 3 à 5 US$)

🏠 |●| ***Bamboo Riverside Guesthouse*** – แบมบูริเวอร์ไ ซด์เกสท์เฮ้าส์ *:* 71/1 Huaviang Rd. ☎ 053-791-621. ● sweepatts@hotmail.com ● Environnement « junglesque » très attrayant, sur un terrain en pente jusqu'à la rivière, au bord de laquelle se trouve la terrasse du resto (pour petits déjeuners, plats simples ou pour prendre un verre). Cuisine très bonne. Petits bungalows en bois, typiques et bien tenus, bon marché, avec douche chaude (d'autres, moins chers, avec douche à l'extérieur). Atmosphère relax. Une bonne adresse pour attendre l'obtention de son visa pour le Laos en contemplant la rivière qui nous en sépare.
🏠 |●| ***Baan Thip Guest House & Restaurant*** – ร้านอาหารและเกสท์เฮ้

ʼาสบ้านทิพย์ : 323 Bak Pier Moo. ☎ 053-655-859 ou 01-746-67-25 (portable). Sur la droite dans l'impasse en pente menant au poste douanier et au quai pour le Laos. Table correcte avec terrasse donnant sur le Mékong. Plats thaïs traditionnels proprement cuisinés, assez bon marché. Également des bungalows avec eau chaude. Pour se loger, on préfère quand même, pour le cadre et l'ambiance, le *Bamboo Riverside*. Bon accueil tout de même.

QUITTER CHIANG KHONG

➢ ***Pour Houeisay (Laos) :*** traversée du Mékong à bord de pirogues à moteur. Pas de navettes régulières. Discuter avec le batelier. Compter environ 20 Bts (0,4 US$). De Houeisay, on peut descendre en bateau lent jusqu'à Luang Prabang (ce n'est pas dit) en 2 jours (et une nuit), et en 6 h en bateau rapide *(speed boat)*. Une piste de terre permet de gagner Luang Nam Tha en pick-up ou camion bâché. Compter environ 7 à 8 h pour 173 km.

➢ ***Pour Chiang Rai :*** 2 bus quotidiens, à 5 h du matin et 17 h. Durée du trajet : 2 h. En moto, on repique vers Chiang Rai *via* la route n° 1174, puis à droite la n° 1098 au niveau de Kaen Nua, pour rejoindre la n° 1173, route plus rapide pour gagner Chiang Rai (*via* Wiang Chai). Compter 1 h 30. Service de cars également, empruntant la même route.

➢ ***Pour Chiang Mai :*** bus à 8 h et 11 h du matin. Durée : 7 h. Prix : environ 220 Bts (4,4 US$).

➢ ***Pour Bangkok :*** 2 bus quotidiens, 1 le matin, 1 le soir. Durée : 13 h. Prix : environ 500 Bts (10 US$).

LE NORD-EST

La région du Nord-Est, connue sous le nom d'I-san (ou Isan ; prononcer « é-san »), ne semble pas à court d'arguments avec, d'une part, ses nombreux parcs nationaux (dont un certain Phu Kradung) et ses 600 km de rives bordant le Mékong, d'autre part ses richesses culturelles. On sait aujourd'hui, notamment grâce aux découvertes archéologiques de Ban Chiang, que la civilisation a vu le jour dans l'I-san bien avant la naissance du peuple thaï. Le Nord-Est recèle aussi les plus beaux chefs-d'œuvre de l'architecture khmère en dehors du Cambodge.
Et n'oublions pas enfin ses diverses traditions populaires (musique, danse, soieries, poterie, cuisine...), largement influencées par le brassage de la population avec les voisins du Laos et khmers.
Compter une bonne semaine, davantage même pour les amateurs d'ethnologie, de photos, de nature et de calme.

LES PARCS DE LA PROVINCE DE LOEI

Cette région préservée plaira aux amateurs de calme et autres randonneurs qui disposent d'un peu de temps. D'ailleurs, de plus en plus nombreux sont les routards qui, désertant les treks trop courus du Nord, viennent y chercher refuge, notamment à l'intérieur du célèbre parc de Phu Kradung qui, à lui seul, vaut le voyage.

LOEI – เลย

23 000 hab.

Petite ville sympathique et très peu touristique, située à 140 km à l'ouest de Udon Thani et à 520 km au nord de Bangkok. Elle est intéressante comme ville-étape (plusieurs hôtels) pour les excursions vers Phu Kradung, Phu Luang et Phu Rua. On y passe aussi en allant vers la ville de Chiang Khan (48 km au nord seulement) et la vallée du Mékong. La région produit un coton réputé dans toute la Thaïlande pour son excellente qualité. En février, chaque année, Loei organise le festival des Fleurs de Coton et des Ma Kham (les « sweet tamarin » ou doux tamarin). Durant cette fête, les voitures décorées de guirlandes florales (encore du coton !) circulent dans la ville en liesse.

LE PARC NATIONAL DE PHU RUA – อุทยานแห่งชาติภูเรือ

Montagne couverte de pins et d'une vingtaine de variétés florales rares. Le mont Bateau (1 365 m) tient son nom de la forme de sa cime rappelant une jonque chinoise et offre un large panorama sur les chaînes et vallées du Laos (la frontière n'est en effet qu'à quelques kilomètres).

Comment y aller?

➢ ***De Loei (ou Phitsanulok) :*** bus fréquents dans les deux sens en direction de Phitsanulok (ou Loei) par la route 203. À partir de Loei, 3 bus (très !) matinaux entre 5 h et 8 h du matin. Arrêt au village de *Phu Rua* à 48 km de Loei. Puis, il faut marcher ou faire du stop (assez facile le week-end) pour accéder au parc (2 km pour atteindre le 1er *check-point* et 4 km supplémentaires pour rejoindre le bureau d'accueil). Étant donné qu'une bonne route pavée relie le village au sommet du parc sur un parcours en lacet de 10,5 km, il peut s'avérer intéressant d'opter pour la location d'un véhicule. Mais attention au moteur, ça grimpe dur (dernier tronçon à plus de 15 %).

Où dormir? Où manger?

Bon marché (à l'intérieur du parc)

⛺ ***Camping :*** une centaine de tentes en location en haut du parc, à quelque 1 300 m d'altitude. 900 m avant le sommet du parc, bifurquer vers la gauche en direction de la « Forest Ranger Station » (panneau bien en évidence). 1,5 km de marche facile sur une piste assez plate. Attention, prévoir vêtements chauds et duvets même en saison chaude (Phu Rua détient le record de froid en Thaïlande avec - 4 °C).

🏠 ***Bungalows :*** 6 bungalows (4 à l'accueil et 2 à la Ranger Station) très sommaires. Cinq matelas à même le sol, douche au seau et pas d'électricité. Revient au même prix que les tentes à condition d'être en groupe. S'adresser dès son arrivée à l'accueil.

De plus chic à très chic (à l'extérieur du parc)

🏠 ***Deux résidences-bungalows*** de charme, villégiatures des Thaïs de grande famille, plantées en bordure de la fameuse route 203 en direction de Loei (toutes deux sur la droite) dans un décor de douces collines verdoyantes et de jardins à l'anglaise. Aucune ne dispose de l'AC ; c'est qu'ici, une fois encore, les nuits sont fraîches. Arrivant de Loei par le bus, l'idéal est de se faire déposer au passage... à condition de s'entendre avec le chauffeur.

🏠 🍽 ***Phu Rua Chalet – ภูเรือชาเล่ต์ :*** à 4 km de Phu Rua. ☎ 042-899-012. Premiers prix très abordables : 750 Bts (15 US$) pour 2 personnes. Délicieuse cuisine thaïe et européenne, accueil particulièrement chaleureux et raffiné (néanmoins dans la simplicité). Notre préféré.

🏠 🍽 ***Phu Rua Resort – ภูเรือรีสอร์ท :*** à 2 km de Phu Rua. ☎ 042-899-048. Bungalows avec terrasses discrètes, dont certaines donnent sur un joli cours d'eau en contrebas. Le personnel ne parle pas du tout l'anglais et la carte du resto est rédigée exclusivement en thaï.

À voir. À faire

➢ ***Balades dans le parc :*** plan sommaire disponible à l'accueil. Heureusement, le balisage des sentiers est bon. Le parc est relativement peu étendu (120 km) et il est possible sur une journée d'organiser une boucle assez complète d'une vingtaine de kilomètres par les points forts que constituent les principales cascades et le passage au sommet (1 365 m).

Le vignoble de Phu Rua : à quelques kilomètres du village en direction de Dan Sai sur la gauche, venez visiter le domaine du « Château de Loei », à 650 m d'altitude. Il s'agit du premier vin de qualité produit dans le royaume et encore, ça n'est qu'un début : moins d'un cinquième du domaine (90 ha) est actuellement cultivé pour une production annuelle de 38 000 bouteilles. Amoureux de Bacchus, ce pourrait bien être votre seule et unique chance de tremper les lèvres dans un verre de vin blanc... avant longtemps.

LE PARC NATIONAL DE PHU KRADUNG – อุทยานแห่งชาติภูกระดึง

L'un des plus beaux parcs naturels thaïlandais (sinon le plus beau), dominé par un large plateau gréseux (55 km) offrant, à plus de 1 200 m d'altitude, d'époustouflants panoramas sur les basses terres et collines alentour. Selon la légende, le Phu Kradung aurait été découvert il y a seulement deux siècles par un chasseur *lao* parti sur les traces d'un *gaur* (nom local donné à la biche). Vie animale assez bien préservée : chacals d'Asie, écureuils noirs géants, gibbons aux mains blanches... ainsi qu'une vingtaine d'éléphants et quelques tigres. Importante diversité de la flore (variétés tropicales, méditerranéennes et océaniques) qui donne à celle qu'on appelle encore « la montagne-cloche » son caractère unique.

LA MONTÉE

La réserve n'est accessible (après avoir acquitté un droit d'entrée de 200 Bts soit 4 US$), auprès de l'accueil (ouvert quotidiennement de 6 h 30 à 18 h), que par un chemin long de 5,5 km à travers la forêt pour atteindre le sommet qui culmine à 1 288 m (dénivellation de 1 100 m). La pente est donc très rude, approximativement 20 % en moyenne. Il faut compter, selon votre condition physique, entre 2 h et 3 h 30 d'efforts intenses (plus 1 h si vous rejoignez le quartier général), mais la balade est vraiment superbe et le sentier est jalonné de quantités de buvettes (ça aide pas mal... surtout psychologiquement).
Au sommet, la végétation particulièrement dense laisse place d'un coup à une pinède clairsemée.
Il est conseillé de louer les services de porteurs (pour quelques bahts), car il faut ménager tous ses efforts pour s'accrocher aux lianes et aux rochers. Les parois les plus abruptes doivent être franchies au moyen d'échelles en bambou.

Quand y aller ?

Le parc est fermé pendant la mousson, de mi-juin à fin septembre. Autrement, pas de période privilégiée pour la visite, c'est plutôt en fonction de vos centres d'intérêt : d'octobre à décembre, les eaux accumulées pendant la saison des pluies ruissellent paresseusement à travers le plateau pour finalement dévaler en cascades les flancs de la montagne (le reste du temps,

elles sont à sec). Puis, jusqu'en février, c'est la saison froide et par là même l'occasion pour les sportifs de savourer l'ivresse des grandes randonnées à travers plus de 50 km de pistes balisées (prévoir tout de même des vêtements chauds, les températures nocturnes pouvant frôler 0 °C). Mais c'est en mars et avril que la terre, jonchée de tapis multicolores (azalées, rhododendrons...), offre au naturaliste son plus beau visage.
Très fréquenté les week-ends d'octobre à janvier. Privilégier une visite en semaine. Pas mal d'adolescents en mars-avril pendant les grandes vacances scolaires. Un premier flirt à l'ombre d'un coucher de soleil sur *Lomsak Cliff*, ça en ferait rêver plus d'un, en effet.

Comment y aller?

➢ ***De Bangkok :*** prendre un bus en direction de Loei et demander à se faire déposer sur la grand-route (77 km avant Loei) près du Phu Kradung. C'est indiqué. Arrivée au petit matin. De là, prendre un taxi collectif jusqu'au pied de la falaise, à 7 km.
➢ ***De Phitsanulok :*** bus AC ou non-AC à destination de Khon Kaen. Arrêtez-vous à Chum Phae. Ensuite, bus local chaque demi-heure à partir de 6 h, direction Loei et arrêtez-vous près du Phu Kradung.
➢ ***De Khon Kaen (ou Loei) :*** prendre le bus pour Loei (ou Khon Kaen) et demander l'arrêt proche du Phu Kradung. Départ toutes les 30 mn à partir de 6 h.
➢ ***De Chiang Kahn :*** le bus AC qui mène à Nakon Ratchasima (ex-Korat) fait un arrêt près du village de Phu Kradung. De là, prendre un taxi collectif jusqu'au départ de la montée. Départ toutes les heures de 6 h à 11 h, ainsi qu'à 14 h. Durée du trajet en bus : 2 h. Tarif : environ 60 Bts (1,2 US$).

Où dormir?

Il est conseillé de réserver si vous y allez un week-end entre octobre et janvier.

Au pied du plateau

Très bon marché (autour de 100 Bts – 2 US$)

⛺ 🏠 Nombreuses ***tentes*** et ***bungalows*** pour deux en location. Se renseigner à l'entrée du parc. Possibilité de louer également couvertures, coussins et autres dans les gargotes à proximité du quartier général.

De prix moyens à plus chic

🏠 🍽 ***Phu Kradung Resort*** – ภูกระดึงรีสอร์ท *(plan, 1) :* 3 km avant l'entrée du parc, sur la gauche. ☎ 042-871-076. En bordure d'étang, petit village de bungalows doté d'une agréable terrasse ombragée où l'on sert une bonne cuisine thaïe. Le confort des chambres laisse pour-

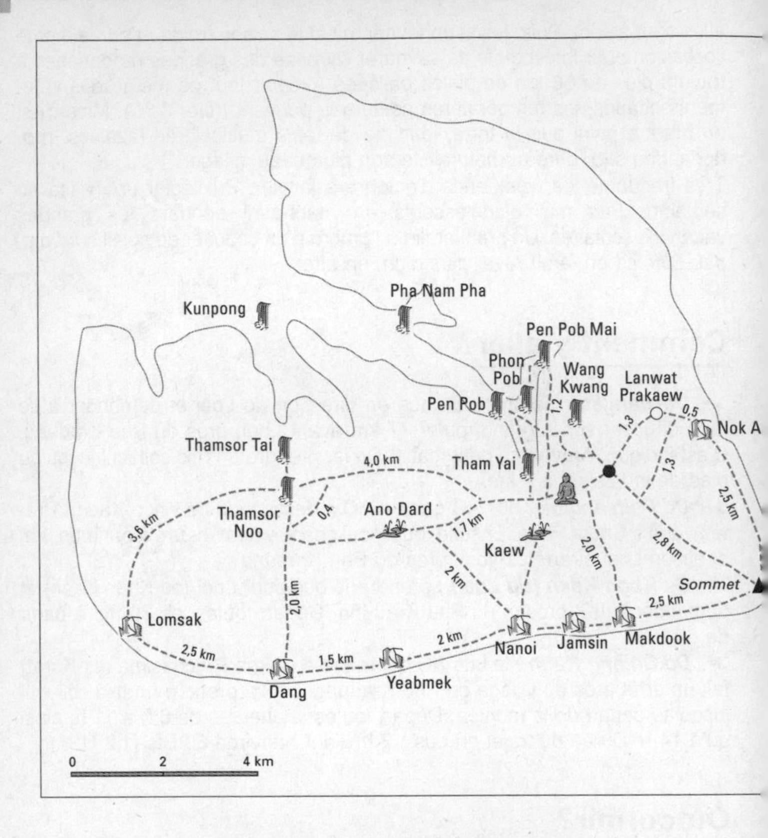

tant à désirer.

Phu Kradung Paradise Resort – ภูกระดึงพาราไดซ์รีสอร์ท *(plan, 2)* : 1 km avant l'entrée du parc, sur la droite. ☎ 042-871-146. Même formule que le précédent dans la catégorie supérieure. Les bungalows ont un charme indéniable, ce qui fait flamber les prix (2 fois plus cher) plus que de raison car le confort intérieur des chambres reste modeste (eau chaude toutefois).

Sur le haut plateau près du quartier général

Nombreuses ***tentes*** en location ainsi que quelques couettes. Bien vérifier l'état du matériel à votre arrivée, une bonne partie des tentes étant en mauvais état.

Bungalows du parc : destinés avant tout aux groupes (8 personnes par bungalow). Confort vraiment sommaire (matelas au sol) et pas de tarif avantageux pour les routards solitaires. Préférer la tente, d'autant que les réservations se font exclusivement à Bangkok au bureau des parcs nationaux sur Phahon Yothin Rd (à 15 km du centre, 2 h de bus minimum !). ☎ 042-579-5269.

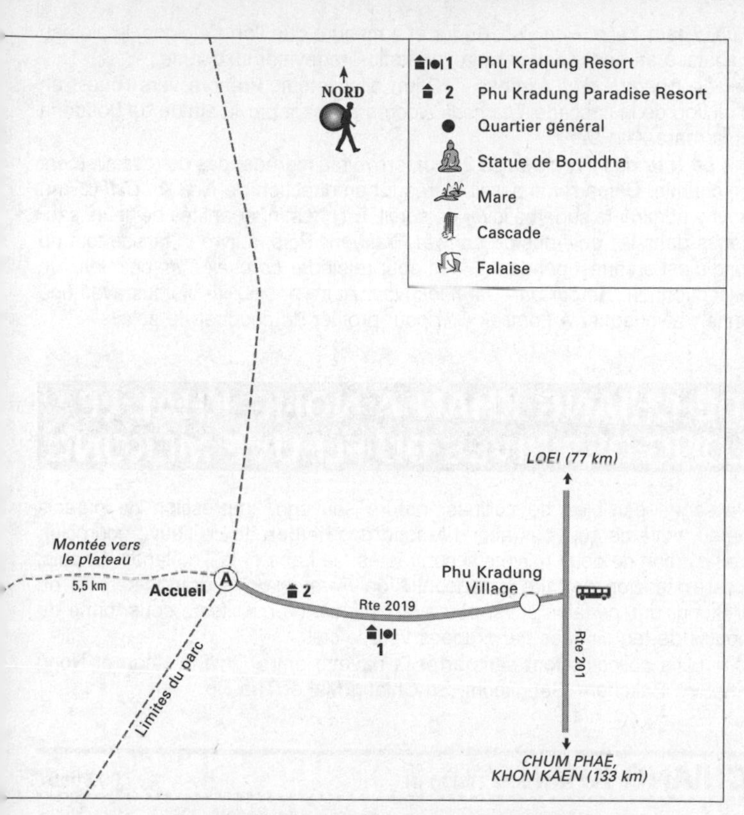

LE PARC NATIONAL DE PHU KRADUNG

Où se ravitailler ?

Gargotes ouvertes toute la journée à l'entrée du parc derrière l'accueil *(Visitors' Center)* ainsi qu'à proximité du quartier général *(General Headquarters).* On y trouve soupes chinoises, riz frit, œufs, friandises et boissons. Peuvent vous préparer un casse-croûte à emporter pour vos balades. Vendent aussi torches, piles et allumettes. Super-accueil.

Balades

Voici quelques idées de promenades à partir du quartier général. Il est conseillé de ne pas quitter les sentiers (balisages excellents). D'autre part, les zones nord et nord-ouest du parc sont interdites au public. Les animaux y sont encore totalement protégés des activités humaines.

➢ ***Le chemin des Cascades :*** 30 mn à 2 h de marche. À l'ouest du quartier général, visiter au choix les cascades *Wang Kwang*, *Pen Pob Mai*, *Phon*

Pob, *Tham Yai* et *Pen Pob*. Au fur et à mesure que l'on s'éloigne, le plateau s'abaisse en pente douce et la végétation redevient luxuriante.

➢ ***Le chemin des Azalées :*** 12 km aller-retour. Prendre vers l'ouest en direction de la cascade *Thamsok Noo* en passant par la statue de Bouddha et la mare *Ano Dard*.

➢ ***Le tour des Précipices :*** 21 km, prévoir la journée, pas de ravitaillement en chemin. Démarrer si possible très tôt en direction de *Nok An Cliff* (2 km) pour y admirer le superbe lever de soleil. En chemin, quantités de fleurs sauvages dans les environs de *Lanwat Prakaew*. Puis, suivre la falaise tout du long d'est en ouest pendant 13 km pour rejoindre *Lomsak Cliff* (point de vue exceptionnel). Retour par *Thamsok Noo*. Autre possibilité si vous avez une tente : bivouaquer à *Lomsak Cliff* pour profiter du coucher de soleil.

DE CHIANG KHAN À NONG KHAI, LE LONG DES RIVES DU FLEUVE MÉKONG

Paysages paisibles de collines, nature sauvage, impression de paradis perdu, voilà ce qui vous attend le long des berges de ce fleuve nourricier, trait d'union de deux univers si contrastés : le Laos et la Thaïlande. Et puis, c'est l'occasion de faire la rencontre de *Phrayanak*, le dragon-serpent du Mékong, qui, certains soirs, peu avant minuit, se manifeste sous forme de boules de feu dirigées par grappes vers le ciel.
Des taxis collectifs font sans arrêt la navette entre Chiang Khan et Nong Khai *via* Pakchom, Sangkhom, Sri Chiang Mai et Tha Bo.

CHIANG KHAN – เชียงคาน

7000 hab.

Avec ses belles maisons en teck construites sur pilotis en surplomb du Mékong, ses temples aux flèches dorées et ses habitants paisibles, Chiang Khan est un havre de paix, idéal pour se reposer quelques jours. À 48 km au nord de Loei, ce gros village de taille humaine, sans embouteillages ni pollution, consiste en une longue et étroite rue principale parallèle au fleuve. Tout ici est facile. On fait le tour du village à pied en une demi-heure.

Comment y aller?

➢ ***De Bangkok :*** 4 départs quotidiens (2 en début de matinée, 2 en fin d'après-midi) de la station ferroviaire du Nord-Est de la capitale. Compter *grosso modo* 10 h de route. Également 3 vols par semaine Bangkok-Loei avec *Air Andaman*.

➢ ***De Loei :*** des taxis collectifs partent toutes les 30 mn dès 5 h et jusqu'à 20 h environ. 1 h 15 de trajet. Billet : 20 Bts (0,4 US$).

➢ ***De Korat :*** bus toutes les heures de 11 h à 22 h 30. 40 mn de trajet. Compter 30 Bts (0,6 US$).

➢ ***De Nong Khai, en longeant le Mékong :*** bus et taxis collectifs toutes les heures de Nong Khai jusqu'à Pakchom dès le lever du jour. De là, *songthaew* toutes les 30 mn.

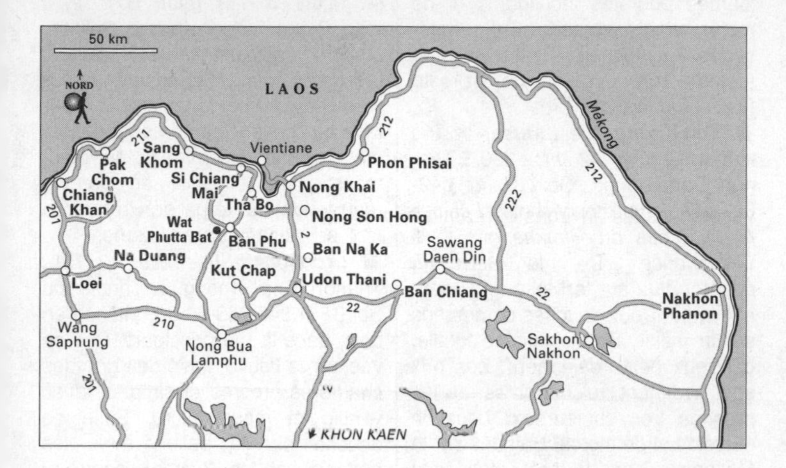

LA VALLÉE DU MÉKONG ENTRE CHIANG KHAN ET NONG KHAI

Adresses utiles

@ ***Internet Service*** *(plan A2,* ***2****)* **:** à l'angle de Sri Chiangkhan Kol et du Soi 10.

■ ***Location de bicyclettes et de motos :*** la plupart des pensions et hôtels assurent ce service. Compter 60 Bts (1,2 US$) par jour pour une location de vélo, et 200 Bts (4 US$) par jour pour une moto de petite cylindrée.

– Pas de banque, ni de change. Bien prévoir avant d'arriver. Banque la plus proche à Loei.

– ***Immigration :*** possibilité de prolonger son visa après les écoles, sur Chiang Khong Rd.

Où dormir ?

Niveau général des chambres remarquable.

Pas cher (de 100 à 350 Bts - 2 à 7 US$)

🏠 ***Rimkhong Pub & Guesthouse*** – ริมโขงผับ *(plan A2,* ***10****)* **:** 294 Thanon Chai Khong, Soi 8, au bord du Mékong. ☎ 042-821-125 ou 07-218-22-53 (portable). • rimkhong.free.fr • Sympathique *guesthouse* en teck tenue par Pascal et sa femme, Liang. Six chambres propres avec vue sur le Mékong, et salle de bains commune (avec eau chaude). On y sert un vrai petit dej' « à la française ». D'octobre à fin mars, on peut en plus collecter des tonnes d'infos, des cartes et des circuits, le tout rédigé après des années de voyage à travers la Thaïlande. Inutile de vous préciser que Pascal connaît le moindre petit bout de chemin sur le bout des doigts. D'ailleurs, ils organisent maintenant des circuits. Envolez-vous à la lecture du récit de leurs aventures avec Jacques (la descente du Mékong en radeau-pédalo). Location de VTT possible à la journée pour les individuels et de motos avec assurance. Enfin, massages traditionnels. Fait aussi pub (comme son nom l'indique) et resto (voir « Où manger ? »).

🏠 ***Ton Khong Guesthouse*** – *ต้นโขงเกสท์เฮ้าส์ (plan A2, **11**)* **:** 299/3 Thanon Chai Khong, Soi 10. ☎ 042-821-547. • tonkhong@hotmail.com • À deux pas du *Rimkhong Pub & Guesthouse.* De la terrasse, superbe vue sur le Mékong. Propre et sympa. Deux douches communes sur le palier. Bonne cuisine locale, délicieux petits déjeuners. Les prix sont vraiment raisonnables et les proprios très chaleureux. Location de vélos et de motos. Balades sur le Mékong et dans la forêt. Massages aux herbes.

🏠 ***Chiang Khan Guesthouse*** – *เชียงคานเกสท์เฮ้าส์ (plan B1, **12**)* **:** 282 Thanon Chai Khong, Soi 19. Maison traditionnelle en bois. À l'étage, le calme. Plantes vertes sur la terrasse, et petite table pour rêver face au fleuve. Chambres modestes mais propres, avec ventilo sur pied, moustiquaire et salle de douche (eau froide) sur le palier. Préférer la n° 1 qui donne sur le Mékong.

🏠 ***Uro Guesthouse*** *(plan A2, **13**)* **:** Thanon Chai Khong, à l'angle du Soi 9. ☎ 042-263-90-68. Maison en bois, dans la rue principale. Pas de vue sur le fleuve, mais des grandes chambres propres et simples, avec ventilo et moustiquaire. Salle de douche sur le palier, avec les hommes et les femmes séparés ! Sauna traditionnel aux herbes. Sert aussi des repas.

Un peu plus chic (de 800 à 1 500 Bts – 16 à 30 US$)

🏠 ***Chiang Khan Hill Resort*** – *เชียงคานฮิลล์รีสอร์ท* **:** ☎ 042-821-285. À 5 km de Chiang Khan vers l'ouest, face aux rapides de Kaeng Khut Khu, belle résidence hôtelière dans un jardin fleuri bien entretenu. Gamme de prix étendue et très bon rapport qualité-prix. De la terrasse du resto (servant au passage de savoureuses spécialités thaïes et chinoises), on domine une courbe du grand fleuve. Beaucoup de Thaïs le week-end.

Où manger ? Où boire un verre ?

🍴 Un peu partout, des ***petits restos*** corrects mais rien de fantastique en définitive. Pour l'exotisme, allez dîner dans un des restos ayant terrasse sur le Mékong : les couchers de soleil y sont sublimes.

🍴 ***Pradit Restaurant*** *(plan A1, **20**)* **:** sur la rue principale, entre les *soi* 11 et 12. Salle ventilée donnant sur la rue et sur le Mékong. Sur les murs, des portraits du roi, des diplômes, des certificats. Propre et familial. Bonne cuisine locale.

🍴 ***Ton Khong Restaurant*** – *ร้านอาหารต้นโขง (plan A2, **11**)* **:** 299/3 Thanon Chai Khong, Soi 10. Sert des repas thaïlandais, avec des plats végétariens.

🍴 🍸 ***Rimkhong Pub*** – *ริมโขงผับ (plan A2, **10**)* **:** 294 Thanon Chai Khong, Soi 8, au bord du Mékong. ☎ 042-821-125. Ouvert de 8 h à minuit. Cuisine thaïe, snacks et plat du jour. On peut aussi y boire un coup en écoutant de la musique. Fait aussi *guesthouse* (voir ci-dessus « Où dormir ? »).

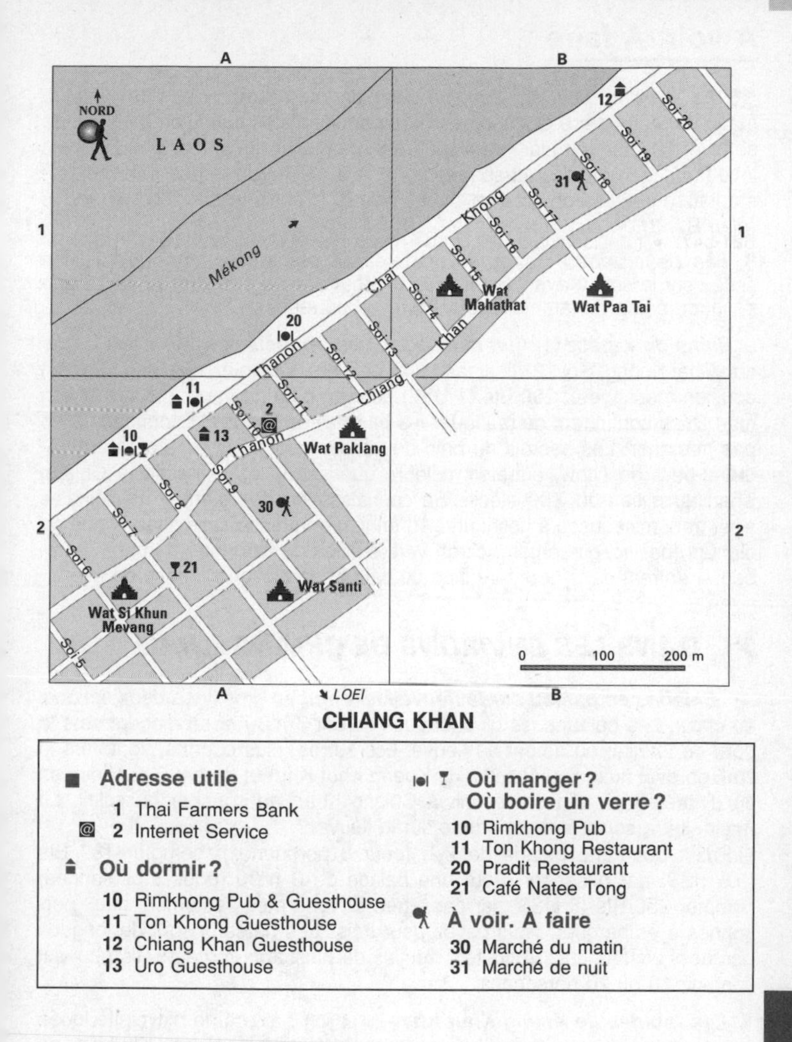

Où boire un bon café ?

Café Natee Tong (plan A2, 21) : en venant de Loei, juste au début de la rue Seichiengkhan. Ce *coffee-shop*, à l'écart du reste de la ville, est tenu par un paisible vieux Chinois (originaire de l'île Hainan). Il sert toutes sortes de café de qualité : jamaica, vienna, mocca, arabica, sumatra, expresso... De loin, le meilleur café de la ville ! Dans des vitrines, bric-à-brac très personnel d'objets divers : boîtes d'allumettes, tasses, pièces de monnaie, billets de banque, vieux bouquins, photos anciennes.

À voir. À faire

🍴🍴 ***Le marché*** *(plan A2,* ***30****)* ***:*** un des plus intéressants de la province, le matin entre les *soi* 9 et 10, après la rue principale. À condition toutefois de se lever tôt (bat son plein de 4 h 30 à 8 h). Y aller donc vers 6 h. Pour les lève-tard, session de rattrapage de 16 h à 19 h. Un ***autre marché*** (alimentation seulement) se tient de 17 h à 20 h entre le *soi* 17 et le *soi* 18 *(plan B1,* ***31****)*.

🍴 ***Les tisserandes :*** dans de nombreuses demeures, ainsi qu'à l'usine située sur le *soi* 10 avant le marché, on peut encore observer le travail artisanal du coton (notamment couvertures et couettes).

– ***Bains de vapeur*** (1 h) ***et massages traditionnels*** (1 h 30) ***:*** 126/1 Thanon Chai Khong, Soi 12. ☎ et fax : 042-821-119. Compter 160 Bts (3,2 US$) pour un massage et 200 Bts (4 US$) pour un bain de vapeur. Katie et son mari Dtaw continuent de pratiquer les bains et massages. Expérience à ne pas manquer. Les secrets du bain de vapeur remontent à l'arrière-arrière-grand-père de Dtaw, autrefois célèbre guérisseur, qui s'installa à Chiang Khan au milieu du XIXe siècle. Sa connaissance des plantes médicinales s'est transmise jusqu'à nos jours. Au total, pas moins d'une quarantaine de plantes (basilic, gingembre, citron vert, feuilles de citronnier, tamarin, bambou...) entrent dans la préparation du bain et des lotions à base de miel.

➤ *DANS LES ENVIRONS DE CHIANG KHAN*

➢ ***Balades en bateau sur le fleuve Mékong :*** en gros il y a deux options, au choix. Les balades les plus longues durent 3 h 30 et se dirigent vers le nord de la ville, en amont du fleuve. Les autres, plus courtes, vont vers le sud, en aval (jusqu'aux chutes de Kaeng Khut Khu) et durent 2 h. Mieux en fin d'après-midi, afin de revenir à Chiang Khan au coucher du soleil. Le matin, il y a souvent de la brume sur le fleuve.
– Prix : pour une balade de 2 h (pour 3 personnes), compter 180 Bts (3,6 US$) par passager. Pour une balade de 3 h 30 (pour 3 personnes) compter 250 Bts (5 US$) par passager. Si vous êtes seulement deux personnes à embarquer, vous payez pour trois ! Les bateaux sont de longues barques, effilées mais robustes, munies de puissants moteurs. Ils peuvent contenir 10 ou 20 personnes.

🍴 ***Les rapides de Kaeng Khut Khu –*** แก่งคุดคู้ ***:*** avec une bicyclette louée pour trois fois rien, on peut aller jusqu'aux « rapides » de Kaeng Khut Khu où le Mékong se rétrécit dans un coude, formant ainsi une plage (à la saison sèche). Suivre la route en direction de Pakchom pendant 2,5 km, bifurquer à gauche au panneau d'indication ; il reste alors 1,5 km à parcourir.
Selon la légende, un énorme rocher bloquait jadis le cours du fleuve. Une divinité serait alors intervenue pour le déplacer et redonner vie au bas Mékong. Et donc, à l'entrée de la promenade, une espèce de gros caillou planté pour commémorer l'événement. Impossible à louper. Baignades déconseillées (fort courant).

🍴 ***La grotte de Paben :*** superbe itinéraire à travers champs de coton, rizières, plantations maraîchères et fruitières (bananiers, manguiers, papayers, grenadiers, tamariniers, longaniers, ananas, mangoustaniers...).

L'accès est un peu compliqué. On vous livre quelques indications : de Chiang Khan, suivre une fois encore la route de Pakchom. Après le village de Paben (8 km) et après le pont, à la pancarte bleue, prendre à droite le chemin de terre ; à la patte d'oie, tourner à droite, puis à gauche. En allant tout droit on trouve des grandes marches sur la gauche : vous y êtes. En chemin, petit lac pour vous rafraîchir. Prévoir la demi-journée (voire la journée) à vélo.

Au fil des saisons, le paysage change mais la chaleur des villageois demeure, immuable. Après 16 km, on arrive enfin à la grotte, à visiter ne serait-ce que pour ses envolées de chauves-souris (prévoir une lampe torche).

La rivière Huang : elle a la particularité de former la frontière avec le Laos avant de mêler ses eaux au grand Mékong, à 20 km à l'ouest de Chiang Khan. Un premier itinéraire consiste à remonter le cours de ce dernier jusqu'à la rivière (4 h aller-retour en bateau à moteur, de préférence au lever du jour ou en début d'après-midi). Un second itinéraire consiste à louer une moto (ou faire du stop mais ce n'est pas facile) pour rejoindre *Pak Huay* dans le district de Tha Li (route *via* Na Chan et Nam Khaem pour un peu plus de 50 km au total).

Nature exubérante tout au long du voyage, des collines entières plantées de bananiers et de papayers, à coup sûr un grand moment. Arrivé à destination, au carrefour qui mène à Tha Li, prendre à droite puis tout de suite à gauche. On arrive aux rapides de Kaeng Ton. De l'autre côté, à moins de 50 m, c'est le Laos. On prend un plaisir nostalgique à observer des flopées d'enfants, thaïs comme laos, s'en donner à cœur joie. On vous proposera peut-être de passer sur l'autre rive, moyennant une poignée de bahts. À vos risques et périls, mais n'oubliez pas que des centaines de *farang* (et même des Thaïs) avant vous ont déjà goûté malgré eux à l'amer voyage au bout de la nuit.

Le village de Tadimi et du Big Buddha : Tadimi est le dernier village sur le bord du Mékong à l'embouchure de la rivière Huang. On y a inauguré la construction d'un bouddha de 20 m de haut sur la colline qui domine le village et offre une vue superbe sur la vallée du Mékong, la rivière Huang et le Laos. Pour y accéder, on peut y aller en bateau. En louant une moto, prendre la route de Tha Li et avant le km 21, tourner à droite. On pénètre dans le village de Tadimi et on continue sur environ 1 km. Un panneau indique « Big Buddha » sur la droite. Le chemin qui monte raide vous emmène jusqu'au site.

QUITTER CHIANG KHAN

➢ ***Vers Nakhon Ratchasima (ex-Korat) :*** départ toutes les heures de 6 h à 11 h, ainsi qu'à 13 h 30 et 15 h, sur la route de Loei, après la station Shell. Compter 6 h 30 de trajet et 180 Bts (3,6 US$). À noter que ce bus fait un arrêt à *Phu Kradung*.

➢ ***Vers Bangkok :*** 6 bus par jour. Cinq partent entre 18 h et 19 h. Compter 150 Bts (3 US$) à 540 Bts (10,8 US$). Un bus part le matin à 8 h pour 370 Bts (7,4 US$). Trois vols par semaine de Loei à Banghok avec Air Andaman. Compter 2 450 Bts (49 US$).

BAN PHU – บ้านผือ

Ce petit village, rendu célèbre par la proximité du *Phu Phra Bat* – ภูพระบาท (situé en fait à 12 km *via Bantiu*), est la base obligée de toute excursion vers le parc. Meilleur moyen pour y accéder : emprunter de bon matin un *songthaew* de Sri Chiang Mai ou Nong Khai en direction de Tha Bo, puis prendre un autre *songthaew* qui vous amènera à Ban Phu, 25 km plus loin. Enfin, pour accéder au parc, louer les services d'une moto-taxi pour les derniers kilomètres. Compter au total entre 2 et 3 h de voyage. Arrivé à Ban Phu, pensez à vous faire confirmer l'heure exacte du dernier retour vers Tha Bo (aux alentours de 15 h). Vous pourrez aussi louer une moto pour tout le trajet depuis votre point de départ.

➤ DANS LES ENVIRONS DE BAN PHU

🚶🚶 ***Le parc national historique de Phu Phra Bat* – อุทยานประวัติศาสตร์แห่งชาติภูพระบาท :** situé au sommet de la colline de Phupan, le site servait d'abri à l'époque préhistorique (entre 1 500 et 3 000 ans av. J.-C.) à une des toutes premières communautés humaines installées dans la région. Il nous reste aujourd'hui encore quelques peintures géométriques et figuratives ocre rouge sans doute liées à des croyances et rituels religieux. Plus tard, à l'arrivée du bouddhisme, les abris rocheux furent transformés en salles de culte destinées aux cérémonies religieuses. Points forts de la visite repérés sur le plan local fourni sur place : le *Ha Nang Ou Sa (plan local, n° 1)* en forme de champignon avec sa statue de Bouddha en longue robe, entouré de *semas*, ces pierres caractéristiques de l'époque de Dvâravatî, marquant les huit points cardinaux de l'espace, le *Wat Poh Ta (n° 2)* ou temple du beau-père..., et enfin le *Tham Phra (n° 26)*, meilleur exemple de conversion d'un abri préhistorique en temple hindo-bouddhique (les Khmers sont passés par là). Commencer la visite par le petit musée près de l'accueil. Entretien très soigné. Compter au minimum 2 h de visite. Guide anglophone présent tous les jours sauf les lundi et mardi.

🚶 ***Wat Praphutabat Buabok* – วัดพระพุทธบาทบัวบก :** 2 km avant l'entrée du parc, au niveau du poste de contrôle (avec la barrière), une route grimpe sur la gauche vers le temple. Il s'agit d'une réplique moderne du fameux *stûpa* de That Phanom. Censé reposer sur une empreinte de Bouddha et contenir des reliques de ce dernier à l'intérieur de sa flèche, il est fréquenté par de nombreux pèlerins venant célébrer l'Éveillé. Atmosphère de fête, pop-corn, maïs et poulet grillé. La preuve que recueillement ne veut pas dire morosité...

NONG KHAI – หนองคาย

Ville de passage pour de nombreux voyageurs, Nong Khai a beaucoup changé depuis l'ouverture en 1994 du *pont de l'Amitié* – สะพานมิตรภาพไทย-ลาว qui relie la Thaïlande et le Laos. Tourisme et commerce ont explosé, ce qui a accru le niveau de vie des habitants. Cette croissance économique n'a

cependant pas balayé le charme provincial de cette cité alanguie au bord du Mékong. Il reste encore quelques demeures traditionnelles le long du fleuve. Goûtez aussi à la fameuse baguette que l'on continue de cuire ici comme un vestige de l'aventure coloniale française du siècle dernier au Laos voisin.
– ***Le climat :*** la saison pluvieuse s'étend de mai à fin septembre. La saison sèche couvre la période octobre-avril, les mois les plus secs étant janvier et février, qui sont aussi les mois les plus frais. Bref, en janvier et en février, il ne pleut pas mais il fait assez frais le soir. Prévoir donc un vêtement chaud pour cette période.

Adresses et informations utiles

ℹ *TAT* – ท.ท.ท. *(office du tourisme de Thaïlande ; plan A3) :* situé juste avant le pont de l'Amitié (à 150 m, en venant du centre-ville). ☎ 042-467-844. Ouvert tous les jours de 8 h 30 à 16 h 30. Quelques infos intéressantes, des cartes de la ville, des prospectus et de la doc gratuite sur la région.

■ ***Bangkok Bank*** *(plan C1, **2**) :* distributeur acceptant les cartes de paiement. Bureau de change à l'intérieur, ouvert de 8 h 30 à 15 h 30.

✉ ***Poste*** *(plan C1) :* Thanon Meechai, au niveau de Soi Wat Nak. Ouvert tous les jours sauf samedi et dimanche, de 8 h à 16 h.

@ ***Internet Service*** *(plan C1, **4**) :* Soi Wat Nak, au milieu de la rue ; facile à trouver, c'est indiqué. Pour consulter votre courrier électronique : 60 Bts (1,2 US$) l'heure. Une bonne adresse pour surfer sur le Web.

■ ***Bureau de l'Immigration*** – สำนักงานตรวจคนเข้าเมือง *(plan B3, **5**) :* à la sortie de la ville en direction d'Udon Thani, sur la gauche. Pour les prolongations de visas thaïlandais.

Pour se rendre au Laos

➢ ***Départs vers le Laos :*** le service des bacs circule toujours entre Nong Khai et Tha Dua mais uniquement pour les Thaïs et les Laos. Pour les touristes étrangers (les *farang*), il y a obligation d'emprunter le pont de l'Amitié ouvert tous les jours entre 8 h 30 et 18 h. On ne peut pas le traverser à pied. Il faut nécessairement emprunter une des navettes de bus au départ de la gare des minibus située au croisement des routes n°s 2 et 212, avant le pont de l'Amitié et l'*immigration check-point*. Arrivé au *check-point*, formalités de sortie *(exit-stamp)*. Après la traversée du pont, on vous gratifie cette fois d'un

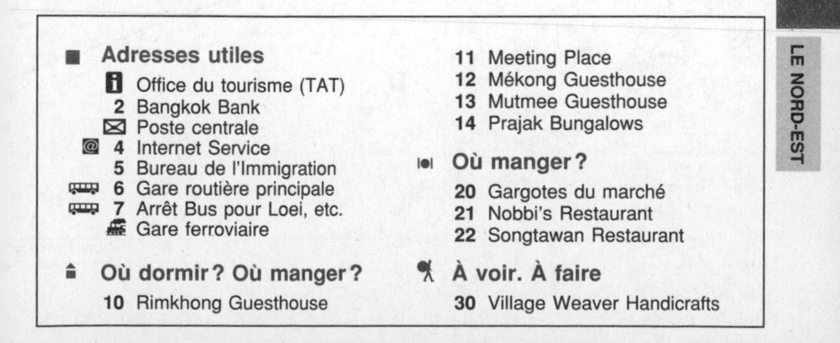

■ **Adresses utiles**
- ℹ Office du tourisme (TAT)
- 2 Bangkok Bank
- ✉ Poste centrale
- @ 4 Internet Service
- 5 Bureau de l'Immigration
- 6 Gare routière principale
- 7 Arrêt Bus pour Loei, etc.
- Gare ferroviaire

Où dormir ? Où manger ?
- **10** Rimkhong Guesthouse
- **11** Meeting Place
- **12** Mékong Guesthouse
- **13** Mutmee Guesthouse
- **14** Prajak Bungalows

Où manger ?
- **20** Gargotes du marché
- **21** Nobbi's Restaurant
- **22** Songtawan Restaurant

À voir. À faire
- **30** Village Weaver Handicrafts

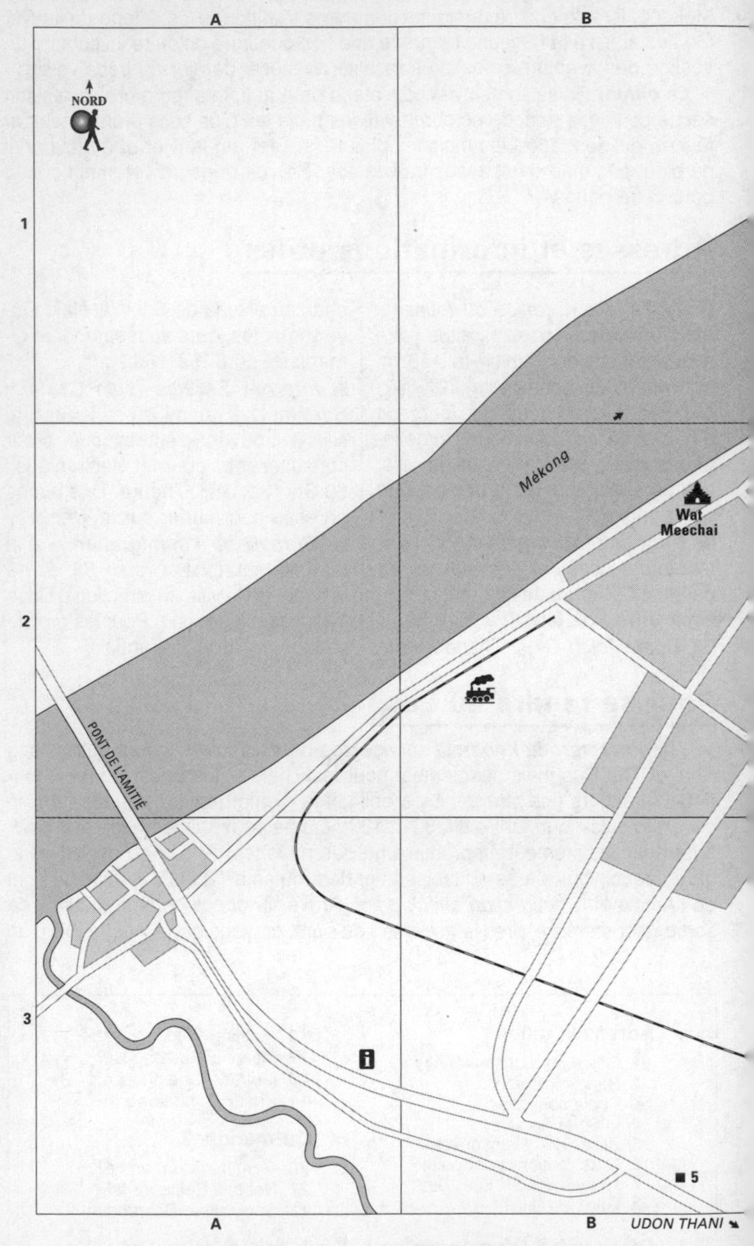
A
B
NORD
1
2
3
Mékong
Wat Meechai
PONT DE L'AMITIÉ
5
UDON THANI

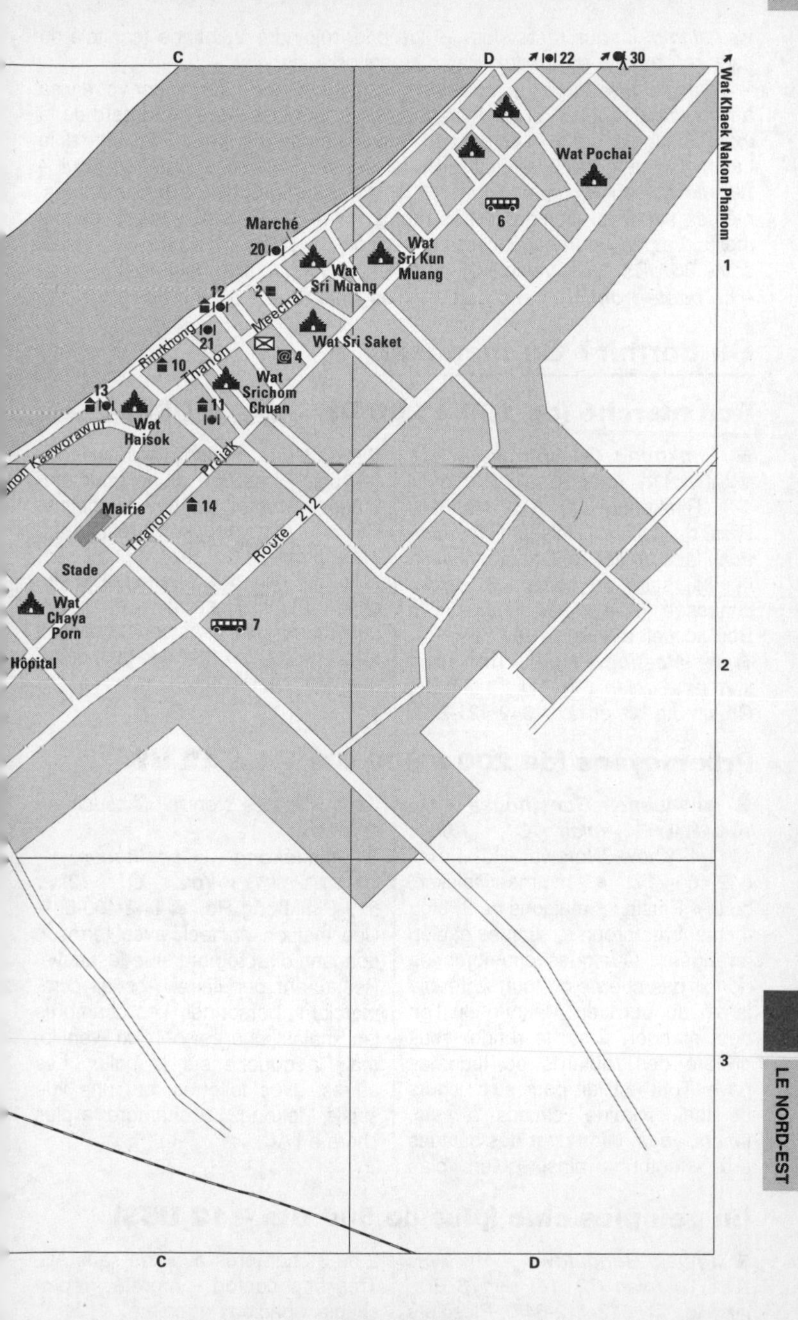
C
D
22
30
Wat Khaek Nakon Phanom
Wat Pochai
6
Marché
20
Wat
Sri Kun
Muang
Wat
Sri Muang
12
2
Meechai
21
Rimkhong
Wat Sri Saket
4
10
Thanon
Wat
Srichom
Chuan
13
11
Wat
Haisok
Thanon Kaeworawut
Prajak
Thanon
14
Mairie
Route 212
Stade
Wat
Chaya
Porn
7
Hôpital
1
2
3
C
D

NONG KHAI

visa-stamp. Il vous reste alors 19 km pour rejoindre Vientiane (capitale du Laos) en bus ou en *tuk-tuk*. Pas d'arnaques à signaler.

– ***Visas pour le Laos :*** la meilleure solution consiste à demander votre visa à Nong Khai, auprès d'une des agences de tourisme situées au bord de la route nationale, à 200 m du pont de l'Amitié (frontière entre la Thaïlande et le Laos). Il y a 4 ou 5 agences. Parmi celles-ci, citons *Mittraphap Tour* – มิตรภาพทัวร์ ou *Nalumon Tour* – นฤมลทัวร์. Elles proposent quasiment les mêmes services. Démarche très rapide : 1 h d'attente seulement, parfois moins. Le passeport est nécessaire ainsi qu'une photo d'identité. Le visa lao coûte 35 US$. Il est valable 15 jours, et prolongeable à Vientiane.

– Le ***poste-frontière*** est ouvert tous les jours de 6 h à 19 h 30.

Où dormir ? Où manger ?

Bon marché (de 100 à 200 Bts – 2 à 4 US$)

🏠 ***Rimkhong Guesthouse*** – ริมโขงเกสท์เฮ้าส์ *(plan C1, **10**)* **:** 815/1-3 Rimkhong. ☎ 042-460-625. Près du temple Haisok (*Wat Haisok*), face au fleuve. Chambres avec ventilo, salle de bains au rez-de-chaussée (eau froide seulement). Bon accueil et vue sur le jardin.

🏠 🍴 ***Meeting Place*** – มีทติงเพลซเกสท์เฮ้าส์ *(plan C1, **11**)* **:** 1117 Soi Chuen Jitt. ☎ et fax : 042-421-223. Sympathique maison traditionnelle (en bois) entourée d'une cour ombragée, donnant sur une rue calme. Fait *guesthouse*-bar-restaurant. Très propre. Au rez-de-chaussée, salle de billard et panneau d'affichage. Allan Patterson, le patron, peut fournir des visas pour le Laos. Il s'occupe de tout (*tuk-tuk*, bus, documents administratifs).

Prix moyens (de 200 à 600 Bts – 4 à 12 US$)

🏠 🍴 ***Mutmee Guesthouse*** – มัดหมี่เกสท์เฮ้าส์ *(plan C1, **13**)* **:** 1111/4 Kaew Worawut Rd. Fax : 042-460-717. • mutmee@nk.ksc.co.th • Plusieurs maisons de 2, 3 ou 4 chambres propres, simples et bien arrangées. Quelques chambres en dortoir pas chères du tout. Agréable jardin au bord du Mékong où l'on peut manger. C'est le rendez-vous préféré des routards de tous les pays. Tout est fait pour eux : cours de thaï, librairie, circuits à vélo, taï chi, yoga, infos pour des balades aux alentours ainsi qu'un plan de la ville très bien fait. Accueil excellent.

🏠 🍴 ***Mékong Guesthouse*** – แม่โขงเกสท์เฮ้าส์ *(plan C1, **12**)* **:** 519 Rimkhong Rd. ☎ 042-460-689. Une maison en teck avec terrasse donnant directement sur le fleuve. Restaurant populaire. Accueil commercial impersonnel. Les chambres les moins chères ont un ventilo, mais la douche sur le palier. Les autres, avec toilettes, ont une vue sur le Mékong. La chambre la plus chère a l'AC.

Un peu plus chic (plus de 600 Bts – 12 US$)

🏠 ***Prajak Bungalows*** – ประจักษ์บังกาโล *(plan C2, **14**)* **:** 1178 Prajak Rd. ☎ 042-412-644. Plusieurs bungalows en bois comprenant 1, 2 ou 3 chambres avec ou sans AC. Très bon confort, propreté irréprochable, spacieux et calme.

Où manger ?

🍴 ***Gargotes du marché*** *(plan C1,* ***20****) :* sur Thanon Rimkhong. Une longue rue, parallèle au Mékong, interdite aux voitures et réservée aux piétons. Nombreuses échoppes et gargotes à prix sages. La plupart donnent sur le fleuve. Très agréable.

🍴 ***Songtawan Restaurant*** **–** ร้านอาหารสองคะวัน *(hors plan par D1,* ***22****) :* Rimkhong Rd, Soi 4. ☎ 042-421-209. Pas inutile de réserver car on s'y précipite en soirée. Un peu excentré vers l'est de la ville, 500 m après l'ancien bureau de l'immigration, sur l'allée qui borde le Mékong. Mini-terrasses traditionnelles sur pilotis où l'on prend place autour du *kantoke*, cette petite table basse typiquement lao. Verdure envahissante et atmosphère feutrée. Délicieuses spécialités thaïes, dont notamment la bouillabaisse locale (le *tom yam* aux fruits de mer). Accueil chaleureux, clientèle presque exclusivement locale.

Prix moyens

🍴 ***Nobbi's Restaurant*** *(plan C1,* ***21****) :* 507 Rimkhong Rd. ☎ 042-460-583. Très bien situé, au cœur du quartier animé. L'intérieur, chaleureux et très propre, ressemble à un bon café-resto européen. Au bar, on sert de la bière pression. Noy et son mari Norbert, un Allemand, reçoivent bien. Cuisine thaïe et européenne. On trouve même des saucisses préparées comme là-bas. C'est bon et copieux. Prix adaptés pour la qualité. Une adresse pour le soir de préférence.

À voir. À faire

✓ ***Village Weaver Handicrafts*** **–** หมู่บ้านทอผ้า *(hors plan par D1,* ***30****) :* 1151 Chitapanya Lane. Visite chaque jour de 8 h à 17 h. Exposition et commercialisation des tissus (notamment des cotonnades indigo de style *mutmee* et *ikat*) produits par les femmes de cette association à but non lucratif, créée en 1982 à l'initiative des bonnes sœurs de la congrégation du Berger pour lutter contre la prostitution.

✓ ***Le pont de l'Amitié*** **–** สะพานมิตรภาพไทย–ลาว *:* financé par les Australiens, long de plus de 1 km, il fut pendant longtemps le seul pont franchissant le Mékong hors territoire chinois (il y a en effet un grand pont sur le Mékong à Jinghong, dans le Yunnan). À présent, un autre projet de pont est à l'étude, entre la Thaïlande et le Laos, qui sera situé près de Mukdahan (face à la ville lao de Savannakhet). Par ailleurs, au sud du Vietnam, dans le delta du Mékong, un pont enjambe un des 9 immenses bras du fleuve. Le pont de l'Amitié (de Nong Khai) porte bien son nom car il achève ainsi la route de l'Amitié construite par les Américains lors de leur « villégiature » au Vietnam, et qui relie désormais Bangkok à Vientiane.

➢ ***Balade en bateau sur le Mékong :*** chaque jour à 17 h 30, un bateau part de l'embarcadère à proximité de *Mutmee Guesthouse* pour un tour de 1 h. Beau coucher de soleil, bar et restaurant à bord. Touristique mais néanmoins sympa.

QUITTER NONG KHAI

En bus ordinaires

Terminal légèrement à l'est du centre-ville sur Praserm Rd (entre Prajak Rd et la Highway 212 ; *plan C2,* ***7***). Départs en direction du sud et de l'ouest.

➢ ***Pour Bangkok :*** 11 bus par jour entre 6 h du matin et 17 h 30. Billet : 320 Bts (7,3 US$).

➢ ***Pour Udon Thani :*** 20 bus par jour, entre 5 h 45 et 18 h.

➢ ***Pour Ban Phang :*** 8 bus par jour, entre 5 h 30 et 16 h.

➢ ***Pour Na Khang :*** 18 bus par jour, entre 6 h et 14 h 30.

➢ ***Pour Loei :*** 13 bus par jour, entre 6 h et 16 h.

➢ ***Pour Sri Chiang Mai :*** 3 bus par jour, le matin de 8 h à 9 h 30.

➢ ***Pour Tha Bo :*** 22 bus par jour, entre 6 h et 14 h 30.

En bus avec air conditionné

Plusieurs agences sur Prajak Road *(plan D1,* ***6****)*.

➢ ***Pour Bangkok :*** bus de 24 places. Un départ par jour, vers 8 h. Billet : 500 Bts (11,4 US$). Il existe d'autres bus, avec moins de confort : 5 départs quotidiens, le matin avant 8 h 30.

En train

Gare un peu excentrée à proximité du pont de l'Amitié *(plan B2)*. Deux trains quotidiens en direction de Bangkok avec arrêts notamment à Udon Thani, Khon Kaen et Ayutthaya (1 départ en matinée, 2 en soirée). Informations et horaires : ☎ 042-411-592.

➢ ***Train rapide (Fast Train) :*** départ à 18 h, arrivée à 9 h. Couchette ventilée : 380 Bts (8,6 US$).

➢ ***Train Express :*** départ en début de soirée, arrivée à Bangkok le lendemain matin vers 6 h. Billet première classe (avec air conditionné) : 1 100 Bts (25 US$).

DE KHON KAEN À PHIMAI

KHON KAEN – ขอนแก่น

680 000 hab.

Quatrième ville du pays, traditionnellement renommée pour son agriculture et son artisanat textile, Khon Kaen est pourtant aujourd'hui tournée vers l'avenir comme en témoignent le dynamisme de son université (la première de l'I-san). Ville pas vraiment séduisante mais intéressante pour son superbe musée et ses boutiques d'artisanat.

Adresses utiles

- *TAT* – ท.ท.ท. *(office du tourisme)* : 15/5 Prachasamosorn Rd. ☎ 043-244-498 ou 499. Fax : 043-244-497. Ouvert tous les jours de 8 h 30 à 16 h 30. Bon accueil, le personnel parle assez bien l'anglais. Demander le plan de la ville, clair et très pratique.
- ***Consulat du Laos*** – สถานกงศุลลาว : 19/3 Photisarn Rd. ☎ 043-223-698. Fax : 043-223-849. À 2 km du centre-ville à l'est du lac Kaen Nakhon. Ouvert de 8 h 30 à 11 h 30 et de 13 h 30 à 16 h 30 du lundi au vendredi. Visa lao de 30 jours. Délai d'obtention : 3 jours.
- ***Change*** : l'agence de la ***Bangkok Bank***, dans Na Muang Rd, à côté de l'hôtel *Charoen Thani Princess*, est la plus centrale avec distributeur automatique 24 h/24.
- ***Thai Airways*** – สายการบินไทย : 9/9 Prachasumran Rd. ☎ 043-227-701. Autre bureau dans l'hôtel *Sofitel*, plus central et facile d'accès.
- ***Piscine municipale*** – สระว่ายน้ำ : Sri Chan Rd, à 2 ou 3 km du centre. Prendre un *songthaew* jaune (avec les portes orange) à l'angle de Klang Muang Rd et de Sri Chan Rd. La piscine est sur la droite. Petit panneau avec nageur bleu. Fréquentée par la jeunesse dorée du coin.

Où dormir ?

Bon marché (autour de 200 Bts - 4 US$)

Peu d'hôtels acceptables dans cette catégorie. Deux ont toutefois retenu notre attention.

- ***Sansumran Hotel*** – โรงแรมสนสำราญ : 55-59 Klang Muang Rd. ☎ 043-239-611. Vieille maison en bois tropical *(deng)*, donnant sur une cour intérieure. Le patron est un sympathique anglophone à lunettes, cultivé et communicatif, qui connaît bien la région et milite en faveur d'un tourisme intelligent. Chambres avec vue sur le côté ou sur la rue (pas mal de bruit). Ventilo sur pied ou au plafond. Literie moyenne mais suffisante. Bonne ambiance.

Prix moyens (entre 200 et 300 Bts - 4 à 6 US$)

- ***Amarin Plazza*** – โรงแรมอัมรินทร์พลาซ่า : 181 Thanon Langmuang, presque à l'angle de Thanon Chetakhon. ☎ 043-321-660. Petit hôtel au fond d'une cour calme. On y parle à peine l'anglais. Mais les chambres sont correctes pour le prix (ventilo, douche-w.-c. et vue sur le jardin).

De prix moyens à plus chic (de 300 à 1 500 Bts - 6 à 30 US$)

- ***Sawasdee Hotel*** – สวัสดีโฮเต็ล : 177-179 Thanon Namuang. ☎ 043-221-600. Près du marché (à 100 m environ). Petit hôtel de bon rapport qualité-prix, bien situé et propre.
- ***Roma Hotel*** – โรงแรมโรมา : 50/2 Klang Muang Rd. ☎ 043-236-276. Grand hall spacieux de style soviétique. Décoration quelconque, à l'image de l'accueil. Chambres

propres et convenables avec douche-w.-c., AC, téléphone et frigo. Laverie et cafétéria au rez-de-chaussée.

🏠 ***Khon Kaen Hotel*** – โรงแรมขอนแก่น *:* 43/2 Thanon Pimpasute. ☎ 043-244-881-5. Fax : 043-242-458. Hôtel de bon confort, très calme, avec des chambres équipées (AC, douche-w.-c., frigo). Petit balcon et vue dégagée côté nord.

Où manger ?

De très bon marché à bon marché

|●| Nombreuses ***gargotes*** proposant cuisine thaïe ou chinoise le long de Klang Muang Road et dans les marchés de nuit.

|●| ***First Choice Restaurant*** – ร้านอาหารเฟิร์สช็อยส์ *:* 18/8 Phimpasut Rd, face à l'hôtel *Khon Kaen.* ☎ 043-333-352. Ferme à 23 h. Plats à partir de 40 Bts (0,8 US$). Viandes de 150 à 300 Bts (3 à 6 US$). Bonne cuisine asiatique servie dans une agréable salle climatisée. Essayer le menu traditionnel complet proposé le midi. Service irréprochable.

À voir

👁👁 ***Le Musée national*** – พิพิธภัณฑสถานแห่งชาติขอนแก่น *:* Lung Soon Rachakarn Rd, au nord de la ville. Ouvert du lundi au vendredi de 9 h à 16 h. Entrée : 30 Bts (0,6 US$), étudiant 10 Bts (0,2 US$). Une des collections les plus riches du pays, exposée sur deux étages autour d'un adorable patio fleuri. *Grosso modo,* trois sections distinctes.

Section 1

La préhistoire de l'âge mésozoïque (traduction : de l'ère secondaire) à l'époque de l'*Homo sapiens* ; squelettes de dinosaures, poteries, bronzes...

Section 2

L'histoire de Dvâravatî et khmère au travers des témoignages religieux (statues hindo-bouddhiques, tablettes votives, *semas,* etc.).

Section 3

Les traditions populaires de l'I-san, à savoir habitat traditionnel, costumes et instruments de musique comme le *kaen* (espèce de flûte amérindienne) auquel la cité doit son nom.

👁 ***Les bords du lac Kaen Nakhon*** – ริมบึงแก่นนคร *:* au sud de la ville. Sympa d'y flâner en fin d'après-midi en compagnie des Thaïs venus déguster en famille le poulet au barbecue façon I-san ou la salade de papayes pimentées (prévoir toutefois un bol de riz pour éteindre les flammes !). Visiter en passant le *Wat Tat* et le *Wat Klang Muang Kao* à deux pas.

👁 ***Les marchés :*** très animés, de part et d'autre de Klang Muang Road. Y aller de préférence à la tombée de la nuit, l'affluence y est alors importante, notamment à proximité de la poste.

Achats

– ***Spécialités culinaires de l'I-san :*** tout au long de Klang Muang Road, concentration incroyable de boutiques spécialisées principalement dans la charcuterie et la confiserie locales : saucisse fumée et andouille, biscuits, fruits confits... Une idée de cadeau originale et pas ruineuse.
– ***Soieries et cotonnades de l'I-san ou du Laos :*** au sud de la ville, visiter ***Prathamakant Local Goods Center*** au 81 Ruen Rom Rd. Mérite vraiment le détour autant pour le choix de ses tissus que pour leur présentation. Sophon, qui parle bien l'anglais, saura vous faire découvrir une à une les provinces du Nord-Est au travers de leurs étoffes.

Fête

– ***Foire de la Soie :*** fin novembre-début décembre. Elle dure deux semaines : défilés, musique, danses traditionnelles et bien sûr expositions. Ne pas manquer l'élection de miss Soie !

➤ *DANS LES ENVIRONS DE KHON KAEN*

*** *Ban Kok Sa-nga – Le village des Cobras :*** à une cinquantaine de kilomètres au nord de Khon Kaen. Accès : de la gare routière de Khon Kaen, bus vert n° 501, direction Nam Pong-Kranuan (15 Bts, soit 0,3 US$). Un départ toutes les 90 mn entre 6 h du matin et 18 h. Descendre à Nam Pong, puis moto-taxi (2 km, 20 Bts, soit 0,4 US$). En voiture, de Khon Kaen, route n° 2 vers Udon Thani. Au km 33, tourner à droite et suivre la route 2039 (Nam Pong-Kranuan) jusqu'au km 14. Ensuite, c'est indiqué. Le village de Ban Kok Sa-nga se trouve à 1 200 m plus loin. Ouvert de 8 h à 17 h.
– Il s'agit d'un petit village pas comme les autres, où se promènent en liberté des colonies de cobras (le plus venimeux de tous les reptiles). À l'entrée du village, les villageois organisent des spectacles pour les visiteurs sous une sorte de hangar en bambou. Participation modeste conseillée. Chaque année, les 13 et 15 avril, se déroule le festival *Songkran*, une grande fête religieuse et profane où les cobras sont à l'honneur. Une reine des Cobras – *Miss King Cobra* – est élue ce jour-là et il n'est pas dangereux pour les garçons, contrairement aux reptiles, de l'approcher de près !

** *Sahat Sakan, la vallée des Dinosaures :*** le plateau central de l'I-san (nord-est du pays) constitue la région la plus riche de Thaïlande par le nombre de sites archéologiques mis à jour. Sahat Sakan serait un des plus importants, avec le site de *Phu Wiang* (parc national) situé à l'ouest de Khon Kaen. Il s'agit d'un grand cimetière de dinosaures ayant vécu dans cette région il y a 120 millions d'années. Les scientifiques ont retrouvé à Sahat Sakan des restes de « Siamotyrannus » (la version siamoise du tyrannosaure) qui serait l'ancêtre du fameux *Tyrannosaurus rex*, cette énorme bestiole qui vécut sur le continent américain une cinquantaine de millions d'années après son cousin d'Asie. Y aurait-il eu des migrations entre les deux continents *via* le détroit de Béring ?

– ***Accès :*** de Khon Kaen, prendre à l'est la route 209 jusqu'à Kalasin (80 km environ). De Kalasin, suivre la route 227, vers le nord, et faire encore une cinquantaine de kilomètres. Des panneaux indiquent la direction du site. Facile à trouver. Pas beaucoup de bus pour y aller.

– ***Le musée :*** entrée gratuite. Ce grand hangar archéologique est placé sous la protection de la science et du Bouddha. Un moine en robe safran médite près d'un petit autel, tandis qu'à l'intérieur, des scientifiques étudient des os. Les vitrines exposent des vertèbres géantes, des omoplates, des côtes, des tibias, des morceaux de hanche, ainsi que des photos, et des dessins. Dommage qu'il y ait si peu de commentaires en anglais.

QUITTER KHON KAEN

En bus ordinaire

Station de bus : dans Prachasamosorn Rd (15 mn à pied de Klang Muang Rd).

➢ ***Pour Loei, Udon Thani et Nong Khai :*** départ toutes les 30 mn jusqu'à 17 h 30.

➢ ***Pour Phitsanulok et Sukhothai :*** 5 départs par jour.

➢ ***Pour Nakhon Ratchasima :*** 3 départs très tôt le matin.

➢ ***Pour Bangkok :*** départs en début de matinée et en soirée.

En bus AC

En plein centre, à 50 m en retrait de Klang Muang Rd.

➢ Mêmes destinations que les bus ordinaires, mais moins nombreux.

En train

Gare : un peu excentrée, au bout de la Ruen Rom Rd.

➢ Chaque jour, 3 trains pour ***Nong Khai***, 2 pour ***Nakhon Ratchasima*** et 5 pour ***Bangkok***.

En avion

➢ 4 vols quotidiens pour ***Bangkok***.

MUKDAHAN – มุกดาหาร

Cette grosse bourgade, située sur la rive droite du Mékong, fait face à Savannakhet, ville sud-lao en pleine expansion et premier relais commercial entre la Thaïlande et le Vietnam. À l'image de Nong Khai, Mukdahan attire des investisseurs. La construction d'un pont sur le Mékong est à l'étude. Il sera situé à 2 km au nord de la ville et servira de nouvelle porte d'accès au Laos. Il devrait être achevé en 2004.

– ***Conseil :*** si vous allez au Laos, aucun visa lao n'est délivré à Mukdahan. Il faut le demander à Bangkok ou à Khon Kaen.

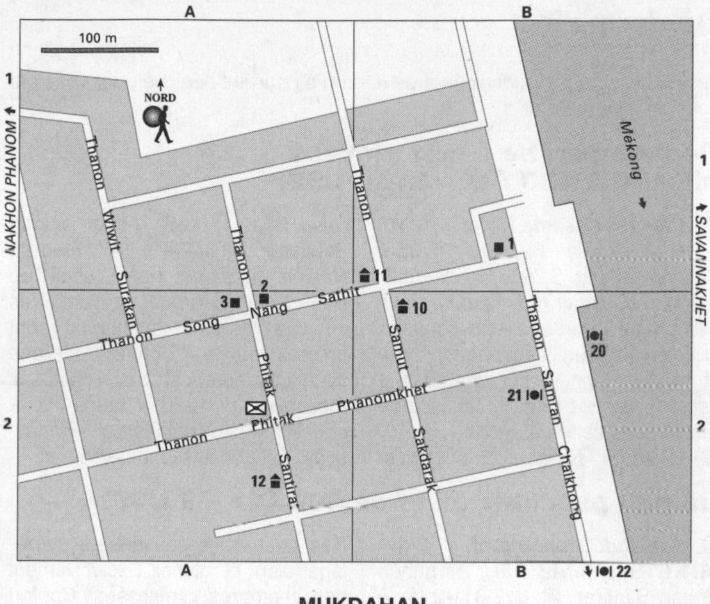

MUKDAHAN

■ **Adresses utiles**

1 Bureau de l'Immigration
2 Bangkok Bank
3 Thai Farmers Bank
✉ Poste centrale

Où dormir ?

10 Bantom Kasame Hotel
11 Huanum Hotel
12 Saensuk Bungalows

Où manger ?

20 Morris Ship Restaurant
21 Sukawadee Restaurant
22 Riverview Restaurant

Adresses utiles

■ ***Bureau de l'Immigration*** – สำนักงานตรวจคนเข้าเมือง *(plan B1, **1**)* **:** face à la jetée, pour les prolongations de visas thaïlandais. Ouvert tous les jours sauf samedi et dimanche, de 8 h 30 à 16 h 30. Compter 500 Bts (10 US$) pour prolonger le visa. Pas d'attente. Attention, ce bureau ne délivre pas de visa lao.

■ ***Bangkok Bank*** *(plan A1-2, **2**)* **:** angle Thanon Song Nang Sathit et Phitak Santirat. Ouvert de 8 h 30 à 15 h 30. Change et distributeur automatique de billets (cartes de paiement acceptées).

■ ***Thai Farmers Bank*** *(plan A2, **3**)* **:** en face de la *Bangkok Bank*. Ouvert de 8 h 30 à 15 h 30. Distributeur automatique. Change.

Où dormir?

Les hôtels sont plutôt quelconques. On en a pourtant déniché pour vous qui sortent un peu du lot.

De bon marché à prix moyens (de 150 à 400 Bts – 3 à 8 US$)

🏨 ***Bantom Kasame Hotel*** – บรรทม เกษมโฮเต็ล *(plan B2, **10**)* : 25/25-2 Thanon Samut Sakdarak. ☎ 042-611-235. Central, rudimentaire mais très propre, avec des moustiquaires aux fenêtres et l'eau chaude. Les chambres donnent sur une cour à l'arrière. Un des rares hôtels acceptables dans cette catégorie.

🏨 ***Huanum Hotel*** – ฮิวนำโฮเต็ล *(plan B1, **11**)* : 36 Thanon Samut Sakdarak. ☎ 042-611-197. Près du *Bantom Kasame Hotel*, situé au niveau d'un carrefour bruyant. Pas de vue mais les chambres sont propres, calmes (donnent sur une cour intérieure) et bien équipées (douche-w.-c., eau chaude, téléphone, TV). Certaines sont climatisées. Accueil assez impersonnel.

Un peu plus chic (plus de 400 Bts – 8 US$)

🏨 ***Saensuk Bungalows*** – แสนสุขบังกาโล *(plan A2, **12**)* : 2 Thanon Phitak Santirat. ☎ 042-611-214. À une centaine de mètres de la poste, en dépassant le grand carrefour. Des bungalows couverts de carrelage bleu et blanc. Exclusivement des chambres climatisées. Confort sommaire mais suffisant. Une bonne adresse.

Où dormir dans les environs?

🏨 ***Pirom's Guesthouse*** – ภิรมย์เกสท์เฮ้าส์ : à 12 km au nord de Mukdahan, dans le petit village de Wan Yai bordant le fleuve. Hébergement en dortoir ou en chambre double. Propre et familial, location de vélos et tours en bateau.

Où manger?

Très bon marché

🍽 Quantité de petites ***gargotes*** dispersées un peu partout en ville.

Prix moyens

🍽 ***Morris Ship Restaurant*** – ร้านอาหารมอริสชิป *(plan B2, **20**)* : à 200 m au sud du bureau de l'Immigration. Un bateau-resto pour un bref retour dans l'histoire, à l'époque coloniale française. En 1907, pour assurer sa mainmise sur l'Indochine, la France s'équipe d'un navire à fond plat. Le *Morris* relie en toute saison les provinces baignées par le Mékong. Pendant la Seconde Guerre mondiale, il approvisionna en armes les forces armées indochinoises. Racheté en 1986 par un homme d'affaires thaïlandais, il a été reconverti en restaurant flottant. Ambiance sympa à midi. Bonne cuisine thaïe et chinoise.

|●| *Sukawadee Restaurant* – ร้านอาหารสุขาวดี *(plan B2, 21)* : Thanon Samran Chaikhong, le long du fleuve, 100 m après le *Morris*. Bonne adresse pour dîner, à des prix sages, dans un environnement plutôt sympathique. À la carte, poissons du Mékong et cuisine lao-thaïe.

De bon marché à très chic (tout en un!)

|●| *Riverview Restaurant* – ร้านอาหารริเวอร์วิว *(hors plan par B2, 22)* : un peu excentré, à 600 m au sud du bureau de l'Immigration. De loin le meilleur restaurant de la ville, installé sur une superbe terrasse sur pilotis en équilibre sur le Mékong. Cadre très soigné, presque chicos. Pourtant, à côté des spécialités de poisson (poisson-chat, *tom yam, som tam*), des dizaines de plats à prix doux.

À voir

Le marché indochinois *(plan B1)* : concentré le long du fleuve à droite du bureau de l'Immigration et dans les ruelles alentour. On y trouve tout et n'importe quoi... du kitsch en veux-tu, en voilà, des outils et machines importés essentiellement de Chine *via* le Vietnam et le Laos. On y va surtout pour l'ambiance.

➢ ***Promenade le long du Mékong :*** bien ombragée et très agréable, y compris aux heures chaudes de la journée. En profiter pour visiter, près du bureau de l'Immigration, le *Wat Sri Mongkol Thaï* construit dans les années 1950 par des réfugiés vietnamiens. Visiter également le *Wat Sri Sumong, à* 200 m vers le sud. Noter le contraste important entre, d'un côté, ce *viharn* flambant neuf et, de l'autre, cet ancien *bot* d'influence architecturale française dans un état de délabrement avancé.

➤ *DANS LES ENVIRONS DE MUKDAHAN*

Le parc national de Mukdahan – อุทยานแห่งชาติมุกดาหาร *(Phu Pha Thoep)* : à 16 km de Mukdahan en direction de Khemarat par la route 2034. Prendre un taxi collectif (départ toutes les demi-heures à partir de 8 h) à 200 m au sud du *Mukdahan Hotel.* Dernier kilomètre et demi à pied. Ouvert tous les jours de 6 h à 18 h. Camping possible dans le parc, à condition de disposer d'une tente. Buvettes.

➢ Belle balade à travers des rochers à figures humaines ou animales (requin, sphinx égyptien, hippopotame, crocodile et bien d'autres...), qui vous mènera, à la saison des pluies, vers d'agréables cascades. Également des peintures rupestres préhistoriques, malheureusement bien endommagées, et des fossiles d'os de dinosaures. Du haut de la fameuse *Camel Cliff* (falaise en forme de dromadaire), grand panorama sur le Mékong et la plaine lao.

– Autres curiosités à ne pas manquer : la ***grotte aux Mille bouddhas*** et le ***lac Wang Deuan Ha*** en contrebas du parc.

QUITTER MUKDAHAN

En bus

Gare routière : à 3 km au nord de la ville le long de la route 212 (direction Nakhon Phanom). S'y rendre en *tuk-tuk.*

➢ Multiples départs quotidiens pour ***Bangkok*** (en soirée), ***Ubon Ratchathani*** et ***That Phanom***.

En bateau

➢ ***Bateaux pour Savannakhet*** – เรือไปสุวรรณเขต : ☎ 042-611-074 (informations). Billet : 50 Bts (1 US$). Quatre traversées quotidiennes en semaine, 3 bateaux le samedi et 2 le dimanche. De Savannakhet, liaisons quotidiennes avec Vientiane (12 h) et Pakse (6 h). Attention, aucun visa délivré à la frontière. L'obtenir à Paris, Khon Kaen ou Bangkok. Bien faire spécifier votre port d'entrée sur le visa, sinon on risque de vous renvoyer à Nong Khai.

NAKHON RATCHASIMA (EX-KORAT) – นครราชสีมาโคราช

200 000 hab.

Ici plus que partout ailleurs dans le Nord-Est, immeubles et bureaux prolifèrent aux coins des rues, signe que Nakhon Ratchasima suit sa grande sœur Bangkok (seulement 260 km les séparent). Ancienne base américaine pendant la guerre du Vietnam, la ville est aujourd'hui une cité moderne assez étendue, sans véritable charme mais une étape obligée sur la route de Phimai.

Adresses utiles

🛈 ***TAT*** – ท.ท.ท. *(office du tourisme)* : 2104 Mittraphap Rd. ☎ 044-213-666. Fax : 044-213-667. Assez excentré (à 3-4 km). Du centre, prendre le bus n° 2 ou 3 et se diriger vers l'ouest. Ouvert tous les jours de 8 h 30 à 16 h 30. Pas mal d'infos et une très bonne carte de la ville.

@ ***Internet Service*** : plusieurs boutiques Internet dans la ville. Il y en a une boulevard Thanon Ratchadamnoen, sur la droite (en venant du nord), à 250 m avant l'entrée du Musée national. Ouvert de 10 h à 22 h. Compter 15 Bts (0,3 US$) l'heure. Un autre centre se trouve près de la poste, au 130/3 T. Jomsurang, presque à l'angle avec Buarong. Ferme à minuit.

✉ ***Poste centrale*** – ไปรษณีย์ : dans la rue Jomsurang, à 200 m du grand boulevard Ratchadamnoen. Ouvert de 8 h 30 à 16 h 30, tous les jours sauf samedi après-midi et dimanche. Il y a deux bâtiments côte à côte : la poste à droite et le téléphone *(Télécom)* à gauche.

■ ***Télécom*** : ouvert tous les jours de 8 h du matin à 22 h.

■ ***Asia Bank*** : 15 Thanon Chompol. Distributeur automatique de billets, acceptant les cartes de paiement internationales.

Où dormir ?

Peu d'adresses « bon marché » dans cette ville de passage. Pour trouver des hébergements à bas prix, mieux vaut aller dormir à Phimai qui, par ailleurs, est une petite ville très agréable.

De bon marché à prix moyens (de 150 à 500 Bts – 3 à 10 US$)

🏠 ***Doctor's House*** – ด็อกเดอร์เฮ้าส์ : à 600 m environ du TAT, sur Suep Siri Rd, Soi 4 (juste avant la voie ferrée). ☎ 044-255-846. Petite pension excentrée mais très calme. Un couple de retraités parlant quelques mots d'anglais s'occupe de la maison. Il y a 4 chambres très simples mais propres, avec ventilo et salle d'eau sur le palier.

🏠 ***Thai Pokaphan Hotel*** – โรงแรมไทยโภคภัณฑ์ : 106/110 Thanon Asadang. ☎ 044-242-454. À deux blocs à l'est du boulevard principal Thanon Chompol. Simple, sans prétention et suffisamment propre. Chambres avec ventilo ou AC. La nº 203 a 2 fenêtres.

🏠 ***Siri Hotel*** – ศิริโฮเต็ล : 688-690 Phoklang St. ☎ 044-242-831. Même immeuble que le *VFW Café*. Réception vieillotte, accueil moyen mais chambres pour routards finalement assez correctes pour le prix. Confort minimum : AC et douche-w.-c. sur le palier (pour certaines).

🏠 ***Potong Hotel*** – โรงแรมโพธิ์ทอง : angle de T.J. Phoklang et de Ratchadamnoen. ☎ 044-251-962. Au bord d'une place. Central, dans un immeuble en béton quelconque. Chambres avec carrelage, douche-w.-c., AC.

Prix moyens (de 500 à 1 200 Bts – 10 à 24 US$)

🏠 ***Sri Patana Hotel*** – โรงแรมศรีพัฒนา : 346 Suranaree Boulevard. ☎ 044-251-652. Fax : 044-251-655. Près du *Korat Memorial Hospital*. Hôtel central de bon rapport qualité-prix. Immeuble à la déco banale mais chambres propres et confortables avec AC, frigo et TV. Vue sur la ville.

Très chic (à partir de 1 200 Bts – 24 US$)

🏠 ***Chomsurang Hotel*** – โรงแรมชมสุรางค์ : 270-1/2 Mahadthai Rd. ☎ 044-257-080. Assez central, à côté du marché de nuit. Grand immeuble de 9 étages. Le moins cher des hôtels de luxe de la ville. Impeccable. Excellent resto et piscine. Quelques discounts, demander.

Où manger ?

De très bon marché à prix moyens

🍴 ***Le marché de nuit*** – ตลาดกลางคืน : le long de Manat Rd, entre les rues transversales Chumphon et Mahadthai.

🍴 ***Wan Varn Restaurant*** – ร้านอาหารวันวาน : 101-103 Mahadthaï Rd. ☎ 044-244-509. Au niveau du croisement avec Chakri Rd. Ouvert jusqu'à 22 h. « Ah, les bons vieux jours » *(Wan Varn)*, tel est le style asiatico-européen de ce resto qui regorge d'antiquités et d'objets de brocante. Les tables sont importées du Vietnam, les abat-jour de France, les pendules d'Allemagne, le piano d'Amérique, le 78-tours d'Inde... Côté cuisine, c'est plus classique (exclusivement thaï) mais fort bon.

🍴 ***Doksom Restaurant*** – ร้านอาหารดอกส้ม : 130-142 Chumphon Rd. ☎ 044-252-020. En plein centre-ville, face à la statue de Thao Suranari. Même Pierce Brosnan, monsieur James Bond à l'écran (photo de lui à l'entrée), a aimé l'endroit. Pourtant c'est simple et les prix sont modérés. Délicieux patio ceinturé de végétation (bambous, petits arbustes) où l'on peut déguster de nombreuses spécialités locales. Cuisine fine et savoureuse. Serveuses en tenue traditionnelle de l'I-san. Clientèle jeune et branchée, musique thaïe.

🍽 Le patron du *Doksom* dirige aussi le ***Ton Som*** – ร้านอาหารต้นส้ม, 125 Watcharasit Rd (prolongement de Chakri Rd), à deux pas du *Wan Varn*. Mêmes prestations mais dans un décor plus classique.

🍽 ***Steak House :*** 432-436 Thanon Suranaree, près de Tecnic Korat. ☎ 044-997-10-61. Ouvert de 11 h à minuit. Cadre à l'occidentale et service à la thaïlandaise, c'est-à-dire excellent. Poulet, poisson, porc, soupes, salades et steaks de toutes les tailles. Groupes musicaux thaïlandais de 9 h 30 à minuit.

Plus chic

🍽 ***Restaurant Le Paris :*** 1 Thanon Manat (Kobkaew House), angle avec Thanon San Pasit. ☎ 044-241-031. Une jolie maison thaïe, de style ancien, entourée de quelques arbres. Le patron, Marc Fromentin (« Marco »), a vécu en Nouvelle-Calédonie, avant de se fixer à Korat où il a rencontré Noy, son épouse. Cuisine française mijotée et étudiée, et même concoctée avec amour, dans la grande tradition latine (avec des petits vins !). Très bonne adresse pour dîner. Accueil excellent.

🍽 ***Deutsches Haus*** – ร้านอาหารเยอรมัน ***:*** 2737 Thanon Manat. ☎ 044-242-139. Ferme à 23 h. Près du restaurant *Le Paris*. Vieille maison de charme où l'on sert de la fine cuisine allemande. Agréable jardin ombragé.

Où boire un verre ?

🍸 ***VFW Café*** – วี.เอฟ.ดับเบลยู.คาเฟ่ใกล้ศิริโฮเต็ล ***:*** sur Phoklang Rd, à l'ouest de la ville (légèrement excentré). Ce n'est plus le rendez-vous des anciens combattants américains du Vietnam ou de la Corée. Mais un vague bar américain déglingué. Ambiance pauvrette. On peut aussi y manger un steak-frites, avec ketchup et mayonnaise à volonté.

À voir

🚶 ***Le Musée national Maha Viravong*** – พิพิธภัณฑ์โบราณคดี ***:*** sur Thanon Ratchadamnoen. À côté du *Wat Suthachinda*. Ouvert tous les jours de 9 h à 17 h. L'intérêt de ce petit musée, créé à partir de la collection privée d'un important moine de l'I-san, se limite à quelques pièces intéressantes d'époques dvâravatî et khmère. Pour les passionnés.

🚶 ***Le mémorial de Thao Suranari*** – อนุสาวรีย์ท้าวสุรนารี ***:*** en sortant du musée, plus loin à gauche, sur la même avenue (à Chumphon Gate). Thao Suranari est une héroïne locale, vénérée pour avoir organisé la résistance contre une invasion lao en 1826. D'ailleurs, chaque année, une fête est organisée en son honneur fin mars-début avril. Pendant 10 jours, les rues *Chumphon* et *Mahadthai* se transforment chaque soir en une immense kermesse commerciale.

ꝗ **Wat Sala Loi** – วัดศาลาลอย **:** à l'extrême nord-est de la ville. Prendre le bus n° 2 sur Mittraparp Road (l'espèce de boulevard périphérique au nord de Ratchadamnoen) et demander au chauffeur de vous arrêter à *Sala Loi*. Pour les amateurs de jolis temples, en voici un de style moderne bâti sur l'eau. Observer sur la façade avant la peinture retraçant la lutte de Bouddha contre les diables. Sur le pignon arrière, une belle mosaïque en céramique sur le thème du retour de Bouddha parmi les hommes.

➤ DANS LES ENVIRONS DE NAKHON RATCHASIMA

ꝗꝗꝗ ***Le temple de Prasat Phanom Wan*** – วัดปราสาทหินพนมวัน **:** à 20 km de Nakhon Ratchasima. Emprunter la route n° 2 en direction de Khon Kaen. Après 15 km, une petite transversale sur la droite s'engage dans la campagne, c'est indiqué. Des bus partent de Nakhon Ratchasima approximativement toutes les heures de 7 h à 17 h 30 (3 arrêts au choix : gare n° 1, gare n° 2 ou porte de Pratu Phonsaen). Possibilité de continuer après sur Phimai. Compter une bonne matinée aller-retour.
Restauré par une équipe de l'École française d'Extrême-Orient, ce temple dédié initialement à Çiva fut construit du IXe au XIe siècle selon le plan classique du sanctuaire khmer (avec chœur, couloir et antichambre) entouré d'une enceinte carrée percée de quatre portes *(gopuras)* identiques. De ses linteaux sculptés, il n'en reste malheureusement plus qu'un au-dessus de l'entrée nord du sanctuaire, représentant un dieu assis sur la tête d'un *kala*. Les autres ont rejoint les musées de Phimai et Bangkok. Également plusieurs statues bouddhiques en pierre.

ꝗ **Boutique de soierie** *(Thai Silk Shops)* **:** à Pakthong-Chai. À 3 km au sud de Nakhon Ratchasima. Le bus qui vient de Bangkok y passe. Les soieries à prix d'usine. Choix formidable. Plusieurs magasins. L'un de nos préférés s'appelle *Chatthong Thai Silk*.

QUITTER NAKHON RATCHASIMA

En bus

Désormais, presque tous les départs se font de la ***gare routière n° 2*** sur la route de l'Amitié *(Friendship Highway)* au nord de la ville (à moins de 1 km du centre, s'y rendre en *tuk-tuk*). Une employée baragouine quelques mots d'anglais et tout est écrit en thaï. La gare routière n° 1 (Burin Lane) ne fonctionne plus que pour les petits trajets à l'intérieur du district (et encore, pas tous, les bus pour Phimai partant maintenant de la gare n° 2).
➢ ***Pour Phimai :*** bus n° 1305, départ toutes les 30 mn de 5 h à 20 h.
➢ ***Pour Nong Khai :*** départ en bus AC toutes les heures de 12 h à 3 h du matin.
➢ ***Pour Ubon Ratchathani :*** 2 départs quotidiens en bus AC.
➢ ***Pour Phitsanulok et Chiang Mai :*** 5 départs en bus AC, 3 en bus ordinaire.
➢ ***Pour Bangkok*** (via ***Sara Buri***) ***:*** départs toutes les 25 mn. Fréquence moyenne : 20 mn pour les bus ordinaires, 40 mn pour les bus climatisés.

En train

➢ ***Pour Sara Buri, Ayutthaya et Bangkok :*** 7 départs quotidiens. Durée : 6 h pour Bangkok.
➢ ***Pour Surin :*** également 7 départs quotidiens.
➢ ***Pour Ubon Ratchathani :*** 6 départs quotidiens.

En avion

✈ Aéroport : à une trentaine de kilomètres de la ville. Il y a 1 seul vol quotidien ***vers Bangkok*** sauf le lundi et le samedi (2 vols).

PHIMAI – พิมาย

Située à une soixantaine de kilomètres de Nakhon Ratchasima sur la route de Khon Kaen, Phimai est une tranquille petite bourgade célèbre pour son merveilleux temple khmer construit de la fin du XIe à la fin du XIIe siècle. Celui-ci plaira à ceux qui désespèrent de voir un jour le temple d'Angkor (Cambodge). Plantée au confluent des rivières Moon et Lamjakarat, Phimai vous reposera aussi des grandes cités modernes et bruyantes, d'autant qu'elle est encore assez peu touristique. L'accueil y est sympa et naturel.

UN PEU D'HISTOIRE

Le royaume khmer s'étendait, il y a huit siècles, jusqu'à Sukhothai, aux confins de la Birmanie et de la Malaisie. À l'époque, Phimai était reliée directement par la route à Angkor (qui n'est, songez-y, qu'à 250 km !). Des inscriptions ont révélé d'ailleurs que le temple fut bâti antérieurement à Angkor et aurait servi de modèle à ce dernier.
Phimai fut abandonnée au XIIIe siècle et tomba par la suite en ruine.

Comment y aller ?

➢ ***De Nakhon Ratchasima uniquement :*** départ toutes les 30 mn de 5 h 30 à 22 h de la gare routière no 2 (bus no 1305).

Adresses utiles

🛈 ***Tourist Information (bureau privé) :*** au *Bai-Teiy Restaurant.* On y trouve le plan de la ville, ainsi que les horaires des bus.

■ ***Change :*** à la *Thai Farmers Bank,* dans la rue principale. Ouvert de 8 h 30 à 15 h 30. Distributeur automatique de billets acceptant les cartes de paiement.

■ ***Thai Military Bank :*** à 50 m de l'entrée du temple. Ouvert de 8 h 30 à 15 h 30. Distributeur automatique de billets.

@ ***Internet Service :*** dans une boutique à l'enseigne d'*Agfa*, à 100 m de l'entrée du temple, sur la droite de la rue principale (en venant du temple). Compter 50 Bts (1 US$) de l'heure.

Où dormir ? Où manger ?

I●I À proximité de l'arrêt de bus pour Nakhon Ratchasima et du *Phimai Hotel*, quelques *gargotes* bien sympathiques.

De bon marché à prix moyens (de 80 à 200 Bts – 1,6 à 4 US$)

🏠 ***Prasat In Phimai Guesthouse*** – ปราสาทอินน์พิมายเกสท์เฮ้าส์ *:* 203 Anantajinda. ☎ 044-287-096. Dans le centre-ville, sur la rue qui longe le parc historique où se trouve le temple. Au rez-de-chaussée, une boutique de souvenirs. Dans le fond, un coin cuisine. À l'étage, 4 chambres (dont une avec fenêtre) très ordinaires (propres quand même) avec douche commune (en bas). Accueil souriant.

🏠 ***Old Phimai Guesthouse*** – โอลด์พิมายเกสท์เฮ้าส์ *:* 214 Chomsudasapet Rd. ☎ 044-471-918. Dans une petite impasse débouchant dans la rue principale, à 150 m du parking devant l'entrée du parc historique (au niveau d'une boutique *Agfa*) et juste avant le *Bai-Teiy Restaurant*. Maison en bois, calme, propre et aérée. Dortoirs et chambres avec ou sans AC, avec moustiquaires. Salle de bains commune sur le palier avec eau chaude à l'étage, eau froide en bas. Terrasses sur le toit ou côté jardin (ombragé). Plein d'infos disponibles. Location de vélos. Une excellente adresse, associée à l'AJ.

Prix moyens (de 200 à 400 Bts – 4 à 8 US$)

🏠 ***S. and P. Guesthouse*** – เอส.แอนด์.พี.เกสท์เฮ้าส์ *:* ☎ 044-471-992. Dans une ruelle tranquille, juste en face de la *Old Phimai Guesthouse*. Une chambre triple très intéressante. Pension familiale, simple et dépouillée, tenue par une jeune femme dynamique qui parle l'anglais. Dortoir de 4 lits, assez grand. Toilettes propres. Chambres modestes mais de confort suffisant, avec balcon pour prendre le petit dej'.

I●I ***Bai-Teiy Restaurant*** – ร้านอาหารใบเตยถนนกลางเมือง *:* dans la rue principale, trottoir de gauche en allant vers le temple. Ouvert de 8 h à 21 h 30. Pour quelques poignées de bahts, on peut manger sur la terrasse bien aérée à l'extérieur ou dans une salle climatisée à l'intérieur. Cartes en anglais et en thaïlandais. Cuisine soignée et vrai petit dej'. En plus, les filles de la maison sont sympas.

Un peu plus chic (autour de 600 Bts – 12 US$)

🏠 ***Phimai Hotel*** – พิมายโฮเท็ล *:* 305 Harutairome Rd. ☎ 044-471-306. Fax : 044-471-940. • phimaihotel@korat.in.th • Dans la dernière rue avant Pratou Chai, la porte sud de Phimai. Pas bien loin (150 m) des deux précédents. Bâtiment propre et intérieur agréable. Chambres correctes et calmes, avec frigo, TV et AC. Vue sur la rue ou sur les toits de la ville. Organise des excursions dans les environs.

À voir

👀 ***Prasat Hin Phimai (le Temple)*** – ปราสาทหินพิมาย *:* ouvert de 7 h 30 à 18 h 30. Entrée : 40 Bts (0,8 US$). On conseille vivement d'entreprendre la

visite de très bonne heure. Trois raisons à cela : d'une part, les premiers groupes n'arrivant qu'à 8 h, on a le site pour soi tout seul, d'autre part la lumière est idéale pour les photos, enfin, il fait frais ! Compter entre 1 h 30 et 2 h de visite.
« Château de pierre » édifié sur le principe hindouiste du *mandala* (centre cosmique de l'univers). L'eau entourant Phimai figurait les océans ; ses murailles, les montagnes la protégeant ; le temple, la montagne magique ; et le sanctuaire principal, le légendaire mont Méru. Pourtant, ce dernier ne semble pas avoir servi au culte hindou mais au bouddhisme mahayana. En témoignent les multiples statues de Bouddha ainsi que les deux linteaux de part et d'autre du couloir central du sanctuaire (représentations de Bouddha face à l'assaut de Mara puis en méditation sous un serpent-*nâga*).
Le monument principal, édifié en grès blanc et fort bien restauré (même si l'assemblage des sculptures du fronton présente quelques bizarreries !), est entouré de deux autres édifices qui semblent n'avoir jamais été achevés : le *prang Hin Daeng*, construit en grès rouge, et le *prang Brahmadat*, en latérite. Derrière le *Hin Daeng*, un petit temple hindou en latérite également. Parmi les thèmes traités par les sculptures extérieures de l'édifice principal, on retiendra surtout les nombreuses allusions à la célèbre épopée indienne du *Rāmāyana* tels que ce curieux linteau ouest représentant Rāma, septième avatar de Vishnu, et son frère Lakshmana, enserrés par un serpent, ou encore ce fronton est décrivant la mort de Râvana.

⚘⚘ ***Le Musée national de Phimai* – พิพิธภัณฑสถานแห่งชาติ *:*** à 300 m en direction du site du *banian géant*, par la route 206, juste avant la rivière Moon. Face à la *Phimai Primary Education Office*. Ouvert tous les jours de 9 h à 16 h. Avec ses riches collections de poteries et céramiques retrouvées à Ban Prasat, ses *semas* d'époque dvâravatî et ses statues, colonnes, linteaux et frontons d'époque khmère, ce musée se veut la première vitrine culturelle de l'I-san. Construit sur deux étages, il est en outre exceptionnellement bien agencé (clair, structuré et aéré). La visite ne s'en trouve que plus agréable.
Parmi les œuvres essentielles, de splendides linteaux sculptés provenant de toute la région (Phimai mais aussi Phanom Rung ou Phanom Wan). Mais le joyau du musée, provenant du sanctuaire de Phimai, est sans aucun doute la statue en pierre de Jayavarman VII, le dernier grand roi khmer qui gouverna l'empire à son apogée de 1181 à 1219. À l'extérieur, remarquer les chouettes illustrations murales face au parking du musée (poteries, roues à tisser...).

⚘ ***Le banian géant* – ต้นไม้ยักษ์ *:*** situé à environ 2 km de Phimai vers le nord-est. Passer le musée, le pont sur la rivière Moon et 1re à droite. Allez-y à pied ou en cyclo-pousse. Visite à ne pas manquer. C'est un des lieux de promenade favoris des habitants de la région. Le banian est un arbre sacré pour les bouddhistes, car la légende assure que le Bouddha reçut l'Illumination sous un arbre de cette espèce. Quelque 350 printemps pour ce jeune homme !

QUITTER PHIMAI

➢ ***Pour Nakhon Ratchasima :*** départ en bus toutes les demi-heures, entre 5 h 30 et 23 h, de l'arrêt de bus au croisement des rues Harutairome et Chomsudasapet (près du *Phimai Hotel*).

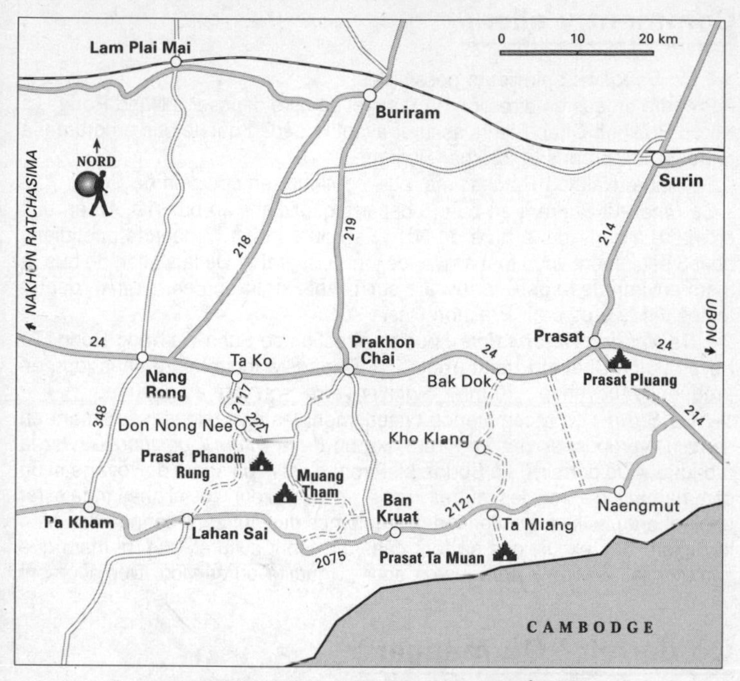

LA ROUTE DES CITADELLES KHMÈRES

➢ ***Pour Bangkok*** *(direct)* **:** 317 km, 7 h de route. Départ au nord du temple du carrefour formé des rues Vonprang (celle qui mène au musée) et Chomsra. Un bus par heure, entre 8 h 30 et 23 h. Néanmoins, on peut aussi choisir la liaison indirecte en passant par la gare routière n° 2 de Nakhon Ratchasima, où les départs vers Bangkok sont fréquents.

LA ROUTE DES CITADELLES KHMÈRES, DE NAKHON RATCHASIMA À SURIN

Ce voyage hors des sentiers battus fera découvrir aux amoureux de l'art extrême-oriental quelques temples qui comptent parmi les plus délicats témoignages que la civilisation khmère nous ait laissés.

– ***Conseil pratique pour s'y rendre :*** étant donné les distances qui séparent les sites et leur situation le plus souvent à l'écart des grands axes, une fois n'est pas coutume, on conseille la location de motos et de voitures, très appréciable et pas si chère en définitive (compter en moyenne 150 à 250 Bts, soit 3 à 5 US$ par jour pour une moto petite cylindrée, 500 à 800 Bts, soit 10 à 16 US$ pour une voiture d'occasion). Cela dit... moyennant un minimum de temps et de patience, le circuit est tout à fait envisageable en transports en commun.

Comment y aller ?

➢ ***De Bangkok :*** plusieurs possibilités.
– Prendre un bus en direction de Surin et se faire déposer à Nang Rong, Ta Ko ou Prakhon Chai. Bien s'assurer avant le départ que le bus emprunte la route 24 et non pas la 226 par Buriram.
– Rejoindre Nakhon Ratchasima, puis continuer en direction de Surin.
– Se rendre à Buriram en bus (6 départs quotidiens en bus AC, 10 en bus ordinaire à partir de la gare du Nord-Est) ou en train (7 départs quotidiens dont 3 seulement vous font arriver de jour à Buriram). De la station de bus (à 3 km environ de la gare ferroviaire sur Thani Rd ; liaison en *tuk-tuk*), départ toutes les heures pour Prakhon Chai.
➢ ***De Nakhon Ratchasima :*** bus en direction de Surin *via* Nang Rong, Ta Ko, Prakhon Chai et Prasat (route 24). Départs à toute heure de la journée (fréquence moyenne : 30 mn). Signaler l'arrêt souhaité au chauffeur.
➢ ***De Surin :*** on recommande chaudement les excursions (seulement en semaine) proposées par M. Pirom, patron de la *Pirom Guesthouse* (voir la rubrique « Où dormir ? » à Surin). M. Pirom n'est ni un agent de voyage ni un commerçant comme les autres, mais un travailleur social thaïlandais (et anglophone), cultivé et attentif aux problèmes des autres. Il connaît très bien la région. Ses excursions se font dans un esprit culturel, plus humain que commercial. Ses prix sont justes pour la qualité du service. Déplacement en 4x4.

Où dormir ? Où manger ?

Pendant son séjour dans le coin, on peut dormir soit à ***Prakhon Chai*** – ประโคนชัย, soit à ***Nang Rong*** – นางรอง. Prakhon Chai présente l'avantage d'être relié directement au Prasat Phanom Rung par *songthaew* (ce qui n'est pas le cas de Nang Rong).

🏨 ***Sukpaïboon Hotel*** – สุขไพบูลย์ โฮเต็ล ***:*** Pakdedomrong Rd, Prakhon Chai. ☎ 044-671-125. À peine à 10 mn à pied de la gare routière, à côté de la place du marché. Hôtel en bois proposant des chambres ventilées avec ou sans salle d'eau intérieure. Très bon marché et en plus très couleur locale.

🏨 🍽 ***Honey Inn*** – ฮันนิอินน์ ***:*** 8/1 Soi Srikoon, Nang Rong. ☎ 044-624-057. En venant de Ta Ko, c'est bien affiché (panneau bleu) sur la droite de la grand-route, un peu après la poste. Petite *guesthouse* tenue par un couple d'enseignants charmants. Chambres avec ventilo ou AC bien entretenues. M. Phaisan, qui est à la retraite, se consacre à sa nouvelle activité. Il y a aussi une dépendance dans un grand immeuble. Préférer la maison de famille où vous pourrez déguster la délicieuse cuisine de Madame.

PRASAT PHANOM RUNG – ปราสาทหินพนมรุ้ง

Comment y aller ?

➢ ***De Nang Rong :*** prendre un *songthaew* jusqu'à Don Nong Nae (route n° 2117). Descendre au niveau de la pancarte bleue « Phanom Rung

Resort ». De là, prendre un autre *songthaew* ou une moto-taxi pour rejoindre le temple (route n° 2221 pendant 6 km).

➢ ***De Ta Ko :*** *songthaew* toutes les 10 mn en moyenne en direction de Don Nong Nae. Puis même trajet que précédemment.

➢ ***De Prakhon Chai :*** prendre un *songthaew* de la station des taxis collectifs. Départs de 10 h à 17 h 30 à peu près toutes les 2 h. On vous dépose au pied de la colline (dernier kilomètre à faire à pied).

➢ ***De Nakhon Ratchasima :*** à 150 km à l'ouest. Compter 2 h de bus.

À voir

¶¶ ***Le Prasat Phanom Rung*** – ปราสาทหินพนมรุ้ง *:* tout comme pour Phimai, on conseille de le visiter de préférence à l'aube ou, à défaut, peu avant la tombée de la nuit. Édifié sur un ancien volcan dominant l'axe historique d'Angkor et entouré de plaines fertiles, Phanom Rung jouit d'un site stratégique exceptionnel. Pendant la saison des pluies, les champs de riz s'étendent en tous points de l'horizon. La construction de cette œuvre colossale, dédiée au dieu Çiva (même si Vishnu n'en est pas totalement absent), s'est étalée sur trois siècles (Xe-XIIe s.).

On accède au *prasat* côté est par une première rangée de marches menant à une terrasse en croix. Sur la droite, la *salle de l'Éléphant blanc* où le roi venait se changer et prendre ses habits de prière. Ensuite, une allée de 160 m se dessine, délimitée de part et d'autre par 67 pierres représentant les boutons du lotus sacré. S'ensuit une 1re balustrade en forme de *nâga* à cinq têtes, symbolisant le passage du profane au divin. Puis, un escalier (les habituels bassins lustraux), un pont à cobras et enfin l'entrée est de l'enceinte du *prasat*, émaillée de superbes sculptures.

Un peu plus loin encore, on découvre la façade est du sanctuaire, décorée du ***plus célèbre linteau de Thaïlande*** (représentant Vishnu couché sur un serpent dans la mythique mer de lait). Une anecdote vaut d'être racontée à son sujet : le linteau fut dérobé en 1966, vendu dans une rue de Bangkok à un collectionneur new-yorkais qui, lui-même, le revendit par la suite à l'*Art Institute of Chicago*. Le mystère du vol, découvert dix ans plus tard, ne tarda pas à déclencher un véritable tollé et, sous la pression de la Thaïlande, l'œuvre fut rendue en 1988. Depuis, la malédiction semble avoir frappé les voleurs du trésor. À l'exception de l'un d'entre eux, tous auraient trouvé la mort dans des conditions accidentelles... Parenthèse fermée, on vous laisse en paix pour découvrir les quantités d'autres sculptures remarquables que compte le sanctuaire.

En fin de visite, ***musée*** intéressant.

|●| Restos et buvettes.

MUANG THAM – เมืองต่ำ

L'un des plus beaux temples khmers à notre goût, car l'ensemble est un délicieux équilibre entre les pierres, l'eau et la verdure. Le tout fut restauré avec élégance par une grande archéologue qui n'est autre que la fille du roi actuel.

➢ ***Accès :*** à 8 km au sud-est du *Prasat Phanom Rung*. De ce dernier,

continuer la route 2221 en direction de Prakhon Chai sur 3 km puis tourner sur la droite au niveau du panneau indicatif en thaï. Y aller en taxi, ou pourquoi pas, en marchant (ça descend !).
C'est au pied de la colline où s'élève Phanom Rung que cette « cité basse » fut construite, un siècle avant le célèbre *prasat*. Le *lingam* retrouvé au cœur du sanctuaire, de même que l'important linteau de la tour nord-est, figurant Çiva et Uma sur le taureau Nandin, montrent que celui-ci était dédié à Çiva. Sa disposition présente une curieuse similitude avec le *Prasat Kamphaeng Yai* de Surin (voir « Dans les environs de Surin »). Le sanctuaire, bâti en deux rangées de tours, est flanqué de ses deux habituelles bibliothèques et enserré de deux enceintes percées chacune de quatre *gopuras* (portes d'entrée) relatives aux quatre points cardinaux et séparées par des bassins lustraux. Beaucoup de charme, environnement paisible, et moins de touristes qu'au *Prasat Phanom Rung*.

PRASAT PLUANG – ปราสาทหินบ้านพลวง

Comment y aller ?

➢ Très facile d'accès. À partir de Prasat, prendre un *songthaew* vers le sud (route 214) ou marcher pendant 2 km. Le monument est à 500 m en retrait de la route sur votre gauche.

Visite

Ouvert officiellement de 7 h 30 à 18 h. En réalité, le temple est accessible à toute heure.
Tour unique *(prang)* en grès, élevée sur un socle de latérite en forme de croix (côté est). Construit à la fin du XIe siècle, l'édifice semble avoir été dédié à Indra, le roi des dieux du panthéon védique. Montant son habituel véhicule Airavata (l'éléphant blanc aux quatre défenses), il trône d'ailleurs au centre des deux linteaux est et sud. La qualité des sculptures est remarquable. On reconnaît d'ailleurs de nombreuses représentations animalières au sommet des linteaux (vaches, singes, écureuils...). Krishna (soulevant un taureau par les cornes) est aussi dans les parages, précisément sur le fronton face à l'entrée est. Enfin, en arrière-plan, on retrouve la traditionnelle maison des esprits, sans doute pour protéger Indra des foudres de l'enfer...

PRASAT TA MUAN – ปราสาทตาเมือน

Comment y aller ?

➢ Quelques *songthaews* relient régulièrement Prasat à Ta Miang. De là, louer un taxi ou une moto-taxi pour accomplir les 12 derniers kilomètres par une piste en latérite (que tout le monde connaît à Ta Miang). Après 8 km, apparaît un barrage policier. On vous proposera sans doute de vous escorter jusqu'aux ruines.

Visite

Bien que d'un accès difficile (moyens de transport limités), cet ensemble de ruines perdues dans la jungle à la lisière du Cambodge constitue pourtant une des excursions les plus excitantes qui soient. Sa puissance évocatrice, restée intacte malgré les dégradations du temps (et des hommes !), rend à la culture khmère, comme nulle part ailleurs en Thaïlande, sa dimension profondément tragique.

Trois kilomètres après le barrage de la sécurité, vous voilà au ***Prasat Ta Muan***. Cet édifice en latérite élevé entre la fin du XIIe et le début du XIIIe siècle faisait à l'époque office de chapelle pour les voyageurs et pèlerins en nuitée dans l'auberge voisine. En revanche, hormis un linteau et une série de colonnes ajourées sur sa façade est, il ne présente que peu d'intérêt figuratif.

– 200 m plus loin, on arrive au ***Prasat Ta Muan Thot*** – ปราสาทตาเมือนโต๊ด, l'ancienne chapelle d'un hôpital construit sous le règne du dernier grand roi de l'empire (Jayavarman VII). Aucune trace de cet hôpital (ni d'ailleurs de l'auberge citée précédemment) qui, selon toute vraisemblance, devait être en matériaux légers. Une fois encore, il ne reste aucune décoration sinon deux ou trois volutes.

– On continue à s'enfoncer 500 m dans la forêt pour atteindre une bifurcation. À gauche, la route mène, après 2 km, au camp militaire frontalier de ***Ta Nam Tô***. Accès autorisé, demander à voir le panorama plongeant sur la plaine cambodgienne depuis la fontaine.

– Mais c'est en tournant sur la droite qu'on atteint, 200 m plus loin, le joyau de Ta Miang, le ***Prasat Ta Muan Thom*** – ปราสาทตาเมือนธม. De loin le plus impressionnant des trois édifices, il fut également érigé durant le règne de Jayavarman VII. Composé d'un sanctuaire central, de deux tours au nord et de deux bâtiments en aile, Ta Muan Thom est orienté, tout comme Phimai, vers le sud. Très probablement, il devait jalonner la voie reliant Phimai à Angkor. Le sanctuaire, bâti autour d'un *lingam* taillé à même la roche naturelle, présente encore de belles décorations (volutes de fleurs, serpents-*nâga*, motifs géométriques). Malheureusement, linteaux et frontons sculptés ont complètement disparu, arrachés de force (parfois à la dynamite) par les Khmers rouges qui occupèrent le site jusqu'en 1980. Aucun danger à condition de ne pas s'aventurer en forêt (mines non désamorcées).

QUITTER LA RÉGION

➢ ***Au départ de Nang Rong ou Ta Ko :*** arrêt le long de la grand-route.
➢ ***Au départ de Prakhon Chai :*** terminal des bus à 500 m au nord de l'intersection entre les deux grands axes routiers (routes n°s 219 et 24).

DE SURIN À KHONG CHIAM

SURIN – สุรินทร์, 40000 hab.

Ville célèbre pour son rassemblement annuel d'éléphants le 3e week-end de novembre. Pas loin de 200 pachydermes participent à cette fête exécutant parades, exercices de force, etc., sous le regard amusé de milliers de spectateurs. Le spectacle est aussi et surtout dans la rue. Les éléphants s'arrêtent aux feux rouges au milieu des cyclo-pousse et s'aspergent dans les embouteillages. Les 363 autres jours de l'année, Surin reste une excellente base de départ pour aller visiter les fabuleuses ruines khmères que compte la région.

Comment y aller ?

De Bangkok

➢ ***En train :*** 11 départs quotidiens dont 4 en soirée. Éviter de partir pendant l'après-midi ou en début de soirée, ça fait arriver à Surin en pleine nuit. Durée du voyage : 7 h en train express (le plus rapide), 10 h en train ordinaire. Il y a trois classes. Billet : 75 Bts (1,5 US$) en 3e classe ordinaire, 300 Bts (6 US$) en 2e classe.

➢ ***En bus :*** 6 départs quotidiens en bus AC (1 le matin et 5 en soirée) depuis la gare routière du Nord *(Northern Bus Terminal)*. La gare routière de Surin se trouve près de l'hôtel *Tarin*, dans le centre.

De Nakhon Ratchasima

➢ ***En bus :*** nombreuses liaisons chaque jour.

Où dormir ?

Hébergement très difficile à l'occasion du festival. On arrive parfois une semaine avant l'événement pour s'assurer une place. Les hôtels sont en effet réticents à accepter les réservations sachant que, dans tous les cas, ils feront le plein !

Bon marché (de 60 à 150 Bts - 1,2 à 3 US$)

☗ ***Pirom Guesthouse*** – ภิรมย์ เกสท์เฮ้าส์ **:** 242 Krungsrinai Rd, à 150 m du marché. ☎ 044-515-140. Simple, mais propre et vraiment pas cher. La bonne adresse pour les routards de passage. Madame Pirom sait recevoir avec le sourire. Lit en dortoir à 70 Bts (1,4 US$) avec sanitaires en commun et eau froide. Deux chambres simples et 4 doubles (avec ventilo). Trois salles de bains communes. Petit dej' et repas possibles. Il y a aussi une annexe, le *Tasawang Village* à peu près à 1 km à l'ouest de la gare ferroviaire (*via* Nong Tom Rd, la traversée des rails et Buranawit Rd). Téléphoner avant pour confirmation. Monsieur Pirom organise des excursions dans la région des temples khmers (voir plus bas pour plus de détails).

Où manger ?

Très bon marché

|●| ***Marché de nuit*** – คลาดกลางคืน **:** Krungsrinai Rd. Le marché, qui bat son plein le matin de 5 h à 7 h, prend un nouveau visage à la nuit tombée. Nombreux étals appétissants. Pittoresque.

LE NORD-EST

De prix moyens à plus chic

|●| ***Sumrub Tornkruang Restaurant*** – ร้านอาหารสำหรับบอนคืน **:** 201/44-46 Jitbumruny Rd. Tambon Naimuang. ☎ 044- 515-015. À une centaine de mètres du terminal des bus, en direction du grand hôtel *Tarin*. Décor très cosy : pendules européennes à l'ancienne, lampes de mineurs qui font ici office de lustres, téléphones première génération. Nourriture thaïe très parfumée et agréablement présentée. Serveuses à l'affût. Le soir, concert à partir de 20 h. Fait aussi karaoké. On peut y faire des rencontres intéressantes. Une excellente adresse.

Le festival annuel des Éléphants

Les festivités se déroulent le 3e week-end de novembre. Première étape, l'arrivée des éléphants dans la ville après deux jours de marche. À cette occasion, une petite cérémonie de présentation est organisée face à la gare routière. Ferveur populaire au rendez-vous. Ensuite ont lieu les démonstrations officielles dans le stade, plus spectaculaires mais en même temps moins spontanées. C'est le temps fort du festival. Entre deux, les éléphants arpentent la ville, des touristes sur le dos.

– ***La démonstration :*** entrée payante bien évidemment. Les places les moins chères sont en tribune, la vue est aussi bonne mais pour les photographes attention au contre-jour. Au programme du spectacle : un exercice de travail de billes de bois en forêt, une parodie de la célèbre bataille d'Ayutthaya à l'occasion de laquelle les éléphants jouaient alors les chars d'assaut contre les Birmans, et le très attendu match de football.

➢ ***Balades à dos d'éléphant :*** assez surfait ! Un petit tour de 5 mn dans le stade et puis c'est tout. La promenade en ville, quoiqu'un peu chère, est plus palpitante.

Excursions

➢ ***Pirom Guesthouse :*** voir plus haut la rubrique « Où dormir ? ». Le patron, monsieur Pirom, est très aimable et parle l'anglais. Ancien travailleur social, il connaît le pays et les habitants. Il organise des excursions avec son 4x4 le week-end, notamment en direction des ruines khmères près de la frontière cambodgienne ou du village des éléphants, pour 1 à 5 personnes. Il n'y a pas de meilleure manière pour appréhender le patrimoine de la région. Documentation et commentaires particulièrement riches. Compter 700 Bts (14 US$) par personne et par jour.

➤ *DANS LES ENVIRONS DE SURIN*

Ta Klang, le village des Éléphants – หมู่บ้านช้างท่ากลาง **:** à 58 km au nord de Surin. Suivre la route 214 pendant 15 km. Une fois à Nong Tat, un embranchement part en direction du village. Sympa d'aller rendre visite à nos géants en dehors de l'agitation du festival, surtout si vous êtes accompagné de M. Pirom (de la *Pirom Guesthouse*).

Prasat Sikhoraphum – ปราสาทศรีขรภูมิ **:** ouvert de 7 h 30 à 18 h. Pour s'y rendre, 3 trains de jour (dont 2 en début de matinée) en provenance de Surin. 30 mn de voyage. Facile, d'autant que le temple est à moins de 1 km de la gare.Entouré d'un étang en forme de U (ancien bassin sacré), le *prasat* est composé de cinq tours disposées en quinconce, comme à Angkor (très rare, cette disposition était réservée à l'époque aux temples d'État). Sa construction, commencée au XIIe siècle par les Khmers, ne fut achevée qu'au XVIe siècle par les Laos. La qualité de la pierre (grès rose aux tons chauds) et des sculptures décoratives font de ce temple une petite merveille.

Prasat Kamphaeng Yai – ปราสาทกำแพงใหญ่ : à 40 km à l'est de Sikhoraphum, le long de la route 226. Prendre un bus pour Si Saket et demander à descendre à Kamphaeng Yai au niveau de la voie ferrée (27 km avant Si Saket). Conseillé de coupler la visite avec *Sikhoraphum.*
Construit au XIe siècle en l'honneur du dieu Çiva, ce temple khmer fut converti dès le XIIIe siècle en un lieu de culte bouddhique. Aujourd'hui encore, une communauté de moines continue à l'animer. Il est composé de six structures, dont quatre tours centrales formant le sanctuaire (une dernière tour manque côté nord pour rendre au *prasat* sa symétrie) et deux bibliothèques (en retrait vers l'est). L'ensemble est entouré d'une galerie massive percée de portes *(gopuras).*
La visite terminée, possibilité de prendre une soupe à l'entrée du *wat.*

UBON RATCHATHANI – อุบลราชธานี 1 700 000 hab.

À quelque 560 km à l'est de Bangkok, la « capitale » du Triangle d'émeraude joue un rôle de carrefour à proximité des frontières du Laos et du Cambodge. C'est une grande ville active, très étendue et plate, qui n'offre pas d'attrait particulier, mais qui fait preuve d'un certain dynamisme économique. Plusieurs commerces (des bijouteries notamment) tenus par des Chinois rappellent la présence d'émigrés et de réfugiés chassés par les événements au Laos et au Cambodge dans les années 1970-1980. C'est une ville-étape (en train, en bus ou en avion), une dernière halte parfois nécessaire sur la route de Khong Chiam et de la frontière lao (une frontière terrestre entre la Thaïlande et son voisin). Attention d'ailleurs, les visas n'y sont pas délivrés. Uniquement à Bangkok !

Adresses utiles

TAT – ***ท.ท.ท.*** *(office du tourisme) :* 264/1 Khuan Thani Rd. ☎ 045-250-714. Ouvert tous les jours de 8 h 30 à 16 h 30. Central. Très bon accueil. Le meilleur service du Nord-Est. On y parle l'anglais. Beaucoup de documentation. Carte de la ville et de la région. Informations sur les bus, les trains et les avions.

■ ***Poste & Télécommunications internationales :*** même rue, même trottoir, à deux blocs de l'office du tourisme.

■ ***Thai Airways – สายการบินไทย :*** 364 Chaiyangkun Rd. ☎ 045-313-340/2.

Internet Service : sur Khuan Thani, entre Yuttaphun et Luang Rd. Il y a là deux cybercafés, sur les deux trottoirs, presque l'un en face de l'autre. Une autre adresse : le *Rock Net* situé à 200 m à l'est de l'office du tourisme, toujours sur Thanon Khuan Thani, entre et les rues Thanon Luang et Thanon Theyathi. Compter 10 Bts (0,2 US$) l'heure.

Où dormir ?

De bon marché à prix moyens (de 100 à 350 Bts – 2 à 7 US$)

Tokyo Hotel – โตเกียวโฮเต็ล : 360 Upparat Rd. ☎ 045-241-739. Fax : 045-263-140. À 25 m en retrait de la rue, entre les rues transversales Pichitrangsan et Subpasit. Dans le vieux bâtiment, chambres avec ventilo ou AC, mais eau froide pour tous ! D'autres chambres plus confortables mais plus chères (téléphone et TV). Seul hic, l'accueil est parfois terne pour les authentiques routards « sac à dos ». Reste néanmoins une bonne adresse.

Sri Issan 2 Hotel – ศรีอีสานโฮเต็ล : au terminus sud de Ratchabutr Rd. ☎ 045-254-544. Près de la rivière Moon, à côté du marché du même nom, dans une ruelle. Demander une chambre côté rivière. À partir du 3e étage, belle vue. Un peu vieillot mais bien tenu. Quelques chambres ventilées (eau froide) ou climatisées (avec l'eau chaude cette fois). Accueil souriant. Ne pas confondre avec l'hôtel *Sri I-san 1* juste à côté.

De prix moyens à plus chic (de 300 à 900 Bts – 6 à 18 US$)

Racha Hotel – โรงแรมราชา : 19 Chayangkun Rd. ☎ 045-254-155. Au nord de la ville, un bloc avant la gare routière pour Bangkok, dans un *soi* un peu en retrait par rapport à Chayangkun Rd. Quartier très animé (nombreux petits commerces). Seules les chambres climatisées ont l'eau chaude. Propreté impeccable. Très calme.

Ratchathani Hotel – โรงแรมราชธานี : Khuanthani Rd. ☎ 045-244-388. Idéalement placé face au Musée national et à l'office du tourisme, à 50 m du marché de nuit. Pas un palace, mais les chambres sont confortables (douche-w.-c., TV) et calmes. Elles donnent sur la rue ou sur l'arrière.

Où dormir dans les environs ?

River Moon Guesthouse – ริเวอร์มูลเกสท์เฮ้าส์ : 21 Thanon Si Saket 2 Varinchamrab (au sud de la ville). ☎ 045-286-093. Au sud d'Ubon (à 4 km du centre-ville), à proximité de la gare ferroviaire, face à la caserne des pompiers (*Varin Fire Station*). En venant du centre-ville, au bord de la route, sur le côté gauche. Panneau rouge : « Traditional Guesthouse ». Bon accueil. Bungalows sommaires mais propres, dans une sorte de grande cour intérieure, très calme. Salle de bains collective. Pas très loin non plus de la gare routière du sud. Très bon marché.

Où manger ?

Très bon marché

|●| Quantité de ***gargotes*** à proximité de la gare routière du nord de la ville, ainsi que deux bons restos chinois jouxtant *Ratchathani Hotel.*

|●| ***Marché de nuit (Night Market)*** – ไนท์มาร์เก็ต *:* le long de Ratchabutr Rd, à côté du Musée national. Tous les soirs, le même alignement d'une vingtaine de roulottes-restaurants. On y trouve de tout. Au hasard : la soupe chinoise, l'éternel poulet grillé, les brochettes, les crêpes farcies et les jus de fruits pressés. Pour l'occasion, le trottoir est transformé en une formidable terrasse.

|●| ***Kiyat Restaurant*** – ร้านอาหารเกียรติ *:* Thanon Pha Daeng. ☎ 045-254-551. À 50 m après le *Him Hem Restaurant*, sur le même trottoir, vers Thanon Sanphasit. Ferme à 21 h. Sorte de petite cantine améliorée, très populaire et propre. Plats simples et bons présentés en vitrine. Beaucoup d'employés du quartier, un bon signe donc. Prix doux.

|●| ***Sanchai Restaurant*** – ร้านสามชัย *:* 56/58 Thanon Pha Daeng. Rue parallèle au grand boulevard nord-sud Thanon Uparat. À 150 m de l'intersection avec Thanon Phalorangrit (près du temple Wat Suthatsanaram). Petite cantine où tout est écrit en thaï : soupes, petits déjeuners et café. Correct.

|●| ***Ali Restaurant*** – ร้านอาหารอาลี *:* 278 Thanon Suriyat. Au nord du centre-ville, à 100 m de l'intersection de Thanon Suriyat et de l'avenue principale nord-sud Thanon Chayangkun. Près du temple Wat Phatomalai. Petit resto musulman, tenu par un Pakistanais servant de la cuisine indienne. *Chapati*, *kebab* et poulet au curry.

Prix moyens

|●| ***SP House*** – เอส.พี.เฮ้าส์ *:* Ratchabutr Rd. À 250 m au sud de l'office du tourisme et à 50 m sur la gauche, après l'intersection entre Ratchabutr et Thanon Phrom Bat. Gâteaux, glaces, biscuits, confiseries... dans un cadre kitsch à souhait. Le dimanche après-midi, c'est rempli de jeunes princes charmants et de séduisantes cendrillons. Rigolo.

|●| ***Him Hem Restaurant*** – ร้านอาหารอิ่มเอม *:* 29 Thanon Pha Daeng. ☎ 045-263-025. Plats de 60 à 150 Bts (1,4 à 3,4 US$). Maison thaïe couverte de tuiles avec des lucarnes à l'européenne. Vaste salle à la déco assez chic : plancher en bois, fontaine glougloutante, baies vitrées sur la rue et jolies serveuses élégamment vêtues. Bon accueil. Carte très variée. Cuisine fine et bien présentée. Bien pour le midi avec les employés du quartier. Mieux encore pour un dîner entre amoureux.

À voir

👁👁 ***Le Musée national*** – พิพิธภัณฑสถานแห่งชาติอุบลราชธานี *:* Khuanthani Rd, au niveau de l'intersection avec Ratchabutr Rd. Ouvert tous les jours de 8 h 30 à 14 h 30. Installé dans un ancien palais du roi Râma VI, construit autour de deux patios lumineux et fleuris, cet intéressant musée comporte neuf salles d'exposition où sont présentées successivement la géographie, l'histoire et les traditions populaires de la région. Temps forts de la visite : la reproduction des peintures rupestres de Pha Taem, ainsi qu'une statue khmère du VIIIe siècle représentant Ardhanarisvara (union symbolique de Çiva et Uma). Pour la chronologie, débuter logiquement la visite sur la gauche et tourner ensuite dans le sens horaire.

★ ***Wat Supattanaram*** – วัดสุปัฏนาราม *:* à l'extrémité ouest de Promtap Rd, le long de la rivière Moon. Temple intéressant pour son architecture composite : soubassements de style khmer, murs en pierre d'influence germanique et toit dans la pure tradition thaïe. Devant ce temple se dresse la plus grande cloche de bois de Thaïlande.

★ ***Wat Nongbua*** – วัดหนองบัว *:* au nord de la ville en direction de Mukdahan, une réplique du célèbre *chedî Mahabodhi* (« de la grande Illumination ») de Bodhgaya en Inde. Détail insolite, la présence d'une cabine téléphonique sous le dôme... Face au *chedî,* un nouveau temple ultramoderne décoré de marbre, de dorures à quat'sous et (levez la tête) de peintures représentant les différents épisodes de la vie de Bouddha.

★ ***River Moon Market*** – ตลาดแม่น้ำมูล *:* gros marché en contrebas du pont sur la rivière Moon, sur sa rive gauche. Odeurs envahissantes, on se bouscule... À visiter tôt le matin.

➤ *DANS LES ENVIRONS D'UBON RATCHATHANI*

★★ ***Wat Pananachat*** – วัดป่านานาชาติ *:* bien indiqué (pancarte en anglais ; impossible de la louper), à une quinzaine de kilomètres d'Ubon, le long de la route n° 226, en direction de Sri Saket. Visite de 6 h à 12 h, après c'est le règne du silence. Situé en pleine forêt, ce temple est dirigé, une fois n'est pas coutume, par des moines occidentaux en lutte (toute pacifique) pour la préservation de l'héritage naturel et culturel des Thaïs. Pour cela, ils ont même fondé le groupe « Nature sacrée » et se réunissent de temps à autre avec les villageois des alentours pour les sensibiliser à leur approche.

★★★ ***Prasat Khao Preah Viharn*** – ปราสาทเขาพระวิหาร *:* situé dans la chaîne frontalière des Dangkrek à environ 170 km au sud d'Ubon, inaccessible depuis le Cambodge (et pourtant officiellement situé en territoire cambodgien).

– *Entrée :* l'entrée du parc national (côté thaï) coûte 200 Bts (4 US$) mais l'entrée du site du temple (côté cambodgien) est de 5 US$. Le visa cambodgien n'est pas nécessaire s'il s'agit d'une simple visite dans la journée depuis le territoire thaïlandais. Mais on doit présenter son passeport au poste de contrôle à la frontière.

– *Accès :* de la gare routière du sud, au-delà de la rivière Moon, qui traverse Ubon, prendre un bus pour Kantaralak (la ville la plus proche du site). Le trajet dure 1 h 30 (107 km). À Kantaralak, quelques hôtels ordinaires mais propres comme le *Kwanyuen Hotel* (170 Bts environ la double, soit 3,4 US$). De Kantaralak, on peut faire l'aller-retour dans la journée en utilisant les taxis ou les motos-taxis (assez cher). Autre solution : les *tuk-tuk* pour aller à Phum Sarom, village d'où il faut prendre une moto-taxi (50 Bts, soit 1 US$, pour 11 km) afin d'accéder au site.

– *Conseils :* ne pas s'éloigner des sentiers en raison des mines encore enfouies sous la terre.

Voilà sans doute un des plus mystérieux joyaux de l'art khmer, similaire par sa structure et son style au Prasat Phanom Rung. Il se tient sur un plateau à 600 m d'altitude, et domine la plaine du Cambodge. Par beau temps, la vue porte jusqu'à Angkor. Très fréquenté le week-end.

QUITTER UBON RATCHATHANI

En bus

Bus n° 2 (en face de l'office du tourisme) ou n° 3 pour aller du centre à la gare routière. Durée : 20 mn.

➢ ***Pour Bangkok :*** départs fréquents pour Bangkok de la gare routière au nord de la ville, le long de Chayangkun Rd, près du *Racha Hotel.* Durée : entre 6 et 7 h.

➢ ***Pour Udon Thani et Mukdahan :*** départ de la gare routière située au nord-ouest de la ville. Une dizaine de bus par jour, entre 5 h 45 et 13 h 45. Durée : 3 h.

➢ ***Pour Khong Chiam :*** départs de la gare routière du sud près de Warin Market (à 3 km au sud du centre d'Ubon). Bus toutes les 20 mn, entre 5 h et 19 h 40. Changer de bus à Phibun Mangsahan. Ensuite, de Phibun Mangsahan à Khong Chiam : bus toutes les 30 mn, entre 8 h et 16 h 30. Durée totale : au moins 2 h.

➢ ***Pour Surin :*** bus de Ubon en direction de Pattaya. Quatre départs par jour. Certains avec AC. Arrêt à Sri Saket puis autre bus pour Surin. En tout, compter 2 h de trajet.

En train

Gare ferroviaire au sud de la ville, accessible depuis le centre par les bus blancs (arrêts fréquents sur Upparat et Khuanthani Rd) ou en *tuk-tuk*. ☎ 045-321-004 (informations). Pour des renseignements en anglais, téléphoner à l'office du tourisme.

➢ ***Pour Bangkok* via *Surin, Nakhon Ratchasima, Ayutthaya :***

– *Special Express :* départ à 14 h 30. Billet : autour de 450 Bts (9 US$).

– *Express Train :* départ en fin d'après-midi. Deux catégories de places : les « sleeping » et les « sitting », les couchettes ou les places assises. Dans chaque catégorie, il existe deux classes, la première et la seconde. Prix différents selon le confort, c'est-à-dire avec ou sans AC.

– *Rapid Train :* 3 trains par jour. Un départ à l'aube, et deux autres en fin d'après-midi. Mêmes catégories de places que dans l'*Express Train.*

En avion

L'aéroport se trouve à 2 km du centre-ville.

➢ ***Pour Bangkok :*** 2 vols quotidiens, matin et soir. Billet : environ 1 650 Bts (33 US$).

➢ ***Pour Danang (Vietnam) :*** un vol quotidien. Billet : environ 1 700 Bts (34 US$). Attention, aucun visa vietnamien n'est délivré à Ubon. Il faut le demander avant, à Bangkok ou dans les ambassades du Vietnam à l'étranger.

KHONG CHIAM – โขงเจียม

C'est dans cette région isolée et peu connue que la rivière Moon a choisi de s'unir au « géant d'Asie », le Mékong. À 800 km en aval de Khong Chiam, il se jette en mer de Chine méridionale. Beau paysage de collines boisées et sauvages pour le « Fleuve aux deux couleurs ». Khong Chiam est le point de départ de multiples excursions intéressantes dont la plus fameuse, la falaise panoramique de *Pha Taem*, célèbre pour ses peintures rupestres uniques en Thaïlande.

Comment y aller?

➢ ***D'Ubon Ratchathani*** *(via Phibun Mangsahan)* **:** départs de la gare routière du sud près de Warln Market (à 3 km au sud du centre d'Ubon). Bus toutes les 20 mn, entre 5 h et 19 h 40 ou *tuk-tuk*. Changer de bus à Phibun Mangsahan. Ensuite de Phibun Mangsahan à Khong Chiam : bus toutes les 30 mn, entre 8 h et 16 h 30 ou *tuk-tuk*. Durée totale : 2 h.

Adresses utiles

✉ ***Poste :*** petit bureau de poste près de *l'Apple Guesthouse*.

■ ***Location de motos :*** à la journée. Se renseigner à *l'Apple Guesthouse*. Sinon, à deux pas, l'épicerie de M. Peraya loue VTT ou moto pour 70 Bts (1,4 US$) la journée.

Où dormir?

Prix moyens (de 150 à 300 Bts - 3 à 6 US$)

☗ ***Apple Guesthouse*** – แอปเปิลเกสท์เฮ้าส์ *(plan, 1)* **:** Kaewpradit Rd. ☎ 045-351-160. À 300 m de la gare routière. Tenue par une famille parlant un peu l'anglais. Dans un bâtiment en dur, sur pilotis : une douzaine de chambres ventilées ainsi que trois chambres climatisées. C'est sommaire mais propre. Douche avec eau froide. Location de motos : 150 Bts (3 US$) par jour.

Un peu plus chic (de 500 à 1 000 Bts - 10 US$ à 20 US$)

☗ ***Araya Resort*** – อารยารีสอร์ท *(plan, 3)* **:** Pukumchai Rd. ☎ 045-351-191. Propose le confort d'un village de vacances et plus d'une vingtaine de bungalows plantés dans un joli jardin fleuri. Chambres avec AC, eau chaude et frigo. Pas de petit dej'.

☗ ***Rimkhong Resort*** – ริมโขงรีสอร์ท *(plan, 4)* **:** 37 Kaewpradit Rd. ☎ 045-351-101. À 30 m du Mékong, un ensemble de 6 petits chalets spacieux et confortables (AC, salle de bains et frigo) dans un cadre assez fleuri et verdoyant. Deux chalets ont une vue sur le Mékong. Pas de petit dej'.

Où dormir dans les environs ?

Plus chic (à partir de 1 600 Bts – 32 US$)

🏠 ***Tohsang Khong Chiam Resort*** – โรงแรมทอแสงโขงเจียมรีสอร์ท **:** 68 Mu 7 Baan Huay-Mak-Tai. ☎ 045-351-174. Fax : 045-351-162. Situé à 25 km (par la route) au sud de Khong Chiam, au bord du Mékong. Un hôtel de classe, à taille humaine, pour récupérer des fatigues du voyage. Idéal pour couple en lune de miel. Autour d'un grand jardin tropical, les chambres se répartissent dans deux bâtiments en dur et dans des bungalows (plus de charme) avec vue sur le fleuve. Piscine, resto, magasin de souvenirs. Seul inconvénient : endroit superbe mais isolé, donc prévoir un budget pour les navettes (barques ou voiture) pour gagner le village de Khong Chiam.

Où manger ?

I●I ***Araya** et **Nampoon Restaurant*** – ร้านอาหารอารยาและน้ำพูน *(plan, 5)* **:** deux restaurants flottants sur le Mékong côte à côte, à deux pas du *Rimkhong Resort*. Cuisine thaïe et chinoise ordinaire et un peu chère pour la qualité fournie. Souvent bondés le week-end, les groupes de touristes (exclusivement thaïlandais) débarquant à midi après avoir visité le Laos.

I●I ***Pakmoon Restaurant*** – ร้านอาหารปากมูล *(plan, 6)* **:** au bord de la rivière Moon, après le *wat*. Le seul resto à offrir simultanément la vue sur les deux cours d'eau. À ne rater en aucun cas, ne serait-ce que pour y boire un verre. Prix très raisonnables, mais cuisine sans originalité.

I●I ***Hat Mae Moon Restaurant*** – ร้านอาหารหาดแม่มูล *(plan, 7)* **:** au bord de la rivière Moon, un peu en dehors du village. Deux salles, l'une accrochée à flanc de colline, l'autre sur une embarcation flottante. Côté cuisine, propose de bonnes spécialités de poisson d'eau douce. Toujours l'éternel *tom yam* à côté du poisson-chat. Carte rédigée en thaï.

I●I Un autre restaurant flottant, le ***Song Sakorn***, à proximité de l'embarcadère, s'embrase régulièrement au rythme du karaoké.

À voir. À faire

👥 ***Wat Khong Chiam*** – วัดโขงเจียม **:** vaste promontoire surplombant la réunion du Mékong et de son affluent. Grandiose.

➢ ***Balade en* long-tail boat** – ล่องเรือหางยาว **:** départ au niveau du resto *Araya*. On peut louer une barque à moteur pour aller explorer les îlots et bancs de sable que comptent les deux cours d'eau. Traversée interdite pour les *farang* (c'est-à-dire vous !). Si vous voulez en savoir plus sur la question, renseignez-vous auprès du bureau de la police situé entre l'*Araya* et l'*Apple Guesthouse*.

➢ ***Barques pour le parc de Kaeng Tana* :** seulement 10 mn de trajet en barque à moteur au départ des quais de Khong Chiam, contre 25 km par la route, mais un nouveau pont sera mis en service très prochainement pour réduire les distances. Entre 8 h et 16 h tous les jours, compter 200 Bts (4 US$) par personne et 400 Bts (8 US$) après 16 h. Belle vue sur le fleuve et les rives.

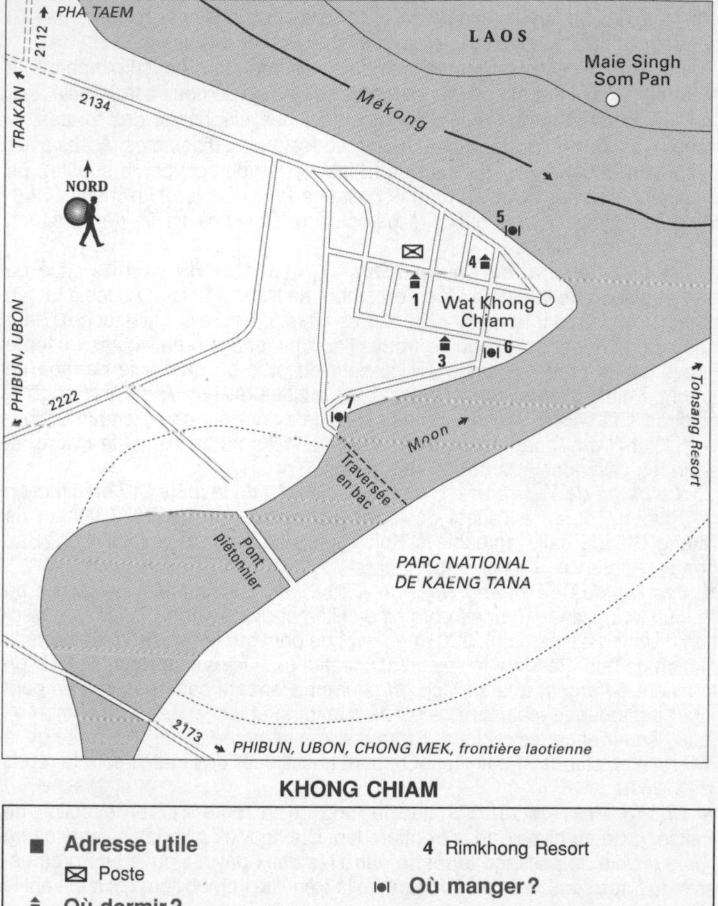

KHONG CHIAM

■ **Adresse utile**
- Poste

Où dormir ?
1 Apple Guesthouse
3 Araya Resort
4 Rimkhong Resort

Où manger ?
5 Araya et Nampoon Restaurant
6 Pakmoon Restaurant
7 Hat Mae Moon Restaurant

➤ DANS LES ENVIRONS DE KHONG CHIAM

Pha Taem (peintures préhistoriques) – ผาแต้ม : à une vingtaine de kilomètres au nord de Khong Chiam. Rejoindre Huay Pai, puis à droite direction Nam Thaeng. Après quelques kilomètres, une route part sur la droite et mène à la falaise en question. Aucun transport en commun. Néanmoins, la route étant excellente et bien indiquée, ne pas hésiter à louer une moto à partir de Khong Chiam.

– Le site est ouvert de 8 h 30 à 16 h. Entrée : 200 Bts (4 US$). Après la caisse (réception tenue par un soldat), continuer encore sur 2 km. On arrive sur un plateau sec et aride d'où la vue sur la rivière Moon est très belle. Sur place, parking pour voitures, restaurant et centre d'information (photos et documents avec commentaires en anglais). Un sentier ombragé par des

arbres et des bambous (accès facile) conduit sous la falaise en contrebas du parking. Attention, s'il pleut, les pierres peuvent être glissantes.
Pha Taem, c'est une impressionnante falaise de grès surplombant le Mékong, et couverte de peintures rupestres vieilles de deux à trois mille ans. Vous remarquerez des motifs représentant des éléphants, des tortues, le fameux *pla buk* ou poisson-chat géant, et des mains d'hommes. Après avoir découvert le panorama du haut de la falaise (à vous couper le souffle), on peut la contourner (3 km en tout) et passer à travers la forêt luxuriante. Chemins bien balisés sans difficulté particulière. Buvettes en fin de parcours. Une chouette balade.

Le parc national de Kaeng Tana* – อุทยานแห่งชาติแก่งตะนะ *: situé de part et d'autre de la rivière Moon en amont de Khong Chiam. Accès à la rive gauche du parc par la route 2222 (après 4 km, prendre sur la gauche). Pour rejoindre la rive droite, là où se trouve l'accueil, une alternative : traverser le fleuve par le pont suspendu à l'intérieur du parc ou passer le barrage en amont. Points d'attraction essentiels : les rapides *(Kaeng Tana)*, très spectaculaires à la saison sèche quand le lit de la rivière est partiellement découvert, l'îlot *(Don Tana)*, couvert de forêts de tecks au centre de la rivière, et enfin les cascades à la saison des pluies.

La plage de Yasithon* – หาดยโสธร *: le long de la route 217 en direction de Phibun, 12 km à l'ouest de la jonction avec la route 2173 venant de Khong Chiam, halte agréable à Kok Thiang au bord du lac Yasithon. Baignade. Affluence le week-end.

Les rapides de Kaeng Saphue* – แก่งสะพือ *: à l'intérieur de la ville de Phibun Mangsahan (à une trentaine de kilomètres de Khong Chiam en direction d'Ubon Ratchathani), 300 m en aval du pont sur la rivière Moon après la station de bus. Pendant la saison sèche, les rochers qui tapissent le fond de la rivière émergent à la surface du courant. Pendant cette période, on peut louer des bouées (chambres à air de camions) et les jeunes sont nombreux à se risquer entre les rochers. Promenade aménagée sur la rive droite de la rivière avec stands et buvettes. On peut aussi louer des nattes pour le repas et la sieste.

Chong Mek* – ช่องเม็ก *: situé le long de la route 217 en direction de Pakse, juste au niveau de la frontière lao, Chong Mek a la particularité d'être l'unique voie de passage terrestre entre les deux pays. L'ouverture progressive du Laos semble être à l'origine de la frénésie immobilière qui a envahi le village. Atmosphère fébrile autour du marché, approvisionné exclusivement de produits laos : quantité de fruits et légumes mais aussi pharmacopée chinoise, bouddhas en tout genre, jeans *Levi's* rapiécés, cargaisons de teck en partance pour Bangkok... Une ambiance vraiment spéciale.

SUR LA ROUTE DU LAOS

➢ ***Pour le passage de la frontière lao :*** pour aller au Laos, vous devez présenter un visa lao à la douane. Il est normalement délivré pour un séjour de 30 jours, renouvelable sur place à Vientiane (la capitale du Laos) au bureau de l'Immigration. Impossible d'obtenir ce visa à Khong Chiam ou à Ubon Ratchasani. Il faut le demander au consulat du Laos à Khon Kaen (1 jour d'attente), ou mieux encore à l'ambassade du Laos à Bangkok (voir les adresses utiles de cette ville) ou bien aussi dans votre capitale d'origine, avant votre départ. Au moment d'accomplir ces formalités, précisez bien que vous entrez au Laos par Chong Mek (ville-frontière en Thaïlande) et Pakse (ville-frontière au Laos).

LE SUD : ITINÉRAIRE BANGKOK – HAT YAI

Pour les routards, le Sud est, en général, soit la destination finale du voyage, soit l'étape pour un nouveau départ vers la Malaisie. Dans cette partie de la Thaïlande, frontalière avec le Myanmar et la Malaisie, on vient surtout pour le sable blanc, le soleil et la mer turquoise. Ici, pas ou peu de vieilles pierres, mais des milliers d'îles (*koh* en thaï), bordées de plages, ourlées de cocotiers. Évitez à tout prix les plages de *Patong* (sur Phuket), et celles de *Chaweng* et *Lamai* (sur Koh Samui) dévolues au tourisme sexuel. Les parcs nationaux sont nombreux, malheureusement leur réglementation est souvent appliquée de façon très laxiste... De nombreux chapelets d'îles sont classés, comme *Koh Phi Phi*, *Koh Lanta* et *Koh Tarutao*, de même que la plupart des sites où l'on trouve des cascades (certaines sont superbes, comme celles de *Hat Yai*).
Enfin, ceux qui aiment la plongée sous-marine, ne serait-ce qu'avec palmes et tuba, découvriront, à certains endroits, une faune riche, composée de coraux magnifiques, de poissons multicolores, et d'autres superbes « bestiaux » à dentition de taille très respectable !

DE HUA HIN À SURAT THANI

HUA HIN – หัวหิน

C'est la plus ancienne station balnéaire de Thaïlande, qui reste encore fréquentée par les Thaïs mais moins que par le passé. Elle est située à 230 km de Bangkok. Une grande plage avec baignade sans danger. Souvent ignorée des routards, Hua Hin oppose ses antiques baraques de pêcheurs, son adorable vieille gare en planches, aux buildings ultramodernes du bord de mer. Un petit goût du sud...

Comment y aller depuis Bangkok?

➢ ***En train :*** depuis la gare de *Hua Lamphong*, 10 départs de 12 h 25 à 22 h 50 (compter 4 h de trajet).
➢ ***En bus :*** depuis le *Southern Bus Terminal*, 30 départs en bus AC (toutes les 40 mn) entre 4 h et 22 h 20 (compter 3 h 30 de trajet).

Adresses utiles

ℹ *TAT – ท.ท.ท. (plan A2) :* au croisement de Damnoemkasem Rd et de Phetkasem Rd (la rue principale). ☎ 032-511-047. À deux pas de la gare. Ouvert tous les jours de 8 h 30 à 12 h 30 et de 13 h 30 à 16 h 30. Plan de la ville gratuit, liste des hébergements, horaires détaillés des bus en partance et bonnes infos sur les découvertes des environs. Accueil dynamique et compétent.

✉ **Poste** – ไปรษณีย์ *(plan B2)* : Damnoemkasem Rd. Ouvert de 8 h 30 à 16 h 30 ; le samedi de 9 h à 12 h. Mandats postaux *(money orders)*, en semaine seulement, de 8 h 30 à 15 h 30.

■ **Central téléphonique** – ชุมสายโทรศัพท์ : juste à côté de la poste. Ouvert tous les jours de 8 h 30 à 16 h 30. Possibilités de connexions Internet (à un tarif imbattable !). Accepte la carte *Visa* pour les grosses communications.

@ **Internet :** connexions possibles non seulement au Central téléphonique mais aussi un peu partout en ville.

■ **Police** – สถานีตำรวจ : en face de la poste.

■ **The Siam Commercial Bank** – ธนาคารไทยพาณิชย์ : sur Phetkasem Rd (face au TAT). Ouvert du lundi au vendredi de 8 h 30 à 15 h 30 ; les samedi, dimanche et fêtes, guichet de change dans la rue, de 11 h à 20 h. Argent liquide, chèques de voyage et cartes de paiement acceptés. Distributeur automatique utilisable 24 h/24.

■ **Bangkok Bank Public** – ธนาคารกรุงเทพ et **Thai Farmers Bank** – ธนาคารกสิกรไทย : face à face sur Phetkasem Rd, après le croisement avec Chom Sin Rd, vers le nord. Ouvert en semaine de 8 h 30 à 15 h 30. La 1re dispose d'un distributeur automatique extérieur fonctionnant 24 h/24.

■ **Hua Hin Polyclinic** – หัวหินโพลคลีนิค *(plan A2, 3)* : sur Phetkasem Rd, juste à côté d'une laverie. Consultation tous les jours de 7 h 30 à 12 h et de 16 h 30 à 21 h.

Où dormir ?

Tout d'abord, sachez que la plupart des taxis et *tuk-tuk* perçoivent une commission sur les chambres d'hôtel louées aux clients qu'ils amènent. Donc, marchez et vous paierez moins cher !

Bon marché (moins de 350 Bts – 7 US$)

🏠 ***All Nations*** – ออลเนชั่นเกสท์เฮ้าส์ *(plan B1-2, 8)* : 10/1 Dechanuchit Rd. ☎ 032-512-747. • cybercafehuahin@hotmail.com • Petite *guesthouse* propre et très bien tenue (se déchausser). Chambres avec ventilo, salle d'eau commune sur le palier (pour 2 chambres). Super-bonne ambiance routarde dans le petit resto du rez-de-chaussée, où le patron joue aux dominos... Accès Internet.

🏠 Nombreuses autres ***guesthouses*** bon marché autour de Naresdamri Rd – มีเกสท์เฮ้าส์ราคาถูกมากมายทิบริเว ณถนนนเรศดำริ.

De bon marché à prix moyens (de 300 à 600 Bts – 6 à 12 US$)

🏠 ***Pattana Guesthouse*** – พัฒนาเกสท์เฮ้าส์ *(plan B1, 11)* : 52 Naresdamri Rd. ☎ 032-513-393. • huahinpattana@hotmail.com • Dans une ruelle calme. Maison en teck centenaire, admirablement rénovée. Les proprios, hollandais, proposent une dizaine de chambres avec ou sans sanitaires, et ventilo. Tout est impeccable et décoré avec un goût sûr. Cuisine soignée. Excellent rapport qualité-prix. Notre meilleure adresse.

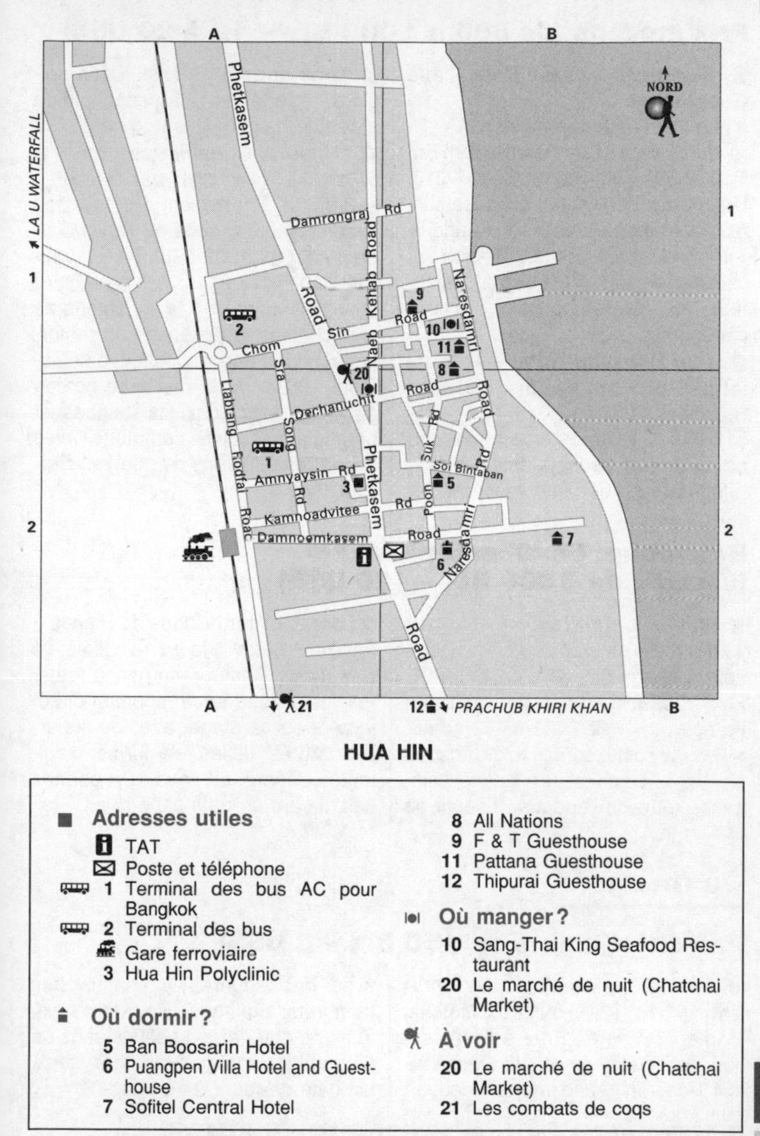

F & T Guesthouse – เอฟแอนด์ทีเกสท์เฮ้าส์ (*plan B1, 9*) : 130/3 Chom Sin Rd. ☎ 032-514-008. • f&tguesthouse@yahoo.co.uk • Petite *guesthouse* assez coquette tenue par un couple belgo-thaï. Quelques chambres très confortables, toutes avec sanitaires privés (et eau chaude), AC et TV. Seul point faible, certaines chambres n'ont pas de fenêtre. Grand choix pour le petit dej' (excellents *pancakes*) et accueil vraiment sympathique.

Prix moyens (de 600 à 1 000 Bts – 12 à 20 US$)

☗ ***Puangpen Villa Hotel and Guesthouse*** – พวงเพ็ญวิลล่าโฮเต็ลแอนด์เกสท์เฮ้าส์ *(plan B2, **6**) :* 11 Damnoemkasem Rd. ☎ 032-533-785. Fax : 032-511-216. Chambres douillettes avec balcon, AC, salle d'eau avec eau chaude et TV. Très bien situé. Piscine et chaises longues. Petit bistrot chaleureux au rez-de-chaussée. Accueil plutôt pincé.

☗ ***Ban Boosarin Hotel*** – โรงแรมบ้านบุษรินทร์ *(plan B2, **5**) :* 8/8 Poon Suk Rd. ☎ 032-512-076. Fax : 032-512-089. Chambres nickel équipées de tous les gadgets inutiles (TV, réfrigérateur) qui intéresseront les routards en mal de luxe. Déco soignée. Certaines disposent d'un agréable balcon. Calme garanti.

☗ ***Thipurai Guesthouse*** – ทิพย์อุไรเกสท์เฮ้าส์ *(hors plan par B2, **12**) :* 113/27-28 Phetkasem Rd (un peu excentré, tout proche du *Royal Garden*). ☎ 032-532-096. Fax : 032-512-210. • thipurai@prachuab.anet.net.th • Chambres impeccables, spacieuses et confortables, dans une rue calme, à seulement 100 m de la meilleure portion de plage (bar, chaises longues et parasols). Piscine commune avec les autres pensions du quartier. Service stylé.

Beaucoup, beaucoup plus chic (à partir de 6 000 Bts – 120 US$)

☗ ***Sofitel Central Hotel*** – โรงแรมโซฟิเทล เซ็นทรัล *(plan B2, **7**) :* Damnoemkasem Rd. ☎ 032-512-021. Fax : 032-511-014. Réservation en France : ☎ 01-46-62-44-40. • www.sofitel.com • Construit en 1923 ; l'architecture reflète l'élégance rétro de l'époque. Il servit de décor pour l'ambassade de France à Phnom Penh dans le film *La Déchirure*. Restauration sans faute. Piscine. Grand jardin donnant directement sur la plage, avec de superbes arbres taillés en forme d'animaux. Même si vous n'y dormez pas, il vaut un petit coup d'œil.

Où manger ?

Pas cher (moins de 150 Bts – 3 US$)

|●| ***Le marché de nuit*** – ตลาดตลาดกลางคืน (ตลาดฉัตรไชย ; Chatchai Market ; *plan A2, **20**) :* à l'intersection de Phetkasem et de Dechanuchit Rds. Un grand marché couvert avec des sourires à chacun des nombreux étalages. Poissons frais, fruits et légumes, et petits stands de restauration rapide à prix très doux. Un bain de foule à ne pas rater.

Prix moyens (autour de 300 Bts – 6 US$)

|●| ***Sang-Thai King Seafood Restaurant*** – ร้านอาหารแสงไทยคิงซีฟู้ด *(plan B1, **10**) :* ☎ 032-512-144. Ouvert de 10 h à 23 h. Ce resto-cantoche est établi sur un ponton où accostent les bateaux de pêche. Le poisson est d'une fraîcheur absolue et, à l'entrée, quelques crustacés barbotent dans un vivier avant de faire le grand saut dans votre assiette. Les plats, présentés en photo sur le menu, sont bien alléchants. Attention, la langouste fait exploser le budget. Service sympa.

– D'autres restaurants équivalents sont situés le long de Naresdamri Road.

À voir

Le marché de nuit (Chatchai Market) – ตลาดกลางคืน *(plan A2, **20**)* **:** voir la rubrique « Où manger ? ».

Les combats de coqs – ชนไก่ *(hors plan par A2, **21**)* **:** prendre la route qui passe devant la gare et traverser la voie de chemin de fer, à droite, à la 1re intersection. Les combats ont lieu généralement le samedi.

La plage de sable blanc : longue de 3 km, à droite en regardant la mer. Orientée à l'est (donc à l'ombre après 13 h) et étroite.

Ne pas manquer le retour des pêcheurs dans la nuit...

DANS LES ENVIRONS DE HUA HIN

Balade sympa jusqu'au temple ***Wat Kao Kai Lad***, édifié au bord de l'eau. Prendre un bus en face du TAT.

Plus au nord, on peut visiter le ***Klai Kung Wol Palace*** – พระราชวังไกลกังวล, palais d'été du roi Prachadipok (Râma VII), construit dans les années 1920 au bord de l'eau.

Les cascades de ***Pa La-u*** – น้ำตกปาละอูในอุทยานแห่งชาติแก่งกระจาน **:** à 63 km, dans le parc national de Kang Krajarn. Mieux vaut se grouper pour y aller, sinon c'est assez cher.

QUITTER HUA HIN

Pour Bangkok

En bus AC : terminal des bus AC à l'angle de Sra Song et Dechanuchit Rds *(plan A2, **1**)*. Départ toutes les 40 mn environ de 3 h à 21 h. Compter 3 h 30 jusqu'au Southern Bus Terminal de Bangkok.

En train : la vieille gare *(plan A2)* pittoresque, équipée d'une réservation électronique, vaut vraiment le coup d'œil... Dix départs par jour, surtout entre 2 h et 6 h 30 du matin. Seulement 2 départs l'après-midi. Compter 4 h 30 de trajet.

Vers le Sud

En bus : depuis le terminal des bus sur Liabtang Rodfai Rd *(plan A1, **2**)*. Liaisons pour *Chumphon* (départ en matinée, 4 h de trajet), *Surat Thani* (durée : 7 h), *Koh Samui* (durée : 11 h), *Phang Nga* (durée : 9 h), *Krabi* (durée : 9 h), *Trang* (durée : 10 h), *Phuket* (durée : 11 h) et *Hat Yai* (durée : 11 h) ; en soirée principalement. Réservation des bus privés (VIP et minibus) à l'agence *Western Tour* (☎ 032-513-868 ou 032-533-303) sur Damnoenkasem Rd, à côté de *Puangpen Villa Hotel and Guesthouse (plan B2, **6**)*.

En train : pour *Prachuab Khiri Khan*, 11 départs tous les jours (1 h 30 de trajet). Pour *Bang Saphan*, 6 départs quotidiens (durée : 1 h 40). Pour *Chumphon*, 10 trains chaque jour (4 h de trajet). Pour *Surat Thani*, 10 départs (durée : 7 à 8 h). Pour *Trang*, 2 trains quotidiens en soirée (durée : 11 à 12 h). Pour *Hat Yai*, 5 départs (durée : 13 h).

ENTRE HUA HIN ET SURAT THANI

L'accès est particulièrement facile : une seule route et une ligne de chemin de fer unique, largement fréquentées par tous les routards qui gagnent le Sud. Vous utiliserez donc sans problème les nombreux bus et trains qui roulent nuit et jour sur ce « grand boulevard du Sud »...

PRACHUAB KHIRI KHAN – ประจวบคีรีขันธ์

Située à 80 km au sud de Hua Hin ; on y trouve une gare (proche du centre-ville), un très beau temple – le *Wat Thammikaram* – perché sur une colline en bord de mer, d'où l'on voit les singes sauter et s'égailler dans la rivière. On y vient aussi pour sa merveilleuse plage déserte, *Ao Manao*, située à 2 km plus au sud dans une base de l'armée de l'air thaïe. Vous devrez donc franchir, en *tuk-tuk*, les barrières de sécurité (vous échangerez alors votre passeport contre un carton numéroté), puis la piste d'atterrissage, avant de vous étendre sur le sable chaud ; les yeux dans le bleu. Marché de nuit le soir. Parfait pour grignoter quelques poissons grillés sur le sable. Le rêve...

Où dormir ?

Bien sûr, il y a quelques hébergements dans le centre-ville, mais on a décidé de vous emmener à la plage...

Prix moyens (autour de 600 Bts – 12 US$)

☗ ***Akhan Sawadi Khan Wing*** – อาคารสวัสดิกันหวิง *:* sur la plage de Ao Manao. Réservation très conseillée : ☎ 032-611-017. Cet hôtel « les pieds dans l'eau » est géré par l'armée de l'air. Les chambres sont briquées et plutôt confortables. Vraiment paisible ; seulement quelques touristes thaïs le week-end. Dormez sur vos deux oreilles, on ne vous jouera pas la sonnerie du « branle-bas » en guise de réveille-matin !

BANG SAPHAN – บางสะพาน

À 85 km au sud de Prachuab Khiri Khan. Belles plages de sable clair bordées de cocotiers et absolument désertes. Pour vous perdre un peu plus dans ce « bout du monde », vous rejoindrez *Koh Thalu* en bateau, un îlot paradisiaque avec quelques bungalows seulement ; très routard dans l'âme...

Où dormir ?

De bon marché à prix moyens (de 300 à 500 Bts – 6 à 10 US$)

☗ ***Suanluang Resort*** – สวนหลวงรีสอร์ท *:* sur le continent, à 6 km au sud-est du bourg. ☎ 01-212-56-87. Une poignée de bungalows situés à 500 m de la plage. Certains – en bois et bambou – avec sanitaires (eau froide), ventilo et petite terrasse privée affichent une propreté exemplaire. D'autres, plus confortables, reçoivent AC et eau chaude (les plus chers). Location de vélos et motos.

CHUMPHON – ชุมพร

À 80 km au sud de Bang Saphan. Rien à y faire de particulier, sinon lézarder sur les plages sauvages et explorer gentiment les quelques îlots du large... Pourtant, ceux qui désirent se rendre à ***Koh Tao*** directement ont tout intérêt à embarquer ici. Ils économisent ainsi le voyage jusqu'à Surat Thani, et les traversées successives vers Koh Samui puis Koh Pha Ngan.

On embarque au ***port de Pak Nam Chumphon*** – ท่าปากน้ำชุมพร, situé à une dizaine de kilomètres au sud-est du centre-ville, et facilement accessible depuis la gare en motos-taxis ou *songthaews*. Tous les jours, un *express-boat* appareille à 7 h 30 pour Koh Tao (environ 3 h de traversée). Sachez qu'il poursuit ensuite sa route vers Koh Pha Ngan et Koh Samui... D'autre part, un minuscule ferry quitte Pak Nam Chumphon à minuit et arrive, normalement, à 6 h du matin à Koh Tao, mais vu son état, à éviter ! Attention également, la météo peut aussi vous jouer des tours.

Où dormir ?

Bon marché (autour de 300 Bts - 6 US$)

Thayang Seeport Hotel – ท่ายางซีพอร์ทโฮเต็ล **:** idéalement situé dans le port de Pak Nam Chumphon, à quelques mètres de l'embarcadère. ☎ 032-553-054. Dans un bâtiment de deux étages, un grand nombre de chambres propres et confortables, toutes avec sanitaires. Idéal si vous prenez le bateau le lendemain à 7 h 30.

Où manger ?

Pas cher (moins de 150 Bts - 3 US$)

Le marché de nuit – ตลาดกลางคืน **:** au cœur de la ville, pas très loin de la gare, un assez grand *night bazaar* où l'on trouve de tout : brochettes, *pad thaï*, soupes de nouilles... Également de nombreux « food corners » qui servent de bons petits plats. Ambiance très plaisante dans ce marché bien vivant.

SURAT THANI – สุราษฎร์ธานี

Ville ne présentant aucun attrait. Son seul intérêt est d'être le port d'embarquement principal pour Koh Samui et Koh Pha Ngan. Pour aller à Koh Tao, on conseille vivement de prendre un bateau à Chumphon (voir ci-dessus). En tout cas, s'arranger pour ne pas dormir à Surat Thani.

Comment y aller de Bangkok ?

➢ ***En bus AC ou non-AC :*** du *Southern Bus Terminal* de Bangkok. Trois départs entre 20 h et 20 h 30 en bus AC (10 h de trajet). Deux départs à 9 h 20 et 23 h en bus non-AC (11 h de trajet). Dans un sens comme dans l'autre, arrivez à l'avance.

➢ ***En train :*** de la gare de *Hua Lamphong* de Bangkok. Dix départs entre

12 h 25 et 22 h 30, majorité des départs en fin d'après-midi (compter 12 h de trajet). Attention, la gare de Surat Thani se trouve en fait à *Phun Phin*, à 14 km de la ville. Si vous avez une correspondance avec un bateau pour Koh Samui, vous trouverez toujours un bus ou un taxi pour vous conduire jusqu'aux guichets des compagnies maritimes qui vous prendront en charge.

➢ ***En avion :*** 2 vols par jour de Bangkok avec *Thai Airways.* Si votre destination finale est Koh Samui, vous pouvez aussi utiliser les services de *Bangkok Airways,* qui assure 16 vols quotidiens Bangkok–Koh Samui. Bon à savoir, comme ils détiennent le monopole de cette ligne, le billet coûte deux fois plus cher que celui pour Surat Thani.

À L'EST : LES ÎLES ENTRE KOH SAMUI ET KOH TAO

KOH SAMUI – เกาะสมุย

La plus grande île du golfe de Thaïlande (21 x 25 km). De plus en plus bétonnée, elle possède encore, malgré tout le mal qu'on pense de son développement en certains endroits, quelques superbes plages peu fréquentées et fournit l'occasion de chouettes balades dans les collines généreusement boisées du centre. Elle propose encore des bungalows assez bon marché les pieds dans l'eau, une nourriture variée et plutôt bonne, un climat idéal... Ce n'est déjà pas si mal !

Plusieurs plages au choix : *Chaweng Beach* et *Lamai Beach* (où les bars à filles se sont multipliés de façon inquiétante). Mais si vous résidez à *Mae Nam Beach*, *Choeng-Mon Beach* ou *Bo Phut*, vous aurez des vacances plutôt cool...

CLIMAT

En général, il pleut à Koh Samui d'octobre à janvier, puis le beau fixe s'installe jusqu'à mi-avril. Les mois d'été (juillet-août) jouissent aussi d'un ensoleillement remarquable, mais le temps y est moins stable. Vents et orages nocturnes sont fréquents, mais rien à voir avec la saison des pluies qui se déchaîne sur Phuket à la même période...

Comment y aller ?

En bateau

➢ ***De Bangkok :*** il faut aller jusqu'à Surat Thani (voir rubrique « Comment y aller ? »), puis prendre le bateau. Au *Southern Bus Terminal* de Bangkok, certaines compagnies privées proposent un billet combiné bus-bateau dont les horaires d'arrivée ne seraient pas vraiment fiables (selon nos lecteurs).

➢ ***De Surat Thani :*** il y a 3 points d'embarquement possibles, Surat Thani (Ban Don), Ta Tong et Donsak. De la gare de Surat Thani (à 14 km de la ville), bus réguliers ou taxis vous mènent jusqu'aux agences *Songserm Travel* ou *Samui Tour*, en centre-ville (près du port de Ban Don). Après l'achat du billet de bateau, celles-ci vous conduiront en bus (de 6 h 30 à 16 h 30)

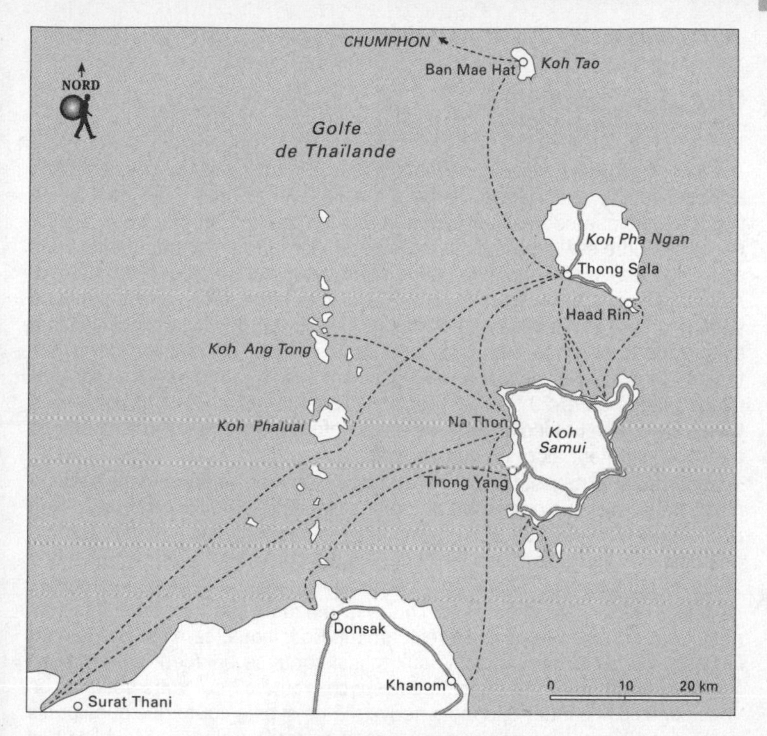

ARCHIPEL DE KOH SAMUI

jusqu'à l'un des points d'embarquement; la mécanique est bien rodée. Compter 30 mn de bus jusqu'au port de Ta Tong, 1 h pour atteindre le quai de Donsak et environ 1 h 30 pour arriver à l'embarcadère de Khanom.

– Une traversée quotidienne à 8 h par *express-boat* de Ta Tong à Na Thon (durée : environ 3 h).

– Entre 8 h et 18 h, 8 *ferry-boats* appareillent de Donsak pour le débarcadère de Thong Yang (au sud de Na Thon). Les bus montent à bord et poursuivent leur course jusqu'à Na Thon, le terminus (durée : 2 h).

– Enfin, traversée nocturne depuis Ban Don à 23 h sur un *ferry* dont l'aspect et l'entretien nous inquiètent un peu... En tout cas, cette solution permet aux plus téméraires de ne pas dormir à Surat Thani pour gagner une journée de bronzette à Koh Samui. Des matelas étroits, où viennent s'entasser Thaïs et touristes, sont installés les uns à côté des autres. Gardez quand même un œil sur vos sacs et une main sur votre gilet de sauvetage. Arrivée à Koh Samui à 5 h ! Attention, la météo peut parfois compromettre les départs.

En avion

➢ ***De Phuket :*** 2 vols par jour avec *Bangkok Airways.* Durée : 40 mn.

➢ ***De Bangkok :*** la même compagnie assure entre 12 et 18 vols quotidiens directs de 7 h 30 à 20 h 30. Durée : 1 h 20.

➢ ***De Hua Hin :*** 1 vol 4 fois par semaine.

➢ ***De Singapour :*** 1 ou 2 vols quotidiens.

Circuler dans l'île

– ***Les songthaews :*** camionnettes bâchées à banquettes qui circulent sans arrêt sur tout le pourtour de l'île de 6 h à 17 h 30 environ. Leur destination finale est indiquée dessus. Pratique et rapide (souvent un peu trop). Il suffit de les attendre sur le bord de la route et de leur faire un signe. Quand vous souhaitez descendre, appuyez sur l'interrupteur qui se trouve au plafond. Ayez toujours de la monnaie et ne demandez jamais le prix avant le début de votre course, il serait sévèrement majoré (demandez aux locaux qui circulent avec vous quel est le prix d'une course et estimez en fonction de la distance). Le soir, des *songthaews* organisent des « ramassages » sur certaines plages entre 20 h et 21 h et conduisent les *farang* à Chaweng ou à Lamai Beach, pour picoler dans les bars. Retour entre 3 h et 4 h. Les prix du transport flambent alors en conséquence.
– ***La moto :*** le meilleur moyen d'être complètement indépendant évidemment. Mais voici quelques infos pour vous glacer le sang : les routes de Koh Samui sont étroites et de plus en plus fréquentées. Les Thaïs roulent comme des dingues. Ils ne sont pas les seuls. Le danger vient de plus en plus des touristes qui louent un engin sans même savoir le piloter, vu que les loueurs n'exigent aucun document. Les Thaïs se moquent bien de faire des tonneaux sur la route, vu qu'ils se réincarnent. Pour nous, ce n'est pas le cas ! On décerne la palme du ridicule aux touristes qui se baladent en tongs, en maillot et torse nu à fond les manettes sur ces routes. Pour votre sécurité, on vous conseille de louer une moto neuve même si cela coûte quelques bahts de plus, de bien reluquer son aspect et de tester le freinage. N'oubliez pas de mettre votre casque (demandez-en un, car on ne vous en proposera pas) et gardez toujours un œil dans vos rétros. Les chiens envahissent aussi les routes et sont souvent cause d'accidents : ils traversent sans prévenir ! Sachez enfin que l'assurance est obligatoire depuis peu, mais attention, beaucoup de loueurs en proposent des bidons. Bien vérifier donc pour économiser les palabres en cas de casse ! Sinon, la moto, c'est super-chouette, non ?
– ***Motos-taxis :*** outre les *songthaews*, il y a désormais des services de motos-taxis (on les reconnaît à leur T-shirt fluo violet, jaune, vert... selon les villages). Demander le tarif de la course que vous souhaitez effectuer car c'est assez cher (ex. : une petite course dans Chaweng, entre 20 et 30 Bts, soit 0,4 et 0,6 US$). Les *songthaews* sont moins chers évidemment, même si c'est plus long. Les pilotes portent un casque mais n'en proposent visiblement pas aux passagers.

Se repérer dans l'île

Notre carte n'est qu'indicative. On vous conseille fortement de vous munir dès votre arrivée de la carte gratuite « Map of Koh Samui, free copy » qu'on trouve partout et qui indique toutes les routes mais surtout tous les hébergements de l'île. Veillez bien à avoir la dernière carte en cours. Vraiment aussi pratique qu'indispensable.

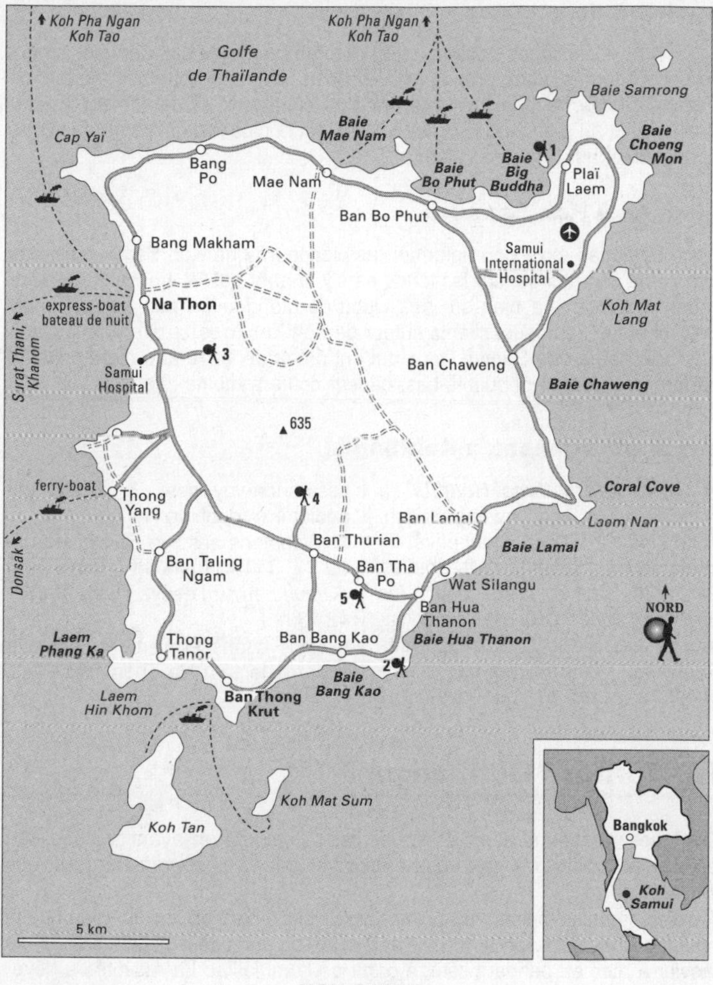

KOH SAMUI

À voir

1 Big Buddha
2 Butterfly Garden
3 Hin Lad Waterfall
4 Na Muang Waterfalls 1 et 2
5 Moine momifié du Wat Khunaram

Adresses et infos utiles

Change

Toutes les plages disposent de plusieurs kiosques de change, dont beaucoup ferment à 22 h. En revanche, les banques de Na Thon sont closes à 18 h.

Agences de voyages

La plupart des villages possèdent de nombreuses agences de voyages qui proposent toutes à peu près la même chose : billets de bateaux, de bus ou d'avion, change, connexions Internet, fax, téléphone... Évidemment, c'est à Chaweng et à Lamai que la concentration est la plus forte mais on en trouve aussi à Bo Phut ou à Mae Nam.

Plongée à Koh Samui

Juste quelques mots pour informer les plongeurs que Koh Samui n'est pas une île où l'on plonge, car les fonds ne s'y prêtent pas et il n'y a pas grand-chose à voir. Il y a bien sûr des clubs de plongée un peu partout, mais ceux-ci emmènent leurs clients autour de Koh Tao, c'est-à-dire en moyenne à 2 h de bateau de Samui. Ceux qui ont prévu de se rendre dans cette île préféreront plonger depuis là-bas, ça leur coûtera moins cher.

Santé et urgences à Koh Samui

■ ***Samui International Hospital :*** à la sortie nord de Chaweng Beach. ☎ 077-422-272. Un hôpital privé, de construction récente et ouvert 24 h/24, aussi bien pour les urgences que pour les médicaments. Un Français s'occupe des formalités. Vous n'aurez pas grand-chose à payer si vous avez une assurance-voyages. Également pédiatre et dentiste.

■ Signalons aussi le ***Samui Hospital* – โรงพยาบาลสมุย *(plan Koh Samui) :*** au sud de Na Thon. ☎ 077-421-399.

– Nous citons également l'adresse d'un médecin à Na Thon.

Où dormir ? Où manger ?

Quelques rabatteurs rôdent à l'arrivée des bateaux. Ayez avant tout une idée précise de la plage où vous voulez atterrir et prenez un *songthaew* pour vous y rendre.

Pendant la basse saison, on obtient assez facilement un rabais. Bien que la notion de haute saison tende à s'estomper, on considère qu'elle s'étend de janvier à avril et, pendant l'été, à partir de la mi-juillet. La rapidité du développement touristique de l'île rend les adresses très instables et périssables. De plus, la notoriété acquise grâce à un guide pousse plus les proprios à l'indolence qu'au dynamisme. La longévité d'une bonne adresse s'en trouve alors écourtée.

De même, nous indiquons peu de restos. C'est vraiment trop peu fiable. Bien souvent vos hôtes préparent une cuisine locale honnête et pas chère. Vous ne trouverez pas forcément mieux ailleurs.

NA THON – หน้าทอน

Ville principale de l'île. Port d'arrivée et de départ des *express-boats* pour Surat Thani et Koh Pha Ngan, et de certains *ferries*. C'est aussi le terminus des bus qui débarquent sur l'île par le *ferry-boat* de Thong Yang (à environ

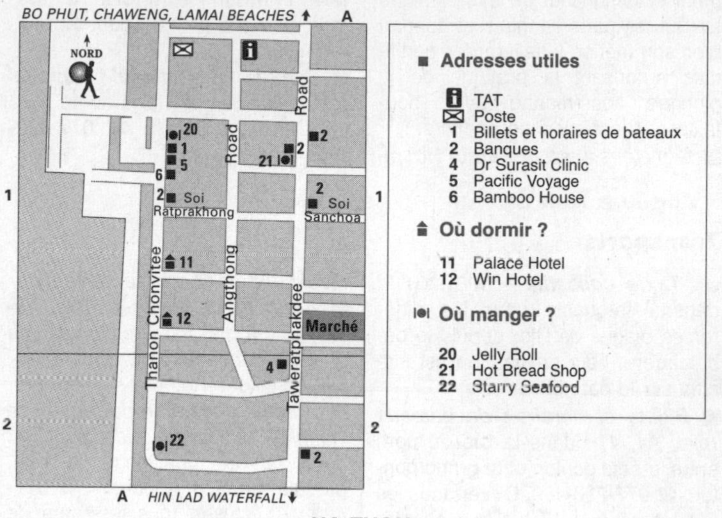

NA THON

10 km au sud). Atmosphère agréable. Toute son animation se concentre dans Taweratphakdee Rd. Barcasses de pêcheurs à proximité des quais.

Adresses utiles

Infos pratiques

TAT – ท.ท.ท. *(plan A1)* **:** derrière la poste. ☎ 077-420-720. Ouvert tous les jours de 8 h 30 à 12 h et de 13 h à 16 h 30. Carte de l'île détaillée et gratuite, liste des hébergements, infos sur toutes les liaisons maritimes avec le continent et les autres îles, brochures publicitaires en tout genre (hôtel, restos, loisirs...). Accueil très aimable.

Poste – ไปรษณีย์ *(plan A1)* **:** sur le front de mer, à gauche en descendant du bateau, à 300 m. Ouvert en semaine de 8 h 30 à 16 h 30, et les samedi et dimanche de 9 h à 12 h seulement. Au 1er étage, téléphone ; ouvert de 7 h à 22 h tous les jours.

■ ***Office d'Immigration*** – สำนักงานตรวจคนเข้าเมือง *(hors plan par A2)* **:** au sud du village, juste au croisement de la route qui mène au *Samui Hospital.* ☎ 077-421-069. Pour prolonger votre visa.

■ ***Banques*** *(plan A1 et A2,* ***2****)* **:** nombreuses banques dans Taweratphakdee Rd.

@ ***Internet*** **:** de nombreuses petites boutiques proposent des connexions sur la route du port.

Santé

■ ***Dr Surasit Clinic*** – คลีนิคหมอสุรสิทธิ์ *(plan A2,* ***4****)* **:** 167 Taweratphakdee Rd (dans le centre du village, au rez-de-chaussée). ☎ 077-421-011. Consulte de 7 h 30 à 16 h en semaine, de 7 h 30 à 12 h les sa-

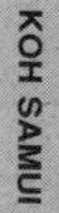

medi et dimanche. Le sympathique Dr Surasit parle l'anglais et connaît bien son métier. Il délivre des certificats autorisant la pratique de la plongée sous-marine avec bouteilles... C'est aussi un pédiatre.

■ Signalons aussi le ***Samui Hospital*** – โรงพยาบาลสมุย *(plan Koh Samui)* **:** au sud de Na Thon. ☎ 077-421-399.

■ ***Samui International Hospital*** *(plan Koh Samui)* **:** à la sortie nord de Chaweng Beach. ☎ 077-422-272.

Transports

Taxis collectifs **–** รถสองแถว **:** départs fréquents pour les différentes plages de l'île, depuis le débarcadère. Leur destination est inscrite sur le pare-brise.

■ ***Billets et horaires de bateaux*** *(plan A1,* ***1****)* **:** dans la rue du port, entre le petit ponton et le grand ponton. ☎ 077-236-489. Ouvert tous les jours de 8 h à 17 h. Pour acheter tous les billets de bateaux Express. Compagnie régulière qui possède la plupart des bateaux pour Surat Thani, Koh Pha Ngan et Koh Tao. Pour cette dernière destination, il existe aussi des traversées en *speed-boat*, au départ de Mae Nam, Bo Phut et Big Buddha Beaches. Liaisons rapides mais plus coûteuses. Attention au mal de mer !

■ ***Agences de voyages, Thai Airways, marché...*** **:** en bordure du quai de débarquement et dans Taweratphakdee Rd.

■ ***Pacific Voyage*** *(représentant de Bangkok Airways ; plan A1,* ***5****)* **:** dans la rue qui longe le port, presque en face du ponton. ☎ 077-420-370. Ouvert tous les jours de 7 h 30 à 17 h 30.

■ ***Bamboo House*** *(plan A1,* ***6****)* **:** sur le port. ☎ 077-421-092. Ouvert de 6 h 30 à 17 h. Une petite agence qui ne vend que des billets de bus pour aller de Na Thon au point de départ du ferry, puis de l'arrivée du ferry (sur le continent) à Surat Thani-ville.

Où dormir ?

Pour parler sans ambages, évitez de dormir à Na Thon. Aucun intérêt.

Prix moyens (de 400 à 800 Bts – 8 à 16 US$)

Palace Hotel **–** โรงแรมพาเล ซ *(plan A1,* ***11****)* **:** 152 Chonvitee Rd. ☎ 077-421-079. Fax : 077-421-080. Face au port, à 300 m à droite du débarcadère. De palace, il n'a que le nom, même si l'ensemble vient d'être entièrement rénové. Chambres propres et bien tenues (draps nickel), avec ventilo ou AC, et vue directe sur la vie des pêcheurs. Accueil souriant.

Win Hotel **–** โรงแรมวิน *(plan A1,* ***12****)* **:** 366 Chonvitee Rd. ☎ 077-421-500. Sur le front de mer, un peu plus au sud que le *Palace*. Hôtel en dur de 3 étages. Propre, tranquille, sans charme. Demander au moins une chambre avec un bout de vue sur la mer. Toutes avec AC.

Où manger ?

Pas cher (moins de 100 Bts - 2 US$)

|●| ***Jelly Roll*** – ร้านอาหารเยล ล่โรล *(plan A1, **20**) :* face aux pontons. Attention, le panneau est très peu visible. Ouvert de 7 h à 17 h tous les jours. Grande salle anonyme, genre cantoche. Ici, pas de problème de compréhension, car tout est écrit en français et les spécialités de notre beau pays sont nombreuses. Également de bons petits plats thaïs et de chouettes soupes. On peut aussi y prendre le petit dej'.

|●| ***Hot Bread Shop*** – ฮ็อทเบรดช็อป *(plan A1, **21**) :* Taweratphakdee Rd. ☎ 077-421-295. Ouvert tous les jours de 7 h à 18 h 30. Un petit salon de thé ouvert sur la rue, version thaïlandaise. Délicieuses pâtisseries et bon café à prix veloutés. Clientèle composée de touristes et de Thaïs qui viennent y prendre leur petit dej' à l'européenne. Il y a deux succursales sur le port.

Prix moyens (entre 100 et 300 Bts - 2 à 6 US$)

|●| ***Starry Seafood*** – สตาร์รี่ซีฟู้ด *(plan A2, **22**) :* ☎ 077-420-227. Cantine sino-thaïe, face à la mer, dans la partie sud de la ville, à environ 1 km du débarcadère. Plats pas chers et bien faits. Populaire. Toujours plein de familles chinoises qui se partagent un nombre incroyable de plats.

Où manger dans les environs ?

Pas cher (moins de 150 Bts - 3 US$)

Plusieurs petits restos sur la route au nord de la ville.

|●| ***Rimbang Seafood*** – ริมบางซีฟู้ด **:** à 1 km au nord de Na Thon, sur la gauche de la route au niveau de Bang Makham. ☎ 077-236-047. Ouvert midi et soir, tous les jours. En bord de mer, cet authentique resto de pêcheur propose un bon assortiment de fruits de mer frais, mijotés selon les recettes du cru. Ainsi crevettes, calamars et poissons exotiques viendront délicieusement chatouiller vos papilles. Simple et copieux. Accueil charmant.

Très chic (autour de 1 500 Bts - 30 US$)

|●| ***Resto du Royal Meridien*** – ภัตตาคารโรงแรมรอยัล เมอริเดียน **:** à environ 15 km au sud de Na Thon, en haut du promontoire de Baan Taling Ngam (accès final en voiture électrique !). ☎ 077-423-019. Le nec plus ultra des restos chics de l'île. À la fin des vacances, après avoir couru les cantoches routardes, vous aurez peut-être envie – le dernier soir – de casser le petit cochon (!) et de vous installer à la jolie terrasse couverte et ventilée avec vue sur la mer, la belle piscine et le jardin tropical. En fait, il y a trois restos dans cet hôtel. Sans doute le *Lam Talay* correspond-il le mieux à une soirée de qualité. Et si vous êtes très en fonds, choisissez plutôt le *Baan Chantra* où sont préparées d'an-

ciennes recettes royales. C'est excellent, cher et vraiment raffiné. Service stylé. Atmosphère intime et feutrée, idéale pour un dernier dîner en amoureux.

À voir au large

Le parc national marin d'Ang Tong – อุทยานแห่งชาติหมู่เกาะอ่างทอง : il s'agit d'un chapelet d'îles à l'ouest de Koh Samui (environ 2 h 30 de traversée). *Attention :* comparer les prix des compagnies maritimes qui organisent l'excursion et ceux pratiqués par les bungalows ; les différences sont notables. Excursion au départ de Na Thon le matin, retour le soir. Repas compris. Franchement, le seul intérêt de cette balade, c'est le paysage totalement vierge et paradisiaque de l'archipel. Car les eaux sont vraiment troubles, et les possibilités de *snorkelling*, de fait, assez réduites. Hypertouristique. Ne pas oublier sa crème solaire.

➤ LES PLAGES DE L'ÎLE

Nous parcourons les différentes plages de Koh Samui en tournant dans le sens des aiguilles d'une montre, à partir de Na Thon.

MAE NAM BEACH – หาดแม่น้ำ

La première vraie plage que l'on rencontre en venant de Na Thon et en se dirigeant vers le nord. Calme, en retrait et peu touristique.

Où dormir ?

La plupart des adresses sont éloignées de la route. N'hésitez pas à demander car les panneaux sont peu nombreux. Si vous voulez bouger, il vous faudra louer une moto ou ne pas avoir peur de faire de la marche. En revanche, vous y trouverez le calme et la tranquillité. Attention, ici les bungalows sont d'un confort plutôt spartiate !

Bon marché (de 200 à 400 Bts – 4 à 9 US$)

Mae Nam Village Bungalow – แม่น้ำวิลเล จบังกะโล : au milieu du village. ☎ 077-425-151. De la route principale, tournez à gauche sur l'unique route jusqu'à la mer et prenez le chemin à droite. À deux pas de la plage, bungalows et chambres dans des petites maisons en dur. Ventilo, douche froide. Prix selon la taille. Le tout bien modeste.

SR Bungalow – เอส.อาร์.บังกะโล : pour y accéder de la route principale, prenez le petit chemin en terre à gauche, 50 m avant l'épicerie *Smile Shop* (pratiquement à la sortie de Mae Nam quand on vient de Na Thon) et faites 800 m. ☎ 077-427-529. • sr-bungalow@hotmail.com • Un petit ensemble de bungalows en dur et en enfilade (certains devant la plage) avec ventilo et salle de bains attenante (eau froide). Confort honnête, ensemble propre, correct et au calme. Accueil très aimable.

Rainbow Bungalow – เรนโบว์ บังกะโล : prendre le chemin qui dessert *SR Bungalow*, mais ne pas prendre à droite. ☎ 077-425-425. Une poignée de petits bungalows en dur, devant la délicieuse plage. Chambres propres et bien tenues. Accueil charmant. Prix du simple au double selon la taille. Douche froide et ventilo. Beaucoup de carrelage. Loin de la foule et du bruit.

🏠 ***Mae Nam Villa*** – แม่น้ำวิลล่าบังกะโล *:* tout proche de *SR Bungalow*, prendre le même chemin d'accès. Devant la plage, au bout du chemin. ☎ 077-425-501. Au milieu d'un joli jardin, bungalows en dur avec petite terrasse privative, ventilo et sanitaires (douche froide).

🏠 ***Koseng 2*** – กอเส่ง *:* sur la plage de Mae Nam. ☎ 077-427-106. Bungalows modestes. Devant la plage. Ventilo et douche froide. Tranquille et extrêmement simple. Un petit bout de resto.

De prix moyens à un peu plus chic (de 400 à 1 200 Bts – 8 à 24 US$)

🏠 ***Laem Sai Bungalows*** – แหลมทรายบังกะโล *:* un peu plus loin que *SR Bungalow*. ☎ 077 425-133. Fax : 077-427-524. • laemsai@thaivisit.com • Des bungalows en dur, hyper-propres, dispersés au milieu des cocotiers. Belle vue. On est devant une adorable langue de sable d'où l'on peut voir le lever et le coucher du soleil (mais non, pas en même temps !). Prix du simple au quadruple selon le confort et la taille (ventilo, salle d'eau confortable ou AC, etc.), à vous de choisir. Atmosphère cool. Bonne cuisine et calme total.

🏠 ***Palm Point Village*** – ปาล์มพอยท์วิล เล จ *:* à gauche en arrivant à Mae Nam par la route de Na Thon ; bien indiqué depuis la route principale. ☎ 077-247-372. Fax : 077 425 095. Sur une belle portion de plage, deux rangées de bungalows entourés de plantes et de cocotiers. Chambres propres et confortables, avec salle d'eau (eau froide), ventilo ou AC. Certaines donnent sur la plage (nos préférées).

Où manger ?

Pas cher (moins de 150 Bts – 3 US$)

🍽 ***Angela's Bakery and Café*** – อันเจล่าเบกเกอรีแอนด์กาแฟ *:* sur la grande route principale, côté opposé à la plage. ☎ 077-427-396. Évidemment le site n'a rien d'extra, en bord de route ; mais bons gâteaux, variés et pas chers, bravo ! *Bagels, lemon cake, strudel, cheese cake...* Gââátô, gââátô !

BO PHUT BEACH – หาดบ่อผุด

C'est une jolie plage, mais c'est aussi un village charmant, adorable, certainement le plus sympathique de l'île. Pas étonnant que la communauté francophone s'y soit installée. Eh oui, la seule note étrangère est donnée ici par des Français, qui ont été conquis par le charme du lieu et tentent d'en préserver l'esprit. Les petites demeures de la rue principale font à la fois épicerie, salon-salle à manger, garage pour la mob et agence de téléphone pour les touristes. Ici on se couche tôt et c'est tant mieux. La plage de Bo Phut n'est certainement pas la plus belle (fonds un peu vaseux...), mais elle demeure encore relativement intime et calme quand on s'éloigne du village par la gauche.

Où dormir ?

De bon marché à prix moyens (de 400 à 1 000 Bts – 8 à 20 US$)

🏠 ***Free House Bungalows*** – ฟรีเฮ้าส์บังกะโล **:** entre Peace et Samui Palm Beach, mais pas très bien indiqué. ☎ 077-427-516. • freehousesamui@hotmail.com • Tenu par une famille modeste comme tout, quelques bungalows fort simples et pourtant propres, même si les abords sont peu engageants. Double avec eau froide. La petite adresse pas chère pour les fauchés qui recherchent le calme et une certaine intimité. Toilettes et ventilo. Plage et petit resto soigné.

🏠 Les ***Zazen***, ***Smile House Resort*** et ***Sandy Resort*** (voir dans « Un peu plus chic... ») proposent quelques bungalows pas chers.

Un peu plus chic et plus chic (de 1 000 à 2 500 Bts – 20 à 50 US$)

Dans cette catégorie, on trouve des gammes de tarifs très larges. Les premières adresses pratiquent les tarifs les plus raisonnables.

🏠 ***Smile House Resort*** – สไมล์เฮ้าส์รีสอร์ท **:** au cœur de Bo Phut. ☎ 077-425-361. Fax : 077-425-239. • smilehouse@sawadee.com • Deux types de bungalows. Les plus simples, tout blancs, devant la piscine et plus proches de la rue (ça reste très calme le soir), petits et modestes, avec ventilo et douche (eau froide), mais assez aérés et espacés les uns des autres. Et puis les plus chic, tout au fond, autour d'un beau jardin arboré, encore plus au calme, en bois et avec AC. Bonne adresse pas chère et à deux pas de la plage.

🏠 ***Sandy Resort*** – แซนดี้รีสอร์ท **:** juste après *Zazen Bungalows*. ☎ 077-425-353. Fax : 077-425-325. Dans un cadre verdoyant à souhait, des bungalows mignons (déco agréable), confortables et très propres, avec salle d'eau, ventilo ou AC. Mais ils souffrent d'être un peu trop rapprochés les uns des autres. Gamme de prix pas trop étendue et assez raisonnable, les plus chers se trouvant en bord de mer, où sont installés des transats. Agréable piscine dominant la plage. Ambiance village de vacances... Accueil attentionné et minibus pour aller chercher les clients à l'aéroport. Club de plongée à côté.

🏠 ***Eden Bungalows*** – เอเดนบังกะโล **:** au milieu du village de Bo Phut. ☎ 077-427-645. Fax : 077-427-644. • www.edenbungalows.com • Tenu par un couple de Français très sympa. Les bungalows donnent sur un jardin calme avec une petite piscine. Très bon rapport qualité-prix pour le confort proposé. Un bouquet de chambres à la décoration particulièrement raffinée, tout confort. Ventilo ou AC. Une belle affaire, familiale et cosy. Bar avec pastis ! 10 % de réduction pour les lecteurs du *Guide du routard*.

🏠 ***The Lodge*** – เดอะล อดจ์ **:** au cœur du village, juste devant *Bo Phut International Diving School*. ☎ 077-425-337. Fax : 077-425-336. Cette charmante demeure de style compte une dizaine de chambres confortables (AC, moustiquaire, minibar...) et décorées avec un goût sûr. Partout, le bois exotique est de rigueur, créant une atmosphère vraiment chaleureuse. Les chambres donnent sur la mer ; mais notre préférée, au 1er étage, surplombe un joli cocotier. Une adresse de charme au rapport qualité-prix exceptionnel.

Zazen Bungalows – ซาเซนบังกะโล *:* nouveau nom du *Starfish and Coffee Bungalows*. L'une des premières adresses sur Bo Phut Beach, à gauche en arrivant de Na Thon. ☎ 077-425-085. Fax : 077-425-177. • www.samvizazen.com • Facile à reconnaître, l'entrée et les bungalows sont patinés en orange. Une quinzaine de bungalows de tailles différentes, clairs, bien tenus et aménagés avec beaucoup de goût. Les plus simples – en bambou et très bon marché – disposent de salle de bains et ventilo ; les autres – en dur – sont plus spacieux et parfois équipés de l'AC. Les plus chers ont les pieds dans l'eau, bien entendu ! Fait également resto. Petit salon de relaxation très agréable et accueil charmant. Billard surplombant la mer et même un vieux baby-foot.

World Resort – เวิร์ลด์บังกะโลรีสอร์ท *:* ☎ et fax : 077-425-355. • www.samuiworldresort.com • Face à la plus belle partie de la plage. Bungalows de toutes les tailles et à tous les prix, du plus simple avec sanitaires et ventilo, jusqu'à la suite avec salon, TV, AC... Propreté irréprochable. Piscine. Accueil attentionné et service de minibus pour aller chercher les clients à l'aéroport.

Où manger ?

Bo Phut est l'un des rares endroits de l'île où l'on indique des restaurants. Il faut dire aussi que l'atmosphère du village est restée assez bon enfant, même si certains restos de longue date, tenus par des Européens prétentieux et mercantiles, nous ont un peu déçus.

Pas cher (moins de 150 Bts – 3 US$)

No Name Thaï Restaurant : installé sur la route principale, en face du circuit de kart, donc pas du tout dans le village. Ouvert tous les jours de 8 h à 23 h. Un bouquet de tables sous une terrasse recouverte de tôles ondulées, et une carte généreuse aux couleurs du *GDR* (cocorico !). Cuisine traditionnelle. Bonne soupe de nouilles, délicieux riz sauté au bœuf...

Tid Restaurant – ร้านอาหารทิด *:* dans le village. ☎ 077-425-129. Ouvert de 8 h 30 à 22 h 30. Un resto très « couleur locale », simple, où l'on mange le poisson pêché par le patron. Spécialités de crabe, gambas, calamars et requin. Les fauchés trouveront aussi d'excellentes nouilles sautées. Juste une poignée de tables, dont certaines sont installées sur une petite terrasse qui donne sur la mer. Bon accueil.

De bon marché à prix moyens (de 150 à 350 Bts – 3 à 7 US$)

Starfish and Coffee Restaurant – ร้านอาหารสตาร์ฟิชแอนด์คอฟฟี *:* au cœur du village, dans la rue principale. ☎ 077-427-201. Si Aladin devait inviter Jasmine, c'est ici qu'il l'inviterait ! Joli décor de palais andalou. Le bon goût se poursuit jusqu'aux cuisines où sont mitonnés d'excellents plats thaïs à prix malins. On a bien aimé le curry thaï aux fruits de mer, la belle panoplie de salades et, bien sûr, les poissons. Au dessert, quelques bananes coupées dans du lait de coco chaud ont parachevé l'extase de nos papilles ! Agréable terrasse sur le front de mer, et serveurs un tantinet déconneurs. Juste à côté, massage dans un cadre extraordinaire, face à la mer. Un grand bravo !

I●I *La Sirène* – ร้านอาหารล าซิแรน *:* dans la rue principale du village. ☎ 077-425-301. Ce resto tout rose avec son agréable terrasse (vue directe sur Koh Pha Ngan) propose différents menus bien ficelés... On y mange bien. Pastis offert à nos lecteurs.

I●I *Le Bateau* – ร้านอาหารเล อบาโต *:* ☎ 077-425-297. Fermé le mardi. Avec sa femme Darunee, Christian est le francophone le plus ancien de Bo Phut. Cuisine à la fois belgo-française et thaïe. Pain fait maison.

Une école de plongée à Bo Phut

■ *Bo Phut Diving* – โรงเรียนดำน้ำส มุยบ่อผุด *:* dans le village, face à la pension *The Lodge*. ☎ 077-425-496 ou 01-956-78-34 (portable). • www.bophutdiving.com • Dans ce centre *PADI*, une sérieuse palanquée d'instructeurs français brevetés assurent baptêmes, formations (sur 4 jours minimum) et explorations des meilleurs spots de la région. Ils évaluent le niveau des élèves en piscine, ou en bord de plage, avant de les embarquer sur un gros bateau rapide appelé *Le Gascon*, petit clin d'œil aux origines de Patrice et Serge, les deux proprios sympas. Sorties à la journée autour de Koh Tao (voir « Nos meilleurs spots »). Boutique et salle de cours. Une réduction de 10 % sur les plongées est accordée aux lecteurs du *Guide du routard*.

BIG BUDDHA BEACH – หาดพระใหญ่

C'est une jolie plage exposée au soleil couchant (les photographes seront ravis), avec ses quelques barcasses de pêcheurs, et très peu de touristes. Toutefois, on a du mal à s'y sentir isolé, car la route passe à proximité et l'aéroport est à moins de 2 km à vol de mouette (et c'est assez insupportable !).

Où dormir ? Où manger ?

Vous l'avez compris, pas beaucoup d'intérêt à dormir par ici.

De bon marché à prix moyens (de 250 à 900 Bts – 5 à 18 US$)

⌂ I●I *Kinnaree Resort* – กินรีรีสอร์ท *:* les pieds dans l'eau. ☎ 077-425-217. Une allée d'une quinzaine de bungalows menant à la plage. Les moins chers – en bambou – avec ventilo et salle d'eau sont absolument impeccables bien que particulièrement simples. Les autres – en dur – sont flambant neufs et équipés de l'AC (plus chers). Une allée étroite sépare les bungalows qui sont à touche-touche. Vaut surtout le coup pour les moins chers. Éviter ceux proches de la route. Petit resto correct. Excellent accueil.

⌂ I●I *Le Mas de Provence – Chez Ban Ban* – เชย์บันบัน *:* au milieu de la plage. ☎ 077-245-135. Fax : 077-425-515. Ambiance détendue dans ce chouette resto à la mine coquette (nappes et mobilier colorés), tenu par un Suisse débonnaire. Côté cuisine, quelques beaux morceaux de viande (plus chers) et une jolie sélection de salades et omelettes à prix doux. Également d'excellents plats thaïs simples et copieux. On a bien aimé la soupe de crevettes à la citronnelle et les nouilles sautées au bœuf. Fait aussi pension. Pétanque et *Ricard*!

À voir

Big Buddha – พระใหญ่ *(plan Koh Samui, 1)* **:** à droite de la plage du même nom, un gigantesque bouddha doré très kitsch, bâti en 1971 sur un promontoire rocheux. Entrée gratuite. Parking et boutiques. Des moines vivent dans le monastère à proximité. Pour la visite, shorts et épaules nues interdits. Pour les étourdis, location de petits hauts et de pantalons. Assez étonnant : dans la cour qui précède le temple, un curieux distributeur de riz pour offrandes. Cocasse. Vue assez chouette.

CHOENG MON BEACH – หาดเชิงมนต

Au nord-est de l'île, une petite plage paradisiaque, en forme de croissant de lune, et bordée de sable blanc et de cocotiers. Seulement quelques hébergements, mais pas trop. Enfin, sur la plage, les touristes sont moins nombreux qu'ailleurs. Bref, un bon choix à notre avis.

Où dormir? Où manger?

De prix moyens à un peu plus chic (de 400 à 1 500 Bts – 8 à 30 US$)

O Soleil Bungalow – โอ้โซเล ่ล์บังกะโล **:** à l'extrémité nord de la plage. ☎ et fax : 077-425-232. Dans une charmante cocoteraie ombragée, vous débusquerez une vingtaine de bungalows en bambou ou en dur, différemment équipés (douche, ventilo ou AC...), mais tous d'une tenue irréprochable. Large éventail de prix. Bon prix pour les plus modestes. Resto agréable au fond devant la plage. La réservation s'impose. Ne pas laisser d'objets de valeur ou d'argent dans vos chambres.

P.S. Villa – พีเอสวิล ล ่า **:** à côté de *O Soleil*. Au bord de la plage. ☎ 077-425-160. Fax : 077-425-403. Deux rangées de bungalows traversées par un jardinet et de hauts palmiers. Certains en bois et avec terrasse, d'autres en dur, plus en bordure de plage. Resto familial. Prix allant du simple au triple, avec le confort qui suit. Bon rapport qualité-prix quelle que soit la catégorie.

À voir

La petite plage de cailloux de ***Thong Son Bay***, un peu au nord de Choeng-Mon Beach, est plus isolée et encore moins fréquentée. Vue superbe. Quelques groupes de bungalows y ont été construits.

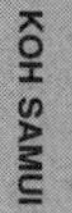

CHAWENG BEACH – หาดเฉวง

La plage principale de l'île, sur 3 km de sable blanc et fin bordés de flots d'un bel azur. La plage est vaste, large, et descend en pente douce. Eau d'une grande limpidité. C'était incontestablement la plage la plus photogénique, mais elle est devenue le véritable ghetto des touristes de l'île. Le soir, c'est là qu'il y a le plus d'animation. Malheureusement, c'est aussi ici que l'on trouve la plus grosse concentration de bars à filles, qu'on a pudiquement relégués dans une rue sur l'arrière. Sans pudibonderie excessive, on ne peut que répéter que tout cela nous fait bien vomir.

Topographie des lieux

Chaweng se compose d'une rue centrale occupée par des dizaines de boutiques, autant de restos de tous les pays *(Wir sprechen Deutsch!)* et d'échoppes en tous genres. Des ruelles de terre perpendiculaires à la route mènent aux hôtels, aux *guesthouses* qui sont parvenues à subsister et à la plage qui, de fait et c'est tant mieux, se trouve épargnée par la route. Éviter en tous cas le centre de Chaweng, beaucoup trop bruyant.

Adresse utile

■ ***Bangkok Airways*** – สายการบิน บางกอกแอร์เวย์ *:* 54/4 Moo 3, Tombon Bo Phut (au sud de Chaweng Beach, sur la route 4169, en direction de Lamai). ☎ 077-422-512. Vente de billets pour Bangkok, Phuket et toutes les autres destinations de la compagnie. Reconfirmation des vols (voir les fréquences dans la rubrique « Quitter Koh Samui »).

Où dormir ?

Rassurez-vous, même si dans le centre l'ambiance est glauque, on peut dormir et manger à des prix très abordables. Voici donc quelques adresses correctes, à des prix « limite raisonnables » au regard de la qualité et, bien sûr, de la tranquillité proposées.

Au nord de la plage

L'endroit le plus calme de Chaweng ; les boîtes et les boutiques n'ont pas encore trop envahi le coin. Mais rassurez-vous, vous êtes à 5 mn du centre en *songthaew*.

De bon marché à prix moyens (250 à 700 Bts – 5 à 14 US$)

🏠 ***Blue Lagoon*** – บลูลากูนบังกะโล *:* ☎ et fax : 077-230-917. • lagoon@samuibeach.com • Petits bungalows assez rustiques mais corrects, donnant sur la plage. Ventilo ou AC selon vos moyens. Resto face à la mer. Billard et Internet.

🏠 ***O.P. Bungalows*** – โอ.พี.บังกะโล *:* 111 Chaweng Beach. ☎ 077-422-424. Fax : 077-422-425. Au fond d'une ruelle, une série de bungalows simples et modestes, un peu confinés au fond du jardin pour les moins chers (et un peu minables pour ceux-là), avec ventilo au plafond, murs blancs, sans déco. Plusieurs niveaux de confort donc. Plus on se dirige vers la plage, plus les bungalows sont confortables et évidemment chers. Les plus vastes sont avec AC, réfrigérateur et eau chaude. Superbe plage devant. Bon rapport qualité-prix. Jardin assez soigné.

🏠 ***Lucky Mother Bungalows*** – ลัคกี้มาเดอร์บังกะโล **:** Moo 2 Chaweng Beach. ☎ 077-230-931. Fax : 077-413-047. Une vieille adresse de Chaweng qui tient encore la route, parfaite pour son ambiance routarde, presque perdue entre les hôtels de luxe du nord de la plage. Rangée de petits bungalows de bois ou en dur, à tous les prix, petits, simples et soignés, de chaque côté d'une allée plantée d'arbustes où chantent les oiseaux. Dans un secteur très urbanisé et pourtant curieusement plutôt au calme. Resto face à la plage. Bon accueil, prix dégressifs.

De prix moyens à un peu plus chic (450 à 1 000 Bts – 9 à 20 US$)

🏠 ***Chaweng Gardens Beach*** – เฉวงการ์เด้นบีช **:** 162/8 Chaweng Beach. ☎ et fax : 077-422-265. Cet ensemble de bungalows de bois et sur pilotis, dispersés dans un beau jardin, ombragés et larges, dont les prix s'étagent du simple au double avec plusieurs possibilités intermédiaires (avec ou sans AC, avec ou sans eau chaude...). Agréable car devant la plage (voir aussi « Où manger ? »). Bien aménagés, sans déco particulière. Attention quand même, ça commence à être ici le secteur de la plage assez fréquenté (transats, jet-ski qui passent, massages tous les 10 m...). Pas le coin le plus tranquille donc.

Bien plus chic (2 000 à 3 000 Bts – 40 à 60 US$)

🏠 ***Coral Bay Resort*** – โครอลเบย์รีสอร์ท **:** ☎ 077-422-223. Fax : 077-422-392. • info@coralbay.net • 53 bungalows de 1 à 6 lits isolés de la ville et protégés par un îlot. Dans un jardin tropical. Toit en feuilles de palmier mais intérieur de grand confort, au milieu de 300 cocotiers. Piscines, resto, massage et vidéos.

Vers le milieu de la plage

De prix moyens à plus chic (500 à 1 500 Bts – 10 à 30 US$)

🏠 ***Long Beach Lodge*** – ลองบีชลอดจ์บังกะโล **:** ☎ 077-422-162. Fax : 077-422-372. Un endroit sympa, pas trop perturbé par la musique des voisins. Grande cocoteraie qui débouche sur la plage, avec de chaque côté une rangée de bungalows en bois (douche froide et ventilo), dont certains sont spacieux et climatisés (les plus chers). Grosse différence de prix entre les différents types de bungalows. Choisir plutôt ceux du fond. Resto en bord de plage. Ensemble bien tenu. Pas de piscine.

Plus chic (de 1 500 à 2 000 Bts – 30 à 40 US$)

🏠 ***Chaweng Villa*** – เฉวงวิล ล่า **:** ☎ 077-231-123. Fax : 077-231-124. • chawengvilla@sawadee.com • Une quarantaine de bungalows confortables avec AC. Évitez les chambres trop proches du bar et de sa musique techno. Piscine en bord de plage. Bon resto avec buffet sur la plage, le soir. Prix négociables si on reste quelques jours.

De beaucoup plus chic à encore plus chic (de 3500 à 5000 Bts – 70 à 100 US$)

☗ *Princess Village* – พรินซ์เซสวิลเลจ **:** au beau milieu de Chaweng Beach. ☎ 077-422-216. Fax : 077-422-382. • www.samuidreamholiday.com • Un petit village d'authentiques maisons thaïes en bois sur pilotis. Elles ont été démontées pièce par pièce dans le Nord du pays, pour être reconstruites ici, dans un magnifique jardin luxuriant. Un escalier permet d'accéder à la terrasse couverte et privée, puis on entre dans la demeure par une minuscule porte en bois (attention la tête !). Intérieur confortable (AC, eau chaude) et décoré avec un goût exquis. Calme garanti et, au bout, la plage, vraiment superbe dans ce coin-là. Une adresse de charme vraiment délicieuse, idéale pour une lune de miel.

Vers le sud de la plage

Plus chic (de 1500 à 2000 Bts – 30 à 40 US$)

☗ *Samui Paradise* – สมุยพาราไดซ์ **:** ☎ 077-230-209. Fax : 077-422-176. Jolie série de huttes en bois vraiment confortables et super-propres, disposées sur une pelouse à l'anglaise et ombragées de cocotiers. S'installer dans celles proches de la plage, car les bungalows près de la route sont un peu bruyants. AC ou ventilo. Les prix incluent le petit dej'. Ambiance familiale. Resto sur place (cuisine internationale). Service très aimable.

Où manger ?

Tout au long de la plage de Chaweng, ainsi que le long de la rue principale, des dizaines de restaurants. La qualité change aussi vite que les cuisiniers. Donc difficile de donner un avis fiable. Attention à certains arnaqueurs : des panneaux aguicheurs annoncent des prix très bas que l'on ne retrouve jamais sur la carte.

De pas cher à prix modérés (moins de 200 Bts – 4 US$)

Ι●Ι ***Marché de Laem Din*** – ตลาดแหลมดิน **:** au sud immédiat du lac ; un peu en retrait. Du centre de la plage, prendre plein ouest la route qui rejoint celle de Bo Phut. Le soir uniquement. Si la cuisine des restos – chère et ordinaire – vous insupporte, rendez-vous sur ce marché aux innombrables stands colorés et parfumés, où l'on peut se remplir la panse en échange de quelques bahts. Vous y débusquerez aussi quelques scènes authentiques de la vie locale, une véritable aubaine dans ce quartier touristique.

Ι●Ι ***Nakorn Restaurant*** – นครโต้รุ่ง **:** 13/5 Moo 2. ☎ 077-422-500. Ouvert tous les jours 24 h/24. Sur la bonne centaine de restos de Chaweng, on aime bien celui-ci. Une gargote sur la rue principale, presque en face du *Beach Comber Hotel*. *Thaï food* pas chère, plats de *rice* ou de *noodles* à toutes les sauces. Et puis une *seafood* très fraîche (évidemment plus onéreuse), grillée comme partout à la commande *(squid, mussels, oysters...).*

🍽 ***Ninja Restaurant*** – ร้านอาหารนินจา *:* sur la route principale, au sud du centre de Chaweng. Non loin du *Nakorn.* ☎ 077-413-447. Ouvert en général 24 h/24. Un autre petit resto de quartier, bien apprécié par les touristes qui séjournent dans le coin assez longtemps pour le dénicher.

Prix moyens (de 100 à 300 Bts - 2 à 6 US$)

🍽 ***Chaweng Gardens*** – ร้านอาหารเฉวงการ์เด้นซ์ *:* paillote surplombant la plage, à côté du *Samui Coral Resort.* Poisson, cuisines thaïe et européenne. Après le dessert, prenez un masque et allez dire bonjour aux centaines de poissons multicolores. En effet, la barrière de corail est ouverte juste en face du resto, laissant passer lesdits poissons.

Plus chic (plus de 300 Bts - 6 US$)

🍽 ***Oriental Gallery*** – ร้านอาหารโอเรียล เด็ลกาเล อรี *:* sur la rue principale, au sud. ☎ 077-422-200. Un antiquaire adorant la cuisine a installé un resto dans sa boutique. Cuisine thaïe à la hauteur du cadre. Menus exquis, à prix variables selon vos moyens. Aussi bien pour les papilles que pour les yeux.

🍽 ***Poppies :*** au sud de Chaweng Beach. Le resto est au fond de l'hôtel de luxe du même nom. ☎ 077-422-419. Deux chefs au piano : un Californien et un Thaï. Il en résulte une « fusion-food » de bon aloi comme la ballotine de poulet : poulet farci au crabe. En dessert, n'oubliez pas la crème brûlée à la noix de coco. Salle face à la mer, au bord d'une superbe piscine. Moins cher à midi. Réservation conseillée.

🍽 ***Samui Seafood :*** au nord de Chaweng Beach, sur la rue principale. ☎ 077-413-221. Un gigantesque resto spécialisé dans le poisson et les fruits de mer. Déco assez hétéroclite rappelant à la fois les maisons thaïes de grande classe et les cabanes genre Robinson Crusoë. Éclairage splendide le soir et service prévenant. Pour ceux qui ont décidé de faire bombance, c'est ici qu'il faut déguster la langouste (si possible, grillée). Ou essayer la cigale de mer *(rock lobster)* devenue introuvable en Europe.

Achats

Fringues : T-shirts, chemises griffées pas toujours de bonne qualité, maroquinerie...

Reproduction de tableaux : c'est le vrai must et la grande mode ces dernières années. Une demi-douzaine de galeries proposent ces peintures à l'huile sur toile. Les Thaïlandais, grands contrefacteurs et copistes, se sont mis à reproduire les toiles des plus grands maîtres. On trouve un peu de tout, à boire et à manger ! Mais il y a mieux ! Ces artistes, souvent de talent, peuvent exécuter, sur simple photo couleur, le portrait de la personne désirée. Compter 3 à 4 jours. Un des plus beaux cadeaux que l'on puisse faire à quelqu'un. Il est important de rendre visite à l'artiste tous les jours, pour demander des petites retouches éventuelles. Possibilité de se faire tirer le portrait chez *Kodak Express*, sur la rue principale.

À voir

– ***Boxe thaïe :*** au *Chaweng Boxing Stadium*. Prix d'entrée élevé (500 Bts pour les premières places, soit 10 US$). Non loin du centre, un peu sur l'arrière par rapport à la plage et à la route principale. C'est dans le coin des bars à filles faciles. On est informé des matchs par de grandes affiches en ville. En général, combats vers 21 h-21 h 30 et ça ne se termine pas avant 23 h 30. Et ça ne rigole pas !

CORAL COVE – หาดโครอล โคฟ

Il s'agit d'une petite plage agréable, située entre Chaweng et Lamai. Curieusement, elle n'a pas encore été bétonnée (un véritable miracle !). On peut y dormir et admirer quelques poissons lors de la baignade. Seul défaut, la route est un peu proche, juste au-dessus, mais le bruit s'atténue vite le soir venu.

Où dormir ?

De prix moyens à un peu plus chic (de 500 à 1 500 Bts – 10 à 30 US$)

☗ ***Coral Cove Resort*** – โครอล โคฟรีสอร์ท ***:*** ☎ 077-422-126. Fax : 077-413-097. • coral@samart.co.th • C'est la seule adresse sur cette petite plage ourlée de rochers façon Maldives. Bungalows en dur, avec douche froide et ventilo. D'autres avec AC. Ensemble propre bien que sans charme. Bungalows un peu les uns sur les autres, mais ceux situés devant la plage ne pâtissent pas de cet inconvénient. On les conseille. On apprécie bien le calme de cette crique délicieuse. Accueil maussade, dommage !

☗ ***Hi Coral Cove Bungalow*** – ไฮโครอล โคฟบังกะโล ***:*** juste à côté de l'adresse précédente, mais en surplomb. ☎ 077-422-495. Fax : 077-413-220. • hicoral@samuinet.com • Bungalows installés à flanc de coteau, en bois (les moins chers) ou en dur, avec AC, eau chaude ou ventilo. Vue extra. Pas très propre. Niveau variable. Ici, il n'y a pas vraiment de plage, mais des rochers où l'on peut quand même poser sa serviette. C'est un lieu idéal pour faire du *snorkelling* (palmes et tuba). Ceux qui préfèrent se faire rôtir pourront aller sur la plage du *Coral Cove Resort,* juste à côté. Accueil nul et atmosphère pas extra. Dommage.

LAMAI BEACH – หาดละไม

Avec Chaweng Beach, c'est la deuxième plage la plus fréquentée de Koh Samui car la deuxième plus belle. C'est donc très logiquement celle qui a subi après Chaweng le plus d'assauts des promoteurs. Et c'est bien triste... Le tout manque totalement d'authenticité, et on a vraiment du mal à y trouver sa place. Seule et maigre consolation : le pire est concentré dans le centre et dès qu'on s'éloigne, on peut trouver un brin de tranquillité. Reste qu'on ne raffole pas de l'ambiance.

Où dormir ?

Comme pour Chaweng, on vous donne peu d'adresses, car celles qui restent fiables sont vraiment rares... Celles au nord de la plage sont les plus calmes.

De bon marché à prix moyens (de 300 à 500 Bts – 6 à 10 US$)

☗ ***Green Canyon Bungalows*** – กรีนแกนยอนบังกะโล : ☎ 077-424-292. Malgré sa proximité de la route, on aime bien cette adresse grâce à ses grands espaces empelousés, plantés de hauts cocotiers élégants. Il est rare de trouver autant d'espace à des prix aussi serrés. Reposant pour les yeux. Bungalows en dur, simples et à petits prix, assez espacés. Bonne atmosphère générale, et la plage est à 3 mn.

Prix moyens (de 500 à 1 000 Bts – 10 à 20 US$)

☗ ***Rose Garden Bungalow*** – โรสการ์เด้นบังกะโล : c'est l'un des premiers ensembles de bungalows au nord de la plage. ☎ 077-424-115. Fax : 077-424-410. Dans un jardin agrémenté de bougainvillées en fleur, superbement entretenu, plusieurs catégories de bungalows, tous tenus de façon exemplaire, quel que soit le confort (ventilo ou AC). Choisissez les plus proches de la plage (très belle à cet endroit), car la route est assez bruyante. Bon resto. Accueil agréable et une étonnante vitrine à élixirs à la réception. Joli bout de plage sur le devant.

☗ ***Lamai Coconut Resort*** – ละไมโกโก้นัทรีสอร์ท : 124/4 Moo 3. ☎ et fax : 077-232-169. Au centre de Lamai, à l'écart de la rue principale, en bord de plage. Comme d'habitude, une rangée de bungalows autour d'une allée centrale, tous avec terrasse. Impeccable, draps nickel, vraiment une tenue irréprochable. Serrés les uns sur les autres évidemment, mais plutôt au calme. Chambres assez spacieuses, avec ventilo et eau froide ou AC et eau chaude (les plus proches de la plage). Les moins chers, très proches du parking, sont vraiment à éviter. Resto un peu froid et accueil itou.

Un peu plus chic (de 1 200 à 1 800 Bts – 24 à 36 US$)

☗ ***Bill Resort*** – บิล รีสอร์ท : encore plus au sud. ☎ 077-424-403. Fax : 077-424-286. Des bungalows noyés dans un jardin très fleuri. Certains, les plus reculés, sont à flanc de colline. Plusieurs catégories de prix, selon le confort (ventilo ou AC et eau chaude) et la situation par rapport à la plage (qui est d'ailleurs superbe par ici). Un peu en retrait, les chambres au premier prix sont vraiment impeccables ; bravo ! Resto de niveau correct. Ambiance et accueil agréables.

Beaucoup plus chic (de 2 000 à près de 4 000 Bts – 40 à 80 US$)

☗ ***Jungle Park Hotel*** – จังเกิลพาร์คโฮเต็ล : à l'extrême nord de la plage (indiqué depuis la route). ☎ 077-418-034. Fax : 077-424-110. • www.jungle-park.com • Un magnifique ensemble de bungalows sur une portion de plage peu fréquentée et de toute beauté, le tout tenu par trois couples de Français. Les chambres sont spacieuses et décorées avec beaucoup de goût. Quelques bungalows avec ventilo (les moins chers). Excellente tenue générale. Les plus beaux bungalows se trouvent « les pieds dans l'eau » (de loin les plus chers) et sont reliés entre eux par une passerelle qui court le long de la plage. Jolie piscine. Calme. Resto thaï d'excellente réputation. Accueil aimable et stylé. Petit salon de massage en plein air, devant la piscine.

Où manger ?

Lamai traîne comme Chaweng son lot de restos allemands, italiens et thaïs, dont la vertu principale est de s'y sentir chez soi. Dur de trouver de bonnes adresses au cœur de Lamai, et pourtant :

I●I ***Lamai Food Centre :*** dans une ruelle perpendiculaire à la rue principale, sur la droite quand on va vers le sud. On mange plutôt bien dans cet ensemble de petits restos de plein air, juste à l'écart du tumulte. Prix assez contenus et c'est sans doute le coin le plus authentique de tout le quartier. Il y a là des restos chinois, thaïs et même un indien. Parfait pour ceux qui en ont soupé des ambiances surfaites. Un reproche tout de même : le racolage quand on passe devant chaque resto. Agaçant et inutile.

I●I ***Petit marché de produits frais***, tous les jours jusqu'à 20 h. Propose quelques stands de nourriture locale pour ceux qui ont l'estomac bien accroché.

À voir

👥 ***Hin Ta & Hin Yaï – หินตา หินยาย :*** indiqué sur la gauche quand on vient du nord mais attention, on voit assez mal le panneau. Parking payant à 100 m du site. Avant d'arriver, une litanie de boutiques un peu oppressante. Dans un site vraiment superbe, une avancée de rochers plats, avec sur la droite une formation éloquente. Là se dresse un rocher cylindrique long, dont la forme et les proportions ne laissent aucun doute sur ce que le Créateur a voulu figurer. Et comble des hasards de la nature, à côté, une faille étroite entre deux rochers constitue un complément naturel au rocher précité. À voir, car un tel réalisme est rare. Décidément, Dieu le Père avait le ciseau diaboliquement précis quand il a taillé cet harmonieux ensemble. Belle vue sur la plage de Lamai, sur la gauche. Certains Thaïs y viennent le soir pour gratter la guitare.

👤 ***Samui Aquarium :*** au bord de Ban Harn Beach, juste au sud de Hua Thanon. Bien indiqué. ☎ 077-424-017. Ouvert tous les jours de 9 h à 18 h. Entrée : 250 Bts (5 US$) ce qui est bien cher, convenons-en. Beaucoup de poissons du golfe de Thaïlande, de toutes les tailles, formes et couleurs (*cat fish*, Napoléon, *lionfish*, murène géante...). Mais ce n'est pas seulement un aquarium, c'est aussi une sorte de zoo spécialisé dans les tigres. (notamment du Bengale : il en subsiste quelques-uns en Thaïlande). De l'autre côté de la grande pelouse, de grandes cages à oiseaux dont de nombreux rapaces (superbes aigles, faucons, perroquets, cacatoès... et même des pigeons).

Où se faire faire le meilleur massage de l'île ?

■ ***Tamarind Retreat*** *:* entre Chaweng Beach et Lamai Beach. ☎ 077-230-571. Les plus célèbres massages de Koh Samui, dans une oasis de calme, à flanc de colline, au milieu des cocotiers. Pas donné bien sûr, mais un grand souvenir. L'*oil massage* de 1 h 30 est pratiqué dans une rotonde ouverte sur un paysage zen, au son d'une musique *new age*. C'est cher, mais ça vaut vraiment le coup.

HUA THANON – บ้านหัวถนน

Au sud de Lamai, une belle plage de carte postale, tranquille et bordée de cocotiers. La mer y est peu profonde et très peu propice à la baignade. Au nord de la plage, on trouve Ban Hua Thanon, un petit village atypique car habité par des pêcheurs musulmans. Ce sont des passionnés de tourterelles et ils organisent des concours de chant... Là où la route fait un angle, se garer et explorer l'unique ruelle du petit village : maisons en bois et vie de village extra. Marché aux poissons tous les matins, vraiment populaire et très bien achalandé. Dépaysant après Chaweng !

Où dormir ?

Un peu plus chic (autour de 1 300 Bts – 26 US$)

☗ |●| ***Samui Marina Cottage*** – สมุยมารีน่าคอดเคจ *:* à quelques encablures au sud de Ban Hua Thanon. ☎ 077-233-394. Fax : 077-424-024. • smaria@moxinfo.co.th • Dans une belle cocoteraie, vaste et aérée, une quarantaine de bungalows alignés côte à côte sur deux rangées menant à la mer. Les chambres sont toutes climatisées et bien confortables (eau chaude et froide, minibar...). Petite terrasse privée. L'ensemble est sans reproches à défaut d'avoir du charme. Grande piscine. Une adresse au calme et reposante. Resto en terrasse dominant la plage et la barrière de corail au large. Accueil prévenant. Resto décevant. On ne sait pas pourquoi, l'endroit manque un peu de vie.

BANG KAO – บางเก่า

Plage superbe et presque déserte, car peu propice à la baignade. Il faut aller très loin pour trouver de la profondeur... On l'aime bien quand même pour son intimité et ses possibilités de bronzette paisible...

Où dormir ?

Beaucoup plus chic (autour de 3 000 Bts – 60 US$)

☗ ***Laem Set Inn*** – แหล มเซ็ทอินน์ *:* tout proche du *Butterfly Garden*, à l'extrémité est de la baie. ☎ 077-424-393. Fax : 077-424-394. • www.

laemset.com • Un bouquet de magnifiques bungalows nichés au beau milieu d'une jungle de cocotiers, bananiers, frangipaniers, etc., et s'ouvrant sur une petite plage délicieusement cambrée. Atmosphère de bout du monde tout à fait paradisiaque. Chambres adorables et impeccablement tenues, avec sanitaires, moustiquaire, ventilo ou AC, et petite terrasse privée. Resto de fruits de mer. Très calme. Joli bout de plage avec rochers et sable devant. Quand on choisit ce genre d'adresse, c'est pour y rester, car on est vraiment coupé de l'extérieur dans le secteur.

À voir

Butterfly Garden – สวนผีเสื้อสมุย *(plan Koh Samui,* ***2****)* **:** sur la route n° 4170 entre Ban Hua Thanon et Ban Bang Kao. ☎ 077-424-020. Ouvert tous les jours de 8 h 30 à 17 h 30. Entrée : 120 Bts (2,4 US$). Un immense filet tendu sur un grand jardin tropical avec plus de 25 espèces différentes de papillons naturalisés, provenant du monde entier. Présentation de l'évolution des cocons en haut, sur une terrasse de bois. Étonnants papillons. Un peu plus haut dans le parc, la maison des abeilles, où l'on voit des essaims en plein travail.

BAN THONG KRUT – บ้านท้องกรุด

Petit village composé de quelques baraques de pêcheurs, situé à l'extrémité sud de l'île. Attention, pas vraiment de baignades possibles dans le coin. On peut venir y manger de délicieux poissons, ou prendre la mer pour une agréable excursion dans les îles vierges, plus au sud. À 2 km au nord, une étonnante pagode magnifiquement située en bord de mer. Le détail qui tue : elle est complètement recouverte de carreaux de salle de bains.

Où manger ?

Pas cher (autour de 150 Bts – 3 US$)

Tonsai Restaurant : ☎ 077-415-144. Notre préféré. Sous les cocotiers, face au minuscule port. Annie, la patronne, est une rigolote et propose une cuisine de qualité. N'hésitez pas à faire baisser la musique, si elle vous gêne.

Gingpagarang Restaurant – ร้านอาหารกิ่งปการัง **:** sur la plage. ☎ 077-423-215. Ouvert de 11 h à 19 h. Un resto très pittoresque avec sa terrasse en bambou sur pilotis, ouverte sur la petite plage étroite et ses bateaux de pêcheurs. Bon choix de fruits de mer ultra-frais et cuisinés le plus simplement du monde. On a bien aimé l'omelette aux crevettes. Également quelques soupes, salades et plats thaïs traditionnels. Simple et d'un goût exquis.

À voir. À faire

➢ ***Excursion à Koh Tan*** – ไปเทียวเกาะดาน **:** une grande île vierge au sud immédiat de Ban Thong Krut. On y vient pour jouer les Robinson le temps d'une bronzette ou d'une séance de *snorkelling* dans les rochers alentour. Vraiment tranquille. Pour vous y conduire, pas de *ferry* ni d'*express-boat*, mais une modeste barcasse de pêcheurs qui part de la plage tous les jours vers 9 h 30 et revient aux environs de 13 h. Au *Tonsai Restaurant*, un petit bateau à moteur pourra vous conduire au *Coral Beach Bungalows*. ☎ 077-415-144. Une dizaine de paillotes sur cette île quasi déserte. Ni location de motos, ni de voitures. Le bout de la route.

Naga Pearl Farm – ฟาร์มไข่มุกนาคา : dans le village de Ban Thong Krut. C'est la boutique de perles d'où l'on peut obtenir des infos et partir pour la visite de la ferme perlière établie sur Koh Mat Sum, un îlot tropical planté dans la mer azurée, à l'est immédiat de Koh Tan. On peut aussi venir vous chercher à votre hôtel. Visite de la petite installation, explications sur les procédés de culture, petite bouffe thaïe incluse, bronzette et *snorkelling*. Départs organisés les mardi, jeudi et samedi (infos : *The Pearl Island Tour*, ☎ 077-423-272). Compter 30 mn de traversée depuis Ban Thong Krut.

LAEM PHANG KA – แหลมพังกา

Très précisément au cap sud-ouest de l'île. En venant de Na Thon par la route n° 4170, tourner à droite pratiquement en face de Snake Farm (attrape-touristes) ; ensuite, c'est tout droit jusqu'à la mer. Petite baie quasi désertique, bordée d'une végétation luxuriante. Très beau coucher de soleil derrière les quelques barques de pêcheurs qui se dandinent sur leur ancre ; atmosphère étrange... Seul hic au moment de la baignade : la plage descend en pente si douce qu'il faut aller chercher la mer assez loin.

Où dormir ? Où manger ?

Bon marché (de 200 à 400 Bts - 4 à 8 US$)

Emerald Cove Bungalows – เอเมอรอลโคฟบังกะโล : le premier ensemble de bungalows sur la route. ☎ 077-423-082. En bordure de plage, des bungalows traditionnels en bois avec petite salle d'eau ; d'autres en dur avec petite terrasse et sanitaires carrelés (ventilo et eau froide). Très propre. Excellent rapport qualité-prix et accueil chaleureux. La proximité du village de pêcheurs favorise les rencontres authentiques.

Sea Gull Bungalows – ซีกัลบังกะโล : les derniers au nord de la baie. ☎ et fax : 077-423-091. Quelques bungalows bien tenus, en bois pour les plus simples ou en dur pour les plus chers. Qu'ils soient presque au ras de l'eau ou sur la hauteur, le calme est absolu et la vue sublime en soirée. Resto en terrasse sympa. On aime !

➤ L'INTÉRIEUR DE L'ÎLE

➢ **Belles virées dans les collines** – เดินเล่นบนโขดหิน : l'intérieur de l'île et son réseau de pistes escaladant les collines recouvertes de jungle offrent une bonne alternative à la bronzette. Atmosphère démente ; quelques points de vue aériens splendides et des rencontres de bestiaux pas toujours gentils (serpents...). Bref, un visage inédit de Koh Samui s'offre à tous ceux qui tentent cette gentille aventure. Pour jouer aux explorateurs, mieux vaut se faire accompagner (*Island Safari*, ☎ 077-230-709). Les plus aguerris seulement pourront louer véhicules ou motos tout-terrain.

➢ ***Excursion dans un camp de dressage d'éléphants*** – การท่องเที่ยวในศูนย์ฝึกช้าง **:** ceux qui viennent du Nord (et les autres aussi !) pourront assister à ce spectacle assez sympa. Renseignements auprès des agences de voyages locales.

👓👓 ***Le moine momifié*** – ร่างพระทิมรณะภาพแล้วศพไม่เน่าเปย *(plan Koh Samui,* ***5****)* **:** dans le temple *Wat Khunaram*, au sud-est de l'île. Un vénéré moine, qui entra dans les ordres à 50 ans et qui fut très réputé pour la qualité de ses méditations. Il mourut à 79 ans et, dès lors, on s'aperçut que son corps ne se décomposait pas. On décida donc de le momifier dans la position d'un scribe, dans une attitude de méditation profonde. Aujourd'hui, sous une cloche, il a gardé la même posture et s'offre une vraie vie de star (visez les lunettes noires !).

👓👓 ***Les combats de buffles*** – ชนควาย **:** ces combats font partie intégrante de la vie des Thaïs et sont particulièrement répandus dans les îles du Sud. Pratiquement chaque village possède son « arène », certaines se résumant à un simple espace clos par une haie de bambous. On en compte 7, réparties un peu partout sur Koh Samui. Bien sûr, ces combats font l'objet de paris importants. Plus que le combat lui-même, c'est l'animation qui règne autour de l'arène qui fait l'intérêt du spectacle. Demandez conseil aux propriétaires de *guesthouses* ; eux seuls connaissent les bons combats. Évitez ceux pour touristes. Pour votre culture personnelle, sachez qu'un buffle commence vers 6 ou 7 ans et peut combattre une fois par mois, jusqu'à l'âge de 25 ans ! Il prend ensuite une retraite méritée jusqu'à sa mort (autour de 40 ans). Les Thaïs vous expliqueront que la force d'un buffle se trouve dans son cou. Le perdant est l'animal qui se détourne de son adversaire et refuse le combat.

👓 ***Le théâtre des singes*** – การแสดงลิง **:** sur la route n° 4169, qui relie Chaweng à Bo Phut. ☎ 077-245-140. À éviter. Comme vous l'avez certainement constaté, les singes sont parfaitement intégrés à la vie sociale de l'île. Pour les villageois, ce sont de valeureux compagnons qui – une fois dressés – montent dans les cocotiers, tâtent les noix et ne décrochent que les mûres. Étonnant, non ? Mais dans ce petit théâtre, vous assisterez à quelques mises en scène rigolotes mais lamentables, où des singes savants s'adonnent à des cabrioles bien orchestrées. Show mauvais.

👓 ***Hin Lad Waterfall*** – น้ำตกหินล าด *(plan Koh Samui,* ***3****)* **:** à 3 km au sud de Na Thon, prendre à gauche (pancarte). C'est un peu plus loin. Pour l'atteindre, on doit emprunter un chemin de 2 km qui grimpe dans la jungle. Balade sympa, à effectuer un jour pluvieux quand les chutes sont abondantes. Parfois (mais rarement) on peut rencontrer un varan en train de rôtir au soleil. Ceux-là sont inoffensifs. Buvette au départ de la promenade.

👓 ***Na Muang Waterfall 1*** – น้ำตกหน้าเมืองฑ *(plan Koh Samui,* ***4****)* **:** à 10 km au sud de Na Thon. Petite cascade sympathique, accessible à moto. Pour les paresseux. À 200 m à pied du parking.

👓 ***Na Muang Waterfall 2*** – น้ำตกหน้าเมือง *(plan Koh Samui,* ***4****)* **:** belles chutes d'eau de 18 m de haut, situées au-dessus de Na Muang Waterfall 1. Fléchage à partir du parking. Compter une bonne demi-heure de marche à travers les cocoteraies. Plus impressionnantes à la saison des pluies. Pendant la saison sèche, vous trouverez de nombreuses piscines naturelles pour piquer une tête.

QUITTER KOH SAMUI

En bateau

➢ ***Pour Surat Thani :*** de Na Thon, 1 départ quotidien en *express-boat* à 14 h (durée : 3 h). Tickets vendus dans toutes les agences de l'île. Ils incluent le transfert en bus jusqu'à la ville de Surat Thani même. Huit départs de *ferries* pour Donsak entre 6 h et 18 h (trajet : 2 h). Pour les ferries (qui ne partent pas de Na Thon mais du port de Thong Yang, 10 km plus au sud), des bus assurent le transfert jusqu'au port. On peut acheter ses billets de bateau et de transfert à la *Bamboo House*, à Na Thon. Que le bateau arrive à Surat Thani même, ou aux débarcadères de Donsak ou Khanom (à 60 km plus à l'est), il y a toujours des bus qui vous attendent pour vous mener : en ville, puis à la gare ferroviaire, à la gare routière ou à l'aéroport.➢ ***Pour Koh Pha Ngan :*** les billets sont vendus dans toutes les agences de l'île. Ne prenez qu'un aller simple. Cela vous permettra de revenir par un autre port d'embarquement. De Na Thon, 3 bateaux par jour; 3 départs en *express-boat* à 9 h, 11 h et 17 h 30 (50 mn de trajet). Débarquement au port de Tong Sala (ville principale de l'île sur la côte ouest).
Depuis le quai de *Big Buddha Beach*, également 3 liaisons quotidiennes par bateau – à 10 h 30, 13 h et 16 h – pour le débarcadère de Haad Rin (côte sud-est; environ 1 h de trajet).
Autre solution beaucoup plus onéreuse : traversées quotidiennes – à 8 h et 12 h – en bateaux rapides *(speed-boats)* depuis *Mae Nam*. Certains départs se font également de Bo Phut ou de Big Buddha, mais il s'agit surtout d'excursions à la journée.
➢ ***Pour Koh Tao :*** parmi les *express-boats* à destination de Koh Pha Ngan, seuls ceux de 9 h et 11 h poursuivent leur route vers Koh Tao (environ 3 h de traversée). Même chose pour les *speed-boats* qui assurent la liaison complète une fois par jour avec Koh Tao en 1 h 30 environ. Ils partent de Mae Nam, de Bo Phut ou de Big Buddha Beach (bien se renseigner car ça change sans cesse). Attention, la météo peut empêcher la poursuite de votre voyage au-delà de Koh Pha Ngan...

En avion

L'aéroport de Koh Samui est adorable. C'est un ensemble de paillotes au milieu des palmiers. Kiosque de change et petite restauration. Avant de gagner la voie des airs de Koh Samui, il faudra vous acquitter de la taxe d'aéroport : 400 Bts (8 US$).
➢ ***Pour Bangkok :*** *Bangkok Airways* propose entre 12 et 18 vols quotidiens entre 7 h 30 et 20 h 30 (durée : 1 h 20). Bon plan : pour la même destination, *Thai Airways* affrète 2 avions depuis l'aéroport de Surat Thani, à 12 h 30 et 19 h 15 (1 h 10 de vol). Le billet d'avion coûte moins cher, et il n'y a pas de taxe d'aéroport. Cela dit, il faut tout de même se rendre à Surat Thani en bateau.
➢ ***Pour Phuket :*** 2 vols quotidiens le matin et l'après-midi avec *Bangkok Airways* (durée : 50 mn).
➢ ***Pour Pattaya :*** 1 vol quotidien. Durée : 50 mn.
➢ ***Pour Singapour :*** 1 vol quotidien dans l'après-midi. Durée : 2 h 20.
➢ ***Pour Hua Hin :*** 4 vols par semaine. Durée : 50 mn.

KOH PHA NGAN – เกาะพะงัน

Petite île à quelques milles au nord de Koh Samui. Koh Pha Ngan possède de nombreuses plages un peu pentues mais agréables. Excepté *Haad Rin Beach* (pleine de bungalows), on adore la côte nord-ouest et nord-est où les plages sont moins propices à la baignade, mais les paysages sont admirables, avec des allures de bout du monde. Évidemment, les plages les plus reculées, les plus calmes, sont aussi les moins fréquentées. Moins développés, les hébergements y sont plus rudimentaires. Ceux qui ont besoin de confort choisiront d'autres plages. En revanche, les Robinson trouveront là de quoi se poser un moment. Avec en plus accueil et sourire toujours de mise. Une de nos îles préférées.

Comment y aller?

➢ ***De Koh Samui :*** voir la rubrique « Quitter Koh Samui ».
➢ ***De Koh Tao :*** voir la rubrique « Quitter Koh Tao ».
➢ ***De Surat Thani :*** 1 départ par jour à 8 h en *express-boat* depuis Ta Tong Pier (escale à Koh Samui). Durée : 4 h. Il existe aussi un *night-boat* très « folklo » qui part de Ban Don à 23 h et se rend directement à Koh Pha Ngan sans passer par Koh Samui. Malgré son aspect un peu inquiétant, il permet aux plus téméraires de ne pas dormir à Surat Thani pour gagner une journée de bronzette à Koh Pha Ngan. Des matelas étroits sont installés les uns à côté des autres, où viennent s'entasser Thaïs et touristes. Gardez quand même un œil sur vos sacs et une main sur votre gilet de sauvetage. Arrivée à Koh Pha Ngan à 6 h du matin!
➢ ***De Chumphon :*** 1 départ en *express-boat* à 7 h 30 (escale à Koh Tao) et arrivée (théorique) vers 12 h. Une solution avantageuse qui permet d'économiser le voyage jusqu'à Surat Thani...

Circuler dans l'île

Pas facile de circuler dans l'île. Quelques routes goudronnées, pas mal de pistes défoncées... Depuis le débarcadère principal de Thong Sala ou celui de Haad Rin, des *songthaews* et des motos-taxis attendent pour vous conduire à votre plage d'élection (attention : en basse saison, il faut souvent s'armer de patience). Prix de la course assez élevé.
Pour être indépendant et explorer les coins les plus reculés, louer une moto à Thong Sala notamment, dans la rue qui prolonge le quai. Attention, les chemins de l'île sont vraiment très « casse-gueule ». Mieux vaut louer une moto neuve (même si cela coûte quelques bahts de plus), bien reluquer son aspect et tester le freinage. N'oubliez pas de mettre votre casque et gardez toujours un œil dans les rétros. Sachez enfin que l'assurance est obligatoire, même si la plupart des loueurs ne la proposent pas. De toutes manières, cette assurance ne couvre pas les dommages matériels, qu'il vous faudra rembourser dans tous les cas. Le plus simple est en fait de ne pas avoir d'accident. À vérifier donc pour économiser les palabres en cas de casse! On peut aussi louer des 4x4, c'est assez rentable quand on est 4. Sachez tout de même que la conduite sur les chemins peut vraiment être dangereuse. Il faut être un pilote averti ou s'appeler Medge ou Dingé.

KOH PHA NGAN

Où dormir ?

- **10** OK Bungalows
- **11** Porn Sawan, Bounty Bungalows, Sea Scene Resort
- **12** Darin Bungalows
- **13** Cookie Bungalows
- **14** Siripun Bungalows
- **15** Lipstick Cabana
- **16** Over The Bay Bungalows
- **17** Haad Tian Bungalows
- **18** Blue Coral Beach
- **19** Sun View Bungalows
- **20** Seetanu Bungalows
- **21** Haad Lad Resort
- **22** Wattana Resort
- **23** Pen's Bungalows
- **24** Central Cottage
- **26** Mai Pen Rai Bungalows
- **27** Silver Cliff Bungalows

Où manger ?

- **16** Over The Bay

À voir

- **30** Moine solitaire du Wat Khao Noy

– ***Carte :*** en arrivant, il est indispensable d'acheter une carte de l'île sur laquelle sont situés tous les bungalows. Important pour se repérer. La « *Visit Guide Map Of Koh Pha Ngan and Koh Tao* » est une bonne carte.

THONG SALA – ทองศาล า

Village d'arrivée du bateau en provenance de Na Thon (Koh Samui). Pour y accéder, longer la plage, à droite du débarcadère, pendant 500 m et tourner à gauche. Le village par lui-même est une rue en forme de L. Un peu de béton mais encore de nombreuses maisons en bois typiques. Gentille petite vie locale.

Adresses utiles

■ ***Siam City Bank*** – ธนาคารสยามซิตี้ ***:*** dans la rue face au débarcadère. Ouvert tous les jours de 8 h 30 à 16 h 30. Également deux autres banques et plusieurs bureaux de change, dans la rue qui prolonge le quai.

✉ ***Poste*** – ไปรษณีย์ ***:*** dans la rue qui longe la mer, sur la droite du débarcadère quand on arrive. À environ 500 m. Ouvert du lundi au vendredi de 8 h 30 à 12 h et de 13 h à 16 h 30, le samedi de 9 h à 12 h.

■ ***Jaaz Travel*** – แจ๊ซเทร์เวล ***:*** dans la rue principale, dans le prolongement du quai. ☎ 077-377-567. Ouvert tous les jours de 9 h à 21 h. Propose de nombreux services avec sérieux et compétence.

■ ***Hôpital de Koh Pha Ngan :*** un peu au nord du Wat Khao Noy qui abrite un moine solitaire *(plan,* ***30****)*; au croisement de la 1re route.

■ ***Police*** – สถานีตำรวจ ***:*** à 2 km sur la route du nord. Ouvert 24 h/24. Urgences : ☎ 077-377-114.

@ ***Internet :*** plusieurs petites boutiques proposent des connexions dans la rue qui prolonge le quai – ร้านขายของ ทิมีบริการอินเดอร์เน็ดอยู่ทิถนนทิมีทางเดินเท้า.

■ ***Location de motos :*** dans la rue en face du débarcadère, plusieurs loueurs. On le répète, certaines mobs sont vraiment en sale état. Attention, les loueurs ne mettent que l'essence nécessaire pour se rendre à la pompe.

Où manger ?

Pas cher (moins de 150 Bts – 3 US$)

|●| ***Marché du village*** – ตลาดของหมู่บ้านอยู่ทิถนนทิมีทางเดินเท้าด้านฝั่งซ้าย ***:*** en remontant la rue qui prolonge le quai, sur la gauche, un peu après le *7/Eleven.* L'occasion de se remplir la panse pour quelques bahts seulement. Le soir, un peu plus loin, au carrefour, encore quelques stands ouverts pratiquement toute la nuit.

– Plusieurs ***restos*** très occidentalisés dans la rue qui prolonge le quai, sur la droite.

DE THONG SALA, EN SUIVANT LA CÔTE, VERS LE NORD

Cette côte – bordée d'innombrables cocoteraies – possède des plages de sable sauvages, où la baignade est rendue difficile par la faible profondeur de la mer.

À marée basse, le paysage marin avec ses bateaux penchés sur le sable et ses eaux grisonnantes est impressionnant. Un charme indéniable pour les solitaires. C'est le coin le plus calme de l'île.

LES PLAGES DE AO NAIWOG, AO PLAAYLAEM ET AO HINKONK

Où dormir ?

Bon marché (moins de 300 Bts – 6 US$)

Quelques adresses qui se caractérisent par la modestie du confort et celle des prix.

■ ***OK Bungalows*** – โอ.เค.บังกะโล *(plan, **10**)* **:** sur la portion de route qui part de Thong Sala, à gauche. ☎ 077-377-141. Quelques huttes traditionnelles en bambou avec salle d'eau (froide), ventilo et moustiquaire. L'ensemble est étagé sur une colline dévalant vers une petite crique isolée et sauvage. Extrêmement simple et bon marché. Un rien cracra. Tenu par Mrs Ruangtong (Ruan pour les intimes), une adorable propriétaire chinoise. Belle ambiance. Délicieux gâteaux au chocolat. Attention au groupe électrogène.

■ ***Porn Sawan*** – พรสวรรค์บังกะโล *(plan, **11**)* **:** plus proche du port que *OK Bungalows.* ☎ 077-377-599. Une poignée de bungalows bleus, très simples et sommaires mais impeccables, avec ventilo, moustiquaire et sanitaires (eau froide) pour certains. Hamac installé sur les petites terrasses privatives, d'où l'on peut admirer les généreux bananiers, les magnifiques bougainvillées et puis la mer bien sûr ! Côté cuisine, le patron, « Mr Cook », réalise des prodiges. Excellent accueil. Esprit routard.

■ ***Darin Bungalows*** – ดารินบังกะโล *(plan, **12**)* **:** un peu plus loin vers le nord. ☎ 077-238-551. Sur une jolie petite plage bordée d'arbres exotiques, un minuscule village de bungalows simples et parfaitement tenus, avec ventilo, moustiquaire, hamac et sanitaires (eau froide). Petit salon de jardin. Vue sympa. Bon resto. Location de motos. Accueil cordial et sans prétention.

■ ***Cookie Bungalows*** – คุ๊กกี้บังกะโล *(plan, **13**)* **:** à côté de *Porn Sawan Bungalow.* ☎ 077-377-499. Dans un cadre naturel superbe (bien jolie pelouse), plusieurs bungalows rudimentaires en bambou et bois vernis, dispersés entre la colline et la plage (ventilo, hamac et moustiquaire). Avec ou sans sanitaires. On a un faible pour cet endroit, bien qu'il soit très rudimentaire. Accueil un brin nonchalant, dommage.

De bon marché à prix moyens (de 250 à 700 Bts – 5 à 14 US$)

■ ***Siripun Bungalows*** – ศิริพรรณบังกะโล *(plan, **14**)* **:** l'une des premières adresses à gauche sur la route en arrivant du quai, à environ 2 km de Thong Sala. ☎ 077-377-140. Fax : 077-377-242. Bungalows de différentes générations fort bien situés dans une cocoteraie, en bord de plage. Les plus simples (en bois) avec moustiquaires, ventilo et sanitaires sont tout petits. Les autres (en dur) bénéficient d'un peu plus de confort, et les plus neufs (les plus chers aussi) sont équipés de la clim'. Bon petit resto sans aucun charme. Location de vélos. À noter : l'établissement héberge un centre UCPA spécialisé dans les randonnées à VTT. Possibilité de se joindre aux stagiaires encadrés ou de glaner quelques conseils.

🏠 ***Sea Scene Resort*** – ซีซีนรีสอร์ท *(plan, **11**) :* ☎ 077-377-516. Bungalows tout neufs pour la plupart, impeccables et confortables, avec AC et douche (eau froide). Palmeraie, pelouse, tranquillité et plage étroite devant, agrémentée de petits rochers. Un coin de paradis pas bégueule.

🏠 ***Bounty Bungalows*** – บุญดีบังกะโล *(plan, **11**) :* ☎ 077-377-517. Adorable groupe de bungalows avec vaste pelouse centrale, aérée comme tout. Accueil hors pair. Simple (hamac, ventilo, douche froide). Resto et petite terrasse de bois légèrement surélevée au-dessus de l'eau pour un moment zen comme on les zem.

Un peu plus au nord

🏠 ***Lipstick Cabana*** – ลิฟสติคคาบาน่า *(plan, **15**) :* au bord de l'eau, mais pas vraiment de plage devant. On ne peut plus isolé. ☎ 077-377-294. Quelques bungalows neufs, vastes et soignés (sanitaires hyper-propres), ainsi que 2 paillotes sans sanitaires construites par Pairat, l'adorable proprio, qui élève des coqs de combat. Vraiment tranquille.

Encore plus au nord, sur les plages de Haad Son et Haad Yao

Une bien jolie plage à explorer sans modération. Calme et harmonieuse. Épicerie derrière les bungalows.

Où dormir ?

Bon marché (moins de 350 Bts – 7 US$)

🏠 ***Over The Bay Bungalows*** – โอเวอร์เบย์บังกะโล *(plan, **16**) :* au niveau de la plage de Haad Yao, mais de l'autre côté de la route. Jas et Nut tiennent une poignée de bungalows extra et tout neufs, étagés sur la colline. Absolument impeccables et vraiment pas chers. La plage est à 5 mn à pied évidemment, mais la qualité de l'accueil et les tarifs compensent largement. Vraiment le bon plan.

🏠 ***Haad Tian Bungalows*** – หาดเทียนบังกะโล *(plan, **17**) :* accessible depuis la piste par un chemin assez défoncé. ☎ 01-676-14-06. Sur une délicieuse crique de sable, quelques bungalows neufs en bambou, propres et correctement tenus. Tous avec douche, w.-c., ventilo, moustiquaire, et les prix varient en fonction de leur taille. On a malheureusement un peu trop cimenté les abords de la plage. Atmosphère de bout du monde.

🏠 ***Blue Coral Beach*** – บลูคอรัลบีชบังกะโล *(plan, **18**) :* au bord d'une baie intime et sauvage (Haad Yao Beach). Pas de téléphone. Groupe de bungalows blottis en hauteur contre les rochers de l'extrémité de la plage. Propre et confort simple.

Hamac pour chaque bungalow. À côté, le *Dream Hill*, dans le même genre.

■ ***Sun View Bungalows*** – ซันวิวบังกะโล *(plan, **19**) :* ☎ 01-270-24-81 ou 09-872-87-07. Juste au sud de la plage. Briques ou bambous vernissés avec un bout de terrasse, ventilo et douche, voilà des structures confortables et agréables, étagées à flanc de colline. À quelques volées de marches de la mer. Pas vraiment de plage par là, surtout des rochers. On aime particulièrement le resto ouvert aux 4 vents, cette paillote en terrasse, tout au-dessus des bungalows. Tables basses, coussins de repos au sol, la brise de la baie et une vue splendide sur les îles au loin. Cuisine simple et plats bien faits.

De prix moyens à un peu plus chic (de 500 à 2000 Bts - 10 à 40 US$)

■ ***Seetanu Bungalows*** – ซีตานุบังกะโล *(plan, **20**) :* ☎ 01-968-685. Superbe jardinet, impeccable, avec des bungalows qui ne le sont pas moins. Ils sont couverts de bois fendu et dispersés dans un champ de cocotiers. Certains possèdent l'AC. Tous avec ventilo, moustiquaire et eau froide. Ambiance vraiment cool et plage juste devant.

Où manger ?

Bon marché (autour de 200 Bts - 4 US$)

I●I ***Over The Bay*** – โอเวอร์เดอะเบย์ *(plan, **16**) :* resto panoramique à droite avant d'arriver à Haad Yao Bay, en venant de Thong Sala. Bienvenue dans la maison de cette sympathique famille de pêcheurs ! Après sa rude journée de travail, Monsieur écoute paisiblement de la musique, pendant que Madame mitonne de délicieux petits plats. On a adoré la soupe veloutée poulet-tomate-oignon, les crevettes vapeur et le barracuda du jour, divinement cuisiné. Ambiance chaleureuse. Une adresse à ne pas louper ; le soir notamment, quand les bateaux de pêche s'illuminent au large. Également quelques bungalows extra (voir « Où dormir ? »).

AUTOUR DE LA PLAGE DE HAAD SALAD

Très jolie anse isolée que le petit nombre de bungalows rend vraiment intime. Tranquille et sans aucun bar. Côté animation, seulement les restos des bungalows. Bonne baignade possible et calme étonnant. Le soir, le bruit des étoiles et le scintillement des moustiques...

Où dormir ? Où manger ?

Bon marché (de 100 à 500 Bts - 2 à 10 US$)

■ I●I ***Haad Lad Resort*** — หาดลัดรีสอร์ท *(plan, **21**) :* situé à la droite extrême de la plage, là où un cocotier est à l'horizontal, comme s'il venait boire dans la mer. ☎ 077-374-220. Bungalows de toutes les tailles, vraiment pas chers pour ceux sans sanitaires. Ils sont récents, en bois, en brique ou en dur, largement espacés autour d'une zone sablonneuse plantée de cocotiers. Assez rare dans le genre. Directement sur la plage. Ventilo, moustiquaires aux fenêtres, douche et toilettes. Très propre et avec terrasse. Fort calme. On aime bien la plage sauvage. Grand resto en bois vernissé.

CHALOAKLAM BEACH – โฉลกหลามบีช

Sur la côte nord de l'île, une plage de carte postale avec de belles vagues (attention à la baignade) qui se déroulent généreusement sur le sable clair, bordé de cocotiers. À proximité, on trouve un village de pêcheurs animé.

Où dormir ? Où manger ?

Bon marché (moins de 350 Bts – 7 US$)

⌂ |●| *Wattana Resort* – วัฒนารีสอร์ท *(plan, 22)* : à l'extrémité gauche de la baie. Accès en taxi *pick-up* depuis Thong Sala. ☎ 077-374-022. Beaux bungalows bien espacés et impeccables, en brique et bois et en bord de plage, avec moustiquaire, douche froide, ventilo, terrasse privée et hamac. Également 2 bungalows avec AC (plus chers). Propre et fleuri. Fait aussi resto. Calme absolu. Loue aussi des motos à la journée. Excellente adresse.

DE THONG SALA, VERS L'EST

Cette côte ne présente pas beaucoup d'attraits. Elle est rocailleuse et ne possède que peu de plages, rendant ainsi la baignade difficile. En revanche, cela n'a pas empêché les bungalows, de qualité souvent médiocre, de pousser ici également. On ne conseille donc pas de séjourner dans ce secteur.

HAAD RIN BEACH – หาดริน

En fait, il s'agit de deux plages dos à dos, à la pointe sud-est de l'île. La plus belle, la plus fréquentée, celle qui regarde vers le nord-est, ne remporte pas nos suffrages. La seconde, qui regarde vers le sud-ouest, est tout de même bien plus calme, et pour cause, la baignade y est difficile.

Bar à filles braillant de la musique faussement cool, générateur et dépôt d'ordures... brrr. Tous les soirs, séance ciné dans tous les bungalows. Se retrouver à l'autre bout du monde pour avaler une vidéo débile, manque juste l'*Officiel des spectacles* !

En haute saison, lors de la pleine lune, il se déroule sur la plage de fameuses *Full Moon Parties...* Des centaines – des milliers – de jeunes débarquent alors du monde entier pour participer à cette folle nuit, où alcool et musiques répétitives forment un cocktail détonant. Attention la police rôde et certains imprudents sont toujours en prison.

THAANSADET BEACH

Au nord-est de l'île, un secteur encore peu exploité et on ne s'en plaindra pas. Plage vraiment top, la plus éloignée de tout certainement, où les amou-

reux des robinsonnades seront tout à leur affaire. Quelques bungalows pas chers. Seul moyen d'accès : la mer (voir « Comment y aller ? »). Ceux qui sont à la recherche d'un confort, même minimal, passeront leur chemin. Ici les générateurs fonctionnent rarement.
Tout au bout de la plage, sur la droite, un bout de passerelle mène à une autre petite plage extra.

Comment y aller ?

➢ ***Bateaux réguliers*** une fois par jour à 8 h du matin.
➢ Des ***long-tail boats*** qu'on trouve sur la plage peuvent vous amener sur la plage de Haad Rin ou jusqu'à Thong Sala. Prix pour le bateau et non par personne (soyez nombreux !).

Où dormir ?

De bon marché à prix moyens (autour de 500 Bts – 10 US$)

☗ ***Mai Pen Rai Bungalows*** – ไม่เป็นไรบังกะโล *(plan, **26**)* **:** en arrivant sur la plage, sur la droite tout au bout. ☎ 077-377-414. C'est une Écossaise qui tient ça. Bungalows simplissimes, rudimentaires en diable, limite vraiment cra-cra. Comme dit le panneau du resto « Fucking good food ». On n'a pas goûté. Déco hippie ancienne école.

☗ ***Silver Cliff Bungalows*** – ซิลเวอร์คลิ ฟบังกะโล *(plan, **27**)* **:** à l'extrême gauche de la plage, étagés sur les rochers, vous découvrirez ce qu'il serait prétentieux d'appeler des bungalows. Plutôt des cabanes de planches brinquebalantes. Extra de sérénité. Pas d'électricité. La paix totale et vue sensas' sur la baie.

Où manger un petit morceau ?

|●| ***Maybe Bar*** – เมบีบาร์ **:** sur la plage. Un bar de poche éclairé à la lampe à l'huile. *Indian chai*, expresso café, *pancake*, *muffin*... et *thai massage*. Extra et décoré de coquillages.

À voir

📷 ***Thaan sadet Waterfall*** – น้ำตกธารเสด็จ **:** cette cascade (qui tient plus du cours d'eau) n'est pas particulièrement folichonne. Elle descend jusqu'à la plage. Chemin fléché à quelques kilomètres en amont. Un lieu agréable donc, entouré de rochers et de jungle. Possibilité de faire trempette. Eau propre même si elle n'est pas limpide. Bon, pas de quoi s'extasier. Pour l'anecdote historique, sur environ 2 km, à certains endroits, on peut voir sur les rochers qui bordent l'eau des inscriptions en thaï, gravées dans la pierre. Ce sont les hommages rendus aux différents rois qui, depuis 1888, se succèdent ici pour prendre un bain (Râma 4, 7, 9, n° complémentaire : le 12). On n'est pas parvenu à savoir pourquoi les têtes couronnées ont pris l'habitude de se baigner ici. Si vous trouvez, écrivez-nous.

LES PLAGES DE AO THONG NAI PAN NOI ET AO THONG NAI PAN YAI – หาดทองนายปานน้อยและหาดทองนายปานใหญ่

À l'extrême nord-est de l'île, deux plages complètement isolées et idéales pour la baignade. Tranquillité absolue. On aime bien ce petit bout de village authentique, ce petit coin paradisiaque pratiquement coupé du reste de l'île, perdu dans la végétation. On y accède en taxi *pick-up* par un chemin de terre raviné au possible et qui traverse l'île du sud au nord (voir plus loin). À partir de ces plages, quelques liaisons maritimes saisonnières pour *Mae Nam Beach* (Koh Samui) ; se renseigner. En théorie, une fois par jour en saison à 8 h. Pour info, des deux plages, celle de gauche, plus petite, plus bruyante, possède un groupe d'une dizaine de bungalows et quelques bars. Celle de droite, plus grande, plus tranquille, abrite de chouettes petits bungalows en bois ou en dur, moins de bars et tout le monde s'y couche tôt !

Où dormir ? Où manger ?

Bon marché (moins de 400 Bts – 8 US$)

🏠 ***Pen's Bungalows*** – เพ็ญบังกะโล *(plan, **23**) :* pas de téléphone. Trois catégories de bungalows, du plus simple en bois et sans sanitaires, au quasi luxueux, en dur ; sur la plage ou en retrait. Vraiment propres et bien équipés pour le prix. Gentille ambiance. Proprio marseillais. Une bonne adresse. Un peu de musique boum-boum au resto.

De prix moyens à un peu plus chic (jusqu'à 1 200 Bts – 24 US$)

🏠 🍽 ***Central Cottage*** – เซ็นทรัลคอทเทจบังกะโล *(plan, **24**) :* ☎ 077-299-059. Un village de mignonnes paillotes traditionnelles en bambou verni, avec salle d'eau (douche froide) et jolie terrasse privée où il fait bon accrocher son hamac. Deux sortes de bungalows : les plus modestes avec terrasse, moustiquaire et ventilo, très bien pour le prix. Choisir ceux au bord de la plage pour une différence de prix minimum. Les plus chic possèdent l'AC. Simple et charmant. Fait aussi resto. Accueil un peu froid, dommage.

À voir. À faire sur l'île de Koh Pha Ngan

🏃🏃 ***Le moine solitaire du Wat Khao Noy*** – พระเดียวทิวัดเขาน้อย *(plan, **30**) :* de Thong Sala, prendre la route de l'hôpital et tourner juste en face, dans un petit chemin qui monte sur la gauche. On peut y aller quand on veut dans la journée. Ce petit temple est veillé par un moine solitaire, *Pra Somchai*, qui vous recevra à bras ouverts. Traditionnel déchaussage, puis on s'assoit en tailleur au pied d'un bouddha assis, dans la salle de prière. Après un brin de causette, quelques baguettes d'encens grillées et des incantations rituelles, le valeureux moine vous asperge d'eau bénite et prononce la formule porte-bonheur si chère à nos cœurs de voyageurs : « Good luck ! » Puis, vous repartez – majestueux et serein – vers d'autres aventures... N'oubliez pas de glisser un pourliche dans le tronc, notre moine, bien qu'attiré par les choses célestes, n'en reste pas moins un bon terrien qui ne néglige pas les petits billets. Dans la cour, une « footprint » de Bouddha. Une rencontre étonnante à ne pas manquer.

➢ ***Balade (périlleuse) à l'intérieur de l'île :*** à faire à moto (si vous êtes deux, on vous conseille d'en louer deux). Mais *attention*, piste défoncée, pentue et dangereuse. On conseille alors de partir tôt le matin, pour rentrer avant la nuit, ou de dormir au point d'arrivée. Compter une bonne trentaine de kilomètres au départ de Thong Sala.
Dans le sud-est de l'île, peu après Ban Tai, on trouve une piste qui s'élève rapidement dans la montagne. La grimpette n'est pas facile, vu les ornières et les ravines creusées par les dernières pluies torrentielles. On croise quelques plantations d'hévéas et, peu à peu, on pénètre dans une jungle très dense. Au sommet – ouf ! –, panorama exceptionnel sur une partie de l'île et la mer. Atmosphère humide. On redescend doucement vers Ban Thong Nai Pan.

QUITTER KOH PHA NGAN

➢ ***Pour Koh Samui :*** tous les jours, 1 *ferry* à 8 h. Durée : 1 h. Trois *express-boats* toute l'année au départ de Thong Sala, à 6 h 30, 12 h 30 et 16 h. Compter environ 1 h de trajet, selon le bateau. Également 1 départ quotidien en *speed-boat* vers 10 h 30. Plus cher, mais 25 mn de trajet seulement. Un catamaran depuis Thong Sala, 1 fois par jour à 16 h 30 pour Mae Nam Beach. Durée : 25 mn environ. Autre possibilité depuis l'embarcadère de Haad Rin : 3 *slow-boats* appareillent chaque jour pour *Bo Phut Beach* à 9 h 30, 11 h 30 et 14 h 30 (moins de 40 mn de traversée).

➢ ***Pour Koh Tao :*** tous les jours, 2 *express-boats* partent de Thong Sala à 10 h et 12 h 30 (environ 1 h 40 de traversée). Également 2 *speed-boats* quotidiens vers 9 h (compter 1 h 30 de traversée). Attention : certains départs peuvent être annulés selon la météo. De plus, comme le bateau vient de Koh Samui, il arrive qu'il ne vienne pas s'il n'y a pas de réservations. Celui de 12 h 30 s'arrête à Koh Pha Ngan de manière systématique. Durée : 1 h. Également 1 *slow-boat* de Thong Sala à 11 h 30. Durée : 2 h 30.

➢ ***Pour Surat Thani :*** chaque jour, 1 *express-boat* appareille de Thong Sala à 12 h 30 pour débarquer à Ta Tong avec escale à Koh Samui (environ 4 h de traversée). *Ferries* 4 fois par jour de Thong Sala à Donsak. Durée : 2 h 30. Ne s'arrêtent pas à Koh Samui. Enfin, traversée directe avec le *night-boat* très « folklo » qui appareille tous les soirs, en général vers 22 h, de Thong Sala. Permet de gagner une bonne demi-journée de bronzette à Koh Pha Ngan. Voir notre rubrique « Comment y aller ? » pour quelques conseils d'usage. Arrivée à 6 h le lendemain matin à Ban Don Pier (dans le centre de Surat Thani).

➢ ***Pour Chumphon :*** tous les jours, unique *express-boat* depuis Thong Sala à 12 h 30. Environ 5 h de traversée avec escale à Koh Tao. On achète 2 tickets : de Koh Pha Ngan à Koh Tao, puis de Koh Tao à Chumphon.
– Un projet de super-catamaran devrait rallier Koh Pha Ngan à Bangkok en passant par Chumphon dans les années qui viennent.

KOH TAO – เกาะเต่า

Koh Tao ou « l'île de la Tortue » est une île minuscule, au nord de Koh Pha Ngan. Mondialement réputée pour ses coraux multicolores et sa faune aqua-

tique luxuriante, Koh Tao est devenue « l'île de la Plongée »; à tel point qu'aujourd'hui, la fréquentation « style usine » de certains spots est inquiétante pour l'avenir des écosystèmes... Sachez cependant que les centres de plongée se concentrent à *Ban Mae Hat*, unique village de l'île où accostent les bateaux.
Les routards se retrouvent au nord-ouest de l'île, sur la plage principale. Cela dit, pour ceux qui recherchent une ambiance « bout du monde », il existe encore de nombreuses criques désertes ou avec seulement quelques bungalows, accessibles uniquement à pied ou en bateau.
Malheureusement, comme à Koh Pha Ngan, en beaucoup d'endroits, la baignade est compromise par la faible profondeur de l'eau.

Comment y aller?

➢ ***De Koh Pha Ngan** (Thong Sala) :* voir la rubrique « Quitter Koh Pha Ngan ».
➢ ***De Koh Samui :*** voir la rubrique « Quitter Koh Samui ».
➢ ***De Chumphon :*** 1 *express-boat* à 7 h 30 (3 h de trajet). Une solution maligne qui permet d'économiser le voyage jusqu'à Surat Thani. Également 1 *ferry* de nuit (on y dort sur des paillasses à même le pont). Vu la tête de l'animal, fortement déconseillé quand la mer est grosse! *Attention :* la météo peut retarder ou annuler la traversée.
➢ ***De Surat Thani** (Ta Tong Pier) :* prenez l'*express-boat* de 8 h avec escale à Koh Samui et Kho Pha Ngan. Arrivée à 14 h 30. Attention : en cas de mauvaise météo, les bateaux s'arrêtent généralement à Koh Pha Ngan.

Adresses utiles à Ban Mae Hat

✉ ***Poste** – ไปรษณีย์ :* au milieu du village. Ouvert de 8 h à 17 h. Fait aussi agence de voyages, supermarché et centre de communication (téléphone, fax et Internet). Tout en un!
■ ***Clinique** – คลินิก :* dans la rue principale, sur la droite. Sert aussi de pharmacie.
■ ***Police** – สถานีตำรวจ :* prendre la route vers le nord sur 200 m. En face de l'école. Disponibilité aléatoire (un seul policier, très porté sur la sieste).
■ ***Banque** – ธนาคารอยู่ฝั่งซ้ายทางท่าเทียบเรือ :* à gauche en sortant du débarcadère. Ouvert de 8 h à 12 h et de 13 h à 16 h. Accepte la carte *Visa* et les chèques de voyage.
@ ***Internet :*** dans la rue principale et le long de la plage de Sairee (*Sairee Beach*), plusieurs petites boutiques proposent des connexions – ร้านขายของที่มีบริการอินเตอร์เน็ตอยู่ที่ถนนสายหลัก.
■ ***Location de motos :*** plusieurs loueurs dans la rue principale.

Circuler dans l'île

Pas pratique du tout. Quelques taxis circulent sur les routes et chemins principaux, surtout lors des arrivées et départs des bateaux. L'accès au reste de l'île se fait à pied, bien sûr, ou – plus pratique – en bateau-taxi, pour rejoindre les criques isolées notamment. On ne vous conseille pas de louer une moto pour explorer l'île; sauf si c'est un modèle *trail* et que vous êtes

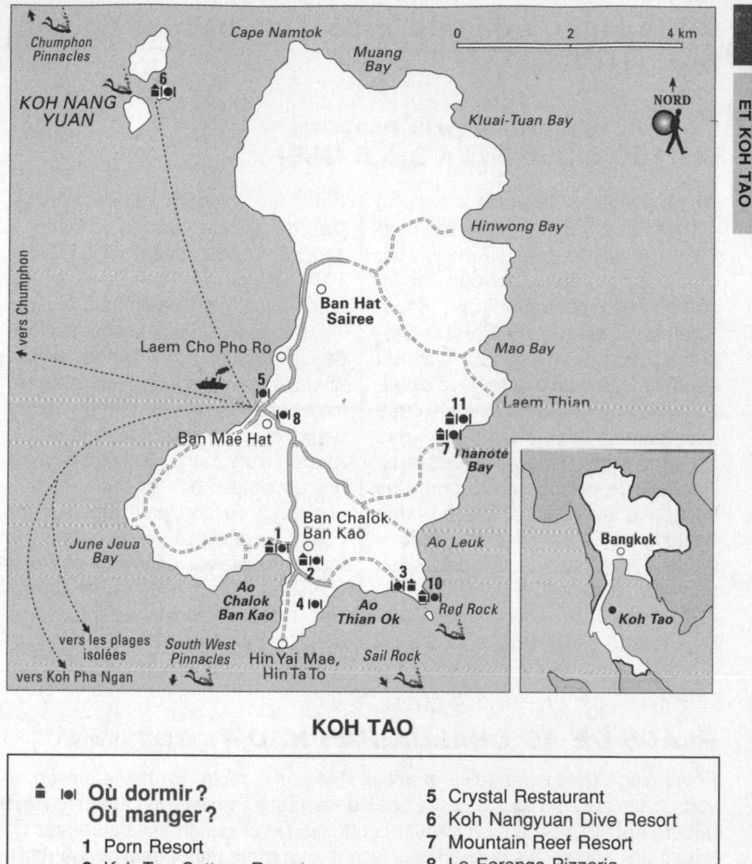

KOH TAO

Où dormir ? Où manger ?

1 Porn Resort
2 Koh Tao Cottage Resort
3 Coral View Resort
4 New Heaven
5 Crystal Restaurant
6 Koh Nangyuan Dive Resort
7 Mountain Reef Resort
8 Le Farango Pizzeria
10 New Heaven Huts
11 Bamboo Huts Bungalows

aguerri aux pistes pourries, pentues et vraiment « casse-gueule ». En tout cas, procurez-vous une carte détaillée à la poste du village, dans les quelques agences de voyages ou encore à Koh Samui. Vous y débusquerez les petits sentiers qui relient les criques désertes au reste de l'île. De superbes balades en perspective...

Où dormir ?

De nombreux bungalows ont poussé sur la plage de Sairee (Sairee Beach), la seule grande plage de l'île, au nord du port. Mais on ne vous la conseille pas... Ils sont les uns sur les autres, beaucoup de bruit, et l'ambiance branchée pseudo-baba est vraiment insupportable. C'est aussi le lieu d'amarrage des bateaux de pêche et les ordures ont remplacé les coquillages. On préfère nettement les criques, ou les 3 îlots isolés de Koh Nangyuan.

Où manger à deux brassées de palmes de Ban Mae Hat?

De bon marché à prix moyens (de 150 à 250 Bts – 3 à 5 US$)

I●I ***Le Farango Pizzeria*** – เลอฝรั่ง โกพิซซ่า *(plan, 8)* **:** dans la rue centrale du village. ☎ 077-456-205. L'idéal pour reprendre des forces après vos pérégrinations sous-marines ! C'est ici que Fred et Stéphane, Niçois d'origine, ont élu domicile. Ils concoctent d'excellentes et copieuses pizzas ainsi que des pâtes, des *bruschetta*, des salades, sans parler des desserts. Un lieu de rendez-vous pour les francophones de passage. Une annexe, le ***Café del Sol*** – กาแฟเดลซอล dans l'une des deux rues qui mènent à la plage de *Sairee*, en plein cœur du village.

I●I ***Crystal Restaurant*** – ร้านอาหารคริสตัล *(plan, 5)* **:** au nord immédiat du village, par le chemin à gauche en débarquant. ☎ 077-456-107. Service de 12 h à 14 h, sur réservation. Sert également le soir. Vous voici dans la cantoche officielle des plongeurs qui viennent lâcher quelques bulles à Koh Tao. Ils s'y retrouvent – encore en tenue – entre deux explorations sous-marines. Autour d'un menu complet-formule unique simple, bon et copieux, chacun y va de son petit mot sur les beaux « bestiaux » rencontrés le matin. Ambiance détendue et plutôt gaillarde. Non loin de là, le *Crystal Bar* accueille les mêmes plongeurs dès l'heure de l'apéro.

PLAGE DE AO CHALOK BAN KAO – หาดโฉลก บ้านเก่า

Petite plage assez tranquille et accessible par la route. En haute saison, si vous voulez résider ici, ne perdez pas de temps à l'arrivée du bateau, car les hébergements affichent rapidement complet. De plus, certaines adresses ne louent des bungalows que si l'on s'inscrit à un programme de plongée (bonjour l'arnaque !). Tout autour, les bâtiments poussent comme des champignons, et la plage en perd son charme.

Où dormir? Où manger?

Bon marché (de 200 à 300 Bts – 4 à 6 US$)

🏠 I●I ***Porn Resort*** – พรรีสอร์ท *(plan, 1)* **:** au milieu de la plage. ☎ 077-456-044. Quelques bungalows simples, perchés sur la colline (fraîcheur du large), avec salle d'eau et vue plongeante sur la mer. L'ensemble est tenu par une charmante famille thaïe, qui possède aussi l'épicerie de la plage. Fait également resto ; terrasse sur la mer.

De prix moyens à plus chic (de 600 à 1 000 Bts – 12 à 20 US$)

🏠 I●I ***Koh Tao Cottage Resort*** – เกาะเต่าคอทเทจรีสอร์ท *(plan, 2)* **:** à l'extrême gauche de la plage quand on regarde la mer. ☎ 077-456-133.

• kohjaroen@hotmail.com • Un ensemble de bungalows un peu « mastodontes », mais chambres très bien équipées et confortables avec salle de bains moderne et carrelée. Les plus haut perchés sur la colline offrent une vue superbe (les plus chers). Chouette terrasse de resto en surplomb, assez fraîche. Reçoit fréquemment des groupes de plongeurs. Accueil très cordial. Connexion Internet.

PLAGE DE AO THIAN OK – OU ROCKY BEACH – หาดเทียนออก

Là où la « route » s'arrête. Crique agréable, mais sans intérêt pour la baignade à cause des coraux. En revanche, c'est un paradis pour le *snorkelling* (plongée avec masque, palmes et tuba). Location de matériel sur place. Depuis la plage, on voit déjà les poissons et, croyez-nous, la crique constitue un véritable aquarium naturel (on y a même vu des requins, un peu plus au large). Attention cependant, à marée basse, les coraux sont pratiquement à fleur d'eau. Enfin, ceux qui souhaitent se baigner pourront aller facilement à pied à la plage de Chalok Ban Kao où ils pourront également loger (voir plus haut). Une autre solution consiste à aller dormir à Sai Daeng Beach, que l'on peut rejoindre à pied (attention ! ça monte !).

Où manger ?

Bon marché (autour de 200 Bts – 4 US$)

I●I ***New Heaven*** – ร้านอาหารนิวเฮเว่น *(plan, 4) :* à mi-chemin entre les plages de Chalok Ban Kao et de Thian Ok, sur les hauteurs. ☎ 01-480-26-67 (portable). Agréable petit resto, ouvert à partir de 18 h, avec sa jolie terrasse vernie surplombant la crique de Thian Ok (vue superbe). Délicieuse cuisine thaïe que l'on déguste assis en tailleur sur des tapis, devant des tables basses. Bons poissons et large choix de cocktails. Les charmants proprios possèdent aussi quelques bungalows donnant sur la même baie...

PLAGE DE HAAD SAI DAENG

Une jolie crique qu'il est difficile (mais pas impossible !) d'atteindre par la piste. On aime bien cette plage tranquille, nichée entre les rochers et la végétation, où on a un peu l'impression d'être seul à Koh Tao !

Où dormir ? Où manger ?

De bon marché à prix moyens (de 300 à 550 Bts – 6 à 11 US$)

⌂ I●I ***New Heaven Huts*** – นิวเฮเว่นฮัท *(plan, 10) :* à l'extrémité sud-est de la plage. Accessible en bateau-taxi uniquement. Une douzaine de bungalows traditionnels en bois, simples mais équipés de sanitaires, perchés sur les rocs et cachés dans la verdure. Les bungalows qui donnent sur la plage disposent de hamacs sur leurs petites terrasses. Mention spéciale pour la chambre n° 8 qui offre une double vue imprenable sur la plage de Sai Daeng et la Baie de Luh. Resto-terrasse près du rivage, avec coin lecture-farniente (tables basses et coussins). Carte métissée à dominante thaïe. L'ensemble est tenu par une sympathique famille thaïe. Location de matériel de *snorkelling*.

🏠 🍽 ***Coral View Resort*** – คอรัล วิวรีสอร์ท *(plan, 3)* : le mieux est de s'y rendre en *taxi-boat* car la piste est pentue. Quelques taxis y vont quand même. Si vous avez réservé, la patronne viendra vous chercher avec sa jeep. ☎ 01-970-03-78 (portable). Un mignon petit village de bungalows dominant une charmante crique sauvage, entre cocotiers et plage dorée. Certains sont construits en bois et bambou avec sanitaires complets ; les autres, en dur, offrent la même propreté avec un peu plus de confort. Belle vue du resto. Peu fiable sur les autres prestations.

THANOTE BAY – อ่าวท่าโหนด

Une jolie crique sauvage sur la côte est particulièrement extra pour la baignade et le *snorkelling* au-dessus des coraux. Accès facile en *taxi-boat*. Bien que la piste soit épouvantable, les taxis s'y rendent. Malgré la récente et excessive construction dans le coin (certains propriétaires n'ont décidément pas le sens de l'esthétique !), *Thanote Bay* conserve à la fois son charme et son calme.

Où dormir ? Où manger ?

Bon marché à prix moyens (de 150 à 500 Bts – 3 à 10 US$)

🏠 🍽 ***Mountain Reef Resort*** – เมาเทนรีฟรีสอร์ท *(plan, 7)* : ☎ 01-956-88-76 (portable). Des bungalows vert pâle très bien tenus par une charmante famille chinoise. Sanitaires communs ou individuels. Nourriture excellente et quelque peu accommodée à l'européenne ; fameux yaourts maison et bananes au lait de coco (un must !).

🏠 🍽 ***Bamboo Huts Bungalows*** – แบมบูฮัทบังกะโล *(plan, 11)* : une douzaine de bungalows perchés dans les rochers. ☎ 01-968-60-00 (portable). De la simple hutte en bambou au beau bungalow bien équipé avec vue plongeante sur la mer, il y en a pour toutes les bourses. Dommage que les bungalows les plus « chic » bouchent la vue des autres... Fait aussi resto. Accueil sympathique.

KOH NANG YUAN – เกาะนางยวน

On retrouve cet adorable archipel de 3 îlots – reliés entre eux par des bancs de sable – sur toutes les cartes postales vendues dans le coin. C'est dire si l'endroit est paradisiaque ! Entre sable blanc, mer turquoise et végétation luxuriante, pas grand-chose à faire, sinon bronzer, plonger (fonds magnifiques) et roucouler avec votre routard(e). On y accède depuis Ban Mae Hat par *taxi-boat*.

Où dormir? Où manger?

De plus chic à beaucoup plus chic (de 1 500 à 4 000 Bts – 30 à 80 US$)

Koh Nangyuan Dive Resort – เกาะนางยวนไดว์รีสอร์ท *(plan, 6)* : réception dans l'îlot central. ☎ 01-229-52-12 (portable) ou 077-456-088. Village de bungalows aménagés sur les 3 îlots. Niveaux de confort variés – avec ventilo ou AC, frigo et TV . Fait aussi resto. Centre de plongée sur place et accès immédiat aux spots depuis la plage. Reçoit fréquemment des groupes de plongeurs. Attention : le banc de sable qui relie l'îlot du nord est recouvert à marée haute. On le traverse quand même à pied avec prudence (courants fréquents), en s'aidant des cordes tendues spécialement.

Plongée sous-marine à Koh Tao

« L'île de la Tortue » livre d'importantes variétés de poissons qui batifolent avec allégresse dans les plus beaux jardins de coraux du golfe de Thaïlande. À quelques encablures seulement du rivage, nos routards-palmipèdes apprécieront la bonne vingtaine de sites baignés d'eaux limpides et réputés chez les plongeurs du monde entier. Les nombreux clubs de l'île les explorent assidûment tous les jours ; tout comme ceux de Koh Samui qui réalisent la traversée spécialement. Une fréquentation excessive – style usine à plongeurs – qui compromet chaque jour davantage la survie des espèces vivant sur les spots... Toutefois, on le dit tout net, il serait dommage de venir dans le coin sans jeter un petit coup d'œil sous la mer. Mais attention où vous palmez...

Où plonger?

■ ***Planet Scuba*** – แพลนเนทสคิวบา : à gauche du débarcadère, en arrivant. ☎ et fax : 077-456-110. • www.planet-scuba.net • Une sympathique équipe d'instructeurs *PADI* venus du monde entier (parfois un Français dans le lot!) assurent baptêmes, formations et encadrement des plongeurs sur les meilleurs spots autour de l'île. Le matériel est correct, tout comme les bateaux qui vous emportent vers le bonheur! Sorties à la demi-journée. Possibilité d'hébergement.

■ ***Bo Phut Diving :*** se rend à Koh Tao tous les jours au départ de Koh Samui (voir la rubrique « Une école de plongée à Bo Phut »).

Nos meilleurs spots

Koh Nangyuan – เกาะนางยวน **:** quelques plongées « fastoches » dans des paysages sous-marins à l'image de ce petit archipel : pa-ra-di-sia-ques! Entre 3 et 20 m, vous êtes fasciné par les rochers enrobés de coraux multicolores. À *Twins Pinnacles*, un bon gros mérou débonnaire. Restez immobile, il approchera gentiment... Quelques poissons-perroquets jouent à cache-cache avec des langoustes farouches dans les jolies cavernes de *Green Rock*. À *White Rock*, une tortue évolue avec grâce au-dessus d'un nid de poissons-clowns, sous l'œil imperturbable d'un barracuda solitaire à la recherche de sa « gamelle » quotidienne. Également des diodons rigolos... Nos plongées préférées. Pour baptêmes et plongeurs de tous niveaux.

***Red Rock* – เรดร็อก :** encore une plongée sans difficulté, au sud-est de l'île (entre 0 et 30 m). Jardin corallien magnifique et survolé par des escadrilles de poissons-papillons, anges et perroquets. Avec un peu de chance, une tortue croisera votre regard ému par tant d'harmonie. Pour plongeurs de tous niveaux.

***Sail Rock* – เซล ร็อก :** un rocher en forme de champignon qui émerge, entre Koh Tao et Koh Pha Ngam. Entre 0 et 40 m, des bancs de poissons-chauves-souris se faufilent entre les failles, pendant que des barracudas costauds tournoient inlassablement ; la chasse est ouverte ! D'août à octobre, on y aperçoit régulièrement des requins-baleines particulièrement gloutons... en plancton. Également quelques raies mantas majestueuses. Pour plongeurs de tous niveaux. Site exposé ; météo excellente requise.

***South West Pinnacles* – เซาท์เวสท์พินนาเคล ส์ :** au sud-ouest de l'île. Grand brassage de couleurs vives dans ce somptueux jardin de coraux. C'est du « Ripolin Grand Art », ma bonne dame ! Entre 10 et 30 m, on contemple avec plaisir les parures chatoyantes des poissons-papillons, anges, clowns, trompettes et perroquets, qui tournicotent sans vergogne au nez des mérous tachetés, pagres et autres barracudas « maousses ». Également des gorgones *sea stars* flamboyantes. N'oubliez pas de remonter ! Pour plongeurs confirmés. Site exposé ; météo excellente requise.

***Chumphon Pinnacles* – ชุมพรพินนาเคล ส์ :** au nord-ouest de l'île. Seuls les plongeurs expérimentés se jetteront à la baille pour « la plongée-star de Koh Tao ». C'est un caillou (de 16 à 40 m) très sauvage, qu'affectionnent particulièrement les gros « bestiaux » du large. En toute tranquillité, vous palmez parmi les barracudas, carrangues, raies pastenagues que votre présence ne semble pas troubler outre mesure. Selon la saison, vous aurez peut-être la chance de croiser un géant des mers : sa majesté le requin-baleine accompagnée de poissons-pilotes. Assez exposé ; météo excellente requise.

QUITTER KOH TAO

➢ ***Pour Koh Pha Ngan :*** tous les jours, 2 *express-boats* appareillent à 10 h 30 et 14 h 30 (1 h 30 de trajet). Également quelques *speed-boats* au départ de Ban Mae Hat vers 15 h. Compter 1 h de traversée (terminus à Koh Samui). Attention : certains départs peuvent être annulés en fonction de la météo.

➢ ***Pour Koh Samui et Surat Thani :*** le mieux est de prendre l'*express-boat* de 10 h 30 qui fait escale à Koh Pha Ngan et Koh Samui, avant de toucher Surat Thani vers 16 h 30. Pour Koh Samui seulement, prendre le *speed-boat* de 15 h. Environ 1 h 30 de traversée avec escale à Koh Pha Ngan. Gare à la météo capricieuse...

➢ ***Pour Chumphon :*** *speed-boat* à 10 h 30 (2 h de trajet) et *express-boat* à 15 h (2 h 30 de trajet). Une solution maligne pour ceux qui veulent rentrer à Bangkok en évitant de passer par Surat Thani. Attention à la mauvaise météo...

À L'OUEST : DE PHUKET À HAT YAI

PHUKET (PRONONCER « POUKETT ») – ภูเก็ต

268 000 hab.

On n'aimait plus beaucoup Phuket depuis quelques années avec ses bars à filles, la clientèle masculine, les plages bétonnées. Mais on assiste à un revirement de situation. Oh, pas grand-chose, mais les familles y reviennent, peu à peu. Et puis Phuket ce n'est pas uniquement Patong ! Il reste de jolis coins comme *Kamala, Surin, Bang Tao*...
Côté budget, attention, peu d'adresses à prix routard. Nos amis plongeurs prendront le large illico pour une merveilleuse croisière-plongée dans les îles sauvages de la mer d'Andaman, mondialement réputées.

CLIMAT

En gros, de fin mai à mi-novembre, c'est la mousson avec son cortège de pluies, surtout en septembre et octobre. La saison dite sèche démarre vers la fin novembre et dure jusqu'à mi-mai, avec de fortes chaleurs en mars et avril. Pendant la mousson, période globalement pluvieuse, c'est encore en juillet et août que c'est le moins terrible. En résumé, l'hiver est donc la meilleure période pour découvrir la côte ouest de la Thaïlande. Certains courants, venus de l'océan Indien, peuvent se révéler **extrêmement** dangereux. Chaque année, de nombreuses personnes sont victimes de noyade. Rawai, Kata et Kamala sont sans doute les moins dangereuses ; mais Karon, Patong, Surin et les autres, plus au nord, sont celles qui le sont le plus.
On rappelle qu'en été, c'est le golfe de Thaïlande (Koh Samui) qui bénéficie du beau temps. Les conditions climatiques sont inversées.

CONFIGURATION DE L'ÎLE ET POPULATION

C'est avant tout la variété qui caractérise Phuket. L'île s'étend sur 49 km du nord au sud et 22 km d'est en ouest, avec une superficie totale de 570 km^2. Collines et vallons, recouverts de jungle, occupent le centre de l'île, tandis que les plus belles plages sont regroupées sur la côte ouest. Phuket a subi un développement rapide du fait de sa proximité de la terre ferme. Deux ponts, construits côte à côte, relient l'île au continent. La ville, Phuket Town, qui rassemble de nombreux commerces et les grandes surfaces, n'est généralement qu'un point de passage et vous n'êtes pas du tout obligé de vous y rendre pour gagner votre plage d'élection (sauf si vous arrivez en bus car le terminal s'y trouve).
Un conseil : munissez-vous rapidement d'une des nombreuses cartes de l'île, qui comprennent également les plans des stations balnéaires. Elles sont gratuites et vous les trouverez un peu partout dans les agences de voyages, et même chez certains commerçants.

Comment y aller de Bangkok?

En bus

870 km de route, 12 à 14 h de bus !
➢ ***Bus gouvernementaux AC et non-AC :*** départs du *Southern Bus Terminal (Sai Tai Mai).* ☎ 02-435-1199 ou 1200. Entre 7 et 10 départs quoti-

diens, de 7 h 30 à 22 h 30 en bus non-AC. Pour les bus AC, 8 liaisons par jour entre 5 h et 18 h 45, dont 4 à partir de 17 h. Bonne organisation et service impeccable, notamment sur la *Cie 999*. ☎ 076-211-480.

➢ ***Bus privés :*** des tas de compagnies assurent la liaison. Notamment : *Phuket Central Tour* (☎ 076-213-615 ou 076-214-335) et *Phuket Travel Service* (☎ 076-222-107/9), toutes deux sur Charan Sanit Wong Rd. En théorie, meilleures prestations que les bus gouvernementaux. En pratique, ce n'est plus vraiment le cas surtout sur les bus VIP, plus chers et moins authentiques. Attention, gardez toujours un œil sur vos bagages car il arrive parfois qu'ils soient visités durant les voyages de nuit (selon certains lecteurs, mais on n'a pas pu vérifier)...

En avion

➢ Phuket est reliée à *Bangkok* par plusieurs compagnies en 1 h 30 :
– *Thai Airways :* entre 14 et 16 vols par jour, tous les jours.
– *Phuket Airlines :* un vol par jour, tous les jours.
– *Bangkok Airways :* 4 fois par jour, tous les jours (prix intéressants).
On peut aussi gagner Phuket en venant de :
➢ *Koh Samui* (en 50 mn, tous les jours, 3 fois par jour par *Bangkok Airways)*;
➢ *Chiang Mai*, une fois tous les jours, par *Thai Airways.*
➢ Liaisons aussi avec *Perth* (Australie), 2 fois par semaine, le vendredi et le samedi par *Thai Airways* ; *Shanghai*, deux fois par semaine, le mardi et le samedi, avec *China Eastern Airlines* et *Hong Kong* avec *Dragon Air.*

Arrivée à l'aéroport

L'aéroport *(plan I)* est situé à environ 30 km au nord de Phuket Town.
– ***Phuket Tourist Association :*** pour les résas d'hôtels chic.
– ***Banques :*** plusieurs dans le hall d'arrivée de l'aéroport et ATM Box.
– ***Consigne** (left luggage) **:*** tous les jours de 6 h à 22 h, 40 Bts (0,8 US$) par bagage et par jour.
– ***Service Internet :*** à l'étage des départs. Très cher.

Transports de l'aéroport et vers l'aéroport

La meilleure solution pour gagner votre destination consiste à prendre une des 2 compagnies de *Limousine* qui ont un kiosque dans l'aérogare d'arrivée. Leurs minibus et leurs voitures se dirigent soit vers Phuket Town, soit vers les plages. Tickets vendus dans l'aérogare. Prix en fonction de la distance. Départs réguliers à chaque arrivée d'avion. Pas de *taxi-meters* dans l'enceinte de l'aéroport.
– Pour le retour, on prend un des minibus depuis Phuket Town, sur Songkhram Rd (contactez-les avant pour connaître la fréquence des passages). Ou bien en *taxi meter*. Ceux qui séjournent dans les grands hôtels bénéficient en général d'un transfert pour l'aéroport compris dans leur séjour. Et même dans certaines *guesthouses.*

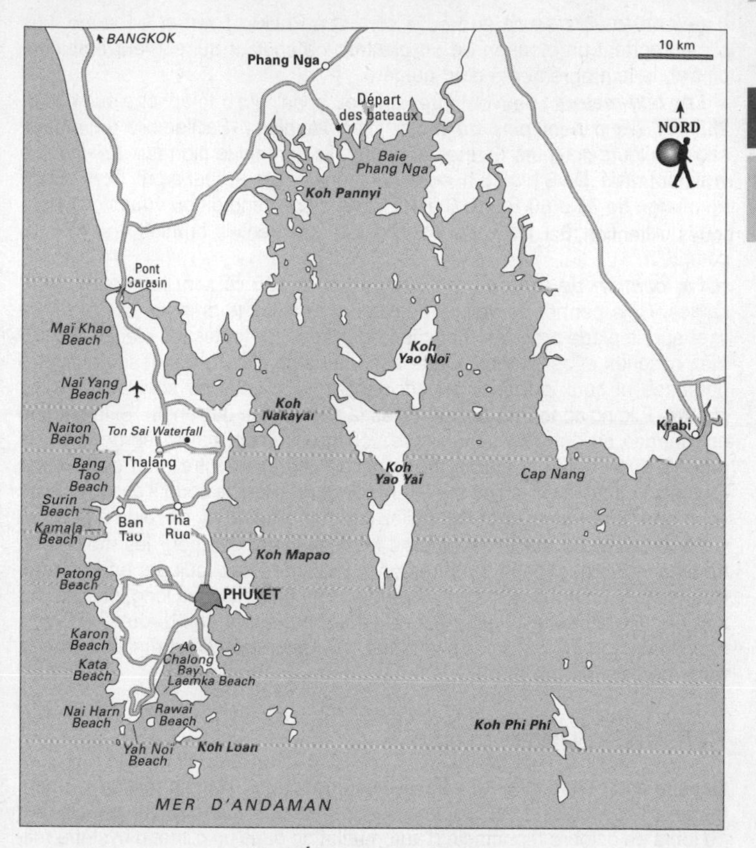

LA RÉGION DE PHUKET

Transports dans l'île

Pour tous vos transports dans l'île et à l'exception des ***taxis-meters*** qui possèdent un compteur (vérifiez qu'ils le mettent en marche), négociez systématiquement le prix de la course avant d'embarquer et fixez-le de manière ferme et définitive.

➢ ***Dans Phuket Town :*** utiliser les *motos taxis, les tuk-tuk* ou les *taxi-meters*. Prix par personne normalement raisonnable.

➢ ***Vers les plages :*** des *songthaews (bus locaux)* partent du marché sur Ranong Rd *(plan II, A2,* ***2****)*, toutes les 30 mn entre 7 h et 17 h environ. Ils desservent absolument toutes les plages. Il y en a un par secteur. Très pratique et pas cher. Tarifs officiels donnés au TAT. Course moyenne pour 25 Bts (0,5 US$).

– En dehors des heures de service, on utilise, au choix, les *taxi-meters* ou les *tuk-tuk*. Ces derniers pratiquent des prix très élevés, même en essayant de négocier (10 fois plus cher environ) et conduisent généralement « comme des malades ».

– ***Les motos-taxis :*** on en trouve surtout à Phuket Town et à Patong. Les pilotes portent un blouson ou un plastron de couleur qui est leur emblème officiel, le tout agrémenté d'un numéro.

– ***Les taxi-meters :*** peuvent être hélés ou appelés par téléphone au ☎ 076-232-157 (ils parlent plus ou moins bien l'anglais). Facilement reconnaissables à leurs couleurs (jaunes et bleus), ils dament le pion aux *tuk-tuk* pas vraiment ravis. De 8 h à 18 h, service compétent et surtout à prix fixes : prise en charge de 30 à 60 Bts (0,6 à 1,2 US$) selon l'endroit où vous vous trouvez, puis 4 Bts (0,1 US$) du km après 2 km. Vérifiez la mise en route du compteur.

– ***La location de motos :*** les petites 110 à 125 cc sont largement suffisantes. Cela permet de voir un maximum de lieux le premier jour et de se fixer sur sa plage préférée. Location en ville et sur toutes les plages. Réclamez casques et assurance. Cette assurance ne couvre que les tiers. Votre personne et ceux qui seraient accidentés avec vous ne sont pas pris en charge. Elle ne concerne pas non plus la mécanique de l'engin. Si la bécane est abîmée ou détruite, vous devrez obligatoirement payer les dégâts. On précise aussi qu'il est interdit de sortir de l'île avec votre mob de location (poste de contrôle de police sur la grand-route). Pour le coup, l'assurance ne vous couvrirait plus du tout. N'oubliez pas non plus qu'ici, on roule à gauche.

– ***La location de voitures :*** même avertissement que pour les motos. On trouve surtout des jeeps, pas très confortables et pas toujours en bon état. Pour se promener dans le coin, ça suffit. Pour un trajet plus long, passez par une agence. Bureau à l'extérieur de l'aéroport, sur la grand-route, 100 m à gauche en sortant, ou, à Patong-plage, au *Merlin Hôtel* (extrémité sud de la route du bord de mer).

PHUKET TOWN – เมืองภูเก็ต

Dans le sud-est de l'île. La ville la plus importante. Hormis quelques manifestations spectaculaires comme le *Vegetarian Festival* qui s'étale sur 10 jours en octobre (spectacle d'automutilation dans un climat d'hystérie religieuse), le nouvel an chinois *(Chinese Pimai)* ou le Nouvel An thaï *(Songkram)*, il y a peu de choses à voir ou à faire à Phuket Town. On trouve encore quelques vieilles maisons de style sino-portugais, des boutiques d'artisanat, des herboristes chinois... Si vous passez par Phuket Town et que vous n'avez pas encore de carte de l'île, allez donc au TAT prendre des renseignements, les brochures qui vous intéressent et la « Map of Phuket » avec, au dos, les plans de toutes les plages et la situation de beaucoup d'hébergements. Bien pratique.

Adresses utiles

Services

🅸 *TAT* – ท.ท.ท. *(office du tourisme ; plan II, B2) :* 73-75 Phuket Rd, après l'*Imperial Hotel.* ☎ 076-212-213 ou 076-211-036. Fax : 076-213-582. • www.phukettourism.org • Ouvert tous les jours de 8 h 30 à 16 h 30. Liste complète des hôtels, carte de l'île (à demander expressément car, malgré une certaine imprécision, elle est très utile), plan de la ville lui aussi indispensable, tarifs des *tuk-tuk* et des taxis *pick-up*, horaires

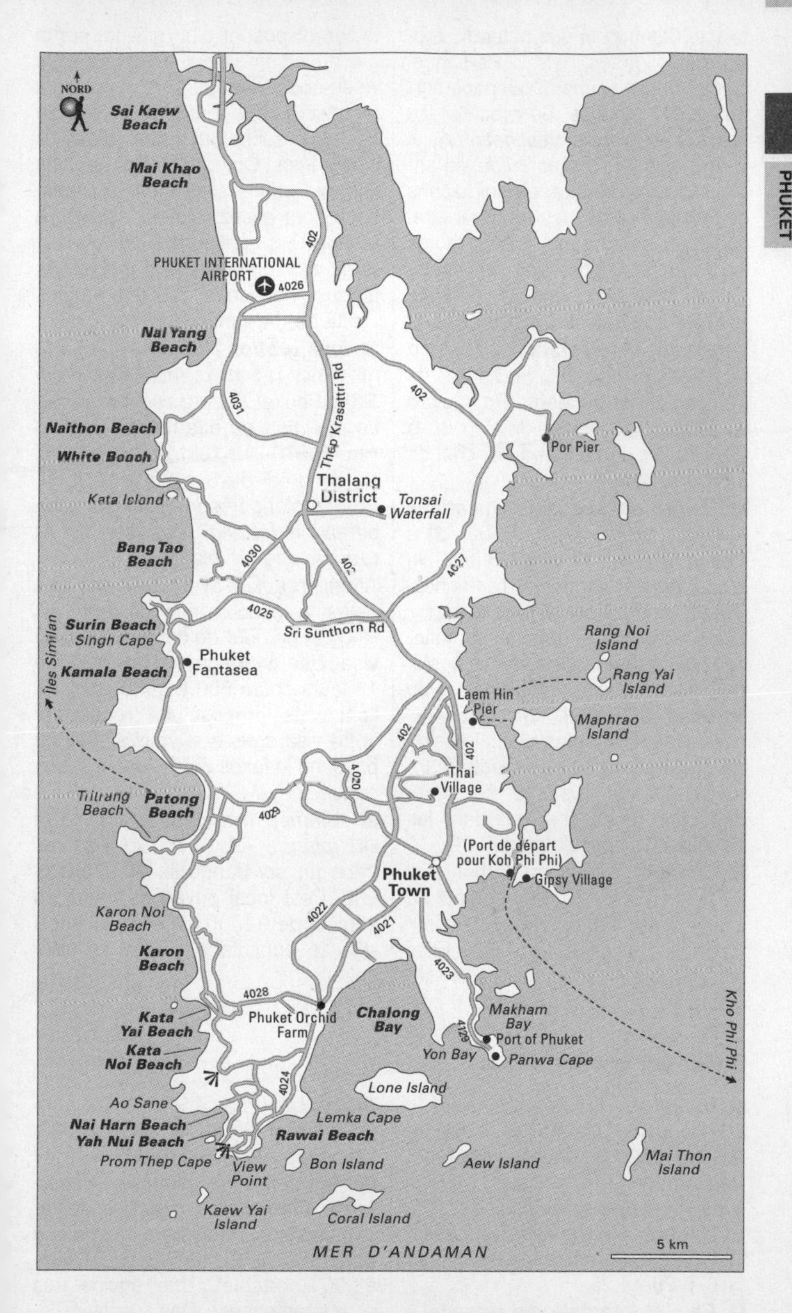

L'ÎLE DE PHUKET (PLAN I)

exacts des bus et des bateaux, brochures diverses, etc... Personnel compétent et souriant, qui parle correctement l'anglais. Se procurer les magazines gratuits *Destination Asie*, en français, et *Phuket Guide*, en anglais, pour connaître les animations du moment et débusquer, peut-être, quelques bons plans. Sinon, toutes les adresses possibles et imaginables dans *Gazette Guide* ou *Phuket Directory*, vendus en librairie.

✉ ***Poste et télégraphe*** – ไปรษณีย์โทรเลข *(plan II, B2)* **:** à l'angle de Thalang Rd et de Montri Rd. Ouvert du lundi au vendredi de 8 h 30 à 16 h 30, les samedi et dimanche, de 8 h 30 à 12 h.

■ ***Centre de télécommunications*** – ศูนย์โทรศัพท์ *(plan II, B2,* ***3****)* **:** Phang Nga Rd. ☎ 076-216-861. Un gros bâtiment surmonté d'antennes. Ouvert de 8 h à minuit tous les jours. Très bien pour les appels internationaux. Possibles aussi de la poste. De nombreuses officines ou agences proposent des *overseas calls*. Nettement plus cher. Possibilité également de se connecter à Internet par un système de carte. Beaucoup moins cher que dans les kiosques de bord de plage.

■ ***Change :*** beaucoup de banques à Phuket Town. On en a compté au moins 5 sur Phang Nga Rd et sur Ratsada Rd *(plan II, A-B2)*. Elles sont généralement ouvertes en semaine de 8 h 30 à 15 h 30, et certaines disposent d'un guichet sur la rue ouvert en début de soirée et le week-end. La plupart ont par ailleurs un distributeur d'argent accessible 24 h/24, acceptant entre autres la carte *Visa*. Comparez les taux de change, même si souvent les variations sont assez faibles. *Asia Bank* pratique les meilleurs. Service *Western Union* en sus. D'autres agences presque en face du TAT et à Patong, sur le bord de mer.

■ ***Immigration office*** – สำนักงานตรวจคนเข้าเมือง *(hors plan II par B3)* **:** Phuket Rd, au sud de la ville, en direction du quartier de Saphan Hin. ☎ 076-212-108. Ouvert du lundi au vendredi de 8 h 30 à 16 h 30. Pour prolonger son visa. Un autre bureau à *Patong*, côté mer, sur la rue qui longe la plage.
Attention aux « overstay » qu'il faut payer à concurrence de 200 Bts (4 US$) par jour de dépassement du visa. Une prolongation, en règle, de 10 jours coûte 500 Bts (10 US$). Si l'on vous propose de renouveler votre visa sans que vous sortiez du pays, ne le faites pas. C'est très, très risqué.

■ ***Alliance française*** – สมาคมฝรั่งเศส *(plan II, A2,* ***6****)* **:** 3 Soi Pattana, dans un *soi* tranquille. ☎ 076-222-988. Petit local ouvert du mardi au samedi de 9 h 30 à 12 h. Fait aussi agence consulaire. Livres en français.

Santé et sécurité

■ ***Bangkok Phuket Hospital :*** 2/1 Hongyok Utis Rd. ☎ 076-254-421 ou 429. Urgences : ☎ 1060. Deux antennes médicales : à Laguna Phuket, *Canal Village* de 9 h à 21 h, et au *Patong Beach Hotel* de 10 h à 22 h. Permanence 24 h/24 au ☎ 076 25 44 25.

■ ***Phuket International Hospital*** – โรงพยาบาลภูเก็ต อินเตอร์เนชั่นแนล *(hors plan II par A1)* **:** 44 Chalermprakiat Ror 9 Rd. ☎ 076-249-400. Urgences : ☎ 076-210-935.

■ ***Accidents de plongée (Hyperbaric Chamber) :*** chambre de recompression hyperbare à Patong Beach. ☎ 076-342-518 ou 01-895-93-90 (portable). Une équipe très compétente avec Dan, un Néo-Zélandais très pro.

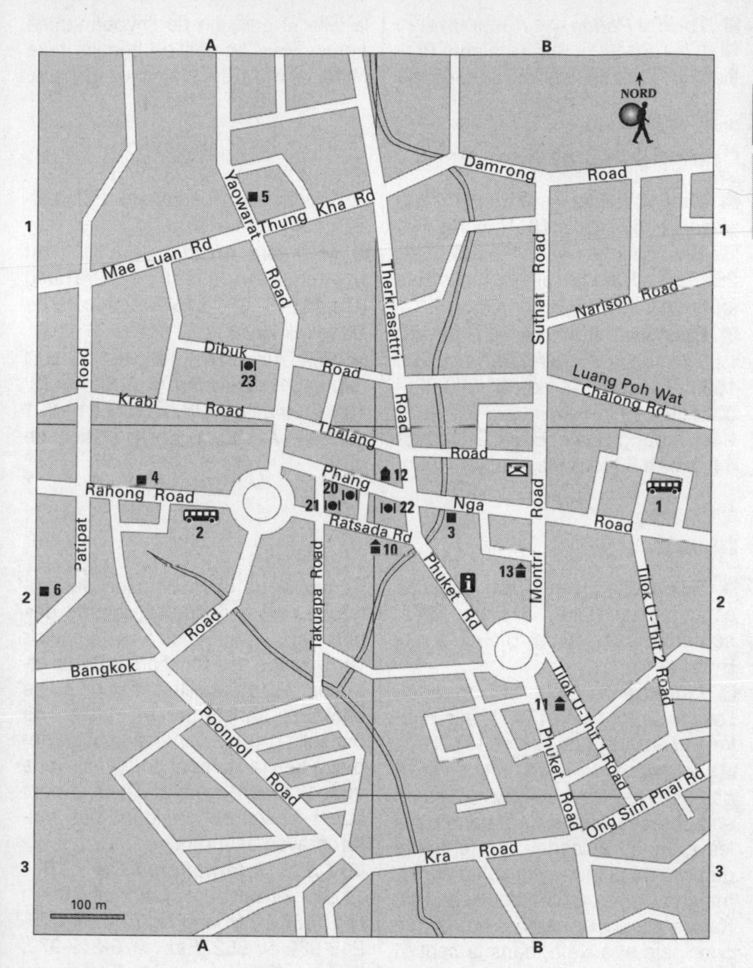

PHUKET TOWN (PLAN II)

■ Adresses utiles

- TAT (office du tourisme)
- Poste et télégraphe
- 1 Phuket Bus Terminal
- 2 Songthaews vers les plages
- 3 Centre de télécommunications
- 4 Thai Airways
- 5 Bangkok Airways
- 6 Alliance française et consulat

Où dormir ?

- **10** Thavorn Hotel
- **11** Phuket Crystal Inn
- **12** Sinthavee Hotel
- **13** Pearl Hotel

Où manger ?

- **20** Mae Porn Seafood
- **21** Kanda Bakery
- **22** Romantica Pizzeria
- **23** Dibuk

■ ***Tourist Police** – ตำรวจท่องเที่ยว :* ☎ 076-225-361. Sur Chalerm Prakiat Rd (Bypass Rd), au nord-est de la ville et pas loin de l'hypermarché *Lotus*. Mais en cas de besoin, faire plutôt le ☎ 11-55, c'est plus efficace.

Compagnies aériennes

■ ***Thai Airways*** – สายการบินไทย *(plan II, A2, **4**) :* 78 Ranong Rd. ☎ 076-258-236. Billetterie : ☎ 076-258-237. Bureau ouvert tous les jours de 8 h à 17 h.

■ ***Bangkok Airways*** – สายการบินบางกอกแอร์เวย์ *(plan II, A1, **5**) :* 158/2-3 Yaowarat Rd. ☎ 076-225-033 ou -035. Fax : 076-212-341. • www.bangkokair.com • Ouvert de 8 h à 17 h 30 tous les jours. À l'aéroport, pour les réservations : ☎ 076-205-400.

■ ***Malaysia Airlines*** – สายการบินมาเลเซีย *(plan II, A1) :* 1/8-9 Thung Kha Rd. ☎ 076 213-749. À coté de *Bangkok Airways*.

■ ***Silk Air*** – บริษัทซิลค์แอร์ (สายการบินสิงคโปร์ – *plan II, A-B2*) *:* 183/103 Phang Nga Rd. ☎ 076-213-891 ou 895. À 100 m de la station de bus.

Divers

■ ***Bowling*** – โบว์ลิ่ง *(plan II, B2) :* à côté du *Pearl Hotel*, sur Montri Rd et au centre commercial *BIG C*, sur la Bypass Rd.

■ ***Librairie :*** à droite en sortant de l'office du tourisme (TAT), sur Phuket Rd – ร้านขายหนังสือถนนภูเก็ต.

■ ***Journaux français :*** on n'en a pas trouvé à Phuket Town, mais on en achète facilement à Patong dans les grandes épiceries du centre et du bord de plage, ainsi qu'au supermarché *Océan*. On en trouve aussi à Karon au supermarché de la rue principale et à Kata, dans le centre.

■ ***Lee Travel Agent :*** Phuket villa 5, Soi 6, Chawfa Rd, Wichit Muang. ☎ et fax : 076-248-517 et ☎ 01-606-90-95 (portable). Routards, voici une excellente agence de voyages tenue par un Français (Arnaud) et par son épouse thaïe, qui donne de très bons renseignements sur l'île. Il peut s'occuper de la réservation des hôtels les plus modestes comme des plus chic, il peut vous aider à choisir votre plage en fonction de vos attentes. Achat de billets d'avion ou de bateau, transferts et plein de conseils divers. Appelez-le, il se déplace très facilement pour venir vous voir. Vraiment sympa. Tiens, il peut aussi s'occuper de louer des voitures avec assurance.

■ ***C.L.S. International Cie LTD*** – บริษัท ซีแอลเอส อินเตอร์เนชั่นแนลจำกัด *:* 183/10 Phang Nga Rd. ☎ 076-219-980 ou 982. Fax : 076-219-979. • clstour@loxinfo.co.th • En face du *City Hotel* et à 100 m de la station de bus. Ouvert du lundi au samedi de 8 h 30 à 18 h. Agence de voyage tenue par une famille thaïe. Personnel très compétent, très gentil, s'exprimant en anglais.

Où dormir ?

Pas vraiment d'intérêt à dormir ici, si ce n'est pour cause d'arrivée tardive ou de départ matinal. Dormir près de la plage est évidemment plus agréable.

De bon marché à prix moyens (de 200 à 550 Bts – 4 à 11 US$)

▲ ***Thavorn Hotel*** – โรงแรมถาวร *(plan II, A-B2, **10**) :* 74 Rassada Rd. ☎ 076-211-333 ou 335. Fax : 076-215-559. • thavornhotel@email.com • Ouvert depuis 1961, cet hôtel a des allures de musée avec ces boiseries partout et un cadre exceptionnel. Eau chaude, TV dans les chambres bien décorées. Personnel peu stylé, mais le décor rattrape le tout. Petit dej' non compris mais coffee-shop.

De prix moyens à un peu plus chic (de 600 à 1 500 Bts – 12 à 30 US$)

▲ ***Phuket Crystal Inn*** – ภูเก็ตคริสตัลอินน *(plan II, B2, **11**) :* 2/1-10 Soi Surin, Montri Rd. ☎ 076-230-071 ou 072. Fax : 076-223-528. • pcrystal@phuket.ksc.co.th • Pas loin du centre commercial *Robinson*. Très propre. Service et confort vraiment de haut niveau pour le prix. Chambres nickel, lumineuses, avec AC, eau chaude et TV. Vraiment une belle adresse à prix juste.

▲ ***Sinthavee Hotel*** – โรงแรมสินทวี *(plan II, B2, **12**) :* 89 Phang Nga Rd. ☎ 076-211-186. Fax : 076-211-400. Grand hôtel complètement refait. Beau hall de marbre noir avec colonnes et jardinières. Un escalier central vous mène de la réception au restaurant puis aux chambres avec AC, douche (chaude) et TV. Tout est propre et l'accueil est de qualité. En demandant une ristourne *(discount)*, la chambre *de luxe* est au prix de la *standard*. Billard.

Plus chic (plus de 1 500 Bts – 30 US$)

▲ ***Pearl Hotel*** – โรงแรมเพิร์ล *(plan II, B2, **13**) :* 42 Montri Rd. ☎ 076-211-044. Fax : 076-212-911. • www.phuket.com/pearlhotel • Excellent accueil dans ce grand hôtel impeccable, où les couloirs ressemblent à des coursives de bateau. Chambres très confortables, absolument impeccables et bien équipées (AC, eau chaude) avec de grandes fenêtres en guise de hublot ! Réductions possibles. Piscine extérieure, avec cascade artificielle. Service stylé. Bowling juste à côté.

Où manger ?

Pas cher (moins de 200 Bts – 4 US$)

|●| ***Mae Porn Seafood*** – ร้านอาหารแม่พร *(plan II, A2, **20**) :* Phang Nga Rd (à l'angle du Soi Pradit). Ouvert tous les jours de 9 h à 22 h. Très central, près du *Thavorn Hotel*. Un restaurant au toit de tôle ondulée, traditionnel et pas cher. On mange dehors et en plein air, sous une terrasse. Bruyant car donnant sur la rue très animée. Carte importante : cuisine thaïe et crustacés. On a bien aimé le bœuf sauté au maïs jeune, mais les rois de la carte, ce sont les crustacés. Typique et populaire. Accueil familial.

|●| ***Kanda Bakery*** – กานดาเบเกอรี่ *(plan II, A2, **21**) :* 21 Ratsada Rd. À coté de *Phuket Central Tour*, l'agence des bus privés. Ouvert de 7 h 30 à 20 h 30. Pâtisserie-resto

aux couleurs fraîches. Viennoiseries, sandwichs, pizzas, gâteaux crémeux assez kitch et quelques plats thaïs. Idéal pour le petit dej'.

Un peu plus chic (autour de 300 Bts - 6 US$)

|●| ***Romantica Pizzeria*** – ลาโรมันติกาพิซซ่า *(plan II, B2, **22**)* : 70 Phang Nga Rd. ☎ 01-367-34-00 (portable). Tous les jours de 11 h 30 à 22 h 30. Chic et propre sur lui (nappes et serviettes en tissu rouge et vert), tenu par un Italien pure souche qui fait sa *pasta* et ses pizzas. Semi-luxe de bon aloi et plats de qualité, goûteux et suffisamment copieux. Ça change un peu.

|●| ***Dibuk*** – ดิบุค *(plan II, A1, **23**)* : 69 Dibuk Rd. Près du *Phuket Merlin Hôtel.* ☎ 076-258-148. Très beau resto avec une arrière-salle. 40 places dans un décor agréable et relaxant. Menu en français avec une soupe de poisson, des escalopes à la crème et du bœuf bourguignon. Tenu par Jean-Pierre et Nok. Fermé le dimanche.

À voir dans les environs de Phuket Town

Gipsy Village – หมู่บ้านยิปซี *(plan I)* : à 5 km de Phuket Town. Depuis la ville, prendre la *sri* Sutat Rd et faire environ 3 km. Après un pont, sur la droite, dans la mangrove, quelques singes en liberté qui, parfois, viennent au bord de la route vers 16 h. Poursuivre tout droit jusqu'à la grosse maison blanche construite à droite du chemin (moins d'un kilomètre plus loin). On ne peut pas la louper. Là, tourner à droite et suivre la route jusqu'au village (cul-de-sac). Voici un village vraiment *gipsy*, habité par un groupe social qui parle un dialecte thaï du Sud et qui tente de se préserver. Animistes, ces gitans de la mer sont des *Mokens* originaires des îles Andaman qui se sont mélangés à la population locale. On les reconnaît au fait que certains hommes portent encore parfois une étoffe nouée autour de la taille, comme au Myanmar. Mais civilisation faisant loi, le jean et le T-shirt ont fait leur apparition. Ils constituent une petite communauté bien typée avec ses propres traditions. La plupart sont pêcheurs, d'autres plongeurs (ils peuvent rester plus de 3 mn sous l'eau !).
Peu de touristes dans ce secteur, c'est pourquoi il convient d'avoir un comportement respectueux et discret. Devant les maisons, de vastes jarres servent à recueillir l'eau de pluie. Cet espace est utilisé comme une salle de bains. Le matin, la famille se lave. Si vous y venez à ce moment-là, faites-vous discret et ne faites pas de photos. Un petit bout de resto (plutôt pour boire un verre que pour manger).

Phuket Orchid Farm – ภูเก็ตออร์คิดฟาร์ม *(plan I)* : Soi Suksam 1, une rue qui donne dans Viset Rd (route 4024 qui mène à Chalong). ☎ 076-381-839. Du rond-point de Chalong où se rejoignent les routes 4028, 4022, 4021 et 4024, prendre la 4024. Faire environ 500 m et prendre à droite au panneau. Rouler doucement, car le panneau n'est pas facile à voir et la rue est petite. Ouvert tous les jours de 10 h à 17 h 30. Entrée : 60 Bts (1,2 US$). Visite guidée en anglais. Sinon, explications en français sur un papier qu'on peut prendre à l'entrée. Grande ferme à orchidées où on les fait pousser. Des spécimens assez incroyables. On peut également en acheter. Aquarium.

Phuket Orchid Garden – ภูเก็ตออร์คิดการ์เด้น *et* ***Thai Village*** – ไทยวิลเลจ : au nord de Phuket Town, tout au bout de Thepkasatri Rd, à droite (cul-de-sac). ☎ 076-214-860. Fax : 076-214-859. Entrée chère : 400 Bts (8 US$) ; réductions. Deux démonstrations par jour, à 11 h et 17 h 30. Des serres d'orchidées multicolores et un prétendu village thaï traditionnel, dans lequel sont présentées des attractions pour touristes assez nulles : shows d'éléphants, danse et marché flottant ! Sans grand intérêt excepté si vous êtes un fan d'orchidées, mais l'environnement est agréable. Grand jardin arboré et fleuri avec un étang.

Phuket Butterfly Garden & Insect World – สวนผีเสื้อและแมลงจังหวัดภูเก็ต *:* Sam Kong. ☎ 076-215-616 et 210-861 ou 862. • www.phuketbutterfly.com • En partant du centre commercial Lotus sur Bypass Road, prendre la direction centre-ville et tourner à gauche à la deuxième rue, Paniang Lane. Suivre les panneaux en forme de papillons. Ouvert tous les jours de 9 h à 17 h 30. Entrée : 200 Bts (4 US$) réductions. En face de la caserne des pompiers, l'établissement, joliment décoré et propre, donne accès au royaume des papillons et des insectes. Grand parking, cafét' et boutique dans le hall d'entrée.

➤ *LES PLAGES DE PHUKET*

Nous étudions les plages de la côte ouest, en allant du nord vers le sud. Et qui dit plage dit forcément baignade. Soyez très prudent à cause des vagues et des courants horizontaux et verticaux (et oui, ça existe).

SAI KAEW BEACH – หาดทรายแก้ว

C'est la partie nord de Mai Khao Beach, au contournement du chenal qui sépare l'île du continent. Aucun hébergement. Baignade dangereuse.

MAI KHAO BEACH – หาดไม้ขาว

Au nord de l'aéroport, c'est la plage de l'hôtel *Marriott* et des tortues. Celles-ci viennent pondre leurs œufs, de novembre à février, sur une plage rectiligne à perte de vue (12 km de long). Beaucoup de coquillages échoués et tranquillité garantie. Attention pour la baignade.

NAI YANG BEACH – หาดในยาง

Au sud de l'aéroport. Plage du Parc national Sirinat (entrée 20 Bts soit 0,4 US$) pour contribuer à l'entretien et protéger le site. Les tortues y viennent aussi. Très calme grâce à la barrière de corail. Beaucoup de faune marine. Possibilité de campement dans le parc. Tables de pique-nique et vendeurs ambulants. Surtout fréquenté par les Thaïs. Très sympa, et pas de pollution.

NAITHON BEACH – หาดในทอน

Cette plage, peu connue des touristes et peu fréquentée, est une des plus belles de l'île. Baignade géniale en haute saison, mais dangereuse en basse. 2 km de sable superbe avec, en bordure, une petite route qui passe devant les quelques restos et hébergements.

Où dormir ? Où manger ?

Assez chic (entre 900 et 5 000 Bts – 18 à 100 US$)

■ |●| ***Naithon Beach Resort*** – หน้าทอนบีชรีสอร์ท *:* séparé de la plage par une petite route. ☎ 076-213-928. Fax : 076-222-361. Structure d'une quinzaine de coquets bungalows en bois et toit de tuiles vernissées, entourés de petits palmiers, avec un bout de terrasse. Intérieur simple, avec ventilo ou clim'. Malheureusement un peu les uns sur les autres. Prix du simple au double en fonction de la grandeur. Agréable petit resto face à la plage.

■ |●| ***Phuket Naithon Resort*** – ภูเก็ตในทอนรีสอร์ท *:* 24 Sakhu Naithon Rd. ☎ 076-205-030. Fax : 076-213-233. • www.phuketdir.com/naithon • Un peu plus loin que le précédent. Rien à redire. C'est propre et il y en a pour tous les goûts, du bungalow à la chambre d'hôtel avec vue sur mer ou sur la montagne. Restaurant ouvert de 7 h à 22 h avec cuisine impeccable, « faite maison ». Service excursion. Accueil sympa.

WHITE BEACH – หาดขาว

➢ Après Naithon, on grimpe la colline et on redescend au niveau d'une plage isolée appartenant à une vieille famille locale d'exploitants d'hévéas. Leur fille y a construit un complexe hôtelier de qualité.

■ ***Andaman White Beach Resort*** – อันดามันไวท์ บีสรีสอร์ท *:* ☎ 076-316-300. Fax : 076-316-399. • www.andamanwhitebeach.com • Avec plage privée, piscine, sauna et salle de gym. Toutes les chambres ont vue sur mer et, en quelques pas, on est dans le sable et dans l'eau. Bon rapport qualité-prix.

➢ Après White Beach, on longe ***Layan Beach*** – หาดระยัน, encore intacte. Puis on traverse ou on contourne le grand complexe hôtelier de *Phuket Laguna,* qui attire surtout une clientèle de golfeurs aisés, venus « putter » en bord de mer. Puis, avant de rejoindre Bang Tao, on passe au travers des dernières rizières de l'île et des grands prés où quelques buffalos sont nichés dans leur trou d'eau.

BANG TAO BEACH – บางเทา

La jolie plage de Bang Tao se bétonne à tout va et la pollution va de pair. Côté sud, la plage se construit allègrement et la jungle perd du terrain. Quelques chalutiers, des *long-tails*, un peu trop de *speed-boats* et de yachts se balancent accrochés à leur ancre... À noter que la plage est dangereuse en basse saison.

Où dormir ? Où manger ?

De prix moyens à plus chic (de 600 à 1 800 Bts – 12 à 36 US$)

🏠 ***Bang Tao Lagoon Bungalow*** – บางเทาวิลเลจบังกาโล **:** au sud de la plage, 73/3 Moo 3. ☎ 076-324-260. Fax : 076-324-168. • www.phuket-bangtaolagoon.com • Une bonne soixantaine de bungalows bleu et blanc, ombragés par des pins et des cocotiers, dans un très grand parc, proposant différents niveaux de confort (ventilo ou AC, eau froide ou chaude). Les standards sont un peu désuets. Les prix varient aussi en fonction de la proximité de la mer. Propre mais sans charme. Multiples services.

Beaucoup plus chic (plus de 3 000 Bts – 60 US$)

🏠 🍽 ***Bang Tao Beach Cottage*** – บางเทาบีชโคดเต็จ **:** 63/4 M.3 Bang Tao Beach. ☎ 076-325-418. Fax : 076-325-419. • www.bangtaobeachcottage.com • Superbe et charmant petit ensemble d'une dizaine de bungalows, portant des noms d'animaux, nichés au milieu d'un jardin luxuriant et confiné à la fois. Beaucoup de classe. Bungalows ocre, toits en feuilles de palme, large baie vitrée et lits confortables. Resto et plage de sable blanc. Jolie adresse de luxe donc, intime et pas clinquante (AC, salle de bains avec eau chaude, TV...). Un très joli coin, un peu cher tout de même.

SURIN BEACH – หาดสุรินทร์

Une autre plage agréable avec un arrière-plan campagnard (buffalos au pâturage). Entre la plage et l'espace vert, vous trouverez une rangée de gargotes proposant nourriture, boissons et lits de plage. En retrait, la petite route qui mène à Bang Tao Beach, maintenant bordée de petits buildings assez jolis (mais c'est du béton quand même). ***Plage dangereuse en toute saison***. Baignade non surveillée.

Où dormir ?

Aucun logement sur la plage. On trouve des hôtels, un peu en retrait sur la route secondaire parallèle à la mer.

De prix moyens à plus chic (1 000 à 2 500 Bts – 20 à 50 US$)

🏠 ***Surin Bay Inn*** – สุรินทร์เบย์อินน์ **:** 106/11 Moo 3. ☎ 076-271-601. Fax : 076-325-816. • www.phuketdir.com • Petit immeuble de trois étages dans lequel on trouve une dizaine de chambres avec vue sur mer ou montagne. Confort irréprochable avec TV, minibar, eau chaude, téléphone dans chaque chambre, coffres-forts et *laundry service*. Resto. Très accueillant.

Très très chic (entre 13200 et 22000 Bts – 264 à 440 US$!!)

Pour rigoler, voici deux adresses de super-luxe, pour ceux qui ont un gros bas de laine.

■ ***The Chedi*** et ***l'Amanpuri*** – เดอะเชดีย์ et โรงแรมอมานปุรี : sur une ravissante plage privée, au nord de Surin Beach. Cottages luxueux, très confortables et chaleureusement aménagés, disséminés sur une colline boisée, pour ceux qui ont fait fortune... Piscines, planches à voile, cata et tennis.

➢ Ensuite, on reprend la route côtière en direction de *Kamala* et l'on gravit une colline. Sur le côté mer, on croise le ***Singh Cape*** – แหลมสิงห์ avec l'anse de ***Laem Singh*** – แหลมสิงห์. On accède à la petite plage bordée de rochers par deux sentiers abrupts avec des escaliers. Très fréquentée en haute saison. Parfait pour le *snorkelling*, sur la partie nord de préférence.

KAMALA BEACH – หาดกมลา

Après Singh Cape, en redescendant la colline, on découvre une plage que les promoteurs avaient curieusement oubliée. Devant la plage court une mini-promenade, qui longe les petits ensembles de bungalows, de boutiques diverses et de restos. Pas mal de monde. Le soir, vous serez quand même assez tranquille et vous profiterez du bruit de la mer. Attention aux vagues et aux courants, se baigner peut être très dangereux en basse saison. Bon à savoir, la partie la plus « baignable » se situe dans la portion nord de la plage, et c'est là que l'eau est la plus claire (moins de vagues).

Où dormir ?

Quelques bungalows sur la partie centrale du front de mer. Les hébergements, situés les uns à côté des autres, sont de qualité, de confort et de prix assez différents. Accès par la petite route qui mène au poste de police (dans un virage à angle droit sur la route principale). Endroit un peu bruyant à cause de la proximité de la grand-route.

Prix moyens (de 500 à 1000 Bts – 10 à 20 US$)

■ ***Malinee House et Kamala Jackie Lee Tour*** – มาลินีเฮ้าส์และกามาลา แจ็กกี้ลีทัวร์ **:** 75/4 Moo 3 Rimhad Rd. ☎ 076-385-094. Fax : 076-385-351. • malineehouse@hotmail.com • Sympathique combinaison entre *guesthouse* et agence de voyages avec un accueil gentil tout plein. Madame Lee, d'origine chinoise, se met en 4 pour vous satisfaire et propose quelques chambres réparties sur deux étages avec ventilo ou clim'. Service Internet, téléphone international. Réservation d'excursions et de transports divers.

■ ***Benjamin Resort*** – เบนจะมินรีสอร์ท **:** 83 Moo 3 Rimhad Rd. ☎ 076-385-145. Fax : 076-385-739. • www.phuketdir.com/benjaminresort • Très populaire, cette *guesthouse* de construction récente offre une trentaine de chambres très spacieuses et tout confort, avec terrasse. *Laundry service* et motos à louer. Bars assez bruyants à proximité.

De prix moyens à un peu plus chic (à partir de 800 Bts – 16 US$)

🏠 ***Grace Resort*** – เกรซรีสอร์ท **:** le premier complexe à l'entrée de la petite route, côté mer, face au pré faisant office de cimetière musulman. ☎ 076-385-839 ou 01-894-22-92 (portable). Fax : 076-385-476. Une dizaine de chambres et 3 bungalows (ventilo ou clim') avec vue sur mer. Très aéré, avec accès direct à la plage par un chemin bétonné d'environ 50 m. Pas de restauration. Transfert aéroport possible sur demande avec le pick-up maison.

Où manger ?

De nombreux restos le long de la plage et dans la rue commerçante. Impossible de tous les citer car il y en a vraiment beaucoup ! Ils proposent à peu près tous du poisson.

🍴 ***La Fontaine*** – ลาฟ ถงค์เดน **:** 75/3 Moo 3 Rimhad Rd. Petit snack coquet et très, très propre. Petite restauration de qualité. Fifi, le patron, est un vieux routard qui connaît parfaitement l'Asie et particulièrement la Thaïlande. Il vous donnera plein de bons tuyaux. Organise aussi des sorties.

🍴 ***Chez Katcha*** – เชย์ กัชชา **:** Moo 3 Rimhad Rd, un peu après *La Fontaine.* Une petite gargote typiquement locale. Peu de touristes. Plats thaïs assez épicés (demander « mai phèt »). Excellentes crêpes locales à la banane *(banana pancake).* Prix dérisoires.

Où plonger ?

Trois écoles de plongée proposent des services à peu près semblables. Nous en avons retenu une pour la qualité de son accueil et sa disponibilité à l'égard de ses clients.

■ ***Merlin Divers*** – เมอร์ลินไดเวอร์ **:** 96/23 Moo 3 Rimhad Rd (la rue commerçante). ☎ et fax : 076-385-518 et ☎ 01-979-98-60 (portable). • www.merlin-divers.com • Tenue par un jeune couple d'Allemands, Markus et Suzan, qui sont installés à Kamala depuis quelques années déjà. Suzan n'est jamais avare de son temps et vous fournira tous les renseignements souhaités avec le sourire et beaucoup de patience. On y parle l'anglais, un peu le français. Toute la panoplie des stages *PADI* et sorties en mer, dans les environs et dans les îles de la mer d'Andaman (Similan, Surin, Richelieu, etc.). Plongée en caverne et sur une mine d'étain engloutie pas très loin.

À voir

Phuket FantaSea – ภูเก็ต แฟนตาซี *(plan I)* **:** au nord de la plage de Kamala. ☎ 076-385-111. Fax : 076-385-222. • www.phuket-fantasea.com • Incroyable show à l'américaine qui se déroule tous les soirs (sauf le mardi) à 21 h. Durée : 1 h 15 environ. Le complexe immense englobe le théâtre

(3 000 places), le resto (4 000 places) et le parc à thème est ouvert de 17 h 30 à 23 h 30. Deux formules : uniquement le spectacle : 1 000 Bts (20 US$), entrée spectacle et repas : 1 500 Bts (30 US$). Réductions. Repas de 18 h à 20 h 30 sous forme de buffet international avec vins et alcools en supplément. C'est de loin le plus grand spectacle de l'île, qui présente en plusieurs tableaux la culture thaïe à la façon... d'Hollywood : reconstitution de la grande bataille de Phuket contre les Birmans, danses orientales, ballets aériens, effets pyrotechniques incroyables, débauche d'acrobates, scènes de magie et présence impressionnante d'une trentaine d'éléphants...

PATONG BEACH – หาดป่าตอง

La plage la plus célèbre de Phuket. Patong, c'est La Grande-Motte avec un zeste de Palavas. La plage n'est plus qu'une magistrale coulée de béton. Le fric et la prostitution ont depuis longtemps remplacé la douceur de vivre et la tranquillité de ce village. Même si les autorités veulent un peu changer les choses...

– *Attention :* comme sur plusieurs autres plages, la baignade hors saison se révèle ici vraiment dangereuse. On signale par ailleurs un nombre inacceptable d'accidents dus à la navigation de jet-ski tout près du bord. Et comme la mer est polluée, allez donc plutôt nager ailleurs.

Adresse utile

Le long de la rue qui borde la plage, ***librairie-épicerie*** qui vend des journaux de tous les pays européens.

Où dormir ?

Comme il faut bien faire notre boulot, on s'exécute en traînant les pieds. Prix assez élevés, mais à force d'investigations, on a trouvé de nouveaux points de chute pas mal du tout. Les prix varient souvent du simple au double en fonction du confort. Demandez l'éventail des tarifs. En basse saison, on peut les faire baisser jusqu'à 50 %. N'hésitez pas à marchander !

Prix moyens (de 500 à 850 Bts – 10 à 17 US$)

☗ ***Baantonsai Garden Resort*** – บ้านต้นไทรการ์เด้นรีสอร์ท **:** 186 Nanai Rd (juste à l'entrée de Nanai, coté sud). ☎ 076-292-829. Fax : 076-292-831. • phuketbaantonsai@hotmail.com • Complexe d'une centaine de chambres de plain-pied réparties sur 4 bâtiments construits à l'extrémité sud de Patong. Confort basique mais suffisant. Choisissez les chambres au fond, en bordure du pré. Piscine et bar-resto. Accueil très sympa et courtois.

☗ ***Siam House & Café*** – สยามเฮ้าส์แอนกาเฟ **:** 169/22 Soi Sansabai (Patong centre). ☎ 076-341-874. • siamguesthouse@hotmail.com • Gérée par un couple thaï jeune et dynamique, cette petite *guesthouse* offre un confort simple.

Un peu plus chic (à partir de 1 000 Bts – 20 US$)

Crissey Village – กริสเซ่ย์ วิลเลช : 3 Soi Sawatdirak Rd (au nord de Patong). ☎ 076-344-614. Fax : 076-344-620. • info@crissey-village.com • Construit dans l'ancienne propriété du consul de France à Phuket, ce complexe de bungalows de grande classe s'étale dans un jardin magnifiquement arboré. Piscine et resto de qualité. Tous les services d'un grand hôtel. Club de plongée.

Où manger ?

Des centaines de restos moches et chers, dans un univers impitoyable, créé de toutes pièces pour vider votre porte-monnaie. En sillonnant les rues de Patong, on finit par débusquer quand même quelques petits restos encore gentillets à prix câlins.

Pas cher (autour de 100 Bts – 2 US$)

C'est dans le Soi Kepsub, une petite rue pas facile à trouver côté sud de Patong Beach, pas loin du *KFC*, que l'on trouve les cantines les plus authentiques et populaires de Patong. Pas chères et généralement bonnes.

Song Pee Nong Restaurant – ร้านอาหารสองพี่น้อง : Soi Kepsub, 200 m à gauche en remontant vers Rat-u-thit Rd. Ouvert de 10 h à 23 h. Il s'agit d'une petite cantoche familiale, au grand air, où sont servis, avec le sourire, des plats thaïs et européens délicieux et copieux. Une tambouille qui vaut le déplacement, même si les prix ont un peu grimpé. Également de bons petits déjeuners.

Le Cattleya – เลอแคททารียา : 111 Sainamyen Rd. ☎ 076-340-382. Agréable petit restaurant climatisé et très propre à l'entrée de Sainamyen (côté droit). Une vingtaine de places et un bouquet de fleurs sur chaque table. Tenu par un couple thaï et japonais ; l'accueil est courtois et la nourriture excellente et à prix très raisonnables. Salade de fruits offerte en dessert.

Le Bites – เลอบิทส์ : 99/3 Rat-u-thit 200 Pee Rd (pas loin du *Cattleya*). ☎ 076-340-647. Un autre resto de qualité tenu par une Thaïe qui a vécu longtemps en Europe. Une quarantaine de places. Bon et pas cher. C'est sans nul doute le meilleur rapport/qualité prix que l'on connaisse sur Patong.

Michael & Ayrton's Bakery – มิกาเอลแอนไอตันเบเกอรี : 169/14 Soi Sansabai. ☎ 076-292-597. Une bonne adresse pour prendre un petit déjeuner à la française. Le patron, Michel, un Belge installé depuis plus de 10 ans dans l'île, est aux fourneaux. Le pain et les pâtisseries sont excellents et on y trouve sandwichs et snacks divers. Ouvert 24h/24.

Prix moyens (de 200 à 300 Bts – 4 à 6 US$)

Alla Capannina – อัลลากาปานินา : Soi Nanai 2 – 33 Moo 4 (un peu avant le *Peter Pan Resort*). ☎ 076-292-228 ou 01-894-57-87 (portable). Un resto italien comme on les aime, avec four à bois. Déco qui rappelle le pays d'origine de son propriétaire, Bruno, et de son chef. Spécialités de pâtes fraîches, de lasagnes et de pizzas géantes avec un accompagnement de vins italiens importés.

|●| ***La Boucherie*** – ลาบูชเชอรี่ *:* 3 Sawatdirak Rd (Patong-centre). ☎ 076-344-581. Si vous avez une grosse envie d'entrecôte, de chateaubriand, de bœuf bourguignon, c'est l'adresse qu'il vous faut. Viandes de Nouvelle-Zélande et d'Australie, d'excellente qualité. Joli cadre.

Où boire un verre ?

Ici, les soiffards n'ont que l'embarras du choix. Nombreux bars dans le centre. À côté de vous, bien sûr, des filles sont là, prêtes à mieux se faire connaître. Les clients parlent les dialectes des vieilles tribus assez à l'ouest de la Thaïlande : allemand, italien, anglais, français... « Patong l'Enjouée » nous donne parfois envie de vomir.

Où sortir ?

∞ ***Phuket Simon Cabaret*** – ภูเก็ตไซมอนคาบาเร่ *:* 8 Sirirat Rd (au sud de Patong). ☎ 076-342-011. Spectacles à 19 h 30 et 21 h 30. Entrée assez chère. Cabaret de travestis proposant un spectacle convenu et vraiment ringard, mais pas assez pour que ce soit drôle. On ne peut guère en dire plus, on s'est assoupis. Clientèle asiatique en majorité.

KARON BEACH – หาดกะรน

Plage de 3 km de long, moins défigurée que Patong. Fantastique terrain de jeux pour les promoteurs. Aucun hébergement ne donne directement sur la plage car la route la longe d'un bout à l'autre. Bien plus calme que Patong et bien moins développée quand même, mais les prix des hébergements flambent tout autant.

Attention : baignade particulièrement dangereuse en toute saison, même quand il n'y a pas de vagues. Si la basse saison est réputée plus mortelle que la haute, cette dernière est loin d'être sans danger. Courants puissants. Bien observer les drapeaux.

Où dormir ?

Il y a deux pôles à Karon : c'est dans la partie sud de la plage et sur les hauteurs de la station balnéaire que l'on trouve les hébergements les moins chers. La partie nord de Karon est une zone touristique qu'on pourrait qualifier de zone tout court. Condominiums affreux, bars à filles et restos de tous pays... la déprime habituelle, quoi. Comme par hasard, c'est dans ce coin-là que la plage est la plus belle, avec sa petite lagune à quelques encablures de la mer.

De bon marché à prix moyens (de 120 Bts à 500 Bts – 2,4 à 10 US$)

▲ ***Bazoom Hostel*** – บาซูมโฮสเทล **:** 64/66-77 Patak Rd (la route qui contourne Karon par l'arrière). ☎ 076-396-914. • www.bazoom-hostel.com • Planté au milieu d'un îlot animé à côté de la route principale, cet hôtel-café à la déco psychédélique offre un hébergement typiquement routard formé d'un dortoir à bas prix avec douches communes et chambres avec ventilo sans grand confort, mais pas chères.

De prix moyens à plus chic (de 600 Bts à 1 200 Bts – 12 à 24 US$)

▲ ***Happy Inn Guest House*** – แฮ้ปปี้อินน์เกสท์เฮ้าส์ **:** 127 Moo 3 Luang Poh Chuah Rd (la troisième à gauche depuis le rond-point de Karon nord, puis la deuxième à droite). ☎ 076-396-260. Au fond d'un *soi* tranquille, le même que le *Karon Silver Resort*. Agréable jardin et une dizaine de bungalows lumineux et tout confort. Calme et ambiance familiale.

▲ ***Karon Silver Resort*** – กะรนซิลเวอร์รีสอร์ท **:** 127/9 Moo 3 Soi Bang La. ☎ 076-396-185. Fax : 076-396-187. Prendre la rue Luangh Poh Chuan et tourner dans la 2ᵉ à droite. Petit hôtel propre, au calme et bien tenu, au cœur de la station balnéaire. Chambres au rez-de-chaussée ou dans un building sur deux niveaux. Différents niveaux de confort avec ventilo et eau froide ou AC et eau chaude et, pour certaines, un petit balcon donnant sur un petit coin de verdure. Accueil impersonnel et blasé. N'oubliez pas de réserver.

Plus chic (de 1 500 à 2 000 Bts – 30 à 40 US$)

▲ ***Kata Garden Resort*** – กะตะการ์เด้นรีสอร์ท **:** 121/1 Karon Rd. ☎ 076-330-627. Fax : 076-330-446. Situé à la liaison entre Karon Beach et Kata Beach. Un peu bruyant car la route qui relie Kata à Karon passe juste devant. Bungalows en brique, reliés entre eux par des passerelles de bois. Chambres confortables, noyées dans la verdure. Déco intérieure agréable. Salle de bains (eau chaude ou froide), ventilo ou AC. Petit dej' américain (buffet) inclus dans le prix. Service de lingerie. Piscine. Excellent niveau de confort et accueil de qualité.

Où manger ? Où boire un verre ?

|●| À l'extrémité nord de la plage, toute la journée, des *food stalls* ambulants préparent *fried rice, noodle soup*... Pas cher et populaire. Vraiment sympa.

Prix moyens (autour de 100 à 300 Bts – 2 à 6 US$)

|●| ***Karon Cafe*** – ร้านอาหารกะรนกาเฟ **:** au fond d'une ruelle perpendiculaire à Patak Tawanok Rd, au nord de la plage. Spécialité de grillades. Délicieux *spare ribs* et un excellent poulet Santa Fe. Également des viandes australiennes et quelques plats japonais et thaï. Buffet de salades gratuit.

|●| ***Sunset Restaurant*** – ร้านอาหารซันเซ็ท **:** 102/6 Moo 3 Luangh Poh Chuah Rd (la 3ᵉ à gauche depuis le rond-point de Karon Nord, puis à l'angle de la 2ᵉ rue à droite).

☎ 076-396-465. Ouvert tous les jours de 8 h à 22 h 30. Un resto tout en bambous vernis (comme on n'en fait plus !) qui régale ses hôtes depuis 1978 d'une excellente cuisine thaïe. On a bien aimé le bœuf *sweet & sour* ; sinon, beaux plateaux de fruits de mer à prix moyens et plusieurs menus. Service correct. Rapport qualité-prix acceptable.

🍸 ***Chesters*** – ร้านอาหารเชสเตอร์ **:** face à la plage, côté sud. Pas loin de l'hôtel *Karona*, entre un magasin de photos et le *Karon Police Box*. Élégante déco design (ça change !). Bonne musique et grand choix de cocktails : mojito, caïpirinha, daiquiri et une cinquantaine d'autres aux noms évocateurs : *pink lady*, *sex on the beach*, *no longer virgin*, ou *dirty girl scout* !

KATA BEACH – หาดกะตะ

Touchée par l'embourgeoisement et le bitume, ça n'est vraiment pas la plage que l'on préfère... Là encore, les grandes structures sont omniprésentes et on est les uns sur les autres. Kata Beach se compose de la partie nord *(Kata Yai)* et de la partie sud *(Kata Noi)*, séparées par des rochers.

La plage nord (Kata Yai – กะตะใหญ่*)*

Où dormir ?

Quelques adresses, mais franchement pas notre tasse de thé. À noter que les hébergements sont tous séparés de la plage par une route assez large, très fréquentée, et il n'y a donc guère de vue sur la mer.

Prix moyens (de 450 à 1 000 Bts – 9 à 20 US$)

🏠 ***Boomerang Club Village*** – บูมเมอแลง คลับ วิลเลซ **:** 110/59 Soi 7 Patak Rd (la route qui contourne Kata Beach par les hauteurs). ☎ et fax : 076-330-571. • www.thaisouth.com/boomerang • Ensemble de logements au fond d'un *soi* tranquille à souhait. Disposés en rang d'oignon, les chambres mitoyennes manquent un peu de charme. Calme absolu et jardin assez grand. Ventilo ou clim'. Accueil sympa.

🏠 ***Friendship Bungalows*** – เฟรนด์ชิพบังกะโล **:** 177/7 Kata Beach. ☎ 076-284-222. Fax : 076-330-166. • friendship_kae@hotmail.com • À 300 m de la plage. Des bungalows installés au calme, dans un agréable jardin ombragé (pas de vue sur la mer). L'ensemble est correctement tenu et bien équipé (moustiquaire, ventilo ou AC, eau froide ou chaude). En revanche, personnel relativement incompétent.

De prix moyens à plus chic (de 700 à 1 600 Bts – 14 à 32 US$)

🏠 ***Kata Poolside Bungalows*** – กะตะพูลไซด์บังกะโล **:** 13/1 Moo 2 Patak Rd. ☎ 076-330-678. Fax : 076-333-177. • www.katapoolside.com • À 150 m de la plage, en retrait de la route, accès par une allée. Au fond d'un jardinet avec petite piscine, en bordure d'un étang. Des bungalows au calme, avec ventilo ou AC (eau chaude, frigo, TV) mais serrés les uns contre les autres. Bien tenu. Accueil plutôt froid.

☗ ***Over Sea Bungalows*** – โอเวอร์ซีบังกะโล : 5/6 Moo 2 Pratak Rd ou Kata Noi Rd (c'est pareil). ☎ 076-284-155. Fax : 076-284-156. • www.welcome.to/twochefs • Côté colline, le long de la route de la plage. Une jolie grappe de bungalows bien tenus avec tout le confort et balcon individuel. Un peu les uns sur les autres quand même, et ça reste trop cher pour ce que c'est. Mais l'accueil et le resto qui jouxte le complexe sont de qualité.

Où manger ?

Prix moyens (100 à 200 Bts – 2 à 4 US$)

|●| ***Le Club 44*** – เลอคลับ 44 : 18/2 Patak Rd. ☎ 076-333-227. Resto thaï/européen très spacieux avec bar attenant (pas de filles). Carte très variée et accueil sympa. Formule complète intéressante. Nourriture de bonne qualité. Une bonne adresse.

|●| ***Le Celtique*** – เลอเซลติค : 18/4 Patak Rd. ☎ 076-284-184. Resto français ouvert tous les jours. Tenu par Bertrand et Lek, son épouse thaïe. Des plats thaïs et français accompagnés de vins d'origine. Plat du jour.

La plage sud (Kata Noi – กะตะน้อย)

Sur cette jolie plage dont l'accès est un cul-de-sac, tous les bungalows à prix modérés ont été rasés depuis belle lurette et les projets immobiliers se sont multipliés. Le *Kata Thani* occupe à lui seul une bonne partie de la plage.

Où dormir ?

Prix moyens (de 700 à 1 500 Bts – 14 à 30 US$)

☗ ***Kata Noi Bay Inn*** – กะตะน้อยเบย์อินน์ : 4/16 Moo 2 Patak Rd. ☎ 076-333-308 ou 309. Fax : 076-333-545. • www.phuket.com/katanoibayinn • Construction et ameublement récent dans un style sobre, mais agréable. Logements spacieux en façade ou sur l'arrière avec vue sur la jungle.

⛱ Entre Kata Yai et Nai Harn Beach, on trouve une petite plage, heureusement d'accessibilité limitée, ***Nui Beach*** (prononcer « nouille »). Prendre au *View Point* (belvédère) le chemin peu fréquenté et praticable à moto ou en véhicule 4x4 (2 km de trajet). En bas, plage aménagée et petit resto avec terrasse et parasols. Entrée payante et descente assez folklo.

NAI HARN BEACH ET SEHN BAY – หาดในหาน และ อ่าวเสน

Superbe plage pas encore trop abîmée avec une anse sablonneuse. Mais attention, en haute saison, toute une partie de celle-ci est couverte de chaises longues et de transats. Ça reste un de nos endroits préférés à Phuket. Rien à voir avec Patong. Le site est d'ailleurs classé Parc national et c'est son principal intérêt. *Attention :* il arrive que les courants soient dangereux l'hiver, mais pas plus qu'ailleurs. Se renseigner.

YAH NUI BEACH – และหาดย่าหนุ่ย

Petite plage peu fréquentée, « baignable » et sympa, bordée par des rochers, sur la route côtière entre Nai Harn et Rawai Beaches.

Où dormir ?

Les rares hébergements qui ont poussé par ici sont tenus par des Thaïs et, comme par hasard, se situent de l'autre côté de la route. Il n'y a donc pas de vue sur la plage.

Prix moyens (de 400 à 700 Bts – 8 à 14 US$)

☗ ***Yanui Bay View*** – ยะนุ้ยเบญวิวบังกะโล **:** 94/10 Moo 6 Viset Rd, Soi Yanui. ☎ et fax : 076-238-180. • www.phuketdir.com/yanuibayview • En face de la plage, de l'autre côté de la route. Quinze bungalows simples et propres avec salle d'eau et ventilo. Resto. Ambiance décontractée. Location de motos et excursion en bateau vers Koh Yao Yai.

À voir. À faire

✪ ***View Point*** – จุดชมวิว *(plan I)* au ***Prom Thep Cape*** – แหลมพรหมเทพ, autrement dit Cap de la Pureté divine. Entre Yah Nui et Rawai, c'est la pointe extrême sud de l'île et le grand rendez-vous des touristes de tous horizons au coucher du soleil. Romantique en diable.

RAWAI BEACH – หาดราไว

À 17 km au sud de Phuket Town, sur la côte est. De ce côté de l'île, la mer est peu profonde, vaseuse et rocailleuse à marée basse. On peut y manger un excellent poisson grillé au barbecue pour pas cher. Assez authentique.

Où manger ?

Bon marché (autour de 100 Bts – 2 US$)

Tout le long de la plage s'installent dans la journée, et jusqu'à la tombée de la nuit, des ***cantines ambulantes*** où l'on fait griller le poisson. Ambiance extra et prix défiant toute concurrence. Cuisses de poulet, fruits de mer ou poissons entiers et frais. Un régal !

Prix moyens (autour de 300 Bts – 6 US$)

|●| ***Baan Had Rawai*** – บ้านหาดราไว **:** à Prom Thep Cape, 57/5 Moo 6 Viset Rd. ☎ 076-383-838. Resto de poisson de grande classe en bord de mer, avec grande terrasse en plein air. Nourriture servie avec délicatesse, harmonie, saveurs et senteurs. Fréquenté par les touristes et les Thaïs plutôt en fond. Une excellente adresse.

À voir. À faire

✪ ***Prom Thep Cape*** – แหลมพรหมเทพ **:** si vous n'y êtes pas passé en venant de Kata.

Gipsy Village – หมู่บ้านยิปซียนส์ : à l'extrémité nord-est de la plage, là où la route de Chalong tourne à angle droit avec celle de Rawai Beach. De ce Gipsy Village, il ne reste plus grand chose si on se contente de rester à la hauteur du marché. Mais si vous vous donnez la peine de fureter un peu en marchant, vous découvrirez encore des familles Gipsy authentiques et très accueillantes vivant dans des conditions rustiques. Un autre Gipsy Village plus grand, à l'est de Phuket Town (voir la rubrique « À voir dans les environs de Phuket Town »).

Balades en bateau vers les îles aux alentours : tout au long de la plage mais surtout dans la partie centrale et sud de l'île, des barques « longue-queue » et des *speed-boats* (plus chers) attendent les quelques touristes venus se perdre ici, pour faire le tour des îles environnantes (négocier ferme, les clients sont rares !). Normalement le bateau coûte autour de 300 Bts (6 US$) de l'heure et peut accepter jusqu'à 6 personnes.

LAEM KAH BEACH ET KA CAPE – หาดแหลมกาและ แหลมกา

Ravissante petite crique avec sable et rochers, bien ombragée, très « baignable » (c'est pratiquement la seule de la côte est), ceinte par quatre petites îles, dont Coral Island. Pour y accéder : à la sortie de Rawai Beach (au nord) faire environ 300 m en direction de Chalong, prendre la petite route à droite après la station-service et faire 1 km. Très fréquenté le week-end.

Où dormir entre Rawai – หาดราไว et le rond-point de Chalong Bay – อ่าวฉลอง %

De prix moyens à plus chic (de 800 à 2000 Bts – 16 à 40 US$)

Vighit Bungalow Resort – วิจิตบังกาโลรีสอร์ท : 16 Moo 2 Viset Rd. ☎ 076-381-342. Fax : 076-383-440. • www.phuket.com/vighit • En bord de mer, avec la vue sur la baie de Chalong. Magnifique complexe d'une quarantaine de bungalows en bois, joliment meublés, spacieux et confortables, avec salle d'eau et terrasse ombragée. Piscine, beau resto avec vue sur mer et cuisine de qualité. Personnel gentil et accueillant.

CHALONG BAY – อ่าวฉลอง

Grande anse où viennent ancrer les voiliers qui naviguent sur les mers du Sud (Australie, Philippines...). Les routards de la mer quoi. Un beau phare où dormir. C'est aussi l'un des points de départ des bateaux privés, type *speed-boat*, pour des excursions vers Koh Phi Phi (hors de prix).

Où dormir ?

The Lighthouse – เดอะไรท์เฮ้าส์ : Soi Suki - Ao Chalong (tourner à gauche avant la jetée et suivre le chemin jusqu'au bout). ☎ et fax : 076-381-707. Shane, un agréable Australien, a réhabilité le phare de

Chalong en se souciant beaucoup de la préservation du site. Il l'a transformé en hôtel-restaurant et propose 5 belles chambres (accès par l'escalier métallique tournant de l'ancien phare), avec vue sur mer, sol en parquet d'époque, mobilier rustique, AC, aux standards européens. Déco d'époque. Bar et restaurant. De la belle ouvrage.

Où manger à Chalong Bay et dans les environs ?

De bon marché à un peu chic (plus de 350 Bts – 7 US$)

|●| @ ***Le Jungle Cyber Café*** – เลอจังเกิลไซเบอร์กาเฟ ***:*** à 50 m du rond-point de Chalong, sur la route de Rawai. Petite restauration à prix d'amis. Tapas, crêpes, boissons diverses, glaces et connexion Internet. Décoration rappelant un peu *Le Livre de la jungle*. Ambiance sympa.

|●| ***Danang Seafood*** – ร้านอาหารดานังซีฟู้ด ***:*** au nord de la baie de Chalong, sous une vaste paillote au bord de la mer. ☎ 076-283-124. Ouvert dès le matin et jusqu'à 23 h tous les jours. Cuisine essentiellement thaïe traditionnelle, surtout axée sur la *seafood*. Ne soyez pas effrayé par l'entrée un peu chicos, prix raisonnables. Excellent service. Les bébêtes du vivier sont en revanche bien plus onéreuses (crevettes, gambas géantes...).

|●| ***Restos de bord de mer :*** à Palai Bay, au nord d'Ao Chalong et au sud de Phuket Town, sur la route du zoo. Pour y aller, de Phuket Town, prendre vers le sud la route 4021 puis tourner à gauche vers le zoo (nul). Poursuivre sur 2 km jusqu'au bout. La route débouche sur une mer un peu vaseuse à marée basse. Là, au bout, sur la gauche, le *Parlai Seafood*, un resto en terrasse, où les Thaïs viennent le soir. Réservation conseillée. Y aller plutôt dans la journée, pour la vue. C'est le moins cher et le plus authentique. Fruits de mer, pieds de porc, etc.

➤ *L'INTÉRIEUR DE L'ÎLE : TONSAI WATERFALL* – น้ำตกต้นไทร

Dans le nord-est de l'île, à 22 km de Phuket Town. Pour s'y rendre : emprunter la route de l'aéroport. Au carrefour de Thalang, prendre sur la droite. C'est à 3 km. Ouvert de 6 h à 18 h. Vous êtes dans le parc forestier de *Khao Phra Taew Wildlife Conservation Center*. On y découvre tout d'abord une véritable « forêt primaire », c'est-à-dire qu'elle n'a jamais été perturbée par l'homme. Quelques arbres sont tellement hauts que le soleil ne pénètre jamais dans certains endroits. On y trouve des plantes et des essences qui n'existent plus ailleurs. La cascade de Tonsai n'a rien d'extraordinaire. Pendant la saison sèche, elle est à sec, elle aussi. Une agréable balade.

Plongée sous-marine à Phuket

Destination très chouchoutée des plongeurs, pour son environnement sous-marin exceptionnel. Ses spots ont acquis une réputation mondiale avec, en vedette, les îles Similan et Surin (excursions de 2 à 10 jours), véritables sanctuaires de la vie marine... Mais attention : la « Perle de l'océan Indien » repose sur un écrin très fragile et certains sites trop fréquentés sont déjà détruits. Ne touchez à rien. Gare au caprice de l'océan Indien. Courants fréquents.

Où plonger?

Ici, l'exploration sous-marine est une activité bien rodée qui se pratique depuis plus de 20 ans. Beaucoup sont regroupés à Patong Beach..
En raison de l'éloignement des sites, les sorties ont généralement lieu à la journée *(one day trip)* et comprennent 2 plongées et le « casse-croûte ». Koh Phi Phi figure parmi les spots phares (un peu trop à notre goût, d'ailleurs...) des alentours. Également d'inoubliables croisières-plongées de 2 à 10 jours *(liveaboard dive safari)* dans les archipels Similan et Surin, sauvages et luxuriants (un régal !).

■ ***Sea World Dive Team*** – ซีเวิร์ลไดว์ทีม : deux bureaux : Soi San Sabai, un *soi* qui donne sur Bangla Rd (à Patong) et 3 Sawatdirak Rd, à l'entrée du *Crissey Village* (voir la rubrique « Où dormir ? » de Patong Beach). ☎ et fax : 076-341-595. • www.seaworld-phuket.com • Dans ce centre *PADI* « 5-étoiles », appartenant au groupe de Crissey, on parle le français ! Une bonne palanquée d'instructeurs brevetés assure formations, explorations et initiations à la plongée. Magnifiques bateaux de luxe pour une sortie à la journée ou une croisière au long cours de 2 ou plusieurs jours (compresseurs à bord) en direction des sites locaux comme le Mergui Archipelago, une véritable splendeur. Ambiance amicale, sympa et super-pro.

Nos meilleurs spots

Les îles Similan – หมู่เกาะสิมิลัน : parc national composé de 9 îles magnifiques (plages de sable blanc et forêt tropicale), accessibles par navire de croisière (6 à 8 h de traversée selon l'état de la mer) à environ 100 km au nord-ouest de Phuket. On ne peut dormir que sur deux d'entre elles, la n° 4 et la n° 9. Les îles sont ouvertes de mi-novembre à mi-avril. Une compagnie assure la liaison depuis Patong Beach, Chalong Bay et Kao Lak. La plupart des bateaux partent du *Taplamu Pier*. Classé dans le top 10 mondial des meilleurs spots de plongée, cet ensemble de récifs, canyons et fabuleux jardins coralliens en eaux cristallines est particulièrement poissonneux (de 6 à 40 m de fond). Sur les spots de *Chrismas Point* et *Elephant Head*, merveilleusement colorés, on croise fréquemment des raies mantas solitaires, quelques requins « pointes-noires » et, avec un peu plus de chance, le fameux requin-baleine aussi débonnaire qu'inoffensif. Une croisière pour plongeurs confirmés.

Les îles Surin – หมู่เกาะสุรินทร์ : à quelques heures au nord des îles Similan. Les départs se font du quai *Kuraburi Pier*, entre Takuapa et Ranong. De merveilleuses richesses sous-marines, situées entre 6 et 40 m de profondeur, vous attendent dans ce parc national très sauvage et moins fréquenté. Les spots de *Koh Bon*, *Koh Tachai* et *Richelieu Rock* y sont réputés pour leurs rencontres avec le gentil requin-baleine, dont la taille énorme n'a d'équivalent que son appétit vorace... en plancton ! En virevoltant au-dessus des gorgones flamboyantes, les tortues seront « médusées » par votre palmage nonchalant. Pour plongeurs confirmés également !

***Koh Rajah Yai* – เกาะราชาใหญ่ :** à 1 h au sud de Phuket. Cette petite île bordée de plages paradisiaques viendra flatter votre côté Robinson. Entre 6 et 25 m, cette plongée « fastoche » en eaux claires livre un site corallien de toute beauté (on touche avec les yeux !). Vie sous-marine très intense. Excellent spot pour plongeurs débutants et pour les autres aussi, bien sûr.

***Koh Rajah Noi* – เกาะราชาน้อย :** une petite île déserte entourée de falaises, à quelques kilomètres au sud-ouest du spot précédent. Plongée entre 10 et 40 m dans une eau cristalline et brassée par de forts courants. Nombreux crustacés embusqués dans les failles de ce magnifique jardin de coraux, que survolent majestueusement daurades, barracudas et poissons-trompettes. Pour plongeurs confirmés.

***Koh Phi Phi* – เกาะพีพี :** voir « Nos meilleurs spots à Koh Phi Phi ».

QUITTER PHUKET

L'office du tourisme délivre une feuille, *Bus Timetable from Phuket*, très pratique et claire, qui donne tous les horaires des bus vers toutes les destinations de Thaïlande.

En bus

➢ ***Pour Bangkok :***

Du Phuket Bus Terminal (plan II, B2, 1) **:** une bonne vingtaine de départs par jour en bus AC toutes compagnies confondues (entre 6 h et 19 h) et 1 non-AC (on vous le déconseille). Compter entre 13 et 15 h de trajet. Voir la *Compagnie d'État 999*, très bien, juste en face du terminal. ☎ 076-211-480.

Bus privés AC : 3 compagnies, *Phuket Travel Service* (Ong Sim Phai Rd ; ☎ 076-222-107), *Phuket Central Tour* (Montri Rd ; ☎ 076-213-615) et *Transport Co LTD* (☎ 076-211-480). Ces compagnies proposent, à elles trois, plusieurs départs par jour.

➢ ***Pour Hat Yai :*** du Phuket Bus Terminal (15 bus AC, entre 6 h 30 et 21 h 30, et 1 bus non-AC). Environ 8 h de trajet.

➢ ***Pour Surat Thani :*** 8 départs par jour en bus non-AC (entre 4 h 45 et 13 h 50) et environ 12 départs en bus AC ou minibus entre 7 h 30 et 15 h 30. Compter 5 ou 6 h de trajet.

➢ ***Pour Koh Samui :*** 2 bus AC privés directs (traversée en ferry comprise). S'adresser à *Songserm Travel* sur Satun Rd. Les bus partent de Satun Rd (☎ 076-222-570) ou de Phantip (portable : ☎ 01-569-32-90). Une liaison par jour à 10 h avec cette compagnie. Arrivée en bus à Donsak, puis bateau pour Na Thon.

➢ ***Pour Phang Nga :*** 5 bus ordinaires entre 10 h 10 et 16 h 30, auxquels s'ajoutent tous les bus vers Krabi. Compter 2 h 30 de trajet.

➢ ***Pour Krabi :*** 2 bus non-AC (1 en fin de matinée et 1 en milieu d'après-midi), et une quinzaine de liaisons (toutes les 30 mn environ) en bus AC entre 7 h et 18 h 30. Compter 4 h de trajet.

➢ ***Pour Trang :*** 5 bus non-AC tous les jours entre 5 h et 12 h 30. Également une quinzaine de bus AC de 6 h à 18 h 30. Environ 6 h de trajet.

En avion

✈ ***Aéroport International de Phuket*** *(plan I)* **:** ☎ 076-327-230 à 237 (infos vols).

➢ ***Pour Bangkok :*** *Thai Airways* assure entre 13 et 16 vols par jour selon la saison. Durée : 1 h 20. Deux autres compagnies, *Bangkok Airways* (4 vols par jour) et *Phuket Airlines* (1 vol par jour), assurent aussi des liaisons avec la capitale.

➢ ***Pour Hat Yai :*** 5 vols par jour en haute saison avec *Thai Airways*. Durée : 45 mn.

➢ ***Pour Koh Samui :*** 3 vols par jour avec *Bangkok Airways*. Durée : 50 mn.

➢ ***Pour Kuala Lumpur :*** 2 vols par jour avec *Malaysian Airlines*. ☎ 076-213-749. Durée : 2 h 30.

➢ ***Pour Langkawi :*** il n'y a plus de vol direct. On passe donc obligatoirement pas Kuala Lumpur. Même compagnie.

➢ ***Pour Singapour :*** 3 vols par jour en moyenne avec *Silk Air* et un seul avec *Thai Airways*. Durée : 1 h 40.

En bateau

➢ ***Pour Koh Phi Phi*** *(plan I)* **:** les 3 ports d'embarquement se situent à quelques kilomètres à l'est de Phuket Town, non loin les uns des autres. 8 compagnies de transport qui assurent chacune 2 liaisons maritimes par jour, à 8 h 30 et 14 h 30. Elles ne pratiquent pas toutes les mêmes prix, ça dépend du confort et de la rapidité. Compter entre 300 et 900 Bts (6 et 18 US$). Prenez les compagnies les moins chères, car les autres bateaux ne vont pas plus vite. Durée de la traversée : 1 h 30 à 2 h selon la météo et le type de bateau. On vous conseille vivement de choisir la formule : transfert depuis votre hôtel (en général compris) jusqu'au port en minibus AC + traversée pour Koh Phi Phi, proposée par tous les hôtels, *guesthouses* et agences de voyages.

PHANG NGA – พังงา

À environ 90 km au nord de Phuket Town. La baie de Phang Nga est plantée d'une multitude de pitons calcaires recouverts de végétation. La base de ces totems de la mer a été rongée par l'eau, qui a creusé des grottes naturelles impressionnantes. Un site absolument unique au monde. Ambiance architouristique, sauf si on y va à des horaires décalés. Le matin très tôt (7 h) ou en fin d'après-midi.

Quand réaliser l'excursion ?

Il faut savoir que toutes les agences viennent sur le site le matin, mais vers 10 h seulement (sauf 2 agences qui proposent le tour l'après-midi). La lumière n'est pas à son mieux et la foule (dans le meilleur des cas) fait perdre un peu de la magie de l'endroit, quand elle ne vous gâche pas carrément le paysage. Si vous avez loué une voiture de Phuket, tâchez d'arriver sur le site la veille pour être « sur le pont » à 6 h ou trois quarts d'heure avant le coucher du soleil pour entreprendre l'excursion à ce moment-là... Alors, c'est le pied ! Lumière rasante, atmosphère unique et site rien que pour vous. Si vous venez en bus (essayer de prendre un bus qui arrive là-bas vers 14 h), faites l'excursion dans l'après-midi et essayez de repartir dans la foulée (calculez bien vos horaires). Mais on vous avouera que c'est un peu « speed ». Passer la nuit au village de Phang Nga, ce n'est pas le grand pied car il ne possède aucun attrait et son hôtellerie est plutôt médiocre, mais ce n'est que pour une nuit.

Comment réaliser l'excursion par soi-même ?

Le principal port d'embarquement pour découvrir la baie se trouve à 7 km du bourg de Phang Nga. Deux solutions :

➢ ***En bus :*** de Phuket (voir la rubrique « Quitter Phuket »), nombreux bus réguliers pour Phang Nga et pour Krabi (ces derniers passent par Phang Nga). Une alternative vous est offerte : soit descendre à la pancarte « Phang Nga Bay Resort », puis faire les 4 derniers kilomètres en stop ou à pied pour gagner le débarcadère ; soit descendre au terminal de bus du village, et trouver un *songthaew* qui vous conduira jusqu'à l'embarcadère. Attention aux rabatteurs, qui peuvent vous emmener sur des bateaux où vous vous retrouverez à cinquante (vérifiez bien le type d'embarcation). D'autres proposent une découverte de la baie en 2 jours, avec nuit dans le *Gipsy Village*. Évitez donc cette pseudo-nuit ethnique complètement bidon !

➢ ***À moto ou en voiture louée :*** le meilleur moyen de faire l'excursion si vous êtes en fonds ou à plusieurs. Louer une moto ou une voiture à Phuket. Attention, les petites motos sont en général interdites de sortie de l'île et la route rapide qui relie Phuket à Phang Nga peut être particulièrement dangereuse. Attention, en arrivant sur le secteur de Phang Nga. Ne pas bifurquer aux innombrables pancartes sauvages indiquant Phang Nga Bay. Bien attendre la grande bifurcation qui indique *Phang Nga Bay Resort Hotel*. Au débarcadère, on trouve des *long-tails* qui proposent le même tour que les agences, avec l'avantage de n'être que quelques-uns à bord. C'est cent fois mieux qu'en espèce de bateau-mouche (bonjour l'ambiance...). En général, ça tourne autour de 300 Bts (6 US$) par personne (ça dépend de l'affluence). Mais si vous êtes plusieurs, essayez de négocier le prix pour le bateau et non par personne. À plus de trois, les prix baissent proportionnellement.

Faire l'excursion avec une agence

La solution la plus simple, mais pas du tout bon marché et surtout très ringarde. De plus, le fait de réaliser l'excursion en bateau-mouche avec une bonne cinquantaine de touristes gâche pas mal le spectacle.

Où dormir à Phang Nga-village ?

Il vaut mieux éviter de dormir à Phang Nga. L'hôtellerie est médiocre, et le village par lui-même n'a aucun charme. Cependant, si vous êtes coincé, voici la meilleure adresse (allez, la moins mauvaise).

Bon marché (de 200 à 300 Bts - 4 à 6 US$)

Thawisuk Hotel – โรงแรมทวีสุ : dans le centre, sur la droite en arrivant de Phuket. ☎ 076-412-100. Un hôtel modeste d'une dizaine de chambres, rénovées et plutôt propres (douche froide et ventilo), reconnaissable à sa façade bleue, ancienne et décrépite. Malgré le côté crado des murs des couloirs, bon accueil et bon rapport qualité-prix. Rendez-vous des routards.

Où dormir sur le site même?

Plus chic (autour de 1 000 Bts - 20 US$)

Phang Nga Bay Resort Hotel – พังงาเบย์รีสอร์ทโฮเต็ล : à 100 m de l'embarcadère des bateaux. ☎ 076-412-067. Fax : 076-412 070. Architecture futuriste assez nulle (long bâtiment blanc en plan incliné), surtout dans un tel site. Terrasse privée. Piscine. AC et salle de bains privée (eau chaude), bien sûr. Petit dej' inclus. C'est propre mais sans charme. Resto avec terrasse extérieure surplombant l'eau, mais nourriture médiocre et chère.

La visite

★ La pirogue à moteur commence par longer une épaisse ***forêt de mangrove***. Naguère, l'endroit était infesté de gavials (les plus grands crocodiles du monde). Une ambiance assez *Crocodile Dundee*. On aurait aimé y entrer, mais pas moyen de décider le chauffeur!

★★ En arrivant dans la baie, on peut voir des petites ***peintures rupestres*** (une sorte de dauphin, des personnages) qui recouvrent les parois d'une concrétion calcaire. Pas de datation précise, mais notre homme de barre a son idée!

★★★ Ensuite, on pénètre dans la ***baie de Phang Nga*** – อ่าวพังงา. Un paysage unique au monde. À perte de vue, de gigantesques formations calcaires qui n'en finissent pas de tomber à pic dans la mer. De toutes les tailles, de toutes les formes (un peu comme à Guillin, pour ceux qui connaissent ce petit coin de Chine pittoresque). Plus loin, la ***grotte de Tam Lod*** – ถ้ำลอด et son arche marine, sous laquelle on passe en pirogue...

★ Enfin, ***les îles de Kao Ping Gan et de Kao Tapoo*** – หมู่เกาะเขาพิงกันและเกาะตะปู. *Kao Tapoo* est surnommée « James Bond Island » depuis qu'on y a tourné certains extérieurs de *L'Homme au pistolet d'or*, avec Roger Moore, notamment devant ce haut et fin bloc monolithe couvert de verdure. Mais ne rêvez pas trop! Sur cette île minuscule, on se marche littéralement sur les pieds... Contentez-vous d'en faire le tour en bateau sans y débarquer.

★ Au retour, c'est l'arrêt obligatoire au village lacustre de ***Koh Panyee*** – เกาะปันหยี ou le *Gipsy Village*. Constitué de maisons en bois sur pilotis (de plus en plus remplacés par du béton), et peuplé de musulmans, sortes de « gitans de la mer ». Les groupes qui sont sur le site le matin viennent y faire leur pause-déjeuner sur de vastes restos-pontons construits uniquement à cet effet et qui ne font aucunement partie du village proprement dit. Puis l'après-midi, quartier libre... Tu parles d'une chance ! On se croirait au Mont-Saint-Michel. D'ailleurs, les touristes n'hésitent pas à pénétrer dans l'école afin de prendre les élèves en photo... pendant la classe. Bravo ! Les villageois, eux, semblent accepter cela avec beaucoup d'indifférence puisque le tourisme leur apporte une manne financière inespérée. Si le village en lui-même est chouette, l'ambiance dans laquelle on peut le visiter nous gêne vraiment. Le mieux, là encore, est de pouvoir y faire halte tôt le matin ou en fin d'après-midi, quand il n'y a pas beaucoup de monde.

QUITTER PHANG NGA

En bus

Départ de la ***Phang Nga Bus Station***, sur la droite en entrant dans la ville.

➢ ***Pour Krabi :*** plus de 12 bus (AC ou non-AC) de 7 h 30 à 20 h. Durée : de 1 h 30 à 2 h, ça dépend des bus.

➢ ***Pour Phuket :*** bus toutes les 30 mn entre 5 h et 20 h 30.

➢ ***Pour Surat Thani :*** 4 bus AC et autant en non-AC.

À noter qu'à la station de bus quelques petites agences proposent l'excursion dans la baie. Mais franchement, il est tout aussi facile de négocier directement avec les proprios des bateaux aux pontons de départ. Et ça vous mettra déjà un peu dans l'ambiance.

KOH PHI PHI (OU KO PEE PEE ; PRONONCER « KO PIPI ») – เกาะพีพี

Koh Phi Phi est un ensemble de deux îles : *Phi Phi Lee* et *Phi Phi Don*, mais seule cette dernière est habitée. C'est superbe, indéniablement, mais en haute saison il y a vraiment trop de monde sur un espace vital qui ne le supporte pas. Koh Phi Phi est réputée mondialement pour la couleur de ses eaux, d'un magnifique bleu turquoise, pour son sable blanc et pour la beauté de ses fonds et de ses coraux. Les plages sont superbes, sur la côte nord-est notamment. Certaines sont uniquement accessibles en bateau. Le problème, alors, est qu'il faut à chaque fois « charteriser » un bateau « longue-queue » pour gagner le village. Classée Parc national depuis 1983, on ne peut théoriquement plus y construire, ou alors en remplacement d'un autre bâtiment (ouf !). Cela a poussé de nombreux propriétaires à augmenter le confort des bungalows et, bien sûr, leurs prix. La plupart pratiquent des tarifs trop élevés pour la qualité proposée. Depuis le début du XXIe siècle, les prix grimpent régulièrement et les quelques *guesthouses* bon marché qui restent (elles sont rares) se révèlent particulièrement modestes. Reste qu'on ne peut pas s'empêcher de continuer à aimer Koh Phi Phi. Allez savoir pourquoi !

UN PEU D'HISTOIRE

Koh Phi Phi, l'île aux Esprits, fut de tout temps la citadelle imprenable des gitans de la mer, grands pirates de la mer d'Andaman. Ses hautes falaises calcaires cachent un labyrinthe de cavernes, où d'antiques dessins de voiliers et des structures de bambou attestent cette culture plusieurs fois centenaire.

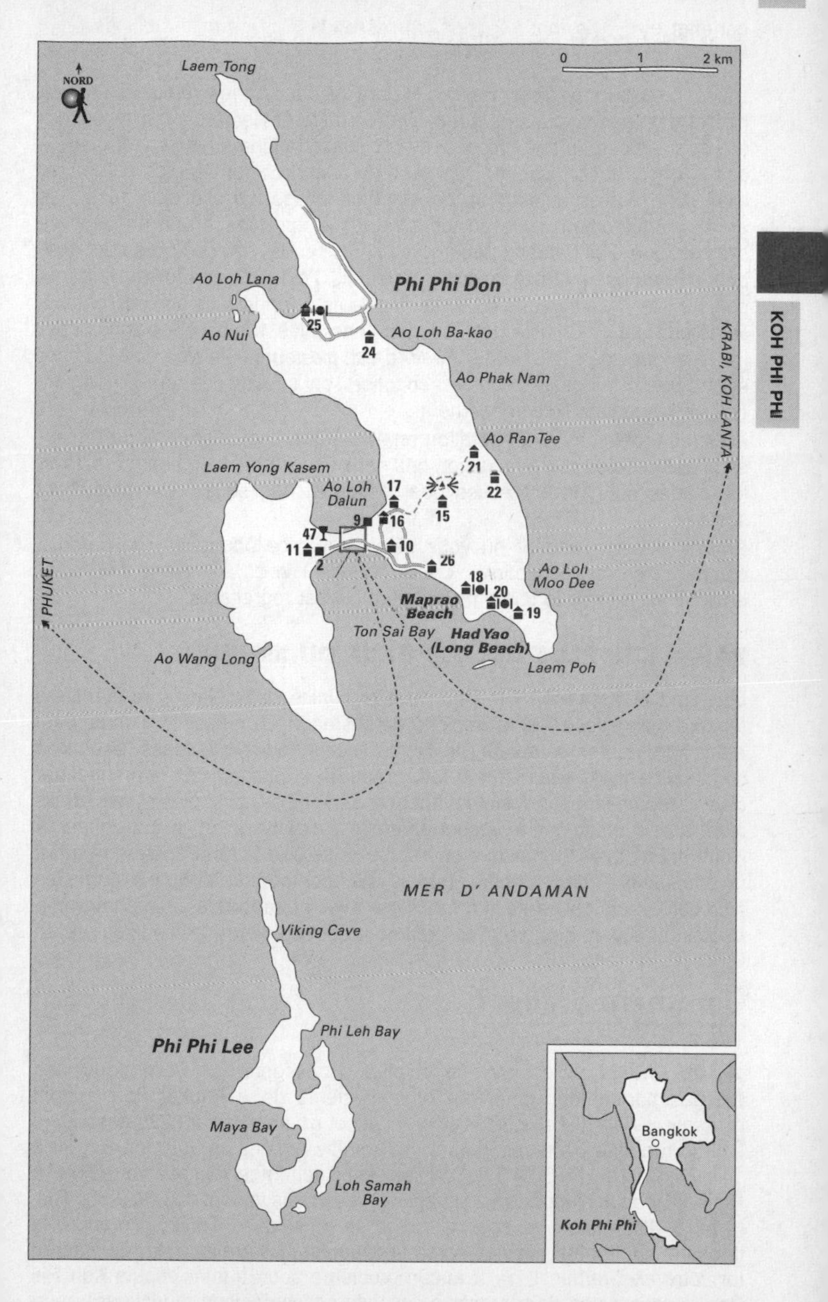

KOH PHI PHI (PHI PHI DON ET PHI PHI LEE)

PHI PHI DON – เกาะพีพีดอน

L'île a, *grosso modo*, la forme d'un H dont les deux barres verticales sont de hautes montagnes totalement recouvertes de forêt vierge. La barre horizontale se compose de deux plages, en croissant de lune, et qui se tournent le dos : Tonsai et Loh Dalum. Séparées au départ par une bande de nature, elles sont réunies aujourd'hui par un petit village qui a évolué au fil des années, entièrement voué au tourisme, mais qui dégage une atmosphère sympathique. Les bateaux débarquent à Tonsai Bay, où des taxis « longue-queue » attendent la clientèle des bateaux. C'est l'unique moyen de transport sur l'île (il y a très peu de sentiers sur l'île, le principal mène de Tonsai à Ran Tee Beach). En plus des 2 plages principales, l'île possède son chapelet de langues de sable doré... Au nord-est, plusieurs hôtels de luxe, composés de beaux bungalows sous les cocotiers, ont squatté ces lieux privilégiés, tout en respectant l'environnement.
Mais les problèmes d'alimentation en eau (il y a des coupures), de ramassage des ordures et d'évacuation des eaux usées sont bien sensibles. Bref, les plages se salissent et les beautés du monde sous-marin dérouillent sévère !
En fait, suivant l'endroit où vous séjournerez, ce pourra être le paradis, comme la grosse déception... On le répète : l'île en elle-même est formidable, c'est ce que le tourisme en a fait qui est regrettable.

PARMI LES PLUS BELLES EAUX DU MONDE !

Le grand plus de Koh Phi Phi, c'est la qualité de sa faune sous-marine (encore bien vivace !) et la limpidité de ses eaux. La présence d'un courant marin froid qui remonte vers l'île depuis l'océan Indien a favorisé l'explosion de la vie dans les eaux azur et turquoise. Sur le plan animal, la grande star c'est le requin-léopard, juste devant le requin-pointe noire, plus classique. Ils n'ont jamais fait de mal à personne. Aucun accident n'a jamais été signalé. À Koh Phi Phi, avec un masque et un tuba, vous êtes le roi ! Et peut-être aussi un peu « le maître du monde » depuis que Leonardo di Caprio y a tourné les plus belles séquences du film *La Plage*, avec notre torride sirène nationale, Virginie Ledoyen. Les groupies tâcheront de reconnaître les lieux du crime !

Comment y aller ?

➢ ***De Phuket :*** c'est ce que la plupart des gens font. Les principaux bateaux partent des différents emplacements de « Phuket Port » dont l'énorme « *Family Paradise 2000* », blanc et or, embarquant 320 passagers (voir la rubrique « Quitter Phuket »). Trois traversées par jour, de 8 h 30 à 14 h 30. Durée : 1 h 30 à 2 h. Le mieux est d'acheter un ticket à votre hôtel à Phuket ou dans n'importe quelle agence. Les tarifs varient de 300 à 500 Bts (6 à 10 US$) selon les agences. Bien se renseigner. Toujours prendre le transfert hôtel-bateau et vice-versa : beaucoup plus pratique. Inutile d'acheter votre aller-retour. Il n'y a aucun problème pour le faire depuis Koh Phi Phi. N'oubliez pas de réserver à l'avance car, en saison touristique, il y a vraiment du monde.

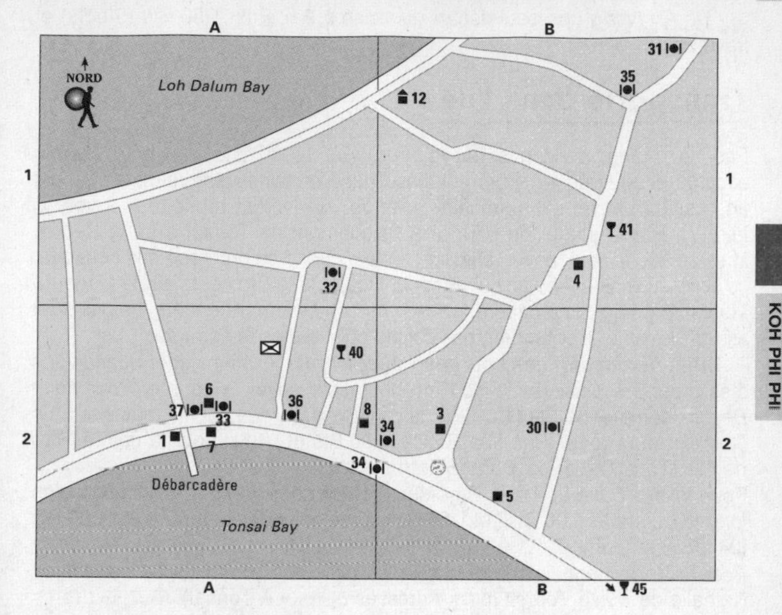

ZOOM SUR LE VILLAGE DE TONSAI

Adresses utiles

1 Tourist Police *(zoom)*
Poste *(zoom)*
2 Health Center (centre de soins)
3 Pharmacies *(zoom)*
4 Krung Thai Bank *(zoom)*
5 Police *(zoom)*
6 Siam Commercial Bank *(zoom)*
7 Maya Tours *(zoom)*
8 Cat's Climging Shop
9 Sea Fun Sailing Adventures

Où dormir ?

10 Gypsy Village
11 Chong Khao Bungalows
12 Phi Phi Charlie Beach Resort *(zoom)*
15 Up Hill Cottage
16 Harmony House, Garden Home et P.P. Dream
18 Maprao Resort
19 Phi Phi Long Beach
20 Phi Phi Paradise Pearl Resort
21 Rantee Huts
22 Ao-Toh Koh Resort
24 Pee Pee Island Village
25 La Nah Beach Club
26 Bay View Resort

Où manger ?

30 Kosmic Italian Restaurant *(zoom)*
31 Bamboo *(zoom)*
32 Fatty's Cheer's *(zoom)*
33 Le Grand Bleu *(zoom)*
34 Pacharee French Bakery et Pee Pee Bakery 1 *(zoom)*
35 Pee Pee Bakery 2 *(zoom)*
36 La Mama *(zoom)*
37 Captain Pong *(zoom)*

Où boire un verre ?

40 Tintin bar *(zoom)*
41 Reggae bar *(zoom)*
45 Karma *(zoom)*
47 Jungle bar

➢ ***De Krabi Town (Chaofa Pier)* – ท่าเรือเจ้าฟ้า :** si vous partez de Krabi, sachez que la mer peut parfois être mauvaise... Trois départs par jour en saison, à 10 h, 14 h et 14 h 20 à 200 Bts (4 US$). Durée : 2 h environ.

➢ ***De Koh Lanta Yai :*** 3 départs quotidiens à 8 h, 10 h et 13 h. Traversée : 2 h.

➢ ***De Ao Nang :*** un seul départ quotidien à 9 h. Prix : 250 Bts (5 US$) et traversée en 1 h 45.

Transports dans l'île

Pas de routes, donc pas de voitures, vive la marche ! Un seul chemin escarpé et peu fréquenté permet d'accéder à certaines plages de la côte est en passant par un extraordinaire point de vue (voir la rubrique « À voir. À faire »). Par la plage, on peut aller uniquement de Tonsai à Long Beach. Mais en fait, le seul moyen efficace, surtout quand on promène ses bagages, ce sont les *long-tail boats* qui attendent toujours leurs clients sur la plage de Tonsai, près du débarcadère, et celle de Loh Dalum. Attention, les prix sont assez élevés et s'entendent par couple pour toutes les courses.

– ***Tarifs (indicatifs) des courses « aller simple » :*** moins cher quand vous êtes groupé à plusieurs. Sinon, on peut juste payer la course. Pour *Long Beach :* compter 80 Bts (1,6 US$) la course en journée, moitié moins si vous êtes plusieurs ; pour *Ran Tee Beach :* 300 Bts (6 US$) ; pour la *pointe Nord de l'île* (Tong Cape) ou *Coral Beach :* 500 Bts (10 US$).

Pour *Viking Cave* et *Maya Bay* (sur Phi Phi Lee) ou pour la location d'un *long-tail*, compter 700 Bts (14 US$) la course ou la demi-journée et 1 200 Bts (24 US$) la journée.

Possibilité de négocier de plus en plus difficile. Un bon tuyau : allez voir Nathalie de *Maya Tours* (voir « Adresses utiles » à Tonsai).

Hébergement sur l'île

Afflux de clientèle oblige, les prix ont complètement flambé sans que pour autant le confort aille vraiment de pair. Le nombre de bungalows simples et bon marché a fortement diminué. Il faut savoir que les tarifs des hébergements peuvent doubler, voire tripler, en fonction des périodes de l'année, notamment lors des fêtes de fin d'année et de la *King's Cup* (régate de voiliers). Elle a lieu tous les ans aux mêmes dates : entre le 1er et le 5 décembre. Notre conseil : dès que vous débarquez du bateau, prenez un taxi « longue-queue » qui vous déposera, avec armes et bagages, sur la plage de votre choix. De surcroît, la plupart des hébergements (excepté les plus chic) ne prennent pas de réservation par téléphone (on le comprend, quand on voit l'ampleur de la demande à ces périodes où ils sont sûrs de faire le plein !).

Tonsai – ต้นไทร *et Loh Dalum Beach* – โละดาลัม

Le « village » de Tonsai se situe à l'arrivée du débarcadère, en face et sur la droite, et s'étend jusqu'à Loh Dalum. Son axe central, maintenant pavé de briques et de ciment, longe la plage presque jusqu'au *Maprao Resort*. Un embranchement bifurque à gauche en direction du View Point. Atmosphère un rien étouffante au premier abord, mais qui se révèle en fait rapidement plutôt agréable car tout le monde se connaît et, très vite, se reconnaît. On croise alors souvent les mêmes têtes pour peu qu'on séjourne quelques jours sur l'île. Les maisons sont restées basses et rien ne dépasse, sauf évidemment l'affreux *Phi Phi Hotel* (vraiment *Khakha*). En parcourant cette rue, on trouve pas mal de restos qui proposent du poisson frais, grillé, à des prix assez raisonnables. Ne pas hésiter à vous enfoncer dans le village, derrière l'axe principal en direction du marché local et de ses gargotes. Curieusement, certaines ruelles sont encore complètement thaïes, avec peu de touristes. C'est aussi dans le cœur du village qu'on retrouve oiseaux de nuit et instructeurs des clubs de plongée.

Adresses utiles à Tonsai

■ ***Tourist Police*** : ตำรวจท่องเที่ยว *(zoom village Tonsai, A2, **1**)* : sur la gauche, en sortant du débarcadère. ☎ 075-621-434. Ouvert de 8 h 30 à 16 h 30 tous les jours (en principe). Les prix des trajets en bateaux *long-tails* y sont affichés. Un autre ***poste de police*** *(zoom village Tonsai, B2, **5**)* ouvert plus souvent, à gauche sur le chemin qui longe la plage, après la bifurcation qui mène au View Point et à Loh Dalum (près du bar *Apache*).

✉ ***Poste (Prailsani)*** – ไปรษณีย์ *(zoom village Tonsai, A2)* : petit bureau au cœur du village, dans la ruelle du restaurant *La Mama*.

■ ***Krung Thai Bank*** – ธนาคารกรุงไทย *(zoom village Tonsai, B1, **4**)*. Ouvert de 8 h 30 à 17 h 30.

■ ***Siam Commercial Bank*** – ธนาคารไทยพาณิชญ์ *(zoom village Tonsai, A2, **6**)*. Ouvert de 9 h 30 à 20 h 30.

Inutile de préciser que le taux de change n'est pas des plus favorables et que les banques prélèvent une commission de change de 20 Bts (0,4 US$) minimum sur chaque opération. Le mieux est de prendre suffisamment d'argent avant de débarquer sur l'île. Également quelques *kiosques de change* (ouverts toute la journée) un peu partout dans la rue principale. Taux franchement défavorables, mais enfin, si vous êtes à sec... Plusieurs distributeurs ATM (cartes de paiement) répartis un peu partout dans le village.

■ ***Santé*** : *Health Center* – ศูนย์สุขภาพ, pompeusement nommé *PP Hospital (plan, **2**)* au village de Tonsai, à gauche en suivant la plage après avoir débarqué et près du *Cabana Resort* – คาบาน่ารีสอร์ท. Petits moyens, mais peut toujours dépanner. Ils ont un toubib et une petite unité de pharmacie également, ouverte de 8 h à 16 h. Pour les urgences, sur la porte, ils indiquent où trouver une infirmière. Il y a aussi une vedette rapide médicalisée (blanche avec une grande croix verte) qui stationne au port de Phuket et qui prend la mer en cas de nécessité (pour les cas d'urgences seulement).

Plusieurs ***pharmacies*** *(zoom village Tonsai, B2, **3**)* assez bien fournies dans les ruelles de Tonsai. On les trouve facilement. Généralement ouvertes jusqu'à 23 h. Pour les menus bobos et pour acheter quelques médicaments classiques.

■ ***Agences de voyages*** : nombreuses dans la rue principale, elles proposent billets de bus, de bateaux, etc., pour la suite de votre voyage, ainsi que des *overseas calls* (attention, tout le monde s'improvise agent de voyages !).

■ ***Maya Tours*** – มาหยา ทัวร์ *(zoom village Tonsai, A2, **7**)* : en face de *Phi Phi Hotel* et de la *Siam Commercial Bank*. ☎ et fax : 075-612-403. • mayatour@hotmail.com • Nathalie, une Française installée ici depuis 1992, s'occupe de toutes vos réservations d'hôtel ou de tous vos problèmes de transport (terre, mer et air). Tours des îles, *snorkelling* d'une journée et plein d'autres activités.

@ ***Internet*** : pas mal de petites boutiques ouvertes tard en soirée dans tout le village, avec du plus ou moins bon matos. Cher.

■ ***Clubs de plongée*** : il y en a au moins une quinzaine dans le village (voir notre rubrique « Plongée » plus loin).

Où dormir ?

Ce n'est vraiment pas l'endroit qu'on préfère pour dormir, car le coin est surpeuplé, la plupart des bungalows sont chers (sauf de rares adresses) et entassés les uns sur les autres. Mais vous pourrez toujours louer une tente pour 100 à 150 Bts (2 à 3 US$) au ***Sun Smile Guest House*** – ซันสมายเกสเฮ้าส์, en bout de plage de Loh Dalum, côté opposé au View Point. Et puis la plage de Tonsai n'est ni un lieu où l'on se baigne, ni un lieu où l'on fait bronzette, car elle est encombrée de bateaux en tous genres. Une autre nuisance : les générateurs. Repérez-les quand vous choisissez une chambre ou un bungalow. Un autre conseil : si vous circulez la nuit, munissez-vous d'une lampe de poche, ça vous évitera pas mal d'embûches.

Prix moyens (de 400 à 900 Bts – 8 à 18 US$)

☗ ***Gypsy Village*** – หมู่บ้านยิปซี *(plan,* ***10****)* **:** ensemble de bungalows à 15 mn de marche du débarcadère (derrière la plage de Tonsai, ce qui a pour avantage d'être préservé du boucan des « longues-queues », mais pas du générateur). Longer la plage vers la droite et bifurquer à gauche vers la mosquée (bien après le chemin qui mène au View Point et à Loh Dalum). Pas de téléphone. Composition en U, bungalows simplissimes (ventilo et eau froide), avec toit en tôle verte, installés autour d'une vaste pelouse (pas toujours très nette) plantée de cocotiers. Choisir son hébergement dans le trou du U (silence dans les rangs !). Confort simple (mobilier, w.-c. et douche sommaires). Tenu par une famille thaïe sympa et authentique. Petite gargote juste à côté.

☗ ***Harmony House Guest House*** – ฮาโมนีเฮ้าส์เกสเฮ้าส์ *(plan,* ***16****)* **:** sur le chemin de Loh Dalum, au milieu d'une concentration de *guesthouses*. ☎ 01-895-92-70 (portable). Une vingtaine de chambres en hauteur sur le bord gauche du chemin. Grand lit ou lits jumeaux avec ventilo, w.-c. et eau froide. Connexion Internet et accueil sans entrain. Propre.

☗ ***Garden Home*** – การ์เด้นโฮม *(plan,* ***16****)* **:** à gauche sur le chemin du View Point. ☎ 01-894-38-35 (portable). • ppseatour@hotmail.com • Une dizaine de chambres (avec ventilo et eau froide ou avec clim' et eau chaude pour les petits douillets), réparties autour d'un jardinet luxuriant dans lequel on trouve les tables du restaurant. Ambiance « jungle » et accueil assez sympa. Nourriture locale et plats européens également.

☗ ***P.P. Dream*** – พีพี ดรีม *(plan,* ***16****)* **:** à droite sur le chemin du View Point. ☎ 01-170-89-37 (portable). Petite construction d'un étage, en bambou. Chambres avec trois ou quatre lits. Confort simple avec toilettes et douche dans les chambres ou sur le palier. Propre et bien tenu par un Thaï qui parle le français.

☗ ***Chong Khao Bungalows & Tour*** – ช่องเขาบังกะโล *(plan,* ***11****)* **:** à gauche du débarcadère (à 300 m environ), suivre la plage et tourner à droite après le *Cabana Resort*, pratiquement à mi-chemin entre Tonsai et Loh Dalum. ☎ 01-894-12-33 et 09-866-13-16 (portables). Bungalows en dur avec ventilo et sanitaires (eau froide), propres et bien tenus, ne donnant pas directement sur la plage. Aucun charme particulier. Assez sauvage. Intérieur propre et fonctionnel. Tenu par une famille gentille. Resto où l'on sert des plats simples, pas chers et bons.

De prix moyens à plus chic (de 900 à 2000 Bts – 18 à 40 US$)

⌂ ***Up Hill Cottage*** – อัปฮิลค็อคเด็ช *(plan, **15**)* **:** au bout du chemin qui mène au View Point, encore plus loin que la bifurcation à gauche avec les escaliers. ☎ 01-970-52-44 (portable). • uphill22@hotmail.com • Dans une construction, pourtant en dur, parfaitement intégrée au paysage, des chambres spacieuses, confortables et bien équipées. Terrasse.

⌂ ***Phi Phi Charlie Beach Resort*** – พีพีชาลีบีชรีสอร์ท *(zoom village Tonsai, B1, **12**)* **:** sur la plage de Loh Dalum Bay. ☎ 075-620-595. Fax : 075-620-615. • www.ppcharlie.com • De confortables bungalows, d'aspect traditionnel en bois verni, avec petite terrasse, ventilo ou AC, douche froide et déco agréable. Les plus chers sont en bord de mer. C'est un peu l'usine mais c'est le meilleur rapport qualité-prix du secteur. Immense resto. Ambiance décontractée, un brin genre village de vacances.

Plus chic (de 1800 à plus de 3000 Bts – 36 à 60 US$)

⌂ ***Bay View Resort*** – เบย์วิววีสอร์ท *(plan, **26**)* **:** à droite du débarcadère sur Tonsai Bay, facilement accessible en *taxi-boat* ou en marchant 10 mn environ. ☎ 075-621-223. • www.phiphibayview.com • Un ensemble de beaux bungalows, perchés sur une colline boisée et dominant l'azur de la mer. Chambres spacieuses, confortables et vraiment impeccables, avec terrasse très agréable. AC, frigo, eau chaude et TV. La différence de prix se fait selon la vue. Tarifs élevés. Le bruit ronflant des *taxi-boats* est un peu atténué par la hauteur. Pas mal de charme et bon accueil. En bref, une bonne adresse comparée à beaucoup d'autres. Petit dej' compris. Grand resto, assez joliment décoré avec terrasse et vue sur mer. Piscine avec bar.

Où manger ?

La plupart des bungalows proposent leur petite cuisine, mais il existe quelques bons restos dans le village de ***Tonsai*** *(zoom village Tonsai)*.

Pas cher (moins de 100 Bts – 2 US$)

|●| ***Dans la rue principale***, quand on va vers le nord (c'est-à-dire vers la droite du débarcadère) on trouve de sympathiques vendeurs de *pancakes* aux fruits, *shakes* divers, gâteaux et autres petites choses à grignoter.

|●| ***Petits restos (sans nom ou écrit en thaï) :*** dans le cœur du village, autour et aux alentours du marché, dans les ruelles perpendiculaires à la rue principale. Une bonne quantité de gargotes familiales pour une cuisine thaïe simple et réussie *(fried chicken sweet and sour, spicy grilled beef salad...)* à prix dérisoires. Assez typique.

Prix moyens (de 100 à 300 Bts – 2 à 6 US$)

|●| ***Kosmic Italian Restaurant*** – ร้านอาหารคอสมิกอิตาเลียน *(zoom village Tonsai, B2, **30**)* **:** dans une ruelle perpendiculaire à la rue princi-

pale, au cœur du village. Ouvert tous les soirs à partir de 17 h (parfois fermé sans raison particulière). Attention, pas de pancarte. Voici un petit resto rital tenu par un vrai Rital de là-bas, Ricky. Ancien plongeur reconverti, il prépare ses pâtes lui-même et elles sont absolument délicieuses *(fettucine, penne, spaghetti...)*. Repaire des instructeurs des clubs de plongée. Une excellente adresse.

|●| ***La Mama*** – ลามามา *(zoom village Tonsai, A2,* ***36****) :* situé dans le centre du village, à l'angle droit de la rue du bureau de poste. Angelo est au fourneau pour préparer une excellente cuisine thaïe et européenne. On y mange dans une ambiance sympa et décontractée. Parfait pour échanger quelques bons tuyaux.

|●| ***Captain Pong*** – กับตันพงษ์ *(zoom village Tonsai, A2,* ***37****) :* sur la plage près du débarcadère. La maison du curry et de toute la cuisine traditionnelle thaïe. Le soir, tables sur la plage pour déguster les petits plats succulents de Pi Pong.

|●| ***Bamboo*** – ร้านอาหารเบมบู *(zoom village Tonsai, B1,* ***31****) :* au fond du village, sur le chemin du View Point, non loin du *Pavilion Resort* et à côté du *Banana House.* Ouvert de 7 h à 22 h tous les jours. On vient ici pour une succulente nourriture thaïe préparée avec cœur par madame Nok, et spécialement pour le sublime *massaman curry with chicken* qui fait le régal de tous les Occidentaux qui s'y donnent rendez-vous. Salle ouverte sur la rue.

|●| ***Fatty's Cheer's*** – ร้านอาหารฟาตตี้ส์เชียร์ *(zoom village Tonsai, A1,* ***32****) :* depuis la rue principale, à l'angle du club *Barracuda Diving Centre*, prendre à gauche, aller jusqu'au bout et c'est sur la gauche. De toutes manières, vous vous planterez car on se plante toujours dans ce réseau de ruelles. Ouvert tous les jours de 10 h à 23 h. Connu pour les mardi et vendredi « all you can eat », absolument incroyable. Viandes grillées au barbecue à volonté (poulet, porc, excellentes saucisses maison, patates grillées, salade et pain allemand...). Et puis, le dimanche, un « Roast dinner » avec une énôôrme assiette qu'on a du mal à finir.

|●| ***Le Grand Bleu*** – ร้านอาหารเลอกรองเบลอ *(zoom village Tonsai, A2,* ***33****) :* tout au début à gauche dans la rue principale. Ouvert seulement le soir de 18 h à 22 h. Deux menus fixes à prix abordables. Agréable resto sous une superbe charpente de bois sombre, à la déco particulièrement soignée, ouvert sur la rue. Spécialités thaïes et françaises. Certains plats mériteraient d'être un peu plus copieux. Carte des vins assez variée avec quelques crus de derrière les fagots. Cadre vraiment charmant et une certaine classe. Pour un dîner différent, mais plus cher...

Où prendre le petit déjeuner ?

|●| ***Pacharee French Bakery et Pee Pee Bakery 1*** – พีพีเบเกอรี่ *(zoom village Tonsai, B2,* ***34****) :* face à face, dans la rue principale, un peu plus loin que *Le Grand Bleu*, en allant vers Maprao Beach. Des boulangeries-salons de thé pour prendre d'excellents petits déjeuners. L'une, plutôt française comme son nom l'indique, propose pains, croissants frais tous les jours et pains au chocolat (servez-vous, vous pourrez prendre les plus gros...). L'autre, plus à l'américaine, sert *doughnuts, cookies*... Vraiment pas cher. Une annexe ***Pee Pee Bakery 2,*** à la pointe de l'embranchement des chemins allant à View Point et à Loh Dalum *(zoom village Tonsai, B1,* ***35****).*

Le soir, les *PPB 1* et *2* passent des films vidéo sur une télé accrochée au plafond, et ça devient alors assez pénible.

Où boire un verre ?

Parmi la grosse vingtaine de petits bars des ruelles du village, quelques-uns attirent plus que d'autres. Certains organisent parfois de petits concerts.

🍸 ***Tintin Bar** (zoom village Tonsai, A2, **40**) :* au cœur du village (prononcer *tine-tine*).

🍸 ***Reggae Bar** (zoom village Tonsai, B1, **41**) :* autre rendez-vous classique du genre disco-dancing avec show de boxe thaïe.

🍸 ***Karma*** – เลอกามา *(hors zoom village Tonsai par B2, **45**) :* environ 300 m après le *Carlito's*, côté plage, en allant vers le *Maprao Resort*. Ouvert de 14 h à 2 h. Le plus populaire, devenu presque une institution dans le genre. Thaïs et touristes y dansent de concert.

🍸 ***Jungle Bar*** – เลอจังเกิลบาร์ *(plan, **47**) :* à l'extrémité nord de Loh Dalum Beach. Ouvert en journée et le soir. Construction en bambou en bordure de plage, bien au calme et avec un peu d'ombre. Accueil sympa et décontracté. Pour tête-à-tête en amoureux, loin de la foule et des nuisances.

Maprao Beach – หาดมะพร้าว

Minuscule crique à laquelle on accède en prenant le petit chemin côtier qui longe la plage, à droite du débarcadère. On peut aussi y aller en *taxi boat* si on a beaucoup de bagages ou si on est paresseux. Il n'y a qu'une adresse de bungalows. C'est un endroit qu'on apprécie particulièrement, car il y règne une ambiance amicale et bon enfant, loin du bruit et de la foule.

Où dormir ? Où manger ?

Prix moyens (de 500 à 900 Bts – 10 à 18 US$)

🏠 🍴 ***Maprao Resort*** – มะพร้าวรีสอร์ท *(plan, **18**) :* ☎ 075-622-486. • www.maprao.com • C'est une bonne adresse car l'endroit est au calme et possède un certain charme malgré le confort simple. Végétation luxuriante. Une bonne trentaine de huttes, avec sanitaires communs pour les moins chères. Celles-ci se résument à une hutte en V renversé, avec matelas au sol protégé par une moustiquaire. Les autres, avec douche froide et ventilo, bénéficient d'une originale petite terrasse en forme de coque de bateau. Les « plus chic » sont plus récentes et disposent d'une petite terrasse semi-couverte sur le dessus. Bar-restaurant fort agréable, dominant l'eau, avec tables basses et chaises en osier. Bonne et copieuse cuisine thaïe et européenne à prix honnêtes. Ambiance décontractée.

Long Beach – ลองบีช

Comme son nom l'indique, longue plage, à 20 mn à pied du débarcadère (après Maprao Beach en continuant vers l'est). Agréable, car pas trop surpeuplée et l'extrémité est un super spot de *snorkelling*. Le mieux pour s'y rendre depuis Tonsai Bay est de prendre un bateau-taxi « longue-queue ».

Où dormir ? Où manger ?

De bon marché à prix moyens (de 300 à 550 Bts – 6 à 11 US$)

Phi Phi Long Beach – พีพีลองบีช *(plan, **19**) :* sur la partie droite de la plage. ☎ et fax : 075-612-217. On ne va pas y aller par 4 chemins. La plupart des bungalows sont ultra-simples, sans sanitaires (mais avec petit ventilo et moustiquaire). Bungalows les moins chers les pieds dans l'eau. Sanitaires communs assez minables. Pas de réservation.

De prix moyens à un peu plus chic (de 700 à 1 200 Bts – 14 à 24 US$)

Phi Phi Paradise Pearl Resort – พีพีพาราไดซ์เพิร์ลรีสอร์ท *(plan, **20**) :* sur la gauche quand on arrive à Long Beach. ☎ 075-622-100 ou 01-734-15-70 (portable). Des bungalows en dur, propres et agréables, avec ventilo, salle d'eau et moustiquaire. Gamme étendue de prix, selon le confort et la situation par rapport à la plage. Ceux à gauche en arrivant sont les plus simples (plafonds un peu moisis). À droite, une fois passé le petit pont, d'autres mieux équipés. Sans charme, mais plage devant à peu près calme. Seul inconvénient : le bruit des bateaux « longue-queue » qui passent au loin en un ballet incessant. Accueil pas toujours chaleureux. Resto. Souvent complet.

Ao-Toh Koh Beach et Resort – อ่าวโตเกาะรีสอร์ท *(plan, **22**) :* sur une plagette avec pas mal de cailloux, entre Long Beach et Ao Ran-Tee. ☎ 01-368-90-94 (portable). Ce n'est pas vraiment un *resort* malgré le nom. Un peu le contraire même. Une famille modeste habite là, en bord de mer, avec un minuscule bout de plage, coincé entre l'eau et la jungle. Ils ont construit une vingtaine de bungalows d'une extrême simplicité, en bois, avec ou sans sanitaires. Vraiment la vie de Robinson. Les abords et les arrières sont crados, c'est vrai. Quant aux bungalows, ils sont dispersés dans la jungle escarpée. Une adresse typique, dommage que ce ne soit pas mieux tenu.

Plages de la côte est et nord de l'île

Ces belles plages dorées seront appréciées par ceux qui recherchent le calme et des petits coins de nature encore préservés.

La plage sauvage de ***Ao Ran Tee*** – อ่าวรันตี est accessible par l'unique chemin de l'île (*via* le *View Point*) ; ou par bateau-taxi « longue-queue ». On choisira plutôt ce moyen de transport plus facile, mais coûteux (ça revient vite cher, si vous désirez bouger un peu...) pour rejoindre les jolies plages de l'est et leurs adresses de luxe (réservations depuis Phuket ou Bangkok).

Où dormir à Ao Ran Tee ?

De bon marché à prix moyens (de 300 à 700 Bts – 6 à 14 US$)

☗ ***Rantee Huts*** – รันตีฮัทส์ *(plan, 21)* : sur la plage de Ao Ran Tee, au bout du seul chemin de l'île. Accès moins fatigant en *taxi-boat*. Atmosphère hors du temps dans ce petit ensemble de bungalows spartiates avec moustiquaire, situé à deux pas de la belle plage déserte. Ni w.-c., ni douche. Les Robinson en herbe apprécieront aussi l'éclairage à la bougie et les pirouettes des singes (attention à vos affaires !) dans les arbres alentour.

Loh Bakao Bay and Beach – อ่าวและหาดล่อบาเกา, plage située au milieu de la côte est de l'île. Accessible uniquement par bateau.

Où dormir à Loh Bakao Bay and Beach ?

Beaucoup plus chic (de 5 300 à 6 300 Bts – 106 à 126 US$)

☗ ***Pee Pee Island Village*** – พีพีไอส์แลนด์วิลเลจ *(plan, 24)* : ☎ 075-612-915. Fax : 02-277-39-90. • www.ppisland.com • Immense plage totalement isolée. Attention cependant, à marée basse, on ne peut pratiquement pas se baigner (barrière de corail). Très grands bungalows confortables (AC dans tous) qui, bien que luxueux, ont conservé un style traditionnel thaï et beaucoup de charme. Déco soignée. Ils sont disséminés au milieu des cocotiers. Élégante piscine entourée de teck. Une adresse pour séduire sa dulcinée au prix d'un 3-étoiles en France. Bon accueil, petit dej' inclus et service impeccable.

Où manger à Loh Bakao Bay and Beach ?

|●| ***Resto Aroi*** – ร้านอาหารอร่อย : sur la plage même. Un bar en demi-lune et une cuisine croissant régulièrement vers la qualité. Se contenter des plats traditionnels (excellentes *fried noodle marinated*). Mais on nous a parlé d'une prochaine démolition !

Tong Cape – แหลมทอง et sa plage ***Laem Tong*** – หาดแหลมทอง, juste avant l'excroissance du cap. Accessible uniquement par bateau.

La ***Nah Bay and Beach*** – อ่าวและหาดลาหน้า, au nord de l'île, entre les deux doigts formés par Tong Cape et La Nah Cape, à l'est de Nui Bay.

Où dormir ? Où manger à Nah Bay and Beach ?

Prix moyens (autour de 700 Bts – 14 US$)

☗ |●| ***La Nah Beach Club*** – ลาหน้าบีสคลับ *(plan, 25)* : accessible uniquement en *long-tail boat*. ☎ 01-737-15-01 (portable). Une quarantaine de bungalows avec ventilo, simples mais nickel, disséminés dans un grand jardin arboré. Très propres, mais avec toilettes et douches communes (eau froide). Resto avec une cuisine super-équipée. Paix et sérénité garanties, et accueil très gentil...

Plongée sous-marine

C'est la destination des plongeurs par excellence. L'endroit est tellement réputé que tous les centres de plongée de Phuket, Krabi et Koh Lanta s'y rendent quotidiennement, sans compter ceux de Koh Phi Phi déjà nombreux sur place. Une fréquentation excessive, style usine à plongeurs, qui compromet chaque jour la survie des espèces vivant sur les spots... Toutefois, on le dit tout net, il serait regrettable d'aller à Koh Phi Phi sans visiter ses beautés sous-marines légendaires. Un baptême de plongée au milieu des eaux d'une couleur et d'une limpidité extraordinaires, voilà le genre de souvenir qui restera gravé dans votre mémoire longtemps, longtemps.

Où plonger?

Dans le minuscule village de Tonsai, une bonne vingtaine de clubs se partagent le gâteau. La plupart des instructeurs sont européens (allemands, anglais, italiens, nordiques) et quelques-uns, sud-africains et thaïs. Ceux-ci viennent spontanément vous proposer leurs services dès votre arrivée car ils ne sont payés qu'à la commission (environ 10 % du prix de la prestation)! Leur intérêt est de vous offrir d'excellentes prestations pour que vous reveniez le lendemain. C'est généralement ce qu'ils font, car la concurrence est de plus en plus rude et il faut se démarquer. Malheureusement, on peut parfois tomber sur quelqu'un qui ne connaît pas son affaire et ferait mieux d'aller jouer aux billes plutôt qu'avec la vie de ses clients! Mais c'est vraiment de plus en plus rare! Faites attention, il reste encore un tout petit corpuscule d'arnaqueurs *first class* qui organisent des plongées « promène-couillons » sur des sites proches du débarcadère, où il n'y a strictement rien à voir (il faut bien que l'argent rentre à moindre frais!). Rassurez-vous, on vous en parle par prudence, mais il y en a très peu car les bons leur font la guerre!
– ***Points positifs :*** de manière générale, le matériel est bon et la plupart des instructeurs sont bien qualifiés. Le seul petit problème est qu'ils ne restent souvent qu'une saison. Il est donc particulièrement difficile de conseiller un club plutôt qu'un autre. Dès lors, pour faire un choix, adoptez la formule suivante : passez une soirée à faire le tour de quelques structures et marchez au feeling. La plupart des plongées sont praticables par tout le monde. Les plus belles sont autour de Phi Phi Lee. Bon à savoir, les prix sont sensiblement identiques partout. Ce n'est donc qu'une question de confort, de compétence et du nombre de plongeurs sur le bateau (sorties intimes de 4 personnes ou usines à plongée). Prix pour une plongée en local : 1 100 Bts (22 US$), deux = 1 800 Bts (36 US$) et trois = 2 600 Bts (52 US$). Sortie à la journée incluant trois plongée à *The Wreck*, *Shark Point Phuket* ainsi que *Anemone Reef* = 3200 Bts (64 US$). *Snorkelling* avec repas/équipement : 500 Bts (10 US$).
– ***Conseils :*** avant de chausser les palmes, discutez gentiment (en anglais, allemand et, plus rarement, en français) avec les instructeurs. Écoutez le langage qu'ils vous tiennent quant à la vie marine (ses espèces, ses dangers) et voyez s'ils ne jouent pas les gros bras en causant des requins (un

critère éliminatoire !). Choisir enfin le moniteur qui parle de son métier avec une « passion tranquille ». Sachez aussi que les hôtels luxueux de la côte est possèdent chacun un petit centre de plongée, où les instructeurs sont triés sur le volet (question d'image !). Structure souple, bonne ambiance, mais plus cher.
Côté prestations, des formations *PADI* et de belles explorations bien encadrées sont également prévues ! Sorties à la demi-journée autour de l'archipel ou à la journée pour les sites éloignés comme Hin Daeng, Hin Muang, Mosquito et Bamboo Islands (plongées bouteille ou *snorkelling*, « casse-croûte » compris). Tarif : 3600 Bts (72 US$).

Nos meilleurs spots

Autour de Koh Phi Phi : le Parc national est réputé pour ses tombants vertigineux, ses cavernes sous-marines très accessibles, ses roches et coraux étincelants. Visibilité de 8 à 30 m (en haute saison). Les traditionnels poissons-fantômes, poissons-anges, poissons-trompettes, poissons-clowns, hippocampes et bancs de lutjans sont de toutes les plongées (profondeur maxi : 26 m). Tortues peu farouches dans les eaux de *Koh Bida*, où vous ne pourrez éviter une confrontation directe avec les requins-léopards et les pointes noires (gentilles comme tout !), ainsi que des calamars. *Bamboo Island* est le rendez-vous des raies pastenagues, barracudas et poissons-sergents. Extra pour la plongée sans bouteille ou le *snorkelling*.

Bida Nai et Bida Nok : au sud de Koh Phi Phi. Entre 6 et 30 m. Murs de corail mou, une des meilleures plongées pour voir de gros barracudas, requins-léopards, et naturellement le requin-baleine quand il est de passage en février-mars. Rassurez-vous, sans aucun danger.

Coral Garden (ou Palong Bay) : sur la côte ouest de Phi Phi Lee. Entre 5 et 18 m. Une énorme roche penchée, recouverte de corail mou très coloré. On y voit des tortues (le meilleur site pour les observer), poulpes et hippocampes (éventuellement).

Caran Hang : à l'est de Phi Phi Lee. Entre 5 et 18 m. Un pinacle sous-marin à la base duquel on trouve des rochers où se cache une vie incroyable : *bamboo sharks*, énormes poissons-scorpions, poissons-lions et chouettes *sepia* (sorte de calamars).

À noter encore le ***Pileh Wall*** (à l'est de Phi Phi Lee), pour son fantastique mur de corail mou entre 3 et 20 m, puis ***Phi Phi Shark Point*** pour ses requins-léopards qui dorment sur le fond et ses serpents de mer (pas agressifs pour un baht). Pour finir, ***Him Dot*** autour de Phi Phi Don. Quatre pinacles de tailles différentes, entre 5 et 28 m autour desquels on tourne sympathiquement (poissons pélagiques, corail mou...).

– Voici trois plongées Niveau 1 qu'il est possible d'effectuer en une même journée. Départ en général à 8 h et retour vers 17 h :

Phuket Shark Point – ภูเก็ตชาร์คพอยท์ ***:*** à 20 km au nord-ouest de Koh Phi Phi. Un ensemble de trois récifs calcaires, de 0 à 22 m de profondeur, fameux repaire de requins-léopards aussi curieux qu'inoffensifs (pas de panique !). Frénésie de poissons-lions, poissons-papillons, anémones... Très coloré. Jolis coraux.

Anemone Reef – อานีโมนีรีฟ ***:*** situé à moins de 2 km au nord-ouest du spot précédent. Un magnifique récif isolé, entièrement recouvert d'anémones d'espèces différentes, entre 6 et 23 m de fond. Si le ballet délirant des poissons-clowns entre les tentacules des anémones vous inspire, évitez à tout prix de les imiter ! Ils sont les seuls à pouvoir s'y frotter sans crainte : protection contre nettoyage, tel est l'enjeu de ce contrat naturel. Beaucoup de murènes. Également quelques barracudas.

Epave King Cruiser – อีเพฟคิงส์ครุยเซอร์ **:** luxueux navire coulé entre 16 et 36 m de profondeur en 1997, à quelques encablures de *Anemone Reef*. Cachette préférée des poissons de récifs, des poissons-lions (venimeux mais pas agressifs), des barracudas et des mollusques. Se munir d'une lampe. Grandes ouvertures dans les entrailles du navire pour retrouver facilement le chemin de la surface, mais attention quand même aux rencontres inopportunes et n'entrez pas dans l'épave si vous n'êtes pas un plongeur confirmé...

À voir. À faire

Balade avec palmes, masque et tuba : un des grands moments consiste à aller explorer les coraux autour de Phi Phi Lee, l'île jumelle de Phi Phi Don, qu'on gagne en bateau. Si vous êtes plusieurs, ou si vous rencontrez d'autres voyageurs, on peut louer à l'heure, à la demi-journée ou à la journée un *long-tail boat*. Bref, l'indépendance pour un prix très honnête. Bien se mettre d'accord toutefois sur le tarif horaire ou la durée de l'expédition. Pour les autres, toutes les agences proposent l'excursion, mais c'est beaucoup moins sympa car on se retrouve à 20 ou 30, et l'on n'est pas maître de son parcours. D'une manière ou d'une autre, c'est vraiment un truc à faire.

View Point : c'est une balade qu'il faut absolument faire, et de préférence le matin pour pouvoir prendre de bonnes photos. Le chemin qui y mène part de Loh Dalum Beach, à l'est de la plage (bien fléché). On embrasse d'un seul coup d'œil les deux anses de l'île. Compter une bonne demi-heure de grimpette jusqu'au *View Point*. Bar à l'arrivée. En redescendant de l'autre côté, à travers la jungle, on rejoint Ran Tee Beach, plage isolée du nord-est.

– ***Escalade :*** *Cat's Climbing Shop (zoom village Tonsai, A2,* ***8****)*. ☎ 01-787-51-01 (portable). À gauche du chemin principal de Tonsai (derrière la fontaine avec les espadons). Avec Cathy, une pro française. Elle a rééquipé les voies déjà tracées par des grimpeurs de passage et en a ouvert un paquet d'autres (niveau 5 à 8C+) dans les falaises situées au bout de la plage de Tonsai.

– ***Voile :*** avec *Sea Fun Sailing Adventures (plan,* ***9****)* à Loh Dalum, sur la plage même. ☎ 01-326-28-04 (portable). Tenu par Mike et Pai, son épouse thaïe. Dans l'enceinte d'un grand hôtel, le *P.P. Princess Resort*, mais ouvert à tous. Vous y trouverez des planches à voile, des catas, des kayaks.

PHI PHI LEE – พีพีเล

C'est la plus petite île. Inhabitée. Célèbre pour ses coraux et pour sa gigantesque grotte, *Viking Cave*, qui est ouverte toute la journée (entrée payante, à prix modique) et où les Thaïlandais vont ramasser les nids d'hirondelles (de février à mai) au péril de leur vie. En effet, les Chinois en sont très friands pour leur pouvoir prétendument aphrodisiaque. Opération délicate, sur de fragiles échasses. D'ailleurs, au milieu de la grotte, un autel est là pour implorer la protection des dieux. L'hirondelle construit son nid avec sa

salive. Quand on lui retire ce nid, elle en construit un deuxième. La troisième fois, elle n'a plus assez de salive pour faire son nid et les petits meurent. Abstenez-vous d'en manger...
Pratiquement toutes les agences de Phuket prévoient la visite de cette grotte dans leurs excursions à la journée sur Phi Phi Lee. Surnommée ainsi à cause de ses quelques peintures rupestres. À l'entrée de la grotte, des milliers de poissons multicolores attendent le pain, lâché par les hordes de touristes (un vendeur est d'ailleurs là pour ça). L'odeur qui règne à l'intérieur n'est pas des plus agréables, bien que les gens du village ramassent les fientes d'oiseaux par sacs entiers.

À voir

Maya Bay – อ่าวมาหยา : voici une admirable baie située sur la côte ouest de Phi Phi Lee. Les tours y font halte, chaque jour, quasi systématiquement entre 10 h 30 et 14 h. Heure de pointe à éviter ! Si elle est célèbre, c'est bien entendu pour sa beauté naturelle, mais encore plus pour sa participation vedette dans le film *La Plage* avec Leonardo di Caprio puisque c'est là que la plupart des scènes furent tournées. Tout le monde veut la voir. Et c'est vrai qu'elle a de la gueule. Cela dit, inutile de chercher la baie fermée sur elle-même. C'est le fruit de l'imagination de l'auteur. Elle n'existe pas. Tous les effets sont rendus par le positionnement de la caméra. Quant au trou par où s'engouffrent, sous l'eau, les « gens » de la plage pour en sortir, idem.

QUITTER KOH PHI PHI

Toutes les agences du village (et elles sont nombreuses...) revendent les billets de toutes les compagnies et pour les différentes destinations. Les prix varient surtout en fonction de la vitesse du bateau.
➢ ***Pour Phuket :*** en saison, plusieurs bateaux quotidiens, des lents, des *express* un peu lents et des vraiment rapides. Départs tous les jours, toute l'année, en général à 9 h, 14 h 30, 14 h 45 et 15 h 30 (le der des ders). Durée : entre 1 h 20 et 2 h. Même tarif qu'à l'aller.
➢ ***Pour Krabi-ville (Chaofa Pier) :*** plusieurs liaisons par jour en bateau *express,* à 9 h, 13 h et 13 h 30, tous les jours, toute l'année. Durée : 2 h.
➢ ***Pour Ao Nang (Krabi) :*** 1 départ quotidien en haute saison à 15 h. Durée : 1 h 45.
➢ ***Pour Koh Lanta Yai :*** 2 liaisons directes par jour, à 8 h et 13 h, en haute saison. En basse saison, une seule liaison mais pas tous les jours, à 9 h. Durée : 1 h 30 à 2 h.
Dans tous les cas et pour toutes les destinations, **si la mer est mauvaise, la traversée est annulée**. Question de sécurité.

KRABI – กระบี่

C'est le nom d'une ville mais aussi d'une région. Le bourg est situé au bord de la rivière Krabi et s'étend gentiment en longueur. Les touristes ne restent pas à Krabi-ville : soit ils se dirigent immédiatement vers les plages, soit ils y passent la nuit en vue de prendre un bateau pour les îles : Koh Phi Phi, Koh

Jum ou Koh Lanta. Pourtant Krabi est un petit port agréable. C'est aussi une province et, à une vingtaine de kilomètres de la ville, c'est le coin des plages... Sachez que la région est très arrosée pendant la saison des pluies (de mai à septembre), et que tout le secteur est déserté à cette époque.

Comment y aller ? Comment se déplacer ?

➢ ***De Bangkok :*** *Thai Airways* assure 1 vol par jour, le matin (durée : 1 h 20). Sinon, en bus : départ du *Southern Bus Terminal*. Environ 6 bus AC entre 18 h et 20 h. Compter 12 ou 13 h de trajet.

➢ ***De Phuket ou Koh Phi Phi :*** voir « Quitter Phuket » ou « Quitter Koh Phi Phi ». Pas de liaison maritime directe depuis Phuket. Il faut transiter par Koh Phi Phi.

➢ Pour se rendre vers **Railay Beach** (seule plage qu'on ne peut gagner que par la mer, *bateaux-taxis* régulièrement du débarcadère de Krabi-ville. En saison, il y a des départs toutes les 30 mn normalement, ou dès qu'il y a une dizaine de personnes. C'est bien plus pratique que par la route.

➢ Possibilité également de louer des motos en ville. Comparer les prix.

➢ Les *songthaews* assurent des ramassages réguliers dans la rue principale de Krabi et surtout dans celle qui longe le débarcadère. Bien pratiques. Tâchez d'en attraper un au vol. Sinon, les *tuk-tuk* pourront vous conduire à destination pour un prix plus élevé. Négociez ferme.

KRABI-VILLE

Adresses utiles

TAT – ท.ท.ท. *(office du tourisme ; plan I, A1)* **:** à l'entrée de la ville, quand on vient du terminal de bus, dans Uttarakit Rd. Ouvert normalement tous les jours. Attention, de nombreuses agences se prétendent officielles et vendent des cartes qui sont gratuites à l'office du tourisme (plan des îles et de la ville). Donne aussi une petite brochure sur Krabi, une liste complète des hôtels, ainsi que tous les horaires de bateaux et de bus.

Terminal des bus – สถานีรถประจำทาง *(hors plan I par A1)* **:** à 5 km du centre-ville et de l'embarcadère pour les îles. De nombreux *songthaews* assurent la liaison entre le terminal et le port.

■ ***Change :*** avant d'embarquer sur le bateau pour Koh Phi Phi, Koh Jum ou Koh Lanta, pensez à retirer de l'argent dans les banques *(plan I, B1 et B2,* **1***)* de Krabi. Car dans les îles, les banques sont rares, voire inexistantes.

■ ***Police touristique*** – ตำรวจท่องเที่ยว **:** ☎ 16-99.

Internet : la *Chaofa Rd (plan I, A-B2-3)* abrite plusieurs agences proposant des connexions Internet, appels internationaux, billets de bus, de bateaux...

Où dormir ?

Toutes les *guesthouses* proposent excursions, billets de bus, location de motos et réservation de bateaux pour les îles voisines. Prix partout identiques, voire moins chers dans certaines adresses qui consentent à perdre une partie de leur pourcentage si vous séjournez chez eux...

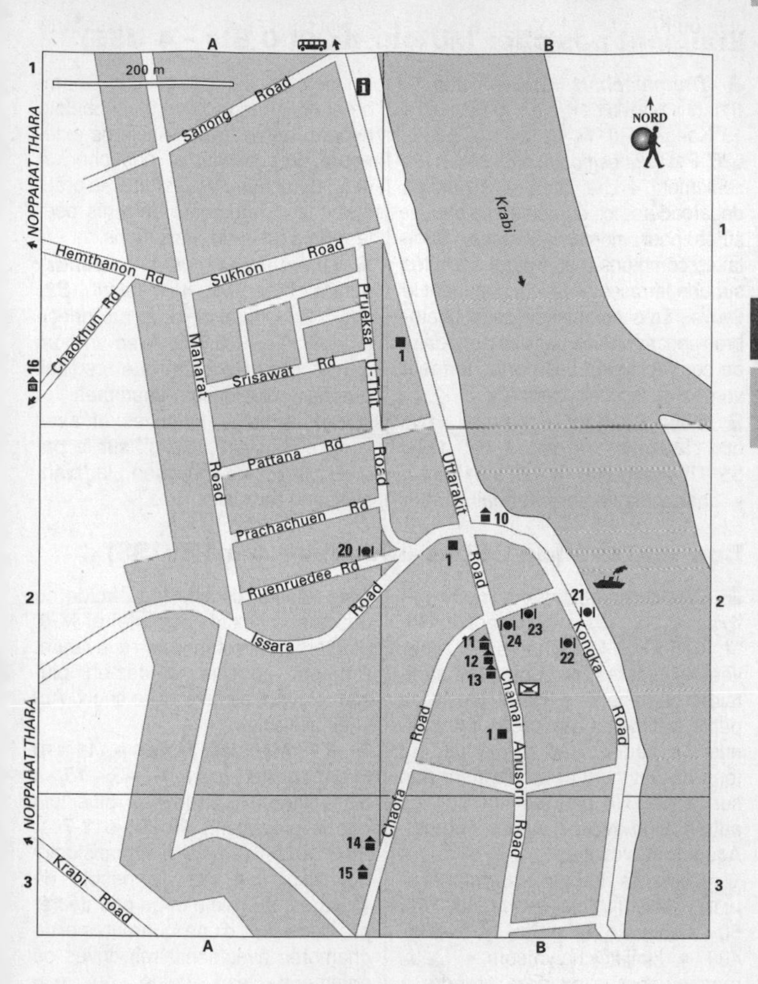

KRABI-VILLE (PLAN I)

■ **Adresses utiles**

- TAT
- Terminal des bus
- Poste
- Port
- **1** Banques

Où dormir ?

- **10** Thammachart Guesthouse
- **11** Chan-Cha Lay
- **12** Guesthouse and Laundry
- **13** Cha Guesthouse
- **14** Chao Fa Valley Bungalows
- **15** KR Mansion Hotel
- **16** Boonsiam Hotel

Où manger ?

- **20** May's Mark Restaurant
- **21** Night Market
- **22** Kotung
- **23** Sea House Restaurant
- **24** Good Luck Restaurant

Vraiment pas cher (autour de 200 Bts – 4 US$)

■ ***Thammachart Guesthouse*** – ธรรมชาติเกสท์เฮ้าส์ *(plan I, B2, **10**)* **:** 13 Kongka Rd. ☎ et fax : 075-612-536. Petite *guesthouse* proprette avec seulement 4 chambres, à 2 pas du débarcadère. Ici, on quitte ses chaussures pour monter à l'étage. Sanitaires communs (eau froide), installés sur une terrasse privative, dominant le fleuve. Très sommaire (deux chambres sont séparées par des panneaux de contreplaqué). Les portes ferment vers 23 h. Accueil charmant.

■ ***Chan-Cha-Lay*** – ชานชาลาหรือชานชาไลเกสท์เฮ้าส์ *(plan I, B2, **11**)* **:** 55 Uttarakit Rd. ☎ 075-612-114. • chanchalay-krabi@hotmail.com • Un petit édifice impeccable. Chambres de chaque côté d'un couloir, hyper-propres, avec sanitaires extérieurs. Fonctionnel et pas cher. À côté, deux autres *guesthouses* pratiquant le même genre de tarifs pour le même style de prestations.

■ ***Guesthouse and Laundry*** – เกสท์เฮ้าส์แอนด์เลาน์ดรี้ *(plan I, B2, **12**)* **:** sur Uttarakit Rd, la rue principale. ☎ 075-620-748. Avec un nom pareil, pas étonnant que ce soit propre. Quelques chambres à l'étage, simples, blanches et avec ventilo. Sanitaires nickel, sur le palier. Au rez-de-chaussée, la blanchisserie familiale.

Bon marché (de 200 à 600 Bts – 4 à 12 US$)

■ ***Cha Guesthouse*** – ชาเกสท์เฮ้าส์ *(plan I, B2, **13**)* **:** 45 Uttarakit Rd. ☎ 075-611-141. Chambres rénovées et propres, avec ou sans sanitaires, aménagées dans plusieurs petits bâtiments, au cœur d'un minuscule jardin. Très calme car au fond du bâtiment et ne donnant pas sur la rue. Un peu les uns sur les autres. Bon accueil. Accès Internet. Agence de voyages.

■ ***Chao Fa Valley Bungalows*** – เจ้าฟ้าวัลเล่ย์บังกาโล *(plan I, A3, **14**)* **:** 50 Chaofa Rd. ☎ et fax : 075-612-499. • kimja@chaiyo.com • Deux rues au-dessus du port, prendre à gauche. C'est à 10 mn de marche, sur la droite de la chaussée. Grand jardin en contrebas de la route, où sont installés de vastes bungalows avec ventilo, douche (eau froide ou option eau chaude payante) et w.-c. Mériterait une sérieuse rénovation. Propreté correcte. Visitez-en plusieurs avant de faire votre choix. Accueil aimable.

■ ***KR Mansion Hotel*** – โรงแรมเค.อาร์.แมนชั่น *(plan I, A3, **15**)* **:** 52/1 Chaofa Rd (un peu plus loin que le précédent). ☎ 075-612-761. Fax : 075-612-545. • krmansion@hotmail.com • Petit immeuble de 4 étages, au calme et un peu décrépit, disposant d'une quarantaine de chambres avec sanitaires privés ou communs, eau froide ou eau chaude, et ventilo. Propre et assez bien tenu, mais pas très chaleureux ! Accueil souriant. Petit dej'-buffet.

Un peu plus chic (autour de 1 000 Bts – 20 US$)

■ ***Boonsiam Hotel*** – โรงแรมบุญสยาม *(hors plan I par A1, **16**)* **:** 27 Chaokhun Rd. ☎ 075-632-511. Fax : 075-632-510. En retrait du port, à environ 1 km du débarcadère, cet hôtel de 6 étages, sans charme, propose des chambres très confortables, toutes avec eau chaude et AC. Vraiment nickel. Service impeccable. Parfait pour ceux qui veulent le service d'un vrai hôtel. Inconvénient : un peu éloigné du centre, donc pas pratique à pied.

Où manger ?

Pas cher (moins de 150 Bts - 3 US$)

|●| ***May's Mark Restaurant*** – ร้านอาหารเมย์มาร์ค *(plan I, A2, **20**) :* Ruenrudee Rd (à côté de la *KL Guesthouse*). ☎ 075-612-562. Ouvert de 6 h 30 à 21 h tous les jours. Un lieu idéal pour prendre un petit dej' à l'anglaise ou à l'américaine. Confitures, *pancakes* et yaourts maison. Bon choix de gros sandwichs.

|●| ***Night Market*** – คลาดกลางคืน *(marché de nuit ; plan I, B2, **21**) :* juste devant le débarcadère. Une profusion de petits stands tous aussi appétissants les uns que les autres. Nourriture extra : brochettes, nouilles sautées, soupes en tout genre et excellents gâteaux. Atmosphère authentique et bonnes rencontres. Vraiment pas cher.

|●| ***Kotung*** – ร้านอาหารโกคุง *(plan I, B2, **22**) :* 36 Kongka Rd. Ouvert tous les jours sauf le dimanche de 11 h à 21 h. Face au *Night Market*. Un des bons restos de Krabi. Cuisine populaire servie dans un cadre simple et authentique. Carte longue comme le bras : tous les *fried*, les *sweet and sour*, les soupes... Le poisson est délicieusement préparé. On a un faible pour la *mixed seafood* et les nouilles sautées. Accueil souriant et familial, du grand-père à la petite-fille. Vraiment pas cher.

|●| ***Sea House Restaurant*** – ร้านอาหารซ้เฮ้าส์ *(plan I, B2, **23**) :* sur Chaofa Rd, la petite rue qui descend vers le débarcadère. Déco un peu européenne, petite terrasse. Cuisine agréable, thaïe, mais aussi des spaghettis, pizzas, etc. Cadre et service plutôt soignés.

|●| ***Good Luck Restaurant*** – ร้านอาหารโชคดี *(plan I, B2, **24**) :* 226 Uttarakit Rd (au coin de Chaofa Rd). Bonne cuisine traditionnelle, mais ambiance très touristique, notamment le soir lorsqu'ils diffusent des vidéos. Surtout intéressant pour le petit dej'.

LE COIN DES PLAGES

C'est évidemment par là que se dirigent de nombreux touristes. Les plages principales : *Ao Nang*, *Nam Mao*, *Railay*, *Tonsai* et *Sunrise* (les 2 dernières ne sont accessibles qu'en bateau). Bien comparer les prix. Accueil en général pas très sympa. Un peu ghetto à touristes !

Ao Nang Beach

Longue plage, avec sable blanc et eaux dans les tons verts (mais pas limpide à cause des remous !), fermée à chaque bout par des formations rocheuses impressionnantes. À l'extrémité de la plage, grandes grottes creusées par les flots. Face à la plage, au large, des pitons rocheux monolithiques dressés vers le ciel contribuent à créer une atmosphère particulière. Une grande route longe la plage, la séparant des bungalows. Concernant l'hébergement, il faut dire que la plupart des groupes de bungalows (assez chers) ne se situent pas le long de cette rue mais dans la rue perpendiculaire (encore moins agréable). Ce n'est pas notre coin préféré (ça construit sec !), vous l'avez compris, car les voyageurs à petits budgets n'y trouvent plus leur place.

Adresses utiles

■ ***Change :*** *Siam Commercial Bank*, sur la route qui longe la plage. Fait le change et possibilité de retirer de l'argent avec une carte de paiement.

■ ***Pharmacie :*** sur la route devant la plage.

Où dormir ?

Dans ce secteur, une flopée de bungalows les uns à côté des autres, et pas directement au bord de l'eau. Les moins chers se situent dans la rue perpendiculaire à la plage.

Prix moyens (de 400 à 800 Bts – 8 à 16 US$)

🏠 ***Ya Ya Bungalows*** – ยาหยาบังกะโล *(plan II, **10**)* **:** ☎ 075-637-176. Fax : 075-637-814. Prendre un des petits chemins qui montent sur la droite, un peu avant d'arriver à la plage (bien indiqué). Paillotes traditionnelles (les moins chères) et bungalows en dur, installés sur la hauteur dans une végétation luxuriante (bien au calme). Tous sont équipés de ventilo et douche froide. Accueil sympa.

🏠 ***Green Park*** – กรีนพาร์คบังกะโล *(plan II, **10**)* **:** juste derrière *Ya Ya*. ☎ 075-637-300. Bungalows en bambou au calme car en retrait de la route, simples et très propres, dans un jardin sauvage. Ventilo, w.-c., douche froide et moustiquaire de lit. Petite terrasse.

Un peu plus chic (de 1 000 Bts à 2 000 Bts – de 20 à 40 US$)

🏠 ***Peace Laguna Resort*** – พีซลากูน่ารีสอร์ท *(plan II, **11**)* **:** sur la route d'arrivée à Ao Nang, sur la gauche, à environ 400 m de la plage. ☎ 075-637-344. Fax : 075-637-347. • www.peacelagunaresort.com • Au fond d'une ruelle, dans une atmosphère bucolique, et dans un beau jardin au centre duquel s'étend un étang (tiens, ça rime !). Des chambres dans un édifice en dur sur 2 niveaux (très chères), ou des huttes disséminées dans le jardin, avec ventilo et sanitaires avec eau froide. Petit dej' compris. Piscine. Les chambres, quant à elles, bien plus luxueuses, constituent aussi une bonne affaire.

🏠 ***Wanna's Place*** – วรรณาเพลสบังกะโล *(plan II, **12**)* **:** sur le front de plage. ☎ et fax : 075-637-322 et ☎ 01-894-02-08 (portable). • www.wannasplace.com • Des bungalows impeccables, en retrait de la route, légèrement étagés à flanc de coteau. Bungalows avec ventilo et eau froide ou AC et eau chaude. Petite piscine bien proprette. Bon rapport qualité-prix dans sa catégorie. Resto sympa.

Où manger ?

À l'extrémité droite de la plage (quand on regarde la mer), là où la route fait un angle droit pour rentrer dans les terres, on trouve une série de restos de poisson à touche-touche, dont les terrasses surplombent directement la

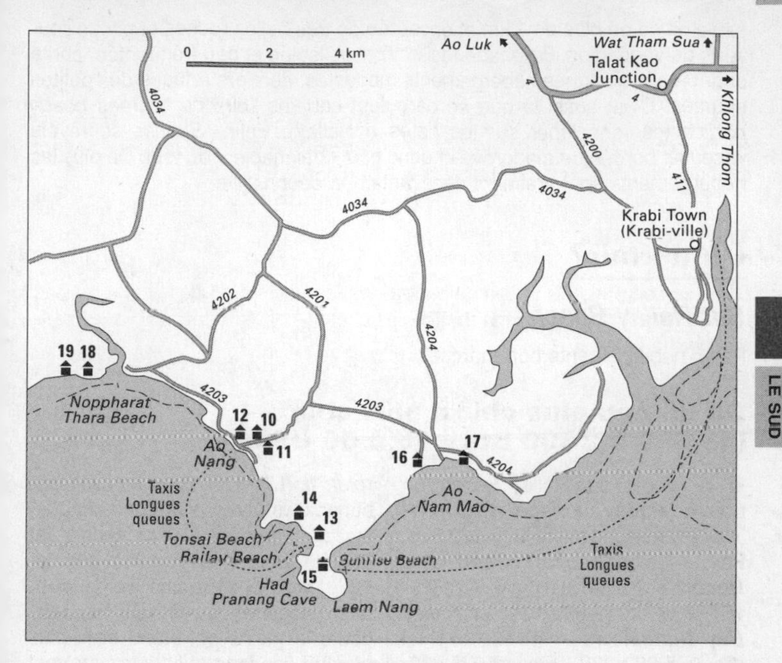

LES PLAGES DE KRABI (PLAN II)

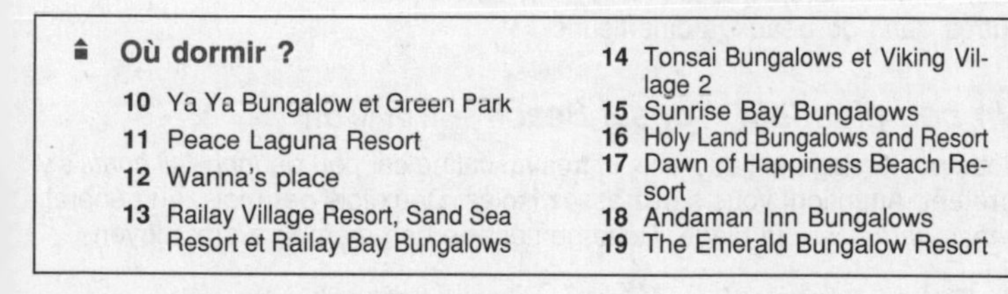

Où dormir ?

10 Ya Ya Bungalow et Green Park
11 Peace Laguna Resort
12 Wanna's place
13 Railay Village Resort, Sand Sea Resort et Railay Bay Bungalows
14 Tonsai Bungalows et Viking Village 2
15 Sunrise Bay Bungalows
16 Holy Land Bungalows and Resort
17 Dawn of Happiness Beach Resort
18 Andaman Inn Bungalows
19 The Emerald Bungalow Resort

plage. Super-frais et pas si cher (prix au poids). Votre sélection est grillée à la minute, c'est délicieux et romantique. Uniquement ouvert le soir.

Railay et Sunrise Beaches

Un endroit littéralement surpeuplé en haute saison. Même s'il faut y aller en bateau ! Il s'agit en fait de 2 plages dos à dos et l'on passe facilement de l'une à l'autre en traversant les rangées de bungalows. Elles ne sont accessibles qu'en bateau : celle de l'ouest depuis Ao Phra Nang, celle de l'est depuis Krabi (ou à pied en 5 mn depuis Railay Beach). Malheureusement, les navettes incessantes des bateaux-taxis « longue-queue » débarquant les nombreux touristes troublent la tranquillité de la plage. Curieuse ambiance par ici : un mélange de routards déçus et de touristes classe moyenne cherchant le chic pas trop cher. De toute manière, pour les uns comme pour les autres, difficile de trouver une place en haute saison...

Railay est une superbe anse en demi-lune, ourlée d'une large bande de sable blond de plus de 1 km et encadrée de très belles roches et pitons couverts de végétation. Baignade facile. *Tonsai*, isolée et peu fréquentée, abrite quant à elle quelques hébergements modestes, derniers refuges des petites bourses. C'est aussi là que se déroulent certains soirs de sacrées *beach parties* (se renseigner sur les dates à Railay). Enfin, *Sunrise* se révèle vaseuse, bordée de mangrove et donc pas « baignable » du tout. De plus les hébergements sont vraiment décevants. On déconseille.

Où dormir ?

Sur Railay Beach – หาดไร่เล

Pas d'hébergements bon marché.

De un peu plus chic à plus chic (de 800 à 2500 Bts – 16 à 50 US$)

☗ À l'ouest, sur Railay Beach, on trouve ***Railay Village Resort*** – ไร่เลวิลเลจรีสอร์ท (☎ 075-622-578. Fax : 075-622-579), ***Sand Sea Resort*** – แซนด์ซีรีสอร์ท (☎ 075-622-167. Fax : 075-622-170) et ***Railay Bay Bungalows*** – ไร่เลเบย์บังกะโล (☎ 075-622-329. Fax : 075-622-330). Situés à proximité les uns des autres dans de beaux jardins fleuris *(plan II, **13**)*, ils proposent tous des bungalows (avec AC et eau chaude) ou des huttes (avec ventilo et douche froide) de qualité comparable et à prix voisins en fonction des catégories. Le dernier est sans doute le moins entretenu et le plus bruyant (les *long-tail boats* s'arrêtent juste devant).

Un peu plus loin, Tonsai Beach – หาดต้นไทร

Cette petite plage est adorable et très au calme car peu de *long-tail boats* s'y arrêtent. Attention, vous serez assez isolés. Deux fois par mois, en général, *beach party*... sur la plage. Hébergement de bon marché à prix moyens.

☗ ***Tonsai Bungalows*** – ต้นไทรบังกะโล *(plan II, **14**)* **:** en arrivant sur la plage, à l'extrême droite. Huttes modestes, en feuilles tressées ou en dur, avec ventilo et w.-c. Cher tout de même pour ce que c'est. Environnement pas extra.

☗ ***Viking Village 2*** – ไวกิ้งวิลเลจบังกะโล *(plan II, **14**)* **:** à l'extrémité gauche de la plage quand on arrive. Huttes rudimentaires, avec ou sans sanitaires. Tenue moyenne.

Sur Sunrise Beach – หาดซันไรส์

Prix moyens (autour de 600 Bts – 12 US$)

☗ ***Sunrise Bay Bungalows*** – ซันไรส์เบย์บังกะโล *(plan II, **15**)* **:** à l'est, sur Sunrise Beach. ☎ 01-228-42-36 ou 01-477-16-58 (portables). Une bonne centaine de petits bungalows avec ventilo, douche froide et w.-c., vraiment décrépits, pas très propres et pas très chers (en tout cas les moins chers du coin). Plage calme, eau vaseuse (cela dit, Railay est à 3 mn à pied). Accueil détestable et environnement mal entretenu.

– On a trouvé les quelques autres adresses de *Sunrise Beach* encore pires que la précédente, et particulièrement minables. Soit elles sont vraiment crades, soit c'est l'usine. La palme dans le genre revenant à *Diamond Cove Bungalows*. À fuir.

À faire

Pour ceux qui aiment l'escalade, testez le ***Rock Climbing*** (escalade de rochers). Quelques agences proposent de partir à l'assaut des pitons rocheux environnants. C'est le grand truc dans le coin depuis quelque temps. Mais attention où vous mettez les pieds. Ces petites agences « super-cool » qui ont ce genre de « produit » en magasin ne sont pas toutes compétentes. Bien se renseigner auprès des autres routards.

Nam Mao Beach – หาดน้ำเมา

La moins fréquentée des 3 plages ; certainement parce qu'elle ne présente qu'une étroite bande de sable bordée de cocotiers. On a quand même bien apprécié d'y étendre notre servlette ! Pour vous y rendre depuis Krabi, suivez le fléchage « Shell Fossil Beach » et vous trouverez l'enseigne de *Dawn of Happiness Beach Resort* peu avant sur la droite (petite pancarte marron pas très visible). C'est exactement à 900 m après avoir croisé l'intersection de la route 4203, sur la droite.

Où dormir ?

Bon marché (autour de 400 Bts – 8 US$)

☗ ***Holy Land Bungalows and Resort*** – โฮลลีแลนด์บังกะโลแอนด์รีสอร์ท *(plan II, 16)* : sur la route de Ao Phra Nang, quelques kilomètres avant d'arriver, prendre la piste au panneau sur la gauche sur environ 1 km (toujours garder sa droite). C'est au bout. En fait, on est à l'extrémité ouest d'Ao Nam Mao. ☎ 01-737-25-69 (portable). Un étrange endroit, particulièrement au calme, avec des bungalows tranquilles et irréprochables, en dur et avec toit en tôle verte, disséminés sur une grande pelouse. Vraiment peinard et pas cher.

Prix moyens (autour de 900 Bts – 18 US$)

☗ ***Dawn of Happiness Beach Resort*** – ดอว์นออฟแฮปปิเนสบีชรีสอร์ท *(plan II, 17)* : ☎ 075-695-292. Fax : 075-695-291. Bungalows charmants, tout en bois et en bambou vernissés, dans un jardin luxuriant, multicolore et ombragé que l'on traverse sur quelques passerelles... Tarifs légèrement différents en fonction de la proximité de la plage. Au programme : sanitaires privés (eau froide), ventilo et moustiquaire. Nickel et déco agréable. Accueil souriant. Une des rares (et excellentes) adresses sur la plage pratiquement privée.

LES AUTRES PLAGES

Plus au nord sur la côte, d'autres plages, accessibles par la route, et peu fréquentées par les touristes (ouf !).

Ao Siaw – อ่าวทีไพน์บังกะโล

Plage encore bien sauvage, située à proximité d'un village de pêcheurs où les femmes font sécher les encornets au soleil sur de grands tamis, tandis que les bateaux, au mouillage, attendent le soir pour prendre la mer... Ambiance et rencontres authentiques. Prendre à gauche dans le village de Nongthaleh. Aucun panneau d'indication.

Où dormir ? Où manger ?

Bon marché (moins de 400 Bts – 8 US$)

🏠 🍽 ***Pine Bungalows*** – ไพน์บังกะโล **:** ☎ 075-644-332. Les seuls bungalows sur cette plage, établis dans un joli parc fleuri. Constructions en bambou et prix selon équipement (douche froide et w.-c. pour la plupart) ; les plus confortables (et les plus chers aussi) donnent sur la plage. Atmosphère familiale reposante. Resto délicieux et très bon marché. Très simple.

Noppharat Thara – หาดนพรัตน์ธารา

Plage très longue, bordée par la route et placée sous la protection des parcs nationaux. Pas d'hébergement. Tant mieux. En revanche, on en trouve à l'extrémité de la route, de l'autre côté de l'embouchure de la rivière. Après 5 mn de traversée en *taxi-boat*, on se retrouve sur une belle plage paisible de sable clair, bordée de pins et cocotiers ; avec une vue extraordinaire sur la mer (peu profonde) plantée d'une multitude de pains de sucre couverts de végétation... C'est là qu'il faut aller pour avoir la tranquillité. À noter que ceux qui séjournent sur cette plage ne payent pas les trajets en bateau pour traverser le bras de rivière. Demander les explications à votre hébergement.

Où dormir ?

Une plage qu'on aime bien pour son calme et son charme, et pour le côté authentique de ses hébergements.

Bon marché (autour de 400 Bts – 8 US$)

🏠 ***Andaman Inn Bungalows*** – อันดามันอินน์บังกะโล *(plan II, **18**)* **:** ☎ 01-893-29-64 (portable). C'est le 1er hébergement en arrivant sur la plage (il y en a 3 en tout). Ensemble de bungalows petits ou plus spacieux (plus chers), en bambou tressé, tous équipés de douche froide, w.-c., ventilo, et généreusement ombragés par les pins et cocotiers (seraient-ce les cigales que l'on entend ?). Un peu vieillot mais propre, et les prix sonnent juste. Calme absolu et accueil très courtois.

Un peu plus chic (de 900 à 1 800 Bts – 18 à 36 US$)

🏠 ***The Emerald Bungalow Resort*** – เดอะเอมเอรอลด์บังกะโลรีสอร์ท *(plan II, **19**)* **:** un peu plus loin que *l'Andaman*, toujours au bord de cette plage déserte. ☎ 01-892-10-72 (portable). Fax : 075-631-119. Un ensemble de bungalows en dur, très espacés autour d'une grande pelouse plantée de hauts pins et de cocotiers. Jolis bungalows verts, bleus ou roses, absolument impeccables, carrelés, avec terrasse devant. Vraiment propre. Avec ventilo et eau froide pour les moins chers, AC et eau chaude pour ceux qui valent le double. Accueil pro à défaut d'être vraiment souriant.

À voir

Toute la côte est creusée de nombreuses ***grottes*** – เช่าเรือไปชมถ้ำ, qu'il est possible d'aller explorer en louant un *taxi-boat*, face à l'hôtel *Phra Nang Inn* notamment ; ou en s'adressant à n'importe quelle agence – sur la plage de Ao Nang –, par exemple à *Sea, Land and Trek Co* – ซีแล นด์ แอนด์เทรคโค (☎ 075-637-364), qui organise de petites expéditions en canoë et des parcours de découverte de la nature dans le coin. Les îlots au large sont entourés de coraux. Possibilité d'y passer une matinée extra avec masque et tuba... juste pour le plaisir des yeux. Poda Island et Chicken Island sont parmi les plus ravissantes.

Wat Tham Sua – วัดถ้ำเสือ *(hors plan II)* : à l'intérieur des terres. Se vêtir décemment. De Krabi-ville, prendre la direction de Talat Kao (5 km), puis la direction de Trang sur 2 km. Emprunter la route sur la gauche, au niveau du poste de police (prêter attention), et reprendre à gauche au panneau. En tout, depuis le poste de police, ça doit faire un peu plus de 2 km. Il s'agit d'un temple mais aussi d'un monastère bouddhique logé au fond d'une vallée, dans une forêt tropicale superbe et exubérante. On aborde l'endroit par une rue bordée d'une série de cellules monacales en bois. Le temple principal (structure de béton devant la grotte) abrite de nombreuses statues de Bouddha et des photos de grands moines. Voir sur la droite le moine de cire dans sa vitrine, d'un exceptionnel réalisme. À l'extérieur, un escalier gravit une colline puis redescend. De là débute un sentier qui passe devant une dizaine de grottes naturelles creusées dans la falaise, chacune d'elles étant transformée en temple plus ou moins décoré.

QUITTER KRABI

En avion

✈ ***Krabi Airport :*** ☎ 075-620-070 (infos).

➢ ***Pour Bangkok :*** *Thai Airways* assure 1 vol par jour, le matin.

En bus gouvernemental (AC ou non-AC)

Tous les bus officiels partent du ***terminal des bus de Talat Kao***, situé à 5 km au nord de Krabi (pratique, non ?). Pour s'y rendre, prendre les camionnettes-taxis depuis Krabi-ville. Petite cantine dans la station de bus.

➢ ***Pour Bangkok :*** très nombreux bus, quasiment sans arrêt, de 8 h à 17 h en comptant les AC et les VIP, avec concentration des départs vers 16 h. Pour les 870 km, compter de 12 à 14 h de trajet.

➢ ***Pour Surat Thani :*** 5 bus par jour, départs tôt le matin ou en début d'après-midi (200 km ; compter de 3 à 5 h de trajet).

➢ ***Pour Trang :*** toutes les 30 mn. Durée : 2 h.

➢ ***Pour Hat Yai :*** départs toutes les heures, entre 9 h et 15 h 20 (310 km ; compter 5 ou 6 h de trajet).

➢ ***Pour Phang Nga et Phuket :*** une quinzaine de bus AC entre 7 h 30 et 17 h 20 et autant en non-AC entre 5 h 30 et 15 h, toutes les 30 mn (185 km ; compter entre 3 et 4 h de trajet).

➢ ***Pour Koh Lanta :*** minibus au départ de Krabi-ville. Quasiment toutes les agences du centre vendent des billets pour ce trajet, incluant le bac de Ban Hua Hin. Se renseigner sur les horaires directement auprès des agences.

En bus privé

– À Krabi-ville, la plupart des *guesthouses* représentent une agence de voyages. Elles vendent des billets pour pratiquement toutes les destinations, en bus super luxe. En général, on passe vous chercher à la *guesthouse*.

➢ ***Pour Surat Thani*** (3 ou 4 fois par jour), ***Koh Samui*** (correspondance avec le bateau), ***Hat Yai*** (2 fois par jour), ***Phuket*** (2 fois par jour), ***Bangkok*** (1 fois par jour), ***Penang*** (Malaisie). Ils proposent même des billets directs pour ***Kuala Lumpur***.

En bateau

➢ ***Pour Koh Phi Phi :*** 3 liaisons par jour à 10 h, 10 h 30 et 14 h en haute saison. Également un *speed-boat* vers 8 h 30. Durée : environ 1 h 45.

➢ ***Pour Koh Lanta et Koh Jum :*** 1 traversée directe par jour jusqu'à Ban Saladan Pier à 11 h pendant la pleine saison. Ceux qui vont vers Koh Jum descendent à Koh Lanta et prennent de là un *long-tail boat*.

KOH LANTA – เกาะลันตา

En France, le nom de Koh Lanta reste surtout familier à cause du jeu télévisé. Plus sérieusement, il s'agit d'un archipel de quinze îles au sud de Krabi, dont une partie a été classée Parc national en 1990 (les plongeurs vont être ravis). L'île principale, ***Lanta Yai***, conserve son atmosphère paisible.
Nature et paysages d'une rare beauté se répartissent sur cette longue bande

■ Adresses utiles

✉ Poste
@ **1** Easy Internet Cafe
2 Siam City Bank
3 Koh Lanta Hospital

Où dormir ?

10 Kaw Kwang Beach Resort
11 Lanta Marina Resort
12 Lanta River Sand Resort
14 Lanta Villa
15 Golden Bay Cottage
17 Lanta Long Beach
18 Waterfall Bay Beach Resort
19 Relax Bay
20 Lanta Sandy Beach Bungalow
21 Baan Phu Lae

Où manger ?

30 Catfish et Sea View
31 Bistro Lanta
32 River Side
33 Ding Dong

Où boire un verre ? Où danser ?

40 Opium
41 Yuk's View Point

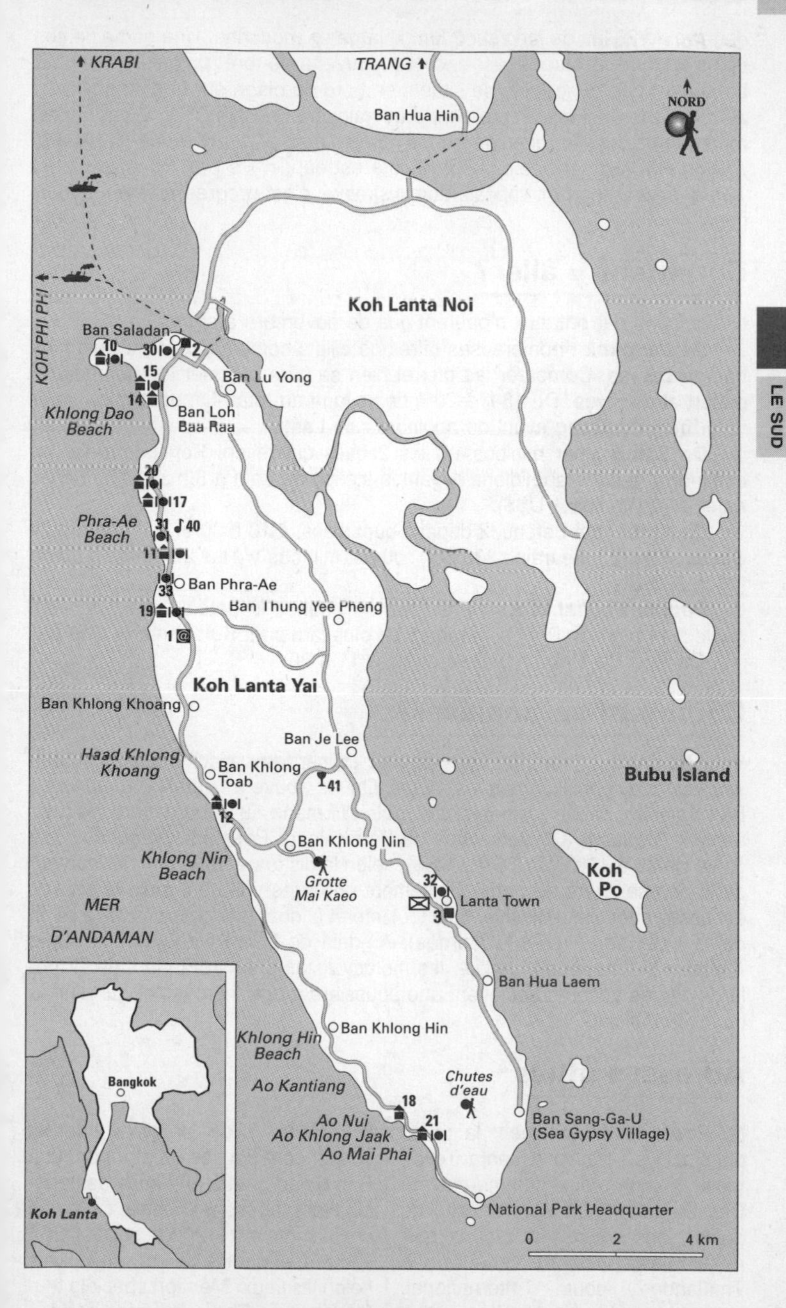
KRABI
TRANG
NORD
Ban Hua Hin
KOH PHI PHI
Koh Lanta Noi
Ban Saladan
Ban Lu Yong
Ban Loh Baa Raa
Khlong Dao Beach
Phra-Ae Beach
Ban Phra-Ae
Ban Thung Yee Pheng
Koh Lanta Yai
Ban Khlong Khoang
Haad Khlong Khoang
Ban Je Lee
Ban Khlong Toab
Bubu Island
Ban Khlong Nin
Khlong Nin Beach
Grotte Mai Kaeo
Lanta Town
Koh Po
MER D'ANDAMAN
Ban Hua Laem
Bangkok
Ban Khlong Hin
Khlong Hin Beach
Ao Kantiang
Chutes d'eau
Ao Nui
Ao Khlong Jaak
Ao Mai Phai
Ban Sang-Ga-U (Sea Gypsy Village)
Koh Lanta
National Park Headquarter
0 2 4 km

KOH LANTA

de terre de 26 km de long sur 3 km de large en moyenne. Une partie de son épine dorsale, escarpée, est encore recouverte de forêt primaire.
La plupart des bungalows se situent en bord de plage sur la côte ouest. ***Ban Saladan*** est devenu le centre névralgique de Lanta Yai. C'est la première étape sur l'île, que l'on vienne du continent par ferry ou de ***Krabi***, ***Phi Phi*** ou ***Phuket*** par bateau. Sur la côte est où il n'y a pas de vraie plage, ***Lanta Town***, pourtant capitale administrative, s'est progressivement endormie.

Comment y aller ?

Les liaisons par bateaux n'opèrent que de novembre à avril.

➢ ***De Bangkok :*** nombreuses offres de billets combinés bus ou train plus bac ou bateau. Comparer les prix et bien se faire préciser les horaires de départ et d'arrivée. De 18 h à 20 h de voyage au total. On peut aussi voler vers Krabi ou Trang avant de rejoindre Koh Lanta.

➢ ***De Trang :*** par minibus *via* les 2 bacs qui relient Koh Lanta Yai au continent ; départs quotidiens devant la station de train à 8 h et 12 h (2 h de trajet, 200 Bts soit 4 US$).

➢ ***De Krabi :*** par bateau, 2 départs quotidiens, à 10 h 30 et 11 h 30 depuis Chaofa Pier (2 h de trajet, 200 Bts) ; ou par minibus *via* les 2 bacs (2 h 30 de trajet, 200 Bts).

➢ ***Depuis Phuket et Koh Phi Phi :*** de Phuket, le bateau part à 8 h 30, arrive à 11 h à Koh Phi Phi et repart 3 h plus tard pour Koh Lanta (1 h de trajet). De Koh Phi Phi, un bateau direct à 11 h 30.

Comment se déplacer ?

Pour se déplacer sur l'île, vous pouvez utiliser les services des nombreux *side-car-taxis* qui sillonnent les routes. On les trouve à la station de taxis de Ban Saladan, située juste avant la route qui mène au débarcadère. Ils desservent l'île jusqu'à l'intersection de Ban Khlong. Pour une personne, cela coûte de 30 à 100 Bts (0,6 à 2 US$), selon la distance. Bien fixer le montant de la course avant de partir. Également quelques voitures, mais le service est assez cher. En définitive, on a tout intérêt à louer une petite moto (à partir de 150 Bts soit 3 US$ la journée). Au-delà de Ban Khlong, sur la partie « piste » du sud-ouest de l'île, les motocyclistes prévoiront lunettes et foulards car les voitures soulèvent une poussière rouge incroyable, qui rend la conduite difficile.

Adresses utiles

✉ ***Poste et téléphone :*** la poste principale se trouve à Lanta Town, mais de nombreux commerces de Ban Saladan proposent un service postal. Des cabines publiques permettent les appels à l'intérieur de la Thaïlande ; pour l'international, s'adresser aux agences de voyage ou aux hôtels.

@ ***Internet :*** de petits « Internet shops » ont poussé un peu partout à Ban Saladan et à proximité des principales plages. Bien plus cher que sur le continent (120 Bts soit 2,4 US$ l'heure), et qualité de service inégale selon les lieux. Mention spéciale toutefois pour ***Easy Internet Cafe –*** อีซีอินเตอร์เน็ทคาเฟ่ *(plan, 1)*, qui est situé sur la route de l'île, au sud de Long Beach, entre les chemins menant aux *Last Horizon* et *New Beach Bungalows*. *Happy hour* de 13 h à 17 h.

■ ***Change :*** une seule banque à Ban Saladan, la *Siam City Bank* – ธนาคารนครหลวงไทย *(plan, **2**)* dans la rue du port, à droite en venant de la rue principale. Ouvert tous les jours de 8 h 30 à 16 h. Service de change pour l'argent liquide, les chèques de voyage ou à l'aide de la carte *Visa*. Autrement, distributeurs automatiques situés à l'entrée de la banque et dans la rue principale, devant le magasin *7 Eleven*.

■ ***Santé :*** il existe un *Health Center* à Ban Saladan – ศูนย์สุขภาพบ้านศาลาด่าน, dans la rue principale qui vient du sud, à droite avant la route qui mène au débarcadère. Également un hôpital à Lanta Town *(plan, **3**)*, sur la côte est de l'île – โรงพยาบาลเมืองลันตาด้านฝั่งตะวันออก. Ouvert du lundi au vendredi de 8 h à 15 h et le dimanche de 8 h à 12 h. ☎ 075-611-212.

■ ***Laveries :*** des services de laverie vous sont proposés, essentiellement à Ban Saladan, à des prix beaucoup plus intéressants que dans les bungalows.

■ ***Fuji Film :*** dans Ban Saladan, sur la gauche de la rue principale en allant vers le port.

■ ***The Secret Travel Co. :*** sur la rue principale, du côté droit en allant vers le port. ☎ et fax : 075-684-358. • cookies_9@hotmail.com • Si de nombreuses boutiques proposent billets et réservations diverses, voila l'agence de voyages la plus sérieuse sur la place.

■ ***Police touristique :*** ☎ 16-99.

Où dormir ?

Les plages de la côte ouest sont agréables et propices à la baignade. Comme pour les autres îles thaïlandaises, on vous propose déjà des hébergements aux guichets des agences du continent ou sur les bateaux qui vous y mènent. À Ban Saladan, chaque proprio attend avec son *pick-up* pour vous conduire gratuitement. Réserver un bungalow pour une nuit peut être judicieux en haute saison. Sachez également que les bungalows se modernisent et augmentent leurs tarifs en conséquence.

À Khlong Dao Beach

La plage la plus au nord, très belle, où l'on trouve aussi le plus d'hébergements, notamment les bungalows les plus chic. D'ici, on peut rejoindre à pied Ban Saladan et profiter de son ambiance.

De bon marché à plus chic (de 300 à 1500 Bts – de 6 à 30 US$)

🏠 |●| ***Kaw Kwang Beach Resort*** – คอกวางบีชรีสอร์ท *(plan, **10**) :* à la pointe nord-ouest de l'île (à 2 km de Ban Saladan). ☎ et fax : 075-621-373 ou ☎ 01-787-52-31 (portable). • www.lanta.de/kawkwang • Fléché depuis la route principale. Un endroit très calme, sur une petite péninsule, avec de nombreux bungalows de différentes générations. Il y en a pour toutes les bourses : de la petite paillote traditionnelle en bambou avec douche, w.-c., ventilo et moustiquaire, jusqu'au grand bungalow en dur avec AC. Côté resto, classiques plats thaïs et excellent poisson en papillote. Buffet pour le petit dej'. Location de vélos et de motos. Une adresse familiale.

🏠 |●| ***Golden Bay Cottage*** – โกลเด้นเบย์คอทเทจ *(plan, **15**) :* une des premières adresses dans le nord-ouest de l'île, avant *Lanta Villa*. ☎ 075-684-161. • goldenbaylanta@yahoo.com • Une trentaine de bungalows en dur, de bon rapport qualité-prix. Pas de charme particulier, mais propre et sans bavure.

🏠 ***Lanta Villa*** – ลันตาวิลล่า *(plan, **14**) :* à 2 km de Ban Saladan en direction du sud. ☎ 075-684-129. Fax : 075-684-131. • lantavilla@hotmail.com • Bungalows bien confortables sur la plage et dans le jardin (ventilo ou AC, eau chaude, belle architecture). Un peu les uns sur les autres, mais propre. Jardin bien entretenu. Belle piscine. Excellent accueil.

À Ae Beach *(Long Beach)*

Une très belle plage, moins fréquentée et plus bohème que Khlong Dao Beach. Elle reste facilement accessible depuis le débarcadère et Ban Saladan, dont elle est distante de 6 km.

De bon marché à prix moyens (de 250 à 1 000 Bts – 5 à 20 US$)

🏠 |●| ***Lanta Marina Resort*** – ลันตามารีน่ารีสอร์ท *(plan, **11**) :* le plus au sud de Long Beach. ☎ 075-684-168. • lantamarinaresort@hotmail.com • Un village de bungalows traditionnels en bambou, bien conçus et agréables à vivre. La majorité des huttes est répartie autour d'un espace central gazonné. Quelques bungalows un peu plus « chic » donnent sur la plage. Un bon plan. Grande paillote-restaurant.

🏠 |●| ***Lanta Sandy Beach Bungalow*** – ลันตาแซนดี้บีสบังกาโล *(plan, **20**) :* au nord de la plage. ☎ 01-477-01-42 (portable). Ici, les bungalows les plus proches de la plage (en bambou, ventilés) sont disposés en U avec cocotiers et verdure. Bien mieux que les rangs d'oignons habituels ! Petit resto, bon accueil.

🏠 |●| ***Lanta Long Beach*** – ลันตาลองบีช *(plan, **17**) :* au milieu de la plage. ☎ 075-684-217. Fax : 075-684-215. • lantalongbeach@hotmail.com • Une vingtaine de bungalows traditionnels, dont quelques *tree houses* perchés bien haut, offrant vue sur la mer. Aussi quelques bungalows familiaux. Le resto sur la terrasse dominant la plage propose de bons petits plats originaux. L'ensemble s'intègre bien au paysage. Accueil sympathique de Mme Lauren, la propriétaire canadienne, et de ses acolytes, mais l'entretien général laissait un peu à désirer lors de notre dernier passage.

De prix moyens à beaucoup plus chic (de 700 à 2 400 Bts – 14 à 48 US$)

🏠 |●| ***Relax Bay*** – รีแลกซ์เบย์ *(plan, **19**) :* entre les plages de Phra-Ae et Khlong Khoang. ☎ 075-684-194. Fax : 075-684-196. • www.relaxbay.com • Charmant complexe de grands bungalows traditionnels sur pilotis, noyés dans la verdure luxuriante d'une colline et dominant une jolie plage paisible. Douche froide et w.-c., ainsi qu'une terrasse privée spacieuse (idéale pour l'apéro !). Original et bien tenu dans l'ensemble. Management français. Bonne cuisine. Réserver en haute saison. Fermé du 1er mai au 30 juin.

Sur les autres plages

Si certaines des plages plus au sud ne sont pas les plus jolies, elles sont en retour plus sauvages et moins fréquentées. La piste après l'embranchement de Ban Khlong est plutôt mauvaise (transformation en peau rouge assurée au bout de 20 m pour les motocyclistes), ce qui rend les plages un peu difficiles d'accès. Le bitume est annoncé courant 2004.

De bon marché à prix moyens (de 300 à 800 Bts – 6 à 16 US$)

☗ |●| ***Lanta River Sand Resort*** – *ลันตาริเวอร์แซนด์รีสอร์ท (plan, 12)* **:** à 10 km de Ban Saladan, au niveau de la plage Haad Khlong Khoang. ☎ 075-697-296. Un petit village de 15 huttes en bambou sur pilotis. Douche froide et w.-c., moustiquaire et petite terrasse privée où il fait bon installer son hamac pour déguster le soleil couchant (mmm!). Excellent accueil. Calme. Resto.

☗ |●| ***Baan Phu Lae*** – บ้านภูเลย์ *(plan, 21)* **:** Mai Phai Bay, la dernière plage avant le cap sud. ☎ 09-812-89-90 (portable). ● nun_lanta@devil.com ● Seulement 8 bungalows ventilés, simples et propres. Bien intégrés au paysage rocailleux. Petit bar et resto. Accueil très cool des jeunes patrons, branchés musique *trance* et électronique.

De plus chic à beaucoup plus chic (de 1200 à 2500 Bts – 24 à 50 US$)

☗ ***Waterfall Bay Beach Resort*** – *วอเตอร์ฟอลเบย์บีชรีสอร์ท (plan, 18)* **:** à environ 20 km au sud de Ban Saladan, sur la plage Haad Khlong Jaak (*pick-up* à partir du port). ☎ 075-612-084 ou 01-836-48-77 (portable). ● v_pitsuwan@hotmail.com ● Légèrement en retrait d'une belle plage, quelques bungalows en dur et d'autres en bois, avec douche et moustiquaire, au milieu des cocotiers et des bougainvillées. Les prix varient selon le confort (ventilo ou AC) et l'emplacement. À 2 pas des chutes d'eau... Sauvage à souhait.

Sur d'autres îles des environs

– ***Bubu Island*** – บูบูไอส์แลนด์ **:** à quelques encablures de la côte est de Koh Lanta. Presque un îlot, on fait le tour de Bubu Island en 15 minutes! Accessible depuis Lanta Town par bateau (200 Bts soit 4 US$ l'embarcation).
– ***Koh Jum*** – เกาะจำ **:** île pratiquement inhabitée, au nord de Lanta Yai. Accessible depuis Krabi. Longue plage de sable blanc sur la côte ouest où se concentrent les bungalows.

Où manger?

Très bon marché (moins de 100 Bts – 2 US$)

Quelques établissements à Ban Saladan proposent de bonnes viennoiseries et différentes sortes de café (Trang n'est pas loin!).

Catfish – แคทฟิช *(plan, **30**) :* à Ban Saladan, tourner à droite sur la rue du port en venant de la rue principale. Tenu par Noyna et ses chats. On passe par une petite librairie (quelques ouvrages en français). Plats thaïs, mais aussi sandwichs et même falafels cuisinés avec délicatesse. Quelques pâtisseries aussi.

Bistro Lanta – บิสโทร ลันตา *(plan, **31**) :* sur la route de l'île, au niveau de Long Beach, juste en face de l'*Opium*. Le patron, un peu excentrique, a su faire d'un simple hangar un endroit accueillant. Cuisine goûteuse, service attentif. Intéressants menus thaïs avec entrée et dessert.

River Side *(plan, **32**) :* en plein cœur de Lanta Town, village de pêcheurs pittoresque sur la côte est de l'île. En remontant d'une virée à moto dans le sud de l'île, arrêtez-vous dans ce resto au cadre soigné, établi dans une belle baraque sur pilotis, d'où l'on jouit d'une vue sans vis-à-vis sur l'océan et les îles au large. Bons petits plats thaïs à prix veloutés.

Prix moyens (autour de 200 Bts – 4 US$)

Seaview – ซีวิว *(plan, **30**) :* dans la rue du port de Ban Saladan, à droite en venant de la rue principale. ☎ 075-684-053. Ferme à 21 h 30. Un bon resto, installé comme ses voisins sur un ponton en bois. Côté fourneaux, les plats thaïs sont excellents et copieux. On a bien aimé la soupe de nouilles aux encornets, le Tom Kra (sorte de Tom Yam en plus doux), avant d'engloutir les bananes au lait de coco chaud.

Ding Dong – ดิงด่องบังกะโล *(plan, **33**) :* sur le coté droit de la route qui longe Long Beach (en venant du nord), juste après le groupe de cafés et restaurants et juste avant le village de Ban Phra-Ae. ☎ 075-684-027. Joli petit resto (et bar) installé dans un beau jardin. Excellente cuisine thaïe (spécialité de l'I-San) mais aussi quelques plats chinois et occidentaux. Les jeunes patrons, un couple germano-thaï, sont très sympathiques et dynamiques.

Où boire un verre ? où danser ?

Même si Koh Lanta n'est pas le spot des nuits du sud, les *Full Moon Parties* qui sont organisées sur Khlong Nin Beach valent le coup.

♪ Niveau boîtes, **The Earth Bar** – ดิเอิร์ทบาร์ (Long Beach Village) et ***l'Ibark*** (après le *Sri Lanta*, système de navettes pour y aller) proposent plusieurs *dance-floors*. Ici en tout cas, pas de bars bondés de courtisanes, les autorités locales n'en veulent pas.

♪ **Opium** – โอเปียม *(plan, **40**) :* en plein milieu de Long Beach Village. Une maison blanche au-dessus de la route, à laquelle on aurait enlevé portes et fenêtres. Esthétiquement réussi, un peu branché sans ostentation. Un rendez-vous sûr pour les fêtards de l'île. *House*, soul et reggae.

🍸 **Yuk's View Point** – ยักษ์วิวพ้อยท์ *(plan, **41**) :* depuis l'intersection de Ban Khlong, prendre la route qui mène à la côte est. De nombreux panneaux indiquent un chemin de terre qui part à l'assaut des collines du milieu de l'île. Vue splendide sur la jungle environnante. On peut y venir dès le lever du soleil. Très bien aussi en fin d'après-midi. Patrons au diapason de l'endroit, très relax. Ferme à 22 h.

À faire

Sur et autour de Koh Lanta, il y a suffisamment de possibilités d'excursion pour entrecouper agréablement de longues tranches de farniente.

➢ L'une des plus courues (à pied, donc !) part de *Ao Khlong Jaak* à travers la jungle, pour rejoindre une petite ***chute d'eau***. En tout, 2 h de trek gentil.

➢ Une autre visite facile : la ***grotte de Mai Kaeo*** – ถ้ำไหมแก้วใกล้หมู่บ้านคลองนิน, près du village de Khlong Nin, en pleine forêt luxuriante. Le chemin est fléché depuis la route qui rejoint la côte à partir de Ban Khlong. Entrée : 200 Bts (4 US$). Balade à travers une belle jungle avant d'entrer dans la grotte. Attention, pas d'habits du dimanche, vous reviendriez boueux ! Possible de combiner avec un parcours à dos d'éléphant.

➢ Excursion à moto sur la ***côte est de l'île*** jusqu'au village de gitans de la mer (Ban Sang-Ga-U), en passant par Lanta Town. Les paysages le long de la route sont splendides, notamment lorsque l'on aperçoit les îles environnantes au milieu d'une mer bleu turquoise.

Le village des gitans (Chao'Le) – ชาวเลย์) – หมู่บ้านชาวเลย์ consiste en une rue étroite, parallèle à la mer et bordée de cabanes. Rien de touristique ni de spectaculaire. Y aller avec réserve et respect pour les habitants. À Lanta Town, on peut visiter un petit musée (renseignements au ☎ 075-697-195 ; fait aussi bar et boutique) qui leur est consacré. Quelques objets traditionnels sont exposés. M. Nan, le pittoresque Thaïlandais qui anime ce lieu, est resté depuis, fasciné par le *Rong Nang*. Ce mélange de théâtre, danse et musique est issu de l'influence mutuelle entre les arts des gitans, arrivés les premiers sur l'île il y a 500 ans, et ceux des musulmans. Aujourd'hui, seuls les Chao'Le perpétuent encore cette tradition.

Koh Lanta Marine National Park – อุทยานแห่งชาติหมู่เกาะลันตา : ☎ 02-561-29-18 (à Bangkok). Se situe à l'extrémité sud de l'île par la route de la côte ouest. Entrée : 200 Bts (4 US$). Là, à proximité d'un phare très photogénique et de plages rocailleuses, se trouve le QG du parc, un sentier d'exploration et des tentes pour l'hébergement (300 Bts soit 6 US$ pour 6 personnes maximum). On vient ici pour explorer la superbe forêt primaire qui recouvre une partie de l'épine dorsale au sud de Koh Lanta. 81 % des 132 km² de ce parc, établi en 1990, sont en fait maritimes, protégeant les fonds autour de nombreux îlots.

➢ Une journée complète d'excursion s'impose pour découvrir – en bateau – petites îles et îlots environnants : ***Koh Rok***, ***Koh Muk***, ***Koh Cuek***, ***Koh Hai*** – เกาะมุกเกาะรอกเกาะเชือกเกาะไห. *Snorkelling* (plongée avec masque, palmes et tuba) au-dessus du corail, visite des grottes et mangroves sans oublier une plage de rêve pour se remettre de ses émotions (se munir de crème solaire). Le repas du midi est généralement prévu. Tous les bungalows effectuent des réservations pour ces excursions déclinées en 2 produits types : un cocktail de 4 îles incluant toujours Koh Muk pour sa grotte d'émeraude et Koh Hai pour sa plage (tarifs 500 à 600 Bts, soit 10 à 12 US$ en bateau « longue-queue ») ou un aller-retour en *speed-boat* vers une île plus éloignée comme Koh Rok (1 200 Bts, soit 24 US$) voire Koh Phi Phi (600 Bts, soit 12 US$).

Plongée sous-marine

Les moniteurs vous le diront : rien à voir autour de *Koh Lanta* ! Il faut donc mettre le cap sur les îles vierges du sud – riches et peu fréquentées – ou bien cingler vers *Koh Phi Phi* pour se rincer l'œil généreusement (attention quand même !).

Où plonger ?

La plupart des clubs sont regroupés à Ban Saladan et proposent du matériel bien entretenu et des prestations correctes à prix justes. Formations *PADI* et belles explorations encadrées par des moniteurs sont donc prévues. Les sorties ont généralement lieu à la journée (à cause de l'éloignement des sites) et comprennent 2 plongées et le « casse-croûte ». Également des croisières-plongées de 2 ou 3 jours.

■ ***Blue Planet Divers :*** ☎ et fax : 075-684-165. • www.blueplanetdivers.net • Tourner à gauche dans la rue du port en venant de la route principale. Dirigée par Laurent, un Français qui a plus de 10 ans d'expérience dans le domaine. Deux salles de classes dans des locaux immaculés, accès aux piscines des *resorts*, matériel dernier cri, *speedboat*...

■ ***Koh Lanta Diving Center* – ศูนย์ดำน้ำเกาะลันดา *:*** sur la rue du port, avant *Blue Planet*. Excellente impression. Instructeurs allemands (parlant l'anglais et un peu le français) et organisation rigoureuse.

Nos meilleurs spots

Hin Daeng et Hin Muang* – หินแดงและหินเมือง *: deux sites très sauvages perdus au sud-ouest de Koh Lanta (4 h de traversée), et classés dans le « top 10 » des meilleures plongées au monde. Il s'agit de deux « cailloux » situés à quelques encablures l'un de l'autre et que l'on explore gentiment à une profondeur de 25 à 30 m. Attention, les courants y sont souvent forts ; aussi, seuls les routards-plongeurs confirmés pourront admirer le spectacle, et quel spectacle ! Les rochers sont littéralement recouverts de coraux mous et durs, gorgones, éponges, anémones et oursins monstrueux ; un véritable jardin de couleurs (visibilité de 10 à 30 m) où batifolent de mignons poissons-clowns sous l'œil vif d'une murène tachetée style panthère. Éblouissement total !

Koh Rok* – เกาะรอก *: deux îlots vierges au sud de Koh Lanta (2 à 3 h de trajet). Plongée délicieuse pour hommes-grenouilles de tous niveaux (de 0 à 20 m maxi) dans une eau souvent limpide. Dès l'immersion, on observe les couleurs flamboyantes des poissons de récif qui louvoient entre de beaux coraux durs. Parfois, une tortue inattendue survole gracieusement ce tableau idyllique !

Koh Ha* – เกาะห้า *: un minuscule archipel de cinq îles vierges au sud-ouest de Koh Lanta (2 h de traversée). Le spot (de 10 à 30 m max.) est réputé pour ses grottes amusantes à explorer (lampe-torche obligatoire). Les plongeurs novices trouveront leur bonheur – à l'extérieur – parmi les coraux et poissons de récifs multicolores. Parfois une tortue ou un requin-léopard parachèvent l'enchantement. Pour plongeurs de tous niveaux. *Snorkelling* possible.

À Koh Phi Phi : voir « Nos meilleurs spots à Koh Phi Phi ».

QUITTER KOH LANTA

➢ ***Pour Bangkok :*** *via* Trang pour y embarquer dans le train couchette express quotidien de 17 h 30 (20 h de trajet, à partir de 800 Bts soit 16 US$) ; *via* Krabi, s'y l'on préfère un bus VIP (18 h de trajet, à partir de 650 Bts soit 13 US$).

En bateau

Uniquement de novembre à avril.
➢ ***Pour Krabi via Koh Jum :*** 2 *express boats* quotidiens, à 8 h et à 13 h (40 mn pour Koh Jum, 2 h jusqu'à Krabi).
➢ ***Pour Koh Phi Phi :*** 2 *express boats* par jour, à 8 h et à 13 h (1 h de trajet).

En minibus

➢ ***Pour Trang :*** en passant par les 2 bacs qui séparent Koh Lanta Yai de Koh Lanta Noi, et cette dernière du continent. Départ quotidien d'une flottille de minibus, entre 8 h et midi (2 h 30 de trajet). Achat des tickets dans votre bungalow.
➢ ***Pour l'aéroport de Krabi :*** même parcours pour rejoindre le continent. Départ quotidien vers 7 h 45. Se renseigner et réserver absolument (1 h 45 de trajet).

TRANG – ตรัง

Hormis ses *tuk-tuk* rétros rigolos et un grand choix de cafés, la ville – bien vivante – ne présente pas grand intérêt. Cette capitale de la province du même nom constitue seulement l'étape obligatoire pour ceux qui se rendent dans les petites îles – quasi vierges – plantées à l'ouest de la côte (certaines appartiennent au parc national de *Hat Jao Mai*).

Comment y aller?

➢ ***En avion :*** *Thai Airways* assure 1 à 2 vols quotidiens au départ de Bangkok (durée : 1 h 30).
➢ ***En train :*** 2 liaisons chaque jour à partir de Bangkok. Environ 16 h de trajet. Le train dessert successivement les gares de *Nakhon Pathom, Hua Hin, Chumphon* et *Surat Thani (Koh Samui).*
➢ ***En bus :*** départs réguliers et quotidiens du *Southern Bus Terminal* de Bangkok. Compter 16 h de trajet.

Où dormir? Où manger pas cher?

🏠 ***Station Inn*** – สเตชั่นอินน์ **:** 118 Station Rd. ☎ 075-223-393. À deux pas de la gare, ce grand hôtel offre des chambres très propres, équipées de douche et ventilo. Bon rapport qualité-prix (moins de 250 Bts, soit 5 US$). Accueil sympa. Idéal pour ceux qui arrivent en fin d'après-midi. Pour ne pas manquer le bateau, n'oubliez pas de mettre votre réveil pour le lendemain matin !

●| Multitude de ***petits marchés*** aux abords de la gare – ตลาดเล็กๆริมสถานีรถไฟ. Nourriture simple et bonne à prix doux.

●| Le ***Night Bazaar***, situé derrière la *clock tower*, est un régal pour les yeux comme pour les papilles. Grand choix de brochettes à grignoter en se promenant et plats cuisinés à déguster sur les tables derrière les stands. Goûtez notamment la salade épicée de calamars, un délice !

LES ÎLES

Le plus simple, pour rejoindre les îles, est de passer par l'une ou l'autre des nombreuses agences de voyages de Trang. Leurs services et tarifs sont équivalents, et elles affrètent quotidiennement des minibus qui vous mènent au port, où vous prendrez un bateau pour l'une ou l'autre des îles.

Koh Ngai (ou Koh Hai) – เกาะไหง

C'est l'île que l'on atteint le plus facilement à partir du port de Pak Meng (35 km à l'ouest de Trang en *songthaew* ou en bus ; nombre important de liaisons maritimes). Petite jungle intérieure, plages de rêve à l'est et récif corallien au large ; voilà pour la carte postale !

Où dormir ? Où manger ?

●| ***Koh Hai Villa*** – เกาะไหงวิลล่า : ☎ 075-210-496. Au nord de la plage. Prix moyens : compter de 300 à 800 Bts, soit 6 à 16 US$. Huttes en bambou, chambres et bungalows en dur. Tenue par une famille de pêcheurs locaux. Ambiance sympathique. Bon resto.

Koh Hai Resort – เกาะไหงรีสอร์ท : ☎ 075-211-045. Le plus au sud, accessible depuis la plage précédente par un sentier rocailleux ou des navettes de bateaux. Un peu plus chic que le précédent : de 600 à 1 900 Bts, soit 12 à 38 US$. Offre très variée, des huttes aux bungalows avec AC. Fait aussi club de plongée.

Koh Muk – เกาะมุก

Embarquement à Pak Meng (traversées assez fréquentes) pour ce petit bout de paradis, réputé pour ses coraux intacts et somptueux (que les *snorkellers* se réjouissent !). Plages ravissantes sur la côte ouest, d'où l'on voit Koh Kradan. La principale attraction est une sorte de tunnel nommé *Tham Morakhot* – ถ้ำมรกต (grotte d'émeraude) qui s'ouvre à l'ouest et à marée basse, pour conduire à une grande piscine de couleur bleu émeraude (évidemment !). Le village et le port se trouvent à l'est de l'île, où les plages ne sont pas idéales pour la baignade.

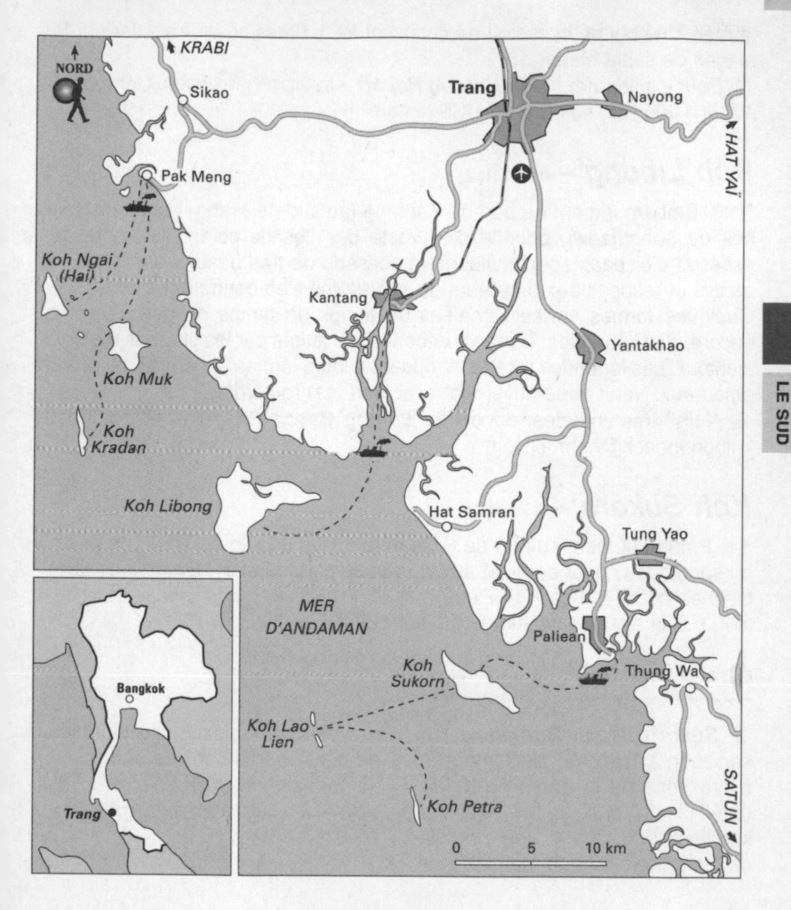

TRANG ET LES ÎLES

Où dormir ?

☗ ***Farang's Beach Resort* :** surplombe la superbe plage de Had Farang sur la côte ouest. Offre les hébergements les moins chers, on peut même y planter sa tente au milieu des cocotiers.

☗ ***Koh Muk Resort*** – เกาะมุกรีสอร์ทซ. ☎ 075-212-613. Nuitée de 250 à 400 Bts, soit 5 à 8 US$. Bien tenu et populaire mais sur la côte est, à 3 km des belles plages que l'on doit rejoindre à pied ou en taxi-moto

Koh Kradan – เกาะกระดาน

Traversée avec escale à *Koh Muk* pour atteindre cette jolie petite île allongée. Cocotiers et hévéas sur la terre ferme et magnifiques coraux sous la mer. Une bonne occasion de chausser les palmes ou de lézarder sur les plages de sable blanc.

Pour y séjourner : ***Koh Kradan Resort*** – เกาะกระดานรีสอร์ท. Compter de 400 à 1 000 Bts, soit 8 à 20 US$ la nuit.

Koh Libong – เกาะลิบง

Embarquement au port de Kantang (au sud de Trang ; accès en train, bus ou *songthaew*), pour la plus vaste des îles du coin. Elle abrite des espèces d'oiseaux spectaculaires et possède de très beaux coraux, où les gentils et respectueux amateurs de *snorkelling* s'en donneront à cœur joie. Quelques tortues vertes signalées de temps en temps et, plus rarement encore, des lamantins *(dugong)* débonnaires attirés par les champs d'algues alentour. Les légendes locales attribuent à leurs larmes le pouvoir de rendre amoureux. Venir impérativement avec son (sa) routard(e).

Nuits (très chaudes, donc !) au ***Libong Beach Resort*** – ลิบงบีชรีสอร์ท. • libongbeach@hotmail.com •

Koh Sukorn – เกาะสุกร

Embarquement au port de Paliean (à 50 km au sud de Trang en bus ou en *songthaew*) pour cette île aux allures de carte postale. Excursions quotidiennes pour les îles *Koh Petra* – เกาะเภตรา et *Koh Lao Lien* – เกาะเหลาเหลียง, à quelques encablures au sud-ouest.

Où dormir ?

Sukorn Beach Bungalow : réservation à Trang au 22 Sathani Rd, à proximité de la gare. ☎ et fax : 075-211-457 ou 075-207-707. • sukorn@cscoms.com • Une vingtaine de bungalows de bon marché à prix moyens, nichés dans une plantation de cocotiers au bord de la mer.

Également ***Koh Sukorn Resort*** – เกาะสุกรรีสอร์ท (☎ portable : 01-677-18-99).

QUITTER TRANG

En avion

Aéroport de Trang : ☎ 075-218-066 (infos vols).

➢ ***Pour Bangkok :*** *Thai Airways* assure 1 à 2 vols quotidiens (durée : 1 h 30).

En train

➢ ***Pour Bangkok :*** 2 trains chaque après-midi, le rapide de 13 h (18 h de trajet) et l'express de 17 h 30 (15 h de trajet) desservent successivement les gares de *Surat Thani (Koh Samui)*, *Chumphon*, *Hua Hin* et *Nakhon Pathom*.

En bus

➢ ***Pour Hat Yai :*** départ (bus ordinaires) au moins toutes les heures, de 6 h à 16 h. Compter 4 h de trajet.

➢ ***Pour Krabi :*** départs toutes les heures de 7 h à 16 h. Durée : 2 h.
➢ ***Pour Phuket :*** départs toutes les heures de 7 h à 18 h. Entre 4 et 5 h de route.
➢ ***Pour Bangkok :*** 3 liaisons par jour, dont une en bus AC. Compter une bonne quinzaine d'heures.

HAT YAI (HAD YAI) – หาดใหญ่

Ville moderne et cosmopolite, extrêmement vivante, étape obligatoire en allant en Malaisie, elle dégage une atmosphère très asiatique, avec sa circulation grouillante. Pour l'anecdote, Hat Yai est pompeusement surnommée dans les revues publicitaires : « Le Petit Paris du Sud de la Thaïlande » (faut tout de même pas exagérer!).
Très musulmane dans l'âme, elle se distingue aussi par une importante communauté de Chinois aux affaires pas toujours claires... C'est ici que les Malais et Singapouriens viennent « s'encanailler ». Pas mal d'artisanat, de restaurants aux curieuses spécialités et de salons de coiffure aux shampouineuses trop avenantes pour être honnêtes!
Il ne faut surtout pas manquer de vous rendre aux superbes chutes d'eau de *Ton Nga Chang* (« défenses d'éléphant »). À l'ouest de Hat Yai, on peut aussi embarquer depuis Pakbara pour le parc maritime de Tarutao : ensemble de cinq îles encore peu fréquentées (voir chapitre suivant).

Où faire prolonger son visa?

Si votre visa arrive à expiration, vous pouvez le faire prolonger au poste-frontière de *Padang Besar*. Passez dans un sens, puis dans l'autre, les douaniers ont l'habitude. Vous obtiendrez (gratuitement) un mois supplémentaire. Pour *Padang Besar*, bus fréquents du terminal des bus ordinaires ou taxis collectifs (départ des minibus à l'angle de Niphat Uthit 2 Rd et de Manatruedee Rd) ; ces derniers vous déposent juste devant le poste-frontière.

Adresses utiles

🅘 ***TAT*** – *ท.ท.ท. (office du tourisme; plan A2)* **:** 1/1 Soi 2, Niphat Uthit 3 (à côté des bureaux de la Police touristique). ☎ 074-243-747. Fax : 074-245-986. • tathatyai@hatyai.inet.co.th • Ouvert tous les jours de 8 h 30 à 16 h 30. Liste des hôtels, horaires complets des transports en bus publics, avions et trains à partir de la ville, plan publicitaire assez précis et nombreuses autres informations bien utiles. Accueil compétent. Une des jeunes filles parle le français.

✉ ***Poste principale*** *(plan A1)* **:** Niphat Song Khrao 1 Rd – ที่ทำการไปรษณีย์ถนนนิพัทธ์สงเคราะห์. Ouvert du lundi au vendredi de 8 h 30 à 16 h 30; le samedi, de 9 h à 12 h. Quelques lignes téléphoniques pour l'étranger.

■ ***Office of Telecommunication Service*** – สำนักงานบริการโทรคมนาคม *(plan B1, 3)* **:** 490/1 Phetkasem 5 Rd (à l'angle de Niphat Song Khrao 5 Rd). Ouvert de 8 h à 22 h en semaine. Grand centre téléphonique international, avec accès Internet. D'autres connexions Web possibles dans les quelques boutiques spécialisées aux alentours de l'*Odean Shopping Mall (plan A2,* ***20****)*, notamment au *Cyber-in-town*, 56 Niphat Uthit 2 Rd.

■ ***Change :*** nombreuses banques dans les rues Niphat Uthit 1, 2 et 3 *(plan A2)* et sur Phetkasem Rd *(plan A-B1)*; généralement équipées de guichets automatiques ouverts 24 h/24.

■ ***Hat Yai Hospital*** – โรงพยาบาลหาดใหญ่ *(plan A1,* ***7****)* **:** Rattakarn Rd. ☎ 074-230-800.

■ ***Police touristique :*** juste à côté du TAT (office du tourisme; *plan A2*). ☎ 16-99.

■ ***Thai Airways*** – สายการบินไทย *(plan A2,* ***4****)* **:** 190/6 Niphat Uthit 2 Rd. ☎ 074-233-433. • www.thaiair.com • Ouvert du lundi au samedi de 8 h à 17 h; les dimanche et fêtes de 9 h à 16 h.

Où dormir?

Nos hôtels les plus abordables se trouvent dans Niphat Uthit 2 Rd. Pour y aller de la gare ferroviaire, descendez la rue en face, c'est la 3e rue à droite.

Vraiment pas cher (moins de 250 Bts – 5 US$)

⌂ ***Cathay Guesthouse*** – คาเธ่ย์เกสท์เฮ้าส์ *(plan A2,* ***10****)* **:** 93/1 Niphat Uthit 2 Rd. ☎ 074-243-815. Chambres simples, doubles et dortoir, au confort rudimentaire (ventilo seulement), avec douche froide et w.-c. privés dans certaines. Propreté limite mais accueil sympa, ambiance routarde, et prix très corrects. Attention, souvent complet. Agence de voyages au rez-de-chaussée.

Bon marché (de 250 à 400 Bts – 5 à 8 US$)

⌂ ***Pacific Hotel*** – โรงแรมแปซิฟิค *(plan A2,* ***11****)* **:** 149/1 Niphat Uthit 2 Rd. ☎ 074-244-062. Hôtel agréable, avec des chambres équipées de ventilo ou AC, salle de bains (eau chaude) et TV. Propre et très bien tenu. Celles qui donnent sur l'arrière sont d'un calme absolu. Bon rapport qualité-prix et accueil cordial. Salle de billard.

⌂ ***Laem Tong Hotel*** – โรงแรมแหลมทอง *(plan A2,* ***12****)* **:** 46 Thamanoonvitee Rd (angle avec Niphat Uthit 2 Rd). ☎ 074-352-301. • laemthong99@hotmail.com • L'allure de la réception laisserait supposer des chambres plus chaleureuses... Avec AC (et eau chaude) ou ventilo (et eau froide), elles sont assez spacieuses et parfaitement tenues. Choisissez une chambre qui ne donne pas sur la rue, très bruyante.

Prix moyens (de 600 à 900 Bts – 12 à 18 US$)

⌂ ***Asian Hotel*** – โรงแรมเอเซ่ียน *(plan A2,* ***13****)* **:** 55 Niphat Uthit 3 Rd. ☎ 074-353-400. Fax : 074-234-890. Dans un hôtel mastodonte, des chambres spacieuses et confortables. Frigo, TV et téléphone sont de série, tout comme l'excellente tenue générale d'ailleurs. Service impeccable et stylé.

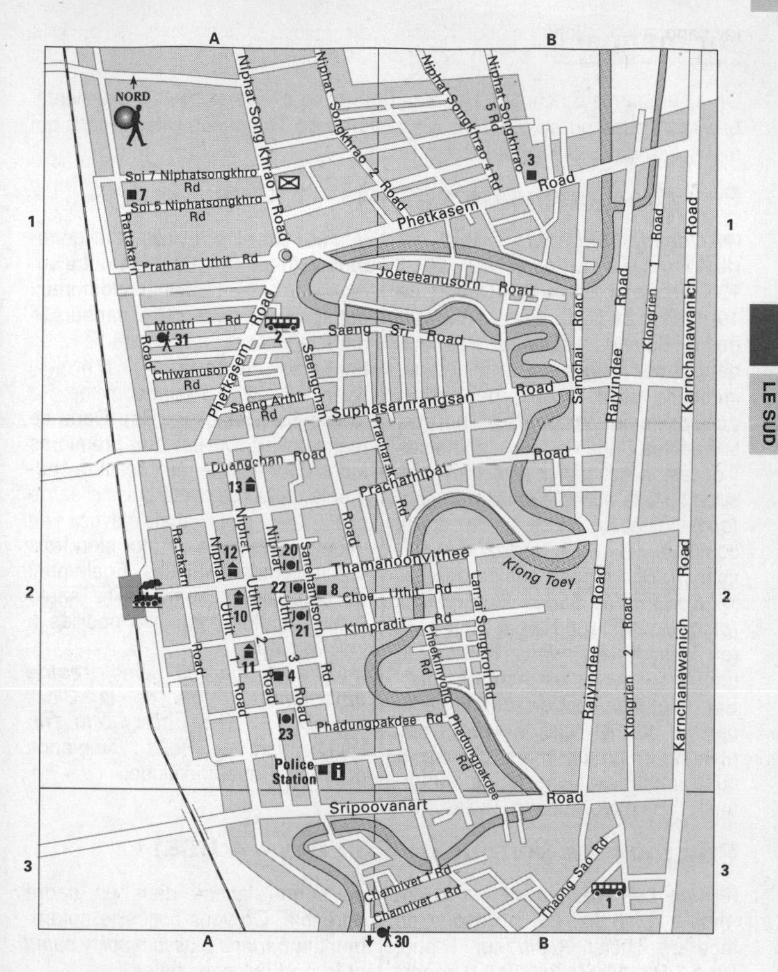

■ **Adresses utiles**

- TAT et Police touristique
- Poste principale
- Gare ferroviaire
- 1 Terminal des bus climatisés
- 2 Terminal des bus ordinaires
- 3 Office of Telecommunication Service
- 4 Thai Airways
- 7 Hat Yai Hospital
- 8 Davis Tours & Travel Service

Où dormir ?

- 10 Cathay Guesthouse
- 11 Pacific Hotel
- 12 Laem Tong Hotel
- 13 Asian Hotel

Où manger ?

- 20 Odean Shopping Mall
- 21 Konam Tea Shop
- 22 Tara Seafood
- 23 Jae Lek Restaurant

À voir

- 30 Les maisons de serpents
- 31 Songthaew pour les chutes de Ton Nga Chang

Où manger ?

On a l'embarras du choix à Hat Yai. Beaucoup de restos chinois excellents. Les deux rues où se trouvent les restos sont Thamanoonvitee Road, qui mène à la gare, et Niphat Uthit 3 Road.

Pas cher (moins de 100 Bts – 2 US$)

I●I ***Odean Shopping Mall*** – ศูนย์การค้าโอเดียน *(plan A2,* ***20****)* **:** 79/7 Thamnoonvitee Rd. Ouvert de 10 h 30 à 21 h 30. Grand magasin genre *Galeries Lafayette*. Pas mal de bonnes affaires. Au 5e étage, immense salle remplie de petites ***échoppes*** qui proposent de bonnes spécialités thaïes et chinoises (l'occasion de goûter à la *tom yam soup* ou à la *nooddle soup with seafood*). Glaces et jus de fruits complètent le tout (évitez les glaçons...). Bon rapport qualité-prix.

I●I ***Konam Tea Shop*** – ร้านคอหน่ำที *(plan A2,* ***21****)* **:** 160 Niphat Uthit 3 Rd (en face de la *Radanasin Bank*, le nom à l'extérieur est écrit en thaï). Sur un étal en bord de rue, de petits paniers pour la cuisson vapeur des raviolis et autres mets chinois à cuire immédiatement. Qu'ils renferment crevettes, poulet, bœuf, légumes, etc., les raviolis sont généreux et délicieux. Cantoche chaleureuse. Vraiment original. Nombreux autres restaurants de « vapeurs » dans la ville.

I●I ***Tara Seafood*** – ธาราซีฟู้ด *(plan A2,* ***22****)* **:** Thamnoonvitee Rd (angle Sanehanusorn Rd). Dans ce resto ouvert, on est aux premières loges pour assister aux petits événements de la rue. Côté cuisine, large choix de plats thaïs avec, en vedette, des fruits de mer bien frais et simplement mitonnés. Également de bons assortiments de riz sauté (bœuf, poulet, porc...) et nouilles à prix veloutés.

I●I ***Grand marché*** avec ***restos ambulants*** à côté de la *Clock Tower* – ตลาดใหญ่มีรถขายอาหารที่อยู่ข้างหอนาฬิกา. Belle ambiance grouillante et authentique.

Prix moyens (autour de 200 Bts – 4 US$)

I●I ***Jae Lek Restaurant*** – ร้านอาหารเจ๊เล็ก *(plan A2,* ***23****)* **:** presque en face de l'hôtel *Kosit*, sur Niphat Uthit 2 Rd. ☎ 074-246-710. Un petit resto offrant une cuisine sino-thaïe de bonne facture dans un cadre agréable. On vous conseille notamment la *banana blossom spicy salad* et le *pad thai* sans pâtes !

À voir

👁👁👁 ***Les maisons de serpents*** – ร้านอาหารงู *(hors plan par A3,* ***30****)* **:** Channivet Soi 3 (ou Jannivet) et Tungso Rd (rues perpendiculaires). L'unique plat à la carte de *Vichai Store*, *Kieng* et *Vichai Snake Shop*, c'est... le serpent ! Au menu : sang et entrailles de vipères, cobras et cobras royaux... Les Chinois en sont très friands, car selon eux, c'est excellent pour la santé et la virilité. Bien sûr, plus l'animal est dangereux, plus il est cher et recherché... Les cobras et autres ophidiens sont attrapés avec des perches, pour être pendus dans une espèce de cuisine ouverte aux yeux extérieurs. Ils sont ensuite ouverts vivants ! Il faut le sang (froid) de trois serpents pour faire un demi-verre (mais que fait la SPA ?). Le cocktail est ensuite allongé avec de l'alcool. Le tout se négocie entre 250 et 2500 Bts (soit 5 à 50 US$ pour un cobra royal). La chair est ensuite accommodée en soupe et la peau vendue au tanneur (rien ne se perd !).

Les combats de taureaux – ควายชน : les combats entre animaux font partie de la tradition thaïe. Les anciens considéraient que ces affrontements témoignaient de la force d'esprit du propriétaire de l'animal. Avant que l'argent n'entre en compte, le vainqueur remportait des jarres d'alcool distillé, qu'il partageait avec le perdant. Aujourd'hui, les choses ont changé et les paris sont importants... Les taureaux d'ici ont une bosse, comme s'ils avaient été croisés avec des zébus. Ils suivent des régimes de champion : à l'aube, jogging sur la plage, copieux repas à base d'herbe fraîche et d'œufs, et grasse nuit à l'abri d'une moustiquaire ! Le combat est violent. La lutte s'interrompt lorsqu'un des adversaires cède et courbe l'échine. Les Thaïs invectivent les bêtes pour les rendre plus agressives. Il y a deux arènes à Hat Yai. Les combats ont lieu le premier samedi du mois, sauf lorsque celui-ci est un jour férié. Renseignements et programme à l'office du tourisme (TAT).

Wat Hat Yai Nai – วัดหาดใหญ่ใน *(hors plan par A2)* : à 2 km à l'ouest du centre-ville (près du pont U-Taphao), par Phetkasem Rd. Un temple qui fait la fierté de la ville. Il abrite un impressionnant bouddha couché de 35 m de long et 15 m de haut, qui serait, paraît-il, le 3e géant du genre au monde...

➤ DANS LES ENVIRONS DE HAT YAI

Ton Nga Chang Waterfall – น้ำตกโตนงาช้าง : à 20 km de Hat Yai, dans un parc national. Pour vous y rendre, prenez un *songthaew* (taxi collectif), dans Montri 1 Rd (près de la *Clock Tower*; *plan A1,* ***31***).
Comptez 45 mn de trajet. Pour prendre le bon *songthaew,* demandez « Naam Tok (« chute d'eau ») Ton Nga Chang » ; on vous indiquera le bon véhicule, qui vous déposera directement dans le parc (comme les touristes sont peu nombreux, il faut attendre que la voiture soit pleine...).
Extraordinaires chutes d'eau sur pas moins de sept niveaux, qui font songer à des défenses d'éléphant *(chang)* parce qu'elles coulent en deux colonnes. Sur les premiers niveaux, il y a un peu de monde car les Thaïs viennent s'y baigner (surtout le week-end). Dès qu'on attaque la jungle en suivant les chutes sur la droite, les visiteurs se raréfient, et vous vous retrouvez pratiquement seul. Il faut plus d'une heure pour monter jusqu'en haut, et sur les différents niveaux, des trous d'eau, genre bassin naturel, vous attendent pour piquer une tête (c'est pas le panard ?). Prévoyez pique-nique et maillot de bain. La jungle est superbe, et une indescriptible cacophonie envahit les lieux (on a regretté de ne pas avoir de magnéto). Dommage que çà et là quelques déchets traînent, mais la nature est tellement vivante qu'on finit par tout oublier...
Attention, le parc ferme vers 17 h, alors redescendez avant, car vous risqueriez de faire pas mal de marche pour regagner Hat Yai.

QUITTER HAT YAI

En train

Gare ferroviaire *(plan A2)* très active. Infos : ☎ 074-231-050.

➢ ***Pour Bangkok :*** 5 départs par jour, dans l'après-midi. Durée du trajet : entre 15 et 19 h selon les trains. Ces trains desservent successivement *Surat Thani*, *Chumphon*, *Prachuap Khiri Khan*, *Hua Hin* et *Nakhon Pathom*.
➢ ***Pour Sungai Kolok*** *(vers la côte est de la Malaisie)* ***:*** 6 trains par jour essentiellement en début de matinée, dont 1 *express*. Durée du trajet : 4 h.
➢ ***Pour Butterworth*** *(côte ouest de la Malaisie)* ***:*** 1 *express* par jour tôt le matin. 5 h de trajet. Le passage de la frontière se fait sans trop de problème.
➢ ***Pour Kuala Lumpur*** *(sud-ouest de la Malaisie)* ***:*** 1 *express* chaque après-midi. Compter 14 h de trajet.

En bus

🚌 Pour les mêmes destinations, les bus se prennent soit au ***terminal des bus*** *(City Bus Terminal ; plan B3,* ***1****)*, soit à la station *(plan A1,* ***2****)* située près du marché sur Phetkasem Rd, non loin de la *Clock Tower*. Tous les bus démarrent du terminal de bus de la ville et marquent ensuite un arrêt à l'autre station. Infos : ☎ 074-232-404.
➢ ***Pour Bangkok :*** 9 départs par jour (bus n°s 992 et 982), de 7 h à 19 h, dont 2 bus plus confortables (VIP) dans l'après-midi. Compter 14 à 16 h de trajet.
➢ ***Pour Phuket :*** 13 départs par jour (bus n° 443), en matinée notamment. Entre 7 et 9 h de trajet.
➢ ***Pour Koh Samui :*** 1 bus à 8 h du matin (bus n° 729). En tout, 7 h de trajet avec passage en ferry. Également 10 départs par jour, jusqu'à 15 h, pour *Surat Thani* (bus n° 490).
➢ ***Pour Krabi :*** 1 bus par jour (bus n° 443), en matinée. Les bus pour Phuket peuvent aussi s'y arrêter ; se renseigner. Durée : 5 h.
➢ ***Pour Trang :*** bus ordinaires (n°s 450 et 495) toutes les heures environ, de 5 h à 16 h. Compter 3 h de trajet.
➢ ***Pour la Malaisie :*** seules les compagnies privées assurent la liaison. Renseignez-vous sur les horaires, et réservez au moins la veille auprès d'une agence de voyages ou de votre *guesthouse*. À signaler : l'agence de voyages *Davis Tours & Travel Service (plan A2,* ***8****)*, 44 Sanehanusorn Rd, jouit d'une bonne réputation...
➢ ***Pour Butterworth et Penang :*** au moins 3 départs par jour, en car ou minibus AC. Environ 3 h 30 de trajet.
➢ ***Pour Singapour :*** au moins 1 départ par jour en bus AC. Compter 13 h de trajet.
➢ ***Pour Kuala Lumpur :*** au moins 1 départ par jour en bus AC. Compter 9 h de trajet.

En avion

✈ ***Hat Yai Airport :*** ☎ 074-251-008 (renseignements et horaires).
➢ *Thai Airways* assure 5 liaisons régulières par jour pour ***Bangkok***, 1 vol quotidien pour ***Phuket*** et pour ***Singapour***, et 4 vols par semaine pour ***Kuala Lumpur***.
Conseils : n'oubliez pas les taxes d'aéroport et *attention* à l'arnaque consistant à affirmer aux touristes qui partent pour la Malaisie qu'ils sont obligés de changer une certaine somme par jour pour obtenir le visa...

ET PLUS AU SUD...

LE PARC MARITIME DE TARUTAO – อุทยานแห่งชาติตะรุเตา

Cet archipel de cinquante et une îles égrenées dans la mer d'Andaman à la frontière avec la Malaisie est une destination touristique encore pratiquement vierge. Patrimoine mondial de l'Unesco, il a su, jusqu'à ce jour, préserver sa beauté sauvage et les nombreuses espèces animales résidentes contre les tentatives de développement anarchique. Évidemment ni banque, ni petits commerces à l'intérieur de l'archipel (ou si peu). Penser à prendre de l'argent liquide et éventuellement quelques provisions avant d'embarquer au petit port de Pakbara (140 km à l'ouest de Hat Yai), où l'on vient de construire un gros quai en béton. Gageons que ce ne sera pas pour envoyer de plus gros bateaux et leur cargaison de touristes dans les îles... Un bel endroit, très routard dans l'âme.

Comment y aller ?

Rejoindre Pakbara

➢ ***À partir de Hat Yai :*** prendre les minibus privés climatisés au coin de Niphat Uthit 1 Rd et Prachathipat Rd (assez proche de la gare ferroviaire). Départ toutes les heures de 6 h à 16 h 30, durée du trajet : 1 h 30. Très pratique. Le bateau attend en principe l'arrivée du bus de 9 h. Calculer en conséquence votre arrivée à Hat Yai (train ou bus de nuit).
Autre moyen : le bus ordinaire (et pittoresque !) n° 732 au départ de la *Clock Tower*, toutes les heures environ, de 7 h à 17 h (3 h de trajet).
➢ ***À partir de Trang :*** bus et *songthaews* au départ pour *Langu*. De là, des *songthaews* continuent jusqu'à Pakbara. Liaison directe grâce aux minibus des agences de voyages.

Et puis larguer les amarres !

Les liaisons maritimes vers Tarutao sont assurées régulièrement – de mi-novembre à mi-mai – par *Andrew Tour* (☎ 074-781-159 ou portable ☎ 01-897-84-82) à partir de ***Pakbara***. Normalement, les allers-retours sont quotidiens en saison, mais leur fréquence peut se réduire au début et à la fin de la période ; se renseigner. Les horaires des liaisons à l'intérieur de l'archipel sont les suivants (pleine saison) :
➢ ***Pakbara–Koh Tarutao*** *(22 km ; 1 h 30)* **:** départs quotidiens à 10 h 30 et 15 h ; retour à 9 h et 13 h, tous les jours.
➢ ***Koh Tarutao–Koh Adang*** et ***Koh Lipe*** *(43 km ; 2 h 30)* **:** bateau unique et quotidien à 13 h pour les deux îles. Retour ***Koh Adang-Koh Tarutao-Pakbara***, tous les jours à 9 h.

Si vous avez raté le bateau

🏠 🍽 Pas de panique ! Il existe plusieurs bungalows et *guesthouses*, pas très loin de l'embarcadère. On signale notamment le ***Diamond Beach Resort*** – ไดมอนด์บีชรีสอร์ท, qui loue des bungalows en bois, propres et assez confortables, pour environ 200 Bts (4 US$). Ils font aussi resto et ont

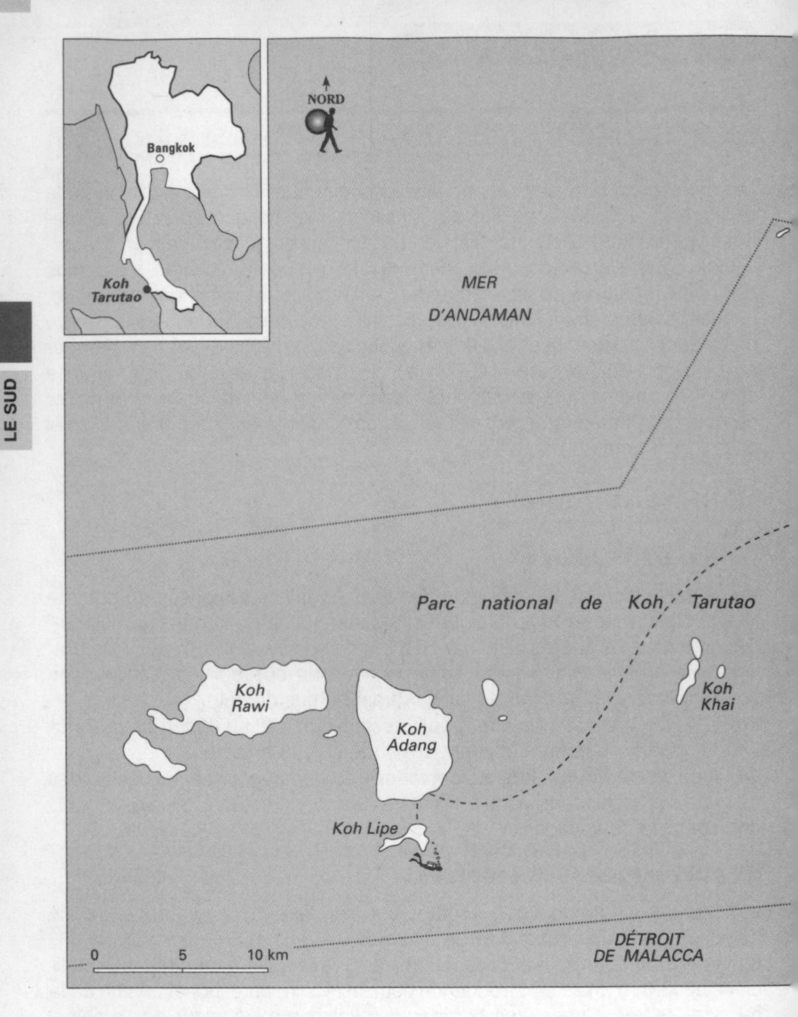

installé quelques tables sur une terrasse couverte qui donne sur la mer. Accueil familial et chaleureux. Si vous êtes un peu juste pour aller prendre le bateau, le patron vous y emmènera sûrement en side-car !
Sinon, sur la route qui mène au quai, pas mal de petites épiceries où l'on conseille de faire quelques courses (eau notamment) avant de cingler vers Koh Tarutao ou Koh Adang. Également plusieurs restos un peu touristiques. Choisir plutôt la cantoche des marins-pêcheurs, à droite près du quai. Plats variés, pas chers et simplement bons, à choisir dans de nombreuses gamelles impeccables. Authenticité et faces burinées garanties !

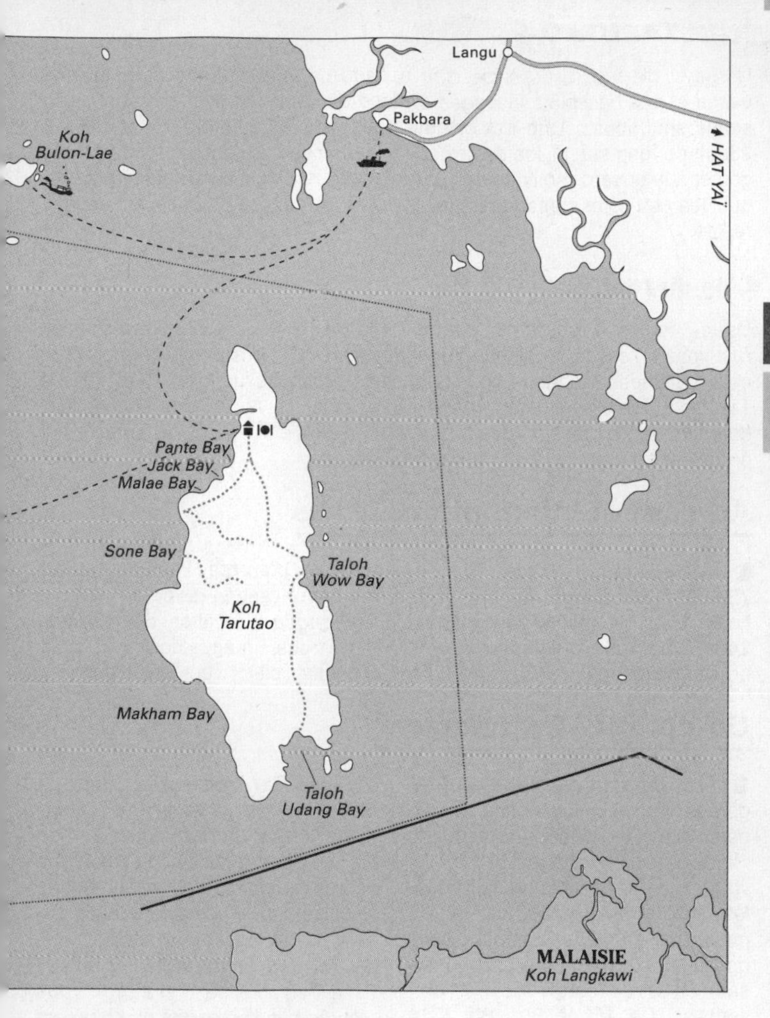

LE PARC NATIONAL DE KOH TARUTAO

Quand y aller?

Pendant la mousson, de mi-mai à début novembre, aucune liaison régulière avec les îles. Du fait des orages fréquents, peu de pêcheurs prennent la mer. D'ailleurs, à cette même période, les restaurants sont tous fermés. Le reste de l'année, pour échapper à la foule, éviter si possible les périodes de fêtes (toutefois, rien à voir avec Phuket ou Koh Phi Phi).

KOH TARUTAO – เกาะตะรุเตา

Une mer bleu azur, du sable clair à perte de vue, des cocotiers, la forêt vierge et ses bestioles sauvages en fond de décor ; et puis personne, personne sauf vous... Une illusion, me direz-vous ! Pas tout à fait. Avec ses 26 km de long sur 11 km de large, Tarutao vous offre encore l'occasion de goûter à la grisante solitude des paradis perdus. Oui, à condition de sacrifier quelque peu votre confort matériel à l'aventure, ce rêve pourrait bien devenir réalité.

L'île du Diable

De tout temps le refuge des pirates de la mer d'Andaman (qui sait s'il n'en reste pas un caché au détour d'un mauvais rêve ?), prison des grands criminels thaïlandais et bagne pour opposants politiques jusqu'en 1945, l'île de Tarutao semble avoir été frappée de malédiction. Aujourd'hui encore, elle doit affronter la pression des promoteurs malaisiens, avides de transformer ce rocher tant convoité en un second Phuket.

Adresse et informations utiles

■ ***Administration Office :*** ☎ 074-729-002. Se charge des réservations. L'île est reliée au continent 24 h/24 par radio et téléphone. Utile en cas d'urgence.

– ***Droits d'entrée :*** 200 Bts (4 US$), à payer à l'entrée du parc.

– ***Plongée :*** location de matériel, mais pas grand-chose à voir. S'orienter plutôt vers Koh Lipe.

Où dormir ? Où manger ?

Les ***infrastructures d'accueil***, gérées par les fonctionnaires du parc, sont regroupées autour de *Pante Bay*, au nord-ouest de l'île. Ça va de la tente en location au bungalow familial en passant par la formule *long house* en bambou (série de huttes mitoyennes, chacune faisant office de dortoir pour 4 personnes). De 150 à 800 Bts (3 à 16 US$). Tout est propre et bien entretenu, mais le confort est basique. En revanche, les sanitaires sont neufs et donc très propres et fonctionnels. Conseillé d'apporter sa propre tente (mais vous pouvez aussi en louer, soit au *Head Quarter* à *Pante Bay*, soit sur la plage de *Sone Bay*), car ça vous offre l'opportunité unique de bivouaquer sur les plages les plus isolées de l'île (dans ce cas-là, prévoir vos vivres depuis le continent, si possible avant Pakbara, le choix y étant limité).

Tarutao Restaurant : ouvert de 7 h à 14 h 30 et de 17 h à 21 h. Vous n'aurez pas l'embarras du choix, un seul resto en tout et pour tout à proximité des bungalows. Bon accueil et cuisine honnête (fruits de mer, riz sauté, soupes...) à prix raisonnables (moins de 100 Bts, soit 2 US$).

Les plages

À partir du débarcadère au nord-ouest de l'île, on trouve en longeant la côte dans le sens inverse des aiguilles d'une montre :

Pante Bay – อ่าวปันเต *(1,5 km)* **:** à partir du port, elle s'étale vers le sud, bordée à l'est par le village de bungalows et ses cocotiers. C'est la plage la plus fréquentée de l'île, mais pas trop quand même : en pleine saison, quelques serviettes fleurissent ici et là. Encore une fois, rien de comparable avec les stations balnéaires voisines.

Jack Bay – อ่าวแจ๊ค *(0,8 km)* **:** se trouve au sud de Pante Bay, dont elle n'est réellement détachée qu'à marée haute. À marée basse, en effet, on accède à cette plage par un passage de 150 m à gué (l'eau ne dépassant pas la taille). Mais attention ! Quand la marée monte, l'accès n'est possible qu'à la nage ou en escaladant les rochers calcaires et gréseux séparant les deux baies. Solitude presque assurée.

Malae Bay – อ่าวมาเล *(0,6 km)* **:** à l'extrême sud de Jack Bay, suivre le ruisseau qui s'engage vers la gauche à travers la mangrove, le traverser. À l'horizon apparaît déjà Malae Bay après quelque 200 m, avec ses plantations de cocotiers et son village où demeurent quelques familles de pêcheurs ainsi qu'une communauté de moines bouddhistes. Contacts faciles. Bon point pour se désaltérer. On peut y planter sa tente.

Sone Bay – อ่าวสน *(3 km)* **:** pour continuer vers Sone Bay, suivre le chemin longeant les habitations de Malae Bay sur la gauche. Rapidement, ça grimpe à travers la forêt vierge pour redescendre en fin de parcours. Le chemin est bien balisé tout du long. Au total, 4 km de marche depuis Malae ; 7,5 km depuis le départ, soit *grosso modo* 2 h de marche. Juste avant destination, le sentier traverse deux petits ruisseaux alimentés toute l'année, puis le chemin part sur la droite pour rejoindre le seul bungalow de Sone Bay *(Ranger Station)*, c'est là que réside le garde-forestier avec sa petite famille à l'extrême nord de la plage. Ici, on peut aussi louer une tente, grignoter et se désaltérer. Vers le sud, du sable blanc à perte de vue et personne à l'horizon : dépaysement garanti. De décembre à février, c'est ici que les tortues de mer viennent pondre leurs œufs. La chance ne nous a malheureusement pas souri. Tant pis, vous nous raconterez...

➢ Il y a aussi une belle petite ***rando*** à faire vers une cascade à 3,5 km de la plage. La balade est bien balisée, mais attention, malgré la courte distance, l'aller-retour nécessite au moins 3 heures de marche et de grimpette dans les rochers.
Côté pratique, si vous voulez passer la nuit (c'est l'idéal, le coucher de soleil y est sublime), négociez avec le garde un riz fait maison pour le dîner et n'hésitez pas à apporter de la nourriture.

Makham Bay – อ่าวมะขาม *(1 km)* et **Taloh Udang Bay** – อ่าวตะโละอุดัง *(2 km)* **:** tout au sud de l'île, ces deux plages sont inaccessibles à pied. Seule solution : louer les services d'un *long-tail boat* à partir du port. Taloh Udang restera célèbre à jamais pour avoir reçu entre 1939 et 1945 bon nombre d'opposants au régime nationaliste de Phibun. Lors de notre dernier passage, nous y avons vu batifoler des dauphins rigolards ! À l'horizon, les gratte-ciel de Koh Langkawi ; sans commentaire...

Taloh Wow Bay – อ่าวตะโละวาว **:** unique plage (rocheuse) orientée sur le côté est de l'île, elle servit longtemps de geôle aux plus dangereux prisonniers thaïlandais. L'accès y est facile pour les bons marcheurs *via* la seule route de l'île, mais le parcours en plein soleil est assez éprouvant (10 km aller à partir de Pante Bay).

À voir. À faire

☞ ***Le musée-diaporama :*** avant le resto, sur la gauche. Bonne expo sur la géographie et l'histoire de Tarutao, carte en relief à grande échelle, photographies, description des espèces sauvages qu'il est possible de rencontrer, squelettes en tout genre... Tous les soirs sauf le dimanche, vers 19 h 30, séance-diaporama. Assez intéressant. Quelques commentaires en anglais.

☞☞☞ ***Toh-Boo :*** à partir des bureaux administratifs du parc, un petit sentier apparaît vers l'est et grimpe au sommet de la colline Toh-Boo, à 114 m. De là-haut, superbe panorama sur la côte ouest de l'île. À l'horizon devant vous, Koh Adang et Koh Lipe (la plus à gauche) à quelque 40 km. Compter 20 mn de marche aller simple.

☞☞ ***La grotte des Crocodiles* – ถ้ำจระเข :** du port, on aperçoit sur la droite un canal naturel *(Malaka Canal)* qui s'engouffre à l'intérieur des terres à travers une épaisse mangrove. Celui-ci conduit, après un peu plus d'un kilomètre, à une caverne aujourd'hui encore partiellement inexplorée, qui tenait jadis sa réputation de ses féroces crocodiles (brrrrrr !!). Néanmoins, ceux-ci semblent avoir disparu de l'île depuis 1974, date à laquelle remonte leur dernière observation. Balade très intéressante, prévoir une torche pour la grotte. Essayer de partager le coût du voyage avec d'autres, prix raisonnable.

KOH LIPE – เกาะหลีเป๊ะ

Entourée de belles plages de sable blanc, cette île en forme de crêpe tient avant tout son originalité de ses quelque 500 habitants formant une communauté de pêcheurs, les *Moken* ou *Chao Lay* en thaï, des « gitans de la mer » dont les origines sont mal connues encore aujourd'hui. Forts, les cheveux raides légèrement rougeâtres, les yeux d'un bronze intense, ils ont leur propre langage et sont liés à la mer corps et âme, comme en témoigne leur rituel de la « Loy-Rua ». Celui-ci consiste à offrir à la mer un bateau chargé symboliquement des péchés des villageois. Si par malheur l'océan vient à le rejeter vers la côte, le pire est à craindre pour ces marins, soudain pris sous le joug de la fatalité (mauvaises récoltes, accidents en mer...).

Information utile

– ***Accès :*** voir « Comment y aller ? » plus haut. Pas de port. Koh Lipe est entourée de récifs de coraux, les eaux alentour sont d'ailleurs très peu profondes. Les passagers sont débarqués à l'aide de *long-tail boats* à fond plat.

Où dormir ? Où manger ?

Les quelques ensembles de bungalows de Koh Lipe louent des chambres à prix doux (de 150 à 500 Bts, soit 3 à 10 US$). Nos deux adresses font également resto.

🏠 🍽 ***Andaman Resort* – อันดามันรีสอร์ท :** juste à côté du village. Sur la plus belle et la plus tranquille des plages de l'île, un assez gros village de bungalows en bois. Il y en a pour tous les goûts et pour toutes les bourses, de la cabane simple et bon marché (mais confortable tout de même) au bungalow familial, en passant par de beaux bungalows avec terrasse et vue sur le large. Au resto, des plats thaïs essentiellement. La cuisine est plutôt bonne. Seul bémol : l'accueil est un brin commercial.

🏠 🍽 ***Porn Resort*** **:** bungalows bon marché, et également possibilité de louer une tente (avec matelas !). Les chambres et les sanitaires (en commun pour la plupart) sont propres. La table est bonne, pour ne pas dire excellente ! Bonne ambiance routarde.

À voir. À faire dans les environs

➢ Balades sympas d'une plage à l'autre. Plusieurs sentiers traversent l'île de part en part. Sinon, quel bonheur de nager dans l'eau transparente ! Également quelques récifs coralliens au large de la plage de *Se Pattaya* et au large du *Porn Resort.*

De la plongée en apnée **:** les plus beaux récifs coralliens peuplés de jolis poissons multicolores (c'est vrai !) sont situés autour de *Koh Kra* (facilement reconnaissable à son palmier solitaire), à 500 m au large de Koh Lipe, côté est, *Koh Jabang* (5 km en direction de Koh Rawi) et surtout *Koh Yang* (3 km supplémentaires vers Koh Rawi). L'idéal est de se regrouper pour louer un bateau à la journée ou à la demi-journée. Location de masques et de tubas. *Snorkelling* facile et riche en rencontres colorées. Certainement l'un des derniers sanctuaires de vie marine encore appréciable en Thaïlande et ne souffrant pas trop, pour l'instant, des affres de la fréquentation touristique. Surtout ne touchez à rien ; vous pourriez casser le corail, déranger la faune, et le regretter douloureusement !

– À proximité de Koh Jabang, faire un petit détour d'un kilomètre par ***Koh Hin Ngam*** **–** เกาะหินงาม (littéralement « l'île aux Belles Pierres ») pour observer ses plages couvertes de galets au poli incomparable. En revanche, résistez au plaisir d'en rapporter en souvenir, tout le monde vous dira que ça porte malheur.

KOH ADANG – เกาะอาดัง

Jadis réputée pour la beauté de ses fonds coralliens, elle n'offre plus aujourd'hui aux plongeurs que quelques récifs dégradés. Naturellement, on pense à la pêche à la dynamite et aux traces indélébiles qu'elle sème derrière elle. Mais il semblerait que le vent soit aussi à l'origine de ces dégradations (par les transports sableux dont il est la cause). Toutefois, Koh Adang a encore beaucoup à offrir avec son relief montagneux (points de vue plongeants sur les îles voisines de l'archipel), ses épaisses forêts vierges et ses cascades, où les pirates du coin venaient se ravitailler *(Pirats Waterfall).* Également quelques villages de pêcheurs *chao lay* (la plupart ont toutefois émigré vers Koh Lipe). Réservé aux voyageurs déterminés et avides d'horizons sauvages.

Enfin, si vous n'y faites qu'un rapide passage, l'excursion jusqu'au sommet vaut le détour : vue magnifique sur les îles environnantes, notamment Koh Lipe entourée d'un halo d'eau turquoise.

Informations utiles

– ***Accès :*** voir « Comment y aller ? » au début du chapitre sur le parc maritime de Tarutao. On débarque au sud de l'île au niveau du quartier général (Laem Son). En outre, possibilité de passer de Koh Lipe à Koh Adang à tout moment (moins de 2 km les séparent) en *long-tail boat.* Pas cher.

– ***Hébergement et nourriture :*** se reporter à la partie sur Koh Tarutao, plus haut. Gestion et prix comparables.

KOH BULON LAE – เกาะบุโหล นเล

Située au sein du parc maritime de Mu Koh Phetra, à une quinzaine de kilomètres au nord de Tarutao, la petite île de Bulon-Lae vous offre la perspective de vacances paisibles dans un environnement enchanteur (sable fin, coraux et forêt luxuriante). Meilleur moment pour s'y rendre : de janvier à avril. Le reste de l'année, les liaisons maritimes sont beaucoup moins fréquentes.

Comment y aller ?

➢ Les ***liaisons maritimes*** vers Koh Bulon-Lae sont assurées, comme pour Tarutao, par *Andrew Tour* (☎ 074-781-159 ou portable ☎ 01-897-84-82) à partir de ***Pakbara***. De mi-novembre à mi-mai, départ quotidien à 14 h, retour à 9 h. Durée du voyage : 1 h 30 à 2 h.

Où dormir ? Où manger ?

Prix moyens (de 250 à 1 000 Bts – 5 à 20 US$)

■ |●| ***Pansand Resort*** – **พันแซน คีรีสอร์ท** ***:*** face au débarcadère. ☎ 075-218-035 ou 01-228-32-12 (portable). Fax : 075-211-010. Un village de bungalows très organisé, proposant une large gamme de prix, de la hutte en bambou au chalet familial tout confort (avec AC, douche et w.-c. intérieurs) en passant par le bungalow traditionnel (avec ventilo). Jardin bien entretenu avec accès direct à la plage. Terrasse face à la mer et cuisine savoureuse et variée (spécialités thaïes, chinoises et européennes). Possibilité de téléphoner vers l'étranger. Location de masques, tubas et palmes. Prestations de qualité. Indispensable de réserver pendant les fêtes locales.

■ |●| ***Bulon Resort*** – บุโหล นรีสอร์ท ***:*** à l'extrémité nord de Bulon Beach, après l'école. ☎ 01-990-79-01 (portable). Une autre formule similaire à *Pansand Resort*. Vous y perdrez un peu en confort au profit de l'authenticité et de la couleur locale. Pour la fraîcheur, préférer les bungalows dispersés dans la forêt de conifères. Également un bon petit resto, nettement meilleur marché que le précédent. Ambiance routarde et sympa (pléonasme !).

■ ***Panka Resort*** – ปันการีสอร์ท ***:*** plus loin vers l'ouest, après le dernier village de pêcheurs. ☎ 01-990-22-37 (portable). Quelques bungalows équipés de douches et w.-c. intérieurs sommaires, loués par les habitants traditionnels de l'île le long de Panka Yai Bay. Une saveur du bout du monde face à cette plage atypique mais ô combien belle ! Idéal pour partager la vie du village et mieux comprendre la culture *chao lay*.

Les plages

⛱ ***Bulon Beach*** – หาดบุโหล น ***:*** la plus grande et la plus belle, à l'ouest de Koh Bulon. Eau limpide, coraux et poissons multicolores, sable jaune crème. Magnifiques couchers de soleil.

Mango Bay – หาดมังโก **:** au sud de l'île, accès *via* les villages de pêcheurs près de Panka Noi Bay par un sentier sur la gauche. Pas plus de 15 mn de marche. Petite plage de sable fin bordée d'un village de pêcheurs fort accueillant. Comme précédemment, eau claire et coraux à faible distance de la côte. Essayer de convaincre les pêcheurs de vous emmener jusqu'à *Bat Cave*, la « grotte aux chauves-souris », un peu à l'ouest de la plage.

Panka Noi Bay et Panka Yai Bay – หาดปันกาน้อยแล ะหาดปันกาใหญ่ **:** au nord de l'île, coin à visiter pour ses villages *chao lay* (ne pas manquer la pause-fumerie en milieu d'après-midi, vous verrez ces costauds s'époumoner dans une pipe de bambou) et ses deux plages de granite, grès et latérite réunis. Végétation de mangrove, socle aux découpes originales. Attention toutefois à la chute, on en a personnellement fait les frais en voulant visiter *Nose Cave* (roche glissante et très tranchante par endroits)...

Où plonger ?

Autour de Koh Bulon : le long de la grande plage et de Mango Bay, bancs de coraux souples accessibles aux bons nageurs. Location de matériel au *Pansand Resort*.

White Rock : pour ceux qui souhaitent plonger parmi les récifs coralliens, une excursion en bateau s'impose vers White Rock au sud de Koh Bulon. Possibilité de passer par un des *resorts*, quoique la meilleure solution (et la moins onéreuse) consiste à aller directement au-devant des pêcheurs. Pas de prix fixe, ça dépend surtout de la pêche du matin.

SONGKHLA – สงขลา

Communauté vivant de pêche et de négoces à l'époque préhistorique, sous autorité malaisienne au XVIIe siècle, dont le nom viendrait d'un Chinois qui prétendit, en 1775, descendre de la célèbre famille des Na Songkhla.
À 30 km à l'est de Hat Yai, les deux villes sont comme deux sœurs et travaillent ensemble. Installée sur une presqu'île, Songkhla est une tranquille station balnéaire, où l'on trouve également un golf. Le charme désuet de ses vieilles maisons en bois et les tranches de vie des forçats de la mer sur les quais du port ne manqueront pas d'éveiller votre curiosité. Très fréquentée par les Asiatiques.
Songkhla est très étendue, il faut s'y déplacer en *tuk-tuk* ou en moto-taxi. Elle est construite entre la mer, à l'est (Samila Beach), et le Songkhla Lake, immense lagune à l'ouest. Enfin, sachez que les *guesthouses* et les hôtels sont moins chers qu'à Hat Yai (à qualité égale), plus calmes et ont souvent plus de charme.

Comment y aller ?

➢ **En bus, de Hat Yai :** le bus no 1871 part du terminal du marché *(plan A1, 2)*, devant la *Clock Tower* sur Phetkasem Rd. Il y en a toutes les 7 mn de 6 h à 19 h. Durée du trajet : 1 h, parfois moins.

➢ De Songkhla, ***pour retourner à Hat Yai***, prendre le bus sur Ramwithi Rd (face à Petkiri Rd), juste en dessous de la passerelle. Bus toutes les 20 mn de 9 h à 18 h. Dernier bus pour les retardataires vers 20 h.
– La voie ferrée de Hat Yai à Songkhla est désaffectée.

Où dormir ?

Vraiment pas cher (moins de 250 Bts – 5 US$)

🏠 ***Amsterdam Guesthouse*** – อัมส เตอร์ดัมเกสท์เฮ้าส์ : 15/3 Rong Muang Rd (juste derrière le *Songkhla National Museum*). ☎ 074-314-890. Paula, la charmante propriétaire hollandaise, a ouvert une poignée de chambres croquignolettes, avec de gros ventilos. Douche (eau froide) et w.-c. communs. Entre les plantes vertes, les oiseaux et le mobilier en bambou, l'ambiance est vraiment rétro. Prix doux. Bon petit resto. Paula pourra vous tuyauter sur les centres d'intérêt de la ville.

🏠 ***Yoma Guesthouse*** – โยมาเกส ท์เฮ้าส์ : Rong Muang Rd (également derrière le *Songkhla National Museum*). ☎ 074-441-425. Dans cette belle maison ancienne (tout en bois) au charme suranné, vous serez forcément séduit par les chambres coquettes et impeccablement tenues, avec ventilo, douches et w.-c. communs. Accueil prévenant. Excellente atmosphère.

Bon marché (autour de 400 Bts – 8 US$)

🏠 ***Sooksoomboon 2 Hotel*** – โรงแรมสุขสมบูรณ : 14-18 Saiburi Rd. ☎ 074-323-809. Fax : 074-323-406. Cet hôtel comporte deux parties. Une demeure moderne, avec des chambres toutes neuves à la déco agréable, très bien équipées (AC, salle d'eau avec eau chaude) et d'un bon rapport qualité-prix. Accueil souriant. À côté, une maison ancienne, avec des chambres très simples (douche froide et w.-c.), genre cellules, et dont la propreté est douteuse.

Plus chic (de 1 000 à 2 000 Bts – 20 à 40 US$)

🏠 ***Pavilion Songkhla Hotel*** – โรงแรมพาวิเลียนสงขล : 17 Platha Rd. ☎ 074-441-850. Fax : 074-323-716. • www.pavilionhotel.co.th • En centre-ville et à quelques encablures de la plage. Oubliez la façade un brin austère et franchissez le porche d'entrée *Chinese style* vraiment original, pour vous retrouver dans un hall de palace avec corridor et grand escalier. Belles chambres douillettes et très bien équipées (TV, AC, minibar...). Ambiance feutrée. Accueil attentionné et stylé.

Où manger ?

🍴 On peut trouver de bons ***restos***, notamment des ***seafood***, sur la route qui longe Samila Beach. De petites ***échoppes ambulantes*** vendent aussi de croustillants *som tam*, beignets composés de plusieurs petites crevettes non décortiquées (c'est excellent, et les têtes passent très bien !).

LE SUD

À voir

Le marché de nuit – ตลาดกลางคืน : à l'extrémité de Vichianchom Rd. Animation et petits restos avec spécialités musulmanes.

Samila Beach – หาดสมิหลา : immense plage, assez fréquentée pendant le week-end. La bande de sable est belle et large, mais suivant les courants et les endroits, la mer peut être assez trouble. À l'extrémité nord de la plage, la statue d'une sirène en bronze, lissant ses cheveux, perchée sur un rocher, est vénérée par les gens du coin.

Songkhla National Museum – พิพิธภัณฑสถานแห่งชาติสงขลา : Vichianchom Rd. ☎ 074-311-728. Ouvert tous les jours (sauf lundi, mardi et jours fériés) de 9 h à 16 h. Entrée : 30 Bts (0,6 US$). Le musée est installé dans une curieuse maison blanche de style chinois, avec un double escalier, de larges balcons et de beaux jardins intérieurs (un peu style patio). Elle date de 1878 et servit de résidence au gouverneur de la province. Plusieurs salles où sont présentées de belles sculptures de pierre ou de bronze, principalement des bouddhas, dont il n'est pas toujours aisé de reconnaître le style : de Sukhothai, Dvâravatî, Ayutthaya, Lopburi... (essayez donc, sans regarder !). Plusieurs meubles chinois, des vestiges archéologiques et des objets de vie courante complètent l'expo.

➤ DANS LES ENVIRONS DE SONGKHLA

Khao Noi – เขาน้อย : petite colline qui domine le cap de Songkhla. Belle vue sur le site de la ville.

Son on Cape – แหลมสนอ่อน : c'est la pointe qui sépare la mer de la lagune, au nord-ouest de la ville. Y aller à pied par la plage. Très beau paysage.

Visite à *l'île de Koyo* – ไปชมเกาะยอ : prenez le bateau à 10 h devant la poste de Songkhla. Pas cher. C'est l'omnibus local. Promenade de 2 h entre les îles pour ceux qui n'ont rien d'autre à faire. Arrivée vers midi à Koyo. On peut aussi y aller par voie terrestre, car l'île est reliée à Songkhla par un pont. Petite île montagneuse, cocotiers, jungle, immense verger. Un métier à tisser dans pratiquement chaque maison. On peut reprendre le bateau vers 15 h à l'autre bout de l'île.

NOS NOUVEAUTÉS

MONTPELLIER (mars 2004)

Force est de reconnaître une chose : en doublant sa population en quatre décennies, en quadruplant le nombre d'étudiants en vingt ans, Montpellier démontre son incroyable pouvoir d'attraction ! Le soleil n'explique pas tout ! Montpellier se révèle avant tout une grande ville avec une qualité de vie exceptionnelle. Outre un vieux centre de charme, la plus grande (et plus séduisante) zone piétonne de France, la ville se targue d'afficher des ambitions architecturales d'une audace sans pareil : rien moins que de s'étendre jusqu'à la mer. Même les ennemis les plus farouches du Polygone, d'Antigone et du nouvel opéra finissent par reconnaître que c'est une réussite quasi totale. Pas de divorce avec la vieille ville. Même le superbe tramway bleu glisse sans heurt le long de la Comédie, la place emblématique de la ville. Vous nous avez compris, amoureux des vénérables hôtels particuliers des XVIIe et XVIIIe siècles et chantres de l'urbanisme moderne le plus avancé se retrouvent de fait, au coude à coude, dans une même frénétique passion pour la ville. Sans compter, à deux pas, de vieux quartiers populaires multiethniques et bien vivants. Une ville jeune donc, du dynamisme à revendre, un patrimoine historique hors pair, du soleil dans le ciel, dans les yeux, dans l'accent et dans les assiettes. À 3 h 30 de TGV seulement de Paris, ne cherchez plus les raisons de tous ceux qui rêvent de Montpellier. Alphonse Allais lui-même n'aurait jamais osé rêver d'une ville qui fût tout à la fois à la campagne et à la mer...

NICE (avril 2004)

Plages de galets gris, palmiers ébouriffés de la Promenade des Anglais, casinos et palaces : voilà pour Nice version « carte postale ». Mais *Nissa*, la belle Méditerranéenne, ne se livre vraiment qu'à ceux qui sauront trouver le chemin de son cœur ; le chemin de cette vieille ville où le vaste cours Saleya vibre toujours au rythme des marchandes des quatre-saisons, où un labyrinthe de ruelles tortueuses conduit directement en Italie, où de la gueule des fours ouverts sur la rue sortent d'avenantes parts de *socca*, l'un des plats symboles d'une cuisine qui n'appartient qu'à Nice.
Une vieille ville où boutiques et bars branchés témoignent qu'il n'y a pas que des retraités à Nice ! Il faut aussi pousser la porte des musées passionnants pour constater que, de Matisse à Yves Klein, l'art du XXe siècle s'est largement inventé ici. Et grimper sur les collines boisées de Cimiez où d'invraisemblables villas ont été oubliées par de richissimes touristes du XIXe siècle.

NOS NOUVEAUTÉS

PIÉMONT (février 2004)

Trop souvent traversée par les touristes fonçant vers le sud de l'Italie, ou évoquée au hasard d'une discussion à propos de ses usines FIAT, cette région tend les bras dès le passage de la frontière. Elle mérite d'ailleurs qu'on s'y arrête...
De jolies cimes enneigées, idéales pour les sports de glisse et abritant des villages anciens tout de pierre et de bois, de petites églises romanes perchées sur les collines ensoleillées. Et de magnifiques lacs... Voilà à quoi ressemble le Piémont !
Sans oublier les *antipasti*, le *fritto misto*, la *bagna cauda*, le tout arrosé d'un délicieux *barolo*. Une cuisine typique qui ravira les gourmands.
L'amateur de curiosités culturelles trouvera son bonheur à Turin. Capitale du royaume de Savoie, et qui recèle bien des secrets. D'ailleurs, c'est là qu'en 2006 se dérouleront les prochains JO d'hiver.
Même si Capri n'est pas fini, le Piémont reste une formidable destination.

PETITS RESTOS DES GRANDS CHEFS (mars 2004)

Douce France, qui nous permet de découvrir toutes ces petites tables, poussées à l'ombre des grandes. Des tables sympathiques, sans prétention, et dont le chef est allé à bonne école : chez les plus grands, ceux qui ont su faire évoluer la cuisine de notre temps. Ou bien encore de jeunes chefs, qui ont déjà la tête dans les étoiles, mais qui gardent les pieds sur terre. Ces nouveaux talents qui éclatent un peu partout, et qui remettent à l'honneur des produits oubliés devenant, sous la patte du chef, des plats mémorables.
On aime autant l'établissement repris par un jeune couple que le 2e ou 3e resto d'un grand chef, qui place là ses éléments les plus méritants. À condition, bien sûr, que les prix sachent rester raisonnables.
On ajoute, à chaque fois, un hôtel croquignolet pour dormir dans de beaux draps. Et, pour la première fois, on se met à la photo !

INDEX GÉNÉRAL

– A –

– K –

– L –

– O-P –

– R –

– S –

- W -

OÙ TROUVER LES CARTES ET LES PLANS ?

les **Routards** *parlent aux* **Routards**

Faites-nous part de vos expériences, de vos découvertes, de vos tuyaux pour que d'autres routards ne tombent pas dans les mêmes erreurs. Indiquez-nous les renseignements périmés. Aidez-nous à remettre l'ouvrage à jour. Faites profiter les autres de vos adresses nouvelles, combines géniales... On adresse un exemplaire gratuit de la prochaine édition à ceux qui nous envoient les lettres les meilleures, pour la qualité et la pertinence des informations. Quelques conseils cependant :

– Envoyez-nous votre courrier le plus tôt possible afin que l'on puisse insérer vos tuyaux sur la prochaine édition.
– N'oubliez pas de préciser sur votre lettre l'ouvrage que vous désirez recevoir.
– Vérifiez que vos remarques concernent l'édition en cours et notez les pages du guide concernées par vos observations.
– Quand vous indiquez des hôtels ou des restaurants, pensez à signaler leur adresse précise et, pour les grandes villes, les moyens de transport pour y aller. Si vous le pouvez, joignez la carte de visite de l'hôtel ou du resto décrit.
– À la demande de nos lecteurs, nous indiquons désormais les prix. Merci de les rajouter.
– N'écrivez si possible que d'un côté de la lettre (et non recto verso).
– Bien sûr, on s'arrache moins les yeux sur les lettres dactylographiées ou correctement écrites !

Le Guide du routard : 5, rue de l'Arrivée,
92190 Meudon

E-mail : guide@routard.com
Internet : www.routard.com

Routard Assistance *2004*

Vous, les voyageurs indépendants, vous êtes déjà des milliers entièrement satisfaits de Routard Assistance, l'Assurance Voyage Intégrale sans franchise que nous avons négociée avec les meilleures compagnies, Assistance complète avec rapatriement médical illimité. Dépenses de santé, frais d'hôpital, pris en charge directement sans franchise jusqu'à 300 000 € + caution + défense pénale + responsabilité civile + tous risques bagages et photos. Assurance personnelle accidents : 75 000 €. Très complet ! Le tarif à la semaine vous donne une grande souplesse. Chacun des *Guides du routard* pour l'étranger comprend, dans les dernières pages, un tableau des garanties et un bulletin d'inscription. Si votre départ est très proche, vous pouvez vous assurer par fax : 01-42-80-41-57, mais vous devez, dans ce cas, indiquer le numéro de votre carte bancaire. Pour en savoir plus : ☎ 01-44-63-51-00 ; ou, encore mieux, • www.routard.com •

Photocomposé par Euronumérique
Imprimé en France par Aubin n° 65740
Dépôt légal n° 37360-9/2003
Collection n° 13 - Édition n° 01
24.3959-4
I.S.B.N. 201243959-4